NO DIRECTION HOME

THE LIFE & MUSIC OF

BOB DYLAN

ノー・ディレクション・ホーム　ボブ・ディランの日々と音楽

Robert Shelton
ロバート・シェルトン

エリザベス・トムソン　パトリック・ハンフリーズ［編］

樋口武志　田元明日菜　川野太郎［訳］

ポプラ社

NO DIRECTION HOME
THE LIFE & MUSIC OF
BOB DYLAN

ノー・ディィレクション・ホーム

ボブ・ディランの日々と音楽

NO DIRECTION HOME

THE LIFE & MUSIC OF BOB DYLAN

Japanese translation rights arranged with
PALAZZO EDITIONS LIMITED
through Japan UNI Agency, Inc.

BEACHLEY - AUST - FERRY
AUST FERRY
TICKET OFFICE
540 CYN

日本語版の刊行にあたって

本書は、*Robert Shelton, No Direction Home: The Life & Music of Bob Dylan.* の全訳である。著者のロバート・シェルトン（一九二六－一九九五）は、一九五〇年代の初めから『ニューヨーク・タイムズ』紙に勤め、六九年まで同紙で評論家として舞台や音楽のレヴューを執筆してきた。ミネソタからニューヨークへやってきてまだ日の浅い若かりしディランがグリーンブライアー・ボーイズの前座で演奏するのを見て、いち早く『タイムズ』に採り上げて絶賛したのが、このロバート・シェルトンだった。

一九六二年三月のレコードデビュー前から、世界的スターとなりツアーで各地を飛び回るようになる一九六六年にかけて、シェルトンはディランの姿を評論家として、そして友人として、間近で眺めてきた。六六年にバイク事故を起こして隠遁生活に入るディランと歩みを合わせるかのように、この前後の時期に彼と交流が減っていたシェルトンは本書の執筆を決意し、六十年代末からはイギリスにわたって調査を継続する。

そして*No Direction Home*が出版されたのは一九八六年。執筆に取り組み始めてから二十年近く経ってのことだった。「英語版編者による序文」には、資金面や長さの問題から、出版までに様々な困難があった様子が記されている。二〇一一年には、シェルトンが『タイムズ』でディランを採り上げてから五十年、そしてボブ・ディランの七十歳を記念して、一九八六年版では削除されていた二万字分を復活させて編集し直した新版が出版された。今回の日本語版は、二〇一一年版の原著を底本とし、さらに年表や作品情報などの巻末資料を二〇一六年分までアップデートしたものである。

対象となっている期間はディランの幼少期から、ワールドツアーを行い『ストリート・リーガル』を発売する一九七八年辺りまでだが、時系列に進む全十三章のうち、一九六六年のバイク事故が取り上げられるのは第十一章のことで、つまり本書のおよそ三分の二かそれ以上は、六十年代前半の出来事が描かれる。本書がこれだけの分量を持つ作品となっているのは、著者がディランの音楽、歌詞、ディランという人間が持つ魅力、あるいは謎に深く引かれていたからだけでなく、彼らが生きた六十年代前半という時代の空気を丸ごと描き出そうと試みたからだろう。本書には六十年代の政情や文化的事象への言及があふれている。主に幼少期のパートで随所に挿入されるディランの両親エイブとビーティー・ジママンの言葉、そしてツアーの移動中の飛行機のなかで行われたディランへのインタヴューなどからは、ディランとシェルトンの親しさや、シェルトンに対する当時のディランの信頼が窺える。ディランとの口約束を律儀に守り、本文内で対象時期に発売されたディランのアルバムほぼ全曲のレヴューを行ってもいる。

もちろん、膨大な情報量ゆえに、たとえばライブの日付など細かな部分での齟齬を指摘されてもいるが、本書の読書体験を通じて、ディランの人生、歌詞の世界、そして彼が生きた時代がどれほど濃密なものであったかがよく分かるはずだ。終章で「ポートレートというものを決して終えることはできない、ただ断念されるだけだ」という言葉を引用しているシェルトンはまだまだ書き足りないと感じていたのだろうが、ディランという人間と彼が生きた時代を垣間見せてくれる本作を通して、ボブ・ディランの音楽と、二十年をかけたシェルトンの仕事に、深い敬意を抱くようになった。

訳者を代表して　樋口武志

ノー・ディレクション・ホーム　ボブ・ディランの日々と音楽　〈目次〉

装丁　長坂勇司

『ノー・ディレクション・ホーム』のいま

『ニューヨーク・タイムズ』の評論家ロバート・シェルトンがポピュラー音楽の流れを変えるのに一役買ったレヴューを書いてから五十年以上が、そして *No Direction Home: The Life & Music of Bob Dylan* の初版が発行されてから三十年が経った。本が出た一九八六年の当時も、シェルトンはまだディランが「並はずれた詩人」であり「歴史的に極めて重要なアーティスト」であると論証するために戦っていた。シェルトンは、こう主張していた。ディランは「話し言葉と歌を再婚させた新種の詩人である」。

これを書いている今は、シェルトンの死から丸二一年が過ぎたところだ。彼が生きて、「偉大なアメリカの歌の伝統に新たな詩的表現を生み出した」ディランがノーベル文学賞の栄誉を受けるのを目撃できたらどれほどよかっただろう。きっと自分の正しさが証明されたと感じたのではないだろうか。一九六三年、多くの名曲が詰まった『フリーホイーリン』の年、シェルトンはディランに「アメリカの若き歌う桂冠詩人」の称号を与えたかどで冷笑されていた。

ストックホルムのセレモニーでアジタ・ラジ駐スウェーデン米国大使に代読された、ディランの静かな威厳ある受賞スピーチを、シェルトンは誇りに思い、心動かされたに違いない。「『わたしの書いた曲は文学だろうか?』と自らに問いかけることは一度もありませんでした。ですからスウェーデン・アカデミーには本当に感謝したい、まさにその問いを考える時間をとってくれたこと、そして最終的に、このような素晴らしい答えを示してくれたことに」

ディランがノーベル賞の栄誉に輝いたことに愕然とした懐疑派たちは、一九六二年から一九六六年までにレコーディングされたアルバム群と『血の轍』（一九七五年）を――しっかりと――聴くべきである。そこには私たちの文化のＤＮＡの一部になった数々の曲がある。シェイクスピアのように共通語となったフレーズを聴くべきだ。ボブ・ディランは私たちの悲しみと怒りをはっきりと言い表し、詩を本棚から取り出してジュークボックスに搭載した。彼の曲は私たちの時代を最も効果的に奏でてきた。それらは同時代性を持ちながらも、時代を超えたものだ。

シェルトンは、幅広いディランの名曲のなかからお気に入りを選ぶのにいつも苦労していたが、「自由の鐘」（一九六四年）は間違いなくそこに入るだろう。それは「彼の最も卓越した歌・詩である……言葉の色彩と暗喩、そして包み込むような人間性が際立っている」。シェルトンはこの曲が、ディランの最もポリティカルな曲であると同時に最良のラヴ・ソングでもあると信じていた。

日没から真夜中のこわれた鐘までの長いあいだ
ぼくたちは扉の奥に身を隠す、雷がとどろく
荘厳な稲妻のベルがその音で闇を襲う
自由の鐘が閃いたようだ

閃いた　戦うためではない力をもつ戦士たちに
閃いた　非武装のロード・オブ・フライト（ルート66）に立つ避難者たちに
そして夜行するすべての敗北した兵士たちに
ぼくたちは自由の鐘の閃きをじっとながめた

ロバート・シェルトンはやっと仕事を終えることができる。スウェーデン・アカデミーによるノーベル文学賞の授与は、ボブ・ディランが「ただの歌って踊る男（ソング・アンド・ダンス・マン）」ではなかったということの、正式で、最終的な承認なのだから。

エリザベス・トムソン
ロンドン、二〇一六年一二月一五日

一九五〇年代の『ニューヨーク・タイムズ』の植字工たちの部屋にいるロバート・シェルトン。

英語版編者による序文

本書が初めて出版されたのは一九八六年九月、ロバート・シェルトンが『ニューヨーク・タイムズ』に記した「フォーク・ミュージック界の輝かしい新人」についての有名なレヴュー(1)から二五年目のことだった。この二〇一一年の新版は記事掲載から五十周年、記事の題材となった人物の生誕七十周年を飾るものである。

シェルトンの四〇〇ワードの、四列にまたがるコラムの見出しは「ボブ・ディラン　異色のフォーク・ソング・スタイリスト」の到来を告げ、その「才能であふれんばかり」の若者が歩んできた道よりも、これから向かっていく道に目を向けるべきだと述べた。その先見の明は驚くべきものだった。なぜなら当時のディランの才能は、まったくもって粗削りで、三社のレコード会社も彼の潜在的な才能を見抜けなかったからだ。四社目となるコロンビア・レコードは、『タイムズ』紙にレヴューが掲載された翌日、彼の歌を聞くより先に契約をオファーした。

スージー・ロトロは、数年後にこう振り返った。「ロバート・シェルトンのレヴューは、間違いなく、ディランのキャリアを作り上げた……そのレヴューは異例のものだった。シェルトンは、誰に対してもあんなレヴューを書いたことはなかったから」(2)。自伝『グリニッチヴィレッジの青春』でロトロは、彼女とディランがシェリダン・スクエアの売店で『タイムズ』の早版を買い、それを持って通りを歩き、終夜営業のデリカテッセンへと向かったことを書いている。「それから私たちは引き返して、さらに何部か購入した」(3)

しかし、シェルトンは決して自分がディランを「見いだした」などとは言いふらさず(「彼が自分で自分を見いだしたのだ」)、この大著が出版されてから、多くの友人や同僚たちは初めてこの物静かなアメリカ人が単なる地元の批評家以上の存在だということを知った（当時のシェルトンは、今では信じがたいことだが、イギリス南部の港町のローカル新聞『ブライトン・イヴニング・アーガス』の美術欄編集者だった）。一九九五年十二月十一日、フリーランサーとしてのラストスパートを駆け抜けてこの世を去ったときも、『バーミンガム・ポスト』紙の映画評論家となっていた彼が創設した地域映画脚本家組合の新たな友人たちが同じく驚かされた。マイケル・グレーは『ガーディアン』紙の死亡記事にこう書いている。シェルトンは「人生の最終段階においてもニューヨークの全盛期と同じくらい類いまれな能力を発揮していた。社交的で、友好的で、聞き上手で、優れた自身の経歴もまったくひけらかさず、心から芸術に身を捧げていた」(4)

社交的で、友好的で、聞き上手。最後の「聞き上手」という素質は、いかなるプロの音楽批評家にも必須のものだが、初めの二つも、一九六〇年代のニューヨークにおける自由なる芸術地区グリニッチ・ヴィレッジのナイトクラブやコーヒーハウスで急成長する才能を探り当て、アメリカ全土の注目を集める存在にしようと試みていたシェルトンにとっては同じくらい重要であった。ジュディ・コリンズは、シェルトンが友人としても批評家としても「音楽や社会意識の世界でまたとない素晴らしい事態が起きていることを察知する知性と感性と能力」があり、それを「簡潔かつ独自の明瞭さ」(5)を持って書き表していたと振り返る。ジャニス・イアンは、駆け出しの頃にシェルトンのおかげで作曲家であり指揮者であるレナード・バーンスタインの目にとまることができたと感謝の意を示している。「ボブ・シェルトンは音楽批評の素晴らしさを体現していた――文体的にも、倫理的にも、道徳的にも。情熱的に音楽に耳を傾けて流行を予見し、私たち多くのアーティストのためにリスクを冒してくれた」(6)

ロバート・シェルトン・シャピロは、一九二六年六月二八日、シカゴの化学研究者と主婦のあいだに生まれた。一九四三年六月に高校を卒業し、「マイノリティであることがすぐに分かってしまうことに利点はない」という思いを共にする両親の許可のもと、「シャピロ」の名を放棄した。ほどなく、彼はアメリカ陸軍に入り、連合国による解放後のフランスに送られる。そこで生涯続く、とりわけフランス文化の、そしてヨーロッパ全般への情熱に目覚めた。戦争が終わりシカゴでの市民生活に戻った彼は、ノースウエスタン大学のジャーナリズムスクールを修了し、理学士を取得した。

一九五一年の二月には、『ニューヨーク・タイムズ』の雑用係として働きながら、読者としての目を養い、その傍らでニュース記事を書いていた。彼の新聞記事の切り抜きファイルからは、選挙権、地域のニュース、教育、ワシントンのナショナル・シアターで人種隔離が終わったことに関する小記事を手がけていたことが分かる。やがて彼は様々な雑誌に寄稿するようになった。ニュージャージー州で大学主導で行われた農業実験の記事を『コリアーズ』誌に、音の聞き方に関する記事を『モダンHi－Fi』誌に、そして一九五九年には、その夏開催されたニューポート・フォーク・フェスティヴァルに関する長文のレポートを『ネーション』誌に寄稿した。

一九五六年三月十八日、『ニューヨーク・タイムズ』に初めて掲載されたと思われるシェルトンの署名入り記事は、Hi－Fiに関する専門用語についてで、レコードやレコーディング全般について書いた一連の記事の第一弾だった。一九五八年一月以降は、南部の囚人たちが歌うフォーク・ソング、アイルランドやユダヤやアフリカの音楽、ブルーグラス(A)とフラメンコ、ロシア国立モイセーエフ・バレエ団の巡回公演、ジョン・ロマックス、オスカー・ブランド(「市民の吟遊詩人(トルバドゥール)」)、フォーク・ミュージックにおける伝統対芸術、「ヒットチャート」にランクインするフォーク・ミュージック、といった様々なテーマで定期的に記事を書くようになった。一九六〇年十一月十七日、シェルトンはこのように書いている。「フォーク・ミュージックは、薄汚いグリニッチ・ヴィレッジのコーヒーハウスから、優雅な雰囲気が手まねきするウォルドルフ＝アストリア・ホテルにいたるまで、ニューヨークのナイトライフに、他にはないスタイルの大きなカントリーブーツの足跡を残している」。こうして一九六〇年には、さらに多くのライヴ公演のレヴュー――タウン・ホールでのセオドア・ビケルとオデッタ、ヴィレッジ・ゲートでのライトニン・ホプキンス、Yでのジョーン・バエズ、そして一九六一年四月には、ガーディスでのジョン・リー・フッカー――を書くようになったが、それも不思議なことではない。こうした際にシェルトンは、前座についてはレヴューを書かないことで有名だったが、ボブ・ディランは六月の月曜フーテナニーで彼の耳をとらえ、七月には、ニューヨークでの初コンサートとなるリヴァーサイド教会のフォーク・マラソンへの出演が『タイムズ』で言及されることとなった。

レヴューという枠を超えて、シェルトンは音楽と日常生活のつながりについて書いていた。初期の記事は公民権運動のさなかで「フリーダム・ソング」が果たす役割を観察するものだったし、フォーク・ソングを通して歴史をいかに伝え得るかを考えるものもあった。『タイムズ』での記事は四〇八にのぼり、最後の記事となった一九六九年三月二四日には、メトロポリタン・オペラの「骨太の新作」であるオペラ「トスカ」について記した。彼が書いた膨大な数のクラシック音楽レヴューのひとつである。

皮肉にも、シェルトンが音楽批評家になったのはマッカーシー上院議員(B)のおかげでもある。一九五六年一月、シェルトンは新聞業界における共産主義思想の浸透を調査する上院の委員会に召喚された。実は違う人物と勘違いされていた(イーストランド・コミッティと呼ばれていたその委員会は、ワシントンを拠点に活動するウィラード・シェルトンという名のジャーナリストを追っていた)のだが、いずれにせよ、ロバート・シェルトンは証言を拒否し、調査委員会がメディアの自由を侵害し『タイムズ』への中傷活動を行っていると反論した。そして証言の代わりに声明文を読み上げた。「私のことを知っている人間は誰一人として、アメリカ政府に対する私の忠誠心を疑ったりはしないでしょう。私は忠実なアメリカ人ですので、当然ながら、自らの政治的な信条や交友関係について疑われることを、憲法修正第一条のもと、私への権利侵害として異議を唱えます」。左派の『タイムズ』は弱気な姿勢を見せ、表現の自由を追求するとしながらも、共産主義者と思われる人物の排除に動いていた——そしてシェルトンをニュース欄の担当からエンターテインメントや特集記事担当に変えた。二度有罪判決を受けたシェルトンは、アメリカ自由人権協会の支援を得て訴訟を起こした。一九六三年九月になってようやく、控訴審において二対一の評決で有罪無効が支持された。そして最終的に、最高裁では五対二で有罪判決が覆った(7)。

その頃までに、知っての通り『『ニューヨーク・タイムズ』のロバート・シェルトン』は独自の道を築いており、ジョン・ペアレスが同紙の死亡記事で書いたように「一九六〇年代のフォーク・ブームの火付け役であり記録者」となっていた(8)。彼ほど大きな貢献を果たした批評家は数少ない。ディラン、そして前述のコリンズとイアン、他にも数えきれないほどのミュージシャンたちが、彼に恩義を感じている。そうした面々のなかには彼が一九五九年のニューポート・フォーク・フェスティヴァルでレヴューを書いたジョーン・バエズ、そしてフィル・オクス、バフィー・セントメリー、ピーター・ポール＆マリー、トム・パクストン、ジャニス・ジョプリン、ホセ・フェリシアーノ、フランク・ザッパなどがいる。

デイヴ・レインは「ロバート・シェルトンのフォーク・リヴァイヴァル・ジャーナリズム」を追いかけるなかで、ニューヨークがリヴァイヴァルの中心地であり、「ニューヨークのフォーク・シーンはグリニッチ・ヴィレッジ地区に集中し、そのときどきのミュージシャン、ジャーナリスト、ナイトクラブのオーナー、ビジネスの興行主たちが日々顔を合わせていた。シェルトンは一九六〇年代の初め頃までにコミュニティの一員としての地位を確立していたが、それは何より一九六〇年の『ヴィレッジ・ヴォイス』の記事でフォーク・ミュージックを熱心に擁護したことが大きい」と書いている(9)。そのコミュニティ内の熱心な読者は、彼が記事を書いた当のミュージシャンたちも含め友人（あるいは友人になった人びと）が多かったが、それはひとえに、クラブ「ガーディス」とバー「ホワイトホース・タヴァーン」の中間にあたるウェイヴァリープレイス一九一のシェルトン家の付近に彼らが暮らし、仕事をしていたからだった。しかし、シェルトンは彼らやフォーク・ミュージックファンに向けてではなく、ヴィレッジから遠く離れた場所に暮らす一般読者やレコードの購入者に向けて記事を書いていた（『タイムズ』は当時アメリカの全国紙のようなもので、そのコンテンツの多くが多数の新聞に同時配信されていた）。そうして初めて「カリフォルニアからニューヨーク州の島々にいたるまで」の読者たちが、シェルトンに導かれて、ハロルド・C・ショーンバーグ(C)によって多くの人がカーネギー・ホールへと集まったように、タバコの煙が充満するコーヒーハウスへと足を運んだ。

シェルトンとディランが伝記制作の最終合意にいたった具体的な日付は分かっていない。一九六五年の大晦日、彼らはマンハッタンのアップタウンにある「クリック」で食事をしながら、伝記の企画について語り合った。その当時シェルトンは、それなりに大きな規模のプロジェクトを多く手がけていて、そのなかにはウディ・ガスリーの文章を集めた『ボーン・トゥ・ウィン』や、写真家デイビット・ガーとともに制作した『ザ・フェイス・オブ・フォーク・ミュージック』や、『ザ・カントリーミュージック・ストーリー』などがあり、それに加えて様々な歌集に長い論評を書き、スティシー・ウィリアムズというペンネームで数々のアルバムのライナーノーツを提供していた。収録する曲を自ら選出したエレクトラ・レコードの『フォーク・ボックス』でもライナーノーツを書いている。そして一九六六年三月、伝記に取りかかり始める頃には、シェルトンはすでにボブ・ディランとフォーク・ムーヴメントの両方に関する膨大な調査や執筆を行ってきており、ミュージシャンたちのことを誰よりよく知っていた。当初からシェルトンは、金目当てで粗悪な文章を書き殴るのではなく、本格的な研究を目的としていたが、当事者たちはそれが実るまでに二十年もかかるとは想像もしていなかっただろう。シェルトンは一時期ヴァイキング・プレスと出版計画を進めていたが、ダブルデイ社と契約を結び、その後すぐにニューヨークを発ってヨーロッパに行き、アイルランドで過ごしてからイギリスへと向かって、そこに滞在した。

一九八七年のインタヴューで(10)、彼は、自分に必要なものは「お金と理解ある出版社」だと要約していた。前払い印税は決して少なくなかったが「十分ではなかった」――しかもシェルトンは金銭のやりくりが上手ではなかった。いずれにせよ、取材費はかなりの額となり、本人も認めるように過度なまでの調査

カリフォルニア大学バークレー校の学生誌『ザ・カリフォルニア・ペリカン』の「召集令状をいかに免れるか」を読むディラン。一九六二年のこの時期までに、彼は戦争に抗議する学生運動のマーチングソングを提供していた。

を行っていて、それはインターネット以前の時代には多くの費用がかかることだった。彼はディランだけでなく、ディランの生活や仕事に関わる社会的、政治的、文化的なあらゆる事柄を調べ上げた。それらをすべてひとつにまとめあげる必要があった。七十年代初めに執筆を始めたとき、彼の頭にあったのは（ある批評家はそう言うであろう）「魅惑的な社会史」であり、「アメリカの音楽シーンとディランの位置づけ」についての研究だった。しかし、それはあまりにも長い道のりで、膨大な『サミュエル・ジョンソン伝』を書いたボズウェルのようには上手くいかず、七十年代半ばに再び全力疾走を始めたディランに、ボズウェルたるシェルトンはついていけなかった。一九七六年、シェルトンは一九六六年のバイク事故の時点までたどり着く。第一巻目の結末としては、ぴったりだと思った。彼はこれを全二巻の伝記にしたいと考えるようになっていたわけだが、その提案は聞き入れられなかった。

家賃の支払いのためにフリーランスとして働きながら執筆を続け、一九七七年が終わる頃には、シェルトンの描くディランは七四年のツアーを開始しようとしていた。しかし、一九七八年のディランのワールドツアーが成功し風向きも良くなったかと思えたが、新しい章と昔の章の改訂版を送っても、出版社は完全に沈黙していた。シェルトン自身の評価は、卓越した記事の数々やディランの好評を博したロンドンコンサート中のインタヴューによってさらに高まっていた。一九七九年二月、シェルトンはダブルデイに、多くの材料は集めたが「一文字たりとも続きは書いてない」と手紙を送っている(11)。彼は追加の資金がなければ「この現状、この苦しみに終わりはない」と考えていた。それから一年が経ち、シェルトンのもとに「あまりにも手抜きの編集原稿」(12)が送られてきたとき、彼はダブルデイがこの本を好ましく思っておらず、理解もしていないことを確信した。彼はアルバート・ゴールドマンによるエルヴィス・プレスリーの暴露本に対する人びとの激しい抗議の声を例にとって、「編集され切り刻まれた私の原稿よりも長い」と述べ、ダブルデイは「私に、ボブ・ディランやジョニー・キャッシュやその他多くの登場人物のプライバシーを侵害させようとした」として、「常に容赦ないプレッシャーをかけて、営利目的のために、本に登場する多くの友人を裏切るよう仕向けた」ことを非難した(13)。

一九八三年までに、シェルトンはダブルデイを離れ、ロンドンのニュー・イングリッシュ・ライブラリーと契約を交わした。それでも、苦しい経済状況と法的な圧力は続き、新しい編集者たちはシェルトンが深夜に書く辛辣な手紙を定期的に受け取った。アメリカでの出版権をモローに転売したシェルトンは、ようやく原稿が理解ある出版社のもとに渡ったと感じていたが、ニューヨークの編集者から電報を受け取ったときに、それは確信に変わった。そこには「あなたがこの本に対して行ってきた壮大な仕事に圧倒されました。祝福と感謝を」と書いてあった。数日後に届いた詳細なコメント入りの原稿は、この二十年の歩みが「すべて正しかった」ことを証明していた[14]。

シェルトンは、「頂いた多くの提案、アイデア、疑問をすべて受けとめます」と返事をした一方で、あの有名な飛行機のなかでのインタヴューのとき「ディランの飛行機は本当に八マイルの高さ（エイト・マイルズ・ハイ）を飛んでいたのか」という事実を確かめようとした要領を得ない原稿整理係に対しては辛辣な返事を返した。最新の情報までを含めてほしいという出版社の要求にシェルトンは応じざるを得ず、長さに関する議論がさらに深刻化した。全二巻というのは問題外で、本の前半章で大幅にカットされた部分もあったことが分かっている。その後、和解が成立し、シェルトンはなるべく多くの文章を残す代わりに、受け取る報酬を減らすことに合意した[15]。最終章の引用は彼の苦悩を表している。「ポートレートというものを決して終えることはできない、ただ断念されるだけだ」。亡くなる日まで、シェルトンは、自分の本を「明日に架ける橋（ブリッジ・オーヴァー・トラブルド・ウォーター）」にかけて「荒れた海で縮められたもの（アブリッジド・オーヴァー・トラブルド・ウォーター）」と見なしていた。

ようやく本書の初版が刊行され、シェルトンはイギリスとアメリカでブックツアーを行った。『ハーツ・オブ・ファイヤー』の撮影中にロンドンで会ったとき、ディランもこのツアーを喜んでいたようだ。その後、海外版が出版された。ヨーロッパの読者たち、とりわけイタリアやフランスの読者たちはこの本の真価を理解し、フランスでは『ル・モンド』紙の第一面に掲載された。

シェルトンが人生を費やしてきた仕事は万雷の拍手で迎えられたが、その期待値の高さを考えれば、驚くまでもなく、拍手を渋る人びともいた。本の出版から数年以内に、ディランの人気にも陰りが見え始め、批評家やライバルの伝記作家たちは、この本と著者の中傷に乗り出した——あの『ニューヨーク・タイムズ』のレヴュー抜きには、ディランのキャリアはスタートを切れなかったかもしれないという事実を無視して。シェルトンは目撃者として数々の重要な場面に居合わせたというのに。六三年のニューポート・フォーク・フェスティヴァル、一九六四年のハロウィンの日の有名なフィルハーモニック・ホールでのコンサート。ディランがエレキ・ギターに転向した六五年のニューポート・フォーク・フェスティヴァル。ザ・ホークスとともに行った一九六六年の重要なツアー。一九六八年のウディ・ガスリー追悼コンサート、そして一九六九年のワイト島での音楽祭出演。そうした期間中、シェルトンとディランは多くの時間を共に過ごし、たいていは二人でぶらついて、ときには互いのガールフレンドたち、ディランの場合はロトロやバエズらとも一緒に過ごした。ディランが公の前から姿を消していた一九七一年にも、ニューヨークで彼らは何時間もおしゃべりに興じ、一九七八年のツアーのときも夜更けまで語り合った。

グリニッチ・ヴィレッジでの非常に貴重な数年のあいだずっと、シェルトンはディランの「仲間」の一員だった。ディランの友人はシェルトンの友人でもあった。ロトロは自伝で、シェルトンのアパートメントで締めくくられた数々の晩や、ホワイトホース・タヴァーンで始まった長い夜の終わりに、シェルトンの部屋のソファで眠るディランを振り返っている。このように、シェルトンはディランの最も近しい人びとと独自の接点を持っていた。そのなかには弟のデイヴィッドや、他のジャーナリストたちが深い話をしたことがない両親のエイブとビーティーとの接点もあった。一九六六年七月、ニュースでディランのバイク事故が報じられたとき、エイブ・ジママンが情報提供を求めた相手はシェルトンだった。彼はまた、ヒビング出身のディランの子供時代の友人、エコ・ヘルストロム、「北国の少女」のモデルともされるボニー・ビーチャー、そしてミネアポリス時代の同級生や友人たちとも話をしていた。

そしてもちろん、彼はディランと最も近しいミュージシャンたち、バエズ、ピーター・ヤーロウ、ジャック・エリオット、ピート・シーガー、ディランのマネージャーのアルバート・グロスマンとも語り合い、ディランのプロデューサーとなる可能性もあったフィル・スペクターには、アイク&ティナ・ターナーのアルバム『リバー・ディープ・マウンテン・ハイ』の収録中にインタヴューを行った。こうした証人たちの多くはもういない。

ディランの両親はもちろんのことだが、ジョン・ハモンド、ジョニー・キャッシュ、マリー・トラヴァース、アレン・ギンズバーグ、デイヴ・ヴァン・ロンク、リチャード・ファリーナ、フィル・オクスもこの世を去ってしまった。だが彼らの言葉は、ロバート・シェルトンの根気強い仕事のおかげで生き続ける。

このように親しい人びとのそばにいながらも、シェルトンがジャーナリストとしての客観性を失うことはなく、ヨーロッパに移住したのは、ニクソン政権下で見たアメリカの醜悪さから逃げるためであったと同時に、書く対象である人びとから距離を置くためでもあった。ディランのことを摑みどころのない人物だと漏らし、問いへの答えは与えられないままだと語る人びとに、シェルトンはこう言うだろう。「答えはすべてそこにある。暗号を解読する方法さえ分かればね」。質問を突きつけても無視されるだけだ。シェルトンは破産の心配は常にあったが、どれほど多くのお金を積まれても、「友人の思い出を切り売り」するようなことはなかった。

初めから、シェルトンはディランをピカソやチャップリンやウェルズやブランドと並んでその作品が議論されるような、二十世紀文化の重要人物に位置づけようと心に決めていた。彼が知的な議論を大げさに書いているのも事実だが、たとえ曲の分析が過剰で、文学的表現に凝り過ぎているとしても、ポピュラー音楽全般やとりわけディランが学術的な研究対象となる何年も前から、シェルトンが自説を展開していたことを私たちは覚えておくべきだ。時代は、実際に変わった――そしてシェルトンと彼の本は、その変化の一助となった。

確かに、シェルトンは気難しくなることもあり、永久にしまっておくべきであったような手紙を送ってしまうこともあった。しかし――多くの場合――彼の気難しさには正当な理由があった。自分の信念に反することはしなかったのである。残念ながら、彼は一九六〇年代およびその時代の音楽に対する関心の復活や、その時代を形作った詩人兼シンガーソングライターの回帰を生きて見ることができなかった。彼が指摘したように、ディランは「一九六六年、あるいはそれ以降に死んでいても不思議ではなかったが、今でもポピュラーミュージックの容貌を変え、新陳代謝させ続けている」(16)。シェルトンはまた、自らの研究が再評価され、その後に書かれたディランの伝記作家たちが彼の研究を参考にしたり、ときには勝手に拝借しているさまも生きて見ることができなかった。本格的な音楽ジャーナリズムの父とも言える男によって書かれ、このジャンルにおける古典的傑作と見なされつつある本書は、文化史家のローレンス・J・エプスタインが言うように、「まとまりはないが魅力的で、素晴らしい逸話に満ちている……そのままの形で真に迫る貴重なポートレートであり、つまりそのままの形で素晴らしい本である」

この新版は、編集も構成も改善されており、約二万字の真に迫る逸話と詳細が、一九七七年のシェルトンの原稿をもとにして復活している。第一章、四章、十章には特に大きな追加がなされ、それぞれの章は重要な場面――ヒビング、グリニッチ・ヴィレッジ、あの有名な一九六六年のリンカーンからデンヴァーへの道中でのインタヴュー――を扱っている。「プレリュード」も以前の版には掲載されていない。すでに古くなってしまった箇所――ブートレッグや、いわゆる「新たなディランたち(ニュー・ディランズ)」についての箇所――は削除した。そしてまた、未完成で、十分とは言えないアップデート部分もある。この本は一九七八年、成功を収めたロンドンでのコンサートの舞台裏の場面で終わっている。

「心に強烈に迫ってくるものを見つけて、それを書くんだ」、ディランはシェルトンにそうアドヴァイスを送った。一九六五年十月の「ギャスライト」でのある晩、人生を一変させた『ニューヨーク・タイムズ』のレヴューから四年後のことだった。そのアドヴァイスは、この批評家の心に深く刻まれた。数週間もしないうちに、彼は自らのテーマを見つけた。

エリザベス・トムソン、パトリック・ハンフリーズ

ステージ裏のロバート・シェルトンとボブ・ディラン。ニューポート・フォーク・フェスティヴァル、一九六四年。

【原注】

（1）一九六一年九月二九日金曜日。

（2）Robbie Woliver, *Bringing It All Back Home*, p 80.

（3）Suze Rotolo, *A Freewheelin' Time*, p 149.

（4）ガーディアン、一九九五年十二月十三日。

（5）一九九六年四月二六日、英『タイムズ』に掲載されたロンドンでのシェルトン追悼式典へ贈ったコリンズの献辞。

（6）英『タイムズ』にファックスで送られた追悼式典への献辞。『Society's Child』（p62-3）も参照。

（7）一九六一年頃に姉のルース・カディッシュとレオナ・シャピロへ宛てた手紙のなかでシェルトンは、「あなたの法的状況が経済的な支援を必要としているのか尋ねるため」というピート・シーガーからの手紙の文を引用している。この訴訟はエドワード・アルウッド著『Dark Days in the Newsroom』で詳しく述べられている。

（8）ニューヨーク・タイムズ、一九九五年十二月十五日。

（9）「テイストを生み出し、流行を捉える：ロバート・シェルトンのフォークリヴァイヴァル・ジャーナリズム」（*Popular Music History* 1.3 (2006), p 307-328.）。レインは、シェルトン、カール・ダラス、ロビン・デンセロウとともに『The Electric Muse』の共著者である。十分な解説がされた三枚のCDが付いた『Washington Square memoir: The Great Urban Folk Boom 1950-1970』（ライノレコード）は、シェルトンの時代の歴史を見事に伝えている。

（10）一九八七年十一月の『ワーズ・インターナショナル』より。一九九六年の春には『テレグラフ』に再掲載された。

（11）一九七九年二月十二日、シェルトンが『ダブルデイ』の編集長ベティ・プラッシュカーに宛てた手紙より。

（12）一九八一年十一月十七日、シェルトンが『ダブルデイ』の弁護士へザー・キルパトリックに宛てた手紙より。

（13）同上。

（14）一九八四年十一月二一日、モロー社の編集ディレクター、ジェームス・ランディスがシェルトンに宛てた手紙より。

（15）一九八三年十月、シェルトンは二つの選択肢を与えられた。附録を含め原稿の文字数を十八万字までにカットするか、前払い金から三万五〇〇〇ドルを減額し、さらに印税を減額することで、二三万字まで確保するかというものであった。彼は後者を選択し、この決断をランディスは一九八四年十二月五日の手紙のなかで「信念のある行動だ」と述べている。長くなった本は販売価格も高くなり、売上に影響を及ぼすと考えられた。それゆえ出版社は譲歩しようとしなかったのだ。

（16）『The Dylan Companion』p 291-5。このなかでシェルトンは五年にわたる出版に関する出来事を振り返っている。

【訳注】

（A）スコットランドやアイルランドからのアメリカ入植者たちが伝承した音楽。

（B）ジョゼフ・R・マッカーシーはウィスコンシン州選出の上院議員。一九五〇年から五四年にかけての「マッカーシズム」の名の由来であり、共産主義者に対する過激かつ狂信的な攻撃で知られる。

（C）ハロルド・C・ショーンバーグはアメリカの音楽評論家。『ニューヨーク・タイムズ』で活躍し、音楽評論家として初のピューリッツァー賞を受賞した。カーネギー・ホールでの公演のレヴューを書いていた。

Prelude

時代は変わった

見ているものが真実か幻想かも分からずに、
不確かな可能性という何もない場所にたゆたっていることほど、
知的に不快なことはあるだろうか？

——カール・ユング　英語版『易経』への序文（1）

きみの思い出すべてを大切にね……
だってもう一度生き直すことはできないんだから

——ディラン（2）

真実は曖昧で、あまりにも深遠で純粋すぎた。
それと共に生きたりすれば、
爆発せざるを得なくなる

——ディラン（3）

西洋文学における詩人は、彼自身が一部オルペウスなのである。
神話の建築者であり、野蛮を支配する魔術師であり、
死に向かう巡礼者なのである。

——ジョージ・スタイナー　「沈黙と詩」（A）

誰かが空にのぼる星をつかもうと手を伸ばさなくちゃならなかった、
それはぼくの義務だったんじゃないかな

——ディラン（4）

NO DIRECTION HOME

「ぼく自身が言葉だ」一九六四年、
ウッドストックにて作業中のディラン。

これは、何度も生まれては再生し、幾度もの「死」を経験しながらも生き続ける詩人でありミュージシャンの物語だ。これは、自らのヒロイズムを否定した大衆のヒーローの物語であり、自らの文化に雄弁に立ち向かうことで対抗文化（カウンターカルチャー）を作り上げた反逆者、そして自らが創造に寄与した文化の暴走に背を向けた男の物語だ。本書は、変化についての、揺るぎない伝統への対抗についての、そして変化という伝統についての年代記である。本書は、神話の創造主・担い手・破壊者の真実を伝える試みだ。神話が大衆の夢であり、夢が個人の神話であるとするならば、この物語は、ひとりの歌う詩人がいかにして大衆の夢を見て、ある時代の夢と悪夢を神話化したかを伝える物語だ。

ボブ・ディランの歩みは皮肉と矛盾に満ち、七つの型の曖昧さで覆われ（B）、まばゆいステージライトで焦がされ、きわどいユーモアで照らされ、彼自身や私たちの抱える痛みで陰っている。ディランは多くの仮面を着け、数多くの顔を持ち、味方とも敵ともとれる星の数ほどの個性を生み出した。「ディランには多くの側面がある、彼は球体なんだ」とウッドストックに暮らす友人は語った。「彼には数多くの異なった人格が存在する」と語ったのはクリス・クリストファーソンだ。ディランは一九六四年に「私を私のままでいさせてくれ」と書いている。「人間たる私を、冷酷な私を、乱暴な私を、やさしい私を、ありとあらゆる私を」（5）。一九六六年、彼は「ぼくのいる場所はいつも孤独だ」と語ったが、十年後には、唯一孤独を感じられる場所はステージの上だけだ、と言った。

ディランの歩みは絶えざる内面の探求であり、衝突によって深く傷つき、醜い広告看板に囲まれ、穏やかな田舎という間奏曲によって救われながら、瓦礫が散乱する果てしない魂のハイウェイを、ときおり逃走を挟んで進み続けてきた。そうした逃走について、「霧がかかる時の廃墟の向こう……狂った悲しみのねじれた手から遥か遠くに」(6)と歌ったこともあった。他のあらゆるアーティストと同様に、彼も将来のヴィジョンを持っていた。「いつか、すべてがラプソディのように心地よくなるだろう／ぼくが傑作を描き上げたなら」(7)。

ボブ・ディランが初めて人前で歌を歌ったのは五歳のときで、詩を書き始めたのは十二歳のときだった。青年時代は死を間近に感じる時代の影に苦しみ、十九歳で生まれ変わり、二二歳のときには自らの墓碑銘を書き上げ、二四歳までに富と世界中のファンを手にした。そして、二五歳にして伝説のなかに姿を消し、その後、芸術的・精神的な復活を遂げた。「わたしたちは死んで生き返った／それから不思議な力で救済された」(8)。七年間ステージを離れたあと、彼はスポットライトのもとに戻ってきて、コンサート、映画、レコーディング活動に精力的に取り組んだ。多くの新たな聴衆にとっては、復活というより再誕だった。

ディランの曲は時代と響き合ってきた。「ライク・ア・ローリング・ストーン」「風に吹かれて」「愚かな風」「天国への扉」「ミスター・タンブリン・マン」「はげしい雨が降る」「イッツ・オールライト・マ」「見張塔からずっと」「ジョージ・ジャクソン」「ハリケーン」「イッツ・オール・オーヴァー・ナウ、ベイビー・ブルー」「ブルーにこんがらがって」「嵐からの隠れ場所」「自由の鐘」「エデンの門」「サブタレニアン・ホームシック・ブルース」、これらは有名な曲のほんの一部にすぎないが、数多くのディラン信奉者、ディラン研究家、ディラン愛好家、ディラン解説者、ファン、フリーク、フォロワーに愛され、研究されている。そのなかには二人のカーターという名の男がいた。そのうちひとりは「ハリケーン」と呼ばれ、かつて刑務所で生活しており、もうひとりのジミーという男は、ホワイトハウスで生活していた。囚人のカーターはディランのことを「死や死ぬことではなく、命や生きることを代弁する男だ」と語った。大統領候補として指名されたカーターは、ディランの言葉――「生まれるのに忙しくないやつは死ぬのに忙しい」(9)――にアメリカは耳を傾けるべきだと説いた。

ディランはショービジネスの世界にどっぷりと浸かりながらも、その魅惑的で、残酷で、見せかけだけの世界は彼にとって風景のほんの一部にすぎなかった。彼は、古典的なアメリカの民間伝承（フォークロア）や大衆（ポップ）や神話へと足を踏み入れていく（私の言う「神話」は「間違った信仰」という意味ではない。文化の夢、考え方、価値観を表す原型的なシンボルや物語のことである）。ディランはロバート・グレーヴスと出会ったか彼の作品を読んだかする遥か前から、詩人は理性的であると同時に神話的に考えなくてはならないという昔の詩人の訓戒に従っていた。

ディランをめぐる伝承では、かつては「善良な少年」だったが平和を乱す最大の反逆者だと語られることがある。そしてまた、十二歳でヘブライ語を学ぶ学生であり、オートバイで衝突するずっと前から事故を起こしがちなドライヴァーであり、見習いの家具家電セールスマンであり、雑誌のコラムニスト兼「編集者」であり、小説家であり歴史家であり、なりかけの脚本家、映画スター、画家、聖書の研究家、熱心な読書家、牧師、万人の息子、そして万人の父、多くの人びとにとっての夢のなかの恋人であり、多くの人びとにとっての「敵」だとも語られる。

記者たちが彼に何者なのかと尋ねても、皮肉な答えが返ってくるだけだった。「ただの空中曲芸師だ」と言うときもあれば、「ウサギ捕りであり、犬を飼いならす男」だとか「灰皿を曲げる男だ」と言うときもあった。記者たちはたびたびディランにあしらわれた。「髪の毛をそのようにするのは大変ではありませんか？」あるオーストラリアのニュース番組レポーターがそう尋ねた。「いや、これで二十年くらい眠っていればこうなる」。ディランはそのように受け流した。「ドラッグについてどう思いますか？」フランスの記者は尋ねた。「唯一良い効果のあるドラッグはブリジット・バルドーだけだね」。ディランは、苛立ちを見せるレポーターをなじった。「あんたたちの質問と同じくらい立派な回答をしようとしているだけだよ」

一九六四年の時点ですでに、彼は自身の意見を固定してしまう危険性を悟っていて、皮肉っぽくこう語った。「何も作りだすな、きっと間違って解釈されるし、作ったものは変えられない。生涯自分に付いてまわることになる」(10)。ディランは、いつも選択肢の自由を確保しておきたかったのだろう。一九六六年にはこう言っている。「ぼくは何も定義しない。美も、愛国心も。ぼくはどれもありのままに受け入れる、これまでのルールで決められたあるべき姿は関係なく」。一九七六年にはこう言った。「多くの人が規範としている価値観が理解できない……定義することや限定することに、ぼくは価値を見いだせない。定義することは破壊することだ。それに、この世に定義できるものなど何もない」。こうした二面性、反逆性、そして技巧的な言い回しが見られるにもかかわらず、ディランはことあるごとに明確に自身を定義したり再定義したりして、しかもその定義は常に変化するのだった。初めて会った一九六一年以降、彼は私がこれまでに出会ったどんなアーティストよりも的確に、時代の姿、行く末、道徳的秩序、感触を定義してきた。彼の芸術と人生は、自らの答えを模索する創造的な因習打破主義者であろうとし続ける軌跡そのものだ。一九六四年、『アナザー・サイド・オブ・ボブ・ディラン』のライナーノーツに、彼はこう書いている。

答えや真実など分からない
生きている人間には絶対に
ぼくは誰にも耳を貸さない
モラルを語ってくるやつに
モラルなんてどこにもない
だからぼくはたくさん夢を見る(11)

しかし一九六八年までに、聖書の要素を吹き込んだモラリスト的な『ジョン・ウェズリー・ハーディング』を制作していた彼は、「人は誰しもモラリストだ」と言わんばかりであった。変化するというディランの力は「役に立たない、無意味な知識」を生み出す硬直した教育システムへの無言の批判となっていた。反抗的に大学を中退したときに、彼は大学や博物館が「無生命な大敵」(C)であると感じていた。しかし、六十年代の価値観の変遷に伴い、彼は大学人や知識人たちのヒーローとなった。彼を「大衆の作家ナンバー1」(D)と呼ぶ者もいた。八十年代の初めには、独学の作家でありミュージシャンであるディランは、学問的な研究の対象にさえなった。プリンストン大学は彼に音楽名誉博士号を贈っている。長いあいだ「学校」を蔑視してきた男は、「路上の研究者」ではあったものの、勤勉な学生だった。

基本的には物静かだが、猛烈に雄弁でもある。世界中にメッセージを届けるが、自分の周囲の人間には直接上手く伝えられないことがよくある。光と闇が彼の個性を彩り、沈黙と言葉の弾丸や奔流が交互に現れた。次のような一行にも、彼の意志がよく見て取れる。「ぼくは金持ちの子供のように、何もできない」(12)。彼が「それが人生、人生それだけ」(13)という言葉で言わんとしているものは、おびただしい言葉のなかに溢れていた。

脅しを突きつけ、奴らは嘲りで虚勢を張っている
自殺をほのめかす発言は
愚か者の黄金の口から引きちぎられ
うつろなホルンが無意味な言葉の
警鐘を鳴らす
生まれるのに忙しくないやつは
死ぬのに忙しいのだと(14)

言葉を省略して曖昧に用いることにより、わずか数単語で哀れみ、恐怖、解放、切望、脆さ、自由、責任、監獄、罠、不正を表現した。彼はこの時代を象徴する作家だった。主な表現方法は歌詞だった。彼はたびたび並外れたひねりのあるブラックユーモアを交ぜて、権力や権威の傲慢さ、空想的な理想主義とその偽り、実存的自由、現代の黙示録、アイデンティティの模索、関与と無関心、愛とその様々な形態、そして私たちを鎖につなげてしまう間違った思い込みや、私たちを自由にし得る真実について書いた。現代という荒野への暗澹たる思いとは反対に、再生や充実という望みをかき集めることもできた。いつだって彼は、簡単には答えのでない問いを投げかけていた。答えや新たな問いへの、そして時代や自分自身への彼なりの探求を歌にすると、その歌が私たち各自の探求のガイドとなった。私たちはディランとともに大人になった、あるいはいつまでも若いままでいた。たびたび誤解され、彼は理解を求めた。「なぜ意味が分からないものをそんなに恐れる?」(15)。彼は恐怖についてよく分かっていた。「人が最も恐れるものは沈黙だってことは経験から学んだ」(16)。彼はランボーのように(「俺

は沈黙の支配者なのだ」(E)、沈黙を支配して英知を守る壁にする方法を心得ていた。

友人、記者、批評家、伝記作家として、私は幾度もその壁の向こう側に行くことができた。彼が扉を開く鍵を渡してくれることもあれば、私が自力で扉を見つけることもあった。彼が実際に心を開いてくれたときには本当に驚いた。かつて彼は私にこう言った。「それぞれに自分のやるべきことがある。人が何の理由もなく生まれてきては死ぬとは思えない」。彼は繰り返し、レッテルを貼られるのがどれほど嫌か語った。「ぼくは正直に言って、自分が何者であるか分からない。人びとはぼくのことをあれこれ言うが、そこにはすでに誤解が、壁が、相手とぼくのあいだにあるんだ」。彼は何年にもわたって私に多くを語ったが、もし彼の歌に本当に耳を傾けさえすれば、彼は出会ったことのない人びとにも多くを語りかけていることが分かるだろう。

皮肉を込めてではあるが、ディランは自分のエンターテイナーとしての役割を「歌って踊る男（ソング・アンド・ダンス・マン）」だと主張した。教師としての役割を担う気はなかったが、それでも彼は、私たちに愛と孤独、社会の欠陥と権力、錬金術と贖罪、そして生と死の境界線について教えてくれた。ディランのキャリアと作品は、メタファーであり、神話であり、トランプゲームであり、道端での遊びであり、パントマイムであり、そこではすべてが複数の層で進行している。ユングのように、彼は自分自身から湧き上がる創造力にしばしば驚かされていた。まるで自分は洞察が注がれるだけのただの器であるかのように。自らの成功について、彼はかつてこう言った。「ぼくがここにいるのは単に時間とチャンスにめぐまれたからだ。アメリカじゅうに無数のぼくがいる。そして彼らはみんな行き詰まっているのに、自分のいる場所から離れることができないんだ」

ほとんど誰の手を借りることもなく、ディランは埃のかぶった棚から詩を取り出し、それをジュークボックスに詰め込んだ。それでも、彼は「詩人」と言われることにたびたび不快感を示した。あるときは私に怒りをぶつけた。「誰かをそう呼ぶには、あまりに大層で、いまいましい言葉だ。『詩人』だってさ！　自分のことを詩人なんて呼んだりしない人こそが詩人だと思うね。周りがぼくを詩人と呼び始めたときだって、ちっともうれしくなかった」

「詩人」という肩書きを拒絶することで、彼はフォークの素晴らしい伝統や有名な詩に無頓着な人びとや、日常の言葉を拝借し再形成するという彼の芸術性が分からない人びとや、ジュークボックスから流れる文学を否定する人びとから自分を守っていた。彼は俗語を取り入れ始め、それを洗練された都会的表現に昇華させた。口語体の構文、語彙、リズムを用い、流行の曲の形式を基盤とし、詩人であることを否定しようと心に誓っていたため、文学的な存在として正当に認められることはなかった。ではなぜディランは並外れた詩人なのか？ 言うなれば、それは簡潔で記憶に残る形式と警句、いくつもの物事を同時に表現できる才能、独創的なメタファー、直喩やシンボルの使用、喚起的なイメージ、絶妙な韻や韻のような響きの活用、言葉の響きや彩り、聴き手を感動させ心を揺さぶる驚きに満ちた文脈やピッタリなフレーズのコンビネーション、詩の音楽的な歪みや揺らぎにある。多くの人びとにとって、ディランの芸術とは、曲を介してニュアンスを伝え、強調することを必要とする音と言葉の表現だ。しかし、一度理解すれば、彼の歌詞は紙の上で生き生きと輝き、心の耳に音楽が鳴り響くものであることが分かるはずだ。

文学的評価が高まるにつれて、ディランは現代の詩学に大きな影響を与えたロマンチックで預言的な詩人と見なされることに不快感を示さなくなっていった。評論家たちが彼をギターを持ったホイットマンだとかレコーディング契約を交わしたランボーだと見なすようになると、ディランはquatrain（カートレイン）（4行詩）とfreight-train（フレイト・トレイン）（貨物列車）の違いが分からないフリをやめた。「文学」という定義は、ディランの芸術もそこに含めるべく、新たに魅力的に拡張される必要があった。彼のステージ上や紙の上での言葉、小説『タランチュラ』、初期の「ジャーナリズム」、作家の有効な伝達手段としてのメディア戦術も「文学」に含まれた。メディアとの対立、有名なアンチ・インタヴューも、それ自体が文学的なパフォーマンスの形式のひとつだった。

ディランの才能の輝きの中心には技術を隠すという技術がある。彼は、ただ即興的で、直観的で、無意識に言葉を巧みに操る気取らない吟遊詩人という印象を与えていた。そうやって自らの作品に織り込まれた極めて自覚的な意匠を、過剰なまでの批判の嵐から守っていた。しかしながら、人の心をかき乱す才能は隠しきれず、ディランの作品を模倣して得をしていた仲間たちにさえ嫉妬を芽生えさせた。社会の悪や人間の弱さに対する彼の糾弾はあまりに的確だったため、聴き手は罪悪感を覚え、即座に反撃に出る者もいた。傲慢で、人をもてあそんで、欲の塊で、偏執的で、うぬぼれていると言われた。彼はよく、突然有名になってしまったし、仲間たちに対してあんなにひどいことを言わなければよかったと語っていた。自分の目的や意図が歪められ、何をしても敵が生まれるとも力説していた。たたき上げの成功者の大半と同じように、彼は少しばかり自らを加工しようと考えたこともあったのではないかと思う。しかし彼の歴史が必要としているのは「加工」ではなく、共感的な理解だろう。

このロマンチックで、怒りっぽく、情熱的で、喜びと狂気に満ちた男と、多くの人間は親しい関係を長く維持することができず、本人も正直に認めるように、彼は二面性を抱えている。しかし思いやりという点では複雑なところがなかった。彼はすべての人びとのなかに、社会の偽りや、欺瞞や、政府による操作や、メディアや音楽界の犠牲者という側面を見いだして思いやった。彼には啓示の声が、そして嵐のなか遠くで響く鐘の音が聞こえていた。

聞こえない者たち　見えない者たちのために響き　口をきけない者のために響く
夫のいない虐げられた母親　娼婦だと誤解された者たちのために響く
追われ　裏切られた不品行ならず者のために
そしてわたしたちは見つめた　自由の鐘の閃光を(17)

成熟するにつれて、彼の問答は単なる善と悪を超越するようになっていった。活動的な批評家から、観察者へと、伝道者へと変わっていった。人生というものは感受性があまりに豊かな人びとにとっては悲劇的で、物事を考えすぎてしまう人びとにとっては不条理な喜劇であることを知っている預言者や悪魔の道化師を演じることもあった。彼の作品は涙と笑いのあいだを行ったり来たりしていた。過剰なまでの生き方をすることも多かった。しかしその後は、穏やかな人物として調和と秩序を享受していた。だが、ブレイクの「過剰の道が知恵の宮殿に通ずる」(F)という言葉のように、やがて再び激しい感情をあらわにし、過剰な生き方をして、それらをすべて曲へと昇華していった。結局、彼の問答には問答がなかった。彼が最も深く認めていたことは、変化を続けることが持つ不変性だったように思う。「変化ほど不変のものはない」と彼は一九六四年に語っている。

「どんな芸術家も現実に耐えられない」とニーチェは書いた。ディランは自分自身の現実と、より大きな現実に立ち向かっていた。自身の現実のなかには、彼の劇的なヴィジョンにとっては平凡で刺激に欠けた現実もあり、そうした現実を彼は何度も変えていった。神話的な思考によって、たびたび神話的に生きるようになった。しかし、とても傷つきやすく繊細な作家は、凌駕し、勝利し、支配することを必要とする一方で、無名であるという幸福を何度も切望した。双子座の彼の相反する二つの個性は、互いに戦っていた。彼は誰も届かない遠い存在になることで、自分のなかにある核を守ろうとしていた。同時に彼は繰り返し、自分の魂を歌のなかであらわにした。「彼」または「彼女」、あるいは「彼ら」、「それ」、もしくはディランのなかに数多くいる人物の誰かについて書くときでさえ、彼が自分自身であることから遠く離れることはなく、様々な彼自身が内面で激しく議論しているのだと私たちは知っていた。私たちの頭のなかで、ディランは彼が生み出した様々なキャラクターになった。このくず拾い、恋人、「ボロ着をまとったナポレオン」[18]、武装した孤児、ならず者、ハートのジャック、漂流者、イシスの夫であり兄、おどけ者、泥棒とは何者なのだろうか？　ドクター・フィルス、ミス・ロンリー、ヘンリー夫人、地主様、アキレス、あわれな移民、ミスター・タンブリン・マンという仮面の奥に潜んでいるのは何者なのか？　そして女性の魂を宿した人物たち、ジョアンナ、マリー、ラモーナ、クイーン・ジェーン、モナ、ヴァレリーとは一体、何を表しているのだろうか？

ここにいるのはグレタ・ガルボやマーロン・ブランドと同様に、自らの経験、考え、感情を見知らぬ相手にさらけ出していながらも捉えどころのない男だった。彼はそこにいて——見ることも、触れることもできるが、どこにもおらず——幽霊のようで姿が分からなかった。大衆がディランの内側を知りたいとやかましく要求するほど、彼は自分をあらわにしなくなった。暗号を解いて、「ディラン語」の奥に隠されたものを明らかにできない限り、ヴェールで覆われた言葉は生真面目（スクエア）な人びとにとっては不明瞭で、「友人たち」に向けた密かなメッセージとなるのだった。彼は言葉を衝立（ついたて）のように使うことができた。タレーランが「人は自分の考えを隠すために演説をするのだ」と言ったように、ディランはポピュラーソングのなかで、自分の考えを明かすと同時に隠す新たなやり方を築いていった。このアメリカ孤高のアーティストは孤独な巨匠だ。ディランはハート・クレインやジョン・ベリーマンのような古い伝統を受け継いでいるだけではなく、これまで以上に多くの聴衆を獲得した新たな伝統の開拓者でもある。彼の感じる孤独は社会的なものでもあれば、ありのままの物事とあるべき姿のギャップに苦しみを抱く作家の孤独でもあった。

ディランの求心力、演劇性、個性と才能、吟遊詩人的なスタンス、消えることのない偉大なる人物のオーラ――こうした要素をもって、人びとは彼を神格化しようとしていた。ショービジネスの世界は、薄っぺらな人物さえもスターの座につかせることがある。その対極の場所で、古代から吟遊詩人は、神と共鳴できる秘めた力があると見なされてきた。ディランは大衆が授けようとしてくる大きな力を退けていたが、その力の誘惑は大きかった。聖人にせよ、悪人にせよ、彼は救世主の時計と悪魔のフォークを捨て、ただこう歌った。「指導者たちには従うな」(19)

「神秘的」や「カリスマ的」であることから逃れようとしたにもかかわらず、こうした言葉は彼のための言葉のようだった。ディランに強い引力を感じていた人びとは、彼の特別で不思議な力を上手く説明できないことがよくあった。「ただただとても色気がある」と言う人もいれば「神秘的な力がある」とか、「まるで自分の夢のなかから出てきたような人だ」と語る者もいた。人を引きつける才能、あるいは呪いによって、ディランはその時代の最も影響力あるアーティストのひとりとなった。ある日彼が曲をレコーディングすれば、次の日にはプラハやテル・アビブで歌われ、オックスフォードで議論され、アンティオキアで論争となり、ロサンゼルスで模倣され、ナッシュヴィルで複製された。もちろん、その影響力はポップミュージックの世界でも中心にあった。彼は時事を歌うトピカル・ソングやプロテスト・ソングを「尊敬に値する」ものにした。彼が「フォーク・ロック」やその他のスタイルを生み出すと音楽業界全体が追随した。彼の曲名や特徴から名前をつけたブロンド・オン・ブロンド、ジュダス・プリースト、スターリー・アイド・アンド・ラフィングといったグループが現れた。批評家、小説家、詩人の本のタイトルにも『なにかが起こった』『はげしい雨が降る』『生まれることに忙しい』『アウトロー・ブルース』『エデンの門』などディランの影響が見られた。

ディランは自らが抜きん出た存在であることにいつも複雑な感情を抱いている。「ぼくは自分が王だと言ったことはない。周りが言ったんだ。メディアが言ったのであって、ぼくは言ってない」。そう私に語ったときのディランは、王座から離れていることを楽しんでいた。しかし一九七〇年代半ばにステージへ戻り、優れた作品を立て続けに収録したことで、放棄を宣言していた王座へ戻ってくることとなった。王座の台に乗れば、誹謗中傷する人びとに足をすくわれるだろうことは分かっていた。数多くある表向きの顔の奥にいるディランは、批評家にとって絶好のターゲットだった。彼を意気消沈させ、風刺し、皮肉り、あざけるのはいとも簡単だった。ディランがなぜ「寓話」を作り上げたか理解しようとするのではなく、ただその寓話を否定する悪意あるゲームのようになっていた。批評家たちは「いつも優れた歌詞を書くわけではないのに、いつも偉大な詩人のような振る舞いをしている」と言って彼をからかった。初めの数年間、彼の声は、その素晴らしさを理解できない人びとを困惑させていた。心を打つ、声を絞り出すような歌い方は「結核患者」呼ばわりされ、罠に捕獲された動物のようだと揶揄された。「ちゃんと聞いてくれてないんだと思う」、かつてディランはこう言った。しかし特徴あるその声を愛する人びとは、その声が、苦悩、機知、怒りを込めるにはぴったりの媒体だと感じていた(期待に反して彼がゆっくりと囁くように歌うカントリー・クルーナーのような歌い方をしたとき、ファンたちは荒々しいガラガラの声に戻って欲しいと求めた)。

誤ったところや、過剰なところ、矛盾したところがあるかもしれないが、ディランが重要で画期的な創作をする芸術家であることは事実だ。ディランは、ほぼ間違いなく、ピカソが視覚芸術で、ストラヴィンスキーが芸術音楽で、チャップリンが映画で、ジョイスが小説で行ったようなことをポピュラーソングの世界で行った。ディランは、成長、探求、変化という芸術家の偉大な任務に応えてきた。ディランによるポピュラーソング詩の到達を味わえない人びとは、私の語るディランへの敬意を、伝記作家の近視眼的な見方、あるいは視野の狭い友人による誇張だと見なすかもしれない。しかし、そういう考え方こそ損失だ。

ディランを中傷する者のなかには、彼を称賛しているのはポップミュージックのグルーピーや黄色い声を上げるファンだと考える者もいた。そのなかにもディランマニアは当然いるが、彼の位置づけはもっと正当に評価されるべきである。彼を称賛する人びとのなかには、ただ単にスターに夢中の「子供たち」だけではなく、熟練した「教養のある」評論家たちもいた。一九六三年に、私はディランを「アメリカの若き歌う桂冠詩人」と呼んで冷笑を買った。しかしそれ以降、同意の声は段々と大きくなっていった。ジョン・クレロン・ホームズはこう述べている。「誰一人、今後の世代は、この素晴らしい才能を持った若い男が到達してきたものに耳を傾けること抜きに、この時代に生きるとはどういうことだったかは理解できないだろう」。チャールズ・ライクは『緑色革命』のなかで、ディランのことを「新たなる意識の真の預言者」と見なしている。ジョン・ピールは彼を「ポピュラー・ミュージックを成長させる唯一最大の原動力」と見なし、アレン・ギンズバーグは「宇宙時代の天才吟遊詩人」(20)とした。ディランが文学的な代弁者であるという認識は大いに高まっている。クリストファー・リックス教授はこう述べる。「我々を大いに楽しませてくれる偉大なエンターテイナーで、ディケンズやシェイクスピアのように、幅広い層の支持者がいる芸術家だ」。フランク・カーモードは、「他に匹敵する者はいない」として彼を「巨匠」だと見なした。ディランの作品は、ホイットマン、イェイツ、エリオット、カバラ、聖書と比較されてきた。

対照的に、ディランの才能には欠陥があり、未完成の音楽家で、間違いだらけのソングライターで、途方に暮れた代弁者／救世主で、ムラが多いパフォーマーだと言う者もいる。本書では一人の人間としてのディランだけでなく、並外れた歴史的重要性を持つアーティストとしてのディランも描きたい。彼がアメリカ人の理想と社会の構造を理解するための出発点となる人物であることを伝えたいと思っている。彼は新たなタイプのアーティストおよびエンターテイナーであり、新たな種類のスーパースターであり、話し言葉と詩を再婚させた新たな種族の詩人だ。自らが旅してきたいくつかの世界の強度、限界、弱点を分析した新たな文化的ヒーローかつアンチヒーローだ。独学で探求を続けた典型的なアメリカン・ドリーマーだ。都会で認められようと奮闘する古来からの「田舎から出てきた若い男」像の生まれ変わりだ。生まれながらの闘士で、自らの目に照らして不誠実、不公平、あるいは歪んで見えるものすべてに立ち向かう。影響力を持ち、変化を起こし、因習を打破することを夢見てきた私たち一人ひとりを少しずつ代表しながら、彼の歩みは六十年代を象徴するものとなった。そしてなおも、私たちは彼が数十年前に書いた曲の響きに魅了されている。ディランの「はげしい雨」は、今でも私たちの乾いた砂漠に降り続いている。

もてはやされたり、模倣されたり、大金を得たり、こき下ろされたりと、ディランはよく大衆やメディアから不当な扱いを受けてきた。過激派の労働運動活動家で歌手でもあるジョー・ヒルが処刑されてから五十年後、ディランは彼が億万長者になっていく道のりを歌った。「孤独な男は金を持ってなおも孤独だ」、ディランはかつてそう言った。どれほど人気があったとしても、アメリカのアーティストは、自分に必要な理解ある聴衆を得られず孤独に苦しまなければならないのだろうか？　ディランは波に逆らって進み続けながら、あらゆるハンデや批判に負けず、自分の声を届けていた。もちろん彼はジョー・ヒルよりも幸運だった。反逆によって絞首刑にされた一八世紀スコットランドのプロテスト・シンガーたちよりも幸運だった。一九七六年十一月に反体制的な曲を快く思わない東ドイツの共産主義者たちによって追放された詩人でバラッド歌手のヴォルフ・ビーアマンよりも、ディランは上手くやっていくことができた。ディランは「ビッグ・ブラザー」に反旗を翻して裁判にかけられたプラハのロックスターたちよりも成功した。そして、反体制の曲を作ったことで監獄や精神病院に送られたソ連の歌手で詩人で「反体制活動家」の人びとよりも幸運だった。しかし、これほどの富と名声を手に入れ、支援者や、擁護者や、臣下たちに囲まれながらも、ディランは自分の作品に値する評価や尊敬を得られないことがたびたびあった。私たちの多くにとって、一九六〇年以降の時代は「ディランの時代」として記憶に刻み込まれることだろう。それでも、ディランが何者で何を象徴しているかを、おそらく『風に吹かれて』を歌ったイカれたヒッピー」だということ以外に知らない人も数多くいる。

ディランに対する見解は様々だ――単なるソングライターでポップ・スターだと考えている人もいるが、多くの人びとにとって彼は「千の顔を持つヒーロー」だ。ディランが『タイム』誌の「マン・オブ・ザ・イヤー」に選ばれることを望んでいる者もいたし、『ローリングストーン』誌は「最も重要な人物」としてディランを採り上げた。ゆっくりと、渋々ではあるものの、研究者、政治家、メディアは変革の時代に残したディランの軌跡を認めるようになった。ディランはバイロンやフィッツジェラルドがそうだったように、彼の時代の精神を体現している。

　ディランが新たな可能性を吹き込めなかったポピュラー・ミュージックの形態は（ブルース、カントリー、トピカル、フォーク・ロック、バラッド、聖歌、ワルツにいたるまで）ほとんどない。多大な影響力だけでなく幅広い交友関係を持つ彼は、ザ・ビートルズ、ピーター・ポール&マリー、ジョーン・バエズ、ザ・バンド、ザ・バーズ、ジョニー・キャッシュ、そしてしばしば「ニュー・ディラン」と言及されることのあるシンガーソングライターたちと親しくなり彼らに影響を与えた。一箇所に留まったり、聴衆にこびて特定のスタイルに固定することはなく、方向を変えるたびに支持者を失い、別の支持者を獲得してきた。彼の一九六〇年代の作品は、前期、中期、後期の「期」に分けられるようだが、彼は新たな方向に進み続け、すぐにさらなる「期」を作り出すのだった。今も変化と成長を続け、変化に伴う波乱を巻き起こし続けている。

　彼のライフスタイルと死への考え方（デススタイル）は様々なところで模倣され、ここ二十年のあらゆる主要な若者文化の先駆者となっていった。多くの場合、その影響力は彼の手を遠く離れたところまで及んでいた。世界中で彼のブートレッグ・テープ（海賊版）やレコードが売り出されるという副次的なビジネスも生まれた。自滅したウェザーマン（G）は、組織の名前を彼の詩から取った。「予報士（ウェザーマン）なんかいなくても／風向きなんて自分で分かる」(21)。一九六八年、シカゴの民主党大会で、デモ隊は別のディランの歌詞を言い換えて、「世界中が見ている」と繰り返した。広告宣伝者、コピー・ライター、ニュース記事の記者、コラムニストたちは、「マイ・バック・ページ」「ブリンギング・イット・オール・バック・ホーム」「ヨハネスブルクのヴィジョン」といったように、彼の歌詞やタイトルを引用したりもじったりした。『ロンドン・タイムズ』紙は、「サブタレニアン・ホームシック・ブルース！」という見出しの不動産広告を掲載したこともある。

　どんなに崇拝される人物も、先立つ人を手本としている。ディランは多くの型やスタイル――映画からはディーンとブランド、音楽からはウディ・ガスリーや多くのバラッド作曲家、ブルース・マンなど――を融合し、見事に同化していた。私たちのイメージする彼は、大なり小なり神話的な人物と結びついている。彼はありふれたものから知識を生み出す錬金術師だ。形やスタイルを変え、見た目を変え、表現を変え、ある日にはオシリスとなり、次の日にはプロテウスとなった。ある瞬間にはタロットカードの魔術師で、次の瞬間には白塗りの顔のピエロになり「人生はパントマイムさ」と歌った。こうしたスタイルはどれも華麗で神秘的だった。自分が何をしているのか「説明」してしまうと、聴衆が補うべき暗黙の部分を侵害することになってしまうからだ。オスカー・ワイルドは『ドリアン・グレイの肖像』でこう書いていた。「どういう瞬間には沈黙を守ったらいいかをかれは心理学的に一分の狂いもなく心得ているのだ」(H)

ディランのリズム、律動、イメージは、私たちの日々の話し言葉から精製され、再び還元されていった。彼は私たちが見ないようにしてきたものに目を向けた。私たちはここで何かが起きているのにそれが何なのか分からないペリシテ人の原型としてミスター・ジョーンズを知っている。たとえ廃墟の街に閉じ込められているのではないかと不安になりながらも、続けることを続けよう。道には血の轍ができ、何も明かされないかもしれないが、それでも彼はどこかに抜け出す方法があるはずだと語りかけてくる。帰る家もないが、片足をハイウェイに、もう片方を墓場に置いて、私たちを覆う空のカゴから抜け出そうと試みる。絶望と希望が船長の塔であらそっている。すべてが終わってしまっても、死者を後ろに残して再び始めよう。今の私たちは、あのときよりもずっと若い。死と再誕、絶えず七人の人びとが死んでいるが、「どこか遠くで／新たな七人が生まれている」(22)。ディランは私たちの言葉の土壌に多大なる影響を与えてきたので、私たちはどこまでが彼の言葉で、どこからが私たち自身のものか忘れてしまう。

彼は「教えることが仕事」ではないと言っていたが、彼は私たちの「空洞の魂」(23)に入ってきて返答と説明を求めた。すべてはこうして始まった。グリニッチ・ヴィレッジにいたかつての仲間たちのなかから。アメリカ中部からやって来たボブが地下鉄に降り立った瞬間に。誰もが答えを探していたが、彼だけが最も核心的な問いを投げかけた。彼は問いそのものが答えになり得ることを分かっていた。私たちは――若者や、彼より年配の多くの人びとが――彼にヴィジョン、知恵、斬新なアイデアを求め、これまで挑戦したことがないことをして欲しいと願った。彼は「すばやくツバを吐く／コトバという武器で／曲につつんで」(24)。やがて私たちは、「ぼく自身が言葉だ」という彼の発言の意味を理解するようになった。自分の答えを見つけるんだ、そうすればその答えを大切にできる、と彼は私たちに、男性たちに、女性たちに、繰り返し語った。周りが望んでも、彼は導師を演じたりはしない。彼は十字架を背負うにはあまりに痩せっぽちで、マネージャーに背負わすにはあまりに用心深かった。

一九六一年以降、ディランは、なぞかけや逆説的な発言、警句やメタファーで語りかけてきた。流暢に語っているときでさえも、発言の内容をきちんとコントロールしていた。彼のはっきりとした長い沈黙を不思議に思うことも多かったが、意識を集中して見つめているときの彼は、その現場や会話を記憶しようとしていたのだった。初めは人を笑わせることを楽しんでいたが、その後は煙に巻くことを楽しむようになったようだ。そうした近しさと遠さが常に入り交じり、あるディランは私たちのすぐそばにいて、もうひとりのディランは外からそれぞれのドラマが展開されるのを傍観していた。初めのうち、彼は認められたくて仕方ないように見えた。「ぼくは飢えていて、そこはきみの天下だった」(25)、と彼はのちに書いている。何より人の心を打ったのは彼が決して妥協しないことだった。のちにミネアポリスの友人は当時のことをこう語った。「問題は誰に身を売り渡すかではなく、誰が喜んで買ってくれるかだった」。売ることに忙しくないやつは買うことに忙しかった――しかしディランは妥協せず自身の値段を下げたりはしなかった。

多くの場合、彼は混沌を受け入れ、その渦巻くエネルギーを利用して、アーティストとしての内なる感覚を再形成していった。目まぐるしい速さで移り変わる彼に、私たちは付いていくことができなかった。彼は私たちの一部でありながら、いつも距離を置き、いつも人を遠ざけ、自分自身さえも遠ざけているかのようだった。彼の活力をうらやみもしたが、私たちは長距離走者の孤独については知っていたし、その孤独をうらやましいとは思わなかった。

その後、一九六六年の夏の半ばから一九七三年の終わりにかけて、彼は走ることをやめた。それから三年間、コンサート、映画撮影、レコーディング活動に激しく打ち込んだ。そしてまた走るのをやめた。毎回、彼は他のすべてのランナーたちを遠く引き離した。最初の休止のときは、ずっとしたいと言い続けていたことをした――大きな家で、大家族で過ごし、執筆をした。二度目の休息のときには、混乱した家庭生活のなかで、次の行動について思案した。その休息は私に、彼の偉業を振り返り理解する機会を与えてくれた。ディランは、まるで私たち自身から分かれた一部分であるかのように私たちを苦しめ、私たちに取り憑いていた。活動していようが休止していようが、目の前にいようが離れていようが、ディランはその強烈な生き様で私を驚かせたし、それでも決して燃え尽きない彼に私はさらに驚いた。彼は葬儀屋を欺いていた。墓地に向かう途中で、彼は葬儀用の馬車から降り、ヒッチハイクをして家に戻ってきたのだ。詩人やスターの「定め」のように、彼は死に直面した。そして霊柩車から降り、死人であることよりも詩人であることを決意した作家だった。

どこから彼の話を始めればいいだろう？　鮮明な映像を見せるには映画のカメラが必要だ。シカゴから始まった七四年のツアーで、雷鳴のような大喝采を浴びたときから始めるべきか？　それともロンドンのアルバート・ホールやパリのオランピア劇場で一九六六年五月に行われたライヴにおいて、新たな音楽に対する聴衆の反感に反撃したときから？　二五万人の観客の前で歌った一九七八年のイギリスのブラックブッシュでの野外コンサート、あるいはずっと前の一九六一年のフォーク・シティで、黒いハックフィンのコーデュロイ帽子をかぶって登場し、力強い歌声で私たちを沸かせ、愉快なパフォーマンスを見せてくれたとき？　それともジャック・ケルアックの墓の近くに座っていた一九七六年、彼に新たな道を開いてくれたこの作家に対して即興で曲を捧げたときの話から始めようか？　いや、ターバンを巻いて全国テレビに出た一九七六年、抑圧されたような表情で抑圧を歌ったときか？　日曜の午後、故郷のヒビングで、みすぼらしいロックバンドとともに行ったジャム・セッションか？　ニューオーリンズの謝肉祭「マルディグラ」の熱狂のなか、なぜ黒人が白人のバーで飲めないのか教えて欲しいと訴えたときか？　観客を喜ばせた、あるいは驚かせた、ニューポート・フォーク・フェスティヴァルか？　西海岸の帰る場所ではない家のことを考えていたときか、ウッドストックの道端でギターをかき鳴らしていたときか？　多くの場面で人びとを魅了してきたアーティストの生涯はそれ自体が一つのパフォーマンスであるかのようだった。ひょっとしたら、カメラは最初に、一九六六年、大学の寮でみすぼらしい格好の学生たちが寝そべって『ブロンド・オン・ブロンド』をかけているところに焦点を合わせるべきかもしれない。あるいはその十年後、そうした学生たちが立派な中流階級の親となり、『欲望』を初めて聞いている場面だろうか？

　それとも、過ぎ去った大荒れの一九六〇年代と、その先に続く未開の一九七〇年代の中間点から始めようか？　私が彼と親しくなってから約十年後、彼はマンハッタンのウエストサイドにあるヘンリー・ハドソン・ホテルにいる私を訪ねてやってきた。一年半前のワイト島での音楽祭出演以来、彼とは会っていなかった。私はイギリスに住んでおり、彼の経歴の事実や、事実の裏に隠された真相を調査したりかき集めたりしていた。私は絶対的な真実を探し求めていたが、得られるのは良くても相対的な真実くらいだと分かっていた。私は彼の創造性の謎というドアを開きたいと思っていた。私は彼に「鍵を持っているのはきみだが、きみは錠を持っていない」と告げた。彼は自らの一番の解説者でないことが多い。彼は名曲を書き、荒れ狂う物語を自身の曲や詩やインタヴューや議論に散りばめて伝えた。私がそれらをつなぎ合わせようと試みた理由は、彼がどんな小説家の作り出した登場人物よりもはるかに個性的だと思ったからでもある。彼のことを知っていると思っている多くの人びとにインタヴューをした。だが、「彼のことを完全に理解している」と語る人はいないに等しく、たいてい彼らは部分的にしか知らないと言って、モザイクを構成する経験、私見、逸話のかけらを語るのだった。彼の両親や弟を含め、インタヴューをしたほぼ全員が、こちらと同じくらいの数の質問をしてきた。私は「バラのつぼみ」という言葉の意味を探る『市民ケーン』の記者になった気分だった。しかしそこにはたくさんの「バラのつぼみ」があるのだった。

　ホテルの廊下に現れたとき、彼はまたしても違って見えた――とても健康的で、顔色もよかった。髭を生やし、作業員のような重たいカントリーブーツ、コーデュロイのスラックスという格好で、レザージャケットからは田舎くさい肌着が見えていた。期待外れの結果になるのだろうか、それともかつてのように、ささいな冗談や、今にもドラマが起こりそうな予感や、ちょっとしたミステリーや、怒りを感じるような時間を過ごせるのだろうか？　伝記作家にとって書く対象はヒーローでもアンチヒーローでもない。しかしなぜ私がよく知っているはずのこの男はいつも私を引きつけるのか？　そもそも、このとき彼はステージを降りてしまっていた。なのにどうして私は幕が開くかのように興奮しているのだろうか？　今日の彼はどうだろう？　移り気なのか、得体が知れないのか、緊張しているのか、挑発的なのか？　今日は数ある変名――エルマー・ジョンソン、テダム・ポーターハウス、ボブ・ランディ、ロバート・ミルクウッド・トーマス、ビッグ・ジョーズ・バディ、ブラインド・ボーイ・グラント、キーフ・ランドリー、ジャッジ・マグニー――のうち、どれをまとって現れるだろうか？　プリンストン大学で博士号をもらったあとのボブ・ディラン博士だろうか？　「調子はどうだい？」と私が尋ねると、彼は温かい笑みで握手をしてこう言った。「そうだね、上手くやってると思うよ」

ボブは私の部屋に入ると、あらゆる細部をつぶさに観察し始めた。「この部屋の物は年季が入っているね」と言う彼は、まるで薄汚いホテルに来たことがないような口ぶりだった。壁のしっくいの一部がはがれていた。彼は、数年前に恋人同士がケンカして、ウィスキーの瓶か灰皿が投げられたのではないかと推察した。ボブが私を信頼してくれていることは顔を見れば分かった。私は彼の弟の発言を思い出した。「五十歳の男みたいだった。とても落ち着いていて、穏やかで威厳がある」。彼はその朝「新しい夜明け」を迎えたように思えた。

私たちは自分が暮らしていた場所での体験を語り合った。「ウッドストックは悪い冗談みたいな場所に変わってしまった。ツアーみたいに人が家に押し寄せてさ。土や芝や低木を持って帰ろうとしていたよ」。彼の「エデン」は、動物園になってしまったとハッキリ言った。では、なぜヴィレッジに戻ったのだろう？　「ヴィレッジで暮らさなくなったら、今よりもっと上手く話せるようになる。今は通過点なんだ。たくさんの道でいっぱい転んで、向かう先にたどり着くのさ。大事なのは進み続けることだ。もしくは、ときどき道の脇で休んでは、家を建てるんだ。これは誰もができる最高のことだ」。知名度の高さや名声から逃げる場所を求めたということなのだろうか？　「違う」とボブは答えた。「絶対にどんなものからも逃げたくないんだ」。話し声はとても穏やかで、そのテンポは彼の安らかな気分と調和していた。しかしすぐに彼は、またしても問題が起きていると語った。

ある自称「ディラン学研究家」は、手際よくゴミバケツをあさっては、「本当のディラン」の「手がかり」を探していた。「本当にあったことだ」、とボブはため息交じりに言った。「それも有名になった代償だね。ゴミバケツにネズミ捕りを仕掛けたり、ありったけの犬のフンを詰めたりしたけど、そいつはともかく、ゴミを漁り続けたんだ」。スーパースター全員が、有名だからといってそのような代償を払うわけではない。なぜ、彼は崇拝されたり激しい非難を受け続けているのか？「メディアがトラブルを作り出すんだ。ことを大げさにする。ぼくは、自分と同じように感じてきた人たちのためにやっているんだ。大衆に向けてやってきたわけじゃない。大衆なんて皆くだらないし、皆いんちきだ。ぼくはシェイ・スタジアムに向いているタイプのミュージシャンではないし、今までもずっとそうだった。巷に出回っているスローガンは、『ザ・ビートルズ、ディラン、ザ・ローリング・ストーンズが王だった』と言っているけど、ぼくはそんなこと言っていない。自分が王だとか、そのような者だと言ったことなんてない。全部宣伝担当がやったことなんだ。全部メディアがやったことなんだよ。ぼくが王という肩書きを否定しないのは、そもそもそんな肩書きを受け入れたことがないからだ」。当時の彼はこのような様子だった。その後、彼は市場に戻り、七四年のツアーを行う。もし彼がメディアを批判したいと思えば、容易くそうすることができたし、人びとは彼の言葉に耳を傾けただろう。

きみはポップミュージックに知性を刻み込んだというのに、まだそんなつまらないことを言われているのが悲しいと、私は彼に告げた。彼がポップミュージックを変えたのに、どうしてラジオの全米トップ四〇は粗悪な曲を流し続けていられるのだろうか？　ディランはこう答えた。「ポップミュージックの容貌を変えたからといって、新陳代謝がよくなるとは限らない。ぼくは代謝までよくできるわけではない。ぼくがしたことといえば、多くのドアを開けただけだ。でも、きみも知っての通り、その影響――ぼくの影響――があちこちに、カントリーミュージックにさえも見られる。今じゃほとんどあらゆる場所で耳にするポップミュージックのなかに、路上の音が聞こえるだろ。確かに影響してるんだよ」

今はそれほど会わなくなってしまった共通の友人たちについても話した。ボブはこうした昔の日々を懐かしみ、その後「ローリング・サンダー・レヴュー」ツアーを行って、すべてを家に帰そうと試みることになる。「まさしく素晴らしい日々だった。あれこそがムーヴメント、本当のムーヴメントだ。でもきっと最後のムーヴメントだ。なあ」、と彼は声を上げた。「これって曲のタイトルにピッタリじゃないか？」ボブは悲しげに続けた。「『夢は消えた』。感情も消えてしまった。過ぎ去ったものを摑もうとしてもムダだ。今の人たちがやろうとしていることと六十年代初期に起こっていたことに共通点はないと思っている。六十年代初めのヴィレッジは素晴らしかったし、ディンキータウンはもっと素晴らしかった。今は気がめいるものばかりだ。ヴィレッジは気のめいる場所だよ。ネオンと安っぽさ。今は何千年分もの経験が一年に圧縮されているような感じがするよ。今起こっていることに驚きはない。毎日、本やレコードやガラクタといったものがなだれこんでくるだろう？　信じられないね」

新左翼(ニュー・レフト)の活動に勇気づけられることはなかったのだろうか？「新左翼には、ポリシーも計画性も哲学もないんだ、本当に、結局のところね。本当の意味で新左翼ではないんだ。平和を呼びかけて行進する人たちは平和に関心はあるのかもしれないけど、だからと言ってそれだけじゃ新左翼にならない。既成左翼(オールド・レフト)とも違うし、これまでにあった団体とも違う。既成左翼には計画性とポリシーと背景というものがあった。既成左翼の活動には理由があった。つまるところ、若者文化なんてものはないし、新左翼なんてものもないし、音楽ビジネスにとっては単なるオモチャでしかなくて、オモチャ以外の何物でもないのさ」

冷笑的な言葉にも思えるが、彼の口調はそうではなかった。彼はその当時の状況を静かに判断していたのだった。私は最近何か読んだか尋ねた。ニューヨークにやって来た当時、目を見開いてすべてを吸収しようとしていた頃の彼だったら、答えそうもないような質問だった。一九六〇年代の後半、ウッドストックで読書台の上に大きな聖書を開いていたときでさえも、彼は本について話すのは尊大なことだと思っていた（一九七七年のはじめ、『タイムズ・リテラリー・サプリメント』紙はディランに、数ある文学的な本のなかで、今世紀最も過小評価されている本と過大評価されている本は何かと尋ねている。ディランはいたずらっぽく、どちらの質問にも『聖書』と答えた）。

ボブは私にこう言った。「何を読んでいるか言うのはとても責任が重いよ。だって多くの人がそれを宣伝したと考えるだろうからね。なかにはすぐに買いに行って同じものを読み始める人もいるだろうけど、そんなことはして欲しくない。『易経』に関心を持っていると言ったときに同じことが起きたんだ」。だが彼は結局折れて、アイザック・バシェヴィス・シンガーとハイム・ポトクの小説を読んでいると教えてくれた。「最近でいえば、マハリシやインドの神秘的なものなんかよりも、よく理解できたよ」。ボブは、プライベートでイスラエルに行こうとしていたが、またしても彼の手の及ばないところで公表されてしまった。「先週ハシド派の結婚式に参加してきた」と言った彼は私の反応を測っているのだと思った。「この街でユダヤ人に関することは、とても重い問題になるんだ」と彼は語った。

ボブは私がこの数年彼の古い友人たちに連絡を取り、包括的な伝記を完成させるための材料を集めていることを知っていた。私は彼が故郷ヒビングで仲良くしていた友人ジョン・バックレンにようやくたどり着いたことを話した。ボブは笑った。「一体どこで見つけたんだ?」。彼がウィスコンシン州でディスクジョッキーをやっていることを告げた。「ジョンはぼくの相棒で、親友だったんだ」。彼は最後にバックレンに会ったときのことを後悔していた。「すごく急いでたんだ。とんでもなく忙しくてね。同窓会のためにヒビングに戻ったときだった」。それは高校卒業十周年の記念パーティで高揚感に満ちていた。彼は続けた。「十五歳のとき自分にこう言い聞かせていた、『あいつらは今ぼくのことを見下しているけど、ぼくはいつの日か帰ってくるし、そのときにやつらは握手を求めて駆け寄ってくるだろう』ってね。本当だよ、自分にそう言っていたんだ。『ここに戻って来たときには、みんながぼくを尊敬しているんだ』って。そうなろうと決めてたんだ。それが一九六九年の夏に現実になった。ぼくはヒビングで座ったまま一時間、いや、それ以上の時間サインを書いていた。確かエコも来ていた。ヒビングには行ったことあるよね」ボブは続けた。「地面に醜い大きな穴が開いてただろう? 露天掘り鉱山だよ。あそこの人たちは、本当に、あれが美しいと思ってる。良い景色だって。今では土地全体を掘り起こそうとしている。ぼくは戻ったときに、ヒビングを見て回ることはなかった。同窓会に行っただけだ。どのような景色だったか思い出すまでもない。決して忘れることはないから」。彼は無表情だったが、身震いしているようにも見えた。私は彼の本『タランチュラ』を思い出した。そこで彼は、中部アメリカの荒廃した空虚な場所から逃げ出すというファウスト的な協定を悪魔と交わしたと述べている。「空洞のために病気なのだ」と彼は書いている。そしてヒビングの地上に開いた大きな穴は、周囲にあるうんざりするようなあらゆる空洞を象徴していた。

レコーディングについても話をした。私はよく、ジャーナリズム的でなければいけないというプレッシャーから、彼のアルバムに親しむよりも先に分析してしまうことがあって後悔していたという話をした。『セルフ・ポートレイト』の話になると、彼は目を細めたが、それは彼が守りに入るときにいつもすることだった。あの物議を醸したアルバムをもう一度聞き直してみると私は言った。ディランは当時、そしてそのとき以来、レコードの密造者や、ゴミ漁りや、彼の生活に立ち入ってこようとする見知らぬ尊敬もしていない書き手たちに包囲されていた。ボブが自分に向けられた敬意に対して相反する感情を抱いていたのは明らかだったが、彼は刹那的な大衆文化に向けた商業的なアプローチや、次から次へと作り出される貼り紙や、海賊版や、嘘だらけの自伝や雑誌の記事や、分別のない批評などを拒絶した。それらは彼の古い傷になっていた。私は一九六四年の彼の「11のあましな墓碑銘」を思い出した。

活字のなかに閉じ込められたくないと
空洞の心を見つめる
チョコレート菓子をむさぼり食っているやつらは
ぼくを見つめて過ごす一日に、満足しているんだ
ぼくが朝食に何を食べたか
どんな服を着るか
何が趣味なのかってね(26)

私が描こうとしているポートレートは、彼のアーティストとしての威厳と尊厳を守るものにすると約束しようと思った。彼は私のことを十分長く知っていたし、有名人を丸裸にして生活費を稼ぐのがまっとうなことだと考えている記者とは一緒にして欲しくないと思った。ディランは、かつて一緒に仕事をしていたイギリス人のテレビディレクター、フィリップ・サヴィルといった人びとに話を聞くのはどうかと提案してくれた。一人か二人、ミネアポリスの人たちの名前も挙がったため、彼らからどのような話が聞けるのだろうかと尋ねた。ボブは笑って言った。「手がかりだけさ」

彼はドラッグの問題についても発言したかったのだろうか？　「どんなドラッグ？」と彼は素早く切り返した。「ドラッグを美化するようなことは一度もしてない。それをやっているのはビート族で、ぼくじゃない。ハードドラッグに関して言えば、密売されていることが問題だ。今でも取引されているし、ひどい状況だ。だけど麻薬そのものが問題ではないと気づかなきゃいけない。麻薬というのは症状のことで、そのものが問題なのではない、とフロイト先生も言うと思うよ」。長いこと彼を当惑させた映画『ドント・ルック・バック』での自身の姿は受け入れることができるようになったのか？　「ああ、一年かそのくらい前に見たよ。あの頃よりも客観的になって、動じなくなったね。今はわりと好きかもしれない」

誰よりも怒っていた若者から出たこうした穏やかさはどれも驚くものだった。駆け出しの時代、ニューヨークにいた頃の彼は、初めは愛らしい人物だったが、その後はだんだんと張り詰め、用心深くなり、気難しくなった。しかしここにいる穏やかな男は、長いことマネージャーを務めていたアルバート・グロスマンとの関係をようやく絶とうとしていた。「彼はぼくに十年の契約にサインさせた、ぼくのレコードの一部と、ぼくのすべての一部の取り分を狙って。でもそれも来月で抜け出せる。結局は彼のことを訴えなければいけなくなったよ。弁護士を雇って裁判を起こそうとしたけど、アルバートは事を荒立てたくなくて、だから示談になった。たくさんの人がわざわざ時間をかけてアルバートを追い詰めようとしているけど、ぼくはそんなことしない」（ディランは自らのメディアに対する多大な影響を駆使してグロスマンやコロンビア・レコード、あるいは重要なディランの著作権を一九六五年まで持っていた音楽出版社との問題を公にするようなことはしなかった。威厳、もしくはわずかに残っていた忠誠心からかもしれないが、当時もそれ以降も、ディランは言葉の武器を使うことはなかった。そのような抑止力を持っているだけで彼は無名の時代から長く続いた契約の鎖と足かせから自由になれたのかもしれない）。彼はグロスマンと多くの契約を交わしていたと語った。たとえば、楽曲の公開における初めての契約書は、グロスマンのほうに有利な条件だった。五年にわたる、くっついたり離れたりのやっかいな関係性は双方にとって苦痛だった。すべてを出し切りヘトヘトになった一九六五～六六年のワールドツアーを終えたあとも、グロスマンは六十以上のコンサートをスケジュールに組み込んでいた。

ディランは音楽ビジネスの一部の権利を有力者からアーティスト自身に移行させた、当時の数少ないアーティストの一人だった。彼はよく、実業家、レコード会社の重役たち、エージェント、興行主たちと起こしたもめごとについて聞かせてくれた。十分な力を持つようになった彼はすぐに自分で自らの方針を決めるようになった。詩人が活動するには、その場所はあまりにも敵意に満ちた世界だった。彼には身を守るものが必要だった。マネージャーとの関係が良かったとき、ボブは彼のことを絶賛していたが、今でも彼はアルバートを攻撃することはなく、「アルバートの趣味は最悪だ、ほんとにね」と言うにとどめている。これは明らかに、アルバートが高級レストランを作ったり、レコーディングスタジオを作ったりして、ウッドストックのベアズヴィルの農場を都会風にしたことを指しているようだった。「田舎の農場にだぞ！」とボブは叫んだ。「信じられない！」（彼は一九六三年の時点で、『ブロードサイド』誌の仲間のシンガーたちに、見知らぬ「買い手や売り手」には注意するように警告している。彼らはアーティストたちを競わせて利益を得ようとしているのだと言って）。

彼には不満があったが、恨みがましいものではなかった。彼でさえも権力者たちの力を奪うには限度があった。国際的な音楽ビジネスは強大で、ディランはその上に乗っかっていかなければならなかった。彼はそのビジネスの功績と、欠点と、偽善を知っていた。彼は「ビジネス」の世界のなかで活動しなければならなかったが、それでも一定の距離を置こうとしていた。その試みはどれほど成功しただろうか？　ファンクラブを作らず、商品の宣伝もせず、活動休止中には富にも背を向けていた。彼は六十年代に、アメリカのポップ・レコードの売り上げが年間二億五〇〇〇万ドルから十億ドル以上になっていくのを見ている。そのような十年間を経て、ディランは音楽ビジネスを「オモチャでありゲーム」だと私に語るようになったのだった。

これは彼も私も知っている話だが、フォークウェイズ、ヴァンガード、エレクトラにないがしろにされたのち、彼はコロンビア・レコードと契約を結んだものの、そのときのプロデューサーは彼の歌を聞いてさえいなかった！　レコード業界という猛獣を飼いならすようになるまで、プレスリーやザ・ビートルズ、そしてディランが皆、のけ者にされ笑い者にされていたというのは今は昔の話だ。残酷なショービジネスは中身がないものだったが、ディランやザ・ビートルズのような地位の人びとが実業家たちと論争を起こしても、一般の人たちはなかなか共感できなかった。

音楽ファンであれば、ショービジネスの車輪に踏みつぶされてしまった何百人、何千人もの人びとにもっと共感できたのだろうか？　業界で力を持ったある人物、名前を出さないで欲しいと言われているが、彼はこのビジネスのやり方を擁護した。彼は競争の激しさと、そのリスクの高さを語った。ディランとともに、私も音楽ビジネスのやり方にはいくらか怒りを感じていた。うんざりするような過酷な現実の連続だった。自らの歩みと痛みのためにディランがどのように世界と戦っていたかを見れば、彼のことが何よりよく分かるだろう。

ボブと私は何時間も話し続けた。私が際どいところを探ろうとすると、彼は帰ろうとするかのように立ち上がり、窓の外を見つめた。追及の手を緩めると、彼は再び座った。彼の言葉は、ときに警句のようだった。「どこにも行く場所はない。監獄のなかには外に出ることができない人たちがいる」。私たちは彼が記憶を系統立てて覚えておくことができないことを笑いあった。「ぼくは昔、曲を紙ナプキンに書いていたんだ、ウディがそうしていたようにね。それから、そのナプキンで口を拭うんだ」彼は笑いながら、そう振り返った。「一九五九年には新しいことを試みていたよ。当時のぼくはかなりボロボロの状態だったけど、当時はそれ以降やっていないような音楽をしていた。一九六五年以前のレコードを聴いてごらんよ。ああいう音楽は他では聞けないはずだ」。曲は今もすぐに湧き上がってくるのか？　「数年前、まさにその真っ只中にいたときは、二時間や、最大でも二日間で曲を書いていた。今は二週間かそれ以上かかるかもしれない」（数週間後、私はあるスタジオセッションのときに彼が二五分で曲を書いた！と報じる記事を見つけた）。

社会的な活動についても聞こうとすると、まさにそのとき、彼の怒りの炎が大きくなったようだった。私たちは、アメリカが困難な状況に陥っていること、戦争の親玉たちが今でも権力を握っていることで意見を一致させた。彼は自分を妨害するものからどのようにしてバリケードを築こうと思って、いや、そもそもバリケードを再び築こうと思っているのか、ということに関してはコメントしなかった。しかし「逃げきることはできないさ」と言った彼の声には、鋼のように固い決心が表れていた。彼がこん棒を拾って再び「彼ら」と戦うのは時間の問題だと思った。

ボブは地下にあるスイミングプールを見たがった。下に降りていって、数分ほどプールの脇に立っていると、ボブの目は大きく見開かれ、ブルーにきらきらと光り輝いた。「町にはこんなふうにプールがたくさんあるの?」彼はまるで私がマンハッタンのスイミングプールの権威であるかのようにそう尋ねた。「ぼくもこんな場所を探さなくちゃ」。私たちはおしゃべりをしながら、彼の新車であるライムグリーンのステーションワゴンに向かった。西五七丁目で何人かとすれ違ったが、誰も彼には気づかなかった。

ディランと彼の妻は二日後にイスラエルへ飛行機で行く予定だった。私はニューヨークにとどまり、グリニッチ・ヴィレッジやウッドストック時代の記憶をよみがえらせるつもりだった。そのようにして私は過去を生き、六十年代初めの素晴らしい時代に時間を巻き戻した。「フォーク・シティ」は、今はただの駐車場になってる」とディランは教えてくれた。その一画は建物が取り壊され、舗装されていた。マイク・ポルコはクラブを三丁目に移していた。私はディランが暮らしていたアパートメントのあった西四丁目の街頭の軽食店「ヒップ・ベーグル」を通り過ぎ、彼の新たな住まいに少しずつ近づいていった。サングラスをかけ、玄関口に出てこようとしていた妻のサラ・ディランは、こそこそと両側を見て、レインコートに身を包み、小さな白い犬を散歩に連れ出そうとしていた。ニューヨークは犬にとっても馴染みにくい場所だ、と私は思った。息をつく場所がなかった。ブリーカー・ストリートは、かつてないほどにスラム化していた。くたびれ、汚れた、悲しげなカフェ。ピザ屋とコーヒーハウスはまだあったが、どこもさびれていた。ボブがその町に昔の精神を吹き込もうとするようになったのは一九七五年の夏以降のことだ。しばらく、私は一九六〇年を振り返った。ディランがその年の終わりにたどり着いたニューヨークは、活気と苦しみが絶えないコンクリートのジャングル——故郷のわずかな資源を使い果たしてしまった田舎の若い男性や女性たちにとっては魅力的な場所——だった。

一九六〇年は、物語が始まるもうひとつの年だ。

一九六〇年には希望がたくさんあるように思えた。ジョン・F・ケネディが大統領選で紙一重の差でニクソンに勝利した。フロイド・パターソンがボクシングの世界チャンピオンになった。昼のラジオ連続メロドラマ「へレン・トレントの恋」は、二七年間の放送を経て泡のように消えていった。南部では一九六〇年にノースカロライナ州のグリーンズボロで人種統合を目指した座り込みが始まった。アメリカのU－2偵察機のパイロットがロシア人に撃ち落とされた。カストロがキューバでの革命を確固たるものにしていた。やわらぎ始めたように見えた冷戦は再び硬化した。

アメリカ人たちは『アラバマ物語』『野生のエルザ』『第三帝国の興亡』などを読んでいた。多くの人びとが南北戦争の一〇〇周年を祝う準備を行っていた。ブロードウェイでは「蜜の味」「バイ・バイ・バーディー」などがヒットした。エルヴィスが退屈な映画『G．I．ブルース』に出演する一方で、ポール・ニューマンが映画界の新たな大スターとして現れた。ヒッチコックが『サイコ』で私たちを死ぬほど怖がらせるなか、フランク・シナトラが心温まる演技で『カンカン』の主役を演じた。ミュージカル「オクラホマ！」と「南太平洋」で作詞を手がけたオスカー・ハマースタイン二世が、六五歳で亡くなった。エミリー・ポスト（Ｉ）は八六歳で亡くなり、アメリカ人のエチケットはそのショックから立ち直れていない。「日曜はダメよ」の映画と曲は世界的にヒットした。ハンク・バラードの「ザ・ツイスト」はチャビー・チェッカーによって流行りのダンスに変わろうとしていた。ポピュラー・ミュージックのなかでも人びとを興奮させたのはフォーク・ミュージックで、この復興が六十年代初期のテンポを決めようとしていた。

一九六〇年、アメリカは人びとが理想主義者であることを願うホワイトハウスの若き男と共にあった。人びとは「ニューフロンティア」という言葉が単なるスローガン以上のものであると信じようとしていた。キューバ危機、暗殺の銃弾、そしてベトナム戦争がそれらの期待をすべて悲しみに変えてしまう前は、若者たちや、何かを始めようとする人びとにとって素晴らしい時代だった。マーティン・ルーサー・キング牧師の無抵抗な抵抗が困難な局面にぶつかる前は、黒人や若者や希望を抱く人間にとって素晴らしい時代だった。

一九六〇年は、ジョー・マッカーシー以後、ユージーン・マッカーシー以前の年だった。ビート族以後であり、まもなくヒッピーの時代が来る。既成左翼以降であり、まもなく新左翼が現れる。キャンベルのスープ缶は発売されていて、まもなくアンディ・ウォーホルの時代が訪れる。一九六〇年はダダ以後であり、キャンプ以前だった。バットマン以後であり、帰って来たバットマン以前だ。『ヴィレッジ・ヴォイス』以後であり、『イースト・ヴィレッジ・アザー』以前だ。マーシャル・フィールド以後であり、マーシャル・マクルーハン以前だ。トロツキー以後であり、イッピー以前だった。

一九六〇年は、トマス・ウルフ以後、トム・ウルフ以前の年だった。プレスリー以後、ビートルズ以前の年だった。ビル・モールディン以後であり、ジュールズ・ファイファー以前だった。ティーパーティ以後であり、大麻（ポット）パーティ以前だった。リンディーホップ以後であり、ツイスト以前だった。無関心以後であり、冷たさ以前だった。怒れる若者たち以後であり、プロテスト・シンガー以前だった。赤十字以後であり、紅衛兵以前だった。ビリー・グラハム以後であり、ビル・グラハム以前だった。マミズム（母親中心主義）以後であり、ポッピズム以前だった。体制側の人間の時代以後であり、一般の人びとの時代以前だった。

一九六〇年は明るい兆しが見えた時代だった。様々な理由によって、世界の若者たちは、五十年代の沈黙と無関心から息を吹き返し、目を覚まし始めていた。ヨハネ二三世は教会を近代化しようとしていた。カストロとゲバラは官僚的で硬直化していた革命に色を取り戻そうとしていた。ケネディの「キャメロット」（J）は俗物的なワシントンに若さや文化やスタイルをもたらした。

一九六〇年は、ボブ・ディランがまもなくニューヨークにたどり着く年だった。

ロバート・シェルトンの「ニューヨーク・タイムズ」のレヴューに掲載された、一九六一年のガーディズ・フォーク・シティでのディランである。見出しは「ボブ・ディラン　異色のフォーク・ソング・スタイリスト」。

英語版編者による注記

もともとは一九七七年に第一章として書かれていたものだったが、一九八〇年、シェルトンが出版前最後のつもりで手直ししていたときに改訂された。そのときは、第二章として作り直され、本書の第一章であるヒビングでの幼少期の話のあとに続くはずだった。当時の予定ではその後に、一九六六年、ネブラスカ州のリンカーンからコロラド州のデンヴァーに向かう飛行機のなかでシェルトンがディランに行ったインタヴューが続くはずだった——ここで言及されているように、時系列が前後して挿入される映画のような作りになるはずだった。当時シェルトンは、そのような手法が、ただでさえ複雑な本だというのに読者を混乱させてしまう恐れがあると説得され、この文章は序章扱いとすることに落ち着いた。そして最終的に、ただでさえ長い本であるため、当時の出版社がその序文もカットすることを主張したのだった。それゆえ、一九八六年版では、ずいぶん短い「無生命という敵」という序章になった。本書では正しい場所に復活させ、シェルトンの最終的な望みを尊重した。

【原注】

(1) 英語版『易経』(I Ching)への序文。
(2)「ドアを開けろ、ホーマー」の歌詞。
(3)「今夜きみはどこにいるの?(暗い火照りの中を旅して)」の歌詞。
(4)「ぼく次第」の歌詞。
(5) 一九六四年一月ブロードサイド誌への手紙。
(6)「ミスター・タンブリン・マン」の歌詞。
(7)「マスターピース」の歌詞。
(8)「オー、シスター」の歌詞。
(9)「イッツ・オール・ライト・マ」の歌詞。
(10)「ゴタマゼな誕生日にジェラルディンにあたえる忠告」より。

(11)『アナザー・サイド・オブ・ボブ・ディラン』のライナーノーツ所収「いくつかのべつのうた」
(12)「時にはアキレスのように」の歌詞。
(13)「イッツ・オール・ライト・マ」の歌詞。
(14)同上。
(15)ボブ・ディラン著『タランチュラ』
(16)「ブリンギング・イット・オール・バック・ホーム」の解説。
(17)「自由の鐘」の歌詞。
(18)「ライク・ア・ローリング・ストーン」の歌詞。
(19)「サブタレニアン・ホームシック・ブルース」の歌詞。
(20)アレン・ギンズバーグは一九九七年に七〇歳で亡くなった。この頃には彼はアメリカの一流の詩人と見なされていた。
(21)「サブタレニアン・ホームシック・ブルース」の歌詞。
(22)「ホリス・ブラウンのバラッド」の歌詞。
(23)『時代は変る』のライナーノーツ所収「11のあらましな墓碑銘」
(24)同上。
(25)「女の如く」の歌詞。
(26)『時代は変る』のライナーノーツ所収「11のあらましな墓碑銘」

【訳注】
(A)『言語と沈黙』所収（由良君美他訳　せりか書房　一九六九年　九六頁）
(B)イギリスの批評家ウイリアム・エンプソン（1906-1984）は、一九三〇年に『曖昧の七つの型』（Seven types of Ambiguity）を記し、詩を題材にして曖昧（ambiguity）を七つの型に分け、批評の礎とした。
(C)『追憶のハイウェイ61』ライナーノーツ所収。
(D)一九六五年十二月十二日、トーマス・ミーハンは『ニューヨーク・タイムズ』で「Public Writer No.1?」という記事を書いている。ボブ・ディランの歌は文学的でありながらも、アメリカの不正や欺瞞などを人びとの心に届くような方法で伝えており、ディランはこうしたテーマを扱うことができる唯一のアメリカ人作家だと述べている。
(E)『ランボー全詩集』鈴木創士訳　河出文庫　二〇一〇年　八四頁）
(F)『対訳ブレイク詩集イギリス詩人選（4）』所収（松島正一編　岩波文庫　二〇〇四年）、「地獄の格言」より。
(G)一九六〇年代末から一九七〇年代にかけて活動していた左翼団体の学生組織。過激な活動で知られ、数多くの爆破事件を起こした。一九七五年のベトナム戦争の終結とともに組織は崩壊した。

（H）『ドリアン・グレイの肖像』（福田恆存訳 新潮文庫 四五頁）
（I）エミリー・ポストはアメリカの作家。全米でロングセラーとなったエチケットのバイブル『エミリー・ポストのエチケット』で知られる。
（J）キャメロットはケネディの政権時代を指す言葉。キャメロットはアーサー王が住んだ都で希望や勇気を象徴する場所とされている。

01

「ここで声を荒らげないでくれ」

ぼくがいま住んでいる場所で、唯一そこを動かし続けているのは伝統です――それはさして重要なものでもない――ぼくの周りはすべてが腐っている……もしもこれが続くなら、ぼくはすぐに老人になってしまうだろう――ぼくはまだ十五歳で――この辺にある仕事は鉱業だけ――だけど神様、鉱山労働者になりたい人なんているのでしょうか……ぼくはそんな緩慢な死の一部にはなりたくない――皆、今が中世であるかのように中年について話をしているけれど――ぼくはここを出るためなら何でもします――ぼくの心は川を下っています――象にだって魂を売りましょう――スフィンクスもだましましょう――征服者にも嘘をつきます……あなたは正しいやり方とは思わないかもしれないけれど、ぼくは悪魔と鎖でつながる契約だって交わします……だからもうおじいさんの古時計は送ってこないでください――本も差し入れの小包もいらない……何かを送るというなら、鍵を送ってほしいのです――ぼくはそれに合う扉を探します、たとえ一生の時間を費やしたとしても。

――ディラン　一九六六年(1)

「生まれるのに忙しくないやつは死ぬのに忙しい」

――ディラン　一九六五年(2)

NO DIRECTION HOME

一九六五年、ロンドンにて『ドント・ルック・バック』のオープニングシーンより。
多くの人びとが、これを初のロックビデオだと見なしている。

映画館から家へ帰る道のりは長い。リッバ・シアターの看板が暗くなると、肉付きのいい、薄茶色の髪をした少年は容赦ない寒さのなかへと歩み出していった。ファースト・アヴェニューは、スクリーン越しに感じたテキサスの平原の暖かさに比べると、余計に寒かった。ジェームズ・バイロン・ディーンでさえも、ファースト・アヴェニューではヒーローになれなかっただろう。たちまち凍えてしまったのではないだろうか。テキサスは荒涼とした場所だったが、ミネソタは耐え難い場所だった。

映画館から通りを挟んだ正面には「ヒビング・トリビューン」の文字——堂々としたオールド・イングリッシュの書体で、赤いネオンが煌々と光っていた。ファースト・アヴェニューの奥ではネオンサインがぼんやりと、現代英語の書体で、鉱山労働者への貸し付けや、当面の借金を忘れるために軽く一杯飲まないかと呼びかけている。少年はビリヤード場の方を見やり、一瞬迷ったが、ゲームに加わることになるだろうから、世間話をしに寄るのはやめようと決めた。映画『ジャイアンツ』は少年の記憶にまだ鮮明に残っていて、ジェームズ・ディーンが本当に死んでからもう一年以上が経つなんて信じたくない思いで胸が痛んだ。

少年はハワード・ストリートに入っていった。彼が立っていたのは「ヒビングのメインストリートの一端で、町のはずれが反対側によく見えた」(3)。町はずれには、ほとんどいたるところに赤鉄鉱を採る際にできたボタ山があった。「世界一豊かな村」は、もはやそれほど豊かではなくなっていた。人びとは木々を切り倒し、地面から良質な鉄鉱石を掘り尽くしてしまっていた。通りに沿って歩きながら目にする店の数々は、在庫が豊富で信用たっぷりの店もあれば、在庫がなく信用も金も消えてしまった店もあった。

ミネソタのメイン通り。シンクレア・ルイスだったらメモを取っただろうし、ジェームズ・ディーンだったらモニュメントを建てただろう。彼らはハワード・ストリートの現状を察知して、できるだけ早く逃げ出そうとしたかもしれない。二人とも今は死んでしまった、この町と同じように。ヒビングは六十年分の鉱業シャベルで自らの墓を掘っていて、鉱山労働者たちを埋葬するにはぴったりの場所だった。「廃墟の街」の原風景だ。

一九五六年のヒビングの店や、一九二六年にルイスが書いた小説の舞台ゴーファー・プレアリィの店は、どれも工場の組み立てラインから誕生していたことだろう（A）。モンゴメリー・ワード、J・C・ペニー、ウールワースら実業家はアメリカの小さな町を画一化していった。リトル・リチャードが生まれたジョージア州メイコンにも同じような店が並んでいたのだろうか？　少なくともジョージアはヒビングと違って体感温度が氷点下二十度ではなかった。少年は、ミュージック・ストア「チェット・クリッパズ」の入り口へと足を踏み入れた。彼は陳列されたレコードをざっと眺めた。リトル・リチャードも、ハンク・ウィリアムスも、バディ・ホリーもなかった。ビング・クロスビーは、いまだにホワイト・クリスマスを夢見て歌っていた。リトル・リチャードもクリスマス・ソングを歌っていた。

「ニュー・ヘイヴン・ラウンジ」の店先からは、無名のバンドが唾を飛ばし息を切らして演奏するスロヴェニアの国民的ポルカ「モイア・デクラ」が聞こえたかもしれない（B）。あるいは「ウーピー・ジョン」による陽気なポルカか、もしくは労働者たちのための「CIOポルカ」だっただろうか？　とにかく何かしらの楽曲だ！　スペリオル湖とカナダの平原から吹いてくる風のほうがもっと多くの曲を知っていたが、少年がやがて『ジョーン・バエズ・イン・コンサートⅡ』のライナーノーツに記すように、「はじめて鉱石列車のうたをきいた頃」、彼は誰よりも風に耳を傾けていた。

その晩は、フィフス・アヴェニューとハワード・ストリートの交差点に向かうあいだ、曲は聞こえなかった。交差点の付近ではアンドロイ・ホテルが永久不変の存在感を示し、巡回セールスマンや地元のロータリークラブの会員でにぎわっていた。数百ヤード先には、クロム製の脚のついたフォーマイカのテーブルが置かれた家具と電化製品を扱う「ジママン・ファニチャー・アンド・アプライアンス・カンパニー」があった（「アイアン・レンジで調理用レンジを販売」「鉱脈（デポジット）／頭金なしでは製造できません」）。私は家庭用電化製品のセールスマンより鉱山労働者になりたいが、そもそも、誰が好き好んで鉱山労働者や電化製品のセールスマンになろうとするだろうか？　ハワード・ストリートが次第に茂みに変わっていく辺りで、少年は右に曲がりセブンス・アヴェニューへ入る。その道の暗闇は孤独感を生み、彼はその孤独をワイドスクリーンのカラー画面を思い出して埋めた。

「最後のシーンの撮影を終えた二週間後にスポーツカーの衝突事故で亡くなったジェームズ・ディーンは、まぎれもなく示している……その光り輝く才能を」。『タイム』誌は一九五六年十月の記事にこう書いている。「彼はテキサス訛りを鼻にかかった声で完璧に話し、腰を左右に揺するように歩き、かかとの高い靴をはいたカウボーイの役を見事に演じ、顔を歪めて薄ら笑いを浮かべ、ひきつった顔をピクピクと動かし、低い声でモゴモゴと話し、忍び笑いをする。そして他人と話すよりも自分と話をすることの方がずっと多い男の話し方を習得している」

他人と話すよりも自分と話をすることの方がずっと多かった十五歳の映画好きの少年は、セブンス・アヴェニューを自分用の俳優養成所に変えた。口をすぼめて映画のセリフを再現し、腰を左右に揺らしてカウボーイのようにヨロヨロと歩き、北国の訛りを打ち消そうと顔を動かし、言葉を引き伸ばして、ゆっくりとした話し方をしようとした。若きボブ・ディランはヒビング・ハイスクールの前を通り過ぎると、一人語り／パントマイムをやめた。広々とした四階建ての北イタリアの小塔付きの城を模した校舎は、生徒の一人をたちまちテキサスから引き戻した。そこからイースト・セブンス・アヴェニュー二四二五番に着くまでの数ブロックにはとても慣れ親しんでいて、暗闇のなかでもボブの足は歩道の割れ目まで覚えていた。角にある家は明かりで輝いていた。死にかけの町の家族のもとに到着する。

彼はこっそりと裏口からキッチンに入り、姿を見られず部屋までたどり着けるよう願ったが、家のなかはそのような作りになっていなかった。「ボビー、あなたなの？」母親の声は張りつめていた。彼は居間に顔を出した。「何度言ったら分かるの？」母親はお決まりのセリフを繰り返した。「しっかり寝ないと強くて健康な子になれないわよ。ご近所さんはうちの子がいつも夜道をフラフラしていることをどう思うでしょうね？」なぜ彼女はいつもそれほどまでに心配していたのだろうか？　なぜそんなに早口で、返事をする隙も与えてくれなかったのだろうか？
「母さんが間違いなく正しいぞ、ロバート」。父親が口を挟む。低く抑制された声には落ち着いた響きの奥にどこか脅すようなところがあった。リビングはきちんと片付いて、整頓されていた。すべてがあるべき場所にあった。両親は彼にもそれを望んでいたのかもしれない、他の家電のように、従順に作動することを。ボブは特別にジェームズ・ディーンの映画が遅くまでやっていたのだと説明しようとした。彼の声は怒りで大きくなり始めた。「ロバート、大声でわめくな」。父親は言った。「家のなかで大声を出されるのは我慢ならないって知ってるだろう」

口論は部屋の外まで聞こえていた。怒っていたのは帰宅が遅いからだけではなかったと、父親は一九六八年に私に教えてくれた。ボブの「態度」も原因だった。ある晩に帰宅が遅くなったかと思えば、翌晩は勉強をさぼった。両親が要請したときに店へ手伝いに来なかった。やがて車やバイクでの事故、そして「あの女の子」や「仲間たち」も怒りの原因となった。「ロバート、戻ってきなさい」と父親は言った。しかし、彼はキッチンを通り、階段を下りて地下に行った。父は後を追いかけ、非難の言葉を浴びせた。「立派な家を与えてやってるじゃないか。何でも良いものを買ってやってるじゃないか。これ以上何が欲しいって言うんだ？　私がお前の年の頃はそんなに恵まれた環境じゃなかったぞ」

地下室でボブは、映画の一場面をもう一度見たいと思って映画館に残ったことを説明しようとした。彼はジェームズ・ディーンの話をして、今は亡きこの俳優の写真の数々を一面に貼り付けている壁に手をやった。「ジェームズ・ディーン、ジェームズ・ディーンって」。父親はそう繰り返し、写真を一枚壁から引きはがした。「やめろ」。ボブは声を上げた。父は写真を半分に破り、床に投げ捨てた。「ここで声を荒らげないでくれ」、きっぱりそう言うと、父は足音荒く階段を上っていった。ボブは破られた写真を拾い、元通りにくっつけることができればいいのにと願った。やがて彼はここではなく別の場所で声を上げることになる。

ぼくはそこから逃げ出した、十歳、十二歳、十三歳、十五歳、十五歳半、十七歳、そして十八歳のときに
ぼくは捕まって連れ戻されてしまった、一度をのぞいては……(4)

盗まれた時間

ディランは実際に「古き良きヒビング」から逃げ出したわけではなかったが、心のなかでは、何年も逃走を続けていた。彼がヒビングについて話すことはめったになく、書いたとしても断片的でしかなかった。自らの青年時代に対してうまく心の整理ができず、故郷への郷愁と嫌悪のあいだで揺れていた。ヒビングはミネソタ州の小さな町で、彼にとっての悪夢であると同時に試金石となった場所だった。ここはシンクレア・ルイスの小説『バビット』に出てくるような田舎で(c)、地方的な考えの狭さがあり、孤立していて、時代に逆行する保守主義の本場だった。ディランは「ヒビングはぼくの本質とも、今のぼくとも何の関係もない」と言うだろうが、小さな町の俗っぽさからの逃亡が彼をいくぶん形作ってきたという側面は、本人は認めたがらないにしても、ときどき垣間見える。

「ヒビングに行ったんなら、見ただろ」と彼は一九七一年に私に言った。「鉱石を採るために掘られた大きな穴を。あそこのやつらは、あの穴を本気で誇りに思ってるんだ。今では土地全体に穴を開けようとしている。一九六九年に同窓会で帰ったんだ。ヒビングを見て回る必要もなかった。決して忘れることはないからね。どんな景色だったか思い出させてもらうまでもない。ぼくは十五歳のとき、自分にこう言い聞かせていたんだ。『あいつらは今ぼくのことをずいぶん見下してるけど、いつの日か戻ってきたときにはぼくを尊敬するようになってる。いつか帰ってきたらやつらは握手を求めて駆け寄ってくるはずだ』ってね。本当だよ。自分にそう誓ったんだ。そして実際、一九六九年に現実になった。一時間も座ってサインしたよ」

そのファウストの悪魔の契約的な「誓い」が彼のモチベーション、エネルギー、強い原動力、そして意志となっていた。「ノース・カントリー・ブルース」は一九六三年に誕生し、ヒビングの歴史を詰め込んだ素朴な叙事

詩のフォーク・ソングだ。ジョーン・バエズのアルバム『ジョーン・バエズ・イン・コンサートII』に向けたディランのライナーノーツには、人生や自然のなかにある美に対する彼の初期の考え方が表れている。自身三枚目のアルバムでは「11のあらましな墓碑銘」の第二節で、貴重な鉱石を掘り出すにつれて自滅していった故郷の町の空虚な死や衰退を暗く描き出した。そうしたすべてが彼を脱出へと駆り立て、避難民にした。最終的に、その「墓碑銘」のなかで、彼はヒビング（そして家族と自らの子供時代）が与えてくれなかったものを手に入れようとするのではなく、ただ受け入れることを夢見る。

青年時代をさらに比喩的に描き直したものが一九六三年の春に自伝的に書かれた「盗まれた時間の中の生活」だった。これはルーツや起源や影響関係を要求してくる伝統に飢えたフォーク・ミュージック界に向け、コンサートのプログラムノートとして書かれた。ウディ・ガスリーのような調子で記された「盗まれた時間」は初期の優れた文章だった——リズミカルで、皮肉に満ち、本心が表れていた。ディランはこの文章を何年も認めず、その信憑性と価値を否定し、人に「書かされた」ものだと言っていた。結局、彼はこれを『ボブ・ディラン全詩集』に入れることにした。一つ問題だったのは、逃げ出したという言及が家族を苦しめたことだった。明らかに故郷を避けているのは、自らの創造性の起源と向き合うのを嫌がってのことだったのだろう。彼はこう言っている。「どうしてこんなことに時間をかけたのか理由を考えることに時間をかけたことはない」

彼がそのことに時間をかけようとしない、あるいはかけられないのなら、私がそれを追求しようと思うようになった。謎めいた「バラのつぼみ」という言葉の意味を突き止めようとする『市民ケーン』の記者のように。私が一九六六年と一九六八年に二度ヒビングを訪れる前にディランはこう言っていた。「他の世界を見てみたいという好奇心から故郷を離れたわけじゃない。ただ逃げ出したかったんだ。そう、逃げたかった。ヒビングは空虚だった。退屈していたから進み続けたんだ。いつだってすごく退屈していたから、じっとしていることも、退屈を受け入れることもできなかっただけだ。ベッドに寝転がって三時間天井を見つめていることはできるけど、それは退屈とは違う。ほら、ぼくはいわゆる『偉大な社会の郊外に暮らす中流階級の一家』の出じゃないからね。ぼくが住んでいた場所には、郊外なんかなかった。貧しい地域も金持ちの地域もない。間違った側も正しい側もない」。手を振りながらディランは続けた。「ぼくのいたところにはそんな区別はない。そんなものどこにもなかった。ぼくが知る限り、ぼくが住んでいた場所では、誰も持っていないような何かを持っている人は誰もいなかったよ、本当に。ぼくが知っている人が持っているものは全部同じだった。自分でも考えたことはあるけど、ヒビングはぼくの本質とも、今のぼくとも何の関係もない。本当にまったく関係ないんだ！」

彼は本気でそう言っていた。ディランにとって、現実とはプリズムであり、透明なガラス窓で覗けるものではない。そのプリズムを通して、彼はヒビングや自らを形成した歳月を、ときに怒りを持って、頻繁に後悔を抱えながら、しかしときに愛や温もりを持って振り返った。「ぼくの家族？」ディランは答えを探りながら繰り返した。「家族と本当の意味で近しかったことはあんまりないね」。だが、それは彼の家族の記憶とはいくぶん異なっている。

アイアン・レンジの故郷

フランツ・ディートリッヒ・フォン・アーレンがドイツのハノーファーを離れることに決めたとき、家族が何を思ったかは記録に残っていない。フォン・アーレンは変化を求める個人主義者で、一八五六年に生まれてから十八年後に、ハノーファーでは何もできないことを悟った。彼は「新世界」へ向かうために荷造りをした。本名を捨て、いかにもアメリカ的なフランク・ヒビングという名を名乗った。ウィスコンシン州で農業に従事し、木材の加工機械で三本の指を失い、法律を学んでから、森林踏査者、探鉱者、木材伐採人となった。森林と鉱石はミシガン北部よりもミネソタ北部のほうが豊富にあるということを聞き、彼はダルースに向かい土地ブローカーとなった。そうして彼は財産を作り、失った。一八八五年、一八九〇年、ミネソタの三つの鉄山帯のなかでも最大の地域イースタン・メサビ・レンジで鉄鉱石が発見されると、ヒビングは調査のために三十人ほどの男たちを引き連れ、ダルースから西へ、やがて彼の名が付けられることになる地域へと向かった。伝えられるには、のちに町の中心地となる場所の近くで、ヒビングは一八九三年の一月のある朝にテントから顔を出した。気温は氷点下四十度だった。一メートル近く積もった雪が凍った松林を覆い隠していた。ヒビングは野心的で意志の固いカイゼルひげの男で、ハイトップのブーツを履き、つるはしを持ち、こう言ったとされている。「この下に鉄が埋まっているに違いない。鉄のサビと冷たさを感じるんだ」。仲間たちが掘り始めると、すぐに鉄鉱石が発見された。ヒビングは「レイク・スペリオル・アイアン・カンパニー」の設立に尽力し、土地や採掘の権利を貸し出した。やがて彼は町で初めての大富豪になった。

一九〇〇年代の初めに大金が入ってくる前は、製材業が採鉱の原資となり、地元の建物の資材となっていた。初めにいた三二六人の住人は大半が材木の切り出し業で月四十ドルを稼ぎ、塩漬け豚肉や、ベークドビーンズや、木のクズなどを持ち帰った。パイン・ストリートは、町で最初のメインストリートで、機能しないセントラル・ヒーティング・システムに対抗して、六十近くの酒場があった。中西部の辺境の町。泥の道、木製の歩道、酒場の乱闘、伐採や採鉱中の事故、腸チフス。敷地二平方マイルの町が一八九三年に整備され、初めは「スペリオル」と呼ばれていたが、のちに「ヒビング」と呼ばれるようになった。ドイツを逃れてやって来た彼は製材工場、給水施設、発電所、道路、初のホテル、銀行の建設に出資し、一八九七年に四一歳で亡くなった。その後十年間は、伐採業が主要な産業だった。鉱山開発は続けられていたが、それが行き詰まったのは、大物経済人たちの手によりメサビ・レンジの土地の価格が下がったからかもしれない。ジョン・D・ロックフェラーは、アイアン・レンジの土地を購入するために一〇〇万ドルを融資し、そこから五〇〇〇万ドルという大金を手にした。ロックフェラーのツテにより、USスチールはメサビで足がかりを築いた。

飢えた機械の口が開発されて鉱石をガツガツと貪り、パワーショベルが恐竜のように鼻息荒く木々を飲み込み、ダルースとメサビの車やノーザン鉄道の列車に栄養を与えていった。ディランの記憶に付きまとっていた地面の大きな穴は「重機ではぎとられた」露天掘りの鉱山だった。一九六四年までに、ハル＝ラスト採石場は一六〇〇エーカーを占め、全長三・七五マイル、深さは五三五フィートに達していた。この悲痛な傷口からは十億トンもの土が掘り出され――パナマ運河建設時に掘られた量よりも多く――五億トンの鉄鉱石が採られた。ヒビングの鉱山は称賛された――国全体で使用される鉱石のほぼ四分の一を占めていたこの良質な鉱石がなければ、アメリカはどちらの世界大戦にも勝利できなかったかもしれない。ショベルは元々町があった場所の良質な鉱脈を貪り食ったため、ノース・ヒビングの村は数マイル南に移ることとなった。「きらびやかな村」「世界の鉱石の首都」「るつぼの中心地」「世界一豊かな村」は、「移動した町」となった。

移動は一九一八年に始まり、四十年の歳月がかかった。鉱山労働者たちの約二〇〇の家と二十の商業施設は材木を噛ませて持ち上げられ、鋼の車輪の上に乗せられ、蒸気トラクターに結び付けられ、初めサウス・ヒビングと呼ばれていた新しい休息地アリスへと移されていった。しかし、それ以上に数えきれないほどの建物が壊された。小さな家は数日でアリスに移動できたが、コロニア・ホテルの移動には一か月近くかかった。セラーズ・ホテルの移動は叶わず、結局がれきと化してしまった。不動産所有者たちは、まだ鉄鉱石のために町を動かす価値があると信じていた採掘業者を相手に込み入った訴訟を始めたが、裁判所は採掘業者に味方し、ヒビングの移動は段階的に一九五〇年代まで続いた。

ディランはこの興味深い社会的大変動を目にしており、大きく印象に残っていた。「11の墓碑銘」の二つ目で、彼は町の移動や、朽ち果てる裁判所や母が通った学校について、戦時中の爆弾にボロボロにされたかのように取り残されていると振り返っている。

あわれな移民

ヒビングは主にヨーロッパ人たちによって作り上げられてきた。都市部の銀行家や資本家が大金を作る一方で、移民たちが重労働を担っていた。アイアン・レンジと呼ばれるミネソタ州北東部の一帯は、スロヴェニアからアメリカへやってきた作家ルイス・アダミックが支持していたような、多様性に満ちた人種のるつぼだった。伐採業に従事する人の大部分はスカンジナヴィア人で、フィンランド人が多くを占めていた。その他ユーゴスラヴィア人、ポーランド人、ボヘミア人、チェコ人、イタリア人たちが鉱山を掘りにやってきた。なかには少数ながら東欧のユダヤ人さえいた。ヒビングが金の眠る穴を掘っていたのと時を同じくして、二人の地元の採掘者がまた別の富の源を見つけ出した。元鍛冶工で、やがてバス・アンディとして知られるようになるアンドリュー・G・アンダーソンと、若いスウェーデンの移民カール・エリック・ウィッカムは、アンディの古くて売り払えなかったハップモービル車を利用して、アリス＝ヒビング間で乗客を乗せて走った。一九一四年の春には定期運行を始め、その二マイルの乗車料金は十五セントだった。第一次世界大戦時の鉱山ブームのときにバスの路線は拡大し、一九一六年までに、メサビ・トランスポーテーション・カンパニーは五台のバスを所有するようになり、何台かはダルースやミネアポリス行きとなった。一九二〇年代には、さらに合併と買収が進み、カリフォルニアのような遠い場所にある小さな会社とも連携し、グレイハウンド・バス・カンパニーが設立された。そのすべては、一九一四年にバス・アンディがあの安っぽいハップモービルを誰にも売り払えなかったことから始まった。戦争の利益で潤い、ヒビングは一九二〇年代に大きく栄えた。住居が増え、学校が建てられ、ハワード・ストリートが建設された。その十年で、村の価値は推定九〇〇〇万ドルに達し、世界で一番豊かな村となった。

ディランはのちにウディ・ガスリーの影響を受けて、詩に「自分なりの恐慌体験をした」と綴ったことを批判されるが、それは大恐慌がどのようなものであったかを知るには街の少数の年長者から話を聞くしかなかったからだ。一九三〇年代になると鉱山業は低迷し、村の指導者たちは地域で使える代用貨幣を発行した。だが公共事業促進局と第二次世界大戦のおかげで、村は再び繁栄した。朝鮮戦争でも、地域の鉱山は短期間の活況を呈した。一九五三年までに、小景気は終わった――渓谷から出る極上の鉄鉱石は食い尽くされてしまった。大きな磁石とふるいを使って商用の鉱石をより分けるタコナイト加工技術が発達していたが、それでも一九六〇年代までレンジの経済が安定することはなかった。五〇年代半ばには、地域の不況はヒビングの誰もが無視できない状況になっていた。ディランは「ノース・カントリー・ブルース」でその鉱脈を掘り下げ、鉱山業の一家の希望が失われた様を歌っている。メサビ一帯の鉄の時代は終わり、商工会議所だけがタコナイトの加工に希望を持っていた。鉱山業の一家の子供たちはこの場所を離れるようになった――「今ここには、子供たちをつなぎ止めるものは何もないのだから」（5）

難民たち

退役軍人が戦争のことをめったに語らぬように、ディランの一家も難民としての過去を語ることはめったになかった。疎外感、被迫害感、帰る場所のない不安感は簡単に消えるものではない。ロシアの独裁者の専制政治から逃げ出した人びとには逞しさと恐怖が生き続けていた。ロシア帝国のユダヤ人の生活が、アメリカの黒人奴隷より良いものであるわけではなかったという点で、この若きアメリカ生まれのミュージシャンが黒人に親近感を持つ理由がよく分かる。どちらの社会も抑圧されていて、どちらの文化も隠されてきた。黒人奴隷の子孫に対するディランの本能的な親しみは、彼のバックグラウンドから来たものだった。

虐殺も行われていたため、アメリカに渡ることは黒人奴隷にとっての解放と同じくらいユダヤ人の夢となっていた。独裁者のもとから逃げるには、資金が必要不可欠だった。他の大部分の国からの移民たちよりも少ない十五ドル程度の金でアメリカに行かざるを得なかったあわれな貧しいユダヤ移民たちもいた。それがリトアニアとラトヴィアから亡命したディランの母方の祖先と、ウクライナのオデッサから逃げ出した父方の祖父母の人生だった。ビャウィストクを経由してオランダやドイツの港からやってきたおびただしい数の移民たちは、大抵ニューヨーク近郊に滞在していたが、友人やいとこの話や、噂であっても他の場所ではもっと良い生活ができると聞けば移動する者も多かった。アイアン・レンジの繁栄を耳にしたディランの母方の祖父ベン・D・ストーンは、ウィスコンシン州スペリオルからヒビングに向かった。そして一九一三年に、サウス・ヒビングから十二マイル西にある村スティーヴンソン・ロケーションで雑貨屋を始めた。その村では、五〇〇人ほどのフィンランド人、イタリア人、スロヴェニア人が鉱山で働いており、友好的で社交的なベン・ストーンから服を買っていた。そこにいたわずかなユダヤ人の一家のなかから、彼は妻としてフローレンス・エデルスタインを選んだ。彼女の家族はアイアン・レンジで映画館チェーンを営んでいた。

映画がヒビングにやってきたのは一九〇六年だった。上映時間は二十分、二本のリールが使用されたサイレント映画で、その後も同じく短い西部劇のサイレント映画が上映された。それから十年も経たないうちに、ハリウッド夢工場は五本のリールを使用する長編映画を製作するようになった。一九二〇年代に、ボブの曽祖父の兄弟のひとりジュリアス・エデルスタインはリリック・シアターの共同所有者となっていた。ジュリアスと、ボブの曽祖父B・H・エデルスタインが事業で成功し、ガーデン・シアターを買収したのは一九二五年のことだった。

彼らはシアターをゴーファーと改名し、一九二八年に大手のチェーンに売った。一九四七年に、この兄弟はボブの曽祖母の名前をとってリッバ・シアターを建設した。映画に関わる家系であったことから、ボブは早くからショービジネスに目覚め、わずかではあるがハリウッドやパフォーマンスの世界とつながりを持っていた。

ベン・ストーンはアイアン・レンジの小学校に通った。知的で商才があった彼は、自分の市場を理解していた。友好的で親しみあふれる彼は、十分な生活費を稼ぎヒビングで尊敬されていた。不況の時代には、ストーンの洋服店が救いの手を差し伸べようとした。二ドルの作業用ズボンだとしても、鉱山労働者が一ドル十セントしか持っていなければ、ストーンはその価格で販売するのだった。スティーヴンソン・ロケーションの鉱山が枯渇すると、彼は一家でヒビングに九マイル近づいた場所に移り住み、ファースト・アヴェニューとハワード・ストリートの角の銀行跡に店を再建し、空の金庫室に在庫を保管していた。

ベンとフローレンスには四人の子供――ルイス、ヴァーノン、ベアトリス、アイリーン――がいた。一九一五年に誕生したベアトリスは、ディランの母親であり、快活で、ブロンドヘアーで、頑固で、神経質で、気まぐれで、温かい女性だった。彼女はヒビングの小さなユダヤ人コミュニティのなかに閉じこめられていると感じていて、逃げ出したくて仕方なかった。そんなビーティー・ストーンの落ち着かない気持ちは、父親の立派な四ドアのエセックス車でいくらかなだめられた。彼女が十四歳のとき、父は運転の練習を提案した。「父さんが教えてやろう」。シフトレバーをゆっくりと動かしながら父親は言った。「必要ないわ」とビーティーは答えた。彼女は十分なほど父の運転を見ていた。父親が驚いたことに、彼女はハンドルを握って車を発進させた。「ボビーは私とよく似てる」と彼女は何年ものちにこう語った。「やるか、やらないかのどちらかなの」

「転がる石（ストーン）」の元祖であるビーティーにとって、その車はダルースや、もっと洗練された都会的な社会生活へのアクセス権に等しかった。彼女はコヴェナントのようなクラブまで車を走らせては、出会いや誘いを求めていた。地位と安定と素敵なユダヤ人青年との理想的な結婚を求めていた。そのために、彼女はアイアン・レンジの最新ファッションを完ぺきに着こなし、エセックス車をぴかぴかに磨き上げていた。彼女にとっては他人が自分をどう思うかが重要であり、物質的な成功は安定を意味していた。故郷を離れたいというビーティーの夢は一九三二年を迎える頃、世界大恐慌のさなかの暗い冬のダルースで開催された大晦日パーティでついに現実になろうとしていた。彼女は人気の女性だったが、その大晦日に出会った男性は、ユーモアセンス以上の何かと物静かな知性があり、外見も良かった。エイブラハム・ジママンは仕事も持っていた。

移ろいゆくダルース

一九一一年にダルースに生まれたエイブラハム・ジママンは、実のところ、七歳のときから仕事をしてきたと言える。父のジグマンは、オデッサで大きな靴の工場を経営していたが、一九〇七年にこの工場と引き換えにダルースで行商人となり荷馬車を引くようになった。その後、妻のアンナをエイブの兄や姉たちと一緒に自分のもとへ呼んだ。やがて総勢八名となる家族は互いに助け合った。エイブは靴を磨き、新聞を売り、さらにセミプロの野球選手となった。ダルースにはユダヤ人街が「丘の上」にあったが、ジママン一家はスカンジナヴィア人が多い地区で育った。仲間のユダヤ人の少年たちとボール遊びをするときには、長い時間をかけて歩かねばならなかった。家族とはイディッシュ語で話したが、他のときには英語で話した。

ジママン一家は、レイク・アヴェニューの六部屋の家に住んでいた。エイブの父はついに商売用の一頭立て馬車と馬を厩舎に置いて、農民たちに織物を売りながら学んだ英語を活かし、フェア・デパートメント・ストアで靴を売るようになった。家族全員で働いていたため、電話を設置できるだけの金も貯まっていた。しかし電話をかける相手などどこにいただろう？　電話を持っている知り合いはいなかった！　エイブの幼少期は、一九一八年に起きた大きな森林火災を除けば、平凡だったように思える。この火災では何百人もの人が亡くなったが、ダルースまで三マイルのところで消火された。

エイブが十六歳になる頃には、ジママン家は九部屋の家に引っ越していて、彼はスタンダード石油社のメッセンジャーボーイとして月六十ドルで雇われていた。稼ぎの一部を貯金し、残りは家族に渡していた。「当時は両親のために何かしたかったんだ。今は当時みたいに働きづめで苦しんだりしている親はいないからね」。エイブは自分のためにもやりたいことがあった。明るくて陽気なビーティー・ストーンをパーティで見かけたとき、彼は再び彼女と会おうと心に決めていたのだ。その冬の大部分の時間、彼女はヒビングで雪のなかに閉じこめられていた。いつから二人は真剣に交際を始めたのだろうか？　「天気のお許しが出てからさ」とエイブは持ち前のいたずらっぽいユーモアで答えた。彼らは二年後の一九三四年に結婚し、ビーティーはヒビングを抜け出してダルースへ移った。その頃には、エイブは月に一〇〇ドルを稼ぐようになっていた。彼らはサード・アヴェニュー東五一九番にあった二世帯向け木造住宅の最上階に初めての住処を構えた。エイブはスタンダード石油では大金を稼げないと思っていたが、稼ぎは安定していた。彼は七五人いた従業員のなかで主任補佐にまで上りつめた。

一九四一年五月半ばのある晩、エイブとビーティーはラジオを聞いていた。エイブは新聞に目を通した。ナチスがヨーロッパ中に勢力を広げていた。ユダヤ人たちが再び追われていた。バトル・オブ・ブリテンでは勝利したが、他の場所では枢軸国軍が勝利していた。当時はルーズベルト大統領がホワイトハウスにいた。一九四一年のラジオとジュークボックスはひっきりなしに、サビがスウェーデン訛りに似せた意味不明の言葉で歌われるナンセンスな「ザ・ハット・サット・ソング」を流していた（これは一九一四年の「ホット・ショット・ドーソン」という、盲目の黒人吟遊詩人が歌うフォーク・ソングに酷似していた）。ミネアポリスのアンドリュース・シスターズは、累計八〇〇万枚のレコードを売り上げ、彼女たちのマネージャーはせっかくの成功が台無しになるのを恐れて、彼女たちが過去の音楽から学び取ることを禁じた。ラジオでは「ワン・マンズ・ファミリー」「ザ・ゴールドバーグス」「フィバー・マッギー・アンド・モリー」といったファミリードラマが放送されていた。「ローン・レンジャー」は子供たちに大人気だった。

ダルースでは広く知られていなかったかもしれないが、一九四一年の文学界は三人の巨匠を亡くした。ジェイムズ・ジョイスはスイスで亡くなった。F・スコット・フィッツジェラルドとシャーウッド・アンダーソンは、批評家のマックスウェル・ガイスマーがのちに「最後の田舎者」として挙げた二人の作家だが、彼らもその年の初めに亡くなった(D)。一方でビーティーは、文学界と音楽界にとって非常に重大な臨時ニュースを受けとった。「エイブ」と彼女は叫んだ。「エイブ、感じるわ！　赤ちゃんが生まれそうなの」

出産の日

ビーティーの判断は早計だったが、五月二四日土曜日の夜九時には、セント・メアリー病院で急速遂娩（すいべん）の処置がなされ、彼女にとって初めての子供となる十ポンド（約四・五キロ）の大きな男の子が産まれた。安産でなかったのは、赤ん坊の頭がとても大きかったからである。彼女の脊柱の状態から手術が必要とされた。彼女は自分はともかく、赤ん坊の命が危ないと思っていた。エイブはスタンダード石油で仲間たちに葉巻を買ってやった。彼は息子ロバート・アレンが生まれたこと、母子ともに元気であることを誇らしげに報告した。一週間後、ビーティーと赤ん坊は帰宅した。手がかかる最初の数週間を支えるために乳母とお手伝いが来ていた。

近隣の住人たちでさえ、ボビー・アレンが可愛らしい子供であることを認めずにはいられなかった。金色の頭髪の彼にビーティーはよくこう言った。「女の子だったらよかったのに。こんなに美しくて」。彼女は鮮やかなリボンを息子の髪につけて、カメラの前でポーズをとらせた。「あの子はいつも清潔にしていたわ。汚すことはしなかったの」。彼女はそう振り返った。十五か月のときに撮られた写真に写る彼は、まさに天使のような子供で、りんごのようなほっぺたと笑顔を見せ、金色の髪をなびかせていた。父親はスタンダード石油で働き続け、戦争に欠かせない仕事だったため徴兵を免れた。

一九三〇年代後半には、絶大な力を持っていた労働運動家ジョン・L・ルイスが産業別組合会議（CIO）を設立する一方で、スタンダード石油はトライステート石油組合を結成していた。これは社内の御用組合で、過激なCIOの要求に立ち向かっていた。約三〇〇人の組合員が一人一ドルを払って参加しており、この新たな組合に必要なのはリーダーだけだった。彼らは信頼できるエイブをリーダーに選んだ。「人事のやつは、ルイスの要求に従うことになれば、スタンダード石油はおしまいだと思ったらしい」。エイブはこう語る。やがて御用組合はワグナー法によって禁じられ、ダルースの運転手たちは強気な主張をするトラック運転手組合に加入した。スタンダード石油は生き残り、エイブもまた生き残った。

彼が二歳の息子を会社に連れて行くと、秘書や事務員たちが集まってきた。三歳のときにボビー・アレンは初めて人前でパフォーマンスを行った。父のデスクの上に座り、ディクタフォン（E）に向かって語りかけ、歌ったのだ。幼い少年は自分自身の録音された声に驚いた。ときどきエイブは息子の声だけを録音し、秘書たちが請求書の番号を確認する途中でボビーのちょっとしたパフォーマンスを流してからかった。

一九四六年、ダルースで行われた母の日の祝祭に、ボビーは祖母のアンナに連れられて行った。「ダルースで話題になったのよ。実際、今でも話題になるわ」とボブの母は振り返った。「次々とパフォーマンスがあったけど、ボビー以外は誰も聞いていなかった。みんなおしゃべりしてたから。ボビーはじっと座って、見つめて、聞いていていた。それで、ステージに呼ばれたの。四歳の小さな変わり者さんは立ち上がると、くしゃくしゃのカールした髪でステージに向かったわ。あの子は足を踏み鳴らして注目を集めようとした。ボビーは言った。『もしみんなが静かにしてくれたら、おばあちゃんのために「サム・サンデー・モーニング」を歌います』って。そうしてあの子は歌って、みんな騒然としていたわ。あまりに拍手がすごいから、あの子はもう一つの自慢の曲『アクセンチュエイト・ザ・ポジティヴ』を披露した。この二曲くらいしか知らなかったの。祝福の声を伝える人たちからの電話が鳴りやまなかった。母にも義理の母にもたくさんの孫がいたけれど、ボビーは二人の目にも特別に映っていた。あの子は二人に溺愛されていたけれど、甘やかされてはいなかった。甘やかされずに済んだのは不思議な話ね」

それから二週間も経たないうちに、ボブはさらにもう一つコンサートを開いた。ビーティーの妹のアイリーンがコヴェナント・クラブで豪華な結婚パーティを開催したのだ。母親はボブに白いパームビーチスーツを着せた（一九六八年になっても、彼女はまだこの襟なしの三つボタンの服をすぐに取り出しやすい玄関口のクローゼットに入れていた）。親戚たちファンクラブはボブの初めての有料コンサートのスポンサーとなった。少額の金を手渡しながらおじが言った。「ボビー、歌ってくれ」。彼は拒否した。料金は変わらなかったが、歌を求める声は大きくなっていった。ボブは父親の方を振り返った。「私は言ったよ」と父は言う。「歌うべきだ、みんなお前の歌を聞きに来たんだからってね。歌ってくれるなら、もうこれ以上みんな人前で歌えとはせがまないと伝えたんだ」

「それであの子は歌ったの」と母は振り返る。「だけど、その前にこう言ったわ。『静かにしてくれるなら、歌っ

ても いいよ』」。その声はいわゆる少年のソプラノというよりは、か細い、魅惑的な声で、全員がボブの二つのレパートリー曲が終わるまで静かにしていた。そしてまたしても喝采が起き、ボビーはおじのもとへ歩いていって二五ドルを受け取った。彼は初めてもらった報酬を手にして母に近寄った。「お母さん」と彼は言った。「お金は返そうと思う」。彼はおじのもとに戻り金を渡した。彼はその日の英雄となり、花嫁と花婿をしのぐほどの注目を浴びた。

父親は振り返る。「息子の歌を聞いた人は大喜びして笑顔になる。愛らしくて、普通の子供とは全然違っていた。みんな息子に触れたり話しかけようとして、わざわざやって来るんだよ。息子がいつの日かとても有名になるだろうなんてことを信じようとしなかったのは私たち両親だけだったと思う。誰もがこう言うんだ。この子は天才になるとか、あれになるだとか、これになるだとか。みんなが言うんだよ、家族だけじゃなくてね。他の子供たちが『メリーさんのひつじ』を歌うように、あの子が『アクセンチュエイト・ザ・ポジティヴ』を歌うと、全員あいつには素晴らしい才能があると言った。正直言って私は本気にしていなかったよ。子供ってものはラジオを聞いていればあんな風に歌えるようになると思っていたんだ――たくさん聞いていればね」

ヒビングへの帰郷

第二次世界大戦の終焉を機に大移動が始まった。兵士たちが世界中から帰ってきた。都会の人びとが郊外に移り、田舎の人びとが都市にやってきた。経済的にゆとりがある人びとは誰もが家を引っ越した。経済は「剣を鋤の刃に打ち変える」時代になった。エイブとビーティーはヒビングへの移住を検討していた。エイブは一九四五年までにスタンダード石油で財務と監査部門でオフィス・マネージャーと同等の役職についていたが、その仕事を失った。エイブとビーティーのあいだにはもう一人の息子デイヴィッドが、一九四六年二月に誕生していた。当時ボビーは幼稚園児で、ダルースのネトルトン・スクールに通っていた。初日のボビーは父が傍にいなければ、大きな一歩を踏み出そうとしなかった。エイブは彼を連れて、気恥ずかしさを感じながらも、母親たちの集団のなかに唯一の父親として入っていった。ボビーは幼稚園に上手く馴染めているようだった。

その後エイブは一九四六年にポリオに感染した。常に自分に厳しい彼は、スパルタ的な屈強さで病と向き合い、病院にはわずか一週間しかいなかった。病院は手助けにならず、設備も不足していた。医者はあまりにも早い退院に面食らっていた。「家に帰ってきたときのことは忘れないよ。家の前の階段を猿のように這って上がったんだ」。彼は半年間家で過ごし、その間ビーティーはデイヴィッドを抱きかかえたり、乳を飲ませたりしていた。少しずつエイブは回復していったが、後遺症が残って片方の足を引きずるようになり、もう一方の足は筋肉が弱ってしまっていた。ボビーは放っておかれて、ビーズに糸を通したり、ブロックで街を作ったりしていた。

ボビーの両親はエイブが回復するまで互いの親類の近くにいる必要があった。ジママン家はビーティーの両親とともにヒビングのサード・アヴェニューに移り住み、エイブは自分の兄のポールとモーリスがやっている家具と電化製品を扱う店を手伝い始めた。彼らのビジネスには将来性があった。製品は工場でどんどん生産され、経済的に余裕のある人びとは誰もが家に電化製品を設置するようになっていた。ボブにとって、ヒビングでの最初の二年間は目まぐるしい混乱期だった。彼は小学一年生となり、ストーン家のすぐ隣にあるアリス・スクールに通った。休み時間の鐘が鳴ると、ボビーは一日が終わったと思い家に帰ったこともあった。学校を何度か途中で抜け出したあと、彼は学校で過ごす一日がなんて長いのだろうと思うようになった。ベン・ストーンは、ボビーを配達や店での仕事に駆り出した。最初にボブの賢さに気がついたのはベンだったと言われている。

一九五二年にベンが亡くなる前に、ビーティーとエイブはすでに自分たちの家を見つけていた。フェアヴュー・アディションのセブンス・アヴェニューの角にある広々とした家だった。三階建てで九部屋のこの家は、夫を亡くした祖母が一緒に暮らすようになったあとでも、子供たちには探検したり遊んだりする十分なスペースがあった。

家の近隣は閑静な中流家庭の住宅地で、六軒の家には十五人の子供たちがいた。ここに暮らす家族は友好的だった。ビーティーは言う。「みんなの結婚式、堅信式、卒業式に出席したわ。カトリック、ルター派、その他のプロテスタント——みんな違う教派で、私たちだけがユダヤ人一家だった。だけど互いに敬意を払ってた。近くにいるお隣さんのほうが親戚よりも仲がよかったくらいよ。うちの息子たち？　犬を触ったとか庭に石を投げたとか言って私に電話してくる人はいなかったわ。何かを盗んでくるようなこともなかった。周りの人たちには息子たちへの親切心以外何もなかった。迷惑をかけるようなことはしてなかった」

盗まれたリンゴの話

「ボビーとぼくは近所の家の木からいつもリンゴを盗んでいた。ニンジンやタマネギを盗むこともあったね。育ちざかりの少年なら誰でもやるようなことをやっていただけさ」。一九六六年、ラリー・ファーロングは私にそう語った。「裏庭に納屋みたいな遊び小屋を建てた。数ブロック離れたところにある『ピル・ヒル』にも登った。そこは鉱石の石捨て場で、ずっとあとになってレバノン・アディションと呼ばれるようになった。今『ピル・ヒル』と呼ばれているのは、たくさんの医者がそこに住んでいるからだ。でもボブやぼく、ルーク・ダヴィッチ、ぼくの弟のパット、そしてボブ・ペドラーにとってはだだっ広いだけの荒野だった。ぼくらは要塞を築き、キャンプを張って、小川を見つけた。友達はときどきボブをからかっていたよ。彼をボビー・ゼナマンと呼んだりしてた。ジママンという発音はすごく難しかったからね。彼はそれが嫌だったみたいだ。たいていは、一緒にいて楽しい相手だった。甘やかされてはいなかったね。近所の子供たちとまったく変わらないように思えたよ。だけど、ヘソを曲げやすかったってことは覚えている。よく不機嫌になって家に帰っていたよ。その後、高校ではそんなに人気がなかったね。大きな理由としては、自分のなかに閉じこもっていたからさ。今ではみんながボブのことをとても誇りに思っているよ」

「どんな芸術家も現実に耐えられない」とニーチェは言ったが、同じように「ジママンも現実に耐えられない」とも言えた。中流階級の小さな町で成功したビーティーは、自分が見たい現実を口にするだけではなく、信じるようになっていた。エイブもまたそれを認め、手を上げる素振りを交えてこう言った。「私だってプライドでいっぱい、エゴでいっぱいだったんだ」。両親にとって家庭生活と息子の幼年期は、両親としての寛容さと知恵に満ちた穏やかな楽園だった。だが、ボブにとってヒビングで過ごした年月は、束縛に満ちたものであるあまり、どんな束縛も耐えられなくなっていった。

息子が名を上げていった頃、両親は息子の自己像をないがしろにするような発言をすることもあったが、彼ら自身も自らの自己像を賢く作り上げていた。エイブは町のロータリークラブの会員たちを感服させたいと思っていたし、ビーティーはボブなら「年よりの女判事」と呼ぶであろう親族やコミュニティの人びとを感服させたいと思っていた。ボブはここではないどこかへとロマンチックに飛び立ち、世界を感服させたいと思っていた。誰ひとり嘘はついていない。彼らは誰しもがピランデッロ（F）のように、自分自身の現実を求めていただけなのだった。

ディラン個人の神話は盾で守られていると同時に武装していて、周りが語る彼の無数の神話を破壊し冒瀆していた。神話の価値を知っていた彼は、その潜在的な危険性を知ってもいた。母親に、彼女の誇りであり歓びである息子がリンゴを盗んだりしていたことを知られてしまう日だって来てしまいかねないのだ。

電気時代以前の詩人

エイブは背の低い笑顔の魅力的な男性で、笑うと歯並びの悪い歯が見えた。度の強い眼鏡の奥にある目は、やがて頑固さをたたえるようになるが、優しい少年のような青い色をしていた。カールした黒髪には白髪が交じっていた。スポーツシャツにスラックス、そしてセーターという服装はミネソタというよりカリフォルニアを彷彿とさせた。彼は頻繁に上質な太い葉巻を見せびらかした。エイブの話し方はゆっくりしていて慎重で、ビーティーの猛烈な勢いとは対照的だった。彼は二重否定を織り交ぜた話し方をしたが、教育を受けていないようには聞こえなかった。地元での彼はビジネスやコミュニティにおける重要人物であり、自分が仕切りたがった。エイブに誰かと「会うべきだ」と言われれば、それは提案というよりは命令となった。私が自力でどこかへ向かおうとしようものなら、彼はこう言っただろう。「それなら私のコネを利用しなさい」

エイブとビーティーはきれい好きで几帳面で、家はいつでも人を呼べる状態だった。交友の広い社会的中心人物として、彼らはダルースに多くの友人がいることを大きな誇りにしていた。彼らは息子たち、特に上の息子に惜しみなく愛情を注いだ。ボブは幼い頃から、女性からの多大なる愛情と注目を浴びてきた。ビーティーは心温かく、感情表現豊かで、社交的だった。近所の子供たちは堅苦しさを抜きに彼女をビーティーと呼んだ。彼女は家を「愛と温もりと笑顔」で切り盛りしていた。エイブもよく笑った。彼が欲しがったのは男なら誰もが欲しがるもの――尊敬、特に息子たちからの尊敬だった。家にはルールというものが当然あって、ボブは従えるときにはそれに従って何年も過ごしてきたが、やがてルールから逃げ出し、世界中に聞こえるような音でルールブックを破いた。しかし、ビーティーはこう言っている。「私たちは友達みたいだった。あの子たちにも『いつの日か自分の子供ができたら、友達になりたいと思うはず』と言い聞かせていたわ」

エイブは組織の人間だった。彼の所属していたスタンダード石油社内の「ゴールデン・サークル」は「自分たちが法である」というメンバーの集まりだった。彼はユダヤ人の相互扶助組織であるブナイ・ブリスのいくつかの支部で活動し、ある支部のバスケットボールチームのユニフォームもデザインしている。ヒビング・ロータリーの忠実な会員で、ボブをボーイスカウトに入れて喜んでいた。ボブが会員だった期間は短かった。「息子はユニフォームを手に入れることができて、私はあの子が加入してうれしかったよ」父はそう語った。「でも、あいつがそれを気に入ったかどうかは聞かなかった」

デイヴィッドが覚えている兄に関する最初の記憶は、ボブが彼の手を引いて、ヒビングの新しい家に入ったことだった。その場所は暗かった。巻かれたカーペットがむき出しの各床に不気味に置かれているなか、ボブは弟を二人の新たな遊び場に連れていった。ボブはずっとリーダーだったが、いつも手を差し伸べるわけではなかった。ボブはけんかっ早く、両親が家に帰るとボブが弟の腹の上にどっかりと座り、肩を床に押さえつけているのを目にすることもよくあった。「あの子はとっても強くて、冷蔵庫だって持ち上げられるほどだった」。母はこう言っていた。ビーティーはえこひいきしないよう心がけ、食事を持ってくるときはスープの入った器を二つ同じタイミングで出した。兄弟は基本的に仲が良く、「クラシックス・イラストレイテッド」(G)の漫画を貸し借りしたり、一緒に騒いだり、父親の店に行って円盤録音機で遊んだりした。

一九五〇年代の初め頃には、ボブは上の自分の部屋で過ごす時間が多くなった。ビーティーは母の日に初めて彼の詩を読んだときの感動を決して忘れないだろう。ノートの紙に書かれた、それぞれ四~五行からなる十二連の詩は丁寧に韻が踏まれていた。そこには感傷的な言葉で、母の顔が光のなかで輝く様子や、母の愛なしでは自分は「死んでしまう」という恐怖が綴られていた。その詩はこう締めくくられている。

だいすきなお母さんのためにねがおう
年をとったり、しらがになったりしませんよう
そしたら世界中の人がこう言うだろう
「おじょうさん、母の日おめでとう」

愛を込めて、ボビー

ビーティーはこう語る。「他の女性たちに読み聞かせたいって思ったの。二十人近くを泣かせてしまったんじゃないかしら……。いくつかの詩は額に入れようかと思ったけど、引き出しにしまっておくことにした。そのうちひとつは繰り返し読みすぎて、文字が消えかけているわ」。一九五一年の六月には、ボブは別の詩も書いた。

父の日おめでとう

これは父さんにだけのおくりもの
ゴルフや家でくつろぐときに使うもの
夕食のあとか、運転中に使えるよ
仕事のあとか、旅行中に使えるよ
ぼくの父さんは世界で一番だ
ぼくにとってはダイヤモンドよりもパールよりも高級だ

信じてくれないかもしれないけれど
毎日どんな小さな形でも父さんをよろこばせたいんだ
ときどきすごくおこるけど
だまっていれば
もうおこらない
父さんの写真を置いてるよ机の上に
父さんのハンドボールのメダルは一番上に
ぼくはしあわせだよこんな良い父さんがいて
みんながこんな父さんを持てたらいいのに
何があっても、父さんを困らせちゃいけない
父さんがいなくなったら、すごく困っちゃう

父の日おめでとう……愛を込めて、ボビー

ボブが十歳か十一歳で書いたこの詩は、「創作」の機会となった。工作や模型作りには特別興味がなかった。彼はとにかくたくさん書いた。「私たちはそうやってあの子が自分の思いをすべて出し尽くしてしまうと思ったけれど、決してそうではなかった」。母はそう教えてくれた。だが当分のあいだ、詩を書くことは別の刺激的な気晴らしに取って代わられることになる。一九五二年に、一家はヒビングで初めてテレビを手に入れたのだ。

この新たな装置の登場に子供たちは喜び、それは何度か動かされたのちに、上の階の兄弟が使っている部屋に落ち着いた。ボブとデイヴィッドはテレビっ子の先駆けで、何時間もテレビの前に張り付き、コメディアンのミルトン・バールから人形劇「クークラ・フラン&オリー」まであらゆる番組を観ていた。ボブの方が力が強かったため番組の選択権はたいてい彼にあった。彼は音楽番組やバラエティ番組、そして西部の冒険ドラマが好きだ

った。無法者や保安官の虚勢や個性、そして古きアメリカ的率直さを体現したテレビのなかの開拓者たちを愛した。彼は保安官のワイアット・アープと自分を重ね合わせていた。あるいはもっと雄々しい、ダニエル・ブーン以降の最も偉大な開拓者になることもあった。カンザスのドッジシティからやってきた、体の締まった、口数の少ない、恐れを知らないその正義の男の名前はマット・ディロンだった。

言葉と音楽――伝統

ユダヤ教という感情の綱はへその緒と同じくらい長くて強い。ユダヤ人移民の第一世代や子供たち第二世代には、アメリカ人の性質に溶け込まなければならない多くの理由があった。その新世界では、聖書とともにある中世のユダヤの伝統が魅力というよりは多くの障壁となっていた。

「ヒビングでは、フィンランド人はボヘミア人を嫌い、ボヘミア人はフィンランド人を嫌っていた。そして、ほとんどの人がユダヤ人を嫌っていた」。ヒビング・ハイスクールの教師は私にそう語った。「その壁を壊すために多くのことがなされたが、完全に取り払われたとは言えない」。遊び仲間からボビー・ゼナマンやジンボと呼ばれていた少年は、自らのことを「ボブ・ディロン（Bob Dillon）」と名乗る前は、周りに溶け込むことを目指していた。しかし自分の地図を広げる以前は、両親のユダヤの伝統に否応なく従う必要があり、その極めつけはボブが十三歳を迎えたときのことだった。

「バル・ミツワー」とは、教えを忠実に守る年齢という意味である。このユダヤ教の十三歳の成人式は大昔にルーツを持つものだったが、儀式になったのは中世である。ドイツ系ユダヤ人がこれまでの儀礼を、「トーラー」、すなわちモーセの律法を皆の前で朗読することで少年が法的な成人に達したことを祝福する記念式に作り上げた。エイブとビーティーが長男のために用意した式は、派手でアメリカ的だった。ビーティーは招待した五〇〇人のうち四〇〇人が出席したことを大いに喜んだ。「こんなに小さな町なのに」と彼女は誇らしげに語った。

この準備のために、ボブはヘブライ語を勉強した。ミュージシャンとして芽吹きつつある耳で、馴染みのない異国の音を真似た。ヒビングにあるアイアン・レンジ唯一の「アグダス・アキム・シナゴーグ」でボブに教えを説いていたラビ・ルーベン・マイヤーはボブの上達を喜んだ。金曜の晩の集会で、マイヤーは神童をお披露目し、生徒全員が彼のように賢く忠実であることを願った。式の日がやってきて、ボブはシナゴーグの説教台に、ラビとともに祈禱書を持ち、五千年の年月の預言書と大虐殺の歴史を背にして立った。白い服を着て、シルクの帽子をかぶり、肩に華やかなふさ飾りのついたショールをまとっていた。彼はヘブライ語の経典を詠唱するように唱えた。そのあとで催された会で大勢が群がるなか、年配者たちは彼に「素晴らしい」ことをやりとげたと伝えた。成人となり、父なる神に信仰を誓ったボブは、誰かの教えではなく、自分の心が命じるままに生き始めようとしていた。

弦という自由

エイブは自分自身を音楽愛好家とは決して言わなかったが、音楽は彼にとって重要だった。ロータリー支部のダンスパーティの誘いがあればすぐにビーティーを連れて出かけていった。テレビと同時期にやってきたガルブランセン社製のスピネットピアノは、居間に置かれて誰からもうらやましがられた。エイブは楽譜が読めなかったが、でたらめにいくつかのコードを演奏するのが好きだった。彼は家で流すダンスミュージックのレコードを買い、なかでもビリー・ダニエルズの曲とフレディ・ガードナーのサックスを好んだ。ボブは十歳頃になると、ピアノに興味を持つようになり、ポンポンと音を鳴らし始めるようになった。いとこのハリエット・ラットスタインが、ピアノを教えてくれた。デイヴィッドは教えられた通りにやっていたが、ボブが耐えられたのは一レッスンだけだった。「ぼくは自分が弾きたいように弾くよ」。彼は我慢しきれずそう告げた。しばらくのあいだ彼はピアノに見向きもしなかった。しかし十四歳に差しかかったとき、これまで学んでこなかった音楽が彼の生活に入り込んできた。

ヒビング・ジュニア・ハイスクールでは、一目置かれる人物は誰しも学校の楽団に入っていた。ボブは頻繁にハワード・ストリートの楽器店を訪れるようになり、そこでは十ドルで三か月の楽器レンタルや購入ができた。ボブは初めトランペットを持ち帰り、すぐにマスターすると宣言した。二日間、家に漂う空気は痛ましいものだった——彼は澄みきった音を連続して出すことが一度もなかったようだ。サックスを試すべくトランペットが返却され、家族はホッとした。サックスも二日後、打ちひしがれて返却した。彼は別の金管楽器に挑戦して、その後はリード楽器に挑戦した。どちらも思い通りにはいかなかった。最終的に、音楽への喜びが萎えかけていた不安のさなかに、ボブは安いギターを借り、スペイン王家の家宝であるかのように扱った。指示書に従って手を動かし、優しく六本の弦を鳴らし、指でフレットを押さえた。それは音楽らしきものに聞こえた。何時間も彼はギターを手に抱きかかえて座りながら、実験し研究した。指はヒリヒリと痛んだ。ニック・マノロフの『ベーシック・スパニッシュ・ギター・マニュアル』は手がかりをくれた。しかし、彼の耳と指がすぐに主導権を握るようになった。彼は押さえ方を次々とマスターしていった。音階と調（キー）を見つけたのだ。

鍵（キー）を送ってほしいのです——ぼくはそれに合う扉を
探します、たとえ一生の時間を費やしたとしても。（H）

ギター奏者

ギターは、彼にとっての杖、武器、地位の象徴、ライナスの毛布、権威者が持つ短いステッキとなった。ヒビング周辺では、レザーストラップをつけたギターを肩にかけて道を行ったり来たりしている彼の姿を覚えている人もいた。チェット・クリッパは、どんなに寒い日もボブはギターを持っていたと振り返る。ディランは成長するにつれ、自身の内側へと向かっていき、家族ぐるみの友人やクラスメートたちと会話をすることが少なくなった。心から信頼できるギターという友人に、惜しみなくすべての関心を傾けていた。ミシシッピ・デルタ地帯のブルースマンのように、彼はその楽器を何でも打ち明けられる親友や相棒のように扱った。「狩りにも行かない、釣りにも行かない、バスケットボールチームにも参加しなかった」ディランはのちにこう言った。「ただギターを弾いて自分の歌を歌っていた。それで十分だったんだ。友だちもぼくと同じような感じだったよ——彼らはアメフトのハーフバックや青年商工会議所のリーダー、友愛会の後援者や苦労して大学を卒業するトラックのドライヴァーのような人たちにはなれなかった。ぼくもそういう風にはなれなかった。ぼくがやっていたのは、曲を書いて歌うこと、そして紙にちょっとした絵を描くことで、自分の姿をくらませる場所に溶けこもうとしていたんだ」

ディランの「自分の姿をくらます」というのは、異質なものへの同化でもあった。アメリカという「自由の地」でさえも、ヒビングで暮らす三〜四十のユダヤ人家庭は、いまだに冷遇され身を寄せ合わねばならないときがあった。エイブはゴルフが好きだったが、メサビ・カントリー・クラブの会員になることはできなかった。彼とデイヴィッドは代わりにパブリックコースでプレーし、メサビが会員の制限を解除したあともそうしていた。ボブがゴルフをやってみたのは一度だけである。しかしすぐにはコツをつかむことができず、興味をなくしてしまった(6)。

ボブは個人的なプライバシーと公の承認の両方を求めるようになった。まさに双子座らしく、内向性が外向性と争い、シャイかと思えば気が強くなり、優しいかと思えば敵対的になり、勉強熱心かと思えば悪さをした。彼の話し方には二面性があった。エイブからは、ゆっくりと熟慮して言葉を扱うインディアンのような部分を、ビーティーからは、とめどなく流れてころころと移り変わる感情、自分が表現したいその感情のようには素早く回らない舌を受け継いでいた。青年期以降、ディランの態度や振る舞いの振れ幅は常に極端になっていた。「ありきたりなことをするのが嫌いなんだ」と私に語った彼は、十代半ばからありきたりではない自分になろうとし始めた。そのようにして、内向的な彼は激しいロックンロールを心の学び舎とするようになり、家にこもりがちだった少年はバイクに乗ったカウボーイとなり、礼儀正しい若者があらんかぎり反抗的に振る舞うようになり、感傷的なことが嫌いな男が恋に落ちたり失恋したりするようになり、中流階級の家庭の息子が貧しい友人たちと多くの時間を過ごすようになり、白人の少年が黒人たちの言葉遣いを学ぶようになった。

「ぼくが住んでいた場所は」、のちにディランは私に語った。「本当に田舎者(ヒルビリー)の土地だった。ぼくが聞いていたラジオは地元の放送局じゃなくて、ルイジアナ州からミシシッピ川を上って直接入ってくる放送だった」。ヒビングのラジオ放送局WMFGは昔から、そしてボブのいとこレス・ラットスタインが一九五八年に統括マネージャーになったあとも、堅苦しい局だった。ボブはよくロックンロールやリズム・アンド・ブルースを流さないことに対してレスに小言を言っていた。一九六八年になっても、レスは奥様方が聞きたがるような「古いスタンダード・ナンバー」を選曲していた。「若者向けの番組じゃないんだ」と彼は私に言った。「そんなのはダルースでやればいい!」。一九五〇年代の初め、WMFGはフランキー・レインの「トゥー・ヤング」、パーシー・フェイスの「ムーラン・ルージュの歌」、フォア・ラッズの「慕情」などのポップソングや、ガイ・ミッチェル、ドリス・デイ、ペリー・コモらのスタンダード・ナンバーを流していた。ビル・ヘイリー&ヒズ・コメッツは?ヒビングのラジオでは聴くことができなかった!

エルヴィスの台頭によって影をひそめるようになるまで、ヘイリーは最も成功した白人のロックンロール・ミュージシャンだった。一九五三年という早い時期から、彼は黒人R&B風の曲をヒットさせてきていた。ヘイリーのロックでの初めてのヒット曲は、アイヴォリー・ジョー・ハンターの「シェイク、ラトル&ロール」のカヴァーだった。彼は黒人R&Bの動きや視覚的な楽しさ、カントリーミュージックのアクセントやステージでの振る舞いを取り入れた。ヘイリーは自らの詩的なメッセージを、明るくて、元気がよくて、現実逃避的にしたいと思っていた。かつて彼はこう言った。「個人的にはプロテスト・ソングや……泣ける曲には反対だ。ロックンロールを作るぼくの思いは子供たちを幸せにすることだ……子供たちは……大きくなれば色々な問題にぶつかることになる。ぼくは、そんなに若いときから問題に向き合わせるのは間違ってると思うんだ」

ヘイリーの作品のなかでも、特に「ロック・アラウンド・ザ・クロック」は、問題の多い都会の高校を舞台にした一九五五年の映画『暴力教室』のサウンドトラックとして世界中で知られるようになった。ロックの勢いは、DJアラン・フリードがクリーヴランドのラジオで推し始めた一九五一年以降高まっていった。一九五四年までに、ロックンロールは西海岸の主要なラジオ局で流されるようになっていたが、WMFGはその流れに乗ろうとしなかった。ディランがルイジアナの農民やテネシーのトラックドライヴァーたちと繋がりを持つにはわずかな電波を頼りに遠くのラジオを聞くしかなかった。『「ヘンリエッタ」』が初めて聞いたロックンロールのレコードだった」とディランは言っている。彼はまた、ジョニー・レイのことを「その声とスタイルに完全に恋した初めてのシンガーだった」と語った(7)。

ミシシッピ川を下るボブの音楽の旅は、たいてい夜遅く、空気が澄みわたってきた頃に始まった。ラジオをベッドカヴァーの下に置いて、ルイジアナ州シュリーヴポートやアーカンソー州リトルロックから届く音楽で周りを起こさないようにしていた。弁舌爽やかな南部のラジオＤＪゲイトマウス・ペイジは、カントリーミュージックではなくR&Bを流すようになった。ビル・ヘイリーが二つの音楽を融合しようとするなか、ディランはラジオからその両方を学んだ。一九五四年の『マッコールズ』誌は、ノーマン・ロックウェルが『サタデー・イヴニング・ポスト』誌の表紙に描いた牧歌的なアメリカ的家庭生活をアップデートし、アンディ・ハーディーの映画、そしてラジオ「ワン・マンズ・ファミリー」に通底する連帯性を論じた。高校入学後、ますます家族との隔たりを感じるようになったボブにとって「連帯」を感じられるのは南部から届く深夜のラジオ番組で、そこでは白人と黒人の音楽が上手く共存していた。再び、『ジョーン・バエズ・イン・コンサートⅡ』のライナーノーツの言葉を引用しよう。

ぼくは学んだ、うまく偶像(アイドル)を選び
自分の声をもって物語を伝える方法を
ぼく初めてのアイドルはハンク・ウィリアムスだった……

ハイラム・「ハンク」・ウィリアムスは、多くの農民、トラックドライヴァー、工場労働者たちにとっての「ヒルビリーのシェイクスピア」だった。アラバマの丸太小屋で生まれた彼唯一の音楽的指導者は、ティー・トットという黒人の路上シンガーだった(1)。ウィリアムスは一二五の曲を書き、非常に簡素な歌詞から数々の哀愁を絞り出した。「泣きたいほどの淋しさだ」「ユア・チーティン・ハート」「コールド・コールド・ハート」そして「見捨てられて」は孤独と喪失を体現している。ハンク・ウィリアムスは悲しい曲をさらに悲しくするようにして、一九五三年の元旦に二九歳で亡くなった。公式発表では、心臓発作で亡くなったとされている。だが非公式

には、あまりに生き急ぎ、過剰なまでのアルコールとドラッグの摂取で亡くなったと言われている（8）。

　ハンク・ウィリアムスが詩人であるなら、リトル・リチャードは衝動の男で、R&B界のジョン・ヘンリー（J）だった。リチャード・ペニマンは、一九三五年にジョージア州で生まれ、十歳のときに教会や街角で歌い始めた。その後はシュガーフット・サム・フロム・アラバマや、ドクター・ハドソン・メディスン・ショーといった旅回りの劇団で歌うようになった。彼の音楽と人生は聖なるものから世俗的なものへ、神殿から酒場へと揺れ動いた。一見すると取りつかれたように、悪魔のように叫んで飛び跳ね、ジョン・レノンは感情を解放した「原初の叫び（プライマル・スクリーム）」の第一人者だと表現した。彼はブラック・ゴスペルとモダンソウルの架け橋となった。プレスリーはリトル・リチャードの曲を出し、ローリング・ストーンズとヤードバーズは彼のスタイルに同化し、ポール・マッカートニーは彼の信奉者となった。五十年代半ばのディランは、ラジオ大学でリトル・リチャードの生徒となり、彼の猥雑な説教へ熱心に耳を傾けた。「おれの音楽はヒーリングミュージックだ。口のきけないやつらや耳の聞こえないやつらも、話したり聞こえたりするようになる」。リトル・リチャードは神学生になることを目指して少しのあいだ一線を退いていたが、一九六二年にショービジネスの世界に戻った。彼はリヴァプールのキャヴァーン・クラブでビートルズとともに活動し「イェー、イェー、イェー」の高いファルセットの出し方を指導した。ディランはリトル・リチャードに会ったことはなかったが、ビートルズより七年も前から彼のスタイルを取り入れていた。一九五九年の高校の学校年鑑に、ボブは自らの野望をこう書いた。「リトル・リチャードのバンドに参加すること」

　こうして早い時期から音楽の影響を受けたことは素晴らしい経験だったが、彼自身は、自分が深く理解されないことに苛立ちを感じていた。ディランはかつて私にこう言った。「ちょうど思春期のような感じだった。誰かに理解してもらいたいなら、理解してくれる人を見つけるんだ。ぼくはそうやって多くの人を見つけてきたから、たくさん変化をすることができた。ハンク・ウィリアムスのような曲をたくさん書いたけど、どうして彼の曲があれほどまでにキャッチーで最高なのか全然分からなかった。プレスリーに関して言えば、自分と同じ世代で一度でも彼の歌い方を真似なかったやつは見たことがない。バディ・ホリーもそうだね」。彼が崇拝する音楽的アイドルは増えていったが、彼は自分自身を信じるためにそれらを捨てた。のちに彼は『ジョーン・バエズ』のライナーノーツに、こう書いている。

やがてぼくの偶像(アイドル)たちは倒れてしまった
知ってしまったんだ、彼らもただの人間だと……
でも彼ら忘れ去りし神々から学んだんだ
戦場で戦うのは自分一人なのだと……

ところが、時間の経過とともに、忘れ去られた神々は蘇った。一九七八年のワールドツアーでディランは私にエルヴィスが亡くなったときの心境を語った。「とても悲しかった。あのときはまいったよ！　完全にまいってしまった……そんなこと本当にめったにないけどね。自分のこれまでの人生について考えこんだ。子供時代のことも全部ひっくるめて。一週間誰とも口をきかなかったよ。エルヴィスやハンク・ウィリアムスがいなかったら、ぼくは今やっているようなことをできていないと思う」

初めてのギターを扱いこなせるようになったディランは、それからすぐに、もっと大きくて光り輝くギターが欲しいと考えた。彼は弦の部分に小さな白い羽が描かれたターコイズ色のギターをシアーズ・ローバックのカタログで見つけた。彼は手付金の二十ドル、それに加えて支払い切るまでのもう十九ドルも貯金してまかなった。父が怒ることを恐れた彼は、支払いを終えるまで新しいギターのことを隠していた。エイブはボブのやりくりの上手さに感心せざるを得なかった。ボブは毎週の小遣いなどなしに、なんとかレコードを購入していた。彼の初めてのコレクションは、ハンク・ウィリアムスの78回転レコードだった。その後は、リトル・リチャード、バディ・ホリー、ハンク・トンプソンの45回転レコードを集めた。ボブはレコードプレーヤー、ギター、家庭用ピアノをぐるぐると回り、マイクからピアノに向かい立ったまま力強く鍵盤を弾くリトル・リチャードを真似た。あとはもう、ボブに必要なのはバンドだけだった。

一九六八年、シャイで華奢な電気技師であるリロイ・ホイッカラが私にこう語ってくれた。「あるとき、ぼくとボブは街なかで会って音楽の話をしたんだ。ぼくたちは八年生で、ぼくはドラムの演奏に熱中していた。モンテ・エドワードソンはギターを弾いていて、ぼくらは一九五五年頃、ボブの家のガレージに集まってはセッションをしていた。モンテがリードで、ボブはリズムと歌が担当だった。リーダーはいなかったよ。ボブは当時、心からリトル・リチャードを崇拝していた。彼はピアノでもコードを上手く弾けた。ロックはちょうどその頃に始まったんだ。ヘイリーやエルヴィスがまさに有名になり始めていた」

「ぼくらはよそでも演奏をするようになって、ムース・ロッジでの集会のときやPTAの集まりなんかで演奏をしていた。タレント・コンテストがあるときには必ず出場した。ヒビング・メモリアル・ビルディングで開催されたコンテストのことは忘れもしないよ。審査員は商工会議所のメンバーで、音楽のことをたいして分かっていない連中だった。ゴールデン・コーズは観客の喝采を勝ち取ったのに、審査員が優勝者に選んだのはクラシックピアノを演奏した女の子だった。観客たちはその結果にブーイングしていたよ。ぼくらが二位にしかなれなかったからね」(9)

ゴールデン・コーズは、ジョニー&ジャックの「アイル・ビー・ホーム」のようなカントリーソングを演奏したが、そのうちにボブは、リトル・リチャードのような外向的な方向にバンドを導こうとした。リロイはすでに一九五五年の時点から、ボブの曲作りの速さに感心していた。「彼はピアノの前で、あっという間に曲を作るんだ。コードを鳴らして、即興で演奏する。電車についての曲をR&Bスタイルでさっと歌ったのを覚えているよ。彼は一瞬で曲にまとめることができたんだ」。日曜の午後、ボブはフォース・アヴェニューとナインティーンス・ストリートの角にあるヴァン・フェルトが所有する小さな軽食堂とバーベキューレストランに、ジャムセッションのためこっそりと向かった。何か月も、子供たちはその場所に集まり、ヒビングでの「音楽シーン」を作り上げた。ゴールデン・コーズは公開で演奏を行い、ショーのつもりで弾いた。ディランがヒビングで結成した他のバンドは、シャドウ・ブラスターズやエルストン・ガン・アンド・ザ・ロック・ボッパーズと呼ばれていた。

そうやって集まるのは日曜日の午後だったため、反対する親はいなかった。しかし結局、少年たちはすぐに大きくなって、このような無意味なことをやらなくなった。

いかにお堅くても（わが家に勝るものはなし）

ボブの両親は曲作りを強引にやめさせるようなことはしなかったが、ボブの情熱のほどは間違いなく理解できていなかった。彼はときどきリロイとモンテをリハーサルのために家に連れてきたが、それはたいてい、両親がいないときであった。後になってはじめて、エイブとビーティーは十四歳のときからボブが無情にも、自分たちの愛しい息子像から離れていったのだと悟った。ディランはヒビングからの逃避について少しだけ、比喩的な質問を私に投げかけながら語った。「出産のにおいを嗅いだことがある？　何かを産んだあとは移動せずにいられないんだ」。具体的には彼がアルバムを完成させた後にウッドストックの家から別の家に越したときのことを指していたが、それは長く染みついた態度で、ある種の死からの逃避であり、誕生の現場からの脱出であった。あるときにはこう言っていた。「ぼくがまったく無名のとき、心から親切に接してくれた人がたくさんいた。知っての通り、ぼくは家に帰ることがない子供だった。バスに乗って帰るような家はなかった。威張れることじゃないよ。人に語れることじゃない。自分の道は自分で作ってきた。それができたのは何をも省みなかったからだ。だけど今のぼくは……自分が何をやってきて、どこを通過してきて、何になったのかを受け入れなければいけない」

両親は息子が家がないと感じていたことを知れば愕然としたことだろう。エイブはボブが教育課程を修了したら、一家の商売を一緒にやるようになるだろうと思っていた。機会があれば、エイブはボブに用を言いつけて店に来させようとした。それは負け続きの戦いだった。ボブは閉ざされた寝室のドアの向こうで、音楽や書くことや読書に「逃げ込んで」いた。「いるの、ボビー？」母親はよく階段の吹き抜けから彼を呼んだ。

「大丈夫だよ、母さん（イッツ・オール・ライト・マ）、本を読んでるだけさ（アイム・オンリー・リーディング）」と彼は答えていたのだろうか。

「家族や友達と疎遠になることはなかったけど、色んな夢を抱いていた」。母親は一九六六年、私にそう語った。

「上の階で、有名になることを夢見ていたの。何か人とはまったく違うことをやろうとしていた。おばあちゃんにいつも言っていたの。『おばあちゃん、いつかぼくはすごく有名になるんだ。だから何も心配しなくていいよ』って。おばあちゃんに、自分が大金を稼ぐから何一つ不自由することはなくなると言っていたの」

二度のヒビングの訪問ではいずれも、私は繰り返しディランの両親から作曲の誕生秘話を聞き出そうとした。母親はこう言っていた。「ボブは上の階で、十二年の年月をかけて静かに作家になっていった。家にある本は全部読んでたわ。漫画も何か勉強になる『クラシックス・イラストレイテッド』のような漫画だけを買っていた。図書館にもよく行ってた。どんな作家が好きだったかは知らないわ。作家について話すことはめったになかったから。私たちは笑いながら、おしゃべりをしていただけ」。父はこう語る。「ロバートにはよく言ったものだよ、勉強で困ったときには言いなさいとね。数学を手伝った……歴史はすごく苦手みたいだった。歴史ではいい成績をとろうとしなかったんだ。私はこう言ったよ、歴史は読んだことを暗記するだけでいいんだぞって。あいつは歴史には何も発見がないと言った。どうしてそんなに苦手なのか聞くと、息子はただこう言うんだ。『好きじゃないから』」。母はこのように語る。「『物理学は勉強したくない、好きじゃないから』と言ってたのを覚えてる。だから家庭教師を呼ぼうと提案したの。あの子はこう言っていた。『物理学は嫌いなんだ。お願いだよ、お願いだから、もうやめたいんだ』って」

「ボビーは文章を書くことも絵を描くこともできた。あの子は芸術家だった。いつも絵を描いたり、その絵に色を塗ったりしていた。私は建築を勧めたのよ。少なくとも生計を立てていけるから。詩なんて書いたところで、死んだあとになって発見されるだけよ。私はこう言ったの。『お願いだから学校に行って、ちゃんと暮らしを立ててちょうだい。詩を書いたって生活していけないでしょう』。あの子が九年生か十年生の頃だった。高校で書いた詩は誰にも見せなくて、私やお父さんにだけ見せていた。私はボビーに、いつまでもいつまでも座って夢を見て詩を書き続けることはできないのよ、と言ったわ。怖かったのよ、あの子が最終的には詩人になるんじゃないかって！　私の言う詩人がどんな詩人か分かる？　野心はなくて自分のためだけに書いている人たちのことよ。私が若かった頃は、詩人というのは無職で野心もない人たちのことだった。だから私たちはあの子にせっついた。

『ボビー、ちゃんと食べていかなきゃならないのよ』って。あの子は今でも小食よ。死なない程度に食べるだけ」

ボブは自分で詩人と名乗ったことはあったか尋ねた。「それはない！」と二人は声をそろえて強い口調で言った。母親はこう言った。「あの子を詩人と呼んだこともない。ときどき、あの子が大学に行こうか考えているときなんかに、私はこう言っていたのよ。『ボビー、何か役に立つ勉強にしたら？』って。彼はこう言ったわ。『科学とか文学とか美術を一年勉強して、自分のやりたいことを見極めるよ』。私はこう言った。『詩を書き続けるのはやめてね、お願いだから。学校に行って何か建設的なことをやるのよ。学位を取りなさい』」

芽生えゆく詩作や音楽への情熱に対する無理解を告白したわずか数分後、ビーティーとエイブは痛ましい話題を口にした。両親は彼から時おり仕送りをもらっていたにもかかわらず、なぜ自分たちが彼の成功をともに喜べないのか分からずにいた。両親はボブが幸せな家庭から逃げ出したと語ることによって神話化されていた。自分たちを息子から切り離したとして、マネージャーのアルバート・グロスマンを非難した時期もあった。ビーティーはこう言った。「本気でアルバートは世界中の人たちがボブを孤児だと思っていると考えたのかしら？」。エイブは次のように言った。「本気でアルバートに言ったんだ。『いつまでも私たちの存在を世間から隠しておけると思うなよ』って。私たちには誇れるものがある。そもそも、ロバートにきっかけを与えて、最初に必要としていた後押しをしたのは私たちなんだと伝えたよ」

タレント・コンテスト

ゴールデン・コーズは、ボブが黒人のR＆Bにますます興味を持つようになり、他の二人が大衆的な白人のロックンロールに向かっていくようになるにつれて不協和音を奏でるようになった。やがてボブは、チャック・ナラをドラムに、ビル・マリネックをベースに、ラリー・ファブロをエレキ・ギターとして迎え、自分がピアノとギターとリードヴォーカルを担当する名前を持たない別バンドの中心となった。一九五五年の秋、四人はよくセッションをしたり、レコードを交換したり、音楽で生きていくボブの計画を聞いたりしていた。他のメンバーにとって、音楽は単なる趣味だった。

およそ一年後、ボブと名もなきバンドは、ヒビング・ハイスクールのジャケット・ジャンボリー・タレント・フェスティヴァルに出演した。朗読者や、さえずるように歌うシンガーや、ピアノ奏者たちが出演していて、テクニックどころではない不快なパフォーマンスを披露していた。ボブはクラスではほとんど話をせず、物静かで孤独な存在だったため、機材の山を見れば心の準備くらいはできたかもしれないのに、誰も彼らの音の襲来には備えていなかった。ボブはメンバーに対しても自分たちがやることを誰にも言ってはいけないと伝え、このときの衝撃をさらに大きなものにした。すでにその当時から彼のルールは「何をするかは言うな。ただやるだけだ」であった。

ボブは額の上で髪を盛り、リトル・リチャードスタイルにしていた。バンドメンバーたちはアンプを調整して大音量にした。そしてボブがハスキーで、力強い、叫ぶような声で歌い始めたときの観客の反応はというと「拍手と同じくらい笑い声もあがった」とファブロは教えてくれた。「曲はリトル・リチャードとビッグ・エルヴィスのレパートリーから選曲したもので、なかでもみんなの記憶に鮮明に残っている曲は『ロックンロール・イズ・ヒア・トゥー・ステイ』だった」

しかし、ヒビング・ハイスクールでは通用しなかった！　校長のK・L・ペダーセンは、教育関係者たちに学校を案内していた。会場のマイクとバンドのアンプが出す音量は相当なもので、校長は走ってステージ裏に行くとマイクのスイッチを切った。ここでも声を荒らげることができなくなったと分かったボブの心のなかは怒りが渦巻いていたが、それでも彼はピアノを鳴らし続けた。ペダルを壊し、何本かの弦をダメにしてしまったのではないかという者もいた。「アフリカ人のような甲高い叫び声だった」と述べたのは驚愕した教師だった。学生のジェリー・エリクソンは、銀行員となる前は小さなトリオバンドのメンバーだったが、彼は典型的な反応を見せた。「ボブは少し先を行き過ぎていた。やつはいかれてるって、あの日のぼくたちは思っていたんじゃないかな。普段はいいやつだって知っていたけどね」。ファブロでさえも自分たちの演奏が非常にショッキングなものだったことを認めている。「ボブの歌い方はすごく独特だったんだ、あの時代の、あの町にとっては」

別の生徒は、こう証言する。「最初に見たときは戸惑いを覚えた。ぼくらの小さなコミュニティはああいう演奏に馴染みがなかったからね。多くの人たちが同じように戸惑ったんじゃないかな。今（一九六九年）となってはもちろん、あれは若きボブ・ディランの本当に初期のスタイルだったと分かる。彼は周りより少し先に行っていたけれど、気にしていないようだった。自分の才能に絶対的な自信があったから、気にならなかったんだ。彼はただこう言ったよ。『これがぼくなんだ。きみたちが好きでも嫌いでも関係ない。自分には素晴らしい力があると分かってる』」。この現場を見ていたボブより一つ年下のジョン・バックレンは、ウィスコンシン州のフォンデュラクで、心地よい声で話すポップミュージックのラジオDJとなった。彼はやがてボブの親友となり、ボブという光の影となり、自身のドン・キホーテに仕えるサンチョ・パンサとなった。「ボブは音楽をやれるチャンスがあれば、ためらわず適切な人物に話をしに行って自分がやりたいことを伝えていた。人を口説き落とすのが異常なほどに上手かったよ」。バックレンと彼の母親と姉は、ボブが父親に学んでいたのだと確信していた。「ぼくたちは思っていたよ」とバックレンは言った。「ボブはすごく優秀なセールスマンになるだろうって。実際、彼は優秀なセールスマンになったね――自分自身の」(10)

タレント・コンテストでの話は学校中を席巻した。教師たちは笑い、生徒たちは馬鹿にし、親たちは驚いていた。教師のボン・ロルフセンは、その演奏に戸惑ったが、ステージ上のボブとクラスでのボブの違いに感銘を受けていた。十年後、彼は私に、ディランを理解するうえで一つのカギとなるのは地理的な背景だと語った。「ヒビングから数分先にある廃墟のような低木地帯に入れば、どうしてここにいる私たちに独立心があるのか分かるはずだ」。クラスでのボブについて、ボンは振り返った。「とても物静かで、とても内向的だったけど、とても聡明だった。すごく紳士的で感じがよく、物腰やわらかに振る舞う子だったと記憶している。正直に言えば、彼がどんなものを書いていたかは覚えてない。デイヴィッドが、ボブは当時からいつも何かを書いていたと言っていたけど、どうも私は気にかけていなかったみたいだ」。別の教師チャーリー・ミラーは社会科の教師で、ボブのことをこう振り返る。「自分の考えがあるという点で周りとは違っていた。間違いなく才能があった。あとになって『風に吹かれて』を聞いたとき、彼がクラスで見せていた社会への深い思いやりを思い出したよ」

ジャケット・ジャンボリー以降も、ボブは教室の椅子にいつものように静かに座っていたが、何かが変わったと言う者もいる。彼は腹のなかで笑っているように見えた。バックレンはレニー・ブルースの辛辣な風刺とは違う「黒人が脅迫的な白人に対して身にまとっているような」、「ブラックユーモア」が彼に見られるようになったと感じた。バックレンが見たのは、色の違う周りの世界を愚弄することで身を守る冗談好きな人物だった。

中西部のアクターズ・スタジオ

エルヴィスが黒いレザーを身に着ける以前、アメリカの多くの若者たちにとってのアイドルは音楽とは無縁の人びとだった。一九五三年にホワイトハウスへ居を移した温和な軍最高司令官を崇拝する者もわずかにいたが、アイアン・レンジの小さなコミュニティの若者たちは、自分たちの理想の人物を映画というアクターズ・スタジオのなかに求めた。ブランドの『乱暴者（あばれもの）』、ディーンの『エデンの東』に『ジャイアンツ』、そしてなかでも『理由なき反抗』は隔絶された田舎の人びとをしびれさせた。

ブランドとディーンは西部劇のヒーローをしのぐ登場人物を作り上げた。この新たな国民的ヒーローは馬に乗らなかった。彼はバイクにまたがり、社会的なルールという信号を走り抜けていった。挑んでいける目に見えたフロンティアがなくなった軟弱で裕福な世代のアメリカ人にとって、ギターが取って代わるまで、バイクほど素晴らしいものはなかった。バイクは若者たちが夢見る性的な魅力を象徴し、父親の「安全な」車に対抗する手段だった。ハーレーとダヴィッドソンは、ルイスとクラークのように、一九五〇年代における開拓者だった。

町で一番のバイク乗りはデイル・ブータンで、バイクにまたがるカウボーイかつ経験豊富な重量挙げ選手だった。彼は排気量74キュービックインチのハーレーに乗っていた。ボブは二番めに小さい45キュービックインチのハーレーを購入した。リロイがすぐに乗り方をウェスト・サイド郊外で教えてくれた。「ワルにはなれないよ、本当のワルにはね。バイクと革ジャンを手にしない限りはさ」。ボブは友人たちにそう言っていた。あるとき、彼ら一行はヒビングから踏切を隔てた向こうにあるブルックリンと呼ばれる郊外へと向かった。踏切で四人は苛立ちながら電車が通過するのを待った。ボブはエンジンを吹かして、列車が通り過ぎたらすぐに飛び出せるようにしていた。バイクを発進させると、奥の線路から対向列車が来るのを目にした。過ちに気づいた彼は、左に急ハンドルを切り、バイクから身を投げ出した。貨物列車は彼のわずか数インチそばを通過していった。ボブは起き上がった。心臓の鼓動は速くなり、手は震えていた。彼はバイクを押して線路の手前に引き返した。しばらくはほとんど言葉を発することができなかった。家までゆっくりとバイクに乗って帰ったが、家族に「死に限りなく近づいた」ことは言わなかった。数日間はバイクを売ろうかと考えていたが、すぐにかつての自信を取り戻してバイクで出かけるようになった。ひょっとしたら「死に対する免疫」ができたのかもしれない。

ボブはディーン／ブランド／プレスリーのようにバイクに乗り、動きを真似、彼らのように思考するだけでは満足せず、彼らのように写真に収まりたいと思うようになった。弟のデイヴィッドに家庭用のポラロイドカメラでの撮影協力を要請した。上の階の自分たちの部屋で、十五歳から十七歳のあいだに、ボブはポーズの取り方を学び、技術を目立たせない技術の習得に励んだ。数年後、このことをスージー・ロトロと話したとき、グリニッチ・ヴィレッジのガールフレンドであるロトロは驚いた表情をした。「ニューヨークに来る前からカメラの前に立っていたなんて知らなかったわ」。デイヴィッドの話によると、彼らが気に入っていたポーズの一つは、ベッドルームの窓の長く重いカーテンをステージのカーテンに見立て、ボブがそっと顔を出し、にこやかに笑うか、えらの張った顔を作るというものだった。動きのあるシーンとしては、ハーレーを轟音をたてて走らせ、街角の縁石のところにいる弟のもとまで迫ってくるということをやっていた。走り去りながらボブは叫んだ。「撮れたかい？」一九六六年三月の『アトランティック』誌でマーロン・ブランドをアメリカ人の原型だと書いた映画批評家のポーリン・ケイルは、若き頃のディランがそこに自分の色を塗り重ねていったと思われる人物像を描いている。

主人公はいつも孤独だ……ブランドは熱烈に安全を求める戦後への反発を体現していた……ブランドに規範（コード）はなく、ただ本能的である……彼が反社会的であるのは、社会がくだらないと分かっていたからだ。彼はヒーローだった……強い人間で、くだらないものは取り合わずにいられたからだ……もしかしたら彼の特別な魅力は……やんちゃな子供たちのうぬぼれのようなものではないか。そこにはユーモアがある……自信たっぷりで高慢な態度は、虚栄心であり、子供っぽさでもあるのだ……彼の一触即発の危なっかしさは、何か考えがあって「真面目に」やっていることではない。彼のリーダーシップに理屈も、偽善もない……
規範(コード)はないが美学はあり――自分の生き方を貫き――信頼した人びとには簡単に裏切られる。新しいタイプの未熟な、バイロン的な非行少年は、傷つきやすく……観客は守ってあげたくなる。自己主張をしながらも、観客には彼がとても孤独であることが分かる。進んでアウトサイダーになりたい者などいないのだ。彼には合理的に説明できるような学がない……自ら感じたように、「乱暴者(あばれもの)」のように動くしかない。一体、どれほどの子供たちが、「これは自分の物語だ」と感じたことだろう。

ディランがバイクのエンジンを吹かしながら、縁石の劇場でポーズを取っていた頃に、ジェームズ・ディーンは死に、ハンク・ウィリアムスもこの世を去ったが、ブランドはハリウッドで、そしてヒビングで生き続けた。

ドン・キホーテとサンチョ・パンサ

十六歳のボブはジョン・バックレンにこう言っていた。「きみは一番の相棒だ」――これは一九五〇年代の仲間うちでは最高の誉め言葉だった。バックレンの一家は労働者階級の一般的なアメリカ人で、おそらくイングランド系の血を引いていると思われる。ジョンもまた「ワルな男」を分かっていた。ボブはツイン・シティ(K)から来た善良な中流階級の少年たちのなかにも、ワルの仲間を見つけることができた。彼らとはウィスコンシン州のウェブスター近くで行われたセオドア・ヘルツル・サマーキャンプで出会った。一九五四年以降、ボブはシオニストたちが参加する「ハダッサ・クラブ」主催の数週間のサマーキャンプに四年間毎年参加した。彼は泳ぐのを楽しみ、ヘブライ語を話すことも気にしていないようだった。しかし十六歳になる頃には、すっかり飽きてしまっていた。彼はキャンプファイヤーの近くで歌い始めた。その場を盛り上げるために、ボブと六人の仲間たちはシャワーのある建物の屋根にのぼり、後からはしごを引っ張り上げた。彼らは歌い、叫び、キャンプのリーダーに野次を飛ばしていたが、下でラビが説教を始めたため、地上に戻った。「ボビーはその年のキャンプをほとんど乗っ取ってしまいそうだった」とエイブは振り返る。「家に送り返されるんじゃないかと思っていたよ」と言っていた。

バックレンの家のリラックスした雰囲気は魅力的だった。ビーティーは学校がある日の門限は夜の九時半だった。ジョンの家族はもっとゆったりと構えていた。ジョンと裁縫師をやっていた彼の母親は喪失というものを経験していた。鉄道員の父親は鉄道事故で片足を失い、軽度の障害を抱えたままジョンが十五歳のときに亡くなった。バックレンは私に、自分は生まれながらの従者で、反対にボブはいっそう向こう見ずで活動的になっていったと語った。ギターの弦とカセットテープを介して音楽が彼らの友情をつないだ。ジョンはよく、ボブのピアノの演奏をカセットに録音していた。「このときのテープに芸術的な価値は全然ないよ」。バックレンは一九六九年、私にそう言った。「でも懐かしいという意味では価値があるね」。彼らはアドリブ演奏をテープに録ることを好んだ。「ギターを手にして、気の向くままに歌詞をつけて歌った。おかしくて変な曲ができた。これをどこかに送ろうかとも考えたけど、そうすることはなかった」。ジョンはボブの突飛な話が好きだった。セントポール郊外のハイランドパークまで出かけたとき、ボブは一番の相棒に語った。「ここにいる人たちに、ぼくらはレコードを作りにきたって言おう。ぼくはきみがベーシストだと言うよ」

彼らはハイウェイ165にあるジョンの姉ルースの自宅でも楽しい時間を過ごした。ジョンにはディランの「115番目の夢」のなかに、音楽やジョークや遊びに満ちた彼らの幸せな時間の残響が聞こえるという。ボブは恋人たちのデートスポットの付近で、フランケンシュタインの怪物のマスクをかぶり、何組かのカップルをおどかしたこともある。ボブの悪ふざけは音楽にまで及んだ。「うちに来いよ、出来立ての曲を聞かせたいんだ」。ジョンは言う。「ぼくはこう言っていた。『うそだ、きみが書いたものじゃないだろ!』。だって、あまりにも素晴らしい曲に思えたからね。なんでそんなことをしていたのかは分からない。彼には才能があって、そんな嘘をつく必要なんて少しもなかったのに。ボブはヒビングで音楽以外に自分の気持ちを表現できるものがなかったんだ。だけど彼が自分を表現したとき、それが音楽だったとしても、周りは彼のことを本当には理解していなかった」。高校二年生になったボブがもう一つ情熱を燃やしていたのが女の子だった。彼は肉付きの良い胸の大きな女の子と次々に遊び回ったと言われている。そんな初期の女性の一人が一九五七年に出会ったバーバラ・ヒューイットという肉感的な女の子だった。ボブは彼女に夢中になった。しかし、彼女の家族がミネアポリスに行くことになり、学生時代に経験したいくつかの恋のうち、初めての淡い恋は冷めてしまった。

誰もがヒビングから出ていくことを口にしていたが、ボブの渇望はすさまじかった。絶えず新しい人びとやアイデアを求めていたボブとジョンは、近くの町のヴァージニアに暮らす二十代半ばの黒人ディスクジョッキーのジム・ダンディと出会った。ヨーロッパからの移民が数多く低賃金で働いていたため、アイアン・レンジに黒人は少なかった。バックレンはこう語る。「よくジム・ダンディを訪ねた。新鮮だったんだ。彼は黒人で、ブルースに夢中だった。ぼくらが好きなレコードをたくさん持っていた」。ジム・ダンディとその妻と子供たちは、人口一万二〇〇〇人のヴァージニアで唯一の黒人だった。ボブは一九五七年の夏にWHLBで彼のラジオ番組を聞き、その声の主を探した。ボブとジョンは、そのDJが黒人だったことに驚いたが、うれしくもあった。気の合う若者たちだと悟ったジムは、ラジオでの「白人声」をやめて、粋な黒人のスラングで会話した。彼らは昔のブルースやR&Bを聞いて何時間も過ごした。何か月も折に触れて会った。ダンディを通じてボブは、自分の家族がほとんど知らないアイアン・レンジの新たな一面を発見したのだった。

エコとパーン　ブランコに乗った女の子

「ボビーと親しくなれたのは本当に驚き。私は貧しい地域の生まれだったから。ボビーは立派なヒビングの少年で、私は町はずれの人間だった。彼の家族はお金持ちだったけど、うちは貧乏だった。彼はユダヤ人で、私たちはドイツ人、スウェーデン人、ロシア人、アイルランド人の混血だった」

エコ・ヘルストロム・シヴァーズは、白みがかかった豊かなブロンドの髪をマニキュアがきれいに塗られた片方の手で撫でつけ、長く穏やかな息でタバコの煙を吐き出すと、ミネアポリスの自宅アパートメントのソファに腰かけた。それは一九六八年の春で、ディランと出会ってから十一年が経過していたが、彼女にとってその記憶は人生で最も刺激的で、最も苦しんだ時代として鮮明に残っていた。「私の名前が本に出たら困ったことになるかしら？」彼女は大げさな言い方で尋ねた。「当時の彼を知りたいなら力になれると思う」

その前日、ヒビング近郊の掘っ立て小屋で、マ・ジョードに似た穏やかで品のよいエコの母親マーサ・ヘルストロムはこう語った。「うちのエコがボブのためにしてあげたことが少しは認められてもいい頃じゃないかと思うの。あの子は色々と傷つけられたけど、ボブを愛していたから手放したの。私たちはボブがいつ来ても歓迎したし、エコも私も彼を信じていると伝えていた。彼はじっとしていられないし我慢強くもない。彼にはすべてをきちんとやるだけの十分な時間がなかった。彼は焦っているみたいだったわ」。エコとボブが高校十一年生のとき、エコは自分たちはいつか結婚するのだと信じていた。どちらであれ先に上にたどり着いたほうが、相手をはしごで引き上げようというのが彼らのプランだった。ボブは人気者のヒーローを、エコは映画スターを目指していた。

デイヴィッドは、ボブがずいぶん夢中になった女性として名を伏せてエコのことに言及した。両親は必死になってボブに付き合いをやめるよう説得していたという。「ユダヤ人じゃないし、生まれも良くないってね」。デイヴィッドはこう付け加えた。「ボビーはいつもヒビングの鉱山作業員や農民や労働者の娘と付き合っていた。そういう子たちのほうが面白みがあったんだ」。一九六一年、ボブは言った。「ぼくは初めての歌をブリジット・バルドーに捧げた」。エコはミネソタのバルドーのように見えたし、パトリシア・ニールのような面影もあった。唇はぽってりとしており、頬はふっくらとして丸かった。ヘルストロム家が彼女の名前をエコとつけたのは、こだま（エコー）が返ってくるかのように兄の誕生からちょうど十四年後に生まれたからだった。エコと母と姉は皆、神話に関心を持っていた。しかし彼女たちは気づいていなかった。ギリシャ・ローマ神話に登場する有名な森の精霊エーコーは、音楽の才があり、いたずら好きの詐欺師で、将来を預言する才能があるパーン神に求愛されることを。

彼女は演技の道に進むことも考えていたが、一九六八年にはミネアポリスの映画会社で秘書として働いていた。短い結婚生活のあいだに授かった子供を養うために仕事が必要だったのだ。彼女がボブと親しくしていた年のことを語れば語るほど、私には彼女がヒビングを離れながらも、ヒビングが彼女から離れることはなかったのだと感じられた(11)。「私たちの出会いは本当におかしかったわ。私はハワード・ストリートのL&Bカフェにいた。ボブは上のムース・ロッジで演奏していて、ジョン・バックレンと下に降りてきたの。ボブが私に話しかけた。そして道端でギターを弾いて私のために歌った」。一九五七年の冬の終わり、彼女は十六歳で、ボブは十七歳だった。ボブは自分のピアノの腕前を彼女に披露したがったが、ロッジには鍵がかかっていた。「ボブは扉にナイフをすべりこませて、ピアノを弾くために中へ侵入した。私はヒビングで唯一、彼の話を理解できた女の子だったと思う。音楽がすごく好きだったから。アコーディオンのレッスンを受けていて学校の合唱団で歌ってた。家の居間にはハーモニウム(L)があった。レコードプレーヤーもあったけど、父は使わせてくれなかった。いつもラジオを聴いていたのよ。カーラジオで初めてチャック・ベリーの『メイベリン』を聞いたときのことは忘れない。すごく興奮したけど、父はラジオを切ってしまった。ラジオを聞くために家の裏の掘っ立て小屋に行っていたわ。朝の五時まで起きて、シュリーヴポートのゲイトマウス・ペイジのような司会者の番組を聴いていたこともある。一九五七年のヒビングで、リズム・アンド・ブルースを聞いたことがある人なんていなかったわね。だってヒビングでは、まだワルツを流していたのよ！　だからボブがリズム・アンド・ブルースの話を始めたときも、私は何を話しているか分かった。ボブが私にこう言ってくれたのはとてもうれしかった。『うちに来てレコードを聴かない？』って」

二人の友情は発展していった。「最初は私のことをただ友だちとして好きなんだと思ってた。いつもそんな感じだった——恋人同士になってからも、私たちは友だちだった。初めて彼に会ったとき、ユダヤ人なのかと聞いたわ。そしたら彼は話題を変えたの」

ジママン夫妻はエコに礼儀正しく接したが、彼らはボブに彼女はふさわしくないと言い続けていた。ロマンチックなボブは戯曲のような密会をするようになった。放課後に何度か堂々と家に招いたが、以降はこっそりと家にエコを出入りさせていた。「彼はお母さんとはあまり話をして欲しくないと思っていたの。お父さんとも何度か会って、親切にしてくれたけど、うちのお母さんは彼のお父さんの店に行ったときに嫌われていると感じたみたいで、店に行くのをやめてた」。あるとき、ボブが家には誰もいないと思っていたところ、突然祖母が帰ってきた。彼はエコをクローゼットに隠して祖母に挨拶に行き、図書館に行くつもりだと告げた。エコはボブの指示に従い、上の階の窓からガレージのポーチへ這い出た。「私はスカートが首元までめくれあがった状態で柵から釣り下がっていて、ボブは走ってガレージの裏に回ると私を下ろした。彼はこんな風なちょっとしたゲームが大好きだったの」

エコの母親はボブに親切だったが、父親のマット・ヘルストロム——貧しい画家であり、溶接工、熱心な猟師、木こり——は認めなかった。ある晩、彼女が甥の面倒を見る傍らで、ジョンとボブはカウボーイとインディアンのショーを繰り広げていた。「突然、お父さんの車が戻ってきたの。お父さんが裏口に入ってくるのと同時にジョンとボブは玄関から飛び出していったわ。砂利の音がしたから、お父さんはその音を追った。『誰かいただろ！』ってお父さんは叫んだけど、私は誰も来てないと答えた。ボブはお父さんがいるときにはうちに来ることができなかった。ずっとあとに、ボブが大金持ちになると、ようやくお父さんも、ボブはいい青年だったのかもしれないと思うようになったの。お父さんは三つギターを持っていて、そのうち一つはアンプにつなげるものだった。ときどきボブはこっそりとやってきてはそれを弾いていた。あるときボブは、私がいい奥さんになるかを試すと言った。何か料理をしろっていうから、ピザを作ってあげた。破れたスラックスも縫ってあげた。他にどんな要求をされたかは覚えてないわ」

ヘルストロム家の住まいはタール紙を張った箱のような掘っ立て小屋で、ヒビングから三マイル南西のハイウェイ73にあった。たびたび、ボブは学校帰りにヒッチハイクをしてそこに行った。ボブが小さな青のフォードを買ったときには、車を南に走らせてメープル・ヒルの頂上まで行った。そこからは三十マイル一帯のアイアン・レンジが見渡せた。彼らはファイヤー・タワー・ロードのシラカバの木が散在するわだちの道を頂上へ向かって車を走らせたりヒッチハイクをしたりした。夜の空気はひんやりとして気分を高揚させ、空には星が輝いていた。ヘルストロム夫人はのちにこう語った。「彼らの夢は結婚してメープル・ヒルに住むことだった。子供が生まれたら、男の子でも女の子でもボブと呼ぼうと決めていた。十代の子ってそういうものでしょう。二人はとても若かった。女の子は、いつも男の子より早く結婚する準備ができてるものなの」

午後に、マット・ヘルストロム氏が不在のときは、エコとボブは掘っ立て小屋の前でのんびりと過ごしていた。ボブはギターを膝に抱いて木の階段にしゃがみ、金髪の少女は小さな木のブランコに腰かけ、穏やかな振り子運動で拍子をとっていた。ボブは即興で歌詞をつくった。「彼が歌ってくれた曲は」とエコは振り返る。「ほとんどがリズム・アンド・ブルースかトーキング・ブルースだった。他のアーティストのように歌詞を繰り返すことはなかった。フレーズはいつも違ったし、いつだって物語があった」。一九六八年には、そのブランコはひどく錆びつき雨風ですっかり傷んでしまっていたが、それでもメープル・ヒルからのそよ風に吹かれて揺れていた。私はこのブランコこそが、『市民ケーン』で記者が長いこと探してきた、失われた子供時代の手がかりとなる「バラのつぼみ」ではないかと感じた。

「ジョンとボブはしょっちゅうトーキング・ブルースをやっていた。ときには『虹の彼方に』のような曲をヒルビリー・スタイルで歌うこともあった。お互いに教えたり学んだりしようとしていた。私は彼を信じてた、誰も信じていなかったときに。私だけのために歌ってくれたときの彼を見れば、その才能も分かったかもしれないけれど、外で演奏するときにはアンプの音量を大きくするから、声が聞こえなくなってた」。エコはボブの演奏する場所にどこでもついていった。日曜日のジャムセッションは、ヴァン・フェルトからコリアーズ・バーベキューへと移動した。ほかの観客たちはそれほど熱心な聞き手ではなかった。「一度なんて、お客さんに野次まで飛ばされたのよ。ヒビングで一九五八年の夏に開かれたセントルイス・カウンティ・フェアでのことだった。笑い声とブーイングのコンビネーションだった」。ボブは彼女に音楽で生きていくと語っていたのだろうか？「それが彼の人生計画だった。それを他の誰にも言わなかったのは、ジョンと私以外には話す人がいなかったからよ。ちょっとした友だちならいたけど、彼はいつだってそんな風に秘密主義だった。彼が何と名乗るか決めた日のことも覚えてる。一九五八年のことで、彼はまだ十一年生だった。ジョン・バックレンとうちに来て、ある日こう言ったの。『何て名前にするか決めたんだ。すごくいい名前だよ――ボブ・ディロンっていうんだ』」

彼の名前は法律上では一九六二年まで変わっておらず、日常的に使うようになるのも一九五九年に入ってからだった。エセル・マーマン（M）も、背負っていた「ジママン」というぶざまな荷物を第一音節で切り落とし、このように言っている。「ジママンという名前のどこがいいの？　自分を焼き殺すような名前よ！」ボブの新たな名前にはおそらく二つの由来があった。マット・ディロン（Matt Dillon）は実在する開拓期のヒーローだと思われているが、彼はテレビ脚本家のジョン・メストンとプロデューサーのノーマン・マクドネルがアドベンチャードラマシリーズ「ガンスモーク」のために作った架空の人物だった。番組が始まったのは一九五二年で、コロンビア放送会社（CBS）のラジオで放送され、一九五五年九月十日にはCBSTVのドラマシリーズとして放送が開始された。また、ディランの故郷の辺境地帯の近くには、ディリオンという名前のヒビングの開拓者一家がいた。ジェームズ・ディリオン（James Dillion）は町の初めての荷馬車引きだった。ボブは、一九六五年十一月、『シカゴ・デイリー・ニュース』紙（CDN）の記者から名前のことを聞かれ、ディリオンについて語って受け流した。

CDNの記者　ボブ・ジママンからボブ・ディランに名前を変えたのは、詩人のディラン・トマスを尊敬していたからというのは本当ですか？

ディラン　違うよ、まったく違う。ディリオンという名のおじがいるからディランにしたんだ。スペルは変えたけど、その方が見栄えがいいってだけだ。ディラン・トマスも読んだけど、ぼくとはちょっと違うね。

ディランはこの有名な誤解を私に繰り返し話した。「ぼくがディラン・トマスから名前をとったんじゃないってことをあんたの本できちんと書いてくれ。ディラン・トマスの詩は夜の営みに満足できない人や、男らしいロマンを求めている人のためのものだ」。彼はロバート・ジママンとしてミネソタ大学に入学したが、学生たちも友人たちも彼のことをディロンと認識していた。何人かの友人にはディロンは母の旧姓だと言っていた。ディロンがオクラホマの町の名前だと聞いた者もいる。彼がニューヨークで認められ始めてようやく、ミネアポリスの友人たちはボブが自分の名前をDylan（ディラン）と綴っていたことを知った。そのあいだに、彼はディラン・トマスの人生と作品に精通するようになっていた。

エコは、ボブが家族と距離を置いている理由を知った。「家族は必死に彼のレールを敷こうと頑張っていたけど失敗していて、彼もどんなものであれレールに乗っかるつもりはなかった。お父さんの店の掃除をすごく嫌がっていたのを覚えてる。お父さんのことを怖がっていたけど、殴られたという話を聞いたことはない。ご両親は彼が詩で大金を稼げるってことが理解できなかったの。お父さんは、それほど多くのおこづかいをあげてなかったと思う。私のほうがお金を持っていたと思うもの。もちろん、彼は必要なものはちゃんと持っていたけど、無駄遣いするお金はなかった。だからいつもホットドッグとかを買ってあげてたの」

エコとジョンは、ボブのユーモアや戯れ言のセンスに目がなかった。エコはこう語る。「いつも何か笑わせるようなことを考えていたわ」。ジョンはこう言う。「人をだますことにかけては天才的な才能があったよ。何を信じればいいのか全然分からないんだ」。彼らのお気に入りの遊びの一つはヒッチハイクだった。ボブの車をエコの家の近くに止め、ハイウェイ73からヒッチハイクでどこまで行けるか試していた。エコは辛抱強く、彼らが車やトラックで帰ってくるのを待たなければならなかった。ボブは「グリッセンドーフ」と命名した言葉遊びもしていた。エコのいとこは純朴な田舎の女の子で、この遊びが理解できずにあやうく泣いてしまうところだった。他にも「テレフォンメンタルテレパシー」という遊びがあった。ボブは家からエコに電話をかけて、自分の家にある何かを思い浮かべたと告げる。彼女がそれを言い当てると、彼はこれがテレパシーが実在している証で、思い浮かべたことを他人に伝達する自分の能力が証明されたと言うのだった。

ボブはよく、早咲きのミュージシャンのように振る舞った。「電話をかけてきて、レコーディングした曲を聞かせるって言うの。そしてボビー・フリーマンの『踊ろよベイビー』をかけて、こう言っていたわ。『これがぼくたちの曲だよ』って。今なら、それがボブのバンドじゃないことは分かる。彼はいつも空想を抱いては、たわいもない嘘をついていた」。そんなボブの遊びはいつも真剣だった。旅回りのミュージシャンたちをからかっては、仕事、これまでの歩み、編曲、バンドのルール、ポピュラーミュージックの流行について怒濤のごとく質問を浴びせ、そのミュージシャンから知っているすべてを吐き出させた。

エコはボブ以上にヒビングに魅力を感じなくなっていた。「出て行ける日が待ち遠しかった。他の小さな町にはないような、いやな住みにくさがヒビングにはあるの。アイアン・レンジの他の町も似たような感じだと思う、同じような経済状況だから。私たちが卒業してから、鉱山もほとんど閉鎖されてしまった。それで大半が町から出て行ってしまったのよ」

三人の友人たちは労働者階級の人びとに共感していた。ヘルストロム夫人はこう振り返る。「ボブは彼の家族よりもずっと謙虚だった。エコもボブも労働者たちにすごく共感しているようだったわ」。夫人とエコは、ボブがジョン・スタインベックに大きな関心を寄せていたと振り返る。一九六八年、エコはいまだにスタインベックの本を本棚に置いていた。「スタインベックのことをよく話した。ボブはいつもスタインベックの書いたものを読んでいた。『怒りの葡萄』や『キャナリー・ロウ』とか。『怒りの葡萄』を読んで、ボブは大恐慌のときのオーキー（N）に深く共感するようになったの」

「ボブが私と親しくしてくれたことにも驚いた。そもそもユダヤの人たちは他の人と関わりを持ちたがらないと思っていたから。ボブは自分がユダヤ人だってことについては何も話さなかった。ヒビングにいたユダヤ人は自分たちが他とは違うんだと感じているように思っていたけど、ボブは誰とも距離を置こうとはしなかった。ジム・ダンディのような黒人のこともとても好きだった、町にはほんの少ししかいなかったけどね。ボブはいつも有色人種の人たちのダンスや曲の作り方に感銘を受けてミネアポリスから帰ってきたわ」

ヒビング・ハイスクールのプロム（O）のために、エコはフロアに届くほど長い丈の淡いブルーのガウンを買った。彼女はボブがくれたコサージュを花が枯れてボロボロになるまで持っていた。一九五八年のヒビング・ハイスクールの学校年鑑でボブはこう宣言した。「きみは誰より美しいと言わせてほしい。前にも言ったけどね。学校一の美女に愛を込めて」。プロムに行き、彼らアウトサイダーは主流派の生徒たちのなかを通り抜けていった。エコはこう語る。「私たちはあまりに浮いていて、行かなければよかったくらいだった。上手く踊れなかったし。ボブのリードは下手くそで、私もリードに従うのが下手くそなの。彼は小さなステップを踏みながら何度もこう言ったわ。『どうかした？　何か困ってる？』私は答えた。『あなたとは踊れない』って。ほんとにひどかったの。でも私たちはお互い一緒にそこにいた。ボブは当時はガリガリじゃなかった。頬は肉付きがよくて、お腹も少し出てた。とってもかわいらしかったわよ。きちんとした身だしなみで、きれいに洗ったピンクの頬をしていた。プロムのあとは他のパーティには行かなかった。ボブの車のなかで眠ったわ。私たちは学校にいる他の生徒たちとはまったく違ってた。他の女の子のようにはなりたくなかったの。違った存在でいたかった」

一九五八年の夏になると、彼らの思いは反対の方向に向かっていた。エコは結婚を望んでいたが、ボブは旅をしたり音楽を追求したり他の女の子とデートしたりしたいと思っていた。エコはますます独占欲が強くなり、ボブはひとつの場所に落ち着いていられなかった。彼が映画を観に行きたいときには、彼が最初に入り、エコは後からなかで合流するようにと言われた。彼はできるかぎり多くの時間をダルースやツイン・シティで過ごした。一九五八年の学校年鑑に彼女のことを記したときにはすでに、彼は「セントポールの女の子たち」のことをほのめかしていた。

エコへ密かに思いを寄せていたジョンは、どちらに忠誠を誓えばいいか悩んでいた。エコはボブが他の女の子と浮気をしているのか教えてほしいとジョンに迫った。ジョンはこう語る。「ぼくはその通りかもしれないと告げた」。あまりにもつらい状況だと思ったエコはボブからもらったブレスレットを学校の廊下で返した。「彼の目がすごく大きくなったのを今でも思い出せる。『何のつもり?』と彼は言った。私は言ったの『さよなら』って。するとと彼は『廊下でそんなことやめてくれ』と言った」。その後、彼女は家で、他の女の子とデートしているのかと尋ねた。ボブは「していない」と答えたが、エコはジョンの話の方を信じた。「ボブは女の子たちからのたくさんの注目が必要なの」

彼女は二人の関係を振り返りながら一九五八年の夏を過ごした。メープル・ヒルに歩いて登ったが、そこからの景色は一人では違って見えた。彼女はあのブランコに座り、彼の歌声を思い出した。「結婚できなかったのは自分に進むべき道があったからだと、彼はあとになってよく言ってた。有名になるという決意がなければ、私と結婚していたかもしれない。結局は彼のお父さんが望んだようになっていたかもしれないわ――家具屋さんで働いていたかもしれない」。十年後、ヘルストロム夫人はこう言った。「ボブのレコードを聴いているときのエコは、今でも彼と話をしているような気分になっているんじゃないかしら」。元ラヴィン・スプーンフルのジョン・セバスチャンは、かつて私にこう言ったことがある。「ディランにはある程度以上は近づけない。まばゆい炎で燃えているから火傷してしまうんだ」。エコ・ヘルストロムは、彼に近づきすぎてしまった数多くの人びとの最初の一人だった。

一九六九年の秋に（P）、ミネアポリスで少しだけボブと会った彼女は、もう一度ロマンスを復活できないかと願った。ヒビング・ハイスクールの一九五九年度卒業生の十周年同窓会が開かれたとき、意外な二人がそれぞれ現れた――エコと、妻を連れたディランだった。その五年前、『ライフ』誌のクリス・ウェルズのインタヴューでボブはこう語っていた。「学校の教師たちは、すべてが素晴らしいと教えていた。それが正しいとされている考え方だ。どの本にもそう書いている。だけど、素晴らしくなんてないよね。たくさんの嘘が教えられていて、たくさんのことが教えられていない。子供たちもぼくのように感じているのに、誰も教えてくれない。子供たちははみ出すことを恐れてる。でもぼくはそんなこと恐れてない」

ひとときの帰郷を果たしたディランは「忠誠の誓い」（Q）を書いたフランシス・ベラミー以来の有名な卒業生として、ちょっとばかりの静かな勝利を手にした。ボブは旧友たちに囲まれサインを求められていた。彼はエコにもサインを書いている。

バディ・ホリーへの花冠

ボブが最終学年の始まりを待ち遠しく思っていたのは、早く卒業したいと思っていたからだ。「もうすぐで終わるよ」と彼はジョン・バックレンに言った。彼は優等生名簿に載るのを三回逃した。ビーティーが注意すると、彼はこう切り返した。「優等生名簿がすべてじゃないよ」。彼は酒や煙草を試してみた。あるとき、とバックレンは振り返る。ボブはどこかで一人で飲んでいて、電話をかけてきた。「ジョン、今からそっちに行って、お前をボコボコにしてやる」。ジョンはこう答えた。「オーケー、やろう。外で待ってるよ」。襲撃者と化した彼は前後によろめきながら現れた。「彼はこぶしを振り回し、ぼくのあごを殴ったけど、ひどい状態だったからパンチは少しも痛くなかった。最終的にぼくは彼を無事に家に帰した。思いがけず、ボブはしょっちゅう酔っ払うということがどんな感じか悟ったみたいだ」

ミネアポリスに行く頃には、ワインを好むようになった。一九六四年十月にも、彼はまだ、ジョーン・バエズ、グレゴリー・コーソ、アレン・ギンズバーグ、オーネット・コールマン、そしてフィルハーモニック・ホールでコンサートをしたあとに行われるパーティのゲストたちにはワインがぴったりだと思っていた。親切な主催者はずらりと並んだボジョレーワインを出してくれた。ヴィレッジでの最初の数年間、ボブはワインでよくハイになっているような印象を与えていた。スージー・ロトロは私にこう言った。「出会ってからずっと、彼が完全なしらふでいるのを見たことがなかったと思う。だけど、半分は酔ってるフリだった。ハイになっていると思われていた方が、周りで起きていることをよく見たり聞いたりできたみたい」

完全にしらふのときでも、若いボブは車の事故を起こしがちだった。やがては父も車の問題を気にしなくなっていくが、その問題は当時の彼らの関係をこじらせていた。「ボブはいつも、どんな車のキズに対しても決まった回答をしていた。電話をかけてきてこう言うんだ。『ファンベルトを壊しちゃったんだ』」。ある事故のあとには、エイブは示談金を四〇〇〇ドル払わなければならなかった。その最もひどい事故は一九五八年に起きた。ボブはバイクを売ろうと決めていたが、最後にもう一度乗ることにした。ゆっくり家に向かっていると、オレンジを持った三歳の男の子が、駐車していた二台の車のあいだから道に飛び出してきてバイクの側面に激突した。ヒビング病院は子供にさらなる治療が必要だと言い、エイブはダルースまでの救急車の手配をしなければならなかった。子供は回復したが、エイブはボブとバイクは死の組み合わせだと思った。その事故の晩、ボブはダウンタウンでエコと会い、バイクには二度と乗らないと誓った。彼はエコに何度もこう言っていた。「今でも思い出すんだ、道に転がるオレンジを」

最終学年のときに、ボブのキャリアプランは固まっていった。彼はいとこの小さなバンド「サテン・トーンズ」に参加していた。個性のあるグループで、ある曲はウィスコンシン州スペリオルのテレビ番組で放送され、ある曲はヒビング・アーマリーのダンスイベントで演奏され、ある曲はヒビングのラジオで収録された。バックレンは言う。「彼はゴールデン・コーズやサテン・トーンズのような仲間たちといつも一緒にいた。彼には、チャンスを見つけ、それを最大限に生かす並外れた才能があった」。ボブは南部出身のシカゴのブルースマンであるマディ・ウォーターズやジミー・リード、そしてロカビリーとなった白人のカントリー歌手たちを敬愛するようになった。新しく発見し、以降の彼に影響を与え続ける音楽のモデルも現れた――バディ・ホリーである。ボブはホリーの甘く、素朴で、子供のような声を真似した。多くのディラン作品の声質は、彼がホリーの影響を受けていることを示している。

ホリーはエルヴィスのような高音、あるいは「迷子になった男の子」のようなしなやかで切ない声で一九五〇年代のティーンたちを熱狂させ、若者音楽の切実な思いを表現していた。チャールズ・ハーディン・ホリーは、テキサス州のラボックで一九三六年に生まれ、十五歳のときにはバディ・ホリーとして西テキサスのクラブを巡業していた。デッカと契約を結んだものの鳴かず飛ばずで、彼と彼のバンドであるザ・クリケッツはニューメキシコ州のクローヴィスで録音スタジオを経営するノーマン・ペティと契約する。ペティの助言もあり、彼らは昔の失敗作を作り替えてミリオンセラー曲「ザットル・ビー・ザ・デイ」を生んだ。一九五八年までに、ホリーのヒット作「ペギー・スー」「レイヴ・オン」「アーリー・イン・ザ・モーニング」はアメリカとイギリスのヒットチャートを席巻した。ホリーが与えたビートルズへの影響は、ビートルズがリトル・リチャードやエヴァリー・ブラザーズから受けた影響と近いものがあったかもしれない。ディランらもたちまちホリーを自分たちに重ね合わせた――ホリーもまた小さな町に暮らす男で、若く、か弱く、傷つきやすかった。一九五九年一月三一日、ホリーとミュージシャンのリンク・レイがダルース・アーマリーにやってきたときの興奮を想像してみて欲しい（ディランは一九七五年にレイのもとを訪れてこう言っている。「リンク、ぼくはあなたがバディ・ホリーとダルースに来たとき、最前列に陣取っていたんだ。当時と変わらずあなたは今も素晴らしい」）。ステージにおいては、バディ・ホリーはボブの兄と言えたかもしれない。ハンク・ウィリアムスとディーンは亡くなり、リトル・リチャードとブランドがヒビング近郊に来ることは決してなかったが、バディ・ホリーはその北国へやって来たのだった！(12)

ディランが彼を見てからわずか三日後に、バディ・ホリーはこの世を去った。そのショックは甚大だった。ボブと友人たちは、その悲報の詳細を熱心に追った。一九五九年二月三日の午前一時、アイオワ州のメーソンシティでチャーターされたビーチクラフト・ボナンザは、うっすら降る雪のなかをノースダコタ州ファーゴに向かって飛び立った。数分のうちに問題が発生してしまったのは、二一歳のパイロットが天候と機器の扱いに対応できなかったからだろう。左の翼がまず地面に衝突した。即死したのはパイロットと三人のミュージシャン――ホリー（二二歳）、メキシコ系アメリカ人で最大のヒット曲は「ラ・バンバ」のリッチー・ヴァレンス（十七歳）、ビッグ・ボッパーと呼ばれたJ・P・リチャードソン（二八歳）――だった。この死はボブにトラウマ的な影響を及ぼした。彼は生命力あふれる青年ではなく、死にとりつかれた若者のようになった。彼は自分の時間には限りがあるかのように行動した。車やバイクの事故はその一例だった。「ぼくは死の炎に焼かれた」と一九六五年にディランは言った。ミネソタ大学の友人グレテル・ウィテカーはこう語る。「ボビーが二一歳を越えるとは思えなかった」。十九歳の頃には、嘆きに満ちたブルースを書いていた。「ワン・アイド・ジャックス」はミネアポリスの友人から私に渡された。

ダイヤモンドのクイーンよ
召使いのジャックよ
ぼくの墓を掘っておくれ
銀の鋤（スペード）で
そしてぼくの名前は忘れてくれ
ぼくは二十歳
二十年の年月が過ぎ去る
ぼくが泣いているのがわからない？
ぼくが死に向かっているのがわからない？
ぼくは二一歳にはなれない……

バディ・ホリーの死には興味深い補足情報がある。ファーゴのコンサートマネージャーは必死になってバディ・ホリーの穴埋めとなる人物を探していたという。彼はミネソタ州ムーアヘッド近郊にいた二人の兄弟シドニーとビル・ヴェリーンを見つけた。そしてバディ・ホリーを聞きに来た二五〇〇人の若者たちはヴェリーン兄弟のバンドの曲を聞くことになった。ヴェリーン兄弟は弟のボビーもバンドに参加させていた。ボビー・ヴェリーンはコンサートマネージャーにバンドはザ・シャドウズと呼ばれていると言った。高校二年生の彼が考えたばかりの名前だった。ボビー・ヴェリーンは名前を短くしたボビー・ヴィーという名ですぐにバンドのリーダーとなった。数回のダンスイベントへの出演で五〇〇ドルを貯めたシャドウズは、ミネアポリスのレーベル「ソマ」で四曲を録音した。そのうちの一曲「スージー・ベイビー」は、ホリーのように歌うボビー・ヴィーが特徴的だった。シャドウズはその後ファーゴでピアノ奏者を探した。誰かが、一九五九年の夏の初めにファーゴのレッド・アップル・カフェで食器の片づけ係をしていた青年はどうかと提案した。「あの辺にはロックが弾けるピアノ奏者はすごく少なかったんだ」とヴィーはロンドンで一九六九年に私に語った。「それでボブ・ジママンに、ぼくたちと演奏する機会を与えて、見事な演奏を見せてくれたよ。Cのキーでね。彼の演奏スタイルはジェリー・リー・ルイスのようだった。ボブとはファーゴでのダンスイベントに二回、一緒に出たよ。だけど新しいメンバーを加えるほどの金は稼げないってことになったんだ」

ボビー・ヴィーの「スージー・ベイビー」はアメリカ中西部でヒットした。ボビー・ディランは、ある雨の日の晩ファーゴから家に帰ってきたが、家族以外には自分のプロとしての初めてのチャンスが失敗に終わったことは告げなかった。彼はバックレンや他の仲間には、「スージー・ベイビー」のレコード収録に参加したと言い、ミネアポリスでの話を繰り返していた。誰もまともには取り合わなかったが、それに反論する者もいなかった。

卒業

エイブとビーティーは息子の卒業を喜んだ。一九五九年の初めには、ボブはミネソタ大学に行くことに合意したが、それは町から出ていく手段として「許容できる」ものだったからにすぎない。ビーティーはボブを引きとめるものが何もないことを渋々ながら認め、町で一番大きな卒業パーティを開いた。パーティの手配は何の滞りもなく進んだ――主賓の予定を除いては。彼は他の仲間たちと出かけることになっていた。母は彼が少なくとも十五分は顔を出すべきだと思っていたし、パーティを中止にするつもりはなかった。「かいつまんで言うと、あの子は私たちと一緒に家に帰ったわ」

このパーティと、マイク・ニコルズが監督しダスティン・ホフマンが出演する映画『卒業』のなかのパーティには大きな共通点がある。どちらのパーティも息子のためというより両親のために開かれたものだった。エイブはこう語る。「ロバートはこのようなパーティが慣習であることを理解できなかったんだ。私は彼に言った。『これは一つの節目だ。高校を卒業するのも一度きり、大学を卒業するのも一度きりのことなんだぞ』と。するとあいつはこう言った、『顔を出しても、長くはいないよ』。だが、あいつは残ったし、みんなが来てくれてうれしかったみたいだ」。ボブの友人や音楽仲間も呼んだのだろうか？「いいや」とエイブは答えた。「近所の人と家族だけだ。卒業のときに子供たちは自分らのパーティをする。子供に望むことは、ただその場にいてくれることだ。ボブは予想していたよりも長くいてくれたよ。あいつは卒業を祝いに来てくれた人たちの半分も知らなかったが、周りはみんなあいつのことを知っていた」

深夜にボブは外出した――おそらくは友人に会うためだった。しかし実際は、ヒビングの通りをただ歩いただけだった。午前二時、彼が戻ると、ビーティーと掃除婦は家の片づけをしていた。「すてきなパーティだったでしょう？」と母は尋ねた。彼は良いパーティだったと認めた。母は最高の思い出である息子の卒業について、こう振り返った。「あの子はどんなときだって紳士的だったわ。ちょっと反抗的なときもあったけど、いつもみんなに優しかった。あのパーティはすごく楽しかったし、きちんとした子を持ったことを誇りに思った」。ダイニングルームのテーブルには知らない人たちからの贈り物が積まれていた。そのなかにあったのが一九四九年に亡くなったレッドベリーの78回転レコードの一式だった。フォーク収集家のジョンとアラン・ロマックス父子が南部の刑務所で見いだしたこのルイジアナ出身の力強いシンガーは、ボブにとって天啓となった。その声と十二弦のギターだけで、レッドベリーはボブの頭のなかを「ロック・アイランド・ライン」「テイク・ディス・ハンマー」「グリーン・コーン」「ミッドナイト・スペシャル」でいっぱいにした。その言葉には他のポップミュージックの歌詞以上の意味があった。ボブはその音楽的なストーリーテリングを大いに楽しんだ。

バックレンは語る。「ボブは電話口で叫んでいるも同然だった。『すごいものを見つけたんだ！　家に来いよ！』」。彼らはそれを聞き、ボブは深い衝撃を受けていた。「『これだよ、これだよ』と彼は繰り返していた。一九五九年のぼくにとってレッドベリーはあまりにシンプルだった。これもボブがぼくたち全員より先を行ってた例のひとつだね。その午後のボブとレッドベリーの組み合わせを見て、ぼくはボビー・ジママンがボブ・ディランになりつつあることを初めて実感した」。レッドベリーもワルだった。彼は黒人のポール・バニヤン(R)で、殺人で服役していた。アメリカのフォーク・ソング、ブルース、労働歌の父親的な存在として、彼はボブを一九五〇年代後半における初期のフォーク・ソング復興運動のルーツへと導いた。レッドベリーに惹かれていたのは一時的だったが、フォーク・ミュージックとその向こうに広がる世界の扉を開けるには十分な期間だった。

高校卒業後、ボブは大学生のフリをするためにミネアポリスへ向かった。それ以降は、大学の長期休暇やニューヨークから新たな勝利の報告を引っさげて、六回ほどヒビングに戻っただろうか。一九六四年の春、ボブはデイヴィッドがヒビング・ハイスクールを卒業するにあたって少し顔を出した。ボン・ロルフセンは、ボブが音楽で皆を激高させたあの同じ講堂で控えめにしていることに驚いた。「そのときにはすでに人気者となっていて、彼が望めば町は大騒ぎになっただろう。あまり注目されたくなかったみたいだね。すごくピリピリしていて、ずっと煙草を吸っていたし、とても緊張しているように見えた。ぜんまいを巻きすぎた時計みたいに張りつめていたよ、ずっと落ち着かない様子だった」

帰郷の旅はだんだんと不定期になり、一九六四年以降は、私の知る限りでは二度しか帰っていない。ポストカードを送ったり、滞在地から時を選ばず電話をかけることはあったが、ボブはヒビングをほとんど記憶から消し去ってしまっていた。一九六三年、『ダルース・ニュース・トリビューン』紙の日曜版特集記事の編集担当だったウォルター・エルドットはエイブの言葉を引用している。

「息子は企業体であり彼のパブリック・イメージは完全に演技だ」と父親は語る……ミネアポリスで演奏して回り、大抵は出演料を受け取ることなく、彼は現在のステージ上での――フォークスタイルの衣装と訛りを含めた個性を作り上げていった。「それこそが」と父親は言う。「私たちを動揺させているし、今でもそうだ。でも、それらは全部演技なんだ」

……その当時、父親はボビーの将来を明確に理解するようになっていた。「あいつは自由でいたかったんだ」とジママンは言う。「あいつはフォーク・シンガーに、エンターテイナーになりたがっていた。私たちには理解できなかったが、そのチャンスを与えてやるべきだと感じたんだ。結局はあいつの人生だし、私たちはそれを邪魔したくなかった。だから約束したんだ、一年間好きなようにやってみて、その年の終わりに私たちが成果に満足できなかったら、学校に戻るんだぞって」

一九六三年の後半、エルドットはボブを家族からさらに遠ざけることとなった『ニューズウィーク』誌の記事に情報提供をした。ボブは両親に二つの記事に関して電話口で怒りをぶつけた。自分の承認なしに誰かに話をするのはやめろと警告した。これはエイブにとっては非常に難しいことだった。一九六八年の春になっても、エイブはまだ自分の見解を語りたがっていた。エイブは『サタデー・イヴニング・ポスト』のジュールス・シーゲルにこう語っている。

「ボブを貧しい地域に行かせて滞っている支払いの回収をさせたことがあるんだ……あいつがこうした人たちから金をとることができないと分かっていたけどね。私はただ、人生というものの別の一面を見せたかっただけなんだ。ボブは帰ってきてこう言ったよ。『父さん、あの人たちは全然お金を持っていないんだよ』。私は言った。『ボビー、そこにいる人たちのなかには、私と同じくらいお金を稼いでいる人たちもいるんだよ。あの人たちはどうやってやりくりすればいいか分かっていないだけだ』」

ヘルストロム家の人びと、ジョン・バックレンの母親、そしてジム・ダンディは、エイブ以上に貧しい人たちのことを教えてくれた。感じのいいエイブにはやはり、ジョージ・バビット（S）のようなところがあった。

ロータリークラブ　永遠の絆？

一九六八年の春頃には、エイブはボブのことをかなり好意的に受け止めるようになっていたが、それでも彼は友人たちに、ボブはプライベートジェットで真夜中にやってきて早朝に帰っていくから誰も姿を見ないのだと語らずにはいられなかった。この話は父親の体面を保ち、息子の神秘性を強化した。ボブは四年間故郷に帰っていないという事実があるにもかかわらず、真夜中に飛行機で帰ってきたという話はヒビングじゅうに広まり、飛行機を見た人を知っていると言いだす者もいた。

一九六七年の秋、エイブとビーティーはニューヨーク州のウッドストックにいるボブと彼の家族を訪ねた。彼らの有名な息子は孤児を演じることをやめていた。ボブが結婚し家族を育んでいるという事実は、両親の基準からすると、この間に起きたどんな出来事よりも大きな成功だった。数日後、エイブはニューヨークで私をディナーに連れ出した。ウッドストックで和解したことを私にどうしても伝えたかったのだ。彼は一九六六年に私と初めて会ったときからすでに、自分の歴史を書き換え始めていた。もはや彼はポップミュージックをバカバカしいと考える堅物の父親ではなかった。自分の店のカウンターで客が来るのを待ちながら、音楽情報を扱う週刊誌『ビルボード』の最新号を熟読していた。「ぜひとも今夜は一緒にディナーをしましょう。明日はアンドロイでロータリークラブの昼食会があるんだ。ヒビングの最高の一面を知りたければ、ロータリークラブの活動を見るべきだよ」。物腰はやわらかだったが、断ることのできない提案だと悟った。

エイブはコミュニティの中心人物たちに私を紹介した。彼は非常に友好的で、皆と個人的な会話を交わし、会員たちそれぞれの妻をファーストネームで呼んだ。昼食のあと、町の優秀な弁護士ポール・ハリスは、ロータリークラブの目的についてとめどなく話した。「その一、自分よりも人に尽くすこと。そのためにも友人や隣人のことを知る必要がある。その二、ビジネスにおいて高い倫理基準をもつこと。自分のやっていることに誇りを持つんだ。その三、関わり合いを持つこと。できる限り多くのコミュニティのプロジェクトに参加する時間を作るんだ」。そして「アメリカ」の合唱があり（支部の聖歌隊指導者クライド・ヒルは「もう少し元気よく」と言った）、その後、同組織のテーマ曲「ロータリー」を歌い、最後に「リパブリック讃歌」を歌った。充満した煙草の煙は、パワー全開の四十人の歌声で揺らめいていた。「ウッドストックのロータリークラブは」と外に出たエイブは上気した様子で言った。「月曜日の夜に集まる、だから前回ボブに会いに行ったときは参加できなかったんだ」

ヒビングは、ロータリークラブやキワニスクラブに所属していなければ少し違って見えたかもしれない。ムース・クラブ、オッド・フェローズ、第一次世界大戦退役軍人支援会Ｎｏ．２０３９、ヴァーサ・オーダー・オブ・アメリカのテンゲルロッジ、ヨブの娘たちベテルＮｏ．４、火曜音楽会、ファースト・セトラーズ・オブ・ヒビング、アイザック・ウォルトン・リーグ、ヒビング・フィギュアスケートクラブ、ウェルズ＝ウッドランド・ガーデンクラブ、メサバ・ロザリアンズ、サンズ・オブ・イタリーのグリエルモ・マルコーニロッジＮｏ．１１６４、ナショナル・カトリック・ソサイエティ・オブ・フォレスターズのヒビング・聖フランチェスコ・コートナンバー６１０、バンカー・ウィリング・ワーカーズ４－Ｈクラブ、ブナイ・ブリス、あるいは商工会議所に所属していない人にとっては空虚な場所かもしれない。

ジム・ヒッチコックは一九六六年の商工会議所の会頭で『ヒビング・トリビューン』紙の発行人だった。彼は町が苦境にあったことを認めつつも「私たちは元の軌道に乗った」としたが、悲しげにこう語った。「たしかに、若者たちが出て行ってしまったことは大きな問題だ」。ヒッチコックによると、ヒビングは鉄鉱石のほかにも有名なものが三つあるという。ピザや中国の食料製品の製造から販売までを行い、数百万ドルの売り上げを達成したチャン・キング・コーポレーションの創立者ジェノ・パオルッチ。野球選手のロジャー・マリス、それからボビー・ディランだ。

「ディランの影響でこの町が少し神格化されているのは知っている。ロジャー・マリスは常々自分はノースダコタ州のファーゴ出身だと言っていて、ヒビング出身だと言われると怒っていた。この町の人たちはボブがヒビング出身であることをうれしく思ってるよ、彼が変わり者だとしてもね」。町の指導者たちはボブのコンサートを誘致したことはあるのだろうか？「公式にオファーしたことはないと思う、私の知る限りは。彼がいつ戻ってくるか分かれば、お願いするだろう」。『ヒビング・トリビューン』はボブ・ディランについての特集を組んだことはあるのだろうか？「いや、ないと思う」。満を持して発行された一九六八年八月十日の記念すべき七五周年に『トリビューン』が大幅なページを割いたのは、ヒビングの美点についてだった。ディランの名前はどこにも登場しなかった。

ボブの子供時代、家ではロータリークラブの話、商工会議所の話、そしていかにも信心深げな「我が家に神のお恵みがありますように」という言葉が交わされていた。過去を振り返ってみて、ビーティーとエイブはボブが一九六〇年代における最も有名な若き反抗者となった理由に思い当たることはあるのだろうか？父はこう語る。「本当は反抗的な子じゃないんだ。何か違うことをして自分を売りこまなきゃと自分に言い聞かせてたんだよ」。母は言う。「そうよ、そうやって自分に言い聞かせてたの。私たちのせいじゃないわ。本当に私たちのせいじゃない。成功することはできないの、ニューヨーク以外ではね」。両親は彼が怒りを抱えて出て行ったと思っていたのだろうか？「いやいや、息子は怒って出て行ったわけじゃない」と彼らは答えた。

一九五〇年代後半のヒビングに暮らす幾千もの家族の親子関係のなかで、エイブとビーティーが特別に堅物だったわけではない。しかし、彼らの息子の並外れた繊細さが彼らをそのように見せてしまっていた。一九六八年の春、エイブとビーティーは現実に目を向けてこうしたすべてを理解しようと試みていた。「善良で、礼儀正しく、きちんとしている息子」が、ある時代において若者の反抗を代表するシンボルになってしまったことに対してどう思っているか聞かれると、彼らは「それが私たちの悩みだった」と答えるだけだった。エイブはこう言っていた。「当時、息子は正しくないやり方で若者たちに影響を与えていた。あいつがやっていたのは理由ある反抗だと思う。世の人びとのためになることをしたかったんだと思うけど、それをとにかく早くやりたがった。あいつはそうした物事や、そうした変化には時間がかかるのが理解できなかったようだ」。ビーティーはこう語る。

「家にいたときから、恵まれない人たちのことを気にかけていた。そういった人たちに手を貸してあげたいっていつも考えていたの」。ボブは『理由なき反抗』を何度も繰り返し見ていた。その映画に対する両親の反応はどうだったのだろうか？　エイブは言う。「ちょっと大げさだよね。本当のことを言うと、子供たちがこんな風だとは思わないよ。それよりもずっと悪いか、ずっと良い子かのどちらかだ」。子供は誰しも反抗的になるものではないだろうか――あなたがたはどうだった？　ビーティーは言った。「私たちは反抗的じゃなかったし、仲良くしていた。両親が私たちのために一生懸命頑張ってくれてることが分かっていたもの」。エイブは語る。「ときには両親の命令に落胆することもあったよ。文句を言ったり、ちょっぴり泣いたりすることもあったが、最終的には言われたとおりのことをやった」

エイブは家のなかを案内してくれた。地下の娯楽室にはかつてボブのジェームズ・ディーンコレクションが壁に並んでいたが、今は両親たちのギャラリーとなっており、彼らにとっての若き反逆者であるディランのポスター、アルバムのジャケット、宣伝記事、雑誌の写真があった。両親は、ボブが高校時代にさまざまなバンドで演奏していたときの古い練習テープを聞かせてくれた。ボブの若く荒々しい声は、「ロックンロール・イズ・ヒア・トゥー・ステイ」を大きな声で歌っていた。一九五〇年代を代表する78回転レコードや七インチレコードの崩れかかった山が部屋の隅にあった。ミッキー&シルヴィアの「ディアレスト」と「ゼア・オウタ・ビー・ア・ロウ」、ジーン・ヴィンセントと映画『ホット・ロッド・ギャング』のメンバーたちによる「ベイビー・ブルー」、そしてハンク・スノーにナット・「キング」・コール。他にもおびただしい数のハンク・ウィリアムスの切ないブルースに、ビル・ヘイリー、パット・ブーン、ボビー・ヴィー、ジョニー・エイス、ウェッブ・ピアース、そして当然バディ・ホリーの「スリッピン・アンド・スライディン」、リトル・リチャードの「トゥッティ・フルッティ」、プレスリーの「ハートブレイク・ホテル」「ブルー・スエード・シューズ」があった。

エイブは上のボブの部屋に私を連れていった。階段の壁にはきちんとネクタイを締め、ふっくらとした顔のボブの写真が貼ってあった――卒業式の写真だ。エイブは言った。「息子たちは二人でこの部屋を共有していたんだ。ツインベッドがここにあってね。どっちがどっちで寝ていたかは分からない。初めは馬と鞍のウエスタンをモチーフにした壁紙にしていたが、何度か塗り替えたんだ」。エイブは家族写真のアルバムをいくつか引っ張り出してきた。その数は驚くほどで、彼はこう言った。「ここに何か金になるものはあるかな」

彼は素早くページをめくった。「これはボブが闘牛士をやっている写真だ。バスタオルをケープに見立てて持ってる。十二歳になる頃だ。金では買えない貴重なものだよ。これはボンゴを演奏しているとき。これはあいつが飲んでいたぜんそくの薬だ。今ではそれほどひどい症状は出てないみたいだね。これはカウボーイの壁紙だったときの部屋。ボブは十五歳で、カウボーイハットをかぶってポーズをとって、口に煙草をくわえていた。少し前に『ドント・ルック・バック』の宣伝に使われた写真と一緒にこの写真をあいつに送ってやったよ。まったく同じ表情をしているんだ。これはミシシッピ川の源流でポール・バニヤン伝説の地だ。そう、あいつは巨人ポール・バニヤンの話が好きだったんだ」

ボブがならず者や無法者に魅力を感じていたことはどう思っているのだろうか？「そうだね、魅力を感じていたみたいだよ。それは間違いない。誰もがこういう無法者たちに関心を持っていた。私だってそうだったよ……ほら、これは『クラシックス・イラストレイテッド』だ。『シラノ』『ノートルダムの鐘』『コルシカの兄弟』『ザ・パスファインダー』もある」。ボブが幼いときにヴィクトル・ユーゴーの『レ・ミゼラブル』の挿絵を描いていたことは知っていたのだろうか？「知らなかったよ。絵はどこに行ったんだろうね？」エイブは誇らしさと悲しみが入り混じった様子で思い出の品をめくっていた。ボブが家を出てから本当に長い時間が経過し、本当にたくさんのことが起こっていた。

エイブはボブがヒビングに戻ってくると思っていたのだろうか？ 長い間があった後に、彼は言った。「ボビーのボーイスカウトの写真だ」。「いつの日かヒビングに戻ってくると思いますか？ それとも分からない？ エイブ」。彼は写真をめくり続けた。三週間後、ディランは四年ぶりにヒビングに戻ってきた。エイブの息子は父の葬儀のために戻ってきたのだった。

カディッシュ

エイブが初めて心臓発作を起こしたのは一九六六年の夏のことで、ボブのバイク事故の直後だった。発作は軽かったが、精神的に打ちのめされた。しかし、どんな医者も息子たちのことや父親としてのパブリック・イメージに対するエイブの気苦労を和らげることはできなかった。一九六八年の春、彼は新たに家族の問題を抱えていた。デイヴィッドがカトリック教徒の女性と結婚しようとしていたのだ。「息子たちが間違いを起こすときは、大きな間違いをやらかすんだ」。エイブは亡くなる数週間前に私にそう語った。五月の最終週に予定されていた結婚式は延期された。

六月五日の朝、エイブは脱力感と「奇妙な」感覚とともに目覚めた。彼は無理せず家で過ごした。症状はビーティーが帰ってくる頃になっても良くならなかった。午後五時を少し過ぎた頃、エイブは致命的な心臓発作を起こし、ビーティーが近所の医者を呼んできたときにはリビングルームのソファの上に倒れていた。初めボブは葬儀の雰囲気を乱すことを気にして、出席をためらった。翌日、ボブは一人で民間の飛行機に乗っていた。デイヴィッドは霧雨のなかヒビング・チザム空港で彼と落ち合った。ボブは『ジョン・ウェズリー・ハーディング』のレコードジャケットと同じ黒のラウンドハットをかぶっていた。家は親戚や近所の人びとであふれかえっていた。数分もしないうちにボブは母と弟を部屋の隅に呼んだ。「ガーデン・パーティじゃないんだぞ。この人たちには出ていってもらおう」。ビーティーはこれが伝統的な追悼なのだと説明した。ボブは家族だけでやるべきだと言い張った。

デイヴィッドはボブの見た目に驚いた。兄は物静かで、毅然とした、穏やかな「五十歳の男性」のようだった。二人で葬儀について話し合ったときに、デイヴィッドはボブがユダヤ人の儀式、特にカディッシュについてよく知っていたことにも驚いた。カディッシュはヘブライ人の祈りの言葉で、生き残った息子が親の魂のために捧げる敬虔な祈りであった。金曜日の朝早く、デイヴィッドとボブはファースト・アヴェニューのドウアティ葬儀場に行った。父の遺体を見ると、ボブはそれまで抑えていた思いが奥から湧き上がってきた。ビーティーやデイヴィッド以上に、ボブにとってその死は辛いもので、父とこれまで話すことができなかったあらゆることを思い出しているかのようだった（「ぼくは父のことを何も知らなかった」とボブはのちにウディ・ガスリーのかつてのエージェントに語っている）。葬儀場が参列者のために開けられる頃には、ボブは再び自分をコントロールして、隅に立ちカメラのようにすべての光景を目に焼き付けた。

エイブが亡くなる二年前、ボブは死や自殺に関する思いを途切れ途切れに、私に向かって吐き出した。「ぼくはあまりにも長い時間働いてきたことに気づいたんだ。五十歳の男よりも長いこと働いていた。ねえ、死はぼくにとっては何でもないことだよ、さっさと死ぬことができればの話だけど。もっと早くに死んでいたかもしれないと思ったことがたくさんあった。死を恐れていたときもあった。自殺的なことを考えていたことも事実だよ。この半年間、自殺の呪いにかかっているんだ」

「実際、ニューヨークにいた頃の初めの数年間すごく死を恐れていた。曲を自分で書き始めて、周りがぼくを天才と呼び始めたときのことだよ――これもすごい、あれもすごいってさ。バカバカしいと思ってたよ、だって自分が書きたいものがまだ書けていなかったのに。『風に吹かれて』を書いたけど、満足いくものじゃなかった。この曲に満足したことはなかった。あれは十分で書いたんだ。『風に吹かれて』は幸運なクラシックソングだった。『ユア・チーティン・ハート』(T)以上でも以下でもない。だけど、深みがないんだ」

「本当にうんざりだよ。ぼくは気分がノッてるときには曲を書かないって、きみも知ってるだろ。ノッてるときには演奏するんだ。曲は辛いときに書く。他の人には勧めないけどね。そう、誰もぼくの悩みなんか分からないし、ぼくも誰かに言うつもりはない。自分がウディ・ガスリーみたいな状況だったら(U)、自分はどうしていただろうと思う。生きながら朽ちていく。ぼくは朽ちたくない。自分を朽ちさせたくない。ぼくは朽ちることに立ち向かうんだ。朽ちていくことは自然の意志だ。ぼくは自然に立ち向かう。自然は受け入れられない。自然とは本当に不自然なものだと思うよ。真の自然とは夢のことで、自然は夢を朽ちさせることはできない」

「ニューヨークにいたときは本当に死が怖かった。ぼくは何も生み出していなかった。明日にはもっと良いものが生まれるかもしれなかった。死にたくなかったんだ。飛行機に乗るときも死にたくないと思っていたよ。自分には言葉にしなきゃならないものがあったから。ぼくの歌を聴いてくれる人がいると分かっていたから。自分が死ぬところは見たくない。自分が死んでいくのを聞いたり、味わったり、嗅いだりしたくない。今話していることとこそまさに平等さ。誰もに共通している唯一のことは皆いずれ死ぬってことだよ」

シナゴーグでの葬儀のとき、ボブは翡翠のカフスボタンがついた灰色のダブルのスーツを着て、白いネクタイを締め、母親への最後の譲歩として伝統的なユダヤの帽子をかぶった。彼は『ジョン・ウェズリー・ハーディング』のハットをかぶりたかった。それは敬虔なユダヤ人がかぶる黒い帽子として通用すると思えた。ラビが葬儀を締めくくり、参列者たちはダルースにある遠くの墓地へ車で向かうための準備をした。ビーティー、デイヴィッド、ボブは、墓場に向かうあいだほとんど口を開かなかった。

その日の午後、デイヴィッドはボブを雨のヒビングのドライヴに連れ出した。サイレント映画のフラッシュバックシーンのように町が目の前を通り過ぎていった。彼はどこかの少年たちが立てた小さな看板がある小山を通り過ぎた。「ミネソタ州ヒビング――ボブ・ディランの故郷」。その場所はトマス・ウルフにとってのアッシュヴィルで、シンクレア・ルイスにとってのソーク・センターだった。ボブは自分には町が大きな葬儀場のように見えるとデイヴィッドに言った。またしてもデイヴィッドは兄の穏やかさに驚いた。「とても落ち着いていて、控えめで、高潔で……まるで聖人みたいだった！」。その晩、ボブは昔の知人たちに会えないかと尋ねた。ボン・ロルフセンと、セブンス・アヴェニューにあるカトリック教会のマイケル・ヘイズ神父が来てくれた。神父はボブの曲やその意味を教え子たちに教えていた。子供時代の友人たちはいなくなっていた。エコ、ジョン・バックレン、モンテ・エドワードソンは町を去っていた。それはボビー・ジママンも同じだった。「ヒビングにいたときの自分と今の自分が同じ人間だとは思えないよ」と語り、自分の家にいながらよそ者だった男は、訪問者たちに穏やかに礼儀正しく言葉をかけた。

ビーティーはボブが次の火曜日まで滞在できることを喜んだ。彼は母親に、家を売って再出発のために何か違うことを始めてはどうかと言った。彼らは昔話をして、ボブは母とエイブが良き両親だったことを断言した。外部の人たちにとって、ビーティーとエイブは良き両親だった。彼らの振る舞いは家のなかでは違っていたのか、ボブに真っ向から反対することはなかったのか、彼が飛び出していけるジャンプ台としての存在であったのだろうか？　ボブが逃げる原因を、反抗の理由を、彼の特殊な性格を作り上げた要素を与えていなかっただろうか？

父を埋葬するために故郷に帰ってきた「聖人のような」息子は、エイブとビーティーが両親として間違っていなかったことの証だった。ビーティーは、遺産の問題が片付くまで生活用の口座が凍結されることをボブに告げた。ボブは小切手帳を取り出すと五桁の数字を書き込んで渡した。ビーティーとデイヴィッドは唖然としていた。彼女は言った。「ボビー、あなたの子供に不自由はさせたくないわ」。「ぼくはいつでもコンサートをやれるから」

週末、ボブは父の寝室で眠り、子供時代の思い出の物たちを何時間も見ていた――マンガ、『クラシックス・イラストレイテッド』、写真、古いレコード、家庭用のビデオテープ。ヒビング周辺に暮らす人のなかには、彼が驚くほど父親に似てきたと感じる者もいた。子供にある程度厳しく、お金には慎重で、控えめで、伝統を重んじる父親。ボブは自分がずっと反発してきた人物になったのだろうか？

彼の妻は新たに子供を授かり、ボブは近くにいる必要があった。空港に向かう途中、最後にもう一度ハワード・ストリートに向かい、ドラッグストアのウィンドウを通り過ぎた。数週間前、ヒビングを訪れたある訪問者は、その店に置いてあった二冊のペーパーバックの並びに驚いた。ディランが主演した映画の本『ドント・ルック・バック』のすぐ隣にあった小説のタイトルは、『逃走（ランアウェイ）』だった。

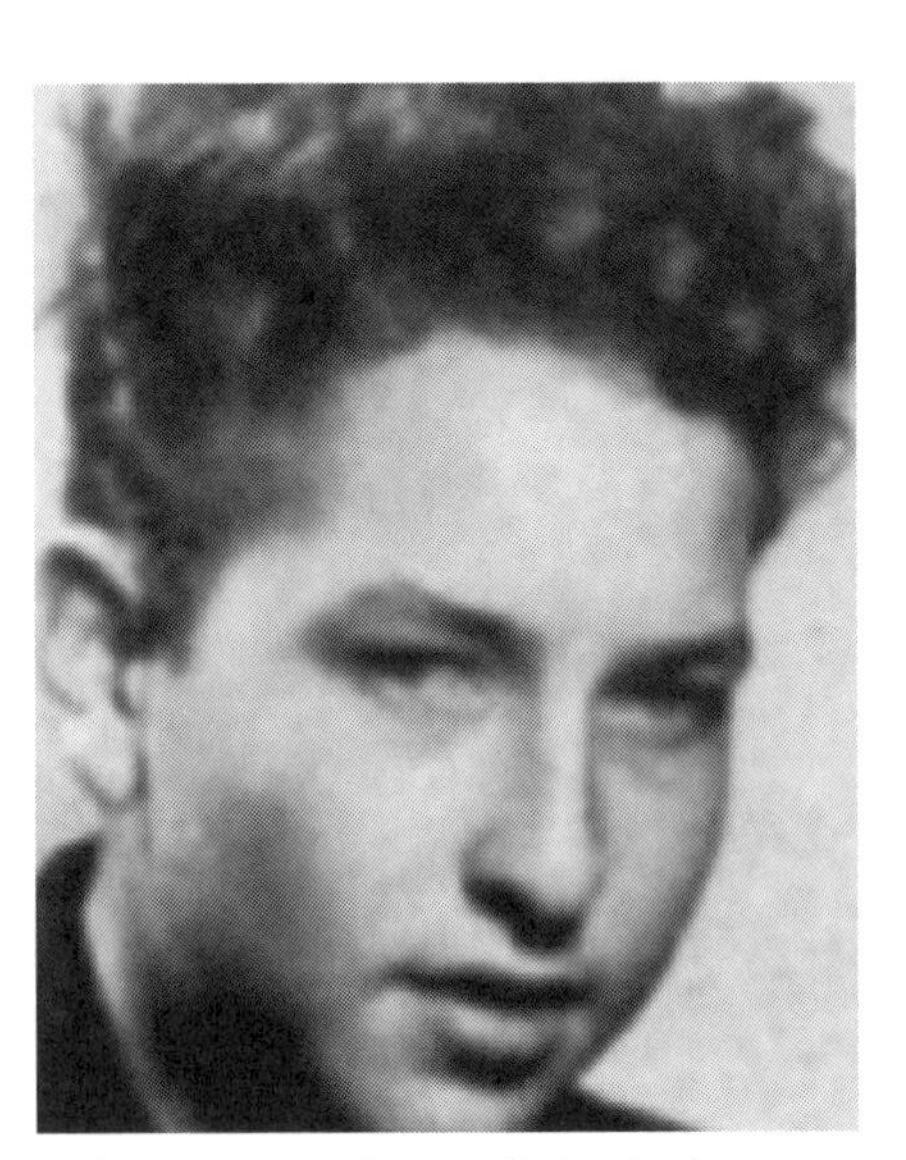

ロバート・アレン・ジママンがミネソタからニューヨークへ向かう前の高校時代の写真。

【原注】

（1）Bob Dylan, *Tarantula*, p 108-109.

（2）「イッツ・オールライト・マ」の歌詞。

（3）『ボブ・ディラン全詩集』所収「盗まれた時間の中の生活」。

（4）同上。

（5）「ノース・カントリー・ブルース」の歌詞。

（6）音楽業界の関係者アンディ・ペイリーは、カリフォルニアのコースでひとり芝を削ってボールを飛ばすゴルファーに順番を待たされていたことを覚えていた。しばらくしてアンディはフードをかぶったその人物を非難した。さてディランのゴルファーとしての腕はどうだったのだろう。「ひどい、本当にひどかった！」

（7）ジョニー・レイ（一九二七〜一九九〇年）は、シナトラとプレスリーをつなぐ存在と呼ばれ、ディランはマーティン・スコセッシ監督の『ノー・ディレクション・ホーム』のときに彼のことを好意的に話していた。

（8）ディランは『ボブ・ディラン自伝』でハンク・ウィリアムスの死について心揺さぶる文を書いていた。また『タイムレス〜ハンク・ウィリアムス・トリビュート』（二〇〇一年）では「アイ・キャント・ゲット・ユー・オフ・マイ・マインド」を歌っている。ディランは長年、ウィリアムスに捧げるアルバムを計画しているのではないかと噂されている。

（9）ハワード・スーンズ著『ダウン・ザ・ハイウェイ〜ボブ・ディランの生涯』には、ディランの十代のときのバンドについての新たな情報がある。

（10）ジョン・バックレンはディランの一番最初のテープ収録音源を持っていて、それが一九五八年の彼ら二人の「リトル・リチャード」の演奏である。その他のバックレンが録音した曲は、一九九三年のBBCテレビのドキュメンタリー番組「追憶のハイウェイ61」でも放送された。別のヒビングの友人リック・カンガスは一九五九年にディランが歌う「ホエン・アイ・ガット・トラブルズ」を録音しており、これは『ノー・ディレクション・ホーム』のサウンドトラックで聞くことができる。

（11）ヘルストロムはその後さらなる詳細をハワード・スーンズに語っている。

（12）ディランは一九九八年のグラミー賞受賞のスピーチで、ダルースでのホリーのステージを振り返りながら、彼に感謝の念を示している。

【訳注】

（A）ゴーファー・プレアリィが登場する『本町通り』は一九二〇年の出版であるため、ここも一九二〇年ではないかと推察されるが、原文の表記のままとした。

（B）「モイア・デクラ」は、アメリカのポルカの王として知られるフランキー・ヤンコービックの作品。スロヴェニアの移民の両親の元に生まれたヤンコービックは、スロヴェニアンスタイルのポルカ（アメリカに移住してきたスロヴェニアの移民から生まれたポルカ）を歌っていた。
（C）『バビット』は、シンクレア・ルイスの小説（一九二二年刊行）。中流階級の俗物的な実業家の滑稽さを風刺した作品である。
（D）ここでフィッツジェラルドは一九四一年初めに命を落としたと記されているが、彼の命日は一九四〇年十二月二一日とされている。
（E）速記用の音声レコーダー。
（F）ルイジ・ピランデッロは二〇世紀のイタリアの劇作家、小説家、詩人で、一九三四年のノーベル文学賞受賞者である。彼の戯曲「エンリコ四世」では、自分のことをハインリヒ四世だと思い込んでいる主人公が登場する。
（G）クラシックス・イラストレイテッドは、有名な古典文学などを漫画化したコミックである。一九四一年にシリーズ化され、七一年までに一六九巻が刊行された。
（H）Bob Dylan, *Tarantula*.
（I）ティー・トットの愛称で知られるルーファス・ペインは、食事の提供と交換にハンク・ウィリアムスに歌とギターを教えていた。ペインが教えたスタイルは後年のウィリアムスの曲作りに大きな影響を与えた。
（J）アフリカ系アメリカ人の庶民の英雄として知られる神話的な存在。
（K）ツイン・シティはセントポールとミネアポリスの愛称。
（L）足踏み式、または手押し式の吐気式ふいごを使うリード・オルガン。
（M）エセル・マーマン（一九〇九～一九八四年）はアメリカのミュージカル歌手。本名はエセル・アグネス・ジママン。
（N）一九三〇年代に世界恐慌とダストボウルの影響で耕作地が荒廃したため、カリフォルニアに移動した貧困層のオクラホマ州の農民たちのこと。
（O）アメリカの高校で学年末に行われるダンスパーティの総称。男子が女子を誘って、男女ペアで参加することが慣習となっている。
（P）原文では「一九五九年」となっているが、文脈から「一九六九年」と修正した。
（Q）「Pledge of Allegiance」のことで、アメリカ国への忠誠を誓うもので、行事などの際に斉唱される。
（R）ポール・バニヤンは、アメリカ合衆国の伝説上の巨人で、西部開拓時代の怪力のきこりである。アメリカの民話の英雄として知られる。
（S）シンクレア・ルイスの小説『バビット』の主人公の名前。アメリカンドリームの象徴であり、煙草とぴかぴかの新車、中流階級の価値観を持った人物として描かれている。
（T）「ユア・チーティン・ハート」はハンク・ウィリアムスの曲。
（U）ウディ・ガスリーはハンチントン舞踏病を患い、十数年間入院生活を送った。

02

ミシシッピ川を隔てて

ミネアポリスにいる年寄りたちはディランが病的な嘘つきだと思っていた。
私はそうだったとは思わない。ディランはただ夢想家だっただけだ。
あるべき姿を記憶していたのだ。
彼は若き詩人シェリーのように、この場所を歩き回っていた。

——ハリー・ウェバー　一九六六年

ディランは彼自身の導師だった。他の人から学べることを学んだ後は、自分自身から学ぶようになった。

——デイヴ・モートン　一九六六年

ミネアポリスの昔の彼と、
東海岸に行ってからの彼は、
二人の異なる人物だ。

——ポール・ネルソン　一九六八年

どんな気持ちかい？
ひとりぼっちで
帰る家もなく
誰にも知られていないような
転がる石のような存在でいるのは

——ディラン　一九六五年（1）

NO DIRECTION HOME

一九六二年、ニューヨークに着いた直後のディラン。
すでに「誰にも知られていない」存在ではなくなっていた。

ハイウェイはディランが未来への扉を開けるために使った鍵（キー）だった。彼はハイウェイ61にあるミネソタ大学に着き、裏道を通り、袋小路に入り、迂回し、ハイウェイ12にあるディンキータウンという大学を去った。

一九五九年の夏までのあいだに、彼はあまりにも速く移動し、窓の外では数々の場所や旅程や出来事が駆け抜けていった。ファーゴでボビー・ヴィーと実を結ばない出会いを果たしてしばらく経ってから、彼はロッキー山脈の標高が高いところにある、十九世紀に金鉱業がブームとなって再建された町に行き、故郷からも大学からも一〇〇〇マイル離れた薄汚いストリップ小屋で歌っていた。ボブと家族は彼がミネソタ大学へ入学する前にコロラド州のデンヴァーとセントラル・シティに行ったと語っていたが、周りの記憶だと彼がコロラドにいたのは一九六〇年の夏だった。彼は二度行ったのかもしれない。私は一九六四年の初めに彼がそこを再訪したのを知っているし、一九六六年の三月に彼が西部開拓期の壁なき美術館たるセントラル・シティに戻ったときには一緒にいた（十章参照）。

一九五九年、ボブはゴールデン・コーズのメンバーの一人であるモンテ・エドワードソンから、デンヴァー近郊でフォーク・ミュージックが盛り上がっているという話を聞いた。彼はそこでの運にかけることにした。一人でコーヒーハウスでのフォーク・シーンに飛び込んだのだった。リンカーン・ストリート一九九九にあった「ジ・エクソダス・ギャラリー・バー」は地元のビート族、芸術家、詩人が集まる場所で、ボタンダウンシャツを着た大学生たちもちらほらいた。デンヴァーで流行に敏感な者たちはエクソダスに引き寄せられ、美術展や詩の朗読会やフォークセッションに集まった。ディランは数週間は様子を窺っていた。大きなチャンスとなりそうだった。そこにはキングストン・トリオの流れを汲んだハーリン・トリオというバンドがいて——三人組でクルーカットの学生たちだった――いつも退屈で独創性のない曲を演奏していた。その他の地元の出演者のなかには数学教師をしているジョージ・ダウニングもいて、眠たくなるようなカウボーイソングを歌っていた。デイヴ・ウッドはコロラド大学ボルダー校の大学院生で、メキシコ人の歌い方と話し方を真似していた。そこのシンガーのひとりが、自分のアパートにボブを数週間住まわせてくれた。ウォルト・コンリーは大柄で優しいネブラスカ出身の黒人男性で、一九四〇年代後半にピート・シーガーと作曲家のアール・ロビンソンからフォーク・ソングを学んでいた。ウォルトから、ボブは「ザ・クラン」と呼ばれる反KKKの曲を学び取ったと言われている。ディランとウォルトは二人が共に狙っていた一人の女性のことや、ウォルトのお気に入りのレコードが大量に紛失したことをめぐって仲たがいした。「デンヴァーを追い出されたんだ」と語ったディランに自責の念はなかった。「そうさ、ぼくは友人の家で盗みを働いてデンヴァーから追い払われたんだよ」

デンヴァーのミュージシャン二人がディランに影響を与えた。エクソダスで人気だったのはデンヴァー出身の十九歳ジュディ・コリンズだった。彼女はクラシックの教育を受けたミュージシャンで、一九五九〜六〇年にその長いキャリアをスタートさせたところだった。当時ジュディが歌っていた二曲は、のちにディランのファーストアルバムに収められることになった。それが「朝日のあたる家」と「いつも悲しむ男」だ。ジュディはディランの曲の最初で最高の理解者のひとりとなった(2)。それからボブは、陽気な賭博師で、エクソダスでよく演奏をしていたジェシー・フラーとも出会っている。ジョージア州ジョーンズボロで一八九六年に生まれたフラーは、伝統的な曲、ブルース、自作の曲、地方のラグタイム、そして単にとても「心地よい」音を融合させていた。ワンマンバンドミュージシャンで、十二弦のギターと、シンバルと、ハーモニカを演奏していた。彼の興味深い発明品「フォトデラ」は、足でペダルを踏んでドラムを叩き、同時にベースも即興でかき鳴らすパーカッション装置だった。彼は自らを「孤独な猫(ローン・キャット)」と名乗り、元気がよくウィットがあった。ディランは、金属のネックホルダーで固定された口元のハーモニカやカズーを活用して歌とハーモニカのリフを交互に行うフラーのスタイルを観察した。ディランは一九七六年に亡くなったフラーに熱心に質問を投げかけ、ハーモニカの演奏方法をその異色の使い手から学んだのである。

ボブは、何度か出演したエクソダスやコロラドのナイトクラブでの演奏は記憶に残らないものだったと認めている。しかし、受けとる報酬は少額だったものの、経験と信頼を積み重ねていった。彼は家族に、コロラドでは誰も知らない存在でいられ、自分の経歴をロマンチックに作り上げるチャンスもあった。彼は家族に、自分はデンヴァーで色々な人から理解され認められたと語っていた。しかしそれでも両親は、彼をミネアポリスまで車で送りながら、大学が音楽に対する衝動を洗い流してくれるだろうと思っていた。

追憶のハイウェイ61

一九五九年には、二万五〇〇〇人ほどの学生がミネソタ大学に在籍していた。ミネソタ大学は中西部のビッグ・テンを構成する大学のひとつで、フットボールのチーム、畜産学部、そして大きな基金があり、特に医学部と工学部は学術的に高く評価されていた。広大なキャンパスは、なだらかにカーブするミシシッピ川沿いに位置し、その東岸に広がっていた。一九六〇年代まで、このメインキャンパスは一つの敷地としてはアメリカで一番大きな大学のキャンパスであり、学生や教授が街の人口の十パーセントを占めていた。スコット・フィッツジェラルドはかつて、川を越えたセントポール方面のサミット・ストリートに住んでいたことがあり、ヒューバート・ハンフリーがかつてミネアポリス市長を務めていた。『ヴェンチャー』誌はミネアポリスをこのように表現した。「セロハンテープや、ウィーティー(A)と同じくらいアメリカ的で、朝方にハイアワサ湖で泳ぐのと同じくらい爽快で、ピルズベリー・ベイクオフ(B)と同じくらい健全である……異国的な新しい刺激がある場所ではないが、家に帰ってきたときのような心地よさ、温かさ、国家の美点――友好心、良識、楽観主義、ユーモア、情熱、勤勉さ、健全さ、プライド――があり、こうした美点がミネアポリスを、そのインディアン/ギリシャ風の名前や、北欧移民の文化背景や、ユダヤ人の市長と相まって、大いに力強くアメリカ的にしている」

ミネアポリスは一五〇の公園と二十以上の湖がある穀物倉庫の街である。双子都市を構成するセントポールは東部の終点で、西部はミネアポリスから始まると言われている。小さな町の青年ディランは、その新たな世界の没個人性にいささか圧倒された。

いとこの法学部の学生は「シグマ・アルファ・ミュー」に所属しており、ボブも少しのあいだその友愛会の寮で暮らしていたことがある。ボブは最初、それほど好意的でなく「サミーズ」と呼ばれるこのユダヤ人の友愛会の面々に対して否定的だった。彼の父はこう振り返っていた。「ボブは大学の仲間たちをあまりよく思っていなかった。大部分の人たちのことをインチキで、甘やかされた子供で、自分とはほとんど共通点がないと思っていたようだ。ボビーはシグマ・アルファ・ミューの会員になる前にすでに抜けていたよ」。ボブは「盗まれた時間の中の生活」にこのように書いている。

その後、ぼくは大学に入った……受け取ってもいないインチキな奨学金で
科学のクラスでウサギの死を見るのを拒否したら落とされた
汚い言葉でレポートに英語の教授のことを書いたら英語のクラスを追放された
毎日電話をかけて授業には行けないと言っていたらコミュニケーションの授業も落とされた
スペイン語は問題なかったけどそれは前から分かっていた
面白いことはないかと友愛会の寮をうろついた
彼らはぼくを住まわせてくれて、入会を迫られるまではそこにいた
サウスダコタから来た二人の女の子と二部屋のアパートメントで二晩だけ暮らした
橋を渡って十四丁目に行き本屋の上に引っ越してそこではまずいハンバーガーやバスケットボールのトレーナーやブルドッグの置物なんかも売っていた
ある女優の女の子に激しく恋をしたけど思い切り痛い目に遭って、結局ミシシッピ川のイーストサイドにたどり着き、セヴン・コーナーズのちょうど南にあるワシントン・アヴェニュー橋の下にある崩壊寸前の家で十人ほどの友人と暮らした
大学生活はなかなかいいものだった(3)

ディランの皮肉に満ちた大学生活の要約は、学外で学んだことを事実に即して語っているわけではない。ボブは気味の悪さを覚えて友愛会の寮を出た。ある教官はボブのことをこう振り返る。「つかみどころがなくて、不規則な生活をして、よくふさぎこんでいたよ」。ボブが気が合うと感じたのは、学生街として栄えるディンキータウンやボヘミア地区周辺に暮らしていたフォーク好きの少数の文化人たちだった。こうしたビート族、思想家、反逆者、芸術家、落第者、夢想家たちのなかに「スパイダー」・ジョン・コーナーがいた。彼は音楽に没頭する中産階級のハックルベリー・フィンだった(4)。

「おれが初めてボブに会ったのは、ディンキーハウスのコーヒーショップ『テン・オクロック・スカラー』だった。その後、火事で燃えてしまったけどね」コーナーは私にそう語った。「ボブはふらりと入って来たんだ。おれはレン・デュラソーと一緒だった。当時のあいつはもっとふっくらしていて、小さな天使みたいだった。おれたちは飲み物を買ってから大学の化学研究棟の裏に行ったんだ。三人でバーカウンターのほうに行ったが、ボブは酒を出してもらえる歳になってなかった。ボブとおれが演奏をして、レンは踊った。そこには大きな船積みドックがあって、ちょっとした野外パーティをした。ボブとおれが演奏をして、レンは踊った。明け方のことで、ふざけて演奏し合った。大学の警備員はそれを面白がってくれて、うるさいことを言わなかった。ボブもおれも同じような曲をギターで弾いていたよ。あいつは曲も書いていたけど『シナーマン』みたいに有名なフォーク風の黒人霊歌と同じような感じだった。あいつはオデッタの曲みたいなロックテイストのものにすごく関心を持っていた。ディランは甘くてかわいらしい声で、今とは全然違う声だった。ボブがショービジネスの世界で成功したいと話していたのは記憶にない。おれたちは目の前のこと、曲を作ることの方に関心があった。すごく衝撃的だったのは、ディランの話し方がずいぶん変わったことだ。同じやつとは思えないくらいだ。おれらは誰も当時ヒップなしゃべり方をしていなかった。デイヴ・モートンだけは違ったと思うけど、彼は年上だったからね。当時のおれたちは、ヒッピーのようなことはしていなかった。ほとんどの時間歌って、演奏して、飲んで、パーティに行って女を追いかけまわしていただけさ」

学生たちはスパイダー・ジョンこそがスターになり、ディランのほうが明らかに才能が劣っていると思っていた。コーナーのルームメイトのひとりハリー・ウェバーは、ラテン文学で博士号取得に向けて論文を執筆中でバラッド研究家でもあった。「一九五五年に私がギターを持ってミネアポリスに着いたとき」とウェバーは一九六六年に私に語った。「フォーク・ミュージックはかなりアンダーグラウンドなものだった。上の世代は既成左翼（オールド・レフト）に影響を受けていた。彼らにとってフォーク・ミュージックは労働組合の歌で、シーガーや『ザ・ピープルズ・ソング・ブック』や、ジーン・ブルースタイン（フォークウェイズ・レコードより『ソングス・オブ・ザ・ノース・スター・ステート』を一九五八年に発表）は、大学でフォークを牽引する大きな存在だった。初期のミネソタ・フォーク・ミュージック・ソサイエティは、およそ八十パーセントがユダヤ人で、その大部分が大学の学生たちだった。審美眼が欠けていたから、結局は二つの派に分かれたけどね」

「私はコーナーと友人になって同じ部屋で暮らすようになった」とウェバーは続けた。「この一帯で初めて聞いたシンガーソングライターがディランだった。デイヴ・モートンがいち早く自分の曲を書き始めていたが、私は聞いたことがなかった。ディランの歌う曲で私が初めて聞いたのは『エブリタイム・アイ・ヒアー・ザ・スピリット』だった。ボブはその曲を大して重要視していなかったね。ロカビリーのビートを取り入れていたこと以外は、黒人霊歌に根ざしたような曲だった。素晴らしい青年時代の哀歌だ。ボブが一九五九年にここに来たとき、彼はかわいらしい顔立ちで、金髪で、髭もまったく生えていなかった。目が少し飛び出していて頬はややふっくらとしていたよ。ドクター・ダン・ピューは精神科医の先生で、ディランの見た目に魅了されていた。『興味深い内分泌系システムだ』と言っていたよ」

「ここにやってきたディランはすごく田舎っぽかった。いやに凝った服装をしていた。ペックズ・バット・ボーイ（C）が突然五歳大きくなったようだった。高校生のようにとても生意気に振る舞っていたよ。よくポーズをつけて、手をベルトに当てて、足を大股に開いていた。もちろん大柄ではなかったが、体重はあった。売れたあとに比べて少なくとも二五ポンドか三十ポンド以上（約十一〜十三・五キロ）はあったんじゃないかな。初めからボブの話には一貫性がなかったが彼を嘘つきだとは思わない——ただ夢想家なだけなんだ。学校にも長くは在籍しなかった。おそらく六か月か九か月くらいじゃないかな。最後の数か月は学校にもまったく来ていなかった。

いろんな人たちと暮らして行動して、配膳みたいな、ちょっとした仕事もしていた」

「退学したあとの彼は、どうしようもなかったよ。すごく横柄で、腹立たしかった。注目が欲しかったのかもしれない。誰もがそうであるように、彼も好かれたかったんだ。とんでもなく無礼で、間違いなくうぬぼれていた。コーナーとディランはずいぶん張り合っていた。ディランの声が失われてしまうんじゃないかと心配していたよ。明らかに自分の行動に自覚的だったが、声を酷使して、しゃがれた声で叫び、大きな声で歌っていた」

「ディランに会ったのは、彼がここに来てからほんの一か月後くらいのことだった。彼はコーナーに会いに来ていたんだけど、私が知っていた曲やテクニックに興味を持つようになった。私たちは七丁目サウスイースト四二番地に住んでいたけど、そこはおそろしい場所で、三人の男が暮らすスラムのようだった。いつもたくさんの曲が流れていたと思う。ボブと意思疎通をとるのは簡単じゃないと思った。他の人も意思疎通できていなかったんじゃないかな。彼が好意を寄せる女の子たちですら彼と上手く話せないときがあったし、彼も彼女たちと話すことが難しかったみたいだ。だけど音楽になると違った！」

「彼の歌い方の問題点を口で指摘できないなら、やって見せればいい。彼はすぐに学び取るだろうから」。ウェバーは続けた。「ボブはそれほど読書をしていなかったよ、たくさんの本を借りていったけどね。彼が本について話すことはまったくなかった。ウディ・ガスリーの『ギターをとって弦をはれ』は別だったけど。私はボブにランドルフの『アーカンソーのフォーク・ソング』シリーズを貸したんだ。まだ持っているかな？　ディランは伝統に関する論争にも興味を全然示さなかった。彼が優れたミュージシャンになったのは、そうしたことを気にしないからかもね。彼は自分が使いたいものを使う。一九五九年にディランはシンシア・グッディングと出会ったんだ。彼女のコンサートのあとにパーティがあって、ボブは彼女に向けて三十分も歌った。シンシアは感心していたよ。すごい場面だったね、彼女は当時の大物だったから」。その後、シンシアがディランをニューヨークのフォーク・シティで見かけたとき、彼女はハリー・ウェバーに手紙を書いた。「観客が耳を傾けている……彼は話をして、笑って、観客が嘘を見破る寸前に、ハーモニカを取り出して彼らを圧倒する」(5)

　ウェバーは語る。「人間としてのディランとはトラブルもあった。アーティストとしてのディランについて話すと心が鎮まる。彼はすごいアーティストだ。ディランは天才だ、それに尽きる、ただそれだけだ。彼は厄介で腹立たしくて、チェーホフのような天才だ。多くの人より複雑なんてことはない、彼のほうがシンプルだ。出会ったときに、すごく才能があるってことは気づいてたんだ。当時は彼に畏敬の念を抱くことはなかった。今は違う。彼の才能を本当に尊敬している。ミネアポリスに来た段階で自分の才能に気づいていたとは思わない。いや、ちょっと待った。今の言葉は撤回だ。彼は若き詩人シェリーのように歩き回っていた。すごく自信にあふれていた。フランス象徴派の詩人の本を持ち歩いていたけど、とてもすばらしい聴き手だったという印象もある。歌っていないときは、とても静かだった。緊張すると歌っていた。おしゃべりではなかった。雑談をするようなことはない」

「ディランがエレキ・バンドに転向し始めたときのフォーク純粋主義者たちの反応は、ヴェルディがワーグナーに影響されて『オテロ』を作曲したことに対して『裏切った』と言うのに似ていた。純粋主義者たちは芸術は変わらないものであるべきだと言う。雑誌『シング・アウト！』で、彼らはジョシュ・ホワイトのこともこき下ろし、激しく攻撃した。そのような独善的な態度をときには許せても、いつも許せるわけじゃない。ピート・シーガーはそのような攻撃の対象にはならなかった。純粋主義者たちがディランにやったのは信じられないことだよ。彼は素晴らしいアーティストだし、それ以上の言葉はない」

ディンキータウンという大学

ディランは一九五九年九月にリベラルアーツの大学であるミネソタ大学に入学したものの、数か月もしないうちにすっかり「ディンキータウン大学」に入り浸っていた。彼は音楽の上級ゼミをコーヒーハウスで専攻し、過激なライフスタイルを副専攻とし、シーン作りを研究し、ウディ・ガスリーについての卒業制作の準備をしていた。ボブのミネアポリスの味方や敵たちは、極めて知的で、精彩を放ち、才能があり、洞察に満ちた集団を形成していた。そこではこれまでの実績や社会的地位などほとんど関係なかった。一九六六年の春に私がインタヴューを行った過激派の学生でフォーク・ソングに熱狂していたハーヴェイ・エイブラムスもそのひとりだ。

「ボブに出会ったのは一九六〇年の夏だった。すでに『ザ・クラン』のような見事な曲をいくつか書いていたよ。ボブは大学にはまともに来なくて、授業とは関係ないことが書かれたノートを持ち歩いていた。週末はスカラーで演奏をして、一晩で五ドルもらっていた。そんなときに、ボブ・ビュエルとおれがコーヒーハウスを開業したんだ。オーク・ストリートとワシントン・アヴェニューの近くにある古い家を借りてリフォームして、バスティーユと名づけた」

「ディランとはすでにずいぶん仲良くなっていた。おれはメルヴィン・マコッシュの本屋の上にある寮に住んでいた。デイヴとグレテルのウィテカー夫妻もそこに住んでいたよ。ボブは週末にバスティーユで演奏するようになったんだ。あいつは最高だと思ったよ！　ボブ・ディランではなく、いつもボブ・ディロンでやっていた。ディラン・トマスと同じスペルで書かれているのを見たのは、あんたの『ニューヨーク・タイムズ』の記事だけだった（一九六一年九月）。大学ではボブ・ジママンという名で登録してたけど、ここでの請求書の宛名はボブ・ディロン（Bob Dillon）だった。ディラン・トマスの綴りの方でデビューしたときはみんな驚いてひっくり返るかと思ったよ」

「一九六〇年の秋から冬の初めの頃にバスティーユで演奏していた。一九六六年の一月に亡くなったボブ・ビュエルは、一晩で十ドルを払っていた。ディランはどうやったか知らないけど、自分のギブソンを大きなグレッチのレンジャーと四立方フィートくらいのスピーカーに交換していたよ！　カルロス・モントーヤに学んだスティーヴ・オルソンや、ヒュー・ブラウンが弾くフラメンコを聴いていた。でも、あいつがフラメンコをやることはなかった。あいつの音楽はどんどんよくなっていったよ。当時の歌詞はとてもシンプルなものだった。ロックン・ロール？　とんでもない！　誰かがビートルズやローリング・ストーンズのレコードを流していたら、あいつは叩き壊していたかもしれないね。ディランの純粋さは生粋のものだった。ディランは最古のレコードを手に入れたいと思っていて、できることなら議会図書館にあるそのレコードや、あるいは原曲を知っている本人たちを見つけたいと思っていたんだ」

ハーヴェイ、モートン、そしてボブが十五番街サウスイースト七一四に住んでいたとき、ディランは「いつも郵便配達員が来る前に家に着こうと帰路を急いでいた。あの頃のおれたちは若くて貧乏だったかもしれないけど、ヒュー・ブラウンとおれはボブのオクラホマでの貧しい生活の話を何度も聞いていたから、あいつの家族がロイヤル・ハワイアン・ホテルからハガキを送ってきたときには驚愕したよ。最終的におれたちは、あいつが実家から金を送ってもらっているに違いないと思うようになった」

エイブラムスは続ける。「ボブはリーバイスのズボンに、ローファーやブーツを履き、ブルーデニムのシャツを身に着けていた。冬になると古いツイードのスポーツジャケットと厚いスカーフという格好だった。いつも奇抜な帽子やキャップをかぶっていたよ。それがカッコイイことだとされるずっと前から、ボブは学校なんて人生に無関係な場所だと言っていた。夜も昼も曲を書いていた。かなり子供じみたものが多かったけどね。その多くはガスリーとまったく同じか、彼を真似たものだった。どこかの時点で、ディランはあふれんばかりのオリジナリティを手にしたのだろう」

「ウィテカーとおれは政治について誰よりボブに語っていた。ディランは政治に関するものを読んでいなかった。まったく読書ってものをしていなかったみたいだよ。ほら、ディランは『聞くこと』ができるからね。ミュージシャンの耳ってのは、ちょっと違っていて、聞こえるものも他の人とは違うんだ。ボブが外国にいたとしたら、あっという間に言語を習得したと思うよ。ここに来たとき、ディランは本当に政治のことを何も知らなかったし興味すらなかった。おれたちの仲間のうち五十人くらいは政治やキューバ革命にすごく関心を持っていた。まあ言ってみれば、ボブはおれたちに刺激されてあんなに活動的になったんだ。ボブはおそらく政治的信条みたいなものにはとり合っていないと思うよ、あるいは教義みたいなものにはね。あいつは社会的弱者や一般大衆と一体化しているだけなんだと思う。すべてを感情的で本能的なレベルで捉えているんだ。『ホリス・ブラウンのバラッド』を見てごらんよ。あいつはこうした問題をとても本能的で感情的に、原始的な人間のようなやり方で感じているんだ。もしアメリカで大きなストライキ運動が起きたら、ディランは第二のマザー・ジョーンズ（D）になるかもしれない」

ウェバーはフォーク・ミュージックの歴史と系譜を隅々まで知っていたが、ディランは少しも関心を示さなかった。彼はウェバーとは異なる次元でフォークと付き合っていたが、そのことが二人の友情関係を遠ざけることはなかった。ハリーやコーナーが住んでいた場所では多くのパーティが開かれていた。「しばらくは、多くの人がディランの歌を聞きにパーティに来ていたよ。その後は、誰もパーティを開こうとしなくなった。ボブがやってきて演奏するだろうからね。それから、彼は首からホルダーをつけてギターとハーモニカを一緒に演奏した初めての男になった。誰もそんなの見たことがなかったんだ。私の知る限り、ソニー・テリーのハーモニカとウディ・ガスリーのギターを組み合わせた初めての白人のミュージシャンだよ」

資金繰りが厳しくなったときのことをエイブラムスはこう振り返る。「モートンやディランのギターを何度か質に入れたことがあった——ブラウンのギターもだ」。その後、何とか金を工面してエイブラムスはギターを回収するのだった。「おれたちは随分と乱れた生活をしていたけど、ディランは特にそうだったね。ボブにとっては誰かの部屋を朝の五時半にノックするのも別に変なことじゃなかった。自分が何かをやろうと思うときには、周りも起きているものだと思ってたみたいだ。ボブにとってヒビングは、ただひどく悲しい思い出しかなくて、話をしたがらなかった。おれたちにヒビングのことを何も知って欲しくなかったんだ。そこから来た手紙も隠していた。ときにはダルース出身になって、ときにはオクラホマ出身となった。おれたちはあいつがロックン・ロールを演奏していたことを知っていたけど、ここで有名になるまでそのことを絶対に認めようとしなかった」

「弟子の心構えができたときに、師は現れる」

ウェバーとエイブラムスは、ボヘミアン／ビート／ヒッピーというシーンの引き立て役だった。一方で独自の活動をする者たちもいて、ディンキータウンで教祖のように君臨していたデイヴ・モートンは一九六一年頃に西海岸へ移った。オルタナティヴ・カルチャーのなかでも徹底して前衛的な実験者だったモートンと、神秘主義的な一九五〇年代のビート族と一九六〇年代に現れたヒップスターの結節点であったディンキータウンに、ディランは多大な影響を受けていた。身長六フィート六インチ（約一九八センチ）のいかついモートンは、イースト・ヴィレッジまで足を延ばしたエイブラハム・リンカーンのような見た目だった。毛穴という毛穴から毛が生えていた彼は、前髪を伸ばし、髭を生やし、後ろの髪の毛は二フィート近く伸びていた。穏やかで、知恵が凝縮されていて、東洋の金言の宝庫で、ディランの野外大学最高の教授のひとりだった。モートンは一九四八年にレッドベリーのライヴに行くという栄誉にあずかり、テン・オクロック・スカラーの店で初めてフォーク・ミュージックを演奏した人物だとされていたが、最初は四つか五つのコードしか知らなかった。同様に、彼は誰よりも早く――正直なところ、決して優れた曲ではなかったが――原爆とアイゼンハワー大統領について曲を書き始めていた。ディランはこう振り返る。「不穏さと、焦燥感に満ちていた――ハリケーンの前の静けさのようにね。いつもたくさんの詩が朗読されていた。ケルアック、ギンズバーグ、コーソ、そしてファーリンゲティ。ぼくが行くようになったのは終盤の時期だったけど、奇跡みたいだったよ。毎日が日曜日みたいだった」

一九六六年、私はロサンゼルスにいるモートンに会いに行った。彼は西海岸の年長ヒップスターになっていて、絵を描いたり、前衛的な文芸誌『リージェント』の編集を行ったり、『易経』の研究をしたり、フォーク・ロックバンドのニュー・インプルーブド・ジュークス・サベジスを率いたりしていた。リーダーとして、モートンはギター、ピアノ、カズーを演奏していた。「ミネアポリスにいた当時は、数学を勉強していたが、上手くいかなかった。ほとんどの時間をディンキータウンの消防署のところに新しくできたオール・アメリカン・ギャラリーで過ごしたものだ。ボブ・ディランとは一九五九年の秋にそこのパーティで出会った。ボブはとても元気がよくて、面白くて、繊細なやつだった。座っているときはいつも足を動かしていた。ヒビングのことはほとんど語らなかったよ、一日か二日、帰っていたみたいだけどね。アイアン・レンジは独特の閉鎖性を持つ国際コミュニティだ。そこで育つのは不思議な感じだろうね」

モートンはアメリカのインディアンやアジアの哲学と神話、そして幻覚体験にのめりこんでいた。私はディランとの昔の会話を思い出してくれないかと頼んだ。彼はトランス状態に入っているかのように見えた。「インディアンの信仰によれば、救済へは三つの段階がある。一つめは愛だ。二つめは感覚に身を浸すことだ。そして三つめは教えの実行、つまり義務だ。たとえば家族や子供への、仕事への、果ては社会へのね。そうだよ、当時その話をしていたんだ。ＬＳＤをやってウィリアム・カーロス・ウィリアムズの『パターソン』を読むという素晴らしい経験をしたんだ。ＬＳＤは心のミュージアムを開いてくれる。ＬＳＤを使えば歴史上や神話のなかの面白い場所にも行ける。エデンの園だって心のなかで完璧に再現できるんだ。私は自分の声が自分のものとは思えない経験をした。その言葉はどこか別のところ、記憶や無意識から発せられているように思えたんだ」。モートンは言葉を止めた。私たちは彼がディランの曲作りの過程を的確に言い表していたことに気がついた。「芸術家のなかには幻覚的（サイケデリック）と呼べるような人びともいる。ジョルジュ・スーラは色彩を細かく小さな点描にした。ＬＳＤを使ったときには、ヴァン・ゴッホが描く絵のように、昔のペルシアのタペストリーみたいに色彩がうねって見えるんだ。ピカソのシュルレアリスムは私にとっては現実的なことだし、そうやって新たな次元を知覚できるようになって以来、いつもリアルなものだと感じている」

ディランの反応はどうだったのか？「彼はいつも耳を傾けていたよ、熱心にね。あまり多くの人とは話さなかったが、私たちは会話をすることができた。ボブがこれまで成し遂げてきたことに驚きはない。周りからは決して計り知れないことに取り組んでいるように見えた。ディランは自分自身の導師だった。古いことわざにあるように、弟子の心構えができたときに、師は現れるものなんだ」

ヒュー・ブラウンはモートンとオレゴン州ポートランドの高校時代からの友人だった。穏やかな話し方をする謙虚なヒューは、クラシックを学び、詩を書き、のちに道路技術者となった。ブラウンはこう語った。「どんなときもボブが好きだったよ。当時はぼくの方がギターが上手かったと思うけどね。ぼくらはデイヴやマックス・ウーラーや他のやつらと一緒に暮らすようになった。生活環境は毎週変わっていったよ。ディンキータウンから三ブロック行ったところにある十五番街サウスイーストに住んでいた頃、大事な試験のときには彼を起こそうとしたけど、いつも戦いだった。あるときなんて、彼はぼくを階段から突き落とすと脅したんだ」

「ほとんどの時間、彼はギターを弾いていた。ボブはガスリーに会いにニューヨークへ行くと話していた。あとは、ニューヨークに行って大金を稼ぐとも言っていた。スカラーにいたときの彼は優れていたとは言えないが、それでも多くの人が彼を好きだった。彼はオデッタに夢中になっていて、自分以外の人たちの歌を歌っていた（6）。どうしてハーヴェイ・エイブラムスはボブが名前を当時『Dillon』と綴っていたと言うのか分からない。

ぼくの記憶では『Dylan』と綴っていたからね。もちろん、彼は本当ではないこともたくさん語っていた。ヒビング出身であるということを打ち消そうとしていたんだ」

「ぼくが結婚したとき、ボブは結婚祝いにトースターとアイロンをくれた。そのトースターとアイロンは昔ぼくが使っていたものだったけど、ボブは気にしてないようだった。今でもプレゼントだと思っているんじゃないかな。ミネアポリスでは人気があったよ。彼のことを嫌っている人の多くは、彼が有名になってから嫌いになったんだ。しばらくミネアポリスは彼を嫌う声であふれていた。本当に理解できないね。彼はレコード契約で有頂天になっていたけど、だからといってすごく自分勝手だったわけじゃない。ボブのような恐れを知らないやつは、言われてばかりじゃ気が済まないんだ。音楽のなかでも人に対してもかなり恐れ知らずのことを言う。みんな彼がニューヨークに行って有名になって大金を稼ぐなんてとんだ笑い話だと思っていたよ。彼はいろんな人に金を借りたまま出て行ったけど、誰もがいろんな人に金を借りていた。まあ、最終的には返していたけどね」

「ボブがここにいたとき、初期の先鋭的な運動がアメリカの大学に影響を及ぼし始めていた」とヒューは続けた。「なかでもここで先鋭的な組織を発足しようとしていたのがハーヴェイ、ウィテカー、そしてハーシェル・カミンスキーで、カミンスキーはミシシッピで精力的に活動していた。ぼくたちは『キューバ公平委員会』を作った。ボブはどんな集会にも顔を出さなかったけど、界隈にはいた。大学の人たちというよりは、ガスリーを通じて政治に興味を持つようになったんじゃないかな。どう見ても政治に精通しているとは思えなかった」

　ディンキータウンでは出所が不明の言い回しがあった。「ディランは少年時代にチキンスープのお代わりを取りそこない、何をどうして取りそこなったかを理解しようとその後の人生を過ごしている」。ヒュー・ブラウンの反応はこうだった。「ボブのような人間を理解しようとしても、ますます理解できなくなるだけだ。ぼくたちは誰もがギンズバーグの詩が好きだった。当時のボブにどれほど影響を与えたかは分からない。当時はドラッグもそれほど使用されていなかった。マリファナやペヨーテを試してみる人もいたけど、ぼくたちは誰もLSDという言葉さえ聞いたことがなかった。ぼくはオルダス・ハクスリーの『知覚の扉』を十八歳のときに読んだ。マコッシュの本屋では少しだけ文芸批評も扱っていたけど、それほど多くはなかった。誰も当時『ヴィレッジ・ヴォイス』誌には関心がなかった。ディンキータウンの仲間たちはここを出て行って、ほとんどは西へ、主にロサンゼルスへ行った。ニューヨークに行ったやつはそれほど多くないよ。ボブは例外だね」

デイヴとグレテル

ディランのディンキータウンの仲間たちは、「システム」を受け入れることができない反体制者たちだった。ハーヴェイ・エイブラムスはこう言っていた。「問題はおれたち学生の理念を誰に売り渡すかではなく、誰が喜んで買ってくれるかだった」。なかでも最も活動に熱心だったアウトサイダーがデイヴ・ウィテカーと、当時彼と結婚していたグレテル・ホフマンだった。私がデイヴに話を聞きに行ったとき、彼はサンフランシスコでその日暮らしの生活をしていた。穏やかで、どこか打ちひしがれたようなデイヴは二十代後半だったが、早く老けこんでしまったように見えた。ウィテカーはこう言った。「ディランの左翼との結びつきは、ほとんど本能的なものだった。彼に左派系ユダヤ人となるようなバックグラウンドはない。偶然にも、大学のボヘミアンの連中も政治的には左派に属していた」

グレテルはボブのことをはっきりと覚えていた。「一九六〇年の一月から三月のあいだ、私たちは毎日スカラーに集まっていた。彼は楽屋で暮らしていたの。ベッドに椅子に机に、カビの生えた食料品とビールが入った冷蔵庫があった。一九六〇年の初め頃は、ボブがちょうど大学をやめようとしていた頃だった。友愛会の寮にはずっとよくない印象を持っていたみたい。彼の人柄の良さには感心していた。彼には、どこかとても優しいところと、少し悲しげなところがあった。二一歳までに死ぬんだってよく言ってた。死ぬつもりがないこと、自殺願望がないことは明らかだったけど、彼は自分の人生のなかに死が計画されていることを感じていたの。彼が何者でどこから来たのかはハッキリとは分からない。彼は自分の物語を作り上げるのが得意だった、ロックンロール・シンガーだったとかね。ボビーは歌を学ぼうとしていた子供に過ぎなかったのよ。イスラエルのミュージシャンたちがスカラーに来てボブが楽しそうにしていたのを覚えてる。彼らの自由さや気楽さが彼にとっては本当に楽しかったみたい。ボブはあらゆることを積極的に経験しているようだった」

「当時のボブを表すキーワードは」とグレテルは続けた。「情熱ね。歌という素晴らしい世界に対しての。当時から上手かったわ。技術的に未熟だったり間違えたりする部分もあったけどね。何時間も座って曲を書いていたけど、半年くらい経ってから（一九六〇年秋）、たんに良いものではなくて、新しいものを作り始めた。一年もすると、ただあれこれ試してる人っていう印象は変わっていた。ミネアポリスは音楽で成功したい人にとっては良い場所だった。ボブはセントポールのパープル・オニオンで演奏した。セントポールによくあるカリブ風のレストランでね。一九六〇年の終わりにかけてボブは成長して、選ぶ題材にもずっと慎重になったの。ボビー・ヴィーとピアノを弾いたこともよく話していた。誰も信じてなかったと思うけど、彼は周りが自分を信じていないとは思っていなかったと思う」

レコード収集家

当時ミネアポリスをフォーク界で有名にするのに貢献した二人の熱狂的な愛好者がポール・ネルソンとジョン・パンケイクだった。膨大な数の音楽を聴き、音楽のスタイルにも説得力のある意見を述べていた二人は、ガリ版印刷の低予算で作る個性的な音楽誌『リトル・サンディ・レヴュー』を創刊した。舌鋒鋭い『リトル・サンディ』はすぐに注目されるようになった。この音楽誌は反左派ではなく、社会の価値よりも音楽的な価値を優先していた。個人的で鋭い批評的な議論が、ネルソン、パンケイク、ディランのあいだで何年も続いた。『リトル・サンディ』は、ボブについて彼が新たな個性と名前を「作り出し」てきたのだと書いた初めての雑誌だった。

ポール・ネルソンはやがて『シング・アウト！』の編集者や、フリーランスの作家兼批評家となり、独自の見解でディランの成長期について証言してくれた。「一九五九年、ボブとコーナーは、ジョシュ・ホワイト、オデッタ、（ハリー・）ベラフォンテらの定番レパートリーを演奏していた。ディランやコーナーが並外れて優れているという気配はなかった。二人ともそれなりに上手いギタリストでありシンガーだったけど、他にも上手いやつはたくさんいた。ディランは驚くような勢いで上手くなっていったようだ。二週間見ないうちに三年分成長しているというくらいのスピードだった。彼はイギリスのトピック・レコード用に録音したジャック・エリオットの曲を初めて聞いたんだ。ディランは『ジェリー』や『ティンバー』のような曲を二週間研究して、ガスリーを理解しようとしていたよ。そうやって、こうしたアクセントやギターやハーモニカの演奏を全て自分のものにしてしまったんだ。普通のシンガーだったら、ディランが二週間でやったことを達成するのに二年かかるだろうね！　ディランには、『いつも悲しむ男』のような過去の素晴らしい楽曲を見つけてきて、その曲から学ぶ抜群の嗅覚があった。ミネアポリスの昔の彼と、東海岸に行ってからの彼は、二人の異なる人物だ――話し方も行動も違う。昔のディランは完全にどこかに行ってしまった。東海岸に行った彼はよく分からない発言をしていた。『ニューヨークに来るまで、フォーク・ソングってものを知らなかった』とかね。それは一〇〇パーセント違う。ミネソタでは特別好ましいやつではなかったけど、そのときに比べたらずいぶんとマシになったね。誰もディランにこれほど世を圧倒する才能があったとは気づいていなかった。ディラン自身も気づいていたとは思えない。私たちのほとんどが、彼が東海岸に行って名を上げて、コロンビア・レコードと契約したことに仰天したよ。何より印象的だったのはボブの変化の速さだね。数週間ごとにボブは違うスタイルの違う人物になっていた」(7)

ジョン・パンケイクはこう語る。「初めてボブを見たときの印象は、まだビギナーで、コードチェンジを頭で考えながら演奏しているってことだった。ミュージシャンや一人の人間として特に関心も持っていなかったよ。ボブは私から学ぶことができる音楽にすごく興味を示していた。私はアラン・ロマックスのアルバムから、テキサスの囚人の歌を聞かせてやった。ボブはレコードよりも、他の人から直接聞いたり学んだりしたいと言っていたよ。レコードを出したがっているようには見えなくて、コーヒーハウスのなかで有名になったり、女の子の気を引いたり、注目を集めたりしたいだけのようだった」

とある週末、パンケイクはアパートメントを離れていた。他の学生も皆そうだったように、彼もドアに鍵をかけずに家を出た。家に帰った彼は二十枚ほど自分のレコードがなくなっていることに気がついた。「初めに疑ったのはボブだった」。ジョンは私にそう言った。「彼はずっと私のレコードに興味を持っていたからね。トニー・グローヴァーは、ボブが持っていたレコードのなかにジャック・エリオットのイギリス版のレコードがあって驚いたと言っていた。彼は他にもレコードを盗んでいた。エリザベス・コットン（黒人のミュージシャン）とか

『マウンテン・ミュージック・ブルーグラス・スタイル』とかね。ウディ・ガスリーのもあったよ。彼のセンスはすごくよかった。私はボブがレコードを持っていることを知って、トニーとポールと一緒に、ディランのもとに押しかけたよ。壁ぎわで詰め寄って、何度か殴って、ただで済むと思うなよと教えてやった。私は強い男を演じることが得意でね。葉巻だってくわえていた。彼はすぐに何枚かを差し出して、残りは翌日に持ってくると言った。保証代わりにギターを持って行っていいとも言っていた。彼は誰かがここにレコードを置いていったんだとでたらめを言っていたよ。翌朝、ディランは残りのレコードを持ってきてギターと交換した。彼は謝ったような気がするが定かじゃない。それ以降は私の前に現れなくなった。不思議と、レコードを盗んだ行為に悪意のようなものは感じなかった。私よりも自分の方があのレコードを必要としていると思ったんだと思う。だけど、個人的には馬鹿にされた気分だよ。だって、尊敬している相手から物を盗んだりはしないだろう」

「ボブはあのことでぼくをうらんだりはしなかったと思う」とポールは付け加えた。「多くの人に追われていたみたいだ。アパートメントを次々と移っていたよ。あんな出来事がなければ、ジョンはディランをすごく好きになったと思うけど、その件がディランへの態度を決定づけることになった。盗まれたレコードのなかには一〇〇ドル相当のものもあった。数あるなかでも一番価値あるものを持って行ったんだ。彼には盗むべきものを察知する抜群の嗅覚があった」

師、現る

ディランは自らのアイドルであり、心の父であり、音楽のモデルであるウディ・ガスリーを発見した際にも、盗むべきものを察知する抜群の嗅覚を発揮した。彼は自らの「墓碑銘」にこのように書いている。

彼は最後のアイドルだった
なぜなら最初のアイドルだったから
ぼくは出会った

教えを授けてくれる人に
面と向かって
人間は人間だと
アイドルとしての自らを破壊したとしても……
ウディはぼくを怖がらせなかったし
希望を踏みにじることもなかった
彼は人間という本を持っていて
ぼくにしばらく読ませてくれた
そこからぼくは何より多くを学んだ(8)

ガスリーは現代のハイウェイに自らの歌で大道を残したオクラホマのウォルト・ホイットマンであり、泥だらけの手をした真のホーボー(E)/放浪者/吟遊詩人たる農家のカール・サンドバーグだった。ガスリーの持つ人間という本を教科書に学び始めたディランに、もはやディンキータウンは必要なかった。ディランの方向転換は劇的で爆発的なターニングポイントとなった。彼はウディの初期の自伝『ギターをとって弦をはれ』をまるで聖書のように読みこんだ。驚くほどたくさんの人たちが、自分こそが「ボビー、ウディを読んだほうがいいよ」と言ったと語っている。おそらくはウィテカーが最初だったと思われる。グレテルはこのように振り返る。「デイヴがボブに『ギターをとって弦をはれ』のことを教えてからは本当にたくさんガスリーの話をした――ウディは何を考えていたか、彼とはつまり何だったかってね。ボブはウディ・ガスリーに恋していたと言ってもいいくらい。ガスリーがニュージャージーの病院にいるということを知って、彼は見舞いに行こうと決めた。出て行くときのボブはこんな感じだった、『ちょっと行ってくる。ウディ・ガスリーに会ってくるよ』」

『ギターをとって弦をはれ』の数少ない初版は一九四三年にダットンから出版され、ミネアポリスでもうわさになっていた。ボブはウェバーからその本を借りた。最後の二〇〇ページは切り取られていなかった。ボブはスカラーに本を持ってきて、あの取り損ねたチキンスープであるかのように貪り読んだ。彼がいっぺんに読み終えて、キッチンナイフでページを切り取ったと言う者もいた。それまでディランが何か読んでいるのを見たことがある者は、ほとんどいなかった。

ハーヴェイ・エイブラムスはこう語る。「その本に本当に衝撃を受けたみたいだ。その後二年間、あいつは自分が読んで知ったガスリーの生活を真似していった。何もかもをガスリーがやったようにやり始めたんだ。それから何か月も、ボブが歌う曲はどれもガスリーのように聞こえた。あいつはウディそっくりに歌うことがすごく得意になっていった。座ってレコードを聴いて、その曲を弾いてみるんだ。驚きだったよ。話し方まで変わり始めたんだから。そのオクラホマの口調は、ここを出て行ってからさらに極端になって、あいつの声の一部になった。あのひどくしゃがれた、ガラガラとした声の響きをますます自分のものにしていったんだよ。本当に単なる同一化どころじゃなかった。同一化する対象そのものになっていた、特にガスリーに関してはね。どうしてそんなことができたかは分からないが、ウディの『トム・ジョード』を一日か二日ですべて覚えてしまっていた。そのバラッドを本当に美しく歌い上げたんだ。ボブのことをよく知らない人たちは、あいつの変化に反発したり怒ったりしていた。彼らはボブのことをペテン師だとか、金儲けをしていると思っていたからね。ともかく、ガスリーの特徴とディランの特徴は本当にまったく同じだと思うこともあったよ。これが本来のボブなんだと思った。十八年間、ヒビングというそこそこの中産階級で暮らしてきたことで隠れてしまっていただけでね。ボブの本当の自分というものがあらわになり始めたと心から感じたよ」

その役作りは一九六〇年の夏頃に始まった。少数の親しい友人たちに対して、ディランはこの変化が新たなアイデンティティ確立のために本当に必要なことだったと認めている。彼は単に以前の退屈で方向性のない自分に満足していなかった。グレテルはこう語る。「すごく大っぴらにやってた。個性を作り上げているんだと自分で言っていたわ」。トニー・グローヴァーはこう付け加えた。「自分は演技をしていたけど、それも二日くらいだけだったと言っていた。こう言っていたよ。『その後は、ぼく自身だ』」。ボブはウディと接触をはかりたいと思っていた。ウディはニュージャージーのグレイストーン病院にいて、ハンチントン病を患いゆっくりと死に向かっていた。モートンは言う。「その年の秋はウィテカーのところでたくさんの飲み会が開かれた。ボブは酔っぱらってガスリーに電話をかけた。おれたちは受話器を取ってあいさつをしたものだ。ボブはガスリーに向かって会いに行くからと伝えた」。当然、彼はからかいの対象にされ、一度などひどい悪ふざけもあった。ディンキータウンの誰かがディランに電話をして、ウディがパーティに現れたと告げた。ディランは息を切らし、紅潮した顔で、駆けつけてきて聞いた。「ウディはどこだい？　どこにいるんだ？」

この「千の顔を持つヒーロー」とは何者だったのか？　ウディ・ガスリーは典型的なアメリカの吟遊詩人、シンガー、語り手、詩人、預言者兼シンガー、雑役夫、活動家、労働組合員、旅人、ジャーナリスト、桃摘み、ヒッチハイカー、放浪者、出稼ぎ労働者、難民だった。彼は自由な反逆者で、はみ出し者の先駆けだった。彼は一九三〇年代の干ばつと砂塵嵐によって土地を追われたオクラホマやアーカンソーの人びとの代弁者だった。大恐慌下の吟遊詩人で、さすらい、歌い、罵り、酒を飲み、一九五〇年代のビート族、一九六〇年代のヒッピー、一九七〇年代の政治活動家たちの父だった。ウディはホイットマン、サンドバーグ、ウィル・ロジャース、ジミー・ロジャーズと同等の役割を併せ持っていた。彼が与えた影響や体現した伝統が何であれ、ガスリーはガスリーで、屈することのない個人主義者で、自らの芸術を自分に捧げたが、同時に音楽や文学、そして人びとにも捧げていた。

ガスリーの『ギターをとって弦をはれ』と彼のレコードを喩えるなら、活気に満ちた健康的な若い男性だった。実際のウディは巨人というにはあまりに小さく、英雄像としてはあまりに痩せて繊細な顔立ちで、詩人というにはあまりに非文法的だった。偉大なシンガーというにはあまりに平坦で不安定な声だった。しかし彼は、大いなるヒューマニスト、英雄的なアメリカの文化人、いまなお多くの人に知られてない一流の詩人、偉大なる曲の歌い手であり作曲家、そのすべてだった。ウディはアメリカのフォーク文化における最も優れた本質を象徴していた——抑圧された人びとへの哀れみ、偽りへの嫌悪、音楽の喜び、金では動かない独立した人間性、虐げられた人びとを見たときには声を上げ歌にする正義感だ。このか細いホーボー、独学のバラッド作曲者はホイットマンのように自分自身について歌っていたが、彼自身が型であり、見本であり、大多数の代表であった。アメリカは広く多様かつ有望で個性的だという魅惑的なヴィジョンを抱き、その希望が銀行家や奇人やいかさま師、そして「プリティ・ボーイ・フロイド」で書いたような「万年筆で」強奪をする人びとによって「踏みにじられた」ときには怒った。

ディランは、ガスリーのたくましい独立精神、言葉の豊かさ、ソウルフルで遊び心に満ちたバラッドの作曲、あふれだす独創性、ハーモニカ、ギター、しわがれた声に熱心に自分を同化させた。ようやく彼は自らを形成するための手本を見つけた。ようやく彼はヒビングの中流階級に別れを告げることができた。ようやく、ずっと求めていた偉大な兄と心の父を手に入れた。ウディはディランにとって初めてのタンブリン・マンであり、その理想像から卒業したあとでさえも、ガスリーはディランの個性に消えない刻印を押した。ガスリーは世界の見方を教えてくれた。千ほどあるガスリーの曲の大半は、人びとの大きな愛、子供たちの楽しい笑い声、協力しあうことの尊さに溢れている。ガスリーは言う。

> 聞く人が自分には価値がないと思ってしまうような曲は嫌いだ。失うためだけに生まれてきたと思わせてしまうような曲は嫌いだ。やがては失う運命にある。誰のためにもならない。何のためにもならない。なぜなら年をとりすぎていたり、若すぎたり、太りすぎていたり、痩せすぎていたり、とても醜かったり、とてもあれだったり、これだったりするから。聞く人を気落ちさせたり、運の悪さや困難な旅を揶揄したりからかったりする曲がある。ぼくはこうした曲と戦おうと思う。最後の一息まで、血の最後の一滴まで振り絞って。何度ひどく困難な状況に打ちのめされても、ボロボロになって、のたうち回るような、どれほどつらい状況であっても、どんな肌の色をしていたとしても、体格や、性格に関係なく、ぼくはここがあなたの世界であることを証明する歌を歌おう。自分自身であることや、自分のやっていることを誇りに思えるような歌を歌おう。ぼくの歌の大部分は、まさにあなたのような人たちから生まれる。(9)

ウディの旅の始まりは十七歳のときだったが、その旅路は彼にとって厳しいものであり続けた。妻や元妻、多くの子供たち、ツケ、借金が増えていった。二番めの妻マージョリー（アーロの母）に下の階まで煙草を取ってくると言って姿を消すと、三週間後に西海岸から手紙をよこすような生活だった。ディランが自分は詩人でもフォーク・シンガーでもないと言うとき、彼は『ギターをとって弦をはれ』の一節を手本にしていた。

ぼくはきみの言うところの移民労働者だろう。ぼくに何かしらの名前を考えたいみたいだね。きみのいるお役所やおぞましいオフィスから見たら、確かに、ぼくは移動している……きみたちは、あらゆる本からいろんな名前をとってぼくに当てはめたり呼んだりしているけど、きみたちが名前をつけているあいだに、ぼくの仕事をさせてほしい。そうすれば時間もお金も節約できるし、仕事もはかどる……ぼくは移動する、そう、まさにそのとおり、ぼくは移動する……ぼくが立ち止まったら、きみたちも仕事をやめて立ち去って、移動しなければいけない。だって、本当にあちこちで移動が行われているのだから。(10)

ウッドロウ・ウィルソン・ガスリーは石油ブームの起きたオクラホマのオケマーに一九一二年に生まれた。彼の父親は、かつては裕福な豚牧場の経営者であり不動産の投資家で、六部屋の家を建てたが、わずか数日後に火事で焼けてしまう。その後まもなく、ウディの十四歳の姉が灯油の爆発事故で亡くなった。母親はハンチントン病で亡くなった。その後、父親は火事で亡くなったが、ことによると自殺かもしれなかった。ウディは養子に出された。十七歳のときに、彼はガルヴェストンやメキシコ湾に向かった。彼は西へ向かう田舎のオクラホマ州民、アーカンソー州民、テキサス州民の移民に加わった。カリフォルニアでは果物農場の経営者たちがこうした「ダストボウル難民」(F)に、一ドル払って一トンものモモを摘ませもした。ウディはやがて、こうした人びとのために歌うようになり、一日一ドルの報酬でロサンゼルスのＷＫＶＤで毎日ラジオ番組をやっていた。スタインベックの『怒りの葡萄』のトム・ジョードのように、ガスリーは追い出され、権利を奪われ、貧困にあえぐ移民の味方だった。
ウディはカントリーシンガーでもあり、フォーク・シンガーでもあった。母からは古いバラッド曲やトラディショナル・ソングを学んだ。ラジオでは同じ境遇にいる人たちのカントリーミュージックを聞いた。いとこのジャック・ガスリーはカントリーシンガーだった。ウディのギター演奏と新しい詩を取り入れた楽曲は、一九二七年から第二次世界大戦までカントリーミュージックの世界に君臨していた有名なカーター・ファミリーのレコードから受け継がれたものだった（「新」カーター・ファミリーたるマザー・メイベルと三人の娘たち、そしてジョニー・キャッシュの親類や仲間たちは一九六〇年代後半に再びカントリーミュージックの英雄へと上り詰めた）。

ロサンゼルスにいた二人の男性がウディを政治的な活動へとかきたてた。俳優のウィル・ギアと、西海岸の共産主義新聞『ザ・ピープルズ・ワールド』のコラムニストで詩人のマイク・クインだ。一般的にはクインがガスリーを「発掘した」とされている。ディランと同じように、ウディは、友人、知人、実力者、支援者、協力者たちを増やしていく方法を心得ていた。放浪するシンガーでホーボーだったシスコ・ヒューストンはウディの旅の仲間になった。ウディは一九三九年に東部に来たとき、ピート・シーガーと出会い、共に旅をした。ピートはハーバード大学を中退し、音楽と労働組合の結成に没頭していた。一九四〇年、二八歳のときにウディは米国議会図書館のフォーク文化資料室に向かい、アラン・ロマックスのためにレコーディングを行い自らの人生を語った（三時間かけて行われたレコーディングは、のちにエレクトラ・レコードから発売された）。また、ウディは商業用のレコードをビクター、デッカ、そしてスティンソンから出しており、最終的にはフォーク・ミュージックの開拓者モーゼス・アッシュのいくつかのレーベル、特にフォークウェイズから多くのレコードを出した(11)。ニューヨークに上陸する頃には、左派の寵児となっていた。二十年後、ディランもニューヨークの左派のフォークグループにウディと同じように受け入れられた。

一九四〇年、ウディは最初の妻と三人の子供のもとに帰るため西へ向かった。シーガー、リー・ヘイズ、放送作家のミラード・ランペルは、後世に大きな影響を与えるフォークグループ「アルマナック・シンガーズ」を結成し、ウディも一九四一年六月に加わった。アルマナックはグリニッチ・ヴィレッジの十丁目に初期のコミューンを持っていた。ピートはこう語った。「おれたちは五ドルで、ときには十ドルで演奏し、必死に頑張って何とか食いつないでいた。日曜の午後は、オープンハウスパーティをやっていた。入口で三五セントを徴収して、仲間たちと午後じゅう歌った。おれたちはそれをフーテナニーと呼んでいた」

一九三九年、ウディは週二〇〇ドルもの大金をタバコ会社「モデル・タバコ」が提供するラジオ番組で稼いでいた。その後、あるエージェントがロックフェラーセンターの六五階にある華やかなレストラン「レインボー・ルーム」でのアルマナックの出演を取りつけた。『ギターをとって弦をはれ』には、あかぬけないヒルビリーの衣装を着せられることに抵抗して、彼らが会場を去ったことが記されている。彼は妥協しようとはせず、フォーク・ミュージシャンたちのライフスタイルの土台を作り、それがディランに大きな影響を与えることになる。

ウディは進歩的な組織や左派の仲間のなかにいる偽善者を嗅ぎだすこともできた。人の心につけこむようなことを嫌い、「大衆が望むものを提供する」ショービジネスを軽蔑していた。彼は「フォーク・ミュージック」という言葉を拒絶していた。なぜならそれは「上流階級のバラッド歌手」と一緒にされることでもあったからだ。ディランが頻繁にフォーク・シンガーやプロテスト・シンガーと呼ばれることを拒否している理由も、ガスリーのこのスタンスにあったと言える。同様にディランが詩人であることを否定するのは、ウディの「ぼくは作家じゃない。そのことを分かってほしい。ぼくはエンジンシリンダーひとつのささやかなギター弾きさ」という主張に通じるところがあった。

ウディに『ギターをとって弦をはれ』の執筆を勧めたのはシーガーだった。ハーバードで、ピートはのちに批評家・詩人となるチャールズ・オルソンと知り合っており、オルソンは一九四二年にウディにリトル・マガジン『コモン・グラウンド』での執筆を依頼した。ウディは素晴らしいエッセイ『耳の音楽(イヤー・ミュージック)』を書いた。それがきっかけとなり、自分のことを書いてはどうかと提案が持ち上がった。ウディは執筆に取りかかり、『ギターをとって弦をはれ』は第二次世界大戦の真っただなかに出版され熱い支持を得た。スタインベックはこう述べている。「ウディはウディでしかない。多くの人は名前など重要でないことを分かっていない。彼はただ声であり、ギターなのだ」。その後、商船でシスコ・ヒューストンと旅をしたあと、ウディはブルックリンのコニー・アイランドに少しのあいだ滞在した。一九四二年には、マージョリー・マジア・グリーンブラットと結婚。一九四〇年代後半も、溢れるほどの曲と詩と絵とレコードを生み出し続けた。ディランのように、ウディも饒舌になり創作意欲に溢れている時期と静かに内省している時期を交互に繰り返していた。エイミー・ヴァンダービルトの邸宅で開かれた彼の出版を記念する豪勢なパーティで、ウディはその晩じゅう一言も話さなかった。

一九五九年、シスコ・ヒューストンは私にこう語った。「ウディは最高に偉大なフォーク詩人だ。知らせを歌う聖書のなかの預言者みたいだ。ウディは物質的なものには関心がなかった。良い車と、万年筆やタイプライター、それに立派なギターは別だったけどね。おれたちはプルマン式寝台車で移動して、日焼けした親指でいつもヒッチハイクの車を求めていた。人生の困難な側面を知っている人びとはウディが自分たちの代弁者だと感じるだろう。彼らはウディに自分を重ね合わせていたんだ」

ウディはフォークの国民的聖歌「わが祖国」、古典的な別れの曲「ソー・ロング、イッツ・ビーン・グッド・トゥ・ノウ・ユー」、そして「カー・カー」のような自分の子供たちの歌、国への賛歌「パスチャーズ・オブ・プレンティ」など少なくとも一〇〇〇曲を書いている。オリジナルのメロディは少なかったが、フォークやカントリーソングをもとに構成し、独自の韻文で曲へ新たな命を吹き込んだ。彼は純粋に社会の悪に反抗する反英雄的な無法者が好きだった(12)。

一九四〇年代の終わりに、ウディの健康が悪化し始めて素晴らしい歌声とペンは止まった。一九五四年から発症したハンチントン病は彼を、十三年ものあいだ病院で苦しめた。彼の書いたものやスケッチは、エージェントのハロルド・レヴンソール、シーガー、ルー・ゴードンが設立したウディ・ガスリー・チルドレンズ・トラスト・ソサエティに集められた。私はアンソロジー『ボーン・トゥ・ウィン』(G)を編集し、一九六五年に出版した。ボブ・ディランの作品はようやくウディを現代の大多数の聴衆に届けるようになり、息子のアーロ・ガスリーの成功も、新たな世代の聴衆にウディの達成を印象づけた。『ボーン・トゥ・ウィン』の「お世話になった人びと」のなかで、ウディは彼の芸術の源泉となった人びとと、彼らへの感謝を記している。彼は自分が単なるレポーターにすぎず、人びとの詩を書きとめているだけだと感じていた。「私はあなたの人生という作品から命を借りているのです。あなたのエネルギーが自分のなかにあることを感じ、あなたのなかで動く自分を感じるのです。もしかしたら私のことを詩人と呼べと教えられたかもしれませんが、あなた以上の詩人などではありません。あなた以上のソングライターだとか、優れたシンガーというわけではないのです」

北国の少女

ジャーナリストたちがエコ・ヘルストロムに行き当たったとき、彼らは彼女こそがディランの歌う「北国の少女」だと確信した。しかし、より可能性の高い候補者がボニー・ジーン・ビーチャーだった。ディランは「盗まれた時間の中の生活」でこのように示唆していた。「ある女優の女の子に激しく恋をしたけど思い切り痛い目に遭っ」た。ボニーは自分が惚れられていることは分かっていたが、魂の一部を売ろうとは（あるいは譲り渡そうとは）しなかった。一九六六年、私が取材をしたときには、ボニーはロサンゼルスで西海岸のビート女優として生活していた。当時、この優しく控えめな迷える若い女性は自分自身を「痛い目に遭」わせて修行していた。端正な顔立ちをしたブロンドヘアーのボニーは、演劇学校の影響ではない明瞭な口調で話をしてくれた(13)。

私の推測ではあるが、ディンキータウンの人びとと接触してみて、ボニーが少なくともある程度はボブの東部での成功に影響を与えたのではないかという強い印象を持った。彼は何度かミネアポリスに帰っていた。ボニーとの恋愛関係は終わっていたが、友情関係は続いていた。生活環境の良いツイン・シティの郊外、エディナの裕福な家庭に生まれたあかぬけたボニーは、一九六〇年の初めにパーティでボブに会う前から反逆者だった。彼女は、ボブが主流派に同化しようとしていた一方で、ＷＡＳＰ（Ｈ）であることから飛び出したいと思っていた。ボニーは洗練されていた。正しいものを読み、正しい人々を知っていて、ヒビングの女の子にはないような考えを持っていた。

ボニーはポール・ネルソンが働いていた店でよくレコードを買っていた。自分の優れた声をボーカリストとして活かそうと真面目に考えたことはなかった。大学の劇団のちょっとした役で満足していた。ボブとボニーには一瞬で惹かれ合うものがあった。ボニーは二四時間営業のハンバーガー店で即席料理の調理をしていたため手が汚れており、ボブはそれを気に入った。ハンバーガー店で会わないときには、二人はアントヒルとして知られるアラモ・アパートメンツで開かれていたパーティに行った。彼女は彼にとって一九六〇年の大部分における熱心な支援者であり共感的な聴き手だった。友人たちから見ても分かるほど、ボブは彼女に夢中になっていたが、彼女にとって恋愛関係は重要なものではなかった。二人は離れ離れになった。ニューヨークで何か良いことがあると、ボブは彼女に電話をしたり手紙を書いたりした。私がボニーと会ったとき、彼女はヴィレッジのヒップスターでエンターテイナーのウェイヴィー・グレイヴィーとして知られるヒュー・ロムニーと付き合っていた。ロムニー、タイニー・ティム、セヴァーン・ダーデンは、ロサンゼルスのファントム・シアターのキャストで、ボニーも一座の精神を安定させるために同行していた。

一時期ボニーと同じ女子学生クラブで姉的存在だったのがシンシア・フィンチャーで、ボブはシンシアと一九六〇年の後半をともに過ごした。彼らは互いの知的なソウルメイトだった。シンシアはバンジョー奏者であり画家で、知的で雄弁だった。二人はパープル・オニオンで共演している。グレテル・ホフマンは、ウィテカーと結婚する以前もそれ以後もボブの特別な友人だった。ボブがミネアポリスでエコと何度か再会した頃、エコはボブの過去の一部となっていた。ボブは友人たちの誰よりも早く次へと進んでいくのだった。ディンキータウン以降も続いた情熱は、演奏をすることとウディ・ガスリーへの愛だった。

敬われし預言者

ディンキータウンのデイヴ（トニー）・グローヴァーとの友情は他よりも長く続いた(14)。一九六三年、ボブはグローヴァーのことをこのように語っている。「かけがえのない友人だ。デイヴ・グローヴァーのことは本当に好きだよ。デイヴ・グローヴァーの感じること、考えること、歩き方、話し方は、まさにぼくと同じなんだ」。グローヴァーは、ボブの活動の初期にあたるディンキータウンでの日々を知る手助けをしてくれた。グローヴァーはニューポートでもボブと会っており、ウッドストックにも訪問し、ニューヨークでのレコーディングにも何度か参加している。トニーは屈強で寡黙だったが、紳士的でクールなブルースマンであり、音楽や友人に対して情熱的だった。グローヴァーはコーナー、デイヴ＆グローヴァーとしてデイヴ・レイと歌う際に、混乱をさけるため自分のニックネームを「トニー」とした。モートンはトニーが姿を現すたびに「ユー・アー・マイ・サンシャイン」を歌い、トニーがよく漂わせていた暗い雰囲気を皮肉っていた。彼の陰気で、どこかジェームズ・ディーンを思わせる振る舞いにボブは信頼を抱いた。

グローヴァーは注意深く言葉を選びながら、こう強調した。「ボブは普通の人間とは違う。あいつのなかには二人の人間がいて、一人はぼくが知っている、そして知っていたあいつ、そしてもう一人は公の場にいるあいつだ。ぼくたちはここの音楽シーンの片隅で受け入れられてはいたけど、それでもアウトサイダーだった。そうしなきゃと思っていた部分もあったし、ぼくたちは他と違っていたからね。それが当時、真の友情の基盤となった。ぼくたちはもっと別の場所で別の何かをやらなければと思っていた。あいつは変わったよ。今（一九六六年）のあいつは、いろいろな面で年老いた男みたいで、忍耐強く人生をありのままに受け入れ、人生が自分の力でどうにかできるものとは思っていない。あいつがそれで幸せなのか不幸せなのかは分からない。彼はただありのままに受け入れている。それだけだ」

グローヴァーはボブに魅了されている部分もあり、大抵は彼をかばい、ボブがもっと共感を持って受け止められることを望んでいた。彼はたくさんのテープや切り抜きや思い出の品を保管していた。トニーはボブがひとかどの人間になると思っていた最初の一人だった。彼はボブがミネアポリスで敬われない預言者だったときも、彼が成功を収めたあとも、同じくらいボブのことが好きだった。トニーは一九六〇年の五月、グレテルのために開かれたパーティでボブに出会った。「ボブは端っこでギターを抱えて座っていて、ぼくたちは話を始めた。あいつはクルーカットでスニーカーを履いていた。その場から浮いていて居心地が悪そうに見えたよ。リン・キャストナーはウディの曲を歌っていた。ボブの歌を聞いていない人たちもいて、ボブは口汚くもう歌わないと言っていたよ。何様なんだと言っている人もいたね」

音楽ジャーナリスト兼小説家となるグローヴァーは、音楽仲間として初めてボブに批評したり助言を与えたりした人物かもしれない。建設的な意見だったため、ボブもしっかりとそれを受け止めたようだった。ボブは少なくとも二年半、グローヴァー、ネルソン、パンケイクと時事的な政治を歌ったトピカル・ソングについて議論を続けていた。一九六二年八月、ミネアポリスに三度めに帰ったボブには、時事的なプロテスト・ソングに疑問を持ち始めている兆候が見えた。一九六二年、ボブはディンキータウンの友人に向けて、ちょっとしたショーを行って楽しんだ。鼻にかかったガスリーの口調でボブはこう言っていた。「まだ完成してない曲を歌うよ――完成にはほど遠い曲だ」（ギターのチューニングをする）「やあ、パリから来たボブ・ディランだ。これはCORE（人種平等会議）のために書いた曲だ。COREは黒人のための白人組織。万人のために曲を書くのにはうんざりなんだ。この曲をテープに録音して、リトル・サンディ・レヴューの友人たちに聞かせてやってくれ。ぼくはリトル・サンディ・レヴューをすごく尊敬しているんだ。ジョン・パンケイクは、ぼくよりも偉大な男だと言っておこう。これからいくつかの詩をお届けするけど、最後の詩にすべてが集約されている。これを書いたのは、それがぼくの頭に降りてきたからだ。ぼくの彼女は今ヨーロッパにいる。彼女はそこに船で向かったんだ。九月一日に帰ってくるから、彼女が帰ってくるまでは家には帰らないつもりさ。ときには悪い時期もある。ときに悪い時期もあるけど、そうでないときもある。これはぼくのスタイルってわけじゃない。これはピート・シーガーのスタイルだ。ほら、彼はマイク・シーガーの兄だからね」

ボブは「ブラック・クロス」を歌い、のちに「明日は遠く」の一部となるメロディに飛んだ。その後、彼はトーキングブルースで観客たちにこう尋ねた。「どんなカバが偽善者（ヒッポ ヒポクリット）だろう？」。次の曲は伝統的な「ア・ロング・タイム・カミング」を取り入れたものだった。「この曲は好きかい？　歌詞の半分は自分で考えたんだ。これは自分のために書いた。自分は他の人たちのための曲を書きすぎたと思ったんだ。ようやく自分にこう問いかけられるようになった。『なあ、ディラン、お前は自分についての曲を書いてないじゃないか』。それでぼくは答えた。『誰かにお前についての歌を書いてもらえよ』。そしてぼくは自分に返した。『お前は曲を書いている。他の人と同じように自分についても曲を書くことができるじゃないか』ってね。それで、一週間のうちに自分についての曲を十曲書いた」。ボブは「ボブ・ディランのブルース」を歌おうとしたが、突如その歌詞を忘れてしまったことに気がついた。そこで彼は「コリーナ、コリーナ」と「ディープ・ダウン・ブルース」を歌った。やがてパーティは、ディランが次から次へと曲を歌うため雰囲気が悪くなっていった。最終的に彼は「ミネアポリスはどいつもこいつも馬鹿ばっかりだ」と言って去っていった。

一九六二年の夏、ボブは「他の人たちのための曲」にすでに苛立ちを感じていたが、最初の「コミットメント」期の終わりはまだ先のことだった。一九六三年、かなり過激になったディランは再びグローヴァーやポール・ネルソンらを訪ね、激しい議論を交わした。トニーはこう振り返る。「ポールは『ボブは伝統的なスタイルと自分個人のスタイルのバランスをとらなければいけない』と言っていた。ボブは最近の曲から一曲『しがない歩兵』を歌って、これは伝統的ではないが、今起きていることを歌った曲だということを示そうとした。ポールは、動機が素晴らしいからといって良いフォーク・ミュージックが生まれるわけではないと主張していた。ディランも基本的には同意していたけど、何かについて歌ったからという理由でけなすことはできないはずだと反論した。彼は音楽よりも社会的な事柄のほうが大切だと主張していた」

ディランは新曲を歌い、社会的な主張が多分に含まれた曲を議論のために提供した。反応は満足いくものでなく、ディランは悪態をつき始めた。ひとしきり長々と毒づいたあと、彼はこう言った。「フォーク・ミュージックなんて意味がないね！　一歩町に出たら音楽じゃないもの。蓄音機で再生できても、外に出たら何もないのと同じだ」。彼の声は、置き去りにしてきた友人たちへの苛立ちと不満で震えていた。

ディンキータウンへの数ある帰省のなかで、最も感動的だったのは一九六三年七月、彼が全国的にフォークスターとしてブレイクする直前のときだろう。彼は昔の仲間たちにロンドンへ行ったときの話をして、マネージャーのアルバート・グロスマンを「素晴らしい男で、天才だ」と言った。そして、自分の道のりがどれほど長いものだったか、恥ずかしげもなく感傷的な様子を見せた。「ぼくはハイウェイでこの町を出て行った。ハイウェイ12だったと思う。よく考えることさえしなかった――ぼくが考えることをやめたのは初めてだった。この町を出てから三年半か四年は何も気にかけることはなかったよ。時間とチャンスがめぐってきたんだ。そう、だからぼくは今ここにいる。アメリカじゅうに無数のぼくがいる。そして彼らはみんな行き詰まっているのに、自分のいる場所から離れることができないんだ」。彼は自嘲的に、歌、詩、指導的立場における名目上のリーダーとして話をした。ホイットマンの「ぼく自身の歌」や、ガスリーの「ザ・グレイト・ヒストリカル・バム」。彼らの信条はディランの信条となった。優れたバラッド作曲家は単なるレポーターにすぎず、人びとの詩を書き写していただけなのだ。

一九六一年頃にはすでに、トニーはボブがR&B系のチャック・ベリーの曲を歌っているのを録音していた。トニーはよくディランの歌を録音していた。ボブが一九六一年五月に初めてディンキータウンに戻ったとき、彼はまだガスリーの影響を大きく受けていた。ツイン・シティのミュージシャンが集まった機会に、トニーはボブが自分のオリジナル曲を歌っているのを初めて聞いた。それが「ウディに捧げる歌」だった。ボブはトニーに、ジョーン・バエズがこの曲をレコーディングしたがっていることを告げた。トニーは語る。「自分にどれほどの影響力があるかは分からないけど、ぼくはボブにこう言ったよ。『その曲は自分のために取っときなよ。彼女よりもきみはもっとうまく歌える』」

ボブはファーストアルバムを録音した後、一九六一年の十二月にもミネアポリスへ戻った。グレテルはこのように語る。「ボブが私たちに最初に見せたのは『ニューヨーク・タイムズ』の切り抜きだった。彼はものすごい速さで話をした。ギターを取り出しながらこう言ったの。『ぼくの成果を聞いてくれ。ぼくに起きたことを聞いてくれ！』って。でもそのとき、他の人たちが入ってきて、ボブは気おくれしたみたい。彼は知らないうちに素晴らしいストーリーテラーに変貌していた。彼とデイヴィッドは座って、何時間も話をしたり、ジョークを言ったりしていた。彼はうれしそうだった。彼がレニー・ブルースを何度見たのかは知らないけど、ブルースはここらではすごく馴染みの名前だった。多くの人たちがレニー・ブルースのような即興の気の利いた言い回しを考えていたの」(15)。レニー・ブルースの影響はヒュー・ロムニーを介してディランへやってきたのかもしれない。ロムニーとブルースは二人とも、風刺的な一人語りをするロード・バックリーの弟子だった。彼らはディランがまだ町にいたときに、繁華街にあったクラブ「マイナー・キー」に出演していた(16)。二人とも一九五〇年代後半の反逆心と、ブラックユーモアと、口頭で語る作り話や寓話や物語を発展させ、ディランに大きな影響を与えたはずだ。

一九六一年十二月、「とてつもなく大きな変化があった」とグレテルは語る。「彼は実験的な詩を書き始めて、これが詩なのだと気がつき始めていた」。若い仲間のビル・ゴルファスはこう語る。「みんなディンキータウンのやつがレコードを出したってことに驚いていたよ。前から唯一感づいていたのがデイヴ・モートンだった。ぼくたちは皆子供で、ただ演奏するビートニクにすぎなかった」

敬われない預言者

ディランはミネアポリスにいる多くの人びとから支持を得られずにいた。一九六六年、大学の有名な詩人ジョン・ベリーマンとアレン・テイトは、ディランのことをほとんど気にかけていなかった。一九七二年、ベリーマンは自殺をしたが、テイトも死を迎えるまでボブのことを無視していた。一九六四年五月、学生の文芸誌『アイヴォリー・タワー』がボブのことを採り上げた。『ミネソタ・レヴュー』誌の編集者ローランド・フリントはこのように書いている。

ディランが書いたもので唯一読んだのはレコードジャケットに載っていた、いわゆる詩のようなものが入った文章だけだった。彼は優れたエンターテイナーだ。彼の作品は好きだ。彼の演奏と曲を楽しんでいる。だが、彼を詩人だとは思わないし、彼が書くものを詩だとは思わない。彼の作品には比喩的な複雑さのようなものが一切欠けている。そのほとんどが単純で浅はかだ……。『ミネソタ・レヴュー』はポピュラーソングの歌詞を掲載するための雑誌ではない。それこそディランの書いているもので、彼が得意としているものだ。ジョン・ベリーマンも私に同意してくれるだろうし、私より手厳しいかもしれない。読者が文学的に優れていると思っている彼の作品を見てみたいと心から思う。

一九六一年、フリントの前任者で『ミネソタ・レヴュー』の最年少編集者だった三三歳のハリー・ウェバーは私にこう語った。「ボブのアルバムの裏に書かれた詩は大して気にかけていないけど、彼の曲は立派な詩だと思う。もし私が今でも編集者だったら、『タンブリン・マン』や『115番目の夢』はすぐに載せただろうね。『マギーズ・ファーム』は喜んで掲載しただろうね、繰り返しの部分も含めて。フリントはアレン・テイトの弟子であり友人でもあるんだ。テイトは独自の視点で詩人としてのディランをけなしたけれど、私は彼らには同意できない。『はげしい雨が降る』はとても青くさい詩だけど、『ローリング・ストーン』はすごく良い詩だと言えるよ」

ミネアポリスの大部分の文学者たちはディランをまともな作家として認めなかったが、地元のジャーナリストたちの反応はさらに敵意あるものだった。（セントポールの）『パイオニア・プレス』紙のP・M・クレッパーは、ディランの経歴の専門家のように振る舞った。一九六五年にクレッパーが書いた辛辣な記事は、一九六六年三月二七日の日曜付録『ディス・ウィーク』に掲載された。

ディランは大富豪のビートニクだ……アーヴィング・バーリンのように金を山積みにしている。ディランはヒルビリーではないし、無教育でもない……彼は自分で自分を作り上げている……ディランは実際、二四年間わずかばかりも働く必要に迫られたことはない……ヒビングでは彼があとになって曲に活用したような、人種的に抑圧される経験もしていない……ディランはミネソタに黒人の友人などいなかったのに、一九六三年八月のワシントン大行進の中心にいたのは驚きだ。しかし、まだ若きこの国は、こうした情緒に明らかに飢えていた……皮肉なことだ……ディランは自分がまさに非難している社会から途方もない額の金をもらっているのだから。

もう一人、『ダルース・ニュース・トリビューン』の編集者ウォルター・エルドットもボブについて皮肉な記事を書いていた。エルドットは私に、アイアン・レンジからディランやアメリカ共産党の指導者ガス・ホールのような変わった人物がたくさん誕生していると言った。エルドットはその何よりの証拠として、ディランが若い非行少年たちの訓練学校について歌った「ウォールズ・オブ・レッド・ウィング」を挙げた。「あそこに壁なんかないというのにね」とエルドットは主張した。
『リトル・サンディ・レヴュー』は一九六二年の秋の終わりにディランのミネアポリス時代の様子を記した。ネルソンはディランのファーストアルバムを高く評価して分析を行っていたが、パンケイクの無署名のレヴューは控えめな称賛だった。

ボブといえば、穏やかな口ぶりで、特に見どころのない若者だった……身なりはきちんとしていて、清潔で、スラックス、セーター、白のオックスフォード靴、ポプリンのレインコート、サングラスというごく普通の大学生の格好をして、スタンダードなコーヒーハウスの曲を歌っていた……上手かったが、特別注目するほどでもない……ディランは大学を去った……その秋、ニュージャージーに向かいウディ・ガスリーと運命的な出会いを果たす。その後、一九六一年五月に一時的に帰ってくるまで、ボブに会うことはなかったが、大学のフーテナニーに出演した彼の姿は異彩を放っていた。ボブの変化は、控えめに言っても、驚くべきものだった……ディランのパフォーマンス……ガスリーとゲイリー・デイヴィスという選曲は、慌ただしく方向性が不明瞭だったが、そこには、彼を最も独自なフォーク・ミュージックの新星へと押し上げた、今の完璧なパフォーマンスのスタイルのあらゆる要素が含まれていた。そう、皆さん、スターはあの晩に誕生したのだ。

『リトル・サンディ』は、「プロテストの人間たちと関わらないよう」ディランに勧告し、「ディランの記事と、表紙のガスリー的なポーズはひどく馬鹿らしく思えた。いずれもまがいもので、ガスリーになろうという試みはあまりに度が過ぎている」と『シング・アウト！』の記事を一蹴した。ボブが最初に『リトル・サンディ』の記事を読んだのは私のニューヨークのアパートメントでのことだった。作品への賞賛や、名前の変更を公にされたことよりも、大学一年生のときの自分の服装や見た目を描写されたことに何より動揺しているように見えた。「髪をとかしたりしたことなんかないよ。ネクタイをつけたこともない」。彼はきっぱりとそう言った。

ツイン・シティでの悪い記事は一九六五年のあいだ出続けた。一九六五年の夏に、八〇〇〇席のミネアポリス・オーディトリアムで一晩ステージに立ったあとには『セントポール・イヴニング・ディスパッチ』紙の演芸コラムニストがディランの「不埒な」行為をなじった。

彼は誰とのつながりも拒み、自分のステージで馬鹿騒ぎをして、総じて不愉快さを残していった……ディランはひどく冷たいか、極端にうぬぼれているかのどちらかだ……彼は言っていた。「どうしてあの人たち（その地域に暮らす彼の家族も含まれる）に会わなきゃいけないんだ？　ぼくが何者でもなかったときには時間を割いてくれなかった人たちだ。どうして今さら会わなきゃならないんだい？」……ようやく観客たちが、ずいぶん待たされた曲の合間にブーイングを始めると、ディランはこう言った。「ぼくもきみたちと同じように家に帰りたいと思ってるよ。何か読む新聞は持ってないのかい？」。翌日の見出しはこうだった。「ボブ・ディラン、家へ帰れ！」「アイドルの失墜」。コンサートは売り切れだったが、その演奏（あるいはその演奏の不足）ゆえに、偉大な男のレコードの売り上げは急降下している。

ディランは一九六五年十一月五日にもオーディトリアムを満席にして、一晩で二万六〇〇〇ドルもの金額を稼いだ。『ミネアポリス・スター・トリビューン』紙の批評家はこのように言っている。

本当に見ものだったのは観客だった。ガムを噛むティーンエージャーたちは、サーカスの前座から抜け出してきたような服装で、うっとりとした顔をしていた……ディランは髪を逆立てたかかしのようだった……『デゾレーション・ロード』（原文ママ）は、本物のユーモアと洞察力を示し、彼の信奉者に投げかけられる政治的で辛辣な言葉を座って聞いているなかでは、その晩で一番の見せ場となった……彼らしくない曲だったが……それにもかかわらず、観客たちはその曲に熱狂していた。これは精神分析医に説明してもらう必要がある。

「マン」とだけ名乗っていたある作家は、アンダーグラウンド新聞『ツイン・シティ・ア・ゴー・ゴー』に、ディランの再訪は「彼の人気と不可解さを証明しただけだ」と書いた。『ゴー・ゴー』にはエド・フリーマンが引用されていた。「かつてのディランの声は肺ガンの患者がウディ・ガスリーを歌っているようだった。今の彼はイマヌエル・カントを歌うローリング・ストーンズだ」。コンサートのあと、ボブは仲間や道端で出会った地元のカップルとディンキータウンをぶらついた。彼らはスカラーや他にもいくつかのバーをのぞき、マコッシュの本屋に引き返してきた。ボブは昔の様子を語った。

ディランは五年前にミネアポリスを去っていたが、実際どのように出発したのかは特定するのが難しい。彼はアパートメントをブラウンとマックス・ウーラーとシェアしていたが、その後は再び、自分の殺風景な狭い部屋に戻っている。ディランはよく、ガスリー的な脱出をしてヒッチハイクに向かっていたが、その数時間後にはバスターミナルにいる姿が目撃されるのだった。ウィテカーいわく、ガスリーの病院へ何度めかになる電話をかけた直後に、ボブは出て行ったという。ボブのウィテカーへの最後の言葉はこうだった。「ニューヨークに行くよ！ウディに会ってくる！」。ウィテカーは語る。「あいつはそう言って出て行ったよ。ミネアポリスは猛吹雪だったけど、あいつはシカゴに向かったんだ」。地元で人気を獲得していたジェリー・コナーズは、スカラーで隣のテーブルに座っていたときに聞こえてきたディランの言葉をはっきりと覚えていた。「ぼくはニューヨークに行って大物になるんだ！」。コナーズはボブがまさにその日に出て行ったと言う。彼が歌で称えたハイウェイ61で移動したかどうかは大した問題ではない。ハイウェイ61はハイウェイを表すメタファーで、ハイウェイはダルースとミネアポリスを結び、そしてミシシッピ川下流のブルースの地に正しくつながっていた(17)。

ディンキータウンの友人たちは、ディランが出ていくことをそれとなく知らされていた。大家と両親はもちろん知ることができなかった。エイブとビーティーは、ボブが最後に知らせた住所に彼を探しに来た。殺風景な、一部だけ家具が備え付けられた部屋で、彼らが見つけたのは何枚かの紙切れだけだった。彼らは整理ダンスの引き出しを開けたり、空のクローゼットのなかを捜索したりした。今度ばかりは、彼は本当に、本当に行ってしまった。両親は息子がもはや自分たちの手に負えないことを悟った。ディランは語る。「ぼくは猛吹雪のなかハイウェイに立って、世界の慈悲を信じ、東に向かった。ギターとスーツケース以外は何も持たずに」

ヴィレッジの路上生活者ケヴェン・クラウンの話によると、ディランは一九六〇年のクリスマス直前にシカゴに現れたという。クラウンはディランが二週間シカゴにいたと言うが、ウィスコンシン州のマディソンに数日間滞在してから東に向かったと語る人びともいる。クラウンのニューヨークでの信頼は乏しく、そのため彼の言う日程は大してあてにならないが、マディソンに立ち寄った可能性はありそうだ。ボブは、少なくとも私に対しては、ニューヨークに到着したときの話を書き換えて、怒濤の数週間をタイムズスクエアで過ごしてからヴィレッジにたどり着いたことにしたがっていた。「盗まれた時間の中の生活」は、ディランのキャリアのなかで幾度か見られるように、正確な記録というよりも、メタファーを使ってメッセージが語られている。

大学生活はなかなかいいものだった
テキサスのガルヴェストンまでヒッチハイクをして
四日間古い友人を探していた
その友人のママは網戸越しに彼は軍隊にいると言った——
キッチンのドアが閉まるまでに
ぼくはカリフォルニアを通り過ぎて——オレゴンにたどり着こうとしていた——
森のなかで出会ったウェイトレスが、ぼくを車に乗せてくれて
ワシントンのどこかで降ろしてくれた
ぼくはニューメキシコ州ギャラップのインディアンフェスティヴァルから
ルイジアナ州ニューオーリンズのマルディグラに踊り進んだ
親指で合図しながら、眠気を感じながら、帽子を折り返しながら、頭をしびれさせながら
放浪して新たな教訓を学んだ

自分を落ち込ませていたのは自分だ
ぼくは刺激を求めて貨物列車に乗った
そして笑い声に返り討ちにされた
草刈りをして二五セントをもらい、歌を歌って十セントをもらった
ハイウェイ61、51、75、169、37、66、22
ゴーファーロード、ルート40、ハワード・ジョンソン・ターンパイクでヒッチハイクして
武装強盗の疑いをかけられて刑務所行きになって
殺人の罪で四時間、拘留された
ぼくはこんな姿だから捕まったが
そのようなことは一度もやっちゃいない(18)

【原注】

（1）「ライク・ア・ローリング・ストーン」の歌詞。

（2）コリンズはディランが「ミスター・タンブリン・マン」を書きあげた晩にアルバート・グロスマンのウッドストックの家にいた。彼女はのちに「ジュディ・コリンズ・シングス・ディラン……ジャスト・ライク・ア・ウーマン」をリリースした（一九九三年）。

（3）「盗まれた時間の中の生活」より。

（4）ディランはコーナーのことを『ボブ・ディラン自伝』で愛情をもって書いている。コーナーはトニー・グローヴァー、デイヴ・レイとともに二枚のアルバム『ブルース・ラグズ・アンド・ホラーズ』と『ロッツ・モア・ブルース・ラグズ・アンド・ホラーズ』をリリースしている（二〇〇四年）。

（5）シンシア・グッディング（一九二四～一九八八）は、一九六二年、ＷＢＡＩニューヨークでのボブ・ディランへのラジオ・インタヴューを――ディランの初めての演奏も収録されている――『フォークシンガーズ・チョイス』としてＣＤで出している。

（6）ディランはマーティン・スコセッシ監督にオデッタ（一九三〇－二〇〇八年）のことを好意的に話している。一九九九年に全米芸術勲章を受章した彼女は、亡くなる一週間前まで演奏をしており、オバマ大統領の就任式で歌う予定だった。

（7）ポール・ネルソンは映画『ノー・ディレクション・ホーム』に出演し、ディランのミネソタ時代の思い出を語っている。

（8）「11のあらましな墓碑銘」より。

（9）Robert Shelton, *Born to Win*, p248

（10）Woody Guthrie, *Bound For Glory*, p57

（11）一九五二年、フォークウェイズ・レコードの創立者、モー・アッシュ（一九〇五～一九八六年）はハリー・スミスの六枚組のＬＰレコード『アメリカン・フォーク・ソング』をリリースし、ディランはこれをミネアポリスで聞いている。一九八七年、スミソニアン協会はアッシュからフォークウェイズの権利を引き継ぎ、ウディ・ガスリーの『ジ・アッシュ・レコーディングス 第一巻～第四巻』をリリースした。

（12）ディランがレコーディングしたガスリーの有名な曲で、唯一のオフィシャルなものは興味深いことに見過ごされてきた。この曲は『ノー・ディレクション・ホーム』のサウンドトラックとして登場する。ディランは『フォークウェイズ・ア・ヴィジョン・シェアード』（一九八八年）で、ガスリーの曲をブルース・スプリングスティーンと演奏している。さらに、スプリングスティーンはガスリーのトリビュートアルバム『ティル・ウィー・アウトナンバー・ゼム』（二〇〇〇年）にも参加している。彼の心を打つ「ディポーティ」をディランはＮＢＣの特別番組「Hard Rain」で見事に演奏した。

（13）『ボブ・ディラン自伝』のなかでも興味を引くのはディランがジョン・ウェインと出会ったときのことである（「まるで切り出された太い丸太」のようだった）。この出会いはボニー・ビーチャーが企んだものだった。

（14）トニー・グローヴァーはスコセッシ監督の『ノー・ディレクション・ホーム』に出演している。また、『ロイヤル・アルバート・ホール』（一九九八年）のジャケットの解説文を書いている。

(15)ディランの「レニー・ブルース」という曲は『ショット・オブ・ラヴ』(一九八一年)に収録されている。
(16)現在まで、ロード・バックリーの「ブラック・クロス」(ヒゼキヤ・ジョーンズとしても知られる)のディラン・ヴァージョンはオフィシャルには入手できないままである。
(17)マイケル・グレイは「ハイウェイ61」(ブルースハイウェイ)の重要性について、『Bob Dylan Encyclopedia』、『Song and Dance Man III: The Art Of Bob Dylan』で語っている。
(18)「盗まれた時間の中の生活」より。

【訳注】
(A)ウィーティーはアメリカのシリアル食品
(B)ピルズベリー・ベイクオフは、一九四九年以降開催されているアメリカの料理レシピのコンテスト。
(C)元々はジョージ・W・ペックの小説に登場する架空の男の子のことで、一九三四年には映画化もされている。ぽっちゃりとした丸顔とハンチング帽が特徴的ないたずら好きの男の子である。
(D)メアリー・ハリス・ジョーンズ(一八三七~一九三〇年)は、アメリカの労働活動家。マザー・ジョーンズとして知られる。
(E)アメリカで十九世紀後半から一九三〇年代の不景気の時代に、仕事を求めて渡り歩いた貧しい労働者を指す。
(F)ダストボウルは、一九三一年から一九三九年にかけ、アメリカ中西部の大平原地帯で、断続的に発生した砂嵐である。砂嵐はオクラホマ農家の多くを破滅させ、カリフォルニアを目指す難民が大量発生した。ウディ・ガスリーのアルバム『ダストボウル・バラッズ』には「ダストボウル難民(Dust Bowl Refugee)」という曲が収録されている。
(G)Woody Guthrie, *Born to Win.* edited by Robert Shelton
(H)白人(White)、アングロサクソン系(Anglo-Saxon)、プロテスタント(Protestant)の略称。

03

トーキング・グリニッチ・ヴィレッジ・ブルース

汝自身を知れ。
——デルフォイの神託　紀元前六世紀

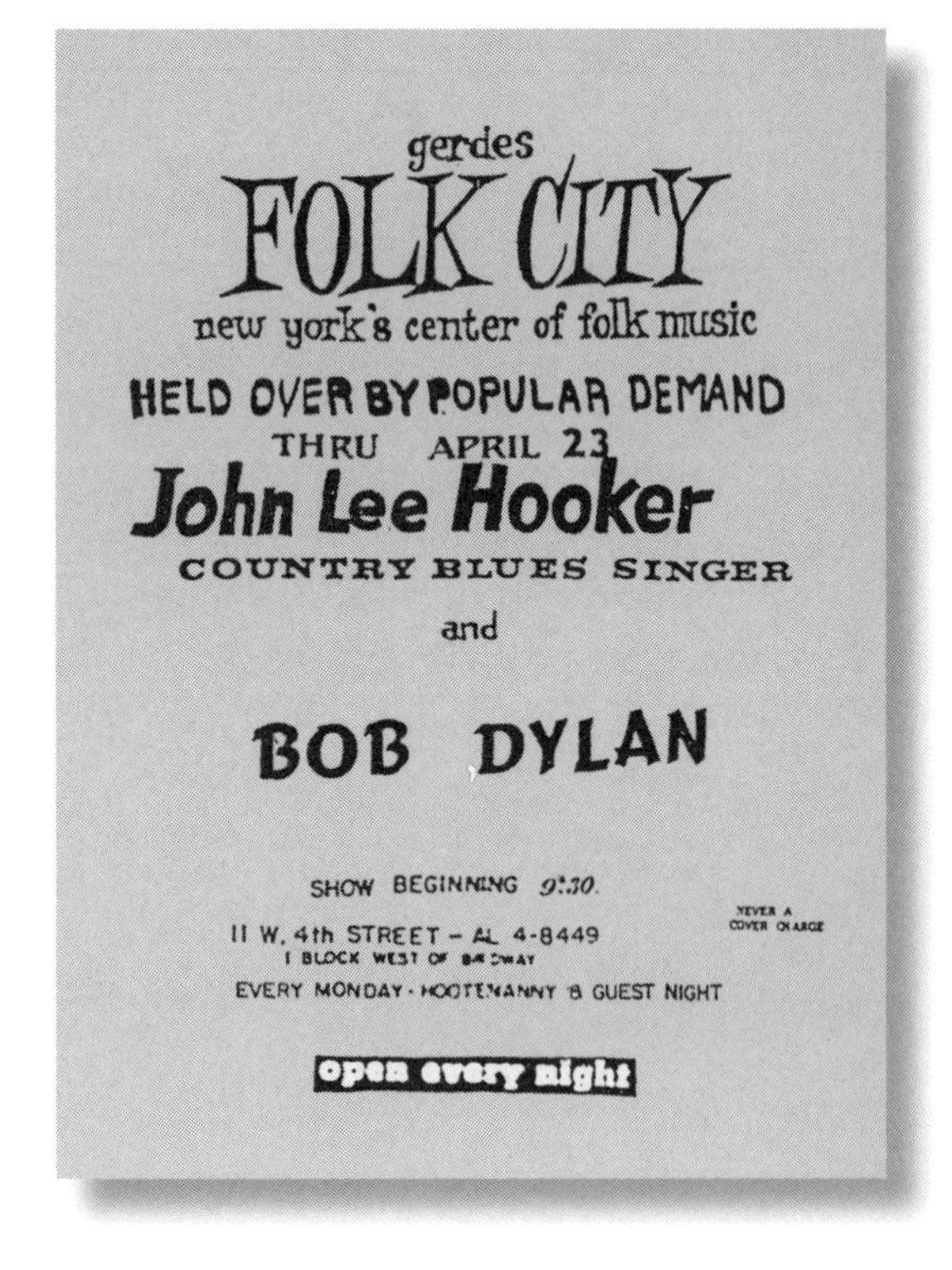

自分自身を楽しめ。
——ディラン　西暦一九六一年

あとは上るだけ、一九六一年十二月、ガーディス・フォーク・シティ。

ディランは大学から抜け出し、自らの手で、ショービジネスの世界へのかすかな手がかりを摑んだ。実際、彼はほとんどの場面で親指を活用した。学校教育に対して親指を下に向け、彼のバイブルである『ギターをとって弦をはれ』のページをめくり、ガスリーへ会いに行くためにヒッチハイクをしてニューヨークまでの道を（比喩的なれど）親指で切り開き、フォーク・ミュージック界の重鎮や影響力のある人びとの名簿をめくり、彼らと知り合うようになった。

ガスリーの歩んできた困難な旅（ハード・トラヴェリン）をたどるという抑えきれないロマンに取り憑かれ、いてもたってもいられずディランは大学とディンキータウンを飛び出した。ミネアポリスの外へ続く公道に向かう彼を見たと言う者もいれば、数時間後にバスターミナルで東へ行くチケットを買っているのを見たと言う者もいた。いずれにせよ、ディランは一九六〇年十二月の寒く、寂しい日にニューヨークへたどり着いた。半解けの雪が通りを覆っていたが、使命に燃える熱は彼の顔を輝かせていた。ニューヨークへの到来を彼はいくつかのヴァージョンで語ってきた。最も劇的なヴァージョンは、ニューヨーク西部のトラックストップで一九六一年五月に書き上げた曲「ニューヨークを語る」に記されたものだ。ハイウェイでやってきた孤独な男がよろめきながら町へ入っていき、「成功」をつかむまで一日一ドルで奮闘するという物語である。

グリニッチ・ヴィレッジほど個人や芸術の自由を象徴する場所はなかった。ヴィレッジ内では、何より活気に満ちていたのがオフ・ブロードウェイ（A）の演劇と新たな盛り上がりを見せるフォーク・ミュージックで、そのフォーク・リヴァイヴァル（複興（ふっこう））はサーカスのような狂騒と同時に、ある種の道徳劇のような機能を持って進行していた。フォークブームはロックンロールブームが初めて押し寄せたときと同じような道をたどって到来した。一九五四年から一九五八年にかけて、ロック、Ｒ＆Ｂ、そしてロカビリーのシンガーたちは隆盛を極め、それから創造性や方向性を失っていった。ロックの勢いが失われていくのに歩みを合わせ、ＤＪに賄賂を渡して特定の曲を流してもらうというスキャンダルが次々と暴かれた。数年間、フォークは汚れたロックに代わる純粋なものと見なされた。音楽によって異議を唱えることや、商業主義に対抗すること、あるいは少なくとも商業的ではないという伝統が染み付いたフォーク・ソングは当時、まっとうで音楽的な矯正手段だと考えられていた。

少しばかりの金を持っていれば誰しもコーヒーハウスを開くことができた。ギターと少しばかりの歌を持っていれば誰しも人を楽しませることができた。音楽ビジネスはこうして才能ある演者や観客があちこちに分散したことで大きく揺れていた。しばらくのあいだ、このフォーク・ムーヴメントはアンチ・ショービジネスという理想を潤滑油にした車輪に乗って進んでいた。より商業向けのフォーク・シンガーたちは自分が理想主義者であることを表さねばならず、シンプルな服を着て金には関心がないことを示さねばならなかった。理想主義で妥協を許さずにいながらも、そのうえで稼ぐこともできるはずだと考える者もいた。「善人でありながら商業的では駄目なのか？」ウィーヴァーズの初期メンバーだったリー・ヘイズはこう問いかけた。そして彼以降に出てきた多くの者たちが、音楽的にも思想的にも理想主義で妥協しないでいると同時に、金を稼ぐことができると考えるようになった。一方で金銭的な成功を忌み嫌う人びともいた。

のちにディランのマネージャーとなるアルバート・B・グロスマンは、「純粋な」フォーク・シンガーたちは「金がヘロインであるかのように振る舞っている」と残念そうに語ったことがある。グロスマンは大金を手にすることに依存性のようなものはないと否定し、高潔でありながら金を稼ぐことは可能だと周囲を説得するためにあらゆる手を尽くした。「アメリカ国民は」と彼は一九五九年、ジョージ・ウェインと共同でプロデュースした初のニューポート・フォーク・フェスティヴァルで語った。「フォーク・ミュージックという王子様がキスで起こしてくれるのを待っている眠れる森の美女のようだ」。グロスマンは眠れる森の美女にキスをしただけでなく、彼女とベッドに潜り込んだ最初のビジネスマンの一人だった[1]。

ディランが東へ向かったのはガスリーに会うためだったが、独自の道を切り開こうとも決めていた。彼の野心は、周囲で起きていたフォーク・リヴァイヴァルのスタイル、個人とはつまり全体へ貢献するもので、「成功する」とはつまり貢献することであるというムーヴメントによって焚きつけられていた。ディランは、ピーター・ポール&マリーの一九六三年のアルバム『イン・ザ・ウィンド』のジャケットでの散文詩で、かつてのフォークの連帯性を振り返っている。

雪が階段や道に積もっていた
ニューヨーク・シティで寝泊まりした初めての冬
それはいまの道とは違って――
いまのヴィレッジとは違って――
誰も何も持っていなかった――
あてもなく――
金に引き寄せられる代わりに
人に引き寄せられていく――
みんながドンドンと音を立てるヒートパイプの周りに集まってくる
地下のコーヒーハウスはギャスライトと呼ばれていた――
そこは当時、埋もれていた
マクドゥーガル・ストリートの真ん中に……

ギャスライトに集まってきた人たちはみんな仲良しだった
そうしなきゃいけなかったんだ――
頭がおかしくならないために、そして
生き残るために――

否定はできないさ――
そこはたまり場だった――
でも街角とは違って――
そこでは外の世界を直視することはなく
女の子を見る――彼女たちの歩き方を観察する――こともない
ぼくたちはお互いを見て……探していた
自分たち自身を――
このときを思い出して何より悲しいのは――
彼らが行ってしまったこと――
戻ってくることはないだろう――
今このときを振り返ると――
観客なんてものはなかった――
出演者なんてものはなかった――
みんなが何かをやっていた――
誰もが何かについて何かを言おうとしていた――
ヒューは当時、人と違った服装だったけれど
それでも叫んでいたことを覚えている
ねじれた、とめどなくあふれ出す詩を
ロックがレンガの壁を打つ音に心打たれた人たちならば
理解できただろう――
ルークがバンジョーを弾いていたことを覚えている
「イースト・ヴァージニア」を屋外の雪のように優しく歌い

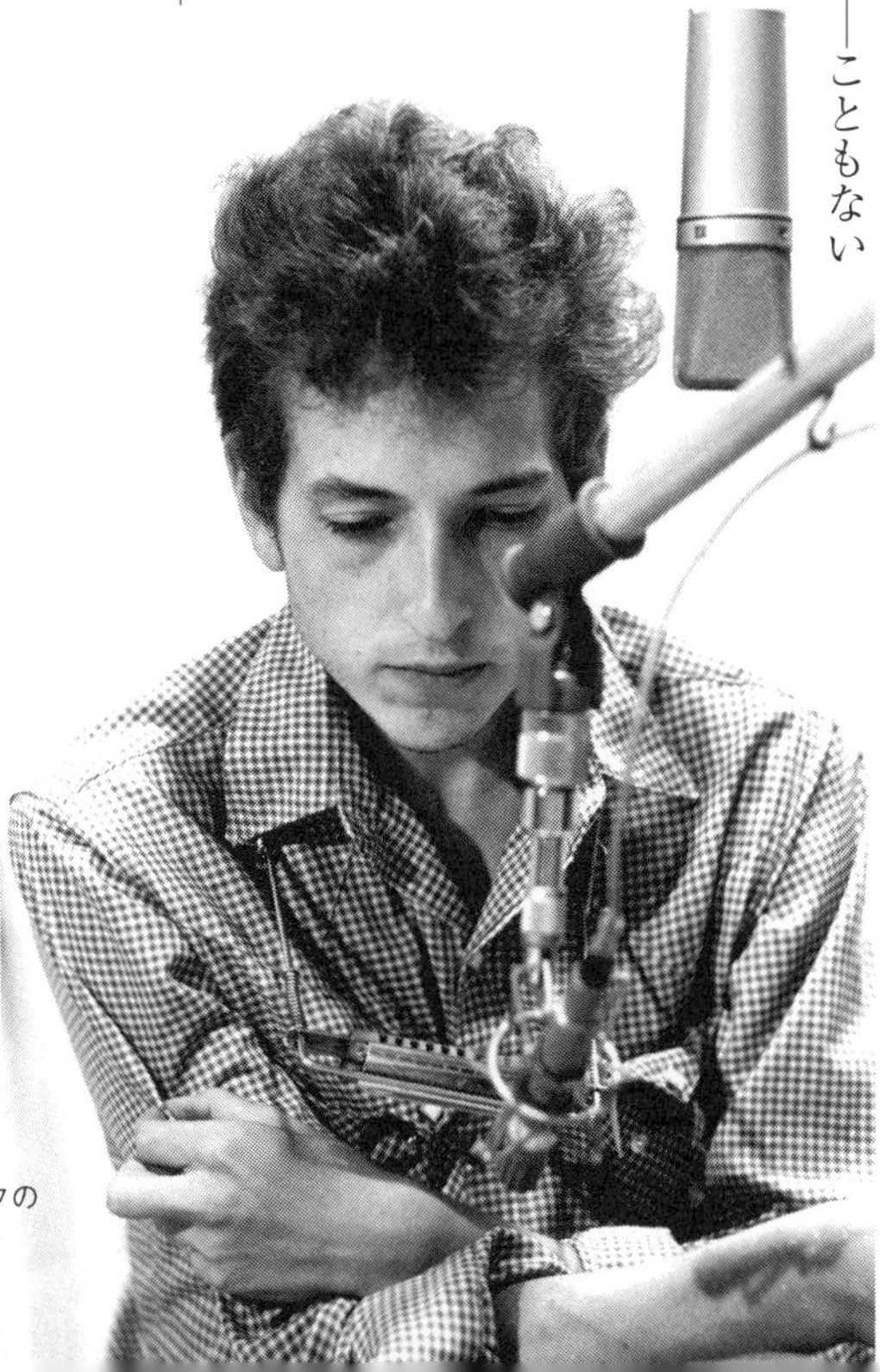

一九六三年八月、ニューヨークの
コロンビア・スタジオにて
レコーディング中のディラン。

「ミスター・ガーフィールド」を痛烈に激しく
室内のストーヴの煙突のように歌ったことを――
デイヴは「朝日のあたる家」を歌っていた
彼はレンガにもたれかかり　言葉は
孤独で飢えた唸るような囁きから流れ出る
暗闇に顔を隠すような女性なら
理解できたのかもしれない――
ポールは当時、ギター奏者でシンガーでコメディアンだった――
だけど、ハハハと笑えるようなものではなかった――
彼の面白さは
「Hip（ヒップ）」や「Hyp（ハイプ）」といった言葉でしか言い表せない――
チャーリー・チャップリンとジョナサン・ウィンタースと
ピーター・ローレの融合だ……
ともかくこうしたある晩ポールは言った
「これからぼくとピーターとマリーが歌うよ」
マリーの髪の毛は当時腰くらいまであって――
そしてピーターの髭はまだ生えかけだった――
そしてギャスライトのステージは小さかった
そして彼らが歌う曲はまだ若かった――
だけど壁が揺れた
そしてみんなが笑って――
そしてみんなが心地よくなって――……

「マリーは成長した」。ディランとマリー・トラヴァース、ニューポート・フォーク・フェスティバル、一九六三年。

そしてそこから始まったんだ——
壁の内側は地下の世界で——
だけどそこはコンクリートで固められた始まりの地で
そこが強固なのは親密さがあるからで——
親密なのはそうでなくちゃならなかったからで——
あのときの感情は忘れない——
きみにもあるだろう——
お金じゃ買えない気持ち
誰かに教えてもらうものではない——
その思いと共に生き、わかるようになって、知るのさ
その気持ちが他の人のなかにもあることを
一つになって歌って話すには、一つになって考えなきゃならない——
一つになって信じ——
一つになって感じ——
そしてピーター・ポール&マリーがいま
壁の内側にあった気持ちを
外の世界へと運んでいく——
雄鶏はマクドゥーガル・ストリートでは鳴かなかった——
草に露はなく、輝く太陽が
山の向こうから現れることもなかった——
朝が来たことを告げるものは何もなかった
一晩中起きていたから

腕や足がチクチクする以外には——
だけどぼくたちは見つけたんだ
朝が来たと知る方法を——
そしていちど変わらない気持ちを手に入れたら——
あとは育っていくだけ——
ピーターは成長した——
ポールは成長した——
マリーは成長した——
そして時が熟したのだ(2)

午後十一時のカウボーイ

これが一九六〇年にヴィレッジ周辺で私たちが見た若かりし頃のディランであり、数年後に自身で記したディランの姿だった。しかしながら、彼は一九六六年頃、私にこの話を修正するよう求めてきた。彼は都会のカウボーイとしてタイムズスクエアを突き進み精力的に活動する自分を描き出そうとするようになった。「ニューヨークに来たとき、ぼくは皆のことをだましていた」とディランは言った。「猫をかぶってたんだ。ニューヨークに初めて来たときヴィレッジには行かなかった。友達がいたんだ……今は薬物中毒になってしまったけど。ぼくたちは一緒にニューヨークにやって来た。彼は戯曲を書いていた。ぼくらは四三丁目をぶらついて、二か月間精力的に、何だってやったよ。ここにたどり着いたのは一九六〇年の十二月だった。ヴィレッジに行ったのは二月だ。だけどぼくはニューヨークにいたんだよ、十二月に。その男と一緒に頑張っていた。ぼくは誰かを恐れたりなんかしないんだ、分かる？　とにかく何でもやった。一晩で一〇〇ドルを稼ぐこともあった、本当だよ、午後四時から朝の三時か四時くらいまでのあいだにね。一晩で一五〇ドルか二五〇ドルを稼いで、バーをぶらついて。男たちや女たちが声をかけてきた。それで相手の求めることを何でもやったよ、金を払ってくれる限りはね。ずいぶん破滅的だった。無駄に過ごすためだけに大金を使って、手元には何も残らなかった。それでヴィレッジに行き着いた。そしてぼくはギターを持っていた。滞在する場所はなかったけど、それは大した問題じゃなかった。皆が泊めてくれたからね」

タイムズスクエアで危険な目にあったことはあるのだろうか？「そこで殺されかけたことがある」とディランは語る。「ヴィレッジに来る前に。ニューヨークに留まるつもりはなかった。とにかく、ぼくはそこを出て行ったんだ、春にね、そして戻ってくるつもりはなかった。戻ってきたのは、そこがすごく恋しくなったからだ。他に行けるところはどこにもなかった。初めはブロードウェイと八番街のあいだにある四四丁目と四三丁目辺りのいろんなバーで演奏していた。ヴィレッジに行ったのは二か月後のことだった。誰もアップタウンでぼくが精力的に活動していたなんて知らなかった」

タイムズスクエアでの二か月の真偽はともかく、ディランは一九六一年二月の初めに燃え盛る野心を持ってヴィレッジの地下鉄を降りた。外見はミネアポリスを発ったときとほとんど変わらず、華奢で、ジーンズにシープスキンのジャケットにスエードのブーツの簡素な姿だった。ヴィレッジの人びとは彼を養子のように迎え入れた。彼はとにかく愛情と注目を求めているように見え、出会った人の誰からも兄や、姉、恋人、両親のような側面を引き出した。ディランの耳はすでにフォーク・ミュージックに秀で、彼のブーツはすぐにビート詩に深く踏み込んでいくことになる。ヒュー・ロムニーは、詩人で、コメディアンで、夢想家で、当時マクドゥーガル・ストリートで人気があった。ヴィレッジに来たときのディランはビートニクの語彙に詳しくなかった。しかし六か月後、ディランはまるでロムニーのように話し、冗談を言っていた。「自分自身を楽しめ」という言葉は、ロムニーと同様にディランの標語となった。ビート詩人たちはフォークギターの弾き手たちと共に活動していた。どちらも低賃金で働く労働者だった。ディランは芸術的に二つの親のもとで生まれ変わった。ホイットマン、サンドバーグ、ガスリー、ケルアック、ギンズバーグのロマン主義時代のあとを、都会のフォーク・シンガーたちの新たなロマン主義が引き継いだ。

一九五〇年代の半ばには、現代詩とジャズが結びつき束の間のハネムーン期をサンフランシスコで迎えていた。一九六一年から六三年にかけてグリニッチ・ヴィレッジで進んだ詩とフォーク・ミュージックの結託には、一部にディランの貢献もある。「11のあらましな墓碑銘」をサードアルバムに書く頃までに、ディランはフォークとビートの詩を結びつけていた。ガスリーについて書かれた墓碑銘のなかでは、ディランのニューヨークでの初期の日々がウディの西部からの到来に重ね合わされていた。「ああ、過ぎた日々のあの力は何処に?」(3)はフランソワ・ヴィヨン、「地下はもっと深いところに行ってしまった/年老いた煙突掃除人がそう言っている」(4)はシーガーの「リムニーのベル」を想起させる。結びは他の真似ではなく、独自の言葉を展開している。

そしてぼくは通りに戻る
そして、さらに道を進む
ドアを激しくたたきながら……
傍に亡霊はいない
ぼくの子供らしさを浮き彫りにして
ぼくを間違った道に連れ出して
ぼくに泥水を飲ませるような
それでも
なかにいるのがきみなら、ドアをたたくのはぼく(5)

一九六一年のディランは無数のドアを開きながら突き進んだ。コモンズ、ギャスライト、カフェ・ワッ?、そしてフォークロア・センターのドアはマクドゥーガル・ストリートに面していた。ディンキータウンすら田舎っぽく見えてしまうような夜の騒々しく新しいストリートだ。マクドゥーガル・ストリートには創作、ロマン、芸術、独立心、カプチーノ、ソーセージサンドイッチの香りが漂っていた。ディランはマクドゥーガル・ストリートのサンドイッチ店に入って行き、アンチヒーロー・サンドイッチを頼みながらも、支払いは人にさせるような飢えた移民だった。彼は驚異的なスピードで知り合いを増やしていった。彼の旅の話やビッグ・ジョー・ウィリアムスかマンス・リプスコムのような無名の黒人シンガーとの友情の話を疑う者はいないようだった。

ディランのトレードマークはどこに行くにも身につけていた変わった小さな黒のコーデュロイハットだった。それは小道具であり、IDであり、服装の一部だった。てっぺんが少しひしゃげ、ひさしが短くカットされた帽子はオランダの少年がかぶる帽子、あるいは東欧の移民たちが甲板に立ち、マンハッタンの建物群を畏敬の念で見つめながらかぶっていた帽子と似ていた。ディランは一九六二年にシンガーのデイヴ・ヴァン・ロンクへ記念の品として渡してしまうまで、その帽子をステージ上でもステージ外でもかぶり続けた。マディソン・アヴェニューにあった洗練された男性用服飾店「トリプラー」では、のちに同じ型の帽子が販売されるようになった。マンハッタンのディスコ「アーサーズ」は模造品をガラス張りの陳列ケースに入れ、このような文句を書いた。「なんと、あの帽子が当店で販売中」。この帽子は少なくともひとつの曲、トニー・ハーバートによる歌に着想を与えることとなった。私はボブにどこでなぜその帽子を手に入れたのか聞いた。「どこかで手に入れたのさ。頭を温かくしておくためにかぶってたんだ」。彼はそう言ってにやりと笑った。

いち早くディランを受け入れてくれたのは、ベルヴュー病院近くの東二八丁目に暮らす中年の夫婦、イヴとマック・マッケンジーだった。マッケンジー夫妻は気取らない寛大な人たちで、ボブをもう一人の息子のように見なしていた。ディランは数か月のあいだ折に触れて、彼らの家を自分の家だと言っていた。マック・マッケンジーは大酒飲みで、話術が巧みな港湾労働者だった。ボブはこのように振り返る。「あれ以降彼らとは会っていなくて本当に申し訳なく思う。一日中出かけては、ふらっと帰ってきてソファで眠った。そうだ、別の人の話もしよう。彼らの名前を書いてやるよ、今ここで。メルとリリアン・ベイリー。ぼくの大好きな人たちだ。彼らのことを思うたびに胸が痛むよ。一度も会いに行っていないからね。メルは医者をやっている。リリアンは分からない。すてきな二人だよ。ぼくを受け入れてくれて、家に呼んでくれて、泊めてもらった、一部屋しかなかったのにね。あらゆるものを分け与えてくれたんだ。彼らに恩を返せていない。何度もそうしようと思ったのに。似たような名前の人と会うたびに……」彼は暗く、静かになった。

誰もが覚えている彼のヴィレッジでの初のパフォーマンスはコーヒーハウス「コモンズ」で行われた。彼はこの節目となる出来事についてトニー・グローヴァーへウディ・ガスリーが描かれたポストカードに書いて送り、ウディ（「世界一偉大で、神聖で、神々しい人」）やジャック・エリオットに会えたことも熱烈に記した。コモンズはミネッタ・レーンに近いマクドゥーガル・ストリートの西にある混沌とした地下のクラブだった。このクラブは「ファット・ブラック・プッシーキャット」や「フィーンジョン」としても知られている。ディランがコーヒーハウスに仲間入りしたとき、フォーク・ミュージシャンの一群は有名になるために奮闘していた。フォーク・ミュージックはマンハッタンのナイトライフを通じて、薄汚いヴィレッジのコーヒーハウスからミッドタウンのウォルドルフ＝アストリア・ホテルにいたるまでカントリーブーツの足跡を残していった。コンサートの観客たちは一方で、ジョーン・バエズという名の憂いを帯びた繊細な若きフォーク・シンガーに注目し始めていた。一九五九年にニューポート・フォーク・フェスティヴァルで見事なステージデビューを果たしたあと、彼女が所属するレコード会社ヴァンガードは、より多くの観客の前に立たせるべく準備を進めていた。ジョーン、ピート・シーガー、そしてキングストン・トリオは、まさに当時のアップタウンのフォーク・シンガーで、プロとしてレコーディングを行い、マネージャーが付き、コンサート巡業をしていた。ディランが加わったヴィレッジの仲間たちはブレイクを目指す無名の者たちだった。三丁目のコーヒーハウス「サードサイド」では投げ銭だけが夜の稼ぎを得る唯一の方法だった。

出演者のなかには真摯に芸術に身を捧げている者もいれば、ショービジネスの手段としてフォーク・ソングを利用している者もいた。クラブ「トルード・ヘラーズ・ヴェルサイユ」では、甘い声の若手スターで、ゴールドのラメで飾り立てたベヴァリー・ライトが聴衆に「ベガスでフォークを歌うことになった」と告げた。「フェイズ2」では、髭をきれいに剃った俳優でありシンガーのジミー・ギャヴィンが豪勢でフォークらしくない公演をしていた。「カフェ・ワッ?」では、雄弁で魅力的な黒人ミュージシャンであるレン・チャンドラーが、人びとのための音楽を再発見するべくクラシック音楽のバックグラウンドを捨てたと私に語ってくれた。ブリーカー・

ストリートでは「コックンブル」という活気のないビストロが、ボブ・ギブソンのような才能ある演者がいたにもかかわらず経営難に陥っていた。のちに、宣伝屋から映画プロデューサーへと転身するフレッド・ワイントローブは同クラブを人気の「ビター・エンド」へと変えた。ギタリストのディック・ロスミーニはこう述べる。「コーヒーハウスは最も苛酷な学び舎だ。だけど、仕事を続けていくための素晴らしい場所だ」。「カフェ・ラフィオ」はヴィレッジでおそらく最も薄汚い店だったようで、シンガーのトム・パスルは皮肉なコメントを残している。「生活のためにこんなことをやる必要はない。飢えたってかまわないさ」

ジャズ・クラブ「ヴィレッジ・ヴァンガード」は、マックス・ゴードンとハーバート・ジャコービィのもとで、アップタウンにあるジャコービィの「ブルー・エンジェル」と同じように、才能ある人びとを育成してきた。ウィーヴァーズは一九四八年にヴァンガードで演奏するようになった。このクラブはハリー・ベラフォンテがメジャーデビューのきっかけをつかんだ場所でもあった。そしてもうひとつ、フォークがニューヨークに到来した初期の頃に栄えたナイトスポットが「ワン・シュリダン・スクエア」だった。ワシントン・プレイスと西四丁目が人間の股のように合流した場所にあるその地下のクラブは、かつて「カフェ・ソサエティ・ダウンタウン」という名前だった。第二次世界大戦中に、この場所はバーニー・ジョセフソンのもとでフォークを愛する人びとが集う場所となった。当時ジョシュ・ホワイトはそこの常連だった。一九六〇年までに、ホワイトはケルシー・マレシャルとマーティン・ロリンによって改修され改名されたこのクラブに再び顔を出すようになっていた。その他のレギュラー出演者たちのなかにはキャロリン・ヘスターやアイルランド出身のクランシー・ブラザーズやトミー・メイケムがいた(6)。また、一九五八年のオープン以来、アート・ドルゴフと弟のドクター・バート・ドルゴフが経営していた「ヴィレッジ・ゲート」は、フォーク・ミュージックと密に歩みを共にしてきた。レオン・ビブ、セオドア・ビケル、ライムライターズ、オデッタらがここでニューヨークデビューを飾った。より隠れ家的だったのは七番街南にあった「ページ・スリー」で、細長い部屋に多くのレズビアンたちが集まった。ページ・スリーは、奇抜な同性愛者のミュージシャン、タイニー・ティムに主な活動の場を提供した(7)。

しばらくのあいだ、最も勢いのあるシーンを形成していたのがカフェ・ワッ?で、地下にあるこのナイトクラブのマネージャーのマニー・ロスは、そこに流れ着いてきた若いミュージシャンにいつも仕事をオファーしていた。その場所で、一九六一年初めのある晩に、ディランはハーモニカを持ち、才能ある白人のブルースシンガーソングライターであるフレッド・ニールの伴奏者としてステージに立った。ニールは一九六九年に彼の曲「うわさの男」が映画『真夜中のカーボーイ』のテーマソングになるまでは無名の存在だった。皮肉にも、その曲でニールは自身の元ハーモニカ奏者を打ち負かすことになった。ディランは一九六九年に『ローリングストーン』へ次のように語っている。「『真夜中のカーボーイ』っていう名前の映画がある。ぼくの曲『レイ・レディ・レイ』は知ってるだろ？　あれはさ、この映画のために書いたんだ。製作者たちは去年の夏にその映画用の音楽を欲しがっていた。でも、あの曲を書き上げたときには、すでに遅かったんだ」

マクドゥーガル・ストリートのコーヒーハウスのいくつかではヒルビリーに聞こえるからといって断わられたとディランは語っている。それはコモンズやカフェ・ワッ？であった可能性が高い（コレクターのなかには、ニューヨークのステージで初めて録音されたディランの言葉はカフェ・ワッ？でのステージだったと言う者もいる。「西部からやって来たばかりだ。名前はボブ・ディラン。何曲か歌いたいと思うんだけど。いいかな？」）。ディランがニューヨークで真のスタートを切るきっかけとなった二軒のフォーククラブは、「ギャスライト」と「ガーディス・フォーク・シティ」だった。

ア・フォーク・ア・シティ

西四丁目十一番、マクドゥーガル・ストリートから数ブロック東、元リトル・ボヘミアことウェスト・ヴィレッジと、ヒッピーが誕生しつつあるイースト・ヴィレッジの中間あたりに、一八八九年に建設されたみすぼらしい六階建てのブラウンストーン造りのビルが立っていた。かつて自動車塗装工場として使われていたこともある。その一階のフロアは地域に根づいた酒場となっていて、地元の人やロウワー・ブロードウェイから迷いこんできた人びとがビールやジュークボックスから流れるシナトラの曲で孤独を紛らわしていた。その場所は十九世紀に成功したオーナーの名前をとって「ガーディス」と名付けられた。一九五八年以降、その酒場はイタリアのカラブリア出身で細い口髭を生やし、度数の強い眼鏡をかけ、それ以上に強い訛りを持つマイク・ポルコによって運営されていた(8)。店主のマイクと弟のジョンは、貧困化していたブーツ型のイタリアのつま先から一九三三年に移住してきた。マイクは一九五二年にヴィレッジへやって来て、ガーディスで生計を立てようとしていた。彼は何度かボンゴ奏者たちや前衛的なジャズマンであるセシル・テイラーの起用を試したこともあった。

一九五九年の暮れに、二人の男がポルコに提案を持ってきた。それは活気のない酒場を今後四年間、盛況なナイトクラブにするというものだった。トム・プレンダーガストはニューイングランドの事業家、イスラエル・G(イジー)・ヤングはマクドゥーガル・ストリート一一〇番の楽器屋・交流所・うわさの製造工場であるフォークロア・センターを所有している経営者で、二人はフォーク・ミュージックの公演ができる場所を探していた(9)。彼らは入場料を分け合うことでガーディスでの公演に合意した。トムとイジーはそのナイトクラブをフォークバンジョーの部品から名前を取って「フィフス・ペグ」と名付け、一九六〇年一月に「ニューヨークのフォーク・ミュージック中心地」としてオープンした。初日にエド・マッカーディやモーリー・スコットが出演してから数か月間は、バラッドシンガーや楽器の演奏者たちが窮屈なステージに押し寄せた。ミュージシャンやファンたちが集まってきたが、ヴィジョンの定まらないイジーは、利益を出す方法が分からないようだった。彼はフォークの動向を細かく記録し続け、フォークを愛する若者たちにとってのヴィレッジの助言者という役割を愛していた。フィフス・ペグはヤングとプレンダーガストがプロデューサーとして未熟だったことから三か月で閉じられることとなった。クランシー・ブラザーズ、ザ・タリアーズ、ブラウニー・マギー&ソニー・テリーといった才能ある演者たちを出演させたが、バラッドとボローニャ・ソーセージの区別もほとんどつかないマイク・ポルコが飲み物の売り上げで荒稼ぎする一方で、二人の資金は尽きていった。

一九六〇年二月、マイクはフィフス・ペグが休みの月曜日に、当初「アマチュア・ナイト」と呼んでいたイベントを開催し始めた。熱意ある若い出演者たちが満員の観客の前で無料のショーを行うのだ。私はマイクに、このアマチュアの自由参加の集まりを、彼には発音が難しい言葉だが、「フーテナニー」と呼んではどうかと提案した。プレンダーガストとヤングが撤退すると、ポルコは経営を引き継いでクラブの名前をガーディス・フォーク・シティと改め、熱心な若手のマネージャーで、やがてタレント・コーディネーターとしてアルバート・グロスマンと仕事をすることになるチャーリー・ロスチャイルドを採用した。シスコ・ヒューストンや、「聖なるブルース」マンとして名高い盲目のレヴァランド・ゲイリー・デイヴィスと華々しいスタートを切ったあとも、ガーディスは真に才能あるフォーク・シンガーをブッキングするというポリシーを貫き続けた。

イジー・ヤングはフィフス・ペグでの失敗から立ち直れていなかった。ある日、チャーリーはフォークロア・センターに雑談をしに立ち寄った。何の予告もなしに、イジーはチャーリーの顔を殴った。ニューヨークのフォーク・リヴァイヴァルという兄弟愛は、同胞間での抗争の様相を呈し始めていた。揉め事やとげとげしさはあったものの、フォーク・シティは繁盛した。ミュージシャンたちは最低限の金額しかもらえなかったが、そこで演奏するために押し寄せた。ロスチャイルドがポルコと衝突してガーディスを去ると、すぐにマイクは自分で出演者たちを手配するようになり、客にどのようなミュージシャンを呼んでほしいか聞くことにした。

マイクは観客の「歓声」を公開オーディションの材料として活用し、音楽ではなく、観客の拍手だけを聞いていることも多かった。ある女性のフォーク・シンガーがそうした「オーディション」に臨んでいるとき、彼はキッチンでサンドイッチを切っていた。「私の歌を聞いてさえいなかったじゃない」と彼女は不満をもらした。「拍手を聞いてたんだ」、そしてマイクは言った。「二週間出演してくれよ」。なによりポルコの魅力は英語を完璧には話せなかったという点にある。彼は自身の新しいナイトクラブを「ア・フォーク・ア・シティ」と呼び、『ヴィレッジ・ヴォイス』に電話をかけてアニータ・シアーの公演について二週間の広告掲載を求めた際には、彼女のことをフラメンコ・シンガーではなく「フラミンゴ・シンガー」と言い間違えていた。別の出演者で、複数の言語で歌っていた人物は「言語学的なフォーク・シンガー」と宣伝された。

いつも話す内容が英語で薄くなり、ときにウィスキーを水で薄め、よく薄給でミュージシャンを雇っていたマイクだが、常に新しい才能を歓迎していた。「チャンスを与える」というのが彼の仕事上のモットーだったが、一方で「新しいほど安い」が財政面でのポリシーだった。一九六一年三月、常連客のひとりメル・ベイリーがボビー・ディランにチャンスを与えるよう勧め、マイクは関心を示した。彼はボビーを気に入ったが、若すぎることを懸念していた。ニューヨーク大学のフォーク愛好会のために四月五日に開催されたディランの「コンサート」は、説得力のある「信用」をもたらした。メルと彼の妻で衣装デザイナーのリリアンはディランの宣伝活動を続け、そこにマッケンジー夫妻も加わった。マイクがボビーをブッキングするなら、イヴ・マッケンジーは知り合い全員に電話をかけて公演を盛り上げると約束した。ついに、四月十一日から二週間、ボブはミシシッピのブルースマンであり長年デトロイトで活動してきたジョン・リー・フッカーの前座としてステージに立つこととなった。これはディランのニューヨークでの初となる正式な仕事で、彼は大いに喜んだ。

「ボビーが初めて仕事をすることになったとき」、マイクは数年後、私に語った。「彼が十分な数の服を持っているか分からなかった。だからうちの子供たちのおさがりを持ってきて、カミラ（・アダムス）という女性に渡したんだ。彼女はまるで母親のようにボブへ愛情を注いでいたからね。当時の彼はダンガリー・シャツを着ているイメージを望んでいたが、うちの子供たちは持っていなくて、カミラがボブにダンガリー布の服をあげたんじゃないかと思う。それから私は彼を組合に連れて行った（アメリカ音楽家連盟、八〇二支部）。演奏するためにはそこに登録する必要があったんだ。組合の事務のマックス・アーロンズがボブに申請書を渡して、私は入会のための金を払った。マックスはボビーにこう言った。『マイクからきみのことはよく聞いてる。きみを組合に入れたい、きみはスターになると言っているんだ。きみはどう思う？』。そしてボブはこう答えた。『まあ、ベストを尽くします』。それでマックスは笑顔でこう言った。『じゃあ、ぼくがきみを組合に入れてきみがスターになったら、ぼくに何をしてくれるかい？』。ボブはこう答えたよ。『まあ、もしそうなったら、自分にできることは何でもします』。今、マックスは組合の理事長なんだ」。マイクは、まるで本当にディランの力添えがあったかのようにそう言った。マイクは続ける。「彼らはボブに年齢を聞いた。当時の彼はまだ十九歳だったと思う。二一歳未満は父親が来て書類に署名しなければいけないと言われると、ボブは父と母は近くにいないと言った。それで組合の事務員は私を見て聞くんだ。『さて、どうしようか？』とね。彼の両親が違う州にいることは知っていたし、彼はそこから逃げてきたのではないかと感じていた。だから私がボビーの保護者として署名したんだ、彼の初めての契約に。ボブはその組合員の規約を聖書のように手放さなかった。外に出るときに、彼にこう言ったよ。

『ボビー、これからキャバレーで演奏する許可証を取りに行かなきゃならない』。彼は写真を撮る必要があった。私たちは六番街の地下鉄にある写真ブースに向かった。髪の毛がボサボサだったから、髪をとかさないのかと聞いた。するとボブは『髪をとかしたことはない』と言った。だから私は自分のくしを渡したが、彼は鏡を見てためらっていた。ボサボサ頭のほうがカッコいいと思っていたんだ」

ディランには当時持論があった。「頭の外側に髪をたくさん生やすほど、頭のなかの散らかり具合が減っていくんだ。クルーカットはよくないね、あの髪だと頭のなかが散らかってしまう。ぼくが髪を長く伸ばしたままにしているのは、その方が鋭くて自由な思考ができるからさ」。一方マイクはこう語った。「その当時から彼はすでに自分のイメージについて考えていたんだと思う。ともかく、彼は写真のためにちょっとだけ髪をとかして、私はキャバレーの許可証を作るための二ドルを渡した。戻ってきたときの彼は宝くじにでも当たったかのように嬉しそうだった。『マイク、許可証を手に入れたよ！』と言ってね。とても幸せそうだった！　素直な青年だった。そしてこの場所からすべてが始まった。ピーター・ヤーロウは昔、私にこう言ったよ。『マイク、ここは幸運の場所だ』。私のところでスタートを切った人びとは大金持ちになっていった――ボビー、ピーター・ポール＆マリー、ホセ・フェリシアーノ、それにサイモン＆ガーファンクル。私も彼らの十分の一でも稼げるといいんだけどね」

マイクはボビーに最低賃金よりも少しだけ多い週九十ドルを払い、それに加えて古着、サンドイッチ、飲み物を提供したという。ボブはニューヨークで自分の名前が偉大なブルースマンのジョン・リー・フッカーと並ぶということだけで頭がいっぱいだった。しかしすぐに、意気揚々としていた彼は無関心な観客や酔っ払いたちを相手に歌ったり、嫉妬したミュージシャンたちのあら探しの声を聞くようになるにつれて幻滅することになる。それでも友人やファンたちは増え続けた。ボブはパフォーマンスについて学ぶべきものがまだまだたくさんあること、自身の曲をまだまだ必死に向上させていかねばならないことを痛感していた。レコード会社の人間は一人も現れなかった。彼は当時『ニューヨーク・タイムズ』の評論家をしていた私がフッカーの曲ばかりを聞き、フッカーへインタヴューすることに忙しく、ボブの曲を聞かなかったことに傷ついていた。

ガーディスの出演を終えると、ボブはレコード契約を獲得しようと試みた。「フォークウェイズに行った」。ディランはのちにそう語った。「ぼくはこう言ったんだ。『やあどうも、いくつか曲を書いたんだ』って。彼らは曲を聞こうともしなかった。フォークウェイズは良い場所だってずっと聞いていたのに。アーウィン・シルバーはぼくと話してもくれなかったし、モー・アッシュと会うこともできなかった。彼らは『帰れ』と言うだけだった。ほかにも『シング・アウト！』が協力的で親切で、心が広く、寛大なはずだと聞いたことがあった。そこがぼくの行く場所だと思ったよ。でもそこも違ったらしい、ドアには『シング・アウト！』と書かれていたんだけどね」

ディランはどうして自分が一握りの人にしか興味を持ってもらえないのか理解できなかった。再びガスリーのもとを訪れたあと、五月にコネチカット州ブランフォードのフォークフェスティヴァルに出演してから、彼はミネソタに向かった。出発前にニューヨークで行った別の仕事は、彼の一時的な絶望を増幅させるものだった。シカゴで知り合っていた若い興行主が、ロウアー・フィフス・アヴェニューのホテルでの変わった仕事、「キワニス・クラブ」での演奏を持ちかけてきていた。その仕事はのちにディランが述べたように、「廃墟の街」のテイク一一五のようだった。「その晩は本当に色々な――ピエロのような服を着た出演者たちがいた。誰かが歌っているときにピエロがパフォーマンスをやる。ピエロには金が支払われるがミュージシャンたちには支払われなかった。自分の声さえ聞こえなかったんだ。あるピエロはぼくの頬をつねろうと近づいてきた。ぼくはそいつの急所を蹴ったんだけど誰もぼくを見ていなかった。それからあとは他のピエロたちが寄ってくることはなかった」

西のディンキータウンやウィスコンシン州マディソンへの旅がボブにとって決定的なものとなった。ニューヨークはいまだに越えなければならないハードルだと悟った。六月に戻ってきた彼は、半年のあいだ最も精力的に作品の制作に取り組み、最も意識的に様々な人物と会っていった。この一九六一年後半の六か月はディランを田舎のフォーク好きから音楽のプロへと変えた。

「友だちだった彼」

一九六一年の夏のほとんどの期間、ディランはヴィレッジのあらゆる場所に顔を出し、人目に触れること、影響力ある人びとに自分を印象づけること、そして学ぶことに躍起になっていた。ニューヨークやボストンのフォーク界隈を行き来しながら、目にするもの耳にするものすべてを吸収し、野心に満ちた大計画に向けて視察を行った。フォーク・シティでの活動は仕事やレコーディング契約へとすぐには結びつかなかったが、シンガーの伴奏としては比較的簡単にヴィレッジのステージに立つことができるようになっていた。彼はバックミュージシャンとして引く手あまたのハーモニカ奏者およびギタリストとなった。一九六一年の半ばには、愉快なパフォーマンスを身につけて、フォーク・シティのフーテナニーで歓声を受ける常連となっていた。レギュラー出演者のひとりにはゴスペル・ブルースシンガーのブラザー・ジョン・セラーズがいて、いつも熱狂的なシャウトとタンバリンの演奏で観客を沸かせた。ブラザー・ジョンは、新たに孵化した周囲のミュージシャンたちをめんどりのように面倒を見て、スターとして伴奏者たちに惜しみない賛辞の言葉を施した。彼は生き生きとした「ビッグ・ボート・アップ・ザ・リヴァー」のようなナンバーで常に観客を楽しませ、ダンガリー生地の服を着た二人のバックミュージシャンであるマーク・スポールストラとディランがギターとハーモニカで伴奏した。ブラザー・ジョンとダンガリーズはステージの目玉となることが多かった。観客はスポールストラとディランの音に沸いた。ボブはステージからバーカウンターまで小刻みに揺れながら移動し、ポルコにラムコークをねだった。他のミュージシャンたちがゲストで出演するときも彼らはボブをバックに置いた。当時ハーモニカを吹けるミュージシャンはそれほど多くなかった。

とりわけボブを魅了した二人のミュージシャンがデイヴ・ヴァン・ロンクとジャック・エリオットで、ヴィレッジ最高とされるフォーク・シンガーたちだった。エリオットは生きて動くウディのようで、かつてガスリーが「ジャック・エリオットの音楽は私以上に私らしい」と評したシティビリーだった。ヴァン・ロンクは都会の白人文化人で、黒人の歌やブルースを完璧なまでに理解していた。彼らがディランに与えた影響は絶大で、過去との橋渡しとなった。

デイヴ・ヴァン・ロンクはマクドゥーガル・ストリートにおける音楽の「市長」で、背が高く、饒舌(じょうぜつ)で、アイルランド人の血が四分の三、いや、正確に言うなら五分の三の血が入った毛深い男だった。滝のように流れるライトブラウンの髪の毛と、一分のあいだに何度もなでつけられるライオンのような髭をした彼は、本やレコードのジャケットやパイプや空のウィスキーボトルや無名の詩人たちの言葉やフィンガーピック、そして切れてしまったギターの弦が散乱する整頓されていないベッドのようだった。彼はボブのニューヨークにおける初めての師だった。ヴァン・ロンクはブルースの歩く博物館だった。もともとはジャズに関心を持っていたものの、彼はブラックミュージックに——そのジャズの核に、ジャグバンドとラグタイムの中心に、ブルースの基盤に——重きを置くようになった。

ヴァン・ロンクは一九三六年にブルックリンに生まれた。十五歳で高校を中退したが、学ぶことや教えることを止めはしなかった。一九四九年、彼はバーバーショップ・カルテットで歌いながらも髭を剃ることはなく(B)、ジャズやスキャットをやりながら、一九五六年頃にプロのミュージシャンとなった。振る舞いは荒々しくて怒りっぽかったが、それは心優しい繊細な内面を隠すものだった。悲しげなガラガラの声で歌い、都会の白人聴衆には言葉が理解できないことも多い黒人ブルースを伝えることに一役買った(ロルフ・カーンと、ボストンのアーティストであるエリック・フォン・シュミット、そしてロンドンのアレクシス・コーナーもフォークブルースを都会の白人たちに広めた)。数年前にはプレスリーも、同じことを人目を引く派手な規模で行っていた。ヴァン・ロンクは親しみをこめてブルースを語り直した。プレスリーは世界を席巻したが、一方でヴァン・ロンク(そしてジョン・ハモンド・ジュニア、フォン・シュミット、カーン、コーナー)が支持されていたのは仲間うちだけだった。しばらくのあいだ、その最も熱烈な信奉者はディランだった。

その後ディランは、デイヴと彼の妻テリ・タールとの友情関係から卒業したが、それでも彼は二人に会いに戻っていた。ときにヴァン・ロンクは皮肉な態度を見せたが、それはディランが彼の教えたことをあまりにも多く取り入れ、それによって財を築いたからだった。しかし大抵の場合、彼は哲学的だった。「ディランの一部はスポンジでできていて、八つのシリンダーで機能しているんだ。利用できるものを取り込んでは捨てる。だからテリとおれはもうボブにとって親友ではない。ここで吸収できるものをすべて取り込んで、次に移っていったんだ。ジョーニー（バエズ）に対しても同じことをやっていたが、そこにはプロとしてのご都合主義みたいな面もあった。一九六〇年代前半に出てきた人びとはあいつのことをひどく苦々しく思っている。確かにボビーは彼らの多くに対してかなり傲慢に振る舞ってはいたが、彼らの反発の大部分は彼ら自身の問題だ」デイヴは言った。「彼らは紛れもない才能を持つ人物の光を浴びて、自分たちもささやかな栄光を享受したかっただけなんだ。『おれはあいつが五ドルを必要としているときには五ドルをやった。腹が減っているときには食わせてやった、だからせめてときどきでも会ってくれたり、今もおれを好きだって周りに言ってくれたっていいじゃないか』とね。ディランは単にそんなことに関心がないだけだ」

ヴァン・ロンクは周りの多くとは違いどんどん有名になっていくディランを見ていら立つことは少なかった。ヴァン・ロンク夫妻には自分たちの生き方があった。ディランは彼らとの関係において比較的伸び伸びとしていられたのだろう。デイヴとテリは十五丁目に暮らしていたとき、そしてその後、私の家の道向かいのウェイヴァリー・プレイスに引っ越したあともボブと多くの時間を過ごした。テリはディランの初めてのビジネスマネージャーとなり、およそ八か月間ボブのブッキングの大半を手配していた。「あいつはチェスがすごく強いって知ってるか？」ヴァン・ロンクは私に言った。「ディランが神経質なことは知ってるだろう。揺すった膝がテーブルにしょっちゅう当たるから、霊との交信に立ち会っているような気分になる。ボードの上の駒がずっと跳ね回っていてね。でもいつもあいつが勝つんだ。ディランは秘密主義だからきみがもっと知りたくなる気持ちは分かるよ。だけどあいつが秘密主義なのは絶対に商業的ではなくて個人的な理由からだと思う。きっとすごく神経質なんだ。長い時間を一緒に過ごしたけど、それでも理解するのが難しいところがある。理由は分からないが、あいつは本当にものすごく移り気なんだ」

ヴァン・ロンクはディランがスターになったとき、「このフォーク・コミュニティはディランにとってユダヤの教育ママのようだ」という言葉を残した。ディランと会えず寂しくはなかったのだろうか？「それほどでもないよ。あいつと会っているときはいつも楽しい。あいつの曲はときどき聴いてる。ディランに一番ふさわしいのは応接間じゃなくて、ステージの上だ」。ディランには音楽を個人的な反抗の手段として使う権利があると思っていたのだろうか？　『神曲』を読んでみるといい」とデイヴは提案した。「『寂しき四番街』は素晴らしい曲だと思う。まさにボビーがこちらを振り返って、アーウィン・シルバーや教育ママたちに何か言葉をかける時期だったんだ。これはディランの告別の辞だよ」

トピカル・ソングについて、デイヴはこう続ける。「あいつはいつも優れたバロメーターで、社会のムードに敏感だった。だが、そのムードの中身を分析するとなると、忍耐強くはいられなかったんだ。どうだっていいと思っていたからね」。ディランほどに知的な曲の書き手が、なぜこれほどまでにインテリを嫌うのだろうか？「ボビーはビートジェネレーションの産物だからね」とヴァン・ロンクは答えた。「ディランはまさにケルアックと同じ枠に属している。彼のような人間はもう見られなくなっていくだろうね。ボビーはビート詩の最後尾に連なっていた。そして誰よりも登り詰めている、ギンズバーグを除けばね。だけどボブは一番後ろに連なっていたから後継者は現れないんだ、同じ名前の詩人がそうであったように」

ディランはディラン・トマスのことを尊敬していると言ったことはあるのだろうか？　「あいつはひたすらその話題を避けていたよ。理由は明白だ。ディランにはフランソワ・ヴィヨンを教えた。ランボーやアポリネールの話もした。あるときボビーに『ランボーって聞いたことあるか？』と聞いたんだ。あいつが『誰だって？』と言うから、おれは『ランボーだよ。スペルはR、I、M、B、A、U、D。フランスの詩人だ。読んだほうがいい』と言った。ボブは少し顔をひきつらせた。それについて考えているみたいだった。あいつは『分かった、分かった』と言っただけだった。その後もおれは何度かランボーの話を持ち出した。それからずいぶんあとになって、あいつの家に行った。おれはいつも人の本棚を見るんだ。あいつの本棚にはフランスの象徴主義詩人たちの翻訳本があって、明らかに何年もページをめくってきた跡が見てとれた！　おれがランボーの話を持ち出す前から、あいつはランボーのことを隅々まで知ってたんじゃないかと思う。以来、あいつの初めての象徴派的な試みである『はげしい雨が降る』を聞くまで、おれはランボーのことを口にしなかった。おれはボブにこう言った。『あの曲はすごく象徴主義的だよな？』って。あいつはこう言ったよ、『はあ？』」

頑なに個人主義的な左派を貫いてきたヴァン・ロンクだが、政治的で時事的な曲を歌うことはなかった。「曲で人が変わるとは思っていないんだ。フィル・オクスの曲で抗議活動が持続したり、ピケが張られ続けたり、ストライキや公民権運動をする人びとの士気が高まったなんて思えない。彼の曲は個人的な良心について語るものだ、徴兵カードを燃やしたり、自分自身を燃やしたりね。何の役にも立たないんだ、世界のあらゆる悪から自分や聴衆を切り離すということ以外はね。世界中の悪と無関係でいられるわけないのに」。ヴァン・ロンクはプロテスト・ソングを空想的な無政府主義だと考えているのだろうか？「いや。あれはポピュリズムだ。ああいう曲のなかには社会の愛国心が流れているものなんだが、ディランの曲にはその要素がすごく少ない。プロテスト・ソングには嫌気がさすよ、おれ自身は国際主義者だからね。アメリカ人だけが特別に善や義務を抱えているとは思わないし、アメリカ人だけが特別に悪を抱えているとも思っていない。黒人を激励するような歌には耐えられないね。むしろこういう歌を聞きたいよ。『なあ、何もしないなら父親以上に幸せになれないぞ』っていうね」

ヴァン・ロンクがディランに与えた影響は多岐にわたった。ヴァン・ロンクは変化に富んでいながらも、住まいを持ち、本を読み、利発で博識という面では安定していた。夜にはメロディを忘れてしまうにしても、即興で言葉のリフを弾き、会話的な音楽を作った。独力で学び、大学の知識人のような振る舞いはしなかった。彼がディランに与えた主な影響は、もちろん音楽的なものだったが、デイヴのレパートリーのなかでディランが定期的に歌っていたのは「ディンクの歌」(10)「朝日のあたる家」「ポ・ラザルス」(11)「僕の墓をきれいにして」の四曲だけだった。ボブはデイヴのスタイル、物の見方、解釈を取り入れた。ヴァン・ロンクのスキャットや唸りは巧みで、南部の田舎の言葉を熱心に取り込んでもいた。ディランはデイヴのギター奏法をいくつか習得したが、それ以上に大きく影響されたのは彼の格別のショーマンシップ、音と沈黙で空間を満たして観客の注意を引きつける能力だった。半年もしないうちに、ヴァン・ロンクは師ではなくなり、単に同じ果てなきハイウェイを共に歩く経験豊富な仲間となった(12)。ディランが永遠に崇拝する人物はただ一人だけだった。

ウディとの対面

ある日曜日、おそらくは一九六一年二月の初めだと思われるが、ボブはハンチントン病でひどく衰弱していたウディと対面した。ウディは『ボーン・トゥ・ウィン』で、この病がどのように彼の母親を蝕んでいったのかを雄弁に語っていた。一九五四年十一月、ガスリーはブルックリン州立病院から自らの病気について書き記していた。

ハンチントン病
治療法は見つかっていない
少なくとも医療科学の世界では
わたしのために
そしてわたしのようなハンチントン病の皆のために……
神は何かしらの救済を考えてくれるだろう(13)

一九五六年五月までに、より効果的な治療を受けるため、ガスリーはグレイストーン・パークにあるニュージャージーの州立病院に転院していた。病状は悪化していたが、それでもまだヴィレッジに出かけることはできた。一九五九年七月二六日の日曜日、ラルフ・リンツラー、ジョン・コーエン、ライオネル・ミルバーグらフォーク・ミュージシャンたちは、ワシントン・スクエア・パークでウディを歓迎するために友人やファンたち二十数名を集めた。若いシンガーたちに囲まれて、ウディは噴水から五十ヤード離れた、芝の禿げた場所で手足を伸ばし、自分の曲や彼が好きだった他のミュージシャンの曲を何曲かリクエストした。ミュージシャンたちは「ルーベン・ジェイムズ号の沈没」「ジョン・ハーディ」「パスチャーズ・オブ・プレンティ」を歌ってそれに応えた。ウディ――頬がこけ、ボサボサの灰色の巻き毛が額で揺れていた――は若いミュージシャンたちが自分の曲を歌っているのを聞いて喜んでいる素振りを見せた。私やその場にいた人びとは、彼の病が回復の望みがないことを悟った。

一九六〇年の夏には、フォーク・シンガーのローガン・イングリッシュ、クランシー・ブラザーズ&トミー・メイケム、モーリー・スコット、マーティン・ロリンたちがワン・シュリダン・スクエアでウディのために特別な日を演出した。一九六〇年十月二三日、息子のアーロ・デイヴィが十三歳の誕生日を迎えると、ウディは二番街のダンススタジオに連れていかれた。私はウディに話しかけようとしたが、彼のもとまで行くことができなかった。ウディは出かけるたびに病状が悪化しているように見えた。ほどなく彼はマンハッタンに出かけることさえもできなくなった。中年のフォーク愛好家の夫妻ロバートとシゼル・グリーソンは、グレイストーン・パークからそれほど遠くないイースト・オレンジに住んでおり、ウディのための日曜集会を開催するようになった。ディランはよくグリーソン夫妻と一緒に過ごし、その集会でついに最初で最後の憧れの人物であるガスリーと対面を果たした。かつて「栄光へ向かって(バウンド・フォー・グローリー)」行った男が、今や病気でやつれた姿となっていた。ガスリーの手は震えていて、肩も無意識に震え、かすかな、何を言っているか分からない声で話した。ガスリーは感謝の意を表し、あやふやにほほ笑み、何と話しかけられているかは理解しているということをわずかに示そうとしていた。

部屋にはもう一人、死に向かう男がいた。シスコ・ヒューストンは、ガスリーの長年の相棒で、ウディと最後の面会を行っていた。およそ二年近く、シスコは手術が不可能ながんを患っており、一九六一年の初めには、活動休止を余儀なくされていた。シスコはフォーク・シティの常連メンバーで、マイク・ポルコは彼が痛みをやわらげるために、いつでも無料で一杯飲めるような気分になれるよう、できる限りのことをした。一九六一年の初頭に、シスコはマネージャーのハロルド・レヴンソールがいるオフィスに行き、ぞっとするほど穏やかにこう言った。「あんたは大事なクライアントを失うことになるよ。おれは医者に余命三か月から六か月だって言われたんだ」。シスコはヴァンガードでの最後のレコーディングを終え、自らのホーボー生活の記録を吹き込んだ(イースト・オレンジでの別れの約一か月後、アルバム『アイ・エイント・ゴット・ノー・ホーム』のレコーディングを終えたばかりのヒューストンは、カリフォルニアの妹の家に行き、そこで四月二八日、四二歳で亡くなった)。

その日、ウディはソファのクッションに支えられて座り、シスコは自分たちがどちらも困難な旅の終わりに近づいていることを告げようとしていた。ジャック・エリオットは皆が悲しみに打ちひしがれないように努めた。その場は生者の通夜と化していたが、死にゆく二人を前にしては楽しく思い出話などもできない状態で、エリオットとグリーソン夫妻は部屋で一番若い「あの良い子」ディランに注目していた。二人の存在に畏れを抱いたのか、「死のにおい」に意気消沈したのか、ディランは気後れした様子で、謙虚な観察者として、死ぬことに忙しい人びとと生まれることに忙しい人びとを見ていた。エリオットはこのときの様子を私にこう語った。「あの頃、わたしがウディのところにいるときにはいつもボブがいた。おかしな話なんだけど、ボビーは陰に隠れて、ただすべてを見つめ、ただ耳を澄ましていた。当時のボブはシャイだったからね。今でもそうだ。だけどすぐに、ボブがウディに関するすべてから大きな影響を受けていることが分かった。ボブはわたし以上に、悲しみを乗り越えようとしていたんだと思うけど、わたしはウディのことを良く知っていたから言葉を交わさずとも会話をすることができた。でもそれはボブも同じだった。彼はウディと言葉を超えて話しているような『気がした』と言っていた。彼が言わんとしていることは分かったよ。ボブがイースト・オレンジとニューヨークのあちこちのソファを行き来していたときの話だ」

ジャックはウディのために演奏をして歌い、ボブも一曲か二曲演奏した。彼が「ウディに捧げる歌」を書いたのは、その初めての日曜訪問の直後だった。ディランはイースト・オレンジの頃よりずっと前にウディに会ったことがあると主張していた。イジー・ヤングが綴っていた記録によると、ボブはガスリーのレコード、特に『ダスト・ボウル・バラッズ』のアルバムを初めて聞いたのはサウスダコタだったと語ったという。「ウディとよく会っていたんだ」とディランはイジーに一九六一年十月二三日に告げている。「お金に余裕があったときはね。本格的に演奏を始める前に一度カリフォルニアで会ったこともある。ジャック・エリオットが一緒にいたと思うよ（エリオットは一九五五年から一九五九年のあいだヨーロッパにいて、ディランが十三歳のときにガスリーとともに旅をしていた）。ぼくはカーメルにいて、何もすることがなかった。この二月に『ウディに捧げる歌』を書いたとき、その曲を書き上げた紙をウディに渡したんだ。ウディは曲を気に入ってくれたよ」。一九六二年二月一日までに、ディランはまた別ヴァージョンの話をイジーの年代記に加えた。「ウディと定期的に会うようになって一年になる。ぼくは十三歳のときに彼に会ったんだ。彼はぼくの曲を気に入っている」

　エリオットもボブの曲を気に入っていた。ジャックはいつも自分に少し自信がなく、頭にステットソンのカウボーイハットを乗せたクールな「マールボロ・カントリー」(C)の英雄の内面は非常に傷つきやすかった。それゆえ彼は、あらゆる若者や年上の師を研究した。エリオットは若い頃の大部分の時間ウディを真似て過ごし、三十代になってようやく自分自身になった。人類学者のジョン・グリーンウェイはアルバム『ランブリン・ジャック・エリオット』について次のように書いている。「新人の人気フォークシンガーたちのオリジナル性に限界があることを残念に思う……ジャックの曲の借用はあまりに広範囲におよんでいて、彼はアメリカのフォーク・ソングの雑食性を象徴する存在となった」

　この言葉は模倣の最盛期にあったディランにも当てはまる。ヴァン・ロンクはボブが本や都会のストリートを探求する手助けをした一方で、エリオットはボブが田舎を探索する手助けをした。エリオットからは馬や革や革用せっけんの臭いがした。彼は一九三〇年代のホーボーと一九五〇年代のビート族の橋渡し役でもあった。ジャックがカウボーイ／西部／ホーボー文化の伝統を都会の聴衆たちへ見事に通訳して伝えることができたのは、彼自身が都会の出身だったからだ。

　ユダヤ人医師の息子であるランブリン・ジャック・エリオットは、エリオット・チャールズ・アドノポズとしてディランより十年前に、彼の言うブルックリンの「フラットブッシュの真ん中にある、一万五〇〇〇エーカーの大牧場」で誕生した。彼は九歳のときに、歌うカウボーイ映画に夢中になる。フラットブッシュの牧場から西部にかけてのどこかで、彼はブルックリン出身の歌うカウボーイにはもっとアメリカ人らしい名前が必要だと考えた。初めは自分のことをバック・エリオットと名乗っていたが、やがてジャック・エリオットという名に落ち着いた。一九四七年頃、観光牧場にいるカウボーイのトッド・フレッチャーと出会い、ギターを教えてもらう。十八歳の頃に、ジャックはコニーアイランドでウディと出会い、以来五年間、ウディの分身となった[14]。

　私はディランと出会う八年前に、アデルファイ大学で勉学に励んでいたエリオットに出会った。教室で彼は孤立した人物だった。馬にこだわりを見せていただけではなく、ジャックは車やトラックにも夢中だった。エリオットが入ってくるときお決まりの独り言はこうだった。「遅れてすまないな、みんな、でも古いマックのトラックが二マイル手前でエンストしちゃってね。悪魔のように必死になって発進させようとしたんだが、プラグがいかれちまって、バッテリーの調子も良くなかったもんだから、歩くほうがいいかと思ってさ」。ジャックは歌だけでなく話も上手かった。話すテンポ、つぶやく声、そしてウィル・ロジャースのような素朴な口調がどんな話題でも面白く感じさせた。

一九五五年から一九五九年にかけてイギリスでアメリカのフォーク・ソングの代弁者となったあと、彼は故郷に帰ることに決めた。イジー・ヤングは一九六一年二月十八日のカーネギー・チャプター・ホールでのコンサートに彼を起用した。エリオットは間違いが多く、自制心を欠くことも多かったが、彼の歌は気骨があり、もの悲しく、しなやかだった。ガスリーの曲はエリオットの基盤であり続けた。彼は「トム・ジョードのバラッド」――ウディによる『怒りの葡萄』の語り直しであるが、この小説はそもそも、スタインベックによるウディやその他の見捨てられたオクラホマの人びとの人生を語り直したものだった――をコーヒーハウスの周りにホコリを立てるような臨場感で歌った。彼はウディの子供の冗談風の「カー・カー」を無限のバリエーションで歌えた。彼は噛みたばこを味わうかのようにじっくりとフレーズをあれこれ考えていた。「これはルート40のあらゆるバーでわたしが歌っていた曲だ」。エリオットは、ホーボーたちの国歌であるウディの「ハード・トラヴェリン」を歌うときにはいつもそのように言っていた。

ウディの弟子として十年間を過ごしたあと、ジャックはブルースやハンク・ウィリアムスの曲を取り入れるようになり、ジェシー・フラーのハーモニカ奏法に強く影響され、フラーの奏法は同じくディランをも熱狂させていた。ジャックはフラーの「サンフランシスコ湾ブルース」を自身のテーマソングにもした。ディランと同様に、ジャックもあてもなく放浪する人物を演じ、もはやそれは見せかけの振る舞いではなくなっていた。アメリカの平原地帯の言葉や音楽やウィットを聞き分ける彼は、もはやシティビリーではなかった。一九六〇年代の終わりに、エリオットはこう振り返った。「わたしはボブの親しい友人としてよく知られているけれど、彼と心が通じ合っていると感じたことはない。多くの時間を一緒に過ごしていても、彼はいつも別の何かを考えているようだった。わたしはとてもロマンチックだから、彼の親友だと思っていたいよ。彼と会うと、話ができてワクワクするんだ、まるで彼と初めて会うファンの一人になったみたいに。後半は一緒にちょっとしたばか騒ぎをする時期なんかもあったね」

「自分の周りに壁を作っていたけど、ボビーがいつもどれほど繊細だったかは分かっている。彼の最初のレコードが出た次の日に会ったのを覚えているけど、売れ行きがよくなかった。ぶかぶかのリーバイスを履いて、ずいぶん浮かない顔をしていた。『ぼくはこのフォーク・ソングのお遊びをやめて、絵を描くよ』。エリオットはディランを真似て言った。「わたしはいつも同じメッセージをディランから聞いていた。わたしからすれば、彼はいつもこんなことを言っているように聞こえる。『この世界のすべてをアーティストとして楽しもう。ポンドやオンスや金（かね）で測るのはやめよう。ただアーティストでいようじゃないか！』」

ジャックはボブの成功に憤りを感じたのだろうか？　エリオットはその言葉の意味をしばらくかみ砕いていた。

「彼にはわたしが決して持ち合わせていない成功へ突き進むための驚くべきエネルギーがあった。もし彼が自分の目指す場所へ向かうために誰かの足を踏みつける必要があるのだとしたら、わたしの足を踏みつけることだってできただろうが、彼はそうしなかった。わたしならそうやって成功できたのに」。ジャックは私の肩の向こうを見ながらそう言った。「嫉妬の感情はないよ、自分が嫌になるだけだ。笑えるんだけど、ほら、いっときボブ・ディランは『ジャック・エリオットの息子』と言われることも多かっただろ。ときどきわたしは『くよくよするなよ』やその他の曲を観客に紹介することがあった。『これは息子のボブ・ディランの曲だ』とね。わたしはボブに何曲か自分の曲も教えたと思っている。ウディの昔の梅毒についての曲などは、誰も若者に教えようとはしなかったけど――彼はわたしから学び取った。でもボブがすごくグルーヴィーなホーボーの曲をジミー・ロジャーズの『ザ・バゲッジ・コーチ・アヘッド』のようなスタイルで歌っていたことも覚えている。ボブがヒビングを歌った曲のなかにはどこか悲しさが漂っている、『ノース・カントリー・ブルース』とかね。彼はその曲をタクシーのなかでハミングで聞かせてくれたことがある。たんに見捨てられた炭鉱町についての曲だと思っていたけど、後になってそれがヒビングのことだと気がついた」

ジャックはバーボンをすすり、過去に意識を集中させようとしていた。彼の記憶は「今日が昨日や明日の寄せ集めのように感じられ」、ごちゃまぜになっていた。初めてウッドストックでボブに会いに行ったときのことを彼はこう語る。「夜中の二時だったけど、たまたま近くにいたから寄ったんだ。遅い時間だったがサラ（・ディラン）とサリー（・グロスマン）とボビーはすごく温かく迎えてくれた。ボブはずいぶん熱いハグをしてくれたよ。ボビーはそんなふうに愉快なやつなんだ。皆をからかうことが大好きだった。だけど彼へ近づくときには慎重じゃなきゃならない、でないと彼をまたしても自分の殻のなかに追いやってしまうことになるからね」

エリオットにとっての慰めは、自分が自分らしくいられたことだった。「アルバートがいるときのボブはいつも少しばかり張りつめていた。楽しい時間を過ごしているときには、目が輝いた。だけど大抵は、あらゆる人や物事に警戒していたよ。初めからそうだった。ボブの言うことは全部、あらかじめ用意されたセリフのようだった。少しばかり開放的なときは、クスクス笑ったりゲラゲラ笑ったりしながらずっと話をしていたよ」

ジャックはいまだに、ディランがエリオットのヴァンガードでの初レコーディングに参加して、ハーモニカで古いゴスペル曲「永遠の絆」に彩りを添えてくれたことを誇りに思っていた。ボブは偽名のひとつであるテダム・ポーターハウスという名前を使っていた。彼らの関係においてひとつ皮肉だったのは、ジャックが都会育ちのカントリーミュージシャンだとボブがすぐには気がつかなかったことだ。一九六一年三月頃、ディランはミュージシャン兼出版人のバリー・コーンフェルドとヴァン・ロンクと一緒にフィガロにいた。彼らがエリオットはブルックリン出身のユダヤ人カウボーイだと言ったときのことをヴァン・ロンクはこのように語る。「ボビーは椅子から転げ落ちそうなくらい笑っていた。おれたちが思ってた以上にボブにとっては笑えることだったみたいだ。おれたちはエリオットが自力でカウボーイスタイルを作り上げたってくらいにしか思っていなかったからね。そのときだよ、『ニューズウィーク』がボブの過去を暴露する二年前のことだけど、おれはボビーもまた過去とは違う自分を演じてると知ったんだ。彼は何も語らなかった――破裂するんじゃないかと思うくらい笑い続けるだけだった」

ジャックはボブにとって、お気楽な漂流者の手本にもなった。ディランは気が緩みすぎると時間の浪費になることはよく知っていたが、目的もなく漂っているという印象を与えることで人びとは緊張が解けて話しやすくなることも知っていた。それでボブは自分の野心を隠すことを学んだ。あるときエリオットはハリウッドの駐車場にふらりと入っていき、そこでジェームズ・ディーンに向けてギターを弾いたことがあった。ディランはその話に目を丸くして驚いていたが、彼だったらそんな貴重な機会をその場だけで終わらせることはなかっただろう。ジャックは何年も映画でウディの役を演じたいと思っていた。彼は『ニューズウィーク』でこのように語っている。「他の誰も上手くやれない。わたしならできる――これまで十年間演じてきたからね」。皮肉にも、エリオットがスクリーン外で演じていたその役は、一九六八年一月、そして一九七五年の初めに再びディランへオファーされた。ディランがそれを断ると、役はデヴィッド・キャラダインが演じることとなった。

小説家のアンドレ・ジッドはかつて、フランスの作家シャルル・ペギーについて「ペギーは友情を火にくべてオーブンを温め続けている」と述べた。ディランの火はマクドゥーガル・ストリートでピークに達した。ウディとシスコは熱を与えることに喜びを感じていたし、それはデイヴとジャックも同じだった。二人の若き生存者たちは火に多少あぶられたかもしれないが、それでも彼らはディランのかがり火の周りにいることを不幸に思っていたわけではなかった。

ランブリン、タンブリン

ヴァン・ロンク、ガスリー、エリオットの三人は、その他大勢のなかの代表的な顔ぶれに過ぎなかった。一九六一年の秋までに、ディランは東海岸に五年はいたのではないかと思うほど多くの人びとと知り合っていた。孤独な男は見事に社交的になっていたが、社会性は発揮されたり発揮されなかったりだった。ファーストアルバムが出てから彼はちょっとした有名人になったが、広場恐怖症のような兆候を見せるようにもなり、六番街にいる人びとを避けるようにして歩いていた。初めはそれでも、多くの側近を置いておく必要があった。彼は孤独な政治家で、握手を交わしたり赤ん坊にキスをしたりすることよりも、オフィスでこの先を夢見る方が落ち着くのだった。ロータリークラブの友情や励まし合いを心底軽蔑していたが、自らの地位の確立のために似たようなことを演じる方法は分かっていた。うんざりするようなもので彼の気質には反していたが、一九六一年はとりわけ社交的になった年だった。

ニューヨークで支持者を集めたあと、ディランはボストンと、北東部の大学生活の中心地である近隣のケンブリッジという重要な選挙区に進出していった。それがニューポート・フォーク・フェスティヴァルであり、バエズがきっかけをつかんだ場所だった。音楽はあまり熱狂的でないチャールズ川沿いにも君臨していた。一九六一年六月、ディランはケンブリッジの「クラブ47」に三日間出演し、ファンや友人を作った。クラブ47の熱心なコーディネーターであるベッツィー・シギンズは、ボストンにいるフォーク・ミュージシャンたちの母親的な存在で、すぐにディランを迎え入れた。彼は髭を生やした非常に心温かいエリック・フォン・シュミットと親しくなった。エリックは商業芸術家で、フォークで名を上げようと考えている人間と同じくらいフォーク・ソングに情熱を傾けており、ヴァン・ロンクと同様にブルースに夢中でしわがれた声をしていたが、教訓めいたことは言わなかった。ボストンでのもう一人の新たな仲間は、快活で威勢のいいシンガーのジム・クウェスキンで、彼はのちに人気のジャグバンドを結成した。クウェスキンは一八九〇年代のミシシッピ川のリヴァーボート・カジノ（船上カジノ）にいるギャンブラーのような服装をしており、つばの広い黒の帽子をかぶり、ウィットと情熱を持って演奏していた。ディランはこの「ヒッピー」が初めて会ったときから好きで、クウェスキンはディランの音楽と個性を理解していた。同じくボストンで仲間となったジーノ・フォアマンはひょうきんなバイク乗りの異端者で、その無謀さとでたらめさにディランは惹かれた。さらに赤毛のフリッツ・リッチモンドのウィットは、彼の作る音楽と同じくらい風変りで、親しみを感じるものだった。

あるボストンに暮らす夫婦がボブの初めてのレコーディング契約を手助けしてくれた。キャロリン・ヘスターと当時の夫リチャード・ファリーナは、ニューヨークよりも敵意のないボストンへと引っ越してきた。私はヴィレッジのホワイトホース・タヴァーンでファリーナをキャロリンに紹介し、彼らはめまぐるしい十三日間の交際期間を経て結婚し、それからボストン近郊やヨーロッパや北アフリカを回って互いのことを知るようになった。その後、ディランがジョーン・バエズと関係するようになったとき、彼はジョーンの妹ミミと再婚したファリーナと再会している。キャロリンとリチャードはボブのハーモニカの演奏をとても気に入っていた。九月、キャロリンのコロンビアでの初のアルバム収録にあたって、彼女はボブへレコーディングに参加してほしいと頼んだ。ディランの参加はまさにタイミングが良く、彼もまたレコーディング契約を勝ち取った(15)。

ボストンを味方につけると、ディランはニューヨークに戻ってさらに精力的な選挙活動を行った。彼はギャスライト、フォーク・シティ、コモンズ、フォークロア・センター、ミルズホテルのバー、ケトル・オブ・フィッシュ、そしてホワイトホースを演奏して回った。ホースが閉まったあと、マッゴーワンズにいる私と合流することもあった。彼は何時間も練習をしたり、レコードを聴いたり、曲を書いたりして時間を活用しようとしていたが、大抵は路上で過ごして外を歩き回っていた。ニューヨークでの交友関係は何倍にも広がっていた。ジョン・ヘラルドはブルーグラスグループのグリーンブライアー・ボーイズでリードシンガーを務め、ほとんど無口だが音楽が始まると人並み外れて社交的になり、ボブとも簡単に仲良くなれた。ジョン・ハモンド・ジュニアは、若くて才能があり、新たな白人ブルースの担い手であり、彼もまた友人となった。革のジャケットを着たハンサムな青年ハモンドは、有望な才能を見つけたときにはプロデューサーの父親に報告することも多かった。

レン・チャンドラーとディランはこの頃に親しくなった。レンは控えめであったり感情を抑制したりすることがなかった。黒人のミュージシャンとして、困難な状況が何年も続いたとしても、レンは立ち向かっていき、威勢を保ち、ディランと同じくらい悪ふざけを楽しんでいた。ディランとレンは都会の街頭を煙草を吸いながら度々歩き回った。ディランのヴィレッジでの初期の仲間たちを自信に満ちた人間とシャイな人間に分類するとしたら、シンガーのマーク・スポールストラは後者のグループに入る――旧友のジョン・バッククレンも同じだ――彼は自分とは正反対のディランに引きつけられていたのだった。

私が最初にディランに出会ったのは、一九六一年六月、フォーク・シティの月曜フーテナニーだった。彼の演奏にあまりにも強烈な印象を受けたため、私は四月のフォーク・シティでは彼を見ていないか、彼の存在を完全に無視していたかのどちらかだと思った。いずれにせよ、この出会いは忘れられないものだった。そのフーテナニーで、ボブは荒唐無稽な物語「ベア・マウンテン・ピクニック大虐殺ブルース」を歌った。この曲は、のちにピーター・ポール&マリーの一員となるノエル(ポール)・ストゥーキーがギャスライトで歌っていた曲から影響を受けたものだった。混雑したハドソン川のレジャーボートでのエピソードを基に膨らませた歌で、数年後、アーロ・ガスリーも似たような「アリスのレストランの大虐殺」で成功を収めた。

ボブはヨーロッパのストリートシンガーか曲芸師のようだった。頭を小刻みに上下し、揺れながら、黒のコーデュロイのハック・フィンのキャップをかぶって演奏をして、顔をしかめ、表情を曇らせ、馬鹿げた語りでジョークを飛ばした。私はアイルランドのフォーク・シンガー、パット・クランシーのもとまで歩いて行き、こう言った。「なあ、パット、あいつの演奏聴いてみろよ!」パットはジェムソンウイスキーを置いてボブを見に行った。「あいつは何者だ?」。彼は半ば好奇心に満ち、半ばうれしそうに声を上げた。熱狂的な観客たちがボブをステージから解放すると、私はどれほど曲を気に入ったか伝えた。彼は私の賛辞を喜んでいた。「うん、最高だろ! 気に入ってくれてうれしいよ。でも、もっとすごいステージをやってきたけどね。気に入ってくれてうれしいよ」と彼は言った。私は『タイムズ』にレヴューを載せられるよう動いてみるから、次の仕事のときは電話してほしいと告げた。「うん、たしかに」と彼は答えた。「ぼくが四月に出てたときは見逃していたみたいだね」とディランは言い、私は「うん、たしかに」と認めた。

一週間か二週間後、電話が鳴り、か細い鼻にかかった声が聞こえた。「やあ、ボブ・ディランだよ。仕事が入ったら電話してくれって言ってたよね。えっと、仕事が入ったんだ。ギャスライトに一週間出演する」。数日後、私はギャスライトへヴァン・ロンクやディランを聞く常連たちに会いに行った。後方のいつものテーブルに座っていたアルバート・B・グロスマンは、コーヒー一杯でとても満足しているように見えた。その当時、アルバートはコーヒーハウスで非常に注目を集めていた。彼はいつも、キングサイズの煙草を石油王が水パイプを持つように親指と人差し指で輪を作り小指を少し曲げて持ち、指のあいだからゆっくりと煙を吐き出していた。私はディランに、今回の演奏はレヴューを書くには短すぎると伝えたが、アルバートに彼を紹介し、この若者が次なるセンセーションを巻き起こすと思っていると告げた。グロスマンはいつものように何も言わなかった。ディランが私たちのテーブルを去った後、グロスマンはヴァン・ロンクのことをどう思っているかと聞いてきた。私はヴアン・ロンクにも熱を上げていたが、ディランはその先を行くだろうと伝えた。グロスマンは微笑んだ。その笑みは、野ネズミのたくさんいる未開拓地を見つけたチェシャ猫のようだった。

ギャスライトの当時のオーナーは、荒っぽい見た目のボヘミアン、ジョン・ミッチェルで、マクドゥーガル・ストリートのコーヒーハウスを弾圧しようとする警察や消防当局と数多くの訴訟合戦を繰り広げていた。とりわけミッチェルはディランを滑稽だと思っていた。ディランはギャスライトのことを懐かしむことも多かったが、そこでの初仕事を笑い話にもしていた。彼はかつて私にギャスライトのことをこのように言った。「フォーク・ソングのブロードウェイで、あらゆるスターがそこにいた――デイヴ・ヴァン・ロンク、（バンジョー奏者の）ビリー・フェア、（バラッド歌手の）ハル・ウォーターズなんかがね」。彼のギャスライトでの仕事は実を結ばないまま終わった。グロスマンは沈黙したままだった。私もボブについて一言も書かなかった。ボブは音楽や西部の言葉を創作し続けた。彼のめちゃくちゃな訛りは、言葉の区別がほとんどつかないこともあった。彼はコートの襟を高く立てて、「放浪する（ランブリン）」や「宙返りをする（タンブリン）」という言葉をつぶやいていた。やがて何人かが彼のことを「放浪者（ランブラー）」や「曲芸師（タンブラー）」と呼ぶようになっていた。

ディランが放浪者として宙返りを見せたのは、一九六一年七月二九日土曜日の初めてのニューヨークでのコンサートおよびラジオ放送だった。その長時間番組はリヴァーサイド・チャーチが運営するＦＭ放送局ＷＲＶＲで放送された。ライヴ演奏の生放送プロジェクト発足にあたって、イジー・ヤングとボブ・イェリンはフォーク・ミュージシャンたちを動員した。フォーク・ミュージシャンたちへの要請に応じて、トム・パクストンやモーリー・スコットのような若手や、レヴァランド・ゲイリー・デイヴィスやブルースシンガーのヴィクトリア・スピヴィーのようなベテランたちは、この機会に飛びつき、無報酬であっても演奏した。十二時間におよぶＷＲＶＲのフォークパレードの放送は度々途切れてしまい、連邦通信委員会の委員長の頭も白髪になってしまわんばかりだった。一時間おきに、出てくる熱心な演者たちはバンジョーのネックを揺らしてはマイクにぶつけ、声はフェードインしてはフェードアウトしていき、合図だしのキューは無視された。スタジオの観客たちは高校の全校集会のように落ち着きなくざわついていた。

番組内ではブルースや、『ヴィレッジ・ヴォイス』のジャック・ゴダード紹介による東地中海の曲や、様々なバンジョーの演奏があった。大物の出演はなかったが、その番組は町の実力あるフォーク・ミュージシャンや演奏家たちの印象的な表現の場となった。午後の半ばに、歌い方や見た目や弦の鳴らし方がウディ・ガスリーを彷彿とさせる細身のミュージシャンがマイクの前に立った。ニューメキシコ州のギャラップから来たと紹介されたディランは、ハーモニカを金属製のハンガーで手作りしたホルダーにつけ、短い五曲を演奏し、いくつかはエリオットやブルースマンのダニー・カルブらと演奏した。『タイムズ』で、私はディランのスタイルを簡潔に「好奇心を引く、つぶやきのような、カントリーミュージックが深く染み込んだスタイルだ」と描写した。ディランの短い出演は温かい拍手で迎えられ、仲間たちも囃し立てて観客を煽った。

ステージを去った後に、彼は十七歳で目が大きくて長髪で美しいスージー・ロトロを紹介され、そこから二年間の熱狂的で不安定なロマンスが始まった。ディランの評判は次なるジャック・エリオットやウディ・ガスリーとして高まっていたものの、全国規模で知られるためにはレコードを発売するしかないように思えた。夏の終わり、ヴィレッジの聡明な二人の女性、テレビ制作会社に勤務するシビル・ワインバーガーと、スージーの姉で当時アラン・ロマックスの個人秘書を務めていたカーラ・ロトロが、ディランやその他の無名ミュージシャンのレコード発売を働きかけるアイデアを思いつく。彼女たちはヴァン・ロンクやエリオットを含むヴィレッジの優れたフォーク・シンガー六人を収録するデモテープ製作を提案した。

プロジェクトの詳細と特にディランへの讃辞をしたためて、シビルはコロンビア・レコードのプロデューサーのジョン・ハモンドに手紙を書いた。「シビルの手紙は優れた才能を持つ一団への注目を呼びかけるものだった」とカーラは振り返る。「すでに有名な人たちを入れることで、ボビーやジョン・ウィンのような無名の人たちにも注目が集まると思ったの。でも元々はボビーを有名にしたいという考えからだった」。しかし返事はなかった。ハモンドは机に手紙を置きっぱなしにして読むことさえなかったのではないかとカーラは言う。彼女の見解では、ハモンドはシビルの手紙に記されたボビー・ディランと、数週間後にコロンビアと五年間の契約を結んだ青年を同一人物だと思っていなかった。

仲間たちによる推薦、特にカーラによる後押しと、私が十中八九レヴューを書くだろうと請け合ったこともあって、マイク・ポルコは再びフォーク・シティでの二週間の演奏をオファーした。「九月二五日から十月八日まで／グリーンブライアー・ボーイズのブルーグラスを奏でるピッキングと歌、そしてセンセーショナルなボブ・ディラン」。グリーンブライアー・ボーイズ（ラルフ・リンツラー、ヘラルド、イェリン）は、都会のブルーグラスの旗手だった。イェリンのバンジョーの音は風に舞う紙吹雪のように飛び回り、ヘラルドの曲芸的なヴォーカルは伸びやかに高まりを見せ、リンツラーの繊細なマンドリンは神経が高ぶった鳥たちの巣作りのような音を奏でた。三人の歌と叫びにはウィットとミュージシャン魂があった。伴奏を務めるのも楽な相手ではなかったが、ディランは見事に演奏してみせた。

この二週間で、彼は三着の衣装を着回したが、回を経るごとにみすぼらしい格好になっていった。ある衣装は色あせたブルーのシャツ、カーキのズボン、黒い袖なしのセーター、不釣合いなフーラード地のネクタイで、どの回でもあの有名な帽子をかぶっていた。別のときには、セーム革のジャケットやノーネクタイのウールシャツという格好をしていた。ギブソンのギターには曲順が書かれた紙が上のカーブのところに貼り付けられ、ハーモニカホルダーが首にぶら下がっていた。髪はあえてボサボサのままで、とても華奢で儚く見えた——歌い始めるまでは。締めつけられたような声を絞り出し、その声は脱獄を目指す囚人のように必死に喉から抜け出そうと戦っているかのようだった。その擦り切れた声は、ガスリーの古いレコードのようだった。そしてヴァン・ロンクのようなざらざらとした響きだった。ときにエリオットのような甘い歌声も少し混じっていた。そして同時に誰の声とも違っていた。美しいとかしなやかだと思うものではなかったが、心が揺さぶられるような歌声だった。都会的な響きではなかったが、農場労働をしていた昔のフォーク・シンガーの歌のように響いた。大半の観客がこの二週間でディランのことを気に入り、彼のことを素晴らしいエスニックシンガーだと見なしたが、彼のことをたんなる悪ふざけだと思う者も多かった。

ボブはいつも生き生きとしたテンポの「サリー・ギャル」から始めた。声と、ギターと、ハーモニカが語り合っていた。唐突に観客は彼がグリーンブライアーのような才気あふれるトリオとステージを共にしている所以を知ることになる。「この場にふさわしい曲だ」とディランは言い、ギターの再チューニングを行いハーモニカを交換した。そして彼は伝統的なブルースの哀歌「ディス・ライフ・イズ・キリング・ミー」を始めた。すべてにおいてテクニックが見られたが、それらはフォークのテクニックを隠すためのテクニックだった。テクニックに反し、洗練に反し、表面的な形式に反しているように見えながらも、それらすべての要素が根底にあった。五年前ではなく、昨日から音楽を始めたような印象を与えていたが、そんな音ではなかった。

曲の合間に、ディランはとりとめはないが、とても面白い独白を長々と話した。彼はヒキガエルについての話を始めた。それは結末のない粗野なヒキガエルの物語で、始まりも行きつく先もなかったが、チューニングをしながらのちょっとした時間つぶしとなる早口の語りだった。ボブはふくれっ面をした少年のような顔をしていた。彼のゆっくりとした進行は、良く言えばまどろんで聞こえ、悪く言えば寝ぼけて聞こえた。次に彼は、「列車の歌」である「900マイル」をうなるように歌った。ところどころ演奏のアクセントとして、マイクの高さまでギターを持ち上げた。ギターの音を響かせるカントリー・ミュージックお馴染みの手法だ。

客席は、いつものフォーク・シティのように注意散漫だった。バーテンダーたちはテレビCMか何かのようにカチャカチャと音を立てては飲み物を注いだ。レジは穏やかな一節が奏でられているときに音を鳴らした。バーカウンターでは何人かの酔っ払いが無駄話に興じており、周りの者たちが黙らせようとしていた。しかしディランは完全に集中していた。「これは自分の頭のなかに湧き上がってきた曲なんだ」。こう言って彼は、ギターをチューニングし「ニューヨークを語る」の演奏に入った。この曲はとても古いスタイルのトーキングブルースで、歌っているというよりは話しているようにも聞こえる皮肉な歌詞を、三つのまばらなコードが支えていた。ディランは自身初のプロテスト・ソングを滑稽なタイミングで披露した。

ボブは他の人びとの頭のなかから生まれた曲を歌い始めた。ジョシュ・ホワイトとシンシア・グッディングが長いこと愛した「ディンクの歌」をうめくように歌った。ディランはこの曲をテキサスに行ったときブラゾス川で学んだと言う。実際、バラッド音楽収集家のジョン・A・ロマックスがその曲を知ったのは一九〇四年のことで、ジンを飲んでいた黒人の女性が、夫の洗濯物を嘆いて歌うのを聞いたという。それはアメリカのフォーク・

ソングのなかでも最も哀れを誘う女性の哀歌のひとつだ。ボブはヴァン・ロンクの曲を変化させ、決まったパターンのなかに即興のギターの音を取り入れた。彼の声は太くしゃがれて聞こえるときもあれば、むせび泣いているように聞こえるときもあった。彼は原曲の緊張感やもの悲しさを理解していた。「自分は母親のいない子供ではないが」とフォーク・シンガーのエド・マッカーディは言った。「それがどういう気持ちなのかは分かる」。ディランは洗濯する黒人の女ではなかったが、彼女がどういう気持ちなのかは分かっていた。ときどき、ディランは頭を大きくそらしたが、まるで次の言葉を探して天井を見渡しているかのようだった。

世界を旅していた二十歳の彼は、テキサスの次は有名なシカゴのバー「マディ・ウォーターズ・プレイス」へと観客をいざなった。そこでまた別のブルースソングを学んだと言う。彼はぎこちなく古いアップライトピアノに近づきシンプルなコードを弾いた。その後、再びウディの道に戻り「ハード・トラヴェリン」を歌った。この曲は焼けつくアスファルトで汗まみれになり、皮膚の硬くなった足が痛みつつも、よろめきながら疾走するロード・ソングだった。それから彼はもう数曲、自分の頭のなかに湧き上がった「ベア・マウンテン」や「ハヴァ・ナギラ・ブルース」を含む、ハリー・ベラフォンテやセオドア・ビケルのような国際的な「スタイルを持つミュージシャン」をちょっとばかりからかった曲を歌った。

観客たちはディランのスローテンポで深刻な張りつめた曲よりも、彼のウィットに反応を見せた。観客の反応を見た彼はチャップリン的な道化を演じた。そして彼は、一つ一つが次の展開に引きつけられる歌詞で構成されたサスペンスに満ちた「ウディに捧げる歌」で締めくくった。

ステージが終わると、私たちはフォーク・シティのキッチンに戻って彼の初となるインタヴューを行った。質問への回答は素早かったが、彼は即興で答えていて本当のことを隠しているような印象を受けた。やりとりはこのように進んだ。「ぼくは二十歳で、五月までは二一歳ではない。ぼくは生まれてこのかた歌い続けてきた、十歳の頃からね。ミネソタ州ダルースか、もしかしたら対岸のウィスコンシン州スペリオルで生まれた。十三歳で移動サーカス団とともに旅をし始めた。サーカスでは雑用をして歌を歌っていた。ミネソタや、ノースダコタや、それから南部で馬の手入れをしたり蒸気ショベルを動かしたりしていた。高校も卒業した。しばらくは、サウスダコタのスーフォールズがぼくの家で、ニューメキシコのギャラップにも暮らしていた。ノースダコタのファーゴにも住んでいて、あとはミネソタのヒビングという場所にも住んでいた。ミネソタ大学には八か月くらい通ったけど、あまり好きじゃなかった。カントリーロカビリーバンドのボビー・ヴィー・アンド・ザ・シャドウズのピアノを担当したこともある。東部に来たのは一九六一年の二月だけど、これまでと同じように大変なことが多い町だ」

私はギターのテクニックについて尋ねた。「プアー・ガール」を歌うときは、テーブルナイフを取り出して、ナイフの背でギターのフレットを押さえていたという。一体どこでボトルネックギターと呼ばれる古いブルースの奏法を身に付けたのだろうか？「肉切り包丁を使うことを学んだんだ」とボブは答えた。「ニューメキシコのギャラップにいたウィグルフットという老人から教えてもらった。彼はくたびれて年老いたブルースマンで、眼帯をしていた。マンス・リプスコムからもたくさんの曲を学んだよ、人前ではあまりやってないけどね。マンスの影響は大きかった。彼とはテキサスのナヴァソタで五年前に会ったんだ。ぼくも同じ農場労働者だった。『朝日のあたる家』はデイヴ・ヴァン・ロンクから、『僕の墓をきれいにして』はブラインド・レモン・ジェファスンから学んだ。ラビット・ブラウンの曲も好きだよ」

「ジャック・エリオットとデイヴ・ヴァン・ロンクはニューヨークの二大フォーク・シンガーだ。自分はひとつのやり方でしか歌えない、自分が聞きたいようにしか歌うことができない。ぼくの声は美しいものじゃない。美しく歌うことはできないし、美しく歌いたいとも思わない」。ボブは尊敬しているミュージシャンたちの名を、レコードを聞いただけの人物も実際に会って仕事をしたという人びとも一緒にして挙げた。ボブはまるで彼らを全員知っているかのようだった。「そうだね、レイ・チャールズのことはすごく好きだよ。ハーモニカはマディ・ウォーターズ・バンドのウォルター・ジェイコブズ――リトル・ウォルターのことさ――を聞いて手に取ったんだ。だけどぼくは自分のスタイルでハーモニカを吹いている。サーカスではダンサーのためにピアノを弾いていた」

これまでにレコーディングをした経験は？「レコーディングの経験はあるけどレコードは発売されていない。

ナッシュヴィルではジーン・ヴィンセントとも演奏したけど、リリースされたかどうかは分からない。あのボトルネックギターに関して言えば、デトロイトのコーヒーハウスで演奏したときには、飛び出しナイフを使って音を出していたよ。だけどぼくが飛び出しナイフを取り出すと、観客のうち六人が出て行った。怖がっていたみたいだ。今は誰も出て行ったりしないようにキッチンナイフを使っている」。他に何か音楽的な影響はあったのか？「たくさんあるよ、たくさん。もちろん、ウディ・ガスリーだね。去年の冬からウディとは何度も会っている。話はできるよ、病気だけどね。ぼくの曲をすごく気に入ってくれている。ジェシー・フラーにも二年前デンヴァーで会って、彼からも学んだ」

ボブは次の出番に向かった。私はカーラに、良いインタヴューだったし彼の曲や振る舞いがとても好きだと伝えた。だが、どこか奇妙な印象があったとも告げた。彼は遠くまで旅をしてきて、多くの有名／無名のミュージシャンを知っているようだった。彼は過去の話を避けていた。私はカーラに、ヴィレッジの仲間に言う冗談と公の場で話すことは違うのだとボブに伝えてくれと告げた。ディランのステージが終わった数分後に、カーラはボビーにそっと伝え、私たちはグリーンブライアー・ボーイズが演奏する曲の合間にテーブルでインタヴューの続きを行った。「聞いてくれ」とボブは言った。「ハッキリさせておこう。ぼくは本当でないことは語らない」。ボビー・ディランとボブ・ディラン、私にどちらで呼んで欲しいのだろうか？　彼はまるで契約書のサインに臨むかのように考え込んだ。声にならない声で、彼は二つの名前を繰り返していた。「ボブ・ディラン、ボビー・ディラン、ボブ・ディラン、ボビー・ディラン……ボブ・ディランにしよう！　ぼくはその名前でよく知られているんだ」。彼は自信たっぷりにそう言った。そして私はレヴューを書き、その記事は一九六一年九月二九日金曜の『ニューヨーク・タイムズ』紙に掲載された。

輝かしい新人がガーディス・フォーク・シティに現れている。わずか二十歳にもかかわらず、ボブ・ディランは数か月もすればマンハッタンのキャバレーで、一際異彩を放つスタイルを持つミュージシャンとしての演奏を見せることになるだろう。

合唱団の少年とビートニクを合わせたかのように、ディラン氏は天使のような顔立ちをしており、乱れた髪の一部はハックルベリー・フィン風の黒のコーデュロイのキャップで覆われている。衣装はもう少し仕立ての必要がありそうだが、ギターやハーモニカやピアノを演奏するときや、新しい曲を覚えるより早く作ってしまうときの彼には、間違いなくはち切れんばかりの才能がある。ディラン氏の声は決して美しくはない。南部の農業労働者の粗削りな美しさが込められたメロディを自分の玄関ポーチで再現しようと試みている。「しゃがれた叫び声」がすべて彼の音に乗っかり、燃えるような激しさが彼の歌を貫いている。

ディラン氏は喜劇作家でもあり悲劇作家でもある。地方巡業のボードヴィルの役者のように、彼は様々な滑稽で音楽的な独白を聞かせてくれる。「トーキング・ベア・マウンテン」は、混み合った遊覧船を風刺している。「ニューヨークを語る」は彼が認められるために苦労したことを皮肉っているし「ハヴァ・ナギラ」はフォーク・ミュージックへの熱狂やシンガーである彼自身を茶化している。真面目なとき、ディラン氏は、スローモーション映画で演じているように見える。伸縮性を持ったフレーズは、ちぎれるのではないかと思うほど引き伸ばされる。彼は頭と体を揺らす。目を閉じて物思いにふけり、言葉やムードを探し、それらを見つけだすことで緊張感を優しく解く。「朝日のあたる家」の歌詞を、うなりとも、むせびともつかないような声でつぶやき、心に響くブラインド・レモン・ジェファスンのブルースを「ひとつ頼みがある――僕の墓をきれいにしてくれないか」と明瞭な発音で歌いもする。

ディラン氏の極めて個性的なフォーク・ソングへのアプローチは、まだ進化の途中である。彼はスポンジのように周囲からの影響を吸収している。ときに、彼が目論むドラマは的外れのメロドラマで、そのスタイルはわざとらしくやりすぎで崩折れる恐れがある。しかし、万人に受けるものではないにしても、彼の作る曲にはオリジナリティとインスピレーションがあり、彼の若さを考えると、なおさら注目に値する。ディラン氏は経歴や出生については言葉を濁しているが、歩んできた道よりも彼がこれから向かっていく道のほうが重要であり、その道はまっすぐと上向いているように思える。

この文章の後にはグリーンブライアー・ボーイズを称賛した四つの段落が掲載された。彼らと同様にディランも話題になったようだった。たまたま、エンターテインメント欄は見出しが横一面にまたがるレイアウトだった。四列の文章の上で、見出しにはこう記された。「ボブ・ディラン　異色のフォーク・ソング・スタイリスト」。帽子をかぶり、ネクタイをつけ、大きなギターを持っているきめの粗い写真が十センチほどのスペースを占めていた。このレイアウト、写真、そして見出しは私が書いた記事以上に、ディランのことを高らかに取り上げていた。

反応は実に様々だった。ほんの数人のミュージシャンたちだけが喜んでいた。エリオットはこの記事をディランによく似せた声で、ブリーカー・ストリートの「ダグアウト」で飲んでいた数人の酔客に読んで聞かせた。ヴァン・ロンクは冷静だったが勢いよく酒を飲みながら、私が「本当に、本当に素晴らしいこと」をしたと言った。パット・クランシーと弟のトム・クランシーはこう言っていた。「ボビーにはたくさんの才能がある。彼は成功するに値する」。イジー・ヤングは、誰よりも先に数か月前からディランを見いだしていたと語った。そしてヴィレッジの音楽仲間の多くが嫉妬や軽蔑、冷笑といった反応を見せた。エリック・ワイズバーグとマーシャル・ブリックマンは演奏家として最も有能な二人だったが、彼らは私に補聴器が必要だと言った。ローガン・イングリッシュはシンガーで、自らのキャリアの大きな行き詰まりに悩んでおり、記事に対しては辛辣で恨めしげだった。グリーンブライアー・ボーイズは全員、この「子供」が自分たちの存在を影に追いやってしまったことに傷ついていた。ボブ・イェリンは数週間、私と口を聞かなかった。フレッド・ヘラーマンは、ソングライターで編曲も行っていて、かつてはウィーヴァーズの一員だったが、彼は悪口を隠すこともなかった。「よくもまあ、彼があれやこれやで素晴らしいと言えたもんだね」彼は街角で私にそう言った。「彼は歌ができないし、楽器もなんとか弾ける程度で、音楽ってものを何も分かってない。きみはとことんイカれちまったみたいだな！」マニー・グリーンヒルは親切なバエズのマネージャーで、私のレヴューは「一年か二年後のボビーについて語っている、今の彼じゃない」と言った。チャーリー・ロスチャイルドはディランには可能性を感じるが「長い道のりが待っている」と語った。しかし誰よりも喜んでいたのは、キャロリンとリチャード・ファリーナだった。彼らはボブのことが人間的にも音楽的にも好きだったし、ボブはキャロリンの次のレコーディングで演奏することにもなっていた。ミュージシャンではないファンたち——マッケンジー夫妻やグリーソン夫妻、カーラ、シビル、スージーは皆、喜んでいた。

その金曜日の晩にフォーク・シティで行われたディランのステージは大騒ぎだった。そこには非常に多くの観客がいた。彼がステージに歩いてくると、客たちは互いに向き合いこう言った。「来たぞ！　あの男だ！」。ボブは始めていいものか迷っているように見えたが、ようやく場は落ち着いた。彼は私に心のこもった感謝を述べ、長年私に言い続けることになる言葉——「あなたは本当に素晴らしい物書きだ。音楽のことだけではなく、物書きとして本当に素晴らしい」——を述べた。二十年間レヴューを書いてきたが、これほどまでに批評家の気持ちを考えてくれたミュージシャンはいない。怒りで我を忘れると、私の書いたことを激しく非難したが、そうした瞬間は例外的なことだった。初めから、彼は物書きたちもミュージシャンと同様に称賛に飢えているということを知っていたのだ。

四日目の出演のときには、ボブに夢中になる観客はさらに増えていた。バーカウンターの見知らぬ人物は私たちを困惑させていた。彼は五十代くらいで、丸顔で、きちんとした服装をしており、にっこり笑うとディランを知っている若者たちにドリンクをご馳走していた。ボブはのちに手短に言った。「警官だったんだよ！」ずっと後になって、彼はその男性のことを、自分を「付けまわした」多くの警官の一人だと言った。「あいつは警官だったんだ」とボブは言った。「そのことは昔も言ったと思うけど。なぜか、警官たちはずっとぼくの生活に付きまとっていたんだ。一九六四年以降はそれほどでもなくなったけど、それまではいろんなところからやって来ていた」。その晩は、その悪意の使者が何者なのか誰も分からなかった。

その晩遅く、ディランは私を隅の静かな場所に連れていき、こう言った。「誰にも言わないで欲しいんだけど、今日の午後にジョン・ハモンド・シニアと会って、コロンビアとの五年契約をオファーされたんだ！　でもさ、頼むから、黙っててくれよ、月曜までは確定じゃないんだ。彼とは今日キャロリンのセッションで会ったんだ。ぼくは右手で握手をして、左手であんたの書いたレヴューを渡した。彼はぼくが歌うのも聞かないで契約をオフアーしてきたんだ！　でも誰にも言わないでくれよ、誰一人として言っちゃダメだ！　コロンビアの幹部から話を無かったことにされる可能性もあるしね、だけど本当に実現すると思う。コロンビアで五年だよ！　驚きだよね」

ハモンドとディランの対面に居合わせた人びとは誰もが違う話を語っていた。それらを総合した結果、ハモンドはディランの才能に関する客観的な証拠よりも、自身の直感と彼の評判に基づいて行動したようだ。ハモンドは自分の直感を信じるに足る経験をしてきていたのだった。キャロリン・ヘスターのコロンビアでの初レコーディングは、この若く魅力的なテキサスのシンガーにとっての前進だったが、ただハーモニカを持ってやって来ただけのディランにとっては、それ以上に大きな転機となった。キャロリンは一九五〇年代の後半に、美しい声と滝のように流れる茶色の髪を引っさげてニューヨークにやって来ていた。コーラル・レコードで初めてのレコーディングをしたのちは、トラディション・レコードで収録を行っていた。彼女の声域の広さと声の力強さは驚くべきものだった。ディランはキャロリンが短期間ではあるがバディ・ホリーと知り合いで、彼のことを深く尊敬していたことにも感激した。

グロスマンは、ピーター・ポール＆マリーと名づけられることになるトリオにキャロリンを参加させることを考えていたこともあった。キングストン・トリオが一九五九年に大成功をおさめた直後、グロスマンはキングストンのようなトリオに一点「美しい女性」という大きな変化を加えたポップフォークトリオの結成に向けて動き出した。彼は二年間、各「構成要素」を大々的に探していた。わずかだがモーリー・スコットとローガン・イングリッシュを検討している時期もあった。その後は、長いこと称賛していた元シカゴ市民のボブ・ギブソンを中心に置こうと考えた。数か月間、グロスマンはギブソン、キャロリン、そして商業芸術家で学の高いミュージシャン、レイ・ボグスラフと非公式に計画を進めていた。しかしこのグループも形になることはなかった。ギブソンは周期的に声が出なくなり、様々な問題を抱えていた。ボグスラフは真面目なミュージシャンだったが、十分な保証がなければ、それまでの仕事を捨てる気がなかった。キャロリンは心づもりができていたし、喜んでトリオの華になるつもりでいた。しかし一九六〇年の三月には、彼女は失望するようになる。「トリオが上手くいくとはどうしても思えなかった」と彼女は私にそんな手紙を記した。「いくつかテープも作っていて、私は飛び抜けて優れていたわけではなかったけど、腰を据えて取り組めば何とかなったかもしれない。ボグスラフの声域は私とは全然違っていた。結局、私たちは『調和』や『音』を作り出せなかった」。このトリオには、やがてアルバートがピーター、マリー、そしてポールに見いだすひたむきな強さも欠けていた。

ディラン版の記憶では、ハモンドへ『タイムズ』のレヴューを渡しただけで、あとはハーモニカの仕事に取りかかったということになっている。セッションが終わるまでに、ディランは一節も歌っていなかったが、ハモンドは息子たちからディランの良い評判はずいぶん聞いていると言って、コロンビアでの「標準的な」契約（アルバム一枚）に加え、オプションとして続く四年間で四枚のLPレコードを出す契約を求めた。ディランは即座に快諾し、契約条件について尋ねることさえしなかった。ファリーナが大まかにこの話を裏付けてくれたが、彼はセッションのあいだハモンドの側にいて、ディランが一流のシンガーでソングライターであることをハモンドに説いていたことも教えてくれた。

ハモンドは偉大なジャズプロデューサーの一人で、ビリー・ホリデイを発掘した男であり、一九三〇年代にはベニー・グッドマンと仕事で深く付き合っていた。ハモンドと言えば、カウント・ベイシー、テディ・ウィルソン、ベニー・カーター、ブギウギのピアノ王ミード・「ルクス」・ルイス、アルバート・アモンズ、ピート・ジョンソンとも職業上深い関係を築いてきた。裕福なアイヴィーリーグの卒業生であるハモンドのジャズと黒人音楽への貢献は目覚ましく、一九三八年と一九三九年にはカーネギー・ホールで「スピリチュアルズ・トゥ・スイング」コンサートを開催した。これらのコンサートは、三十年後のロックとの融合を示唆するあらゆる要素が詰まった予告編のようなものだった。息子と区別するためにビッグ・ジョン・ハモンドと呼ばれていた彼は、軍人のような威厳がある身長の高い男で、聡明で人当たりがよかった。ヴァンダービルト家（D）の出である母親と銀行員の父親を持つ彼は、大恐慌のさなかであっても、特に大きな経済的苦悩もなくイェール大学で大好きなジャズを追求した。一九三三年、ジャーナリストとして飛び回るなかで、彼は九人の南部黒人たちが強姦の罪を着せられて起訴されたスコッツボロ事件を取り上げ、『ネーション』誌、そしてその後『ニュー・リパブリック』誌に寄稿した。彼はジャズやブルースの解説を『ダウンビート』『メトロノーム』『メロディ・メイカー』『ブルックリン・イーグル』『ニューヨーク・コンパス』などの雑誌や新聞に書いていた。一九三〇年代半ばには、左翼の『ニュー・マッセズ』誌にも、自身の名前やヘンリー・ジョンソンというペンネームで記事を書いた。

ハモンドは才能ある自己破滅的なホリデイ（E）を彼女がまだ十七歳だったときに見いだしていた。ハーレムの西一三三丁目にあるモネット・ムーアのもぐり酒場にモネットの歌を聞きに行ったが、それ以上にビリーに感銘を受け、一九三〇年代を通して彼女とスタジオ内外で仕事を共にした。同じような形で、ヘスターの見事なレコーディングの最中に、ハモンドはディランを見いだしたのだった。

ハモンドは歌を聞こうともせずに契約をオファーしたとディランが主張していることに神経をとがらせていた。九か月のあいだに大手のフォーク・ミュージック・レーベル――エレクトラ、フォークウェイズ、ヴァンガード――からあしらわれ続け、挫折の日々を過ごしてきたディランは、皮肉にもオーディションさえ受けずに大手レーベルから大きなチャンスを手渡されたのだった。ハモンドはファリーナが借りていた西十丁目のアパートメントでのリハーサルでディランに会っていた。そのときのハモンドの記憶は曖昧だ。「彼はキャップをかぶっていてニューヨークに来たばかりだった。彼が初めてフォーク・シティに出演する前だった。そこで聞いた彼の演奏がとても気に入って、スタジオに来てほしいと頼んだんだ。よく歌も歌うとは知らなかったが、曲を書いていることは知っていた。演奏を何曲か聞いて、すぐに契約したんだ。彼は自分にはマネージャーも両親もいないと言った――当時は未成年だったんだ。私たちはすぐにファーストアルバムの制作に取りかかった。一日に三曲か四曲書いていて、マイクの使い方には慣れていなかった頃のことだ。ギターの演奏は、良く言って初歩的なレベルで、ハーモニカはかろうじて通用するくらいだったが、彼には独自の音と視点とアイデアがあった。彼は社会のシステムにひどく幻滅していた。私はその反抗心をテープにぶつけるよう促した。なぜなら、これぞまさしく、真のボブ・ディランになる方法だと思ったからね」

「それで約八か月、ボブと本当に楽しんで仕事を進めていった。指示はまったく出さなかった。彼は詩人で、自らの世代と通じ合うことができると思っていたからね。ほら、当時のコロンビアは、そういうことができていなかったから。プロデューサーの干渉が少ないほうが、ボブからは多くのものを引き出せると思った。ファーストアルバムの制作費は四〇二ドルくらいだ。彼だけで済んだし、編曲のコストも、他のミュージシャンへの支払いもなかった。セカンドアルバムを作っていたとき、彼は私のところに来てアルバート・グロスマンのことを聞いてきた。ボブと契約を結びたがっていたんだ。私たちはニューポート・フェスティヴァルを一緒に運営してきたし、彼とは上手くやっていけると思うと言ったよ。後になって上手くやってはいけないと分かったけどね」

ハモンドはディラン発掘において息子が果たした役割についても記憶が曖昧だった。「息子はディランがニューヨークに来る前から彼のことを知っていたんだ。息子はミネアポリスのコーヒーハウスで演奏をしていて、六一年に私がディランと契約した直後にこう言っていた。『父さん、今ちょうどミネアポリスに来てるんだ。ボビーの本当の名前がジママンで、ミネソタ大学に通ってたって知ってた?』私はこう言った。『いや、それは初耳だ』。だが私はこうも言った。『そんなことは関係ない、それは彼の問題だ』とね」。ハモンド・ジュニアはヴィレッジにいたときにボブと非常に親しくなり、ボブの才能を熱心に売り込んでいた一人だった。父の記憶のどこかにも、ディランに対する息子の熱烈な賞賛が残っていた。

キャロリンのレコード『キャロリン・ヘスター』は、心地よいフォークアルバムで、コロンビアがフォークブームを真剣に受け止め始めた頃に作られた。ディランが演奏したのは三曲だ。「アイル・フライ・アウェイ」は快活な黒人霊歌的な曲で、彼のハーモニカは力強いスタッカートとリズムを加え、小休止をはさみながら、叙情的な音と荒々しい音を交互に奏で、ブルース風の短いリフで曲を締めくくった。「スウィング・アンド・ターン・ジュビリー」では、陽気にスクエアダンスを踊るような明るさでキャロリンは歌った。ブルース・ラングホーンは、スペインギターの演奏を一分間添えた後に、フィドルの音でダンスを盛り上げた。ディランのハーモニカは、情熱的に激しく鳴り響き、軽快な曲をはやし立てていた。さらにディランの味わい深いハーモニカの別の一面が見られるのが「カム・バック・ベイビー」である。ブルース調で悲しげなこの曲に、ディランのハーモニカは伴奏者としての適切な役割――ほとんど目立たないサポート――を果たしていた。ハモンドはキャロリンのセッションに満足し、翌週にはディランと契約することを切望した。やがてディランも知ることになるように、その契約内容は恐ろしいものだったが、ともあれレコードを出すチャンスでもあり、当時はそれこそが何より重要なことだった。初めのうち、ディランはハモンドの熱意や温かさや励ましを好ましく思い、たくさんの偉大なジャズミュージシャンと仕事をしてきた男と活動できることを喜んでいた。

「コロンビア・レコードと五年契約だってよ！」ブラザー・ジョン・セラーズはフォーク・シティで舌打ちをした。「まったく大したもんだ！」。このニュースが広まるにつれて、ディランは職業的な嫉妬をチクチクと感じるようになった。友人を得るのも早かったが失うのも早かった。フォークの世界は「成功した」人間を非難する傾向があった。ハリー・ベラフォンテは典型的な裏切り者と見なされていた。組織の人間となり、オーケストラを率い、多くのお付きを従えていたからだった(16)。俳優として有名になったバール・アイヴスは疎外された(17)。上品なアップタウンにあるブルー・エンジェルで演奏する仕事を得たクランシー・ブラザーズ&トミー・メイケムのような気取らない伝統的なシンガーたちのグループに対しても、ヴィレッジの人びとは「彼らは裏切った。昔のような良さはない」と騒いでいた。マスメディア、ショービジネス、そして注目を浴びることに対する恨めしげな批判は一九六〇年代半ばまで続いた。ディランはいつもその渦中にいた。彼が自分のスタイルを変えるたびに、フォーク純粋主義者たちは腹黒い商業的な力が働いていると考えるのだった。

成功し始めると、ミュージシャンとしてのディランは膨大な数の瞬間的な愛情と反感の対象となった。新たな成功のたびに、ファンとアンチの数は共に増えていった。もちろん、改宗する者もいた。彼を笑い者にしていた人間が彼を崇拝するようになることもあった。嫉妬の声はミネアポリスからさえも響いてきた。フォーク仲間たちは『タイムズ』のレヴューやコロンビアとの契約に愕然とした。「どうしてディランが成功して、当時彼より遥かに優れていたジョン・コーナーが成功しないのかまったく分からなかった」。ミネアポリスのスーザン・ガードナーは一九六八年に私にそう語った。その頃にはもう、彼女や当初ディランの才能を疑っていた人びとはその理由をたっぷりと見せつけられていた。契約の時期から、ディランの歩みには嫉妬と不信感が付きまとうようになった。彼がマンハッタンでくしゃみをすれば、ハーバード・スクエアの人びとが称賛する一方で、バークレーにいる人びとはその音を批判する。東海岸から西海岸まで解釈は様々だった。

のちに彼を圧し潰しかけるプレッシャーは一九六一年九月の最終週から始まった。自分は観客の賞賛にこたえられるだろうか？　嫉妬を乗り越えることができるだろうか？　フォーク・シティでの出演の準備をするたびに疑念は彼の頭のなかにとめどなくあふれ出した。彼が唯一確かに思えたのは、人びとが自分の道化芝居を好んでいるということだった。笑い声、音を鳴らすレジ、チリンと音を立てるグラス、やかましい客たち、そして興味本位の人間たちは全員、主に笑いを意識して演奏することで簡単に操ることができた。彼はステージを一層動き回るようになった。帽子を小道具として使い、目深にかぶり、軽く持ち上げ、再び頭に乗せ、その帽子で額をぬぐい、ハエをたたき、ギターのほこりを払った。曲の合間の独り語りはさらにふざけたものになり、間の取り方は昔より計算されるようになった。彼は猛スピードで成長を果たし、二週間の出演期間の終わりにはたくましく安定したパフォーマーとなっていた。好意的に見ていなかった人びとも公演の最後には彼のことを真剣に受け止めるようになった。ディランに対してどっちつかずな態度を表明する者はごくわずかだった。たいてい大好きか大嫌いかのどちらかだった。

ファーストアルバム

短いリハーサルを終えたボブとハモンドは、七番街にあるコロンビアスタジオAに向かおうとしていた。名だたるビッグバンドとのレコーディング、一九三〇年代の古くて性能の悪いレコーディング機器を経験してきたハモンドにとって、このレコーディングは何とも容易いものだった。ハモンドに必要だったのは、この演奏者兼シンガーと、エンジニアと、彼自身だけだった。ディランは自身の才能と長い茶色の髪の女性スージーを引き連れてやってきた。彼は落ち着きを保っているように見え、大半の曲を五テイク以内で録り終えた。何曲かは驚くべきことに二回で録り終えた。シナトラでさえもウォームアップのためだけに十数回は歌ったことだろう。ハモンドはブルースのことをよく理解している若者との仕事を喜んだ。ハモンドは「p」の破裂音が入らないようにするためボブに繰り返しマイクから下がるよう注意した。二十分ほど経ってようやく、ディランに自信が出てきた。ある時点でハモンドはコントロールブースから離れ、長年の友人であるゴダード・リーバーソンを連れて戻ってきた。リーバーソンはかつて木管楽器のスタジオミュージシャンで、その後コロンビア・レコードの社長となっていた。ハモンドはリーバーソンのコロンビア・レコードでの初仕事の手助けをしていた。リーバーソンはスタジオにいるディランに笑いかけ、年長者の二人はスタジオのインターコム越しに感謝を伝えた。

何より印象に残ったのは、と翌日彼が私に語ったのは「死を見つめて」を録っているときに、廊下の掃除をしていた年配の黒人清掃員が歌を聞くためにスタジオに入ってきたことだった。ボブはそのときに自分の歌は多くの人に聞いてもらえるだろうと思ったという。悲劇的な古い哀歌に足を止めたその清掃員は、ほうきに寄りかかり、目を向け耳を傾けていた。ボブがそのことをずっと忘れなかったのは、ハモンドやリーバーソンのどんな言葉よりも、その光景が心に残っていたからだった。

シンプルに『ボブ・ディラン』と名づけられたファーストアルバムは、一九六一年十一月に行われた三回のセッションで収録されたが、一九六二年三月十九日まで発売されることはなかった。レコーディングからリリースまでの期間が空くことは慣習となっていたが、これほど長期におよぶ遅れはお役所仕事が原因で、ディランはひどく苛立っていた。一九六一年の後半、自分が勢いよく突き進んでいると思っていた彼にとって、五か月間レコードが宙づり状態に置かれることは残酷なまでに期待外れの結果だった。このアルバムがリリースされる頃には、この作品が引き出しの底に残された昔の曲のように思え、気恥ずかしさを感じていた。ディランの失望は、エンジニアリングと編集が終わった後の十二月からもう始まっていた。初めての作品に完全に満足するレコーディングアーティストはほとんどいないが、アルバムの完成から数日も経たないうちに、ボブはライナーノーツのほうが曲よりも優れていると語り、ここやあそこをやり直せたらと願っていた。反対に、この曲やあの曲のレコーディングは良かったとも語った。契約書のインクが乾ききらないうちに、ボブの完璧主義は表に現れ始めていた。

年月を重ねるにつれて、ディランの否定的な反応はお決まりのものになっていった。膨大なエネルギーを費やして曲を書き、歌い、レコーディングをして、コンサートを終えると、束の間の高揚期に入り、その後に落ち込みがやってくるのだった。毎回レコーディングを終えた直後には、これまでで一番の作品だと思うが、すぐにそのアルバムは「自分が作ったちょっとした作品」となった（一九六八年のアルバム『ジョン・ウェズリー・ハーディング』のときは、しばらくのあいだは最高傑作だと思っていたが、その後は、少なくとも公の場では「皆がその当時欲しがっていたようなアルバムにすぎない」と述べている）。

このファーストアルバムは、あるディランの遺言状であり、新たなディランの誕生でもあった。ドン・ハンスタインが撮影した未熟な青年のジャケット写真は、なかにいる老成した男が奏でる曲とほとんど釣り合っていなかった。あの年配の清掃員がほうきにもたれかかっている写真のほうが雰囲気を捉えていたかもしれない。ジャケットのディランは繊細でためらいがちに見えたが、その歌と演奏には大胆な主張が詰め込まれていた。この時点からすでに、スージーと熱烈な恋に落ちていたときでさえ、ディランの頭のなかは死と悲しみの曲でいっぱいだった。死と愛は若き夢想家の目に不可避な一対のものとして映っていた。スージーはセッションの場にやってきて献身的な態度で静かな称賛を送っていたが、彼らの関係は激しく荒れ、彼女の母親が二人を別れさせようとしたことから陰りもした。多くの曲は明らかに彼女に向けられたもので、伝統的な歌詞に加えた変化からは、彼がどれほど強く彼女に対して、そして彼女について表現したいと思っていたかが分かる。

ジャケット写真はアルバムの中身を反映したものでないにしても、当時のディランの見た目をよく表していて、帽子は彼をさらに若く見せていた。笑顔のない、ぽっちゃりとした顔には内気さと気取りが入り混じって表れていた。西部劇的な衣装は一九六一年のヒッピーたちの標準的な服装だった。笑顔のなさは、また別の特徴も表していて、つまり当時のディランには笑顔になるような理由がなかったのである。

ハモンドは一九六九年の後半にボブのギター、ハーモニカ、マイクテクニックの稚拙さを語ったわけだが、当時の彼はこのアルバムを大っぴらに称賛している。ディランのギターは二十歳のデビュー作にしては力強かった。ハーモニカは名人芸とは言えないかもしれないが、アルバムに趣と味わいを与えていた。ハーモニカは声とギターを一つに編み込み、一九六〇年代初期のブルース・ハーモニカへの関心の復活を盛り立てるのに貢献した。ディランが黒人のブルースを理解していたという痕跡がアルバムには全面的に残されているが、死や悲しみに関する歌とウィットや遊びが交互に訪れる（のちに、トニー・グローヴァー、ジョン・コーナー、デイヴ・レイがエレクトラで素晴らしい白人のブルースアルバムを出したとき、彼らは批評家のポール・ネルソンを介してこう問いかけた。「ミシシッピ川の間違った側にいるからって、優れたブルースが歌えないとでも言うのか?」)。デビューアルバムの詳細は次の通り。

〈彼女はよくないよ/You're No Good〉

陽気に皮肉を歌いあげたジェシー・フラーの曲である。ワンマンバンドで、歌いながら六つの楽器を同時に演奏することができたフラーの奔放な田舎町のラグタイムは、人びとを幸せな気持ちにした。「彼女はよくないよ」は、フラーの巧みな腕前を象徴する曲だったが、ディランの手にかかると、悩める男が愛する攻撃的な女を中傷しているナンセンスな曲になる。「彼女はよくないよ」は、「シー・イズ・ノー・グッド」として、いくつかのアメリカ版のレコードに間違って記載され、イギリスの初版でもそのタイトルでリリースされたりした。その快活さやテンポのためにアルバムに組み込まれたこの曲は、新たなシンガーとしての才能をほとんど主張していない。それにもかかわらず、その声の生命力、たくましさ、響き、鋭さ、推進力は、その演奏と共に注目を勝ち得ている。間奏でディランは自身のワンマンバンドを作り上げる。疾走するハーモニカはギターに語りかけ、ギターはすぐに返事を返す。その後、歌声が再び高まり、会話は続く。ほどなくウィットに富んだナンセンスが陽気に騒いで転げまわる。このときギターの音色はとても澄んでいる。ディランが曲のなかに入っていくにつれて、彼のいたずら心が前面に押し出され、それは茶目っ気あふれるジャック・エリオットを彷彿させるようなボーカルリフのなかで高まっていく。「彼女はよくないよ」は、このアルバムの最も明るい瞬間の一曲である。ここでのディランは喜劇役者だ。

〈ニューヨークを語る/Talkin' New York〉

最初期のディラン。この曲は歌詞作りの才能、音楽ビジネスに対する皮肉な見方、彼のユーモアとタイミングをコントロールする力を示している。あるウディ・ガスリーの曲がモデルとなり、そこからディランは自分なりの曲を作った。また別のガスリーの曲も趣を与えてくれた。さらに別の曲はディランが自分のメッセージを具現化するちょっとした哲学を授けてくれた。最初のモデルとなったガスリーの曲は「トーキン・サブウェイ」で、次のように歌われる。

おれはオールドニューヨークに向かった
仕事を見つけようと思ったんだ
片足を持ち上げ、もう一方の足を下ろし
地上に開いた穴のなかを抜けていく
ホランド・トンネル。三マイルのトンネル
ハドソン川の滴をスキップして進む

不意にニューヨークの町が現れて、
おれは上を見上げ、下を向いた
道を歩いている人たちは皆
地上に開いた穴のなかに流れていく
おれはついていった。彼らがどこに向かうか見るために
新聞売りの少年は、彼らが穴に入ったネズミをいぶし出そうとしていると言っていた(18)

ガスリーの曲で二番目に影響を与えたのが「ニューヨーク・タウン」だが、右のブルースと同様に、ディランの曲は構成と統制に明らかな改良を加えている。七節目でディランはウディを間接的に引用し、彼なりに次のガスリーの「プリティ・ボーイ・フロイド」を要約している。

そうさ、この世界を歩いていると

たくさんのおかしなやつらを見かけるよ
六連発拳銃で強奪をしようとするやつもいれば
万年筆でそうするやつらもいる (19)

トーキングブルースは非常に古い形式で、シンプルなギターを背景に語られる。その語りは皮肉な物語をほとんど無表情に伝え、それぞれの詩節は皮肉な言い回しで締めくくられる。ガスリー以降のトーキングブルースの大半は、フォークにとってユーモアを伝える手段だった。この形式の正確な起源は分かっていないが、黒人ゴスペルの曲に導入された「説教」に起源をたどることができる。口頭で説教をしていた集会のリーダーは、リズムをつけた曲を作り上げるようになった。そして多くのブルースは、ほとんど語りかけるように歌われている。レッドベリーもよく、自らの語りを曲に取り入れていた。

「トーキングブルースの父」と言えば、サウスカロライナの歌手クリス・ブシロンで、彼は一九二〇年代に「オリジナル・トーキングブルース」をレコーディングしていた。ロバート・ランは一九三〇年代から一九四〇年代の商業的なカントリーシンガーで、自身のことを「元祖トーキングブルースマン」と言っていた。ブシロンのレコーディングを担当したのはフィールド・レコーディング分野のパイオニアであるフランク・ウォーカーで、ブシロンの歌は嫌いだったが「彼の語り方はすごく好きだった」という。音楽として一つのジャンルが生まれたのは、歌がとても下手だという理由からだった！　ガスリーとディランは、大抵カーターファミリー奏法をフラットピックか親指と人さし指で演奏した。低音弦を弾いた後に、一弦から四弦の高音をストロークし、それから再び低音を弾く。ディランの「ニューヨークを語る」は、キーはGで三つのコードしか使われていない。

音楽ビジネスや、ニューヨークのよそよそしさや、コーヒーハウスでの興行や、音楽ビジネスの興行主たちを批判するこの曲が書かれたのは、ボブいわく「一九六一年の五月で、ホランド・トンネルからヒッチハイクをしてたんだけど、間違って、行きたかったカリフォルニアじゃなくて、フロリダに向かい始めていた。午前七時に出たけど、失敗だった。それであらためて午後五時に出発したんだ。ハイウェイのトラックストップで言葉を綴り始めた。紙に綴ったんだ。セントルイス、ミネアポリス、ウィスコンシン州のマディソンまで行ったよ」ディランは大っぴらにコーヒーハウスの音楽シーンを罵った。「サテンのシャツを着てガット弦のギターで出演させようとしてきたんだ。ぼくはいつもスチール弦で演奏していたし、それに、サテンのシャツも着ないのは知ってるだろ？」と彼は私に言った。ディランの音楽ビジネスに対する疑念は、初めてのレコーディングのときから早くも表れており、老成した男の精神と洞察が垣間見える例のひとつだ。

〈死にかけて／In My Time Of Dyin'〉

この古い霊歌はアルバムのなかで最も心揺さぶる曲かもしれない。ディランは、どこでこの曲を初めて聞いたのか分からず演奏したのもこれが初めてだと言っていた。ジョシュ・ホワイトは一九五〇年代後半にリリースされた『ジョシュ・アット・ミッドナイト』でこの曲を歌っていたが、一九三三年にもシンギング・クリスチャンという偽名でレコーディングをしている。ホワイトはディランのヴァージョンよりもずっと心地よく流れるこの曲に「ジーザス・ゴナ・メイクアップ・マイ・ダイイン・ベッド」というタイトルを付けた。他にもドック・リードが一九五〇年にフォークウェイズから出したアルバムでも、非常にもの悲しい独唱のヴァージョンが収録されている。ディランのヴァージョンはホワイトよりも深みがあり、構成がしっかりとしていると、一九六三年に私がディランのレコードを聞かせたときにジョシュ自身が認めている。彼は曲を聞くとうなずくように微笑んだ。

「こいつは自分がやっていることをよく理解しているね！」

ディランの見事なギター演奏は、ロバート・ジョンソンとラビット・ブラウンを研究した成果が現れたもので、技術的にかなり独創的である。彼はオープンDチューニングを用いて新たな質感を築き上げている。低いE音の六弦を、四弦の一オクターブ下のD音に下げ、一弦の高いE音を四弦の一オクターブ上のD音にする――そうして三つのオクターブのD音を奏でる。これによってスタンダードなチューニングよりも明るさが抑えられるという効果が生まれる。カポは四フレットに付けられ、スージーの口紅の金属キャップを左手の小指にはめてボトルネック奏法を行っている。そのキャップによって、弦は内部共振を起こし、かすかに響く音が生まれる――これは昔のデルタ・ブルースマンの多くがウィスキーの瓶の首(ボトルネック)を使ってやっていたことだった。歌声は心に訴える自叙伝を伝えるための切迫した手段となっている。死に憑りつかれた人物との一体化は、これほど若いシンガーにしては見事である。ディランはこの曲を公の場では歌っていないが、この曲はレコーディングされた曲のなかでも最も優れた演奏を見せた一曲である。

〈いつも悲しむ男／Man Of Constant Sorrow〉

伝統的な南部の苦悩に満ちた白人のマウンテンミュージックで、フォーク・シンガーのスタンダードナンバーであるこの曲は、おそらく一九二〇年代後半に、ケンタッキー州出身のエムリー・アーサーによって初めて録音されたと思われる。彼はウィスコンシン州のポート・ワシントンに移住して椅子の製造工場で働いた。彼はこの曲を自分が作曲したと主張している。そして一九三〇年代に、ケンタッキー州の鉱山労働者の妻サラ・ガニングが自身のヴァージョンを書いたのが「アイ・アム・ア・ガール・オブ・コンスタント・ソロウ」だった。ディランは一九六〇年代の初めにニュー・ロスト・シティ・ランブラーズやバエズらによって歌われていたヴァージョンを書き換えたのだった。曲内で出生地はコロラドに変更されている。スージーの母親との問題を振り返り、彼は「きみの友達は、ぼくをよそ者だと思うかもしれない」の箇所を「きみのお母さんは、ぼくをよそ者だと言っている」と変えた。彼は極めて抑制のきいたフラットピッキングスタイルに戻り、伝統的なマウンテンミュージックの様式を見せている。この曲は、身震いする孤独な人物のステートメントが表現されており、ディランがとても気に入っている一曲でもある(20)。

〈死をみつめて／Fixin' To Die〉

ディランは、この死の別の一面を、かつてのオーケー・レコードでブッカー・T・ワシントン・ホワイト(ブッカ・ホワイト)が録音した曲から学んだ。ブッカはパーチマン農場ことミシシッピ州立刑務所に服役していたことがあるブルースマンだ。ブッカ・ホワイトはこの曲を賛美歌であるかのように歌っているが、ディランは明るいテンポで歌っている。「死をみつめて」は、ロックのギタリストたちがのちに頻繁に使用したスライドやスミアのような奏法で幕を開ける。ディランのフラットピック奏法のギターは再びオープンDチューニングを取り入れている。ブッカ・ホワイトの描写の多くは「イン・マイ・タイム・オブ・ダイイング」のような昔の霊歌とムードや性質が似ていた。ベトナム戦争への不満をぶちまけた「アイ・フィール・ライク・アイム・フィクシン・トゥ・ダイ・ラグ」で知られるカントリー・ジョー・アンド・ザ・フィッシュのジョー・マクドナルドは、一九六五年にこの曲名を使用した。

〈プリティ・ペギー・オウ／Pretty Peggy-O〉

陽気に騒ぐ広大な風刺である。ディランはバエズのスタンダード曲を用いてたくさんの遊びを繰り広げている。第一次世界大戦中にイギリスのフォーク・ソング収集家セシル・シャープは南部アパラチアでいくつかのヴァージョンを収集している。スコットランドでは、この曲は「ボニー・ラス・オーフィビーオウ」として知られ、イギリスでは「プリティ・ペギー・オブ・ダービー」として知られる。バエズのヴァージョンは「フェナリオ」と呼ばれているが、ディランの場合はこの「フェナリオ」を未知の場所として描き出している。大半のヴァージョンではもっと軽くてしなやかに歌われているが、ディランはバタバタとした風刺劇に仕立てている。彼の狙いは、思うに、「ずっと前にいなくなってしまった警部補」(21)といった言葉でフォークの復興をからかうことであり、「ロデオ」(22)は昔のヴァージョンの言い回し「火星(アーリオ)にいる美しいメイド」に通じる韻になっている。

〈ハイウェイ51／Highway 51〉

ヴィレッジでの初めの年、ディランは自分はカントリーシンガー、あるいはロカビリーシンガー、もしくはただのシンガーだと主張していた——しかしフォーク・シンガーだとは言わなかった。「ハイウェイ51」はエレキ楽器もリズムも使用されていないが、おそらく初めてのフォーク・ロックだ。故トム・ウィルソンはディランのプロデューサーの一人で、フォーク・ロックはアニマルズが一九六四年に「朝日のあたる家」をエレキ楽器でレコーディングしたときから始まったと考えていた。もう一つのスタート地点は、ディランが一九六二年にセカンドアルバムに向けた収録時にエレキ・ギターでアレンジした四曲だった。さらにもう一つの出発点は、バーズが一九六五年にリリースしたディランの曲「ミスター・タンブリン・マン」である。しかし、この曲にはエレキ楽器を除いたフォーク・ロックのあらゆる要素がある。

アメリカのフォーク・ソングとブルースには旅のイメージが浸透し、自由と変化を象徴している。南部の黒人たちにとって、列車の汽笛とは逃亡の音であり、線路の行きつく先にある新たな生活へ向かっていくか、昔の生活を懐かしむものだった。ビッグ・ジョー・ウィリアムスは「ハイウェイ49」を歌った。ロバート・ジョンソンは「クロスロード・ブルース」や「テラプレーン・ブルース」に熱心だった。ナット・キング・コールでさえも「ルート66」を歌っていた。ガスリーとピート・シーガーは苦境と新たな始まりを歌った「66ハイウェイブルース」でコラボレーションを見せた。

「ハイウェイ51」は彼の傑作「追憶のハイウェイ61」の予兆であり、一九〇六年生まれのテキサスのブルースマン、カーティス・ジョーンズの功績である。ジョーンズの曲は一九三〇年代にヴォーカリオンとコンカラーからリリースされ、南部の黒人の移住者たちに好まれたルートのことを歌っていた。ハイウェイ51はニューオーリンズから、ウィスコンシン州のマディソンにかけて走っていた。カーティス・ジョーンズの曲は一九四〇年に、荒々しく、しゃがれた声のシカゴのブルースマン、トミー・マクレナンによってもレコーディングされている。エヴァリー・ブラザーズはこの曲をロカビリーにした。ディランの歌詞とメロディはジョーンズとはかなり異なっている。興味深いことに、ディランはジョーンズの歌詞にあるバスの箇所や、マクレナンのグレイハウンドバスへの具体的な言及をほとんどすべて省略している。

ギターのみにもかかわらず、リズムセクションのような音で、ジャズドラムを彷彿とさせるアクセントを織り交ぜて奏でられる――これは非常に独創的なフラットピック奏法を用いたリッチー・ヘヴンスの刺激的なギター演奏の先駆けである。繰り返されるオープニングはエヴァリー・ブラザーズの「起きろよスージー」でも使用されている。蒸気機関車のような音をバッパッと奏でるギターを背景に、ディランは力強いヴォーカルのロカビリーブルースを歌いあげている。拍子、テンポ、躍動感が二分四九秒の曲のなかで、幾度も力強いクライマックスを築いている。死は歌詞に込められているが、ありあまる生命は彼のヴォーカルとギターに込められている。

〈ゴスペル・プラウ／Gospel Plow〉

昔の黒人霊歌を現代的なポップフォーク・ソングに変換した曲で、アップテンポなメジャーキーで構成されている。「鋤(プラウ)を握り続けよ」は、アメリカの農地の人びとの言葉である。このフレーズは力強い決意を持って語られることが多いが、ディランは吠えるような声で躍動感を強調し、群がるギターの音を乗りこなしている。この曲の演奏はアルバムのなかで最も不成功に終わっている。彼の手は曲のムードに合わせ続けることができていないように見える。このアルバムはA面もB面も出だしの曲はディランの最高の歌ではない(F)。「ゴスペル・プラウ」は、のちの彼のキリスト教との関わりを予示している。

〈連れてってよ／Baby, Let Me Follow You Down〉

ラビット・ブラウンを思い起こさせる繊細なギターの演奏に続いて、かき分けるようにディランはこの曲の中へと入っていく。語りによる導入は当時のフォーク・ミュージックに見られた曲の前置きを皮肉っている。ディランは皮肉交じりに、この曲を教えてくれたのはケンブリッジのエリック・フォン・シュミットだとしている。ライナーノーツのなかで、ディランはフレデリック・ラムジー・ジュニアがフィールド・レコーディングを行いフォークウェイズからリリースされたアラバマの小作人ホレイス・スプロットの古いレコードの要素をエリックが取り入れたと思っていると述べている。ディランのスリーフィンガーピッキング奏法は優しいハープのような伴奏を奏でており、ハーモニカ、声、ギターの洗練された会話が成立している。その歌唱は強く感覚に訴えかけてくる。「ベイビー」とは明らかにスージーに向けられた言葉で、彼女はこの曲を「自分の曲」だと考えているときもあった。ディランはのちにこの曲をゲイリー・デイヴィスの「ベイビー・レット・ミー・レイ・イット・オン・ユー」と結びつけている。

〈朝日のあたる家／House Of The Risin' Sun〉

アラン・ロマックスが彼の言う「現代的な南部の白人の歌」を初めて録音したのは、一九三七年、ケンタッキー州のミドルズボロだった。ロマックスは、古典的な「リトル・マスグレイヴ・アンド・レディー・バーナード」(チャイルドバラッド81番)とそのアメリカ版「リトル・マティ・グローヴス」とメロディを同じくする、猥雑な古いイギリスの曲にまで遡った。この売春に引きずりこまれてしまった女性の哀歌は、ジョシュ・ホワイト、シンシア・グッディング、ガスリー、シーガーやその他のシンガーたちによってレコーディングされた。この当時、キャロリン・ヘスターは非常にドラマチックなヴァージョンを歌い、ヴァン・ロンクのものは荒々しくて簡潔だった。ディランはこのように語る。「この曲のことはずっと知っていたけど、デイヴ・ヴァン・ロンクが歌ったのを聞いて初めてよく分かった」

この若いシンガーは曲を自分自身のものにし、言葉を感情的な限界点にまで希釈し、空白と沈黙を生かし、より効果のあるサウンドを生み出している。ジャコメッティの彫刻のような薄さで、空白に取り囲まれた言葉は、作品そのものに注意を引きつける。男性のフォーク・ミュージシャンが女性の曲を歌うときは性別を変えるものだが、ディランは歌詞をそのまま生かしている。アニマルズも取り上げた、この古い女性の曲はディランがイギリスのロックシーンに入っていくきっかけとなった。

〈貨物列車のブルース／Freight Train Blues〉

安心できる明るい瞬間がやってくる。ボブはこの曲の起源を「キング・オブ・カントリーミュージック」のロイ・エイカフに求めているが、おそらく彼が学んだのはエリオットからだろう。ハーモニカをスライドさせ、陽気なヒルビリーのムードに舞い降りながら、ディランはヨーデル風に歌い、詠唱している。ヴォーカルのメロディは確固とした韻律を奏でるギターに対抗している。エイカフのように、ディランはひとつの音を引き延ばして、典型的なカントリーミュージックの風情を生み出す、もの寂しい列車の汽笛を真似た。残念なことに、ボブはその汽笛の音を一発で正確には出せず、声がわずかに揺らいでいる。ハモンドは、この部分をカットせずに収録した。

〈ウディに捧げる歌／Song To Woody〉

ディランはこの哀歌を一九六一年二月に書いたが、それはグリーソン夫妻の家での悲しい出会いのあと、ミルズホテルのバーでのことだったと言われている。優雅な四分の三拍子のなかで、繊細に揺れ動くフォーク・ソング的なメロディはガスリーが「1913年の大虐殺」で用いた伝統的な曲を変化させたものだった。親密な雰囲気と落ち着いた子守歌のようなトーンから、私たちはウディのすぐそばに寄り添うボブの姿を思い描く。ボブは崇拝した人物が衰弱していく姿にショックを受け、そのことがおそらく、このアルバムの死への拘泥を駆り立てているのだろう。この曲は、しかしながら、若い頃のガスリーの長い旅の時代を思案している。心に訴えるヴォーカルのバックはシンプルなギターの演奏で、線画のように控えめな表現によってインパクトを生み出している。

一九六一年の初秋、ディランは「ウディに捧げる歌」をフォーク・シティでのフーテナニーで演奏した。バエズがその場にいて、彼女はヴァンガードのメイナード・ソロモンにこの曲を歌いたいと言った。そこで私はメイナードに、ディランの曲をレコーディングしたいかと尋ねた。彼はしたくないと言っていたが、ジョーンは彼の「ウディに捧げる歌」を歌いたがっていた。しかし、ジョーンはテープやレコードにすることはなく、一九六三年の春にディランと西海岸で会うまで、このエピソードを忘れていた。

「ウディに捧げる歌」の悲しい補足書きが、一九六六年四月／五月号の『シング・アウト！』に掲載された。オハイオ州ヤングスタウンのロバート・フェリスが「ウディに捧げる歌」のディランのメロディと構成を使って、ディランへの幻滅、彼が「エレキのほうに行ってしまった」ことについて自身の歌を書いたのだ。フェリスはこのように書いている。「ぼくの作ったこの曲なら、誰もが自分にとっての落ちた偶像に対する反感を表現することができる」

〈僕の墓をきれいにして／See That My Grave Is Kept Clean〉

伝統的な黒人霊歌で、ブラインド・レモン・ジェファスンが一九二七年十月にパラマウントでレコーディングをして名曲となった。リリースされたのは一九二八年二月で、「レース・レコード」の最も有名な曲の一つとなった。ブラインド・レモンがこの曲を知ったとき、このフォークの霊歌は「トゥー・ホワイト・ホーセズ・イン・ア・ライン」と呼ばれており、「ワン・カインド・フェイヴァー」としても知られていた（他にも「トゥー・ホワイト・ホーセズ」という曲があるが、この霊歌の歌詞とメロディは異なっており、こちらは一九二七年のカール・サンドバーグのコレクション『ジ・アメリカン・ソングバッグ』に収録されている）。ブラインド・レモンとディランのヴァージョンは、伝統的な英国系アメリカ人のバラッドのイメージ――銀の鋤で墓を掘る、下に置かれる棺、棺を運ぶ二頭の白い馬など――に富んでいる。ボブは自分自身の足跡も残しながら、伝統を再現している。ブラインド・レモンの歌は明るく、優しく、情け深いが、ディランのほうは飾り気がなく陰鬱だ。ボブの優れた間の取り方がこのドラマを支えている。

九月からこれらのレコーディングセッションのあいだに、彼はメロドラマ的な過剰さを統制できるようになっていた。アルバムのなかでは「ゴスペル・プラウ」だけが演奏上のコントロールを欠いていたと言えるかもしれない。「僕の墓をきれいにして」のような曲で、彼のアレンジが適切な境界線を越えることは決してない。棺は埋められ、墓碑銘が定められる。成熟したアーティストたちは初めての作品をその後の作品で掻き消してしまいたいと思うものだ。しかし五年の準備期間を経て、ディランは力強いスタートを切っていた。

ディランはアルバムには収録されなかった曲を他にも四つ録音していた。「ザ・ハウス・カーペンター」は伝統的な南部のマウンテンソングのバラッドで、バエズやボブ・ギブソンによって人気の曲となった。「ヒー・ワズ・ア・フレンド・オブ・マイン」ではシカゴの路上シンガー、ブラインド・アルヴェラ・グレイから学んだ曲を取り入れ、のちにバーズはこれをジョン・F・ケネディ大統領に捧げる曲としてレコーディングした。ガスリーの朗らかな「ランブリン・ブルース」は「ランブリン・ラウンド」や「ランブリン・アラウンド」としても知られている。そして「マン・オン・ザ・ストリート」はヴィレッジの西四丁目でのエピソードから生まれたオリジナル曲だった――ボブは死んでいる男を警官がこん棒で突いて起こそうとする様子を見たことがあった(23)。

ハモンドは私がライナーノーツを書けるようテストプレス版を送ってきた。私は適当につけたステイシー・ウィリアムズというペンネームを使った。暗黙のルールで、破られることも多かったが、『タイムズ』の音楽部門の人びとはレヴューするかもしれないレコードの制作現場には一切関わるべきではないとされていた。しかし、ほぼ全員がライナーノーツを匿名やペンネームで書くことで副収入を得ていた。私がライナーノーツについて話すと彼は喜んだが、ヒビングのバックグラウンドを隠すという壮大なゲームは続いていた。もし誰かがステイシー・ウィリアムズは何者かと聞いてきたら、ボブは「古いジャズやブルースについてブツブツ言っている男でコロンビア・レコードに向けて書いている」と言うことにするということで合意した。

彼のオフィシャルな物語を準備するため、一九六一年十二月のある午後に私の家を訪ねてきたディランは、まくし立てるように素早く語り、事実を操作しているようなところは一切見せなかった。彼は熱心に自分の原点や自分に影響を与えたものを称えていた。「昔のブルースシンガーみたいに表現したり、間合いを生かしたりすることは誰にもできないよ」とボブはロバート・ジョンソンやビッグ・ジョー・ウィリアムスを名指しで褒めた。彼は「僕の墓をきれいにして」を普段歌っていたようには収録せず、いつもは「僕の墓を掘ってくれ／血のついた鋤で／そして墓掘りが十分な報酬をもらっているか確かめてほしい」と歌っていたと力説した。

オフィシャルな経歴を語ろうというのに、ディランは昔の時代にまでさかのぼって語る準備ができていなかった。彼は「ずっと北の、カナダの国境線近くの」ヒビングにある高校を卒業したと言った。卒業までのあいだにも、サウスダコタ州のスーフォールズやニューメキシコ州のギャラップで暮らしていたという。「奨学金でミネソタ大学に行ったけど、六か月でやめた。大学と合わなかったんだ。退学したよ。たくさん本を読んだけど、必読書の類いじゃない。たくさんの人文科学の本、経済本、アダム・スミスの『国富論』も読んだし、人が勧めてくるだろうからゾラやルソーも読んだ。理系コースの『リビング・ウィズ・ザ・バーズ』を読む代わりに一晩中カントの哲学書を読んだ。スペイン語のクラスを取ったのは簡単に良い成績が取れると思ったからだ。だけどスペイン語の教師にはひどくけなされた。ぼくはスペイン語で会話ができたにもかかわらずね。ミシシッピ川の土手のワシントン・アヴェニュー橋の下で四人の男たちと暮らしたこともある」。東部への巡礼に関して、ボブはこのように言っていた。「ウディに会うためにはブルックリンのウディを訪ねるし、そうすると元気になるんだ。ウディと話をして、忘れられない経験になった。今も落ち込んだときにはグレイストーン病院に向かったんだ。ウディのもとには何度も何度も行ったけど、ぼくはもうひとりのウディ・ガスリーになりたいわけじゃない」

彼はスターの地位を予期していたのだろうか？　ディランは五セントしかポケットに入っていない路上生活者と同じくらい謙虚に見えた。「自分がエンターテインメントの世界の空で光を放てるなんて思わなかったよ」。彼は自分に影響を与えた人びとの概略を語った。「ぼくは十歳のときに歌とギターを始めた。ハンク・ウィリアムスがちょうど亡くなったばかりで、はじめはカントリーミュージックを好きになったんだ――ジミー・ロジャーズとかね。それからジェリー・ロール・モートンのような人や昔のブルースに興味を持つようになった。レッドベリーや『シー・シー・ライダー』も記憶に残っているけど、ジャック・ガスリーのカントリーソングも好きだった。カントリーソングとブルースのどちらが一番かは本当に決められなかった。だからハンク・ウィリアムスとウディ・ガスリーをミックスした存在になっていったんだろうね」

チャーリー・チャップリンに陶酔していたことについては？　「彼はぼくに影響を与えている、歌い方にさえもね。彼の映画は、ぼくにしっかりと浸透している。この世のユーモアを目にするのが好きなんだ。身近には本当にユーモアが少ない。いつもチャップリンのトランプ（放浪紳士）を意識しているよ」。では死の歌についてはどうだろう？　「そうだね、『僕の墓をきれいにして』のような歌には近しさを感じている。ぼくは自分自身や同様の形で歌う多くの人を代表しているんだ」。彼はヴァン・ロンクとエリオットと非常に良き仲間となり、互いの音楽を交換することを切望していた。古いロックン・ロール――プレスリー、リトル・リチャード、そしてロカビリーシンガーのカール・パーキンスも大ファンだった。

彼は自分のハーモニカの演奏をジェシー・フラー、「リトル・ウォルター」・ジェイコブス、ソニー・テリーと結びつけていた。「今はもう少し自分のスタイルで吹いてるけどね」。未来についてどう思う？　「ただ自分らしく歌い続けていたいと思うね。ただ何とかやっていければいい。大金を稼ごうとは思っていない」。もし大金を手にしたら何をする？　ボブは微笑んだ。「大金を手にしたら、バイクを二台、エアコンをいくつか、ソファを四つか五つ買いたいね」。私たちはフォークレコードレーベルのフォークウェイズ、ヴァンガード、エレクトラが彼を無視したり否定したりしたことについて冗談を言い合った。「ぼくは彼らのところに行ったし、フォークレコードの人たちに聞いてもらった。今では彼らが契約してくれなくてよかったと思うよ」

彼は自分の作曲方法について要約した。「曲がさっと降りて来るか、何も来ないかだよ」（彼はのちに押し寄せる締め切りが自分を「多作」にしたと言っていた）。長い時間をかけて熟成される曲もある。「ちょっとしたフレーズや、ふと耳にしたことを走り書きしておくんだ」。彼は自分の曲に影響を与えた映画についても言及した。私刑による殺人についての映画『牛泥棒』を観た直後に、彼は「バラッド・オブ・ザ・オックスボウ・インシデント」を書いた。彼は心を打つソビエトの反戦映画『誓いの休暇』を観たばかりで、「この映画をもとに曲を書くと思う」と言っていた。彼は三年前ひどく体調を崩し（おそらくぜんそくで）、死について何度も考えるようになったという。私が彼の死へのあこがれを詳しく聞き出そうとすると、ディランはほとんど話をしなくなった。

アルバムは一九六二年三月に発売され、いくつか絶賛するレヴューもあったが、レコードビジネスの面で言えば「何も起こらなかった」。二年が経過してから、ようやくこの見事なデビューレコードは大きく売れ始めた。コロンビアの人びとはボブ・ディランのことを「ジョン・ハモンドの愚行」と呼んでいた。ほんのわずかな人たちだけがディランには見込みがあると思っていた。スージーもそう信じていたが、ほとんど最初の時点からボブが死に憑りつかれていることを恐れていた。一九六一年十一月頃には、愛はディランにとって禁句となり、それはスージーにとっても同じだった。ボブは、このロマンスが消える運命にあると感じていた——そんな思いが、二十歳の青年に老成した曲を歌わせ、人生は終わってしまうのだと考えさせていた。

一九六一年 十一月、ファーストアルバムの収録でコロンビア・レコードのスタジオＡにいるディラン。

【原注】

(1)アルバート・グロスマン(一九二六〜一九八六年)は、一九六二年から一九七〇年までディランのマネージャーを務めた。
(2)ピーター・ポール&マリー「風に吹かれて」のジャケットの解説文より。
(3)『時代は変る』のライナーノーツ所収「11のあらましな墓碑銘」より。
(4)同上。
(5)同上。
(6)クランシー・ブラザーズとトミー・メイケムは初期のフォーク・リヴァイヴァルの重要人物であったが、今では皆いなくなってしまった。最も若いリアムは二〇〇九年に亡くなった。ディランは彼のことを「ぼくが聞いたなかで、最高のバラッドシンガー」と言っている。ウディ・ガスリーとともに、ディランが『ノー・ディレクション・ホーム』のインタヴューで非常に親しみをこめて語っていたのがクランシーたちであった。彼らもシェルトンと非常に親しい友人だった。
(7)ファルセットで歌うタイニー・ティム(一九三〇〜一九九六年)はアメリカのポピュラー・ミュージックの歩く百科事典であり、彼はウッドストックを一九六七年に訪問している。
(8)マイク・ポルコ(一九一五〜一九九二年)はディランの初期の擁護者で、一九八〇年、二度目のマンチェスターでのボブ・ディラン・コンベンションでゲストとして迎えられた。
(9)執筆をしていた当時、イジー・ヤングはストックホルムでフォークロア・センターを経営していた。彼は『ノー・ディレクション・ホーム』に出演し、ディランは『ボブ・ディラン自伝』で彼のことを穏やかな様子で振り返っている。
(10)一九六一年にディランがレコーディングした「ディンクの歌」は最終的に二〇〇五年に『ノー・ディレクション・ホーム』のサウンドトラックとなった。
(11)ディランは一九六七年に「ポ・ラザルス」を再び演奏している。しかし『地下室』に収録されたヴァージョンはわずか一分でカットされている。元々この曲はアラン・ロマックスが一九五九年に収集した囚人の歌で『オー・ブラザー!』(二〇〇〇年)のサウンドトラックとして復活した。その後ロマックスは釈放された囚人のジェームス・カーターに印税として二万ドルの小切手を贈った。
(12)デイヴ・ヴァン・ロンク(一九三六〜二〇〇二年)。彼が最後に参加したのはナンシー・グリフィスの「Other Voices, Too…」(一九九八年)だった。この作品で彼は、ディランが好きな「ヒー・ワズ・ア・フレンド・オブ・マイン」をエリック・フォン・シュミットと共演している。
(13)Robert Shelton, *Born to Win*, p248.
(14)ジャック・エリオットは一九九八年にクリントン大統領から全米芸術勲章を、二〇〇五年にはBBCラジオ2から功労賞を授与されている。『フレンズ・オブ・マイン』(一九九八年)には、トム・ウェイツ、アーロ・ガスリー、エミルー・ハリスやその他のアーティストが参加し、彼に敬意を示した。また、彼のドキュメンタリー映画『The Ballad of Ramblin' Jack』も制作されている。
(15)キャロリン・ヘスターは一九九二年、マディソン・スクエア・ガーデンで開催された三十周年のアニバーサリーコンサートにゲスト出演した。ディランがレコードデビューのきっかけをつかんだ彼女のアルバムは、ボーナストラックが入ったCD『キャロリン・ヘスター』（一九九四年）として再版された。ヘスターとリチャード・ファリーナの生活やその他多くについてはデイビット・ハージドゥの『Positively 4th Street: The Lives and Times of Joan Baez, Bob Dylan, Mimi Baez Fariña, and Richard Fariña』に詳述されている。

（16）ベラフォンテとディランは一九八五年に発売されたチャリティ・ソング「ウィー・アー・ザ・ワールド」で再びタッグを組んだ。

（17）一九四〇年代、バール・アイヴス（一九〇九～一九九五年）は、ウディ・ガスリーやピート・シーガーと並んで、フォーク・ミュージックを受け継ぐ重要な担い手であった。彼は役者の道に進出し、ジェームズ・ディーンと共演し、子供向けのラジオ番組で長年の人気者となった。しかし一九五二年、「Red Channels」のブラックリストに名前が載り、下院非米活動委員会に召喚されたことから彼の評判は著しく傷つけられた。

（18）ウディ・ガスリー「トーキン・サブウェイ」より。

（19）ウディ・ガスリー「プリティ・ボーイ・フロイド」より。

（20）「いつも悲しむ男」は『オー・ブラザー！』のサウンドトラックとして登場し、「ナッシュヴィル・スカイライン」でディランと演奏をしたノーマン・ブレイクにより、新たな聴衆を獲得した。

（21）「プリティ・ペギー・オウ」の歌詞より。

（22）同上。

（23）「ザ・ハウス・カーペンター」、「ヒー・ワズ・ア・フレンド・オブ・マイン」、「マン・オン・ザ・ストリート」はのちに『ブートレッグ・シリーズ1～3集』に収録された。

【訳注】

（A）グリニッチ・ヴィレッジ周辺に密集している小劇場。三〇〇～四〇〇席程度。

（B）バーバーショップ・カルテットは十九世紀のアメリカで生まれた男性コーラスグループやその音楽形態を指す。男声の四重唱でアカペラというスタイルが基本。当時の社交場だった床屋から発祥したと言われている。

（C）一時期売り上げが低迷していたマールボロだが、一九六〇年代の初めに「マールボロ・カントリー」というキャッチフレーズとともに「マールボロ・メン」として知られるカウボーイの広告を打ち出し、以降マールボロは男性らしさを象徴するたばことして認知されるようになった。

（D）米国の海運・鉄道王であるコーネリアス・ヴァンダービルト（一七九四～一八七七年）を祖とする米国の財閥の家系。

（E）ビリー・ホリデイはその情感的な歌が高く評価されていたが、一方で数々の男性遍歴や逮捕歴があり、薬物やアルコール依存症にも苦しんでいた。

（F）このファーストアルバムのB面の最初の曲が「ゴスペル・プラウ」である。

04

寂しき西四丁目一六一番地

ボビーは変わったんじゃない、
ただ成長したんだ。

——ビッグ・ジョー・ウィリアムス

水面に映る自分の姿も見えない
痛みを伴わずに声を発することもできない
自分の足音の響きも聞こえない
自分の名前の響きさえ覚えていない

——ディラン(1)

後ろからでも分かるディランの姿。
コンサートのサウンド・チェック中。

O DIRECTION HOME

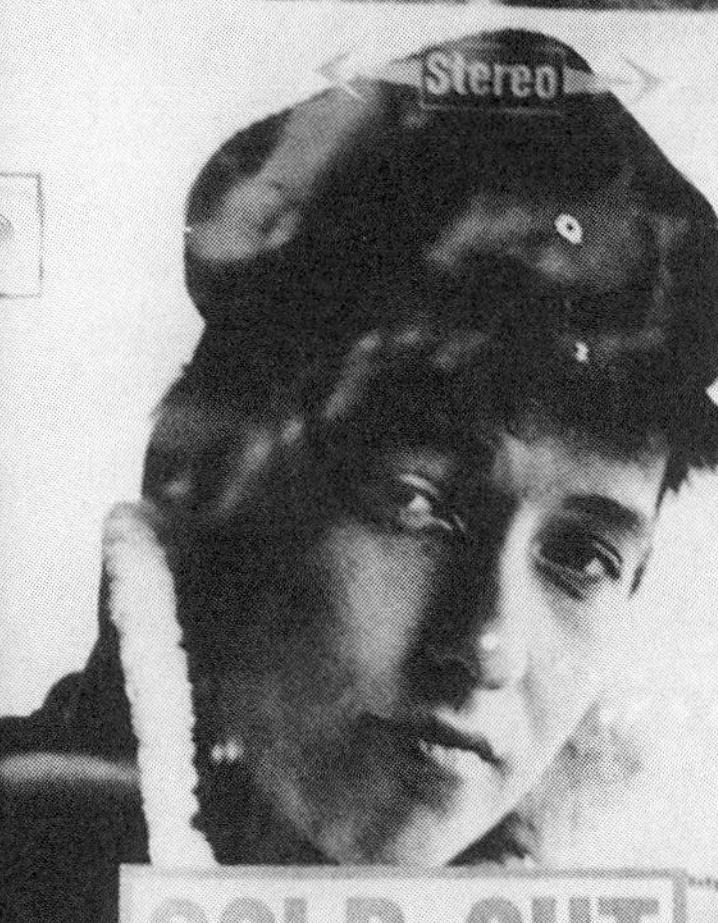

一九六三年十月、カーネギー・ホールでの二度目のコンサート。
ポスターには「売り切れ」の文字が。

古いジョークがある。ニューヨークに不案内な人間が聞く。「カーネギー・ホールへの行き方を教えてください」。するとミュージシャンは答える。「鍛錬を積めば行けるさ」。アルバム第一作を収録する二週間ほど前に、ディランはカーネギーの舞台に立った――メインのカーネギー・ホールではなく、隣接したカーネギー・チャプター・ホールでのデビューコンサートだ。一九六一年十一月四日土曜に行われた最初の重要なソロ・コンサートを観に来たのは五三人で、大半はヴィレッジの友人たちだった。ディランは自信を持って演奏し際立つプロ意識を見せつけた。彼の悲しい曲も心を動かすものだったが、いつものコミカルな「トーキング・ブルース」に聴衆は何より沸いた。

そのコンサートはフォークロア・センターのイジー・ヤングの後援によるものだった。自ら汗水たらしてシャツを濡らすソル・ヒューロック(A)であるイジーは、またも音楽企画を仕掛けたわけだが、商業的には失敗だった。そのイジーはやがてフォークファンのなかで最も口うるさくディランを中傷するようになるが、初期の彼の貢献を無かったことにはできない。彼は自身の店にやってきたディランや他のミュージシャンへの歴代のインタヴューを保管していて、ディランとは一九六一年十月二十日と二三日、一九六二年の二月一日、七日、二二日、三月の十四日に会話を交わしている。ディランはイジーに洞察の片鱗と、ふんだんなウィット、そして周囲に語ってきた膨大な話を披露した。

「ぼくの曲は聞きやすいものじゃない。好きなシンガーといったらヴァン・ロンク、エリオット、ピーター・スタンフェル、クウェスキン、それにフォン・シュミットだね。ジョーン・バエズ? 彼女の声はぼくを通り抜けていく。よくやってると思う。ぼくはボビー・ヴィーのバンドでピアノを弾いた――ずっと彼とやってたら金持ちになれただろうね。宗教はない。色んな宗教を試した。教会は分裂してる。彼らはひとつにまとめることができないんだ、ぼくも同じだけどね。神は見たことがない、この目で見るまではいると言えない。ニューヨークは気に入ってるかな。歩き回るのが好きだ。バイクに乗るのも好きだ――ノースダコタやサウスダコタやミネソタでレーサーもしていた。デンヴァーでジェシー・フラーに会う前に、サウスダコタのスーフォールズでハーモニカを演奏する農場労働者に会った。そのウィルバーってやつの歌い方を身につけた――名字は覚えてない。カウボーイスタイルは本物のカウボーイたちから学んだ。名前は覚えてない。シャイアンで何人かと会ったんだ。最近のカウボーイはカウボーイ映画を観に行っては批判し、思い思いのやり方でハットをかぶって、映画から歩き方を学ぶ。シカゴやアンティオークではガット弦のギターで『パスチャーズ・オブ・プレンティ』を歌うニューヨークのブロンクスから来た女性たちともよく会った。口紅なんかつけずに、同胞への愛を歌う。ふざけた意味じゃなくて、それが面白くて、まったく新しい世界の人びとと会うようになった。今ではニューヨーク的な女も好きだ、昔はどんな人が好きだったかは忘れたけど。クラシック音楽のことは気にしてない。どんな外国音楽の批判もしない。アイルランド音楽とスコットランド音楽も好きだ。大学の客が一番素晴らしくて、ナイトクラブよりも遥かに良い」

クリスマス頃、ディランはニュージャージー州のラトガース大学で小さなコンサートを開いた。彼の演奏は素晴らしかったが、またもおふざけが顔を出した。しきりに彼は後ろに飾られた年寄りの大学理事の写真をからかった。「これはこれは、ラトガースさん、お招き頂きありがとう」

一九六二年二月、彼はアップステート・ニューヨークのサラトガスプリングスにある小さなコーヒーハウス「カフェ・レナ」へ赴いた。ディランはその頃もう優れたチェスプレーヤーになっていて、ビリヤードも上手く、とある改修されたスパに到着すると、のちに彼の曲に登場するカウボーイのひとりかのようにビリヤード場へと向かった。地元の名人が挑んできて、ディランは最初の二ゲームは気を遣って負けたが、相手は賭け金を上げ続けた。第三ゲーム、ボブは相手のすべてをかっさらった。しかしテリ・ヴァン・ロンクがセッティングしたカフェ・レナでのライヴではそこまでの運がなかった。レナとビル・スペンサー夫妻は出演を簡単には了承してくれなかった。レナは言う。「無名の人はブッキングしないの」。レナに対してテリは言った。「これまで色々と融通してきたでしょ。今度は私の頼みを聞いてこの子を出演させてよ、彼は素晴らしいの。後悔させないから」。レナは後悔した。

スキッドモア大学の女子学生たちは実質的に誰もディランへ耳を貸さなかった。しまいには、ボブの演奏中に彼女たち観客の話し声がうるさかったため、スペンサーがマイクを掴んだ。「きみたちはこの青年が何をしているか分かっていないようだ。愚かすぎて彼の言っていることを理解できないのかもしれない。ただ口を閉じて耳を傾けさえすれば、きっと理解できるだろう！」。ボブはまたふざけた独り語りを始め、観客だけでなくオーナーたちをもこき下ろした。彼が軽蔑するものがあるとすればそれは、男子学生や女子学生の社交クラブであり、無礼な観客たちであった。一九六二年にはその他のステージにはほとんど立っていない。トロントのコーヒーハウスと、人種平等会議（CORE）に向けてマンハッタンのシティ・カレッジで行ったチャリティコンサートくらいである。四月二四日から五月六日まで、彼はガーディス・フォーク・シティへと戻った。いつも温かな歓迎が待ち受けている場所だ。コロンビア・レコードでの収録直後、ハリー・ベラフォンテは「民族的な（エスニック）」ハーモニカ奏者を探していた。なぜベラフォンテが無数にいる黒人のハーモニカ奏者を探そうとしなかったかは不明だが、とにかくディランにRCAレコードから発売するベラフォンテのアルバム『ミッドナイト・スペシャル』のレコーディング参加の声がかかった。その当時、フォークファンたちはベラフォンテのことを散々批判していたが、ディランは必ずしも批判的ではなかった。「ベラフォンテやキングストン・トリオみたいな突出したマネーメーカーを批判するのは簡単だ」と、ディランは一九六一年にイジーへ語ったとされている。「ベラフォンテがやっているのは本当に大衆的な歌だ。彼がぼくの曲を歌い出しさえしない限り批判するつもりはない。歌ったらぼくのためにたくさん稼いでくれるだろうけどね」

彼はそのレコーディングでの話を舞台裏のトーキングブルースに仕立て上げた。「知ってるだろ、このハリー・ベラフォンテっていうのはずいぶんな大物だ」。レコーディング直後にディランは私に語った。「彼は自分に仕える小さな軍隊を持ってる。どういうわけか、彼の作品の編曲者が素晴らしい新アイデアをひねり出そうと必死になっていた。ぼくが顔を出すと、スタジオのスタッフたちは何か特別なことに取り組んでいた。第一ギタリストがこれをして、第二ギタリストがあれをして。もうひとりの男はドラムスティックを擦り合わせて、別の男が足をもぞもぞ動かして。悪くなかった。きちんと演奏できるまで何度も繰り返していた。それから、ベラフォンテ本人が入ってくる。彼は優しくて友好的で、みんな彼が神であるかのように挨拶をした。それからベラフォンテは、ほんのちょっとしたリフのために必死に作業をしていたスタジオスタッフの方へ歩いていった。『ハリー』、と編曲者は言った。『アレンジ用に最高のものを用意したんだ』。『いいね』とハリーは言った。『聞いてみよう』。それから」、ディランはクスクス笑いながら続けた。「第一ギタリストがこれをして、第二ギタリストがあれをして。もうひとりの男はドラムスティックを擦り合わせて、別の男が足をもぞもぞ動かして。演奏を終えると、全員の視線がベラフォンテに向けられた。『良いとは思わないな』とハリーは言い、歩いて出て行った。哀れな彼らの笑顔は凍りついた。彼らは凍りついていたよ！」

そのベラフォンテのアルバムが発売されたあと、ラジオ局ＷＢＡＩのボブ・ファスらラジオＤＪたちがこの曲をかけたが「ハリー・ベラフォンテが歌う『ミッドナイト・スペシャル』」とは言わず、「ボブ・ディランがハーモニカを演奏している」と紹介した（収録中、ベラフォンテやその他の人間たちはディランを笑いものにしていた。テンポを保つために、ディランはブーツを履いた右足でリズムを刻んでいたのだが、その振動音がテープに入ってしまっていた。エンジニアは音を立てるボブの足の下にクッションを滑りこませた）。

一九六一年の後半から一九六二年の大半におけるディランのアーティストとしてのスケジュール帳は、名だたるミュージシャンたちとの親交、自由の制作、『ブロードサイド』や公民権運動との接触、そしてビジネス上の付き合いで占められていた。なかでも、スージー・ロトロとの長きにわたる嵐のような恋模様は一九六二年の彼の行動に大きく影響した。

「ぼくの魂の真の預言者」

一九六一年の初夏にミネアポリスから戻り、ボニーと自分には未来がないと悟ると、ディランは自身の大いなる期待をスージー・ロトロへと定めた。スージー（つづりはSuzeだがスージーと発音した）は、彼女に恋をしていない人びとにとってさえ格別な魅力があった。ライトブラウンの髪は肩の下まで伸び、愛らしい笑みは部屋を暖めた。彼女の態度はシャイで、ためらいがちで、優しかった。彼女の目と耳はあらゆるものを見聞きしていたが、たいていは不思議なほどに口を閉ざしていた。彼女には創造性があり、スケッチやドローイング、舞台製作の計画、リトル・マガジン『ストリート』誌創刊の手伝いなども行った。

一九六一年の半ばから一九六四年の春にかけて、ディランと共に暮らしていようが離れて暮らしていようが、グリニッチ・ヴィレッジにいようが、ウッドストックにいようが、イタリアにいようが、ボブと感情的に和解しようが衝突しようが、彼が許す以上に距離を詰めようと試みようが、彼が求める以上に距離を取ろうが、スージーは胎動期のディランにとって、私的にも職業的にも最も重要な人物のひとりだった。彼はおそらく彼女に向けた、あるいは彼女についての曲を十数曲以上書いているし、彼女は他にも数えきれない曲にインスピレーションを与えた。二人が出会ったとき彼女はまだ十七歳だった。彼女はイタリア系アメリカ人の家庭に生まれ、家族は読書家で、政治活動を行い、文化や社会に関心を持つニューヨーカーだった。見た目、振る舞い、思考は大人の女性そのもので、少女のものではなかった。ボブは「11のあらましな墓碑銘」で最も直接的に彼女について書いている。

ほとんどいつもスーのことを考えている
美しいスー
白鳥ように柔らかな線で
おびえやすく
森の子鹿のよう……
ぼくは愛の詩をひねり出す
弱った孤独な病人として

破壊的な
自分の力を知りながら
親切心以外には
病を知らない
路上のよき魂たちを壊してしまう……
ああ　でもスー
彼女はぼくをよく知ってる
知りすぎているくらいだ
そして何より
ぼくの魂の真の預言者だ
多分ぼくにとって唯一の　(2)

この「おびえた子鹿」は捉えどころのないままだった。私はスージーとボブと一緒に幾度もの晩を過ごしたが、彼女の心の内を知るのは難しかった。ディランと一緒にいるときは彼の陰に隠れようとしていた。私は彼女にアーティスト的な感覚があると感じていたが、その若かりし頃の彼女は基本的に自分を主張しなかった。私はボブの肩を持つことが多く、彼女ではなくディランの視点から物事を見ていた。ディランは一緒に暮らすには手が焼ける相手だったに違いなく、経験豊富な女性であっても大変なのに、十八歳の女性には言うまでもない。私が唯一知っているのは彼女の方がボブに対して主導権を握っていたということだ、そして、フェミニストの時代が来る以前の当時、彼女には申し訳なかったが、私はよくスージーに自分のことより彼のことを優先するよう促してしまっていた。当時の私には、彼女の側から見れば彼女は正しかったということ、ディランの猛烈な欲求の渦のなかで彼女が自分のアイデンティティを見つけようともがいていたことが分からなかった。一九六一年が終わる前、彼は結婚について語っていた。ときにふざけて、ときに大真面目に、式の計画を詳細に立てていた。ある冬の晩にはバー「ホワイトホース」で、スージーと私に式次第を語った。「レヴァランド・ゲイリー・デイヴィス（盲目のストリートシンガーであり宣教師）に式を行ってもらう。いや、彼の歌こそが式だ。色んなシンガーたちも呼ぼう」。彼は来そうなゲストも来そうにないゲストも名前を挙げ始めた。スージーは微笑み、目はおだてるように輝いていたが、ディランの提案にイエスとは言わず、ノーとも言わなかった(3)。

スージーの母親は別の考えを持っていた。メアリ・ロトロは怒りっぽく、頑固な、知性ある四十代前半の女性で、工場に勤める夫と死別して間もなかった。彼女は医学雑誌の翻訳をしていて、ニュージャージーの教師と再婚する予定だった。メアリからすればスージーは誰かと深い仲になるには若すぎ、それがみすぼらしいビート詩人とおぼしき相手とあればなおさらだった。ロトロ夫人は二人娘のスージーと二十歳のカーラが共にディランのことを高く評価していたにもかかわらず、ボビーのことを一切認めなかった。「母はあの頃ディランのことを心から嫌っていた唯一の人だった」とカーラは言う（ディランはよく「カーラ義姉さん」と呼んでいた）。「でも、ボブが風邪を引いたとき、母は家にあげて看病してあげていた」。スージーはボブの生い立ちをほとんど知らなかった。友人たちのなかには、一九六三年に『ニューズウィーク』がディランの両親やヒビングについての記事を掲載するまで、スージーはディランがイタリア人の孤児だと思っていたと語る者もいる。カーラは言う。「母はどういうわけか彼の名前がジママンだったことを知っていた——きっと彼が話したんだと思う。よく分からないけど、母には物事を明らかにする力があった。一九六一年の秋に、母は彼が何者かを知った。母は彼が成り上がるために周りの人間を誰でも利用していると感じた。彼に面と向かってあなたはスポンジだと言った。ディランは誰の母親とも衝突することができたけど、母は彼のことを見抜いていて、そんな人は他にいなかったから、その事実が彼を怖れさせた。彼は母を人として敬ってはいたけど、いつも嫌っていた。母の機嫌を取り、何年も力を尽くして彼女を味方につけようとして、失敗に終わっていた。その究極の形が『Dのバラッド』だった」

数年後、ボブはなおもスージーをかばい、なおも彼女の優れた感性に信頼を置いていた。彼女は彼の立会人だった。「スージーと話せば分かる」とディランは私に言った。「スージーは他の誰よりも知っている。一九六一年から六二年に、周りに誰もいないときぼくがエルヴィス・プレスリーのレコードをかけていたことを知っている。

彼女はそのことをきみに語るだろう。実は、彼女には誰にも何も話すなと言っていたんだ。電話をかけてくるやつらは誰も相手にするなと言っていた。もし誰かが彼女に迷惑をかけてきたら、ぼくが解決するってね。でもきみが彼女の話を聞きたいなら、いいだろう。でも彼女に問い詰めるなよ？　あらゆる人間が彼女を問い詰める。ぼくがどうだったかとか、何をやったかとか、彼女に問い詰めないでくれ。彼女は話してくれるから。ぼくが遅くまで起きて曲を書いて、彼女に『これどうかな？』って尋ねたいくつもの夜のことを教えてくれるさ。彼女の父親と母親は労働組合に関わっていたから、彼女は平等とか自由といった物事にぼくよりずっと前から通じていた。ぼくは彼女と曲を点検していたんだ。彼女はどんな曲も気に入ってくれた。スージーはすごく才能がある女性だよ。でもすごくおびえてる」

十七歳にして、スージーはディランに対する母親の嫌悪に苦しめられていた。カーラもどんどん二人の関係には否定的になっていった。ディランの強烈さ、落ち着きのなさ、そして暗さもスージーをおびえさせた。あらゆる物事があまりに次々と、あまりに高速で起きていた。彼女は関係を断とうと何度も試みたものの、離れられないほど彼に惹かれていた。特に出会って間もない時期、ボブとスージーは敵ばかりの国で惹かれ合う特別な恋人のように見えた。かく言う私も、彼らの最初の別れに驚いた――しかしそれは、私がボブの視点を通して見ていたからであって、彼女の視点ではなかった。

一九六一年の夏、メアリ・ロトロはワン・シェリダン・スクエアのペントハウスに暮らしていて、かつてはカフェ・ソサエティ・ダウンタウンが地下にあった。四階に暮らしていたのは放浪者に向けてキブツ（B）を運営するフォーク民の母親的存在ミキ・アイザックソンだった。ミキはひとりでいることを好まず、人に囲まれているときにだけ役に立っていると感じることができたのだった。初めのうち、彼女の広い三角形のリビングに暮らしていたのはジャック・エリオットや、グレッグ・ルヴァスール、ジョン・ヘラルドで、ほどなくそこにディランも加わった。夏の終わりにかけては、スコットランドのシンガーであるジーン・レッドパスも、このぞんざいだがヒッピーではないファミリースタイルのコミューンに入ってきた。ほとんど全員が夜中の三時まで楽器を弾いたり歌ったりして、それからソファで眠った。レッドパスは「あんまりたくさんラバーマットレスを膨らますもんだから、酸欠になるかと思った」と振り返っている。ディランはこの奔放なファミリーに自然と溶け込み、スージーと同じ建物のなかで眠ることに満足していた。

スージーはクイーンズ区のブライアント高校を卒業し、一九六一年の一時期をニュースクール大学で過ごし、オフィスでのパートタイムの仕事を渡り歩いた。絵画や、演劇や、デザインや、詩に関心を持ち、ワン・シェリダン・スクエアなどを含め、オフブロードウェイの劇場で案内係としても働いた。彼女はリヴァーサイド教会からラジオ放送される終日フーテナニーで初めて会ったディランのことをふざけた人だと思ったと、一九六六年に太陽のような笑みで私に語った。「いい意味でね、でも……しばらくは酔ってない彼と会うことはなかったと思う。半分は酔ったふりだったんだけど……私はいつだって彼がいつかビッグになるって分かってたように思う。特にあなたが彼は何でも吸収するスポンジだって書いたあとはね。知り合ってからは、その資質が理解できた。彼がふざけてなんかいないことがすぐに分かった。あなたが出会ったときも、彼が恐ろしいほど鋭敏なことが分かったでしょ。一九六一年の時点ですらね。たくさん人がいる部屋に座って、誰からも、どこからも光を吸収するの」

天才と暮らすのは大変だっただろうか？　「大変だったと思う」とスージーは答えた。「そういう人たちは、いつも頭で別のことを考えてる。でも彼らをあまり特別扱いしてはいけない。どんなときもつねに高価な陶器のように扱うことはできない。彼らも人間だから」。よくコミュニケーションは取っていた？　「ええ、もちろん。でも彼は話すよりも書いた方が自分をよく表現できる。ガーディスでの最初の数か月や最初のレコーディング・セッションでは、ものすごい畏怖の念を感じた。私は何が起きているのかハッキリとは分かっていなかった。これがそんなに大きな事態だなんて理解できなかったし、いまだにできない。そこらじゅうで彼の写真や彼の言葉の引用を見かけるけど、いまも冗談みたいだって思う。だって、私にとって、ボビーは変わらず昔のボビーだから」

スージーは一九六二年五月から十二月までイタリアに滞在した。「戻ってくると、ディランはスターになっていた。彼が本当にビッグになった頃ね。たくさんのことが起きていて、私もだんだん彼のパブリック・イメージを意識するようになった。イタリアにいる私に度々手紙を書いてきたし、しょっちゅう電話をかけてきたけど、彼は私たち二人のことについてしか話さなくて、自分が何をしてるかは決して話そうとしなかった」。ディランは一九六二年の暮れにイギリスにいたが、スージーはその頃ニューヨークへ戻り、ディランではなくジャネット・レイノルズらが歌うディランの歌で出迎えられた。ジュークボックスから流れる自分宛の「手紙」を聞くのは「すごく変な感じだった。どうしたらいいか分からなかった。ゆっくり座って『くよくよするなよ』とか『明日は遠く』なんかをラジオで聞くのは恥ずかしかった。何より他の人が歌う曲を聴くのが変な感じだった」

スージーは仕事に取り組む一九六二年前半のボブのことを振り返っている。「彼は私にこう言っていた。『今夜は曲を書く』。そしてタイプライターの前に座ったり、ギターを弾いたりした。色々やってることを私は特に気にしなかった。四丁目のアパートは、ずっとギターを弾き続ける人間を置いておくにはすごく狭かった。彼は書くのも早かった。外で書くのも好きだった。安っぽい小さな食堂のテーブルに座って書いたりしていた。コーヒーを飲みながら、小さなスパイラルノートに書いていた。ファット・ブラック・プッシーキャットみたいなカフェバーにもノートを持って行ってた」。ヘンリー・ミラーがブラッサイを「パリの目」と評したように、ディランは「グリニッチ・ヴィレッジの目」だった。ロムニーや、ストゥーキーや、エリオットのような流れ者たちは大体口が達者だったが、「スパイ」のディランは、そこにいながらも存在感を消しているようだった。くつろぐというより、後ろの方で耳を傾けていた。彼らの冗談に笑っていたが、だいたいは十セントのノートにメモを取っていた。

スージーと私は、人びとがどれほどディランを神話化してきたかについても話した。スージーは実際の彼がどのようだったか聞かれなかったのか？　「聞かれたわ、よくね。彼は神話化されている。たいていは彼が作り出したもので、残りはただ彼が彼であるだけで付け加えられていった。彼はきっとそれを楽しんでいたと思う。彼は周りに雲をまとっていて、人は彼にものを尋ねることを怖れる。怖れていると色んな人が言ってた。彼を良く知る人の多くは、彼に何かを尋ねるようなことはしない。もし彼が答えたらなぜだか自分を弁護するはめになるからね」（「アウトロー・ブルース」：「くだらないことについてくだらないことを聞いてくるな／本当のことを教

えてやるから」」(4)

「だから」とスージーは続けた。「本名のことになると本当に恐ろしかった。彼はいつもすごく被害妄想的だった。ちょっと散歩しようとするだけで、彼の膝が震え出すのが分かった。彼はきっとこう思っていたの。誰に会ってしまうだろう? 私にも同じことが起きていた。普通じゃない状況だったから。私はどうして彼がそんなに群衆を、見知らぬ人を怖れているのか分からなかった」。三年間もディランの近くにいながらも、スージーは彼のことが捉えづらかったと語った。ディランにとって彼女が捉えどころがなかったのと同じように。彼女は言う。「きっとあなたはニューヨークにいたときの彼について誰よりも知ってる」

一九六二年の春、スージーがイタリアへと旅立つ前、「彼は特に口を閉ざしていた。私たちの関係の面白かったところは、いつも始まりは些細なのにどんどん大ごとになっていったところ。ボビーについて印象に残っているのは、彼の絶望、彼にまといつく死の影だった。それぞれの道を進み始めてずいぶん経ってから、彼のなかから活力が失われているのを感じ取った。私の知る限り人びとは緑の木々や美しい花々への希望とともに暮らしているけど、ディランにはそういう類いのシンプルな希望が欠けているように思える、少なくとも一九六四年から六六年にかけてはそうだった……いわば、絶望の哲学ね」。私はスージーに、かつてディランが私に長々と自殺について語ったこと、そして次の日には、ぼくのことを悲観主義的だと思うのなら、きみはぼくのことを全然理解できていないと言ったことを伝えた。「彼は自分についての誰からの意見も受け入れようとしない。それが彼のスタイルなの。彼のなかには私が嫌いな部分もある。彼自身、その部分を嫌いかもしれない。なんていうか、ネガティヴすぎて、悲観的すぎるの。でも別のレヴェルでは、すごく活き活きしていて、すごく活動的で、それが恐ろしい。それから彼のなかにはすごく楽しい面もある。そういう諸々が過去に私が距離を取った部分。十八歳でイタリアにいて、ようやく物事に目が開かれてきて、それが私を彼から離れさせ続けた。私にとって物事が形を取り始めてきていた。今は二二歳で、そんなに成熟したり賢くなったりしたわけじゃないかもしれないけど。ボビーにはいつも空恐ろしい一面があった。それはすごく小さく始まって、どんどん大ごとになっていくようだった。楽しいけど、近くにいるのは大変だったし、ずっと一緒に暮らすのは難しかった。私が言えるのは、そこには死の影があったということだけ」

スージーの姉は、さらに二人の関係に反感を持つようになった。カーラはディランに対して驚くほど躍起になっていて、ときに妹への嫉妬や競争心を見せた。姉として、カーラはいつも何が最善かを知っているように振舞ったが、その最善が必ずしもディランのことを指すわけではなかった。初めのうち、カーラはディランにも姉のように振る舞った。カーラは言う。一九六一年の秋にカーラがペリー・ストリート一二九番地に住んでいたとき、ボブはそこに滞在した。「ボビーはまだ汚らしい格好をしている時期だった。でも彼は自分の服装についてものすごくうるさかった。自分のイメージに対するこだわりはこのときから始まってた。彼はいつも自分が良く見えるかどうか尋ねていた。ダンガリーシャツを着て軽く揺れながら。『ダブついてないかな？　このシャツはOK？』。私は朝仕事に出て行って、ボビーはリビングのソファで寝ていた。昼も夜も、ほとんどの時間を私のレコードを聴いて過ごしていた」。彼はフォークウェイズの『アンソロジー・オブ・アメリカン・フォーク・ミュージック』や、イワン・マッコールおよびA・L・ロイドの歌声や、ラビット・ブラウンのギターや、もちろんガスリーや、ブルースから学んだ。熱心に本も読んだ。「私の本棚は色んなジャンルが混ざっていた」とカーラは振り返る。「そして彼は手当たりしだいに読んでいた。まず詩の本を読んでいた。私たちを通してフランソワ・ヴィヨンを知ったと思う。たくさんの蔵書がある人には誰でも本を借りていた」。人びとにはまだ読書家であり研究家であるという印象を与えてはいなかったが、ディランはロマックス父子やシャープやチャイルドによるフォーク・ミュージックの選集に飛びつき、多くの詩集も吸収した。スージーが持っていたヨーロッパやアメリカの詩の本を読み、さらに買い足して、一緒に読んだ。いつも彼はノートにメモを取っていた。大学時代に眠っていたエネルギーが、ヴィレッジで解き放たれていた。

カーラは自分が世話をしていたこの青年が、ほとんど庇護を必要としていないことを感じ取った。「ボビーは変わらず私の家にいて、レコードの製作も計画段階だった。いつ出て行ってと言ったか正確には覚えてない。元々二週間の滞在だったのが九月から十一月へと延びていった。私たちはみんなディランがどんな曲をつくるのか気にしていた。そのことについて話したのをよく覚えてる。突然、私はボビーが自分のこれからと、そこへたどり着く手段を理解しているのだと感じた。彼は自分がどこに向かっていて、自分がどれほどビッグになるかハッキリ分かっていたの。これはすごく重要なポイント。その頃まで彼は頼りない子供で、周りがお金や服やあらゆるサポートをしていた。それが突然、『彼は子供じゃない！』と感じたのを覚えてる。私たちは同じ年だったけど、いつも自分よりずっと年下に感じていたのに。感情的な成熟度という意味でね」

「ボビーは確実に典型的な双子座ね」。カーラは続けた。「イタリアでも双子座の人たちに会った、彼みたいな――二面性のある人たちに。双子座の定義は本当によくボビーに当てはまる――分裂していて、知性のきらめきがあって、矛盾していて、ひとつの場所に留まっていられない。私は魚座でスージーは蠍座だった。双子座と魚座の思考は似ているけど、折り合うことはできない。双子座は蠍座を破滅させることになっていて、食べてしまうんだけど、それがまさにボビーとスージーに起こったこと。彼は私や誰をも必要としていないんだと感じた日のことは決して忘れられない。そんな面は誰も見たことがなかった。彼はそれを覆い隠すのが上手かったから。ふざけたり、関心を示さなかったり、反抗したりして。音楽的にも、自分が歩んでいるひとつひとつの段階に自覚的だった。よく『ハイウェイ51』をとてもゆっくり、ラビット・ブラウンのようにゆったりと歌っていたけど、スタジオに入ると、それを早いテンポで演奏した。それほどの熱量とテンポで演奏したことは一度もなかった。彼はどちらへ行くべきか直感的に分かっていたの。彼が犯した唯一のミスは、『救世主』であるという渦に巻き込まれてしまったこと」

　彼に世話を焼いていたのは無駄だった？　「『自分は何てバカだったの。彼はきっと私のことをあざ笑っていたのよ』というほどじゃない。私たちはおせっかい焼きみたいにあれこれ彼について話してた。彼が私たちをこういう位置に置いたの。相談役ってわけじゃないけど、彼は私たちを必要としていた。私たちはボビーにとって欠かせなかったはずで、当時の私たちはずいぶん愚かだったかもしれないけど、彼が私たちをあざ笑っていたとしても、やっぱり彼は私たちを必要としていた。彼はいまも表面的にはヨロヨロと、つまずきながら進む、帽子をかぶった天使なのかもしれないけど、その奥はそうじゃなかった、私にとってはね。仮面を脱ぎ去るときだった。ヨロヨロした子供は野心と入念に練り上げられた計画を包み隠していた。彼は誰からの援助も必要としていなかった。それ以降、彼のレコーディングやその詳細については何も口を出さなかった。母はディランを嫌う唯一の人間だった。私はいまでも彼のことが好きだし、彼の知性を見てからは尊敬するようにさえなったと思う」

ヴィレッジじゅうのあらゆるソファで眠ったあと、ボブは自分自身のソファを持つことに決めた。一九六二年前半、彼は西四丁目一六一番地に二部屋のアパートを見つけた。その建物はブルーノズ・スパゲッティ・パーラーの入った四階建てで、ディランは道に面した一階のフロアを月六十ドルほどで借りた。部屋には小さな寝室と、簡易台所・ダイニング・リビングを兼ねたスペースがあった。小さな中古のモトローラ製テレビを購入したが、すぐに使い物にならないことが判明し、それを修理してブロンド色のキャビネットにおさめた。食事用のテーブルを用意し、テレビを中央に置き、掘込式の棚にタイプライターを置いた。タイプライターはほとんどいつも黄色い用紙がセットされた状態で、作曲中の歌詞が数行覗いていた。部屋はホコリと、固い木製のイスと、あらゆる楽器と、数本のメキシカンベルトと、ギターのストラップと、陶器の牛で飾られていた。ほとんど一人分のスペースもなかった。スージーが越して来ると、ほとんど誰のスペースもなくなった。

数か月と経たないうちに、スージーはイタリア行きへの思いに強く駆られるようになった。母親と義父は彼女に学ばせたがっていて、彼女は広い視野を欲していた。ペルージャ大学のサマーコースを受講することに決め、そこで美術を学んだ。その春のあいだ、ディランはひどい状態で、スージーは彼のもとに留まりたい気持ちと、本来の自分自身になりたいという相反する思いを抱えていた。彼女は彼との結婚を真剣に検討していた。「彼と結婚するべきかもね」。カーラはそうスージーに言った、もし関係が良好なら半年離れたって変わらないはずだとほのめかして。五月の末に、スージーはニュージャージー州ホーボーケンから出発することになった。船着き場では、ボブとスージーは共に取り乱した。九か月間の離別のあいだ、私的な喪失とアーティストとしての成功の大きな渦のなかでボブは乱れに乱れていた。痛いほどの孤独ゆえ、彼はニューヨークの友人たち——マクドゥーガル・ストリートのヒッピーたち——や、私や、シビル・ワインバーガーや、ギル・ターナー、そして様々な南部の公民権運動家たちに一層接近していった。

スージーが去ったあと、ディランは自身の健康をめぐり様々な不安に苛まれた。ある友人には目が見えなくなるのではないかと怖れていると言い、昔医者にそう言われたのだと語っていた。それでも、彼は「バイクを買ってイタリアへ行く」と心に決めていた。何度もスージーに電話をかけ、電話代が一度に一〇〇ドルかかることもよくあったが、彼女を早く戻って来させることはできなかった。ボブはヴィレッジの他の女性たちを求め、彼女たちはスージーについて語るディランの話を聞いてくれた。そのなかの一人は言う。「彼のシャツにアイロンをかけながら、まるで自分はユダヤ的な母親みたいだと思ったのを覚えてる。でも、私は彼におびえていた。本当のコミュニケーションはなかった」

シビル・ワインバーガーは言う。「彼は汚く、だらしなくて、風変わりな若者だったの。成熟していなくて、無責任だった。彼はいつも、自分の外側の物事、たとえば黒人の状況なんかにすごく思いやりがあった。少なくとも彼は当時狭量さや、嫉妬や、職業的な競争に囚われていなかった。私はその点で彼を尊敬していた。でも、そのことで腹立たしくも思っていたわ、なぜなら当時は誰もが批評家で、成功しようと試みる人物をジャッジして分類することに躍起になっていたから。ボビーはそうした物事を超越していた。一緒に街を歩いているときも、彼は他の人間が誰も見ない物事を見ているようだった。どんな状況でも周りのことに注意を向けていて、書くのが追いつかないみたいだった。何か思いついたり何かに反応すると、道の隅で立ち止まって書き留めていた。それにも驚いたわ。天気や、人や、車や、建物や、状況に対する彼の反応は私を驚かせた。いつも彼の発言には優れた客観性があると感じていた。小さなスパイラルノートに手を伸ばして、路上の動物や新聞の見出しなんかについて書き留めていた」

スージーのもう一人の友人には、ルイジアナ出身の魅力的な役者クイントン・レインズがいて、ミュージカル「ブレヒト・オン・ブレヒト」に参加した経験を持っていた。スージーはボブに演劇の世界を見せたがっており、クイントンは理想的な架け橋に思えた。レストラン「ジャック・デラニーズ」で試しに会わせてみると、会話は五時間も続いた。カーラは彼らが「ボブにブレヒトの舞台を見せようとしていた」と言う（クイントンはボブが一度も演劇を観たことがないと語ったと言うが、ボニー・ビーチャーがミネソタ大学の舞台へ定期的に出演していたことを考えると、ディランの発言は疑わしい)。「ブレヒト・オン・ブレヒト」はディランの新たな知覚の扉を開いた。ブレヒトは多作な劇作家で、詩人で、作詞や歌劇の台本を執筆し(代表的な作品はクルト・ヴァイル作曲の「三文オペラ」や「マハゴニー市の興亡」)、マルクス主義理論家だった。ナチス・ドイツから逃れた彼は、戦時中アメリカで暮らし、それから東ドイツへと戻り、一九五六年にこの世を去るまで劇団「ベルリナー・アンサンブル」を率いた。ディランが政治への関心を強める一九六二年から六三年の時期には、ブレヒト的な考え方、言語、そしてスタイルが見られる。ヒトラーのドイツは指導者たちへの盲目的な信仰から生じたものであるというブレヒトのテーマは、ディランの主要な信条のひとつである「指導者に従うな」と呼応していた(5)。ブレヒトの三文オペラの劇中歌「海賊ジェニー」は「船が入ってくるとき」に影響を与えたかもしれない。一九七〇年代に、ユーゴスラヴィアに生まれロンドンに拠点を置く才能あふれたシンガーのベティーナ・ジョニックがブレヒトとディランによる二二曲を歌い収録した(6)。ジョニックは、この二人の作曲家がそれぞれ一九二〇年代のドイツと一九六〇年代のアメリカを反映していると考えていた。「ブレヒトをディランと結びつけるのは自然なことだった。彼らのシンプルなスタイルと言葉の使い方はすごく近かった。でも、その二つはそれぞれ独自の声ですさまじいパワーと直接性を持って語っていた。偏見によって殺された黒人の少年(ディランの歌)やユダヤ人と寝たために殺された少女(ブレヒトの歌)は、蛮行に抗う時を超えた声になっている。それらの曲をたどっていくと、書いた詩人の怒りが、絶望が、人生に苦言を呈する鏡を掲げんとする切迫感が伝わってくる」

クイントンは、ディランに演劇の脚本執筆の説得を試みたという。「三か月か四か月のあいだ、彼が劇用に作る曲について話し合った。ときどき、長く酒を飲んだあと、彼は立ち上がって『家に帰って曲をたくさん書くよ、どんどん曲が降りてくるのを感じる』と言っていたよ。そして実際に、三日か四日後、降りてくると感じていた曲を携えて現れるんだ。でも彼は特別に劇用の曲を作りはしなかった」。クイントンにはディランが「曲を書くインスピレーションを得るために個人的な嵐を起こしているように見えた。彼は物事が落ち着いた状態のとき最も作曲の手が鈍っていた。奇妙だろ?」

ブロードサイドのバラッド

ディランにインスピレーションを与えた嵐のひとつは一九六二年のアメリカという国だった。プロテストが大衆の運動へとなり始め、その運動があまりに大きくなり、ケント州立大学のような活気のない大学をも巻き込んでいった時代だ。ベトナム戦争で初めてアメリカ兵が犠牲になったのは一九六一年十二月のことだった。日付自体は大した問題ではないが、六十年代のプロテストの根が、アメリカの若者に保守主義と利己心がはびこる五十年代という地層に伸び始めていた。

当時アメリカ流の生活を批判することは野暮なだけでなく、露骨に危険なことでもあった。アイゼンハワーはホワイトハウスにいて、アメリカ的な白人至上主義に磨きがかかっていた。検閲がはびこり、「正しい」とされるものが力を持った。上院議員ジョセフ・R・マッカーシーは、行き過ぎた共産主義批判を展開しながらも、国政を牛耳っていた。ジョン・バーチ協会はプロパガンダを行って反左翼思想を強めていった。主に右翼の人びとで構成された反共産主義団体「ミニットマン」は密かに射撃場で訓練し、「やがて来る共産主義者によるワシントンの乗っ取り」に対抗するべく完全武装の市民軍となった。一九五〇年代、こうした動きに声を大にして異議を唱えたり、完全な反対の声を上げる者たちは、ピート・シーガーのように下院非米活動委員会（HUAC）や、私のように上院の治安小委員会の前に引っぱり出された。

左翼や、抵抗者や、あるいは芸術の世界の独立したリベラルたちに対する冷たい攻撃は、ゆっくりと地表を氷で覆っていった。第二次世界大戦後の陰鬱な十五年間は、独裁の打倒による解放の時代とはならず、赤狩りの時代となった。少しでも急進的なアメリカ人は誰もがソ連の諜報員と見なされた。組織的に、抑圧という蒸気ローラーが多くの人びとのキャリアを踏みつぶした。調査の目は一九四〇年代後半にハリウッドへも向けられ、映画スタジオの左翼的な人間はブラックリストに載せられるか仕事を奪われた。「ハリウッド・テン」と呼ばれる著名な映画人十名は、HUACへの協力を拒否したことで、一年にわたり収監された。

フォーク・ミュージックの世界では、戦時中の急進的なフォーク・ムーヴメントから生まれた「ピープルズ・アーティスツ」や「ピープルズ・ソングス」といった組織が非難され続けていた。しばらくのあいだ、赤狩りは一九五〇年代前半にヒットを飛ばしていたバンドのウィーヴァーズを沈黙させることに成功した。異を唱える者であることは、ギターを持っていようがいまいが、危険な行為だった。社会の動向を感じ取る者たちは、戦後アメリカが理性よりも治安に関心を抱き、現在の窮状を暴くよりも現状の維持を望んでいることを知った。アーティストというものは、時代の動向がどのようであっても、そこから独立していられる方法を持っている。プロテスト・アートは一九五〇年代にイギリスの「怒れる若者たち」から始まった。劇作家ジョン・オズボーンは怒りをこめて過去を振り返り、冷たく無目的な服従のほかに戦争が達成した勝利はあるかと説いた。アメリカでは、レニー・ブルース、ロード・バックリー、モート・サールらコメディの世界から反対の声があがり、ディック・グレゴリーは抑圧的な五十年代が別の意味で滑稽であることを示した。サールは「次の四年間もホワイト・ハウスを空位にしておくために」、アイゼンハワーへ再度投票することを提案した。それでも世間は「東の赤い野蛮人が襲来してきて私たちのスーパーマーケットを奪うのを防がなければならない」と言うのだった。

　別の形態の反対を表明したのはビート詩人や作家たち——アレン・ギンズバーグ、ローレンス・ファーリンゲティ、ジャック・ケルアック、グレゴリー・コーソら——で、彼らはアメリカに対する異なるヴィジョンを持っていた。ビート作家たちはメインストリームのアメリカの生活から撤退し、主流から外れることをヒップな行為にした。彼らは別の神々を崇めていた。いかにしてディランが彼らやウディ・ガスリーを自らのハイウェイの指針としたのかは本書のテーマのひとつだ。一九五〇年代のマディソン・アヴェニュー全盛期に、ごく少数がケルアックの大道（オープン・ロード）を歩き始めた。その十年にプロテストの火を燃やし続けたのはシーガーやピープルズ・アーティスツやピープルズ・ソングスで、多くのプロテストは『シング・アウト！』を通して行われた。より良い世界について語り歌う痩せ身でカントリーブーツを履いたシーガーの心意気は、どんな反論や反対にも屈することはなかった。ピートは新しい世代にインスピレーションを与え、一九六〇年代に影響力を発揮した。ガイ・キャラワンは、フォーク・ソングにおけるジョニー・アップルシード的開拓者（C）としてのシーガーのスタイルを踏襲し、南部の人種差別廃止論者たちの「フリーダム・ソング」運動を後押しした。シーガーの支持者には、ピーター・ヤーロウとマリー・トラヴァースの二人もいた。

もう一人、シーガーの根強い継承者にはコネチカット州ブリッジポート出身のギル・ターナーがいた。恰幅がよく、無邪気な顔をした、健康的な見た目のギル——元オペラ歌手の息子——はバプテスト派の宣教師だったが、シーガー率いる志高い牧師団を知って教会を去っていた。彼のシーガーへの愛着は、ディランやエリオットがガスリーに対して持つ思い入れに近いものがあった。ギルは声量の大きな温かいバリトンボイスを持ち、ギターやバンジョーを弾くコーラスの達人だった。一九六一年の秋、彼はガーディス・フォーク・シティのMCとなり、あらゆる歌手や作曲家たちと出会った。そのなかで最も強く印象に残ったのがディランだった。

週に何度か、ガーディスが深夜に閉まったあと、ギルとボブと私はウェスト・ヴィレッジまで歩き、埠頭近くのホワイトホース・タヴァーンや、グリニッチ・アヴェニューでジムおよびバーサのマッゴーワン夫妻が経営するオフブロードウェイのバーに行った。ホワイトホースは歴史的なイギリス式パブで、晩年のディラン・トマス行きつけの場所だった。リチャード・バートンもここに通い、一九五〇年代後半には、クランシー・ブラザーズも常連だった。どちらのディランも、そこの変わらぬ賑やかな雰囲気を好んでいた。常連の作家たち（マイケル・ハリントンやジェイムズ・ボールドウィン）、海の香る港湾労働者たち、画家、おしゃべりな人びと、飲んだくれ、そして深夜の妖精たちがホワイトホースを疾走させ続けていた。マッゴーワンのバーは静かだったが、明け方の四時まで開いていた。店には芝居のビラや劇の写真などが飾られていた。劇作家ショーン・オケーシーからの手紙は額に入れて壁にかけられていた。マッゴーワン夫妻はディランを気に入っていて、しょっちゅう彼にサンドイッチや酒をおごっていた。そこである晩、ギルはボブに新しい雑誌のコンセプトを語り、『ブロードサイド』にボブを誘った。

シーガーは一九六一年にイギリスでツアーをしたあと、そこで隆盛していたトピカル・ソングに触発されて戻ってきた。彼は同様のことをアメリカでも行おうと考えた。シーガーは自身や、マルヴィナ・レイノルズや、ヴァーン・パートロウ、アーニー・マーズらに連なる若き作曲家を育てたいと願っていた。ピートは、オクラホマ出身のウディの友人であり、アルマナック・シンガーズのメンバーである古い友人で長く南部の労働運動に従事していたシス・カニンガムと行動を共にするようになった。シス・カニンガムの夫ゴードン・フリーゼンは、オーク・レコードから発売された『ブロードサイド・ソングス』第一集に、彼らの考えをこう記している。

アメリカじゅうの若者がいまはトピカル・ソングを書いていないなど、どうして言えるだろう？　私たちがただ耳を傾けていないだけだ。商業的な大手音楽出版社やレコード会社は、こうした曲に関心を持たない。人はそうした曲が書かれず歌われてないと考えているかもしれない。そんなことはない、そうした曲のはけ口が十分にないだけだ。

最初のミーティングで、ピートとシスとゴードンは、トピカル・ソングの歌詞や楽譜もガリ版で印刷する『ブロードサイド』を創刊し、エリザベス体のフォントで歌詞やニュースを記し、簡単に配れるようにした。ピートは『シング・アウト！』と強い結びつきを持ち続けていたが、その雑誌は出版に数か月かかるうえ伝統的なフォーク・ソングに力点を置いていた。『ブロードサイド』は小規模で簡単に出版することを目的としていた。ピートとシスは着火材を求めていて、それをギル・ターナーに見いだした。ディランを誘うことに加え、ギルは最も勢いのある若手ソングライターたちを月々の会議に加えた。ジョシュ・ダンソンとジュリアス・レスターという若手音楽ジャーナリストの二人は、そこで経験を積んだ。ずいぶんあとに、自称ディラン学者のA・J・ウェバマンも、そこで分析の斧を研いだ(7)。

ディランは最初から『ブロードサイド』に熱心に関わった。雑誌は彼の新曲を印刷し、彼をムーヴメントの一部とした。ディランは国中から届く録音テープを聞き、そのうちいくつかは自身で改良の手を加えようとさえした。彼はシーガーに耳を傾け、シスやゴードンのやることに気を払い、「ウディならどう考えるか」に思いを巡らせた。『ブロードサイド』は明らかに一九六二年から六三年のディランの作曲に影響を与えていた。ジョシュ・ダンソンは、いつものごとく気軽な『ブロードサイド』のミーティングについて、同誌の第二十号でこう記した。「『ブロードサイド』の拠点は小さな狭い部屋だ……ギル・ターナーは自分の十二弦ギターを持ってきて、ピックを借りていた。シスはテープレコーダー用のマイクを持ってきていて、ギルは書いたばかりの新聞ストライキに関するトーキング・ブルースを披露し、ぼくたちは静かに笑った」。ターナーの歌「ザ・グレート・ニューヨーク・ニュースペーパー・ストライキ」は、このようなものだ。

そうぼくはニュースに飢えた都市に座っている……
出版社に思慮はない、彼らに哀れみはない……
ぼくに仕事や泊まる場所も見つけてくれない。手詰まりの状態で
求人広告も失くしてしまった……最後の金も使ってしまった
最後の二ドルを。フォーク・ミュージックの
コンサートにカーネギー・ホールへ行った……昔ながらの
シンガーたち、ブルース奏者、それにカウボーイが一人と
ピート・シーガーが一曲か二曲歌った。その演奏は
良かったかもしれない、素晴らしかったかもしれない、でも分かりっこない
ニューヨーク・タイムズも、ボブ・シェルトンの
レヴューも……オピニオン欄もないんだから

……それでぼくは友だちとコーヒーを飲みに行った、
ニューヨークで唯一ストライキを行っていない新聞である
ボブ・ディランと(8)

「それから」とダンソンは続ける。「ギルは六弦のギブソンを持ってきて、ボブに手渡して、新曲『戦争の親玉』がいかに彼の書いた最高の曲のひとつであるかを語った。ぼくは彼のことを……『風に吹かれて』や『はげしい雨が降る』といったすぐに(フェデリコ・ガルシア・)ロルカを思い起こさせるようなとても詩的な歌詞を

書く人だと考えていたから、雨や、雷や、雷鳴のイメージが壮大な光景とともにやってくるのだろうと構えていた。でも違った、『戦争の親玉』は別の種類の詩で、大きな怒りや批判を抱えていて、戦争の親玉は誰だと、一切の妥協なく、短く鋭く直接的な強さで語り……次々と、留まることなく……息つく間もなかった、ボブはピートと『プレイボーイズ・アンド・プレイガールズ』を作り、ピートは『来年百万人がこの曲を歌うだろう』と言った。曲は大衆を軽やかに捉え、言葉は感情とマッチしている」

フィル・オクスと、ターナーの「ニュー・ワールド・シンガーズ」のメンバーのひとりハッピー・トラウムも参加するようになった。ピートは言った。「この五か月、今夜ほど良い曲と良い音楽を多く聴いた日はない」。ディランは一九六二年の『ブロードサイド』の会議の常連六人のうちのひとりだったが、ボブがガスリー以降聞こえてこないほど見事なトピカル・ソングを作っているとピートは気づいていて、その他の面々も次第に気づいていった。ポール・クラスナーの『リアリスト』、そして『ヴィレッジ・ヴォイス』といった雑誌と並び、『ブロードサイド』は一九六〇年代のアンダーグラウンド出版のパイオニアだったと言えるだろう。

一九七〇年に、フリーゼンは一九六二年に行われていた会議について語った。「商業的成功を求めるプレッシャーはなかった。いずれにせよこの雑誌は類を見ないものだと自覚していたし、『ブロードサイド』は体制側が好まないであろうプロテスト・ソングに強かった。賭けてもいいがこの雑誌がなければコロンビア・レコードはディランの『戦争の親玉』や『神が味方』をレコーディングしようとは決してしなかっただろう」。実際、コロンビアはトピカル・ソングの隆盛を思い知る最初の大手レコード会社となった。ジョン・ハモンドを通じてコロンビアはピートと契約し、社会について語る音楽が広い聴衆へと届き始めた。

シーガーはディランが影響を与えた最初の有名ミュージシャンだった。一九六二年の暮れまでに、シーガーはディランの曲を演奏するようになり、現代の最も重要な新しいソングライターだと讃えた。ディランは一九六二年二月の『ブロードサイド』創刊号に、自身の曲で初の誌面掲載となる「トーキン・ジョン・バーチ・パラノイド・ブルース」の歌詞を提供した。「風に吹かれて」は一九六二年五月の『ブロードサイド』第六号の表紙を飾った。十八か月のあいだ、ディランの曲を最初に目にする場所は、演奏すらされる前の『ブロードサイド』誌上で、ボブはそこに編集者として名を連ね、積極的に他人の曲へもコメントしていた。

若手のシンガーソングライターたちのなかで最初に目立っていたのはレン・チャンドラーだった。ピーター・ラファージ、フィル・オクス、パクストン、カナダのボニー・ドブソン、そしてスポールストラらものちに登場する。「小さな箱」などの曲を書いたマルヴィナ・レイノルズも、街にいるときは、いつも顔を出した。ゴードンは言う。「私たちは彼らを個別のスターというより、一緒くたにひとつの新しいトピカル・ソングライターの一団として捉えようとしていた。ボブは少し特別に思えたけど、フィルやレンたち以上かは不確かだった（そうじゃなかったら、ディランのテープをもっと作っていただろうし、最初のアルバムにもっと彼の曲を入れただろう）。ボブは子供っぽくみえて、歌ってないときや演奏してないときはどこかすごくナーバスで、座っていてもしょっちゅう足を動かしていた。話すときは分かりにくく、語尾が消えていった。でも演奏や歌を始めると劇的に変化する。ギターを演奏する熱量や、ヒゲも生えてない子供から出るパワフルな歌声に人は驚いたものだった。その落差に正直面食らって、しばらくは彼が私たちをからかい、おちょくろうとしているんじゃないかという印象を持っていた。彼の曲のいくつかは意識的にフォーク・ソングを逸脱した悪ふざけだと思った。『アイ・ウィル・ノット・ゴー・ダウン・アンダー・ザ・グラウンド』は特に印象に残っている。『誰をからかおうとしているんだ？』と思った。しかし、彼は演奏中に表情を変えず、観客を見ることもなく、ギターと手元ばかりを見ていた。もう一曲、フォーク・ソング全般をバカにするために作られていると思ったのは『プレイボーイズ・アンド・プレイガールズ』だった。そんな疑いは彼が『戦争の親玉』や『神が味方』を書いたときに消えて、そこには深く大きなメッセージがあり、ウディが成し遂げたどんな仕事よりも優れていると思った」

シスとゴードン、そしてマンハッタンのウェスト九十番地に集まる人びとは強く政治的だったが、『シング・アウト！』の左翼政治屋たちのように無神経でもなかった。両誌は互いを兄弟誌と見なしていた。『ブロードサイド』は身近で人間味があり、ディラン的なジョークの良い舞台だった。ディランはコロンビアと契約していたため、『ブロードサイド』が製作した最初のアルバムには「ブラインド・ボーイ・グラント」の変名で曲を提供した。フリーゼンは言う。「憶測の通り、ボブはそのレコードへの参加をちょっとしたいたずらのように考えていた。何より、そこからは金を受け取らず、すべては『ブロードサイド』の利益になった」。そのレコードは一九六三年の春に発売され、ターナーは多くの人材をフォークウェイズ社のスタジオに送り込んだ。モー・アッシュは『ブロードサイド』が四枚製作するうち最初のアルバムに前払い印税一〇〇ドルを支払った（彼のフォークウェイズ・レーベルによる支援だった（D））。一九六三年の二月に第二十号となり、『ブロードサイド』が一周年を迎えるときには、一ページ目にスージーが書いたイラスト付きの「戦争の親玉」が、二ページ目に「プレイボーイズ・アンド・プレイガールズ」が、そして初期ヴァージョンの「くよくよするなよ」が掲載された（この最後の曲は政治的でも時事的でもなく、それが『ブロードサイド』の柔軟性を示していた）。一九六三年の他の号のほぼすべてに、ディランの新曲かディランについての研究が掲載されていた。その傾向は、六四年にディランが雑誌を退いてからも、六〇年代を通して続いた。

　ディランは後年『ブロードサイド』へ敬意を表しながらも、そこでの経験に対する評価は最小限に留めるのだが、それはディランにつきものの、協力者やインスピレーションの源泉に対する二面性を示していて、支援を受けたという事実がつねに「心理的負債」を嫌う気持ちと拮抗していた。『ブロードサイド』という試みの影響は大きかった。現実世界と関係する曲に力点を置き、「何かを語りかける曲」を強調し、社会に自覚的な音楽表現という新しいスタイルを若いソングライターが確立するのを後押しすることにより、慎ましいフォーマットで、数百人しか読者がいないにもかかわらず『ブロードサイド』は成功を収めた。『ブロードサイド』の後押しによって、ディランは広く世間に知られる前に才能を開花させ、自らの腕を磨いていた。ディランが率いるポップミュージック革命のルーツの一部は、『ブロードサイド』での月例会議や雑に刷られた誌面のなかにあった。

ザ・ベアの登場

アルバート・B・グロスマン、別名「ザ・ベア」は、そのあだ名の通りの体型と態度で、顔は明かりのなかに引きずり出されたフクロウのようだ。恰幅のいい若白髪の男で、大きな目を、電気（エレキ）を発見する前のベンジャミン・フランクリンふうの眼鏡で少し隠していた。ディランが三度目にエレキ・ギターを用いた一九六五年、アルバートは髪をインディアンの戦士のように後ろで結っていた。「初めてアルバートと会ったとき、道端のクマかと思った」。ディランは一九六二年から契約が法的に解除される一九七一年六月まで自身のパーソナルマネージャーを務めたグロスマンについて、私にそう語ったことがある。ディランのバイク事故のあと、ディランとこの「地主様」の関係は変わっていった。ウッドストック近郊の、その名もベアズヴィルに暮らしていたグロスマンが、テディベアであるかグリズリーベアであるかは、見る人次第だった。

ディランがアルバートに会ったとき、ディランは用心深かった。ボブはしかるべきマネージャーを得ることがどれほど重要であるかを認識し、ひとたび契約を交わすと、多くの人間から色々なことを書かれるだろうと心得ていた。非公式ながらテリ・ヴァン・ロンクがマネージャーのような役割をしてくれていたものの、ボブは自分で仕事を管理しており、自身が反感を持つアップタウンのビジネス界と関わる必要はなかった。しかしアルバートは、いつもヴィレッジ界隈にいて、様々なミュージシャンと会話し、彼らの未来を思案するブッダかのように座っていた。ボブとアルバートの奇妙で、ときに嵐のような関係は思想と気性の真の結婚のような面があり、それぞれがすぐに相手の最も悪い特徴を身につけた。最も顕著な違いはボブが人への大きな思いやりを持つ比較的オープンな人間であったのに対し、アルバートはいつも駆け引きをするチェスプレーヤーだった点だ。最悪の状態のとき、グロスマンは人を見下し、最高のとき、商業的な言葉や安っぽさを最小限に控えて仕事する眼識を備えたマネージャーだった。最悪の状態のとき、関心の中心は金となり、最高のとき、クオリティとスタイルを持つアーティストからのみ金を生み出した。

ディランがコロンビアと契約するとすぐに、音楽ビジネスの強欲なサメたちが血を嗅ぎつけた。ボブは待機戦術に出た。ハモンドはシーガーやジュディ・コリンズやウィーヴァーズ、そしてなかでもガスリーを担当したハロルド・レヴンソールをマネージャー役に勧めた。ディランとレヴンソールの関係は上手くいかなかった。ボブは、影響力あるミュージシャンのボブ・ギブソンと大学のタレントブッキング・グループ「キャンパス・コンセプツ」を立ち上げたロイ・シルヴァーと親しくし始めていた。シルヴァー——のちにコメディアンのビル・コスビーのマネージャーとなる——は、最初期のディランフリークのひとりで、自身最初の結婚を犠牲にしてしまったほどだとのちに私に語った。「夜家に帰る代わりに、ボビーを聴けるヴィレッジの場所を探しまわったり、彼とつるんだりしていた」。一九六一年の終わりに、シルヴァーとギブソンはカナダでディランを一週間二五〇ドルでブッキングした。「彼をシラキュースの週末に一五〇ドルでブッキングできると、これで大金持ちになれると声を上げた」。シルヴァーは当時グロスマンと仕事をしていたが、一九六二年にグロスマンへ、一万ドルでディランらの契約を譲った。

ポール・ストゥーキーは自分が初めてアルバートにディランを勧めたと考えている。一九六一年のある晩、ギャスライトで彼はボブにハドソン川の遊覧船での騒動についての新聞切り抜きを渡したか、その出来事について語ったかした。次の日の晩、ディランはギャスライトにやって来て、ポールに「ベア・マウンテン・ピクニック大虐殺ブルース」を歌ってみせた。ストゥーキーは驚き、グロスマンにディランは目の離せない才能だと告げた。グロスマンは目を離さなかった。ボブのLPが発売される頃、数か月をかけてディランの信頼を築いたグロスマンは、直接的な申し出を行った。当時ボブは、アルバートが年に五万ドルを生み出せないアーティストとは仕事をする気がないと語ったと言い、ボブはその数字に驚いたという。ディランは、アルバートが自分を単なるコーヒーハウスのパフォーマーではなく、コンサートをしたりレコーディングをするアーティストだと考えているようだと語った。アルバートはボブがディンキータウン時代から敬愛していたオデッタのマネージャーを務めて評価を得ていた。彼が手がけるピーター・ポール&マリーの高まる名声もディランに好印象を与えていた。私はボブに、グロスマンからの申し出を真剣に検討した方がいいと助言した。グロスマンはバエズを見いだして一九五九年のニューポート・フォーク・フェスティヴァルでデビューさせたが、バエズはおとなしめのボストン出身のマニー・グリーンヒルと仕事をすることを選択した(9)。多くの人びとにとって、グロスマンは腹黒く、冷酷に要求を断る人物だった。「彼は自分が神だと考えているんだ」とトム・クランシーは言った。また別の人びとにとって、彼は最高水準の完全無欠なパフォーマンスに奉仕し、人材の行商ではなく、創造の原動力である「美しい猫」だった。グロスマンが担当した人びとさえも見解は異なっている。そして一九六〇年以降、アルバートは大きく変わった。

ヴィレッジにやって来たとき、彼はよく船乗りたちの労働歌やブルガリアのフォーク・ミュージックをとどろく低音で歌っていた。しようと思えば楽しいおしゃべりをすることができたが、グロスマンは黙って謎めいたままでいることが多かった。彼はシカゴのウェストサイドで、教育と安定を重んじる家庭に生まれた。レーン・テクニカル・ハイスクールを卒業後、シカゴ大学で経済理論の修士号を取得した。演技、政治、そして音楽に関心を持っていた。指導を受けた教授のひとりには児童心理学者のブルーノ・ベッテルハイムがいて、アルバートは学を積んだ経済理論家であると同時にいくらか教育を受けた児童心理学者ともなり、そうした能力が一九六〇年代のショービジネスで屈指の影響力を持つマネージャーとなるのに役立った。

グロスマンは裏で働くことを好み、クレジットや注目を求めなかったが、実力者としての名声が高まることに満足してはいた。風変わりな担当アーティストたちに耐えながら、彼はジャニス・ジョプリンらを含む面々にとっての相談相手であり精神科医だった。彼の主な報酬は金だった――それも多くの、大金だった。副収入は権力で、初めは賢く利用し、やがてそれに取り憑かれていくこととなった。クライアントであるアーティストたちのなかには、アルバートのことを音楽業界の陰謀から守ってくれる庇護者だと語る者もいる。ピーター・ヤーロウは一九七〇年に私に語った。「アルバートは完全にクリエイティビティに奉仕している。彼は耳が良い。アルバートがいなかったら、バエズも、ディランも、ピーター・ポール&マリーも存在しなかっただろう。彼はショービジネスの尻軽的な面から守り続けてくれた。アルバートに比べると、ディランは話を断ることに関してはアマチュアだった。アルバートは他人の自尊心を打ち砕く達人だ。それは彼も容易に認めるところだろう。アルバートは相手がこちらを出し抜こうとするときにのみ攻撃する。彼は基本的にメディアを信用していない。とても内気で、疑り深いが、それは堕ちていく友人たちを見てきたからだ。彼は理想主義者でもある。ボビーはある時期あらゆる人を模倣していて、自然とアルバートのやり方を多く真似し学び始めた。アルバートはボビーを大きく刺激したと思う」

ポール・ストゥーキーは私に語った。「もし配管工が家に来て、詰まった配水管を直したとして、その配管工は自分の人生を創造的に手助けしてくれたと言うだろうか？　アルバートはまるでその配管工だった。彼はこちらの行動や発言の余計な点を指摘する。アルバートが何かをしろと言うとき、それはいつも正しい。彼が何かをすべきでないと言うとき、それは正しくないときもある」。ポールはアルバートが広く誤解されていたと思うと言う。「なぜならアルバートは残酷なまでに正直で、個人的な不快感をかなりオープンに表明し、胡散臭い奴らを早々に察知できたからだ」。ディランと同様に、マリー・トラヴァースもかつては彼の信奉者だった。一九七〇年から七一年、私がよくロンドンでマリーと会っていた頃、彼女は明らかにグロスマンが自分を利用していたと感じていた。グロスマンが彼女やピーターやポールよりも稼いでいることを知ったとき、彼女はレヴンソールへとマネージャーを切り換えた。利用されたという感情を抱き、マリーはかつて尊敬していたマネージャーについて強い言葉で罵った。

マネージャーというものは職業的に敵役であり、クライアントのネガティヴな側面がそのまま降りかかる運命にある。ディランが断るのも煩わしい相手にノーと言いたいとき、彼はよくこう伝えた。「それについてはアルバートと検討しなくちゃならない」。アルバートはいつも「ノー」と言う不満屋として映り、ボブは年長の操縦者の手に置かれた感じのいい若者に見えた。「ノーと言うのは大嫌いなんだ」と言う聖人のようなスターであるシーガーさえ、レヴンソールにこう言わせた。「ノーだ、またチャリティ・コンサートなんてできない」。アルバートは実に見事にマネージャーの汚い仕事をやってのけていた。彼はノーと言うことを楽しんでいるように見えた。ある種の弁護士が脅迫めいた行動を楽しむのと同じように。防波堤として、緩衝材として、グロスマンはあらゆる物事の矢面に立った。一九六四年、ディランがタフツ大学の聴衆を一晩待たせたままにしたとき、グロスマンと共に仕事をしていたチャーリー・ロスチャイルドは、こう説明した。「事務の人間がスケジューリングのミスをした」。ディランが酔いつぶれてしまったのであれ、スケジュールのミスだったのであれ、グロスマンのオフィスがその責任をかぶった。グロスマンがさらに稼ぐためにエレキ・ギターでの演奏を発案したという人もいたが、おそらくアルバートはその転向を知った最後の人物のひとりだっただろう。

レヴンソールは何とか親しみやすく愛想のいい印象を与えることができていた。ビートルズのマネージャーのブライアン・エプスタインは、この上なく礼儀正しく、私やその他のジャーナリストを、ベルグレイヴィアの家で歓迎した。サイモン&ガーファンクルのマネージャーを務めたモート・ルイスは、よく「二人の要望や関心」という盾の後ろに隠れていた。グリーンヒルは決断に無関係なフリをした。モダン・フォーク・カルテットやジュディ・ヘンスキーやフランク・ザッパのマネージャーだったハービー・コーエンは、タフなビジネスだとジョークを言って質問を逃れた。グロスマンは「何も語らなかった」。彼は、ディランと同様に、「姿をくらます」ことを好んでいた。

長年グロスマンと親交のあった私は、彼のことをやりたいことが上手くいかない男だと考えていた。グロスマンは才能がありながらも決して上手くいかなかったイスラエルのデュオ「デュダイム」に入れ込んでいた。バエズから断られ、グロスマンは黒髪のソプラノ歌手リン・ゴールドを発掘して宣伝したが、無名のままで終わった。駆け出しの頃、グロスマンは遥かにオープンで、スターたちへの様々な発言を残している。その後はかなり厳しくなり、距離をとり、神経が図太くなっていく。担当するスターたちは「彼の人民」となり、誰も、もちろんライターも、彼らについての質問をすることは歓迎されなかった。一九六五年に私がグロスマンに対して、あるディランの発言の真意は何だったと思うか尋ねると、アルバートは笑って言った。「私はただのユダヤ人ビジネスマンさ」

そういうディランとグロスマンが互いを見いだしたことに驚きはなかった。しばらくのあいだ、彼らの気性は驚くほど似ていた。グロスマンの方が十数歳上ではあったものの、他のどんなアーティストもグロスマンにこれほどの影響を与えたことはなかった。ディランの嗜好はグロスマンがポール・バターフィールドや、ジョン・リー・フッカーや、クウェスキン・ジャグ・バンドや、ザ・バンドと契約することにつながった。ピーター・ヤーロウは、ディランがグロスマンのなかに自分が求めていた父親像を見いだしていて、関係が崩れていく一九六五年から七一年にかけて、ボブは恩義のあった権威的存在たる父親を象徴的に打ちのめしていったのだと語った。グロスマンもボブのなかに反抗的な息子を見ていたのかもしれない。ボブはその家族という器の亀裂について語ることはほとんどなく、アルバートはそんな亀裂などないかのように振る舞っていた。

グロスマンのクライアントたちが彼の方法論を好むことが多かったのは、アルバートの戦っている敵もまた同じように残酷であることを知っていたからだ。グロスマンは他のマネージャーたちが尻込むような要求も行い、他のマネージャーなら耐えられないようなアーティストの横暴にも耐えていた。一九六四年から六六年のあいだ、グロスマンはディランとの関係に大いに耐えた。ディランはきみがいないと決して成功しなかっただろうと言う人もいると伝えたとき、グロスマンは謙虚なフリをしていた。「そんなのはバカげてる！　彼は誰もいなくても成功しただろう」とグロスマンは言った。

グロスマンと密に仕事をしていたのは、トミー・ドーシー・バンドの元ロードマネージャーで、聡明かつ活動的な重役であるアーティ・モーグルだった。彼はのちにワーナー・ブラザース・ミュージックとなるミュージック・パブリッシャーズ・ホールディング・コーポレーションに買収されていた出版社M・ウィットマーク&サンズに籍を置いていた。一九六二年の初夏、グロスマンとシルヴァーはディランをモーグルと引き合わせた。ボブは彼のほぼ全曲を歌った。モーグルはウィットマーク社で契約を結ぶことを望んだが、ハモンドがすでにリーズ／ダッチェス社で売り出す準備をしていたことを知る。ロシアによるアラスカ売却をどこか思わせるような動きで、モーグルはディランにリーズとの契約を解除させ、その後一九六二年七月十三日にウィットマーク社と三年間の契約を結んだ。「ディランに一〇〇〇ドルでウィットマーク社との契約を提案した」とモーグルは私に語った。「その一〇〇〇ドルを捻出するために戦わねばならなかったが、今では曲は簡単に一〇〇万ドルを稼げるようになっているし、この先何年も稼ぐことができるだろう」。アーティは、その前払金を自腹で用意し、十週にわたって給料から天引きしたという。「ウィットマークでの三年間で、ディランは二三七の著作権をもたらした。聞いたこともない数だ！　彼は驚くほどに多作なんだ。普通だったら、三年で二五曲くらいだろう」（自伝『ジャズ・プロデューサーの半生記　ジョン・ハモンド自伝』で、ハモンドはディランがアーティから受け取った一〇〇〇ドルのうち五〇〇ドルを使ってリーズ／ダッチェス社との契約解除金を支払ったと語っている）。

「世界最高のタレントスカウト」を自称するモーグルは、グロスマンの経済的成功に一役買ったのかもしれない。ピーター・ポール&マリーとの契約に際して、ワーナー・ブラザースは三万ドルの前払金を支払い、グロスマンはそこから数百万ドルを増やした。グロスマンの傘下ではなかったものの、モーグルはグロスマンにとって重要な人物のひとりだった。MGMレコードが一九六七年にディランとの契約を検討したとき、モーグルが交渉にあたった。契約は実現しなかったものの、幸運や、タイミングや、専門能力によってモーグルとグロスマンはディランから曲を得るという類を見ない仕事を達成した。ピーター・ポール＆マリーの音楽ディレクターだったミルト・オクンを通して、彼らは三つのグループにディランの曲を歌わせた。かつてイジー・ヤングは、モーグルから一万ドルを提示され、フォークコミュニティにディランの曲を売り込んで欲しいと言われたが、断ったと教えてくれた。一九六三年の秋以降、ディランの曲はほとんど宣伝を必要としていなかった。ジュディ・コリンズ、マンフレッド・マン、歌手・俳優のハミルトン・キャンプ——そしてグロスマンの担当するオデッタ、ピーター・ポール＆マリーは言うまでもない——は大手を振ってディランの新曲の収録に臨んだ。モーグルとグロスマンはこれらの曲の運命を一九六五年まで導き、ウィットマークとの契約が切れると、ディランとグロスマンは自身の音楽出版会社を設立した。そこに責任者として雇われたのはアーティ・モーグルだった。

私とグロスマンの関係は一九六五年の後半から疎遠になった。ある晩ヴィレッジのクラブ「ライムライト」で、ディランの本を書かないかと私にアプローチしてくる出版社がいくつかあると伝えた。「もし書いたら、訴えてやる、出版される前に、あるいは出版後に、もしくは両方で」とアルバートは激怒した。同じテーブルにいたマリー・トラヴァースとカナダの歌手イアン＆シルヴィアは驚いているようだった。「アルバート」と私は言った。「ぼくたちはいつか権力とその濫用について語り合うべきだね」。彼は鎮まり、一週間後に彼のオフィスで会うと、本当に訴える気ではないようだったが、なおも怒っているようだった。「ご都合主義だし、子供じみた真似だ。特に出版用に向けられたものでないものを、人に伝えるべきではない」。私は、メディアを宣伝に使うだけで、ショービジネスの現実を記録するために使わない方がご都合主義じゃないのかと尋ねた。「きみはイタリア化している」と彼は言った。「まあ」私は冷ややかな面会を締めくくった。「西海岸から帰ってきたら、ボブに聞いて何て言うか見てみよう」。ディランは私の本にすぐさま関心を示し、アルバートにほっておいてくれと伝えた。

時とともに、グロスマンは態度を軟化させていった。あるとき、一九六八年の一月、彼は私にこう語った。「できるなら力を貸すが、ときどきボブ・ディランのことがまったく分からないと感じるときがある」。一九七一年の五月頃、グロスマンはこう語った。「このオフィスにジャニス・ジョプリンについての真面目な本に取り組んでいる女性（マイラ・フリードマン）がいるが、ジャニスはもう死んでいるとはいえ、マイラには力を貸すことができないと言わざるを得なかった。表のことは表のことで、プライベートはプライベートだからね」。その週、ディランは私に言った。「アルバートは絶対きみに手を貸さないだろうね」。グロスマンは事実には関心がなく、秘密にしておくことにしか関心がなかった。記者が彼を間違って解釈すると、彼は激怒する。正当なインタヴューがあれば誤解を防げたであろうにもかかわらず。おそらくグロスマンは自身のビジネスについて人が思うよりも多くを隠していたのだろう――辣腕のトム・ウルフさえ彼をインタヴューすることはできなかった。「ウルフがまともにインタヴューをしてくれるとは思えないからね」とアルバートは言った。

ハモンドの愚行

その後のボブとレコード・プロデューサーとの関係は様々だが、ジョン・ハモンドは最初の数か月間ディランを熱心に後押しした。最初のアルバムのロイヤリティは電気代をぎりぎり払える程度のものだったが、ハモンドはディランに大きな才能があるという確信を抱き続けていた。コロンビアは皮肉を込めてディランを「ハモンドの愚行」と呼び続けていた。ハモンドはディランをタレントエージェンシー「ミュージック・コーポレーション・オブ・アメリカ」のトップと会わせた。そこでの会話で、ディランがJ・D・サリンジャーの『キャッチャー・イン・ザ・ライ』の映画版でホールデン・コールフィールドを演じるという話が持ち上がったが、このプロジェクトはたち消えてしまった。

その他コロンビアでの主なディランの支持者には、極めて聡明な広報担当ビリー・ジェイムズがいた。数多くのアーティストの宣伝を担当していたにもかかわらず、ビリーは一度だけわざわざ私にコロンビアのグループ「ザ・バーズ」を推してきた。ジャーナリストたちはビリーのセンスと誠実さを信頼する傾向にあった。ビリーはディランについてこう振り返っている。「ハモンドが電話をかけてきて言ったんだ。『ビリー、いま素晴らしい青年がスタジオにいるんだ。来る時間あるか？』。すごいことが起きていると分かった――いまここで！　ディランは様々なものを見事に取り入れて、それを優れた説得力を持って表現していて、最初に聞いたときはすごく感動した。ボビーが現れて三時間くらい色んなことについて話したけど、自分の過去については話したがらなかった。そういうことは何度かあった。彼が行ったことのある色々な場所を聞いて驚かされた。そういう様々な場所を本当に詳しく話すし、ホテルの部屋のなかしか知らない巡回セールスマンの話とは違った」。ディランはビリーに自分のマネージャーになりたいかどうか尋ねた。「私は断った、自分に向いた仕事じゃないからってね」

ハモンドはボブにリーズの子会社ダッチェス・ミュージック・コーポレーションから発売するように提案した。のちにディランはビリーにこう語った。「小さな部屋がたくさんあって、そのドアを開けると、作曲家たちが座って曲を書いてたんだ！」。その組織的な体制はディランを驚かせた。彼はビリーに、コロンビアに関わる人間の多くは、自らの心に従って動いているのではないように感じたと語り、彼らに道端で会うと、自分は歓迎されないんじゃないかと心配していたという。しかしビリーは違った。一九六二年に、『セブンティーン』誌のエドウィン・ミラーとの初めての雑誌用インタヴューをセッティングしたのもビリーだった。

暴力的な、怒りの感情があのときの自分のなかにはあった、理由は分からない……（ハモンドは）歌った曲をもう一度やってもいいと言ってきたけどぼくは断った。同じ曲を二回も続けて演奏する自分を想像できない……自分は毎日決まったように働くわけじゃない。たくさん稼ぎたいわけでもないんだ、本当に。よく街を歩いたり、フェリーに乗ってスタテン島に行ったり川沿いを歩いたりする。知り合いの画家と一日中ゆっくりしたり……自分は人の後を追うことができない。もし誰かがぼくの持っているものを欲しければ、手を伸ばしてぼくのところに来なくちゃならない。そして取っていかなくちゃ。ぼくはそういう人間なんだ。

二一歳の時点ですら、ディランは極めて引用しがいのある発言をしていた。彼は『16』誌に、「人は自分なりの思考と感情を育てるべきで、大勢に従うべきじゃない。誰もが天分を持っていて、それを誇りにするべきだ

――それが道端を掃除することでも、服を縫うことでも、歌を歌うことであっても」と語った。『FMステレオガイド』誌のレイチェル・プライスは、思慮に富んだインタヴューを一九六二年の秋に行っている。

ぼくを詩人だと見なす人もいるようだけど、それについてはよく分からない。詩人は無数にいる……ぼくはちょうど西への旅から戻ったばかりで、そこでの生活がどれほど静かで心地よいものか忘れていた。計画なんか立てる必要がなくて、ただ物事が起こる。今ぼくは待っているんだ……恋人が旅から家に帰ってくるのを……ぼくは与えたいけど、それは自分の思うやり方を通してであって、ナイトクラブは自分のやり方じゃない。人びとはそこに剣闘士の戦いを観に行くけど、ぼくはその見せ物の一部になりたくない……ティーンエイジャーたちには様々なものが襲いかかってくる、色んなものを買う良いカモだからね。自分は彼らに向けられる新たな銃弾のひとつにはなりたくないんだ。

ジェイムズはボブにメディアへの対応を指導したのは自分の功績だとは語らない。ディランは広報担当者が夢見るような、インタヴューでの機転の利いた発言を本能的に心得ていた。すぐに、ビリーは単にインタヴューを手配するだけで済むようになり、インタヴューの依頼を断りさえするようになった。

アーティストの肖像

一九六二年にスージーがイタリアにいるあいだ、ディランはニューヨークで友人を作り続けた。スージーがいなくなって、大きな空洞を埋める必要があったのだ。四丁目から西に少し行ったところにあるレコードショップ「ミュージック・イン」を経営していたジミー・リッチモンドは、常連客としてディランを知っていた。買いはしないものの週に何度か新譜を聞きに店を訪れていた。道を上ると、ヴィットリオ・デ・シーカの映画にも端役で出演したことのあるブリグノール姉妹が経営する小さな食料品店があった。ほんの少ししか食べないようだったが、ボビーは彼女たちのお気に入りだった。だいたいいつも一日にタバコ数パックと、コーヒーとミルクだった。ボブに金がないとき、というのはよくあることだったが、彼は代金を免除してもらっていた。この「とても感じのいい青年」はいつの日かきっと返金してくれるだろうと分かっていたからだ。

それから、カウボーイの生活を讃える気ままでヒゲを生やした画家ハリー・ジャクソン。ハリーもまたシカゴからやってきたシティビリーで、ロマンに満ちた生活を求めて街へやってきていた。青年期をワイオミングで過ごし、失われた西部に心から惹かれていた。彼はカウボーイの精神を歌に込め続け、ヒューストン・ストリートの大きなロフトには巨大な絵を溜めていた。中途半端な物事を嫌う激情型の一匹狼ハリーは、ステージ上のディランに心を奪われた。「イタリアのスタジオの近くで見たストリートミュージシャンたちを思い出させる。人の注目を引きつけ、ついいくらか払いたくなるような魔法の力を持った街の浮浪者たちだ」。ハリーは私に、そして誰もにこう語っていた。「ディランは本当にとてつもなくリアルなんだ——信じられないほどにね」。ハリーはボブに肖像画を描かせてくれと頼んだ。いつかアルバムの表紙に使えるかもしれないからと。ディランは三度足を運んだが、じっと座っていることができず、ハリーは描きながらワイオミング鉱山帯のカウボーイたちの話を語って聞かせた。ボブは描かれることだけでなく、絵を描くことにも関心を持っていた。一九六二年の春、彼はジャック・エリオットに音楽を辞めて芸術家になると言い、一九六三年に『ニューズウィーク』の記事が出た直後にももう一度同じことを言った。一九六六年、バイク事故のあと、彼はついに腰を据えて絵に取り組む時間を持った。ジャクソンによる肖像画は、最終的にモデルが目の前にいない状態で仕上げられ、彼の優れた作品のひとつではなかったが、それでもディランの創造性を強く印象づけるものだった(10)。

ディランの映画への情熱はニューヨークでも続き、家から数分のところにある六番街のウェイヴァリー・シアターへよく通った。その年、二つの映画が印象に残ったと、彼は私に語った。『脱獄』はカーク・ダグラスが主演し、スーパーマーケットや高速道路に侵食される現代の西部に生きる個人主義者を演じている。このヒーローは落ちこぼれ、「進歩」によって掻き消されつつある理想を追い求める。そしてもうひとつがバッド・シュールバーグ作品が原作の『群衆の中の一つの顔』だった。ギターを弾いて有名になり、広告やテレビや終いには国政にも影響を及ぼすようになる「田舎の青年」をアンディ・グリフィスが演じていた。主人公の「ロンサム」・ローズは良心のないガスリーのようで、権力への渇望を持ったウィル・ロジャースだった。『群衆の中の一つの顔』は『市民ケーン』と並んで権力によって腐敗したアメリカの成金を辛辣に描く作品で、ディランは『理由なき反抗』や『乱暴者』以来、どんな映画よりも『群衆の中の一つの顔』に心を動かされた。彼はそこに田舎っぽい愛嬌や純朴さを隠れ蓑にして人を騙す地方出身の詐欺師を見て取った。ロンサム・ローズはいかにしてトップに上り詰めるかと同時に、その途上で何を避けるべきかを示していたのだった。

ディランはミュージシャンたちとの友好関係を強めていき、学んだり教えたり、吸収したり共有したり、影響を与えたり受けたりした。その音楽シーンは壁に囲われていない大学キャンパスのようだった。新しい友人たちのなかでディランが気に入っていた人物のひとりに、優しく、喪失感を抱いた、熱心なフォーク・シンガーのポール・クレイトンがいて、彼はバラッド詩の広い知識を持っていた(11)。ザ・グリーンブライアー・ボーイズのジョン・ヘラルドもボブとよく会う友人となった。ヘラルドはフォークをベースにしたカントリーミュージックの広範な知識や、舞台に立つ喜びや、技術への詳細な知識を持っていた。「ジェントルマン・ジム」・クウェスキンとも、ボブは気楽に楽しく、ステージ上でもステージ外でも付き合うことができ、それはヴィレッジのフォーク愛好家のなかでは珍しいことだった。私がクレイトンやクウェスキンを見いだすより遥か前に、ディランは私に彼らについて書くよう促していた。「彼らが無名だなんてとにかく不公平だ」と彼は言った。

一九六二年、ディランは公民権運動の「フリーダム・ソング」のリーダーたちと親しくなる。その夏、『タイムズ』関連の調査で、私は南部で起こりつつある運動に使用されるたくさんのフリーダム・ソングを発見していた。アトランタで、私はＳＮＣＣ（学生非暴力調整委員会）のリーダーである雄弁で闘志あふれるジェームス・フォアマンと出会った。当時ＳＮＣＣはマーティン・ルーサー・キング・ジュニア牧師が率いるＳＣＬＣ（南部キリスト教指導者会議）と近い関係にあったものの、この学生グループは自分たち独自の方向性を持っていた。そして音楽が主要な原動力だった。二人の若き活動家バーニス・ジョンソンとコーデル・レーガンは、その人種差別廃止の活動をジョージア州オールバニで率いていた。彼らとフォアマンは刑務所で過ごしたあとに北へ向かい、そこでフォーク愛好家たちが同志となり友人となった(12)。ディランはＳＮＣＣの活動家たちを温かく迎え、彼らもディランに温かく接した。ディランは彼らのトピカル・ソングの方が『ブロードサイド』よりも今日的な意味を帯びていると考え始めた。「後ろで何が起きていようが関係ない。彼らは明日や昨日について歌ってるんじゃない。彼らは自分自身や彼らが暮らしているような人生について歌っている」とディランは言った。ニューヨーカーたちはジョンソンを若きオデッタとして歓迎した。十八歳にして、彼女は穏やかな振る舞いでありながら、大きく、美しい声を放つことができた。バーニスは「カフェ・レナ」のレナ・スペンサーにディランを紹介され、初めて聞いたときディランは「ホリス・ブラウン」と「はげしい雨が降る」を歌っていた。バーニスは、敬意を表して、複雑な「はげしい雨」の歌詞を覚え、すぐにその曲を歌い始めた。一九六二年の暮れ、彼女は財布を盗まれてしまい、ニューヨークにはほとんど友人がおらず、ディランに電話をかけた。彼は自分の家に彼女を泊まらせ、ロバート・ジョンソンのレコードをかけて音楽や公民権運動について語り合った。ボブは彼女に、ヨーロッパにいる「特別な女性」についても話している。

「当時彼は自分の声を恥ずかしく感じていたように思う」のちにバーニスは私に語った。「本当にひどい声だと思ってたみたい。新曲ができると彼はいつもこの曲は私やギル・ターナーが歌うべきだ、自分より良い声だからと言っていた。私たち運動に関わる人間やフリーダム・シンガーズの面々はみんな、ディランはソングライターとしても人間としても素晴らしいと思っていた」。バーニス（のちにコーデルと結婚した）は、その後数年間ディランと仕事で深く関わりを持った。同じ仲間として、彼女はディランの変化を感じていた。一九六四年頃、彼は自分の道を歩み出していき、それを多くの活動家はショービジネスへ進んで「裏切った」としてディランを切り捨てた。バーニスの意見は違っていた。「彼はとても変わった感情的な事態を経験しているのだと思っていたから、どんな判断も下したくなかった。コロンビアとの契約に不満を持っているのは知っていたし、一九六二年の十二月にはヨーロッパにもあまり行きたがっていなかった。彼のマネージャーが法的に力を持っていたから、行きたくないのにヨーロッパへ行かせたことを知っていた。しばらくのあいだ、私は彼が自殺してしまうんじゃないかと心配してた。それでも、もし生き抜いたら、彼は大丈夫だと感じていた。黒人への特別な愛を持って私たちと行動を共にする白人もいたけど、ただの罪悪感から活動している人たちもいた。ディランはそうじゃなかった。彼が単に運動から離れていったとき、怒ったのはSNCCの白人たちだった。SNCCの黒人たちは怒らなかった、あるいは怒りを表明しなかった。『裏切った』という言葉を使ったのは白人だけで、黒人たちからは聞こえてこなかった。私はいつもボブを友人だと思ってきた。私にとって彼はスターだったことはなくて、友人のひとりなの」

ディランは六十歳のブルースマン、ビッグ・ジョー・ウィリアムスとも親しくしていた。カウント・ベイシー・オーケストラにも同名のシンガーがいるが、こちらのジョーは一九〇三年にミシシッピ州のオクティベハ郡で生まれた。家庭はラジオや蓄音機を買えないほど貧しかったが、家の周りで音楽を聴いていた。祖父は賛美歌を歌うアコーディオン奏者で、兄弟のひとりはゴスペルシンガー、そして従兄弟の三人は霊歌を歌ったり、ギターやウォッシュボードを弾いていた。デルマーク・レコードのボブ・ケスターによると、ジョーは若かりし頃に「耕作はしたくない、綿花畑の雑草刈りはしたくない」と心に決め、ギターを手に取ったという。エセル・ウォーターズのミンストレル・ショー（E）がオクティベハ郡にやってきたとき、彼はその集団についていき街を去った。一九三〇年代はメンフィスでヴォカリオン・レコード用に録音を行った。一九三五年以降の十年は、ブルーバード、コロンビア、その他様々なレーベルで数々の収録を行った。

一九六二年の初頭にマイク・ポルコがフォーク・シティへのビッグ・ジョーのブッキングを検討していたとき、ディランは大々的な賛辞を送った。「彼は最も優れたブルースマンだ。ここに呼ぶべきだよ」。マイクはそれに従い、二月に三週間招待した。ディランはほとんど毎晩顔を出し、何度かビッグ・ジョーとステージで演奏もした。路上で仕事をしてきたジョーにとって、このニューヨークでの初仕事は刺激的なものだった。昔のブルースの復興を促進することにも一役買い、ジョーはやがていくつかのレーベルからLPを発売することにもなった。ビッグ・ジョーとリトル・ボブの化学反応は素晴らしく、ジョーは女性ブルースの第一人者ヴィクトリア・スピヴィーと予定しているレコーディングにもディランを招いた。スピヴィーが持つレーベルで一九六二年三月二日にセッションが行われることになっていた。ボブはコロンビアが許可してくれないだろうことが分かっていたため、「ビッグ・ジョーズ・バディ」という偽名で参加した。そのアルバム『スリー・キングス・アンド・ア・クイーン』は一九六四年の十月にリリースされ、ディランはその内ビッグ・ジョーによる二曲「シッティング・オン・トップ・オブ・ザ・ワールド」と「ウィチタ」に参加した。「シッティング」ではギターとハーモニカを演奏し、ジョーの歌声の裏でアルトのコーラスも担当している。

　数年後、ビッグ・ジョーは昔を懐かしむ父親のように私のインタヴューに答えてくれ、ディランとは彼が六歳（！）のときにシカゴで会ったことがあると語った（ボブはおそらく、一九六〇年に東へ向かう途中にシカゴでジョーと会ったのだろう）。ディランは一九六二年に、十歳の頃シカゴへと逃げ出したことがあると発言し、真相はさらに分かりにくくなっている。「黒人のミュージシャンが街頭でギターを弾いているのを見て、彼のところへ行き、スプーンで一緒に演奏を始めた。ぼくは小さい頃スプーンを弾いてたんだ」。ディランの話を補完するかのように、ビッグ・ジョーもその旅について語っている。「初めてボブに会ったのは一九四六年か四七年のシカゴだ。正確な年は覚えてないが、彼はものすごく幼くて、いっても六歳くらいだったんじゃないかな。見た目はいまと変わらなかった。彼は生まれたときから才能があったのだと思う。うきうきしてやって来て、いまと同じように冗談を言っていた。まあ、俺は当時シカゴの街頭で演奏していたんだ、一九二七年以来ずっとそうだったようにね。どうしてか彼は『ベイビー・プリーズ・ドント・ゴー』や『ハイウェイ49』なんかの俺が収録した曲を知っていた。俺たちはステート・ストリートとグランド・アヴェニューの角あたりのノース・サイドで会い、道を下ってステート・ストリートと三五丁目通りの角へと向かった。その道中でずっと俺は歌って稼いでいた。キャバレーなんかに行っても彼は幼なすぎて入れないから、道端で待たせたんだ。だいたい三時間くらい一緒にいたかな。ボブは色んなことを聞いてきたよ。いつかこういうことをやるんだと言っていて、きみにはたくさんの才能があるから大丈夫だと答えた」

「ようやくステート・ストリートと三五丁目通りの角のクラブに着いて、そこにはタンパ・レッドがいた。それで、部屋で一緒に楽しい時間を過ごした。ボブも歌ったり演奏したりして本当に楽しんでいた。それから六年か七年後、ミネアポリスで彼を見かけた。トニー・グローヴァーと演奏していた。俺が知ってるミシシッピ川の、対岸側でね」とジョーは言った。「それから、別のときに、ボブはシカゴで俺を捜していたようだが、俺はオークランドで仕事をしていた。ボブはそこで俺の住所を突き止めて、かつて俺がした音楽へのアドヴァイスに感謝する手紙を送ってきた。何を得て、何をやってきたか、正直に書いてあった。周りは聞いてきたよ。『こいつは本当に存在するのか？』って。俺は『放っといて好きに生きさせてやれよ』と答えたものだ」

　一九六二年、私がランドールズ島でゴスペルショーを取材したとき、ディランも同行した。私はバックステージで、アメリカの音楽業界で最も温かく、最も才能あふれる家族のひとつであるザ・ステイプル・シンガーズをディランに紹介した。娘のメイヴィスは特にボブに魅力を感じて言い寄りもしたが、家族全員ボブを気に入り、一年も経たないうちに揃ってウェスティングハウスのテレビスペシャルに出演することになって喜んだ。一家の父であるローバック・「ポップス」・ステイプルズは、ボブが一九六二年に彼へ向けて「ジョン・ブラウン」を書いたのだと語った。ショーの目玉のスターはゴスペルの女王マヘリア・ジャクソンだった。ディランは彼女の音楽を敬愛していたが、彼女がリムジンで到着し、お付きの人間にロングスカートを持たせて王族のようだったことに驚いた。周りの忠誠から築かれた富の誇示はボブに誤解を生んでしまった。彼はいつも黒人たちを人間として見ていた――善人でも、悪人でも、無名でも、成功していても、苦しんでいても、美しくても、腐敗していても。彼がマヘリアから受け取ったひとつの教訓は、どれほど貧しい生まれであっても、スターは自らの富を公然と見せびらかすべきではないこと、「成金（ヌーヴォー・リッシュ）」になるべきではないことだった。

　スージーがイタリアにいることによる気分の落ち込みにもかかわらず、ディランは恐ろしいほどに忙しく動き続けていたが、グロスマンが求めるほどではなかった。一九六二年の夏のある晩、俳優であり歌手のセオドア・ビケルがワシントン・スクエア・ヴィレッジの自宅マンションでパーティを開いた。ディランと、共通の友人スー・スミス、そして私が一緒に行った。ボブは相当ハイになっていた。どこかから光沢のある灰色のシルクハットを手に入れてきていたが、滑稽なほどデニムとスエードのジャケットとブーツに合っていなかった。彼が部屋をすごいスピードで闊歩すると、多くの人間がこの変わり者に言葉を失っていた。音楽学者でもあるライムライターズのルー・ゴットリーブは、ディラン人気と、彼のこの晩の奇行に戸惑っていた。ビケルはこの招かれざる客に多少困惑していたが、半年後には、ディランの曲を情熱的に歌っていた。

ビケルのパーティにはジョン・ヘンリー・フォークも来ていた。テキサス生まれのラジオホストで、魅力的な語り手である彼は、ラジオ・テレビ業界のブラックリストの著名な犠牲者のひとりだった。ヘンリー・フォークは米国テレビ・ラジオ芸能人組合（AFTRA）内の反共的なマッカーシー派に異議を投げかけたがゆえに、ブラックリストを促進する反左翼組織AWARE社の怒りを買っていた。フォークは一九五六年にCBSをクビになり職を失った。数年におよぶ苦闘のすえ、フォークはブラックリストを推し進める者たちへの復讐を心に決めた。弁護士ルイス・ナイザーを雇い、フォークは自身を共産主義支持者だと中傷したとしてAWARE社を訴えた（テレビ司会者エドワード・R・マローが裁判の初期費用七〇〇〇ドルを捻出した）。フォークは裁判に勝利し、損害賠償として三五〇万ドルを手にしたが、そのうちのわずかな金額しか受け取らなかった。ちょうど『フィアー・オン・トライアル』(F)を執筆中に、彼はディランと出会った。ディランは、このテキサス生まれの現代の英雄で、民俗学者アラン・ロマックスの友人である彼との出会いに胸を熱くした。

二つの大きなコンサートが一九六二年の秋にディランを待ち構えていた。九月二二日土曜、『シング・アウト！』が年に一度のフーテナニーをカーネギー・ホールで開催した。出演者にはシーガー、ザ・リリー・ブラザーズ、ニュー・ワールド・シンガーズ、そしてバーニス・ジョンソンらがいた。ディランの出来は良くなかった。シーガーはディランを特別に重要なソングライターだと紹介した。ボブは三曲しか演奏せず、自身のパフォーマンスに落胆して舞台裏を歩き回っていた。しかし聴衆は、不満を抱いていなかった。二週間後、十月五日、ディランはタウン・ホールでのコンサートで、イアン&シルヴィア、ジョン・リー・フッカー、ジュディ・コリンズ、リン・ゴールド、そしてサンディ・ブルらが出演するなかメインを務めた。フォークロア・センターの後援で、出演者ほぼ全員がグロスマンのクライアントか彼の選りすぐりだった。ショーは実験的なもので、プロと観客からのアマチュア・ボランティアが共演した。「自分のギターとバンジョーを持参で」と、このショーのプログラムには記され、様々な大学キャンパスを回ることになっていた。ディランは、調子をずいぶん取り戻し、最も熱狂的に受け入れられた。「ニューヨークを語る」「ジョン・バーチ」「ホリス・ブラウン」を演奏し、「はげしい雨」で締めくくった。ディランの詩的な才能を疑っていた人びとも、この大歓声の意味を理解し始めていた。

この頃、ディランを特集した『シング・アウト！』が発行された。表紙に写るディランはタバコを吸い、半分目を閉じ、ガスリー風だった。ギル・ターナは彼を「現代のアメリカで最も多作な若手ソングライター」と呼び、生後数か月の頃からとりとめもなく話していたとも記された。「ディランの魅力のひとつは、失敗を少しも怖れていないところだ。曲や歌詞のアイデアを思いつくと、すぐにそれを試して、それがしっかり洗練されているか正確かなんてことは心配しない……リアリティや真実という言葉をディランはよく使う……それが周りの世界を測る彼のものさしなのだ」。ターナーはディランの言葉を引用した。「歌が存在している。歌はもう存在していて、誰かがそれを書きつけるのをただ待っている。ぼくはただそれを紙に書きつけるだけだ。もしぼくがしなければ、別の誰かがそうするだろう」

『シング・アウト！』はディランのアウトプットの早さに驚きを表明した。「頭に降りてきた曲をさっと書きつける。現在の記録は一晩に五曲だ。最新曲はブラックリスティングについてで、ジョン・ヘンリー・フォークの一件に着想を得たものである」。その記事にはディランの写真がもう二枚と、「風に吹かれて」「レター・トゥ・ウディ」「ザ・バラッド・オブ・ドナルド・ホワイト」の楽譜と歌詞、そして他の曲からの抜粋がついていた(13)。『シング・アウト！』がこれほど強力に新人のソングライターをプッシュしたのは初めてだった。一九六二年の時点で、グロスマンは心のなかのチェスボードで進むべき道の計画を立てていた。

フリーホイーリン・ブロードサイド

一九六二年にはわずか三つの新曲しか発表されなかった。ベラフォンテのバックに参加したアルバム曲と、クリスマス前に発売されたシングル「ゴチャマゼの混乱」およびB面の「コリーナ、コリーナ」だ。彼の成長を見定めるためには、どちらも六三年になって発売されるものだが、コロンビアからの二枚目のアルバム『フリーホイーリン・ボブ・ディラン』と『ブロードサイド』誌の一枚目のアルバムを含めて考える必要がある。一枚目のアルバム『ボブ・ディラン』がリリースされた一九六二年三月頃には、ディランはもうずいぶん先へ進んでいた。『ヴィレッジ・ヴォイス』『シング・アウト！』『リトル・サンディ・レヴュー』などには好意的な評が載ったが、最初の数か月の売上は五〇〇〇枚未満で、コロンビアのような大手企業にとっては落胆するような数字であり、それは好意的な評価を受けていた当人にとっても同じだった。ボブは音楽を辞めることも考えた。しかし『ブロードサイド』、ハモンド、グロスマン、そしてヴィレッジの仲間たちはレコード購入者からは得られなかったサポートをディランに与えた。

ベラフォンテのアルバムも、一九六二年五月に発売されていたが、わずかばかりの反響しか引き起こさなかった。ディランはコロンビア用のさらなる曲を収録し始める。『フリーホイーリン』の最終ヴァージョンは一九六三年の七月、最初のヴァージョンが少数「漏れ出た」一か月後に発売された(G)。発売までの一年近く、ハモンド、ディラン、グロスマン、そしてグロスマンの当時のパートナーであるシカゴ・プレイボーイ・クラブの元支配人で元ジャズ・ドラマー、ジョン・コートのあいだでいがみ合いが続いていた。

グロスマンのマネージメント上の最初とも言える戦略は、ボブをコロンビアとの契約から抜け出させることだった。彼はこの契約が、印税の割合から「特別印税率」にいたるまで、欠陥だらけだと考えていた。ディランは自分よりも他人が歌った方が多くの作曲料を受け取ることになっていた。ハモンドは、その諍いをこう語る。

「この頃までに、ボブは『風に吹かれて』を書き、ピーター・ポール＆マリーは、私と同じくこれが傑作だと確信していた。ディランはワーナー・ブラザース（ウィットマークはのちにワーナーに買収された）に行った。グロスマンはディランの両親が契約にサインしていなかったという理由でディランをコロンビアから引き離そうとしていた。ボビーは両親はいないと私に言っていた。契約解除を求める弁護士からの手紙はまったく無意味だった、なぜなら当時のボビーは二一歳で、二一歳になってから四度スタジオに入っていたからだ。私はボビーにその手紙を無効にさせ、それにグロスマンは憤慨した。トム・ウィルソンがボビーのことを気に入っていたため、これは素晴らしい縁になるだろうと考えた」

長身で、ハンサムで、人当たりのいいウィルソンは、コロンビア初の黒人プロデューサーだった。ハモンドもこのボブの二枚目のアルバムのプロデューサーとして名前を連ねているが、ウィルソンは「北国の少女」「第3次世界大戦を語るブルース」「ボブ・ディランの夢」そして「戦争の親玉」の事実上のプロデューサーだった。

ディランの最初のシングル「ゴチャマゼの混乱」と「コリーナ、コリーナ」は一九六二年の十二月十四日（H）に発売されたあと、すぐに絶版となったが、「ゴチャマゼの混乱」は歴史的に重要な作品だ。「ゴチャマゼの混乱」がもっと広く知られていれば、ディランが単なるアコースティックギターでフォークやトピカル・ソングを演奏するパフォーマーにすぎないという「混乱」を防げていただろう。「ゴチャマゼの混乱」は一九六二年十一月十四日に収録された。エレクトリック音楽へと転向して聴衆の怒りを買った一九六五年、ディランはこの最初のシングルと『フリーホイーリン』から削除された楽曲に注目が集まることを願っていた。それらの楽曲は彼がどれほど早い段階からエレクトリックの音に関心を持っていたかを示す証だったからだ。ビートルズよりも遥か前から、商業主義に身を売ったと非難される遥か前から、フォーク・ロックはあったのだ。「エレクトリックにしたのは誰の指示でもなかった。誰かに尋ねたわけでもない。誰にも相談ひとつしなかった、信じてくれ、誰にも聞かなかったんだ」。ディランはのちに熱っぽく語った。ボブによると、『フリーホイーリン』では「ロックス・アンド・グラヴェル」などのエレクトリック曲が、「風に吹かれて」や「戦争の親玉」や「北国の少女」などを入れるために除外されたという。

「ゴチャマゼの混乱」の歌詞「あまりに人が多すぎる／それに彼らを喜ばすのは難しすぎる」[14]とは彼の周りで起きていた諍いへの言及だろう。さらにもうひとつの諍いの種が「ジョン・バーチ」の除外だった。CBS（コロンビア・ブロードキャスティング・システム）が同曲を規制して「エド・サリヴァン・ショー」での演奏を却下するとすぐに、コロンビア・レコードはパニックに陥った。ハモンドは言う。「コロンビア・レコードではなくて、CBSの弁護士が、同曲内のヒトラーへの言及はジョン・バーチ協会のメンバーのことを指すため、名誉毀損だかなんだかと決めつけた。ディランのアルバムよりもシーガーの方がずっと強い言葉を使っていたのに」。「ジョン・バーチ」やその他の削除曲三曲が入ったアルバムは三〇〇枚未満しか出回らなかった。これらのコレクターズアイテムは多くが西海岸にわたった[15]。アルバム『フリーホイーリン』の最終ヴァージョンは「ジョン・バーチ」「ロックス・アンド・グラヴェル」「ランブリング、ギャンブリング・ウィリー」「レット・ミー・ダイ・イン・マイ・フットステップス」が除かれて発売された。

ピーター・ポール&マリーが大成功した直後に発売された『フリーホイーリン』は、こうした様々な問題があったにもかかわらず大きな成功をおさめた。表紙はスージーとボビーがヴィレッジの雪解け道を震えながらも再び身を寄せ合っている写真で、ディランはスエードのジャケットにジーンズ姿、スージーは微笑みながら彼の腕につかまっている。一九六三年のニューポート・フェスティヴァルの頃には、多くの若い女性たちがスージーの長い髪とブーツを真似るようになっていた。ボブは再び私にライナーノーツを書くよう頼んできたが、私はナット・ヘントフの方が良くやってくれると言った。アルバムの曲をひとつずつ紹介しよう。

〈風に吹かれて/Blowin' In The Wind〉

アルバム発売前に、ピーター・ポール&マリーが歌って大ヒット。公民権運動の盛り上がりが最高潮に達し、この飾り気のない曲には時代の熱気と論点が詰まっていた。左翼のなかには、なよなよした曲で、問いは投げかけるが答えは提示されないと感じる者もいた。ディランは答えている。「そういう疑問に答えるには彼ら自身に問いかけてみることだ。でも多くの人はまず風を探さなくちゃならない」。ゴードン・フリーゼンは、エマソンの「擦り切れて風に吹かれる旗」、揺るぎない愛国主義の象徴たる国旗の引用ではないかと指摘した。公民権運動の聖歌(アンセム)となったこの曲は、いわれもない盗作の疑いもかけられることとなり、疑惑は一九七〇年代の半ばまで晴れなかった。さらに曲の中心的なメタファーは、核やホロコーストを採り上げた映画『渚にて』のセリフとも結びつけることができる。しかしディランは「ギャスライトの向かいのカフェで書いた」と語っている。

〈北国の少女/Girl From The North Country〉

郷愁の優しいラブソング。歌集や発売以後は「ガール・フロム」ではなく「ガール・オブ」とされることもあった。多くの人間が、ポール・サイモンとアート・ガーファンクルが取り入れてヒットさせたイギリスの伝統的なフォーク・ソング「スカボロー・フェア」との関連を指摘した。サイモンやディランはマーティン・カーシー版から学んだと思われる。ディランは一九六二年の後半に書き上げる何年も前から、この曲は頭のなかにあったと語った。エコ・ヘルストロムの存在が明るみに出ると、この曲のタイトルを彼女の代名詞のように使う者も現れたが、この曲はボニー・ビーチャーを念頭に置いて書かれたものだと信じるに足る理由がある。この曲にエコはほとんど当てはまらない。一九六九年にディランはジョニー・キャッシュとデュエットでこの曲を再収録した（ユーグ・オーフレイのアルバム『オーフレイ・シャンテ・ディラン』に収録されたフランス語版の「ラ・フィレ・ドゥ・ノード」は感動的だ）。

〈戦争の親玉／Masters Of War〉

一九三〇年代の舞台「イディオッツ・ディライト」や「ベリー・ザ・デッド」のように、戦争で利益を得る者たちを辛辣に糾弾する。のちに軍産複合体への調査でディランの指摘が正しかったことが証明される。ジュディ・コリンズが同曲を収録した際、復讐を思わせる最後の数行をカットしたが、ボブは彼女が曲の意図を損ねていると語った。ツアー時に記録されたシーガーの音源も力強いもので、英語のあとに翻訳された日本語で朗唱され、興味深い形式となっている。不穏なメロディは、ジーン・リッチーの歌う「ノッタマン・タウン」を経由した古いイギリスの民俗劇ママーズ・プレイの曲から来ているとされている。リッチーはジョーディ音楽出版社を介して一九六四年に「ノッタマン」を著作権登録した。ジョーディ社はディランに対してメロディ使用料支払いの訴えを起こしたが、独自の異なる歌詞によって新たな曲になっているということが無事認められた。

〈ダウン・ザ・ハイウェイ／Down The Highway〉、〈ボブ・ディランのブルース／Bob Dylan's Blues〉（I）

ブルースの二つの側面——片方は深く、もう片方は表層的。「ダウン・ザ・ハイウェイ」には独自の様式があり、見事なギターの演奏が震えるような悲しみを醸し出している。この曲は、昔のブルースを「精神の浄化（カタルシス）」の形式だと考えているというディランの発言を裏付けるものだ。スージーのイタリアへの逃避というテーマはここでも繰り返されている。「ボブ・ディランのブルース」は陽気なエリオット的ナンセンス・ソングで、冒頭の語りで「ティン・パン・アレー」（J）のシステムをからかい、その後は歌とハーモニカで軽快に進む。この二つのブルースは、悲しみと滑稽さを並置するものとなっている。その二つは私にこう語りかける。絶望はそこらじゅうにある、だから笑って切り抜けようじゃないか。

〈はげしい雨が降る／A Hard Rain's A-Gonna Fall〉

一九六二年のキューバ危機に端を発し、数々の痛ましい未来を予見する終末的なヴィジョン。伝統的なバラッド「ロード・ランドール」のフレーズを作り替えた歌詞から始まるが、戦争がボタンひとつで行われるようになったように、ディランの曲も現代的にアップデートされている。歌詞は戦争による荒廃を辛辣に描く。ガルシア・ロルカの詩や、ピカソの「ゲルニカ」や、ゴヤの反戦画と共にスペイン内戦の光景を思い起こさせる。タイトルには表れていないが、歌詞が放つイメージはロルカやランボーから来ている。ランボーは十代の後半にして、恐怖や失われた優しさというものを突きつめて現代社会の地獄や天国と重なり合うような詩的宇宙を作り上げたおそらく最初の詩人だ。ディランは、イメージが次々と湧いてくるあまりに「それぞれの行が一曲の始まりにすぎない。その曲全体を書いていたら人生を費やしても時間が足りないと思ったから、できる限りをこの一曲に詰め込んだんだ」と語った。この曲はカナダの詩人レナード・コーエンを刺激して作曲へと向かわせた。フォークをベースにしたトピカル・ソングの記念碑的一曲で、一九五〇年代にギンズバーグやファーリンゲティやレクスロスが詩とジャズを融合させた成果が結実している。

〈くよくよするなよ／Don't Think Twice, It's All Right〉

「ゴチャマゼの混乱／コリーナ、コリーナ」とほぼ同じスタジオ・バンドを伴う曲で、オデッタのギタリストであるブルース・ラングホーンという大きな人員追加が行われた。初期のヒット作で、様々なアーティストがカヴァーするこの曲は、明らかにスージーについての曲だった。他のアーティストのほとんどは、この曲の甘い愛の側面を強調し、ほろ苦さを無視しているため、彼らとの対比でディランの冷笑性が浮かび上がる。この曲を完成させるほんの数日前に、私はディランと、ヨーロッパへ行ったスージーについて話していた。彼を支えようとして、私は彼女がまだ子どもだったんだと言ったが、それが歌詞に取り込まれていた。メロディはポール・クレイトンが再構成したフォーク・ソング「スカーレット・リボンズ（フォー・ハー・ヘアー）」をもとにしていた。そのことでクレイトンとディランは少し揉めたが、友好的に和解を迎え、遺恨を残さずに済んでいる。ジョニー・キャッシュの「アンダースタンド・ユア・マン」はジョニー版の「くよくよするなよ」だ。

〈ボブ・ディランの夢／Bob Dylan's Dream〉

力作だが、それに比例するほど広くは知られていない。自身の名前を掲げたタイトルを二曲も収録しているのは虚栄心の表れだと思う。メロディは、イギリス人の友人であるマーティン・カーシーが歌う昔の曲「ロード・フランクリン」に負っている。曲には二一歳にして世に疲れた男の、失われた無垢へのノスタルジーに満ちている。自身の人生がどんどん複雑になっていくなか、ディランはミネソタへと向かいながら、若かりし頃はどれほど答えがシンプルに思えたことかと振り返る。ジョン・バックレンは、この曲がエコやジョンの姉と共に彼とボブが過ごしたヒビングでの暮らしを描いたものだと信じていた。同じように、これはトニー・グローヴァーやボニーと過ごしたミネアポリス時代への言及とも考えられる。

〈オックスフォード・タウン／Oxford Town〉

『ブロードサイド』に載るような時事的な声明。ジェームズ・メレディスは危険を顧みずオックスフォード市にあるミシシッピ大学に入学した初の黒人学生だった。メロディとテンポは穏やかだが、歌詞は穏やかではない。

〈第3次世界大戦を語るブルース／Talkin' World War III Blues〉

ガスリースタイルの、とぼけながら皮肉を込める空想の物語で、半分はスタジオで作曲した。痛烈な風刺で、医者からエイブラハム・リンカーン、そして戦争から自分自身に至るまであらゆるものに斬りかかる。ウィットは辛辣で、メロディは鋭い。

〈コリーナ、コリーナ／Corrina, Corrina〉

軽やかなリズムは美しく、バックバンドの演奏ともマッチしているが、フォーク・ロックのビートは抑えられている。シングルとは若干異なるヴァージョン。ブラインド・レモンは伝統曲「シー・シー・ライダー」を踏襲しながら「コリーナ・ブルース」を作っていて、「コリーナ、コリーナ」はこの曲の最後の詩節と似たところがある。ブラインド・レモンとディランの時期のあいだに、「コリーナ、コリーナ」がジェイ・M・ウィリアムズ、ボー・カーター、ミッチェル・パリッシュによって作られ、ジョー・ターナーが歌った。ディランは、その曲に優しさと、後悔まじりの嫉妬の両面を持たせた。ディランはブルースマンのロニー・ジョンソンからの大きな影響を語ってもいる。

〈ワン・モア・チャンス／Honey, Just Allow Me One More Chance〉

気楽な曲で、あまり語ることは多くない。ボブはこの曲を無名なテキサスのブルース・レコードから学んだと言うが、悲しみを可笑しげに歌うスタイルはジェシー・フラーに大きく影響を受けている。

〈アイ・シャル・ビー・フリー／I Shall Be Free〉

明らかな尻すぼみ。少なくとも六曲の大ヒット作が収録されたアルバムだが、最も力ない二曲が最後に付け足しのように詰め込まれたのは、ハモンドとグロスマンの諍いや、アルバム構成をめぐる判断のせいだろう。

一九六二年にはもう一枚ディランを表現するレコードが発売されていた。『ブロードサイド・バラッズVOL.1』はささやかな試みで、低予算のフォークウェイズ得意のワンテイクでの収録だった。このアルバムは創刊年の『ブロードサイド』に書かれていたことがよく体現されていた。一九六三年の春以降、『ブロードサイド・バラッズVOL.1』はおそらく一万枚も売れていないが、それでもトピカル・ソング・ムーヴメントの貴重な記録となっている。ライナーノーツで、ゴードン・フリーゼンはトピカル・ソングの歴史を概略し、イギリスでの前史から現代のアメリカまでを描いている。ディラン愛好家は、このアルバムに魅力を感じるに違いない、なぜならディランが『ブロードサイド』の寵児となりつつあったことが明らかに分かるからだ。アルバムはニュー・ワールド・シンガーズによるスケールは小さいが確かに愛の込もった「風に吹かれて」から始まる。ライナーノーツに引用されているのは一九六二年十〜十一月号の『シング・アウト!』での発言で、二重否定や言葉のリズムといったガスリー的な語法をいまだに愛するディランによる「解説」がなされている。

答えは風に舞っているということ以外、この曲についてぼくが言えることは多くない。その答えはどんな本や映画やテレビ番組や討論グループのなかにもない。まあ、それは風のなかにある――風に舞っているんだ。あまりに多くのヒップな人びとが答えはどこそこにあると言ってくるけど、まあ、ぼくはそんなことは信じない。ぼくはいまも答えは風のなかで、紙切れのように舞っていると言っている、いつの日か降ってくるだろう……でも唯一の問題は降ってきたときに誰もその答えを拾わないことで、だから多くの人がその答えを見て知ることはない……そしてまた飛んでいく……ぼくはいまも最大の犯罪者というのは、間違ったものを目にして、間違っていると知りながら顔を背ける人びとだと言っている。ぼくはまだ二一歳だがあまりにも多くの戦争が起きてきたことを知っている……二一歳以上の人間たちはもっと良く知っているはずだ……だって、ぼくより年上で賢いんだからね。

ブラインド・ボーイ・グラントとしての最初の曲「ジョン・ブラウン」は、「900マイル」という伝統的なメロディを自由に解釈したものだ(16)。戦争の英雄という概念を批判する曲で、理由は明かされないが外国で戦う現代のジョン・ブラウンについて歌っている。彼が戦地に旅立ったとき両親は誇りに思い、彼が勲章を獲得してさらに誇りを抱くが、目が見えず手足が不自由になって帰ってくると困惑する。戦場のヒロイズムに対する皮肉は使い古されたものだが、このストーリーは印象的だ。この曲が演奏されることはほとんどないが、ベティーナ・ジョニックはブレヒト風の反戦調を加えて見事に演奏している。

「アイ・ウィル・ノット・ゴー・ダウン・アンダー・ザ・グラウンド」(17)は当時のニュー・ワールド・シンガーズのメンバーで、のちの『シング・アウト！』の編集者、そして一九六七年のウッドストックでディランと再び親交を持つハッピー・トラウムによって歌われている。一九五〇年代以降、キューバ危機を経て、爆弾や核シェルターの売上が急増した。この曲はシェルターへの行進に参加することを拒み、地上に立って戦争の脅威と戦うことを説く。ディランは逃走という希望に反論し、私たちは生き方ではなく死に方を学ぼうとしていると語る。これは戦争を促す政治家たちへの服従だと広く誤解されているが、この曲は実質的に戦争自体が食い止められるべきだと語っている。戦争が起きても安全であるなど幻想だからだ。最後の二つの詩節は、フリーゼンはおふざけだと疑っていたが、実際はガスリー的なアメリカの風景が思い起こされるものになっている。

「オンリー・ア・ホーボー」と「トーキン・デヴィル」は順にディランによる曲と断片で、ブラインド・ボーイ・グラント名義で歌われている。「ホーボー」はディランが繰り返し関心を示している主流派から追い出されたはみ出し者のアウトサイダーについての曲だ。「トーキン・デヴィル」の二つの詩節には、地上に隠れた悪魔についての発展途上のアイデアの芽が窺える(18)。

『ブロードサイド』のアルバムには、他のアーティストによる作品がもう十曲入っている。しかし全十五曲のうち五曲がディランの楽曲だ。一九六五年、大衆とメディアと自らの忍耐力のなさから、ディランは『ブロードサイド』の時期を否定するようになる。「ディランがプロテスト・ソングと決別」という見出しが一九六五年十月十七日の『ロングアイランド・プレス』紙に躍った。的外れなインタヴューのなかで、ディランは「風」と「神が味方」を「亡霊」と呼び、「廃墟の街」の方が自分のこれまでのどんなポリティカル／トピカル・ソングよりも重要だと主張した。振り返ってみても、現在の関心を上位に見せるために過去を貶める必要はなかった。一九七〇年代においても、彼の書くものや演奏には『ブロードサイド』時代の名残が見られた。彼の耳はいまだに聴くことができたのだ、「夜のカフェの音楽を／そして宙に漂う革命を」(19)

アルバム『フリーホイーリン』のジャケット撮影で
スージー・ロトロとヴィレッジを歩く、一九六三年。

【原注】

（1）「明日は遠く」より。

（2）「11のあらましな墓碑銘」より。

（3）スージー・ロトロは、二〇〇八年に伝記『グリニッチヴィレッジの青春』で、ようやく口を開いた。ディランとの生活に加えて、スージー、ディラン、シェルトンが過ごしたグリニッチ・ヴィレッジの貴重な記録となっている。

（4）「アウトロー・ブルース」の歌詞。

（5）「サブタレニアン・ホームシック・ブルース」の歌詞。

（6）ベティーナ・ジョニック『The Bitter Mirror: Songs by Dylan and Brecht』（1975）

（7）ジョシュ・ダンソンは『Freedom in the Air: Movements of the '60s』で、新たなソングライターたちの詳細な記録を残している。

（8）ギル・ターナー「ザ・グレート・ニューヨーク・ニュースペーパー・ストライキ」。

（9）『And a Voice to Sing With』（p61-63）で、バエズはグロスマンに紹介されてジョン・ハモンドと会ったときのことを回想している。「契約書が（彼の）大きな机から落ちた。彼らはそれにサインをさせたかったようだけど、それは八年契約だったように思う」。彼女はヴァンガード社とマニー・グリーンヒルの方を選び、彼女との契約は「握手」のみだった。しかし彼女はこう語っている。「もし『人気』になりたかったら、アルバートとコロンビアが最適だった」。

（10）ディランは画家のノーマン・レーベンに言及し、彼のもとで一九七四年に絵を学んで『血の轍』に大きな影響があったとしている。二〇〇七年、ディランは初めての個展を開いた。

（11）ディランは『バイオグラフ』や『ボブ・ディラン自伝』でポール・クレイトンについて振り返っている。

（12）バーニス・ジョンソンとコーデル・レーガンはザ・フリーダム・シンガーズの創設メンバーで一九六三年のニューポート・フォーク・フェスティヴァルでも演奏した。二〇一〇年二月、公民権運動での音楽の貢献を讃えるコンサートで、バーニスはディランとともにオバマ大統領夫妻の前で演奏した。

（13）五枚組ＣＤ『The Best Of Broadside 1962-1988』（2000）に「ザ・バラッド・オブ・ドナルド・ホワイト」が収録されている。

（14）「ゴチャマゼの混乱」の歌詞。

（15）ビートルズの前身バンド「クオリーメン」の初シングル（現在ポール・マッカートニーが保有）に次いで、このオリジナルの『フリーホイーリン』は、ポップ史においても極めて貴重なもので、現在二万ポンドほどの価格がついている。「ジョン・バーチ」、「ランブリング、ギャンブリング・ウィリー」、「レット・ミー・ダイ・イン・マイ・フットステップス」は『ブートレッグ・シリーズ第1～3集』に収録されている。

（16）「ジョン・ブラウン」は、ディランの『MTVアンプラグド』（1994）に収録。

（17）「アイ・ウィル・ノット・ゴー・ダウン・アンダー・ザ・グラウンド」は「レット・ミー・ダイ・イン・マイ・フットステップス」としての方が広く知られている。

（18）「オンリー・ア・ホーボー」は『ブートレッグ・シリーズ第1〜3集』に収録、「トーキン・デヴィル」は正式にリリースされていない。
（19）「ブルーにこんがらがって」の歌詞。

【訳注】
（A）ソル・ヒューロック（1888-1974）はロシアに生まれ、アメリカに帰化した興行師。バレエ団の興行で成功を収める。
（B）イスラエルの生活共同体の呼称。
（C）ジョニー・アップルシード（1774-1845）は開拓期の有名な人物として語り継がれる実在の開拓民。
（D）『Broadside Ballads, Vol. 1』は一九六三年にリリースされ、現在はスミソニアン・フォークウェイズから再版されている。
（E）顔を黒く塗った白人、あるいは黒人が歌や踊りを披露して巡業するショー。ミンストレルは「吟遊詩人」を意味する。
（F）John Henry Faulk, *Fear on Trial*.
（G）本文では原著の記述に従っているが、『フリーホイーリン』は一九六三年四月に最後の収録が行われ、収録曲の差し替えなどが行われたあと、五月下旬に発売されたと言われている。
（H）原著では二四日の発売とされているが、正しいと思われる日付に修正した。
（I）原著ではタイトルが「ボブ・ディランの夢」となっているが、「ボブ・ディランのブルース」に修正した。
（J）音楽出版社が集まる賑やかな様子から、その通りが「ティン・パン・アレー」と呼ばれていたが、そこで作られる標準化された大量生産の制作方式のことも指すようになった。

「勝利を我らに」――ニューポート・フォーク・フェスティヴァルのフィナーレ、一九六三年。

05

御用詩人ではなく

「ボブ・ディランは今この国で最も重要なソングライターだ……
アメリカの若者の心情を見事に捉えている」
——ピーター・ポール&マリー　一九六三年

「わたしは感じていただけ、
でもディランはそれを言葉にできた。
途方もない人ね。曲も詩や音と同様に力強い。
ボブは若い子たちが言いたいことを表現してる。
わたしのために語っているると感じるんです」
——ジョーン・バエズ　一九六三年

「虐げられた人びとの代弁者……
市井の人びとの英雄だ」
——『ニューポート・デイリー・ニュース』　一九六三年

「あらゆる戯言や激賞を受けてもなお、
聞かれていないのだという気分になる……
自分の直感以外に指針になるものなんてひとつもない」
——ディラン　一九六三年(1)

O DIRECTION　HOME

「熊の登場」。ディラン、マネージャーのアルバート・グロスマンと
ニューポート・フォーク・フェスティヴァルのバックステージにて、一九六五年。

タイミングは才能と同じくらい、スターを作るために重要なものだ。グロスマンはのんびりした、気ままな人物に見えたが、その内には正確に時を刻むスイス時計があって、ディランを世に出すための詳細な時刻表が戦略的に、論理的に作られていた。ディランの動きについては同様だった。ディランはグロスマンの動向をつねに把握していたわけではなく、グロスマンもディランの動きについていては同様だった。だが一九六三年、サザン・パシフィック鉄道の列車がサンタフェの線路に進むように、彼らのスケジュールが合致する。アルバートが必要としていたのは、ヒット曲と、スターたちからの盛んな口コミと、なにより「ニューポート・フォーク・フェスティヴァル」のような、一級の宣伝機会だった。五九年のニューポートがバエズを世に知らしめたとすれば、六三年のニューポートはディランの番だと彼は考えていた。

アルバートが交わしたある取引は、ボブに知られずに進められなくてはならなかった。若いパフォーマーのエゴほどに壊れやすいものはないからだ。経済の理論にもとづいて、グロスマンはロイ・シルヴァーのパートナーシップの一部をＯ Ｐ Ｍ（アザー・ピープルズ・マネー）――投資用に他人からあつめた資金――で買い取った。グロスマンが一九六二年という豊作の年を享受しなかったわけではない――オデッタが成功し、ピーター・ポール＆マリーのファーストアルバムがチャート上位にあがった。だがＯＰＭの仕組みなら、リスクは減少し、自身の資本は保持できる。そういうわけで、アルバートがシルヴァーを買収してディランを迎え入れるために支払った一万ドルのうちの半分は、ピーター・ポール＆マリーが負担した。取引が内密に行われたのは、主にディランがすべてを自分の力でやっているという気分になってもらうためだった。ショービジネスの裏通りは、ふさわしいときに適切な支援を受けられなかった若い才能の残骸でいっぱいなのだ。一九七〇年になっても、ピーターとポールが契約をめぐる問題をはぐらかす一方、グロスマンと仲違いしたマリーは、率直に不信を表明するようになっていた。
一九六二年以降、ピーター・ポール&マリーがディランの今後の活動に関わっているという噂があった。だが三人が一貫してそれを否認してきたために、この協定はいささか腹黒いものに映ってしまった。つまりこのトリオは、ちゃっかりと表の発言——私たちはディランには大きな可能性があると確信している——を裏付ける行動を取っていたのだ。彼らが自分たちの考えにしたがって融資したとディランが知ったのは、「風に吹かれて」がピーター・ポール&マリーのヒット曲になってしばらくしてからだった。一九六三年の様々な出来事のあと、彼は何度も振り返ってはこう言っていた。「アルバートは天才だ、本当の天才だよ」

ディランをウィットマーク社に契約させたあと、グロスマンとモーグルはディランの曲を広め始めた。ボブはすでに並はずれた仕事をしていたが、今回は強力なチームの介入だ。押し売りのエキスパートであるアーティは、テープ、アセテート盤のデモ、リードシートをキーとなる関係者たちに渡した。穏健な売り込みのスペシャリストであるアルバートは、ヤーロウとミルト・オクンに近づいた。ミルト・オクンは音楽ディレクターとして、ピーター・ポール&マリーのほかに、チャド・ミッチェル・トリオやブラザーズ・フォアを手がけていた。オクンはベラフォンテと仕事をした経験があり、のちにジョン・デンヴァーのパブリッシャー兼プロデューサーになった。

「アルバートがディランの『風に吹かれて』と『明日は遠く』のテープを持ってきた」とオクンは語る。「彼がすごく興奮していたから、興味を惹かれたよ」。グロスマンはピーター・ポール&マリーの生みの親かもしれないが、質の異なる三人の声に音楽的な調和をもたらしたオクンの役割は、いくら評価してもしすぎることはない。「アルバートは特別、『風に吹かれて』をピーター・ポール&マリーのためにとは言わなかった。まず思ったのはミッチェル・トリオが気に入るんじゃないかということだった」とオクンは続ける。彼は、歌は心地よいだけでは充分でなく、なにかを伝えていなくてはならないと考えていた。オクンはテープをミッチェル・トリオに持ち込んだ。彼らはワシントンD.C.で公演中だった。翌日、その曲はショーに取り入れられた。二週間後には彼らは「風」をシングルとしてリリースしたいと思うようになっていた。ミッチェル・トリオはそのときベラフォンテの名を掲げる会社のもとで活動しており、彼らのレコードは晩年のボブ・ボラードがプロデュースしていた。「風」をめぐって、ミッチェル・トリオとボラードは争いになった。ボラードは言った。「ポピュラー音楽のシングルで、こういう重たい、物議を醸すようなことは言うべきじゃない」。ボラードはベラフォンテの考え方をいつも反映していたわけではなく、彼の独断はミッチェル・トリオを怒らせた。彼らはすでに、当時物議を醸していたナンバー「クリスマスの十二日間（ザ・トゥエルヴ・デイズ・オブ・クリスマス）」に対するボラードの頭の固さに苛立っていた。ミッチェル・トリオはアンコールで「クリスマス」に続けて「風」を演奏し、観客から力強い反応を得て、一九六二年の末にリリースしたアルバム『イン・アクション』に収録した。好意的に受け入れられたが、ヒットはしなかった。

　いっぽう一九六二年の末、シカゴのライヴハウス「ゲイト・オブ・ホーン」で、グロスマンはピーター・ポール&マリーに「風」のテープを聴かせていた。ピーターは聞き惚れた。ポールとマリーはそれほど夢中にはならなかった。「悪くない曲だとは思った」とポールは振り返っている。「でもあの頃のぼくは事なかれ主義なところがあったからね」。まもなく彼らは曲のアレンジに取りかかり、いくつかのハーモニーに変更をくわえた。ピーターは「風」が、シーガーとリー・ヘイズの曲を歌ったヒット作「天使のハンマー」の理想的な続編だと確信していた。一九六三年六月十八日、ワーナー・ブラザースはシングルをリリースした。八営業日以内に「風」は三二万枚を売り上げた。モーグルはこれをワーナーで初動売上が最も良かったシングルだと言った。流行を生み出すラジオ界の大物パーソナリティであるビル・ランドルとビル・ギャヴィンの二人は、この曲を「レコード・オブ・ザ・イヤー」と呼び始めた。クリーヴランド、ワシントン、フィラデルフィアのいくつかの放送局は毎時間ごとに流した。ディープサウスでのオンエア回数と売り上げは驚くほどだった。おそらくピーター・ポール&マリーがすでにチャートと無縁ではなかったからだろう。「ハンマー」と「パフ（ザ・マジック・ドラゴン）」はそれぞれ約七十万枚を売り上げていた。「風に吹かれて」が一〇〇万枚を超えると、アメリカ音楽におけるポップのヒット作のイメージが塗り替えられた。

「風」は北部でフリーダム・ソングの波を起こした。一九六二年までに、歌というものが人種統合運動のなかで重要な役割を果たすようになっていた。いまや「統合」がフォーク・シンガーとポップシンガーたちにとってホットなトピックになりつつあった。『ヴァラエティ』誌がメッセージ・ソングの特集記事を作り、「風」をその流行の嚆矢として強調した。チャド・ミッチェル・トリオは、南部のキャンパスにおいても、大学の人種隔離を風刺した曲「アルマ・マータ」（あるいは「オール・ミス」）で好評を博していた。トム・パクストンは「ドッグス・オブ・アラバマ」をナイトクラブで歌った。統合主義者たちが歌う曲に対する反発は一九六三年半ばまでにあらゆる場所で見られるようになっていて、私はメイン州オガンキットのコーヒーハウスで若い女性が「隔離主義の歌をやって！」と叫ぶのを聞いたことがある。

こうした風向きのなかで最も奇妙だったのは、ディランが曲を盗んだという噂だった。私が執筆した北部のフリーダム・ソングについての調査が『タイムズ』に掲載された翌日、ラトガース大学の経済学講師ヘンリー・レヴィンから電話がきた。彼の主張によると、ディランはニュージャージー州ミルバーンに住むローレ・ワイアットという少年から「風」を買ったのだという。少年はその曲を一五歳のときに作ったそうだ。ディランはヴィレッジの近くでその曲を耳にして、歌詞を「買えないか」と提案した。その異様な取引の価格はいくらだったのか？　「ディランはアメリカ援助物資発送協会（ＣＡＲＥ）に一〇〇〇ドル寄付することで歌詞を買ったのだ」とラトガースの探偵は言った。この寛大な振る舞いに応じて、ワイアットはディランが歌詞を使えるよう発売元のウィットマーク社へ譲り渡したとレヴィンは主張した。ワイアットの父親が曲の利益を求めて弁護士を雇ったとも語っていた。

モーグルはレヴィンの話をナンセンスだとしりぞけた。その晩、ディランは苛立ちながら、もしきみがその話を信じるなら、きみは何だって信じ込むということだと言った。彼はこの件についてすべてをきっぱり否定し、ワイアットなんて名前は聞いたこともないが、たぶんその噂の出所はニュージャージーの「ある女」をめぐる嫉妬だろうと言った。ギル・ターナーは、そのメロディは黒人霊歌「ノー・モア・オークション・ブロック・フォー・ミー」をおおまかに下敷きにしているが、歌詞はディランによるものだと主張した(2)。噂は広まりつづけ、秋にはディランについての悪名高い記事が『ニューズウィーク』によって書かれた。その一方で、ワイアットは一九六三年六月五日号の『ブロードサイド』でレヴィンの告発を否定した。

去年、ディランの「風に吹かれて」を聴くずっと前に、「自由は風に吹かれている」という曲を書きました。歌詞はボブのものと少しも似ていないし、曲自体もまったく異なるものです。ただタイトルが似ていた……それを混同する人たちもいて、ディランがぼくの曲を「盗んだ」と憤慨したのでしょう。その曲はわざわざ著作権も取っていませんでした……根気づよく……似ているのはタイトルだけだと説明しました——似てるのはそれだけだと。最終的に、混乱を取り除くためにタイトルを変えようと決心しました……「自由は風のなかに」でも「自由はいたるところに」でもかまわない。ぼくは憤る人たちがディランのファンに変わるよう手を尽くしてきました……これですべてが収まればと思います。

だがそうはいかなかった。一九七四年二月、ワイアットは『ニュー・タイムズ』誌に「『風に吹かれて』話の裏話」という記事を書いた。彼はそこで、ディランの「風」に、かすかにではあっても似ている曲を書いていたという主張が嘘だったと告白した。「ディランはぼくが例の曲を『書いた』何か月も前に著作権を取っていた」。記事のなかで、ワイアットは『ブロードサイド』の手紙がでっち上げだったことを認めたのである。

何年も前にぼくの縫った嘘の物語(フェイクロア)という上着はいまではすり切れてしまった——身体にぴったり合っていたことなどなかったのだけれど……報いを受けるときが来たようだ。たくさんの人が、最近のディランが詩人的な預言者(ポエット・プロフェット)から利益重視の詩人(プロフィット・ポエット)へと変わったと怒っていて、噂の塵がまた舞い始めている。ディランの言葉への陰湿な脚注がいまだに多くの人の心に残っているのは見過ごせない。この脚注を削除するための責任ある唯一の方法は、すべての物語を自分の言葉で語ることだと思った……まず謝罪したいのは、「ごめんなさい」というのに十一年もかかったことだ。

ディランはトラディショナル・ソングを発展させて曲を作ることが多かったため、よく歌泥棒の汚名を着せられた。どうやら彼自身うまく説明できないようで、本人が一番自分の弁護に向いていなかった。評論家たちは、ジュディ・コリンズが歌ったディランの曲「フェアウェル」がアングロ・アイリッシュのトラディショナル「ザ・リーヴィング・オブ・リヴァプール」に新しい言葉を「わずかに」加えたものに過ぎないとけなした。「あわれな移民」と「ザ・バラッド・オブ・ドナルド・ホワイト」のメロディはふたつのトラディショナル・ソング「カム・オール・ヤ・トランプス・アンド・ホーカーズ」と「ピーター・アンバーリー」に似通っていた。ディランの「マギーズ・ファーム」の原型は、シーガーのファースト・ソロアルバムに収録されたトラディショナル・ソング「ペニーズ・ファーム」に見出すことができた。「ウディに捧げる歌」のメロディがガスリーの「一九一三年の大虐殺」に由来することはよく知られているが、ウディ自身もフォークの曲を利用している。のちに、マーキュリー・レコードのプレスリリースは「クイン・ジ・エスキモー（マイティ・クイン）」がアイルランドのフォーク・ソングに「インスパイア」されていると記した。「哀しい別れ」はスコットランドの伝統曲「パーティング・グラス」と似ていて、「ウィリー・ザ・ギャンブラー」(3)はクランシー・ブラザーズの歌った「ブレナン・オン・ザ・ムーア」に影響を受けていた。

一九六三年の終わりまでに、ディランが曲の剽窃者なのか、古いフォーク・ソングの骨組みから新しい曲を肉付けする、周知の伝統に連なる作曲家なのかをめぐってフォークシーンは激しく二分化されていた。イアン＆シルヴィアのイアン・タイソンは、グロスマンのクライアントではあったものの、グリーンブライアー・ボーイズのボブ・イェリンと同様、ディランへの最も厳しい批判者のひとりだった。確固たる地位を築いたパフォーマーのなかでディランに批判的な者は少なかったが、成功していない者の多くがこの機に乗じて成功した彼を非難し始めた。一九六三年の秋の暮れ頃、批判が「くよくよするなよ」のメロディに及ぶと、グロスマンさえ心配し始めた。私はグロスマンに、アルバムやライナーノーツのなかで自身の曲のアイデア源となったフォーク・ソングをディラン本人に示させてはどうかと提案した。どこから取り出したフレーズやメロディなのか当人にも定かではない場合があるに違いないけれどとも言い添えた。「彼はすべて分かっているさ」。グロスマンは冷ややかに答えた。

「ぼくが何を盗んだっていうんだ？」ボブは私に聞いた。「〝the〟とか〝a〟とか〝so〟を盗んだっていうのか？誰だってどこかから言葉を持ってこなくちゃならない。ウディはオリジナルのメロディを十曲も書かなかったけど、誰も彼のことを泥棒呼ばわりしたりしないじゃないか」。『ニューズウィーク』もひどかったが、『リトル・サンディ・レヴュー』は陰湿だった。

フォーク音楽の界隈で昨今、大いなる疑問が湧き上がっている。誰が「風に吹かれて」を書いたのか、ボブ・ディランか、それともどこかの……学生か？ ディランはこの非難を認めも否定もしていない……事実は分からない……もし彼が不誠実であったなら、そのことを批判されるべきだ。責任感あるフォーク音楽の評論家たちはしっかり目を見開き、「新たなエフトゥシェンコだ」などとつぶやくのはやめよう。

敵は『リトル・サンディ・レヴュー』のような手合いで充分だったが、ディランの敵はまだまだいた。トニー・ハーバートというヴィレッジのフォーク・シンガーは「時代は変る」に自分の詞を乗せながら、ディランのスタイル、哲学、そして成功を糾弾した。ディランの「11のあらましな墓碑銘」のひとつはこうした噂の渦への反論になっている。

そう、ぼくは思考の盗人
ちがう、と願う、魂の盗人ではないことを
ぼくは建てては建て直し
その土台は待ち受けている
海辺の砂で
たくさんの城を彫り上げるのを
開かれていたものの上に

ぼくの時間の前に
ひとつの言葉、ひとつの曲、ひとつの物語、ひとつの行を
鍵は風のなかにあってぼくの頭をひらく
そしてクローゼットに閉じこもったぼくの思考に裏庭の空気を通す（4）

フォークを基盤に置くソングライターの多くはディランと同様に伝統の上に曲を築き上げていたが、彼らは音楽的窃盗狂とは思われなかった。ポール・サイモンの「スカボロー・フェア」は英国の伝統的バラッドを編曲したものだったし、「明日に架ける橋」は黒人霊歌の「ドント・トラブル・ザ・ウォーター」に通じていて、アレサ・フランクリンやロバータ・フラックが学生のときに歌っていたものだ。私はトム・パクストンに彼の「デイリー・ニュース」のメロディは懐かしのジョニー・ホートンのカントリー・ソングにそっくりだと言ったことがある。パクストンはそんな曲は知らないと言った。ジョン・セバスチャンはトラディショナルなジャグバンドの曲を自在に操ってバンド「ラヴィン・スプーンフル」を始動させたが、そのグループ名はミシシッピ・ジョン・ハートの歌詞の一節にあやかっていた。ジミー・ウェッブの「ウィチタ・ラインマン」はアイルランドのアリアに由来している。アメリカ民謡の「ヤンキードゥードゥル」さえ、アメリカ入植者がイギリスの酒宴の歌を勝手に歌ったものだ。シェイクスピア、ストラヴィンスキー、そしてピカソも借用の達人だった。古い素材を翻案する歴史は音楽や詩それ自体と同じくらい古い。フォークの旋律がモーツァルト、バッハ、果てはマーラーの楽曲にさえ見いだせることに、多くのクラシック愛好者たちは驚くだろう。ピート・シーガーの父チャールズ・シーガーは民族音楽学者で、フォーク・ソングの創作過程をこう説明している。「意識的あるいは無意識的な横領、借用、脚色、盗用にまったくの盗作……これらはつねに芸術的創造の一過程だ。著作権法と整合性を取ろうとしても、フォーク・ソングに関しては限界がある。フォーク・ソングは『盗作という作法』を見事に例示するものなのだ。フォーク・ソングはその定義上、そして私たちの知る限りにおいて現実に、盗用の産物に他ならない」

「風に吹かれて」には、ポップのスタンダードと公民権運動の聖歌という二つの運命があった。ピーター・ポー

ル＆マリーがヒットを飛ばしてから一年のうちに六十近いヴァージョンが録音され、デューク・エリントン（5）、リナ・ホーン、マレーネ・ディートリッヒ、スパイク・ジョーンズ、パーシー・フェイス、トリニ・ロペス、グレン・キャンベル、それにボビー・ベアなどが歌った。レコーディングされたよりもっと多くの人がこれを歌い、一九六八年になっても、スティーヴィー・ワンダーがそれでヒットを飛ばした。噂の雲と疑念の塵は翌年もディランの勝利に味わいある艶を与えることになったが、次から次へとヒットが出るうち、あら探しはなくなっていった。彼が噂をうまくもみ消したのではないかと考える者もあったが、「墓碑銘」での暗喩的な切り返しがゴシップを葬ることに一役買った。ピーター・ポール＆マリーのツアー中、ピーターはディランの独創性を確信していると繰り返し強調した。「ボブ・ディランは今この国で最も重要なソングライターだ。アメリカの若者の心情を見事に捉えている」。このトリオはディランという家の正面玄関の前にカーペットを敷いたのである。

タウン・ホールに戻ってきてソロコンサートを行った一九六三年四月十三日金曜日はターニングポイントとなった。そのコンサートのプロデューサーであるレヴンソールは、グロスマン同様、ほとんど損はしないだろうと考えていた。一九六一年末の公演は別として、レヴンソールとグロスマンはタウン・ホールをディラン最初のソロコンサート会場として宣伝し、チケットは一万二〇〇〇枚売れたと主張した。当時は売れ残った席を無料チケットで埋めるために客を「仕込む」ことが慣習となっていて、このときの数は九〇〇にも及んだ。ボブはもちろんピリピリしていて、タウン・ホールに向かう前のスージーとの口喧嘩も緊張を紛らわせはしなかった。ひとたびステージに立つと、極めて力強い演奏を披露した。いまや彼には軽妙なだけでなく本格的なパフォーマーとしての楽曲と経験があった。バルコニー席ではシーガーと妻のトシが、温かく満足げに顔を輝かせていた。激賞する二つのレヴュー、私が『タイムズ』で書いたものと、バリー・キトルソンが『ビルボード』で書いたものが、グロスマンを勇気づけた。新聞はレコード会社の広告に依存していて、引用に値するほどの批評を書くことはめったにないが、キトルソンは業界紙内で他とは一線を画す批評家だった。「築かれつつある伝説　フォーク詩人ディランのかける魔法」と題された記事で、彼はディランについてこう書いた。「伝説となるであろうステージ……まったくのオリジナルだ……深遠で……現代人の置かれた状況に横たわる悲劇への痛切な認識から生まれる詩……一番の目的は語りかけることであり、楽しませることではない……ここで言えるのは、彼の才能は長きにわたって残り続けるだろうということだ」

その夜のタウン・ホールでのコンサートは、ディランがどんなものに影響されてきたかを見てとれる最後のコンサートだったかもしれない。それ以降は過去の自分と比較されるようになるからだ。その夜のホーボーのような風貌にはガスリーの面影があった。ジーンズと、床屋とは無縁だと訴えるような髪は、ダスト・ボウルに迷い込んだホールデン・コールフィールドのようだった。彼の脆さと、歌と彼自身が重なる様子は、若き日のシナトラを思わせた。それでも、ディランは作曲と演奏のあらゆる慣習を破っていた――ただし、何がしかを、しかも見事に語るという慣習だけは守って。すべての詩が完成されて磨き上げられていたわけではなかったが、それでも体系を感じさせた。ディランの自信は拍手喝采の波が起こるたびに強くなっていった。「ホリス・ブラウン」は映画の一場面のように鮮明だった。「はげしい雨」ではその悪夢的なヴィジョンで噛みつき、かき回した。そしてコミカルな緊張緩和。ディランは自前の、皮肉に満ちた様々なトーキング・ブルースを披露し、今や笑いを誘うために演奏しているわけではなかったが、それでも彼は「先週書いた一九三〇年のラグタイム曲」を導入した。ガスリーに捧げる詩を読んだときは、スタンディング・オベーションが起きた(6)。

コンサートのあとは、ボブを囲んだ即席のパーティが開かれた。ヤーロウがアッパーウエストサイドにある母親のアパートを開放した。グロスマンのパートナーであるジョン・コートは、ファンたちを丁重に追い払ってボブをタクシーまでエスコートした。およそ二五人がパーティに出席した。ヤーロウの母は温かく陽気な女性で、ディランが会の主役だということにさえ気づいていなかった。「あなた、お客様方に氷を運んでくださる？」と彼に頼んだ。フォーク・シンガーである息子のいちファンだと思っていたのだ。ボブは断ったりしなかった。何杯か飲んで、ボブは彼女に言った。「ぼくと結婚するってのはどう？　いや本当に、あなたはとても素晴らしい女性だから」。離婚して久しいヤーロウの母親は珍しく言葉を失った。

ヤーロウに導かれてディランが初めてウッドストックを訪れたのは一九六三年の初夏だった。快適なニューヨーク北部のアート・コロニーであるウッドストックは長らくピーターの避難地だった。彼のおじが所有していた築四十年の古い小屋をのちにピーターが買い取った。村の中心から三分のところにあり、数エーカーの広さがあった。最初の夏、ボブとスージーが小屋を一緒に使った。スージーは絵を描き、ボブは曲を書き、ヤーロウと三人で家事を分担した。ボブの料理は原始的だったので、ヤーロウとスージーがほとんどの食事を準備した。「あのウッドストックでの最初の夏以上にボブが穏やかに暮らせたことはなかった」とヤーロウは振り返っている。午後になると、彼らはビッグ・ディープかモーテルのプールで泳いだ。

一九七〇年、ヤーロウはこう回想している。「長い時間を一緒に過ごしたよ、ボビーと二人でね、でも言葉を交わすことは少なかった。あの頃は彼が無口だからって別に動揺することもなかった。ただ彼が好きだった。すこしおびえて内にこもるところがあった。仕事はこつこつやっていた。でもぼくたちはお互いを理解していた。あの夏はどこか彼の曲『ボブ・ディランの夢』みたいだった。あの曲はこのときのことを歌ってるわけじゃないけどね……ぼくらの生活はあれほどシンプルじゃなかった。ぼくたちの星は昇り始めていて、それを見過ごすことはできなかった。ボビーとスージーは、ヴィレッジに戻ると落ち込んでいた。でもウッドストックに戻ってくると、彼らの魂は驚くほど高まったんだ。その頃はアルバートもウッドストック近郊にはいなかった。彼を連れてきたのはミルト・グレイザー（『ニューヨーク』誌のデザイナー）だった、ぼくじゃなくてね。今では、あそこにアルバートの帝国が築かれてる――彼のレコーディングスタジオ、レストラン、それに一二〇エーカーの土地がある。実際、ぼくは一九六五年前後からウッドストックに行くのをやめた。そこが再発見され始めた頃からね。今じゃ誰もがあそこに行く。ぼくが子どもの頃とは違うし、ボビーやスージーと一緒に過ごした頃とも違うんだ」

一九六三年の夏、ウッドストックでリフレッシュしてヴィレッジへ戻ってきたディランと会った。ニューヨークで夏を過ごすと、彼は人目を忍びがちになった。彼は私にぜひウッドストックへ行くべきだと言った。「雲が止まり、時間が巻き戻ってはひっくり返り、太陽が昇っては沈む。最高なんだ、ほんとに、最高の場所だよ」

広大な荒野へ

グロスマンがディランを人気テレビ番組「エド・サリヴァン・ショー」にブッキングしたのは一九六三年五月十二日の日曜夜の回だった。プロテストと結びつけられたシンガーにとって、この番組はエベレストのように登頂不可能な高みに感じられたかもしれない。だがサリヴァンは大衆の好みには逆らわない方針だった。おりしもABCテレビの番組「フーテナニー」が、チャド・ミッチェル・トリオに反ジョン・バーチ協会の風刺曲を歌うことを許したばかりだった。「サリヴァン」へのブッキングはディランにとっては皮肉な戦略となった。彼は出演を取り消されることになり、そのことで全国ニュースになったのだ。

ドレスリハーサルのとき、彼は例によって普段着でやってきた。その週の初め、ディランは「ジョン・バーチ・パラノイド・ブルース」をサリヴァンと番組プロデューサーのボブ・プレヒトに聴かせていた。プレヒトはいるわりに大仰な名前だ――のエディターであるストウ・フェルプスが、この歌は使えないかもしれないと言った。彼が名誉毀損で訴えられる可能性を恐れたのは、ジョン・バーチ協会支持者たちがヒトラーになぞらえられていたからだった。サリヴァンとプレヒトは苛立ち、グロスマンは腹を立て、ディランは怒り狂った。サリヴァンはディランに、別の曲に差し替えたいかと尋ねた。間髪入れずにディランは息巻いて言った。「あの曲を歌えないんだったら、どの曲も歌わない」。彼は足音荒くスタジオを出て行き、その夜は我を忘れてヴィレッジじゅうを歩き回り、燃えるような烈しい怒りをあらわにして「くそったれども！」と悪態をついていた。私は「すごいニュースになるぞ」と彼に言った。たしかにそうなった。

歌手も曲もどちらも気に入った。だがドレスリハーサルの直後、CBSテレビの番組実行委員会――検閲をして

『タイムズ』のラジオ／テレビ担当記者であるヴァル・アダムスがCBSの上層部を追った。彼らが検閲に関わったのではないか？「ノーコメント」。五月十四日火曜日、『ニューヨーク・ポスト』紙のボブ・ウィリアムズがサリヴァンの見解を報じた。「私たちはCBSに伝えた。『これはあなたたちの放送局だ……だがこの決定は間違っているしその奥にある方針も間違っている』」。サリヴァンはケネディ大統領やロックフェラー州知事だってつねにテレビコメディアンによって茶化されていると言った。「だがジョン・バーチ協会は――なぜ彼らだけがそのような保護を受けるのか私には分からない」。ハリエット・ヴァン・ホーンは、全国紙のコラムでその放送

局の内側を余すところなく暴いた。「CBSの上層部の考えは現代の深刻なモラルの問題に対して頑迷で、偏狭で、冷淡であり続けている……検閲された曲は、これまで……ディランが歌い続けてきたもので、猥雑でもなければ中傷的なものでもなかった。たんに政治的に無知な集団をからかっているだけである。その集団の悪意に満ちた所業は、すでにさまざまな教育機関における自由探求の精神を脅かし、聖職者たちを中傷し、多くの若者の心を——最も邪悪なやり方で——蝕んでいる」

　ディランは公式の文書で、連邦通信委員会に調査を依頼した。聞き取り調査が行われることはなかったが、ディランは以降のコンサートでこの話を何度も蒸し返した。ディランは「サリヴァン」の失敗の前に別のテレビ番組に収録で出演したが、放送されたのは五月の末になってからだった。フォーク・ソングを軸にアメリカの歴史を追う番組で、このウェスティングハウス・ブロードキャスティング社による特番のホストを務めたのはテレビに復帰したジョン・ヘンリー・フォークだった。演奏者は他にも、ブラザーズ・フォア、キャロリン・ヘスター、バーバラ・デイン、それにザ・ステイプル・シンガーズがいた。ディランは前年の十二月にBBCでテレビ初出演を果たしていた。完全に落ち着き払ってカメラの前に立ち、「風」「パス・オブ・ヴィクトリー」そして「ホリス・ブラウン」を歌い、ポーズをとることもなく、笑顔もほとんど見せなかった。最後の曲のとき、遠くから這ってきたカメラが下から捉えた彼は、とても長身に見えた。

　ディランの次なる露出はニューヨークのWNEWテレビで、フリーダム・ソングを歌う番組に出演した。プロデューサーのアーサー・バロンは、のちにCBS向けのドキュメンタリー制作やジョニー・キャッシュの伝記番組を手がけ、そこにディランも一部出演することになる。バロンに相談役として雇われた私は、ボブに電話して番組で公民権のことが取り上げられると説明した。彼は出演を快諾し、出演料は問わないと「アルバートに伝える」と言った。番組はオデッタとザ・フリーダム・シンガーズによって締めくくられた。バロンはディランのしゃがれ声に驚いた。「そんな歌い方で成功するのかどうか分からなかった」。完成したテープを見なおす頃には、バロンは考えを改めていた。グロスマンは一九六三年七月に行われた収録のあいだずっと文句を言っていた。ディランとオデッタがふさわしい扱いを受けられるのかどうか確信が持てないでいたからだ。それにディランがジョーン・バエズをスタジオに呼んでいたことも悩ましかった。ジョーン本人は基本的に無頓着だったが、彼女のテレビでの利用価値は驚くほど高く、すでに番組の時間配分を決めていたプロデューサーは動揺していた。彼はディレクターと話し合った。「彼女を出演させるのは素晴らしいアイデアだろうが、ぼくの番組づくりの直感では、制作の大詰めで大きな変更をすると悲惨なことになるんだ」。プロデューサーは私にそう言った。グロスマンは、スター・システムを否定するショーの「スター」としてオデッタの顔を立てようとしたが、しぶしぶジョーンを映しても構わないと伝えた。番組はジョーンを観客席に置いて進行した。

カメラと照明が準備されるあいだ、ボブとジョーンは隅で身を寄せあっていた。ボブは彼女にラグタイム風のダンス音楽を演奏し、ジョーンは即興のクロッグダンスをした。観客やスタッフたちが回りをうろうろするなか、二人だけのパーティをやっていた。些細な光景にも将来の展望を見るグロスマンがこの場面を目にした。「あの二人が一緒になったらどうなるか想像できるか？」と私に尋ねた。そのフリーダム・ソングの番組は美学的に言って貧弱なものだったが、サリヴァン・ショーの検閲から二か月後ということもあり、ディランは「風」と「しがない歩兵」で人種問題を歌うことができるのを喜んでいた。

そののち、テレビ出演は次第になくなっていったが、オファーは多かった。彼は最高の状態でまっとうな番組にだけ出たがった。一九六四年の初め、ディランは西海岸の「スティーヴ・アレン・ショー」に出演した。アレンは一九七〇年にこう書いてきた。「私たちの番組に来るまで彼の歌を聴いたことはなかった。恥を忍んでいえば、ディランの才能は当時の私の視界に入っていなかったんだ。彼はテレビに向いていないだろうし、聴き手は若者に限られているだろうと思い込んでいた。すごくソフトな歌いぶりで、態度はすごくぶっきらぼうで、プロらしくなかった。それがスタジオの観客には奇妙に見えたんだ、輝ける新たな才能の持ち主というよりもね。ディランの遠慮のない振る舞い、単調な声、そして単調な曲は、思うに、それぞれ独立した芸術形態なんだろうな」

アレンが感心しなかった一方で、ＡＢＣテレビで挑発的な番組を作っていたレス・クレインは虜になった。クレインの番組に出演した一九六五年二月十七日、ディランはその時間を支配した。音楽が最高潮に達したのは

「イッツ・オールライト・マ」で、かなりのクローズアップで捉えられた。ディランは始終クレインと冗談を言い合った。クレインの服装について、あるいは今後の計画について。あるいは自身が出演する予定の映画について、ディランは「ぼくの母親の役を演じることになっている」と言ったりした。その映画に一緒に取り組んでいるアレン・ギンズバーグについての余談もあった。クレインの番組はディランにとって、現在までも有数の痛快なテレビ出演だった。彼は手のつけられないほど非協力的だったが、それでもなお印象的で、見る者に「何がこいつを動かしているんだ？」と思わせた。

フーテナニーの熱狂

マイク・ポルコが月曜夜のフーテナニーを始めたとき、まさか一九六三年までにそれが流行語になるとは考えてもいなかった。フーテナニーのブームに火をつけたのはＡＢＣのテレビシリーズだ。ディランが出演したことはなかったが、その番組が大衆の嗜好に与えた影響は、結果的に彼や番組を敬遠していたパフォーマーたちにも益をもたらした。

「シンガマジック」や「ワットシット」といった言葉と同じで、フーテナニーという言葉自体に意味はない。西海岸の語源研究者であるピーター・タモニーによれば、一九四〇年七月、シアトルの民主党員たちがフォーク・ソングを用いて資金集めのパーティを開くようになり、誰かがそれを「フーテナニー」と呼ぼうと言い始めた。インディアナで彼らが若い頃に聞いた言葉を使ったのだったが、それが定着した。そのシアトルでの集まりにいた二人の若い歌手がシーガーとガスリーで、彼らが言葉と概念を東部に持ち込んだ。『シング・アウト！』と既成左翼がその言葉を使い続けた。そして、リチャード・ルウィンというＡＢＣのプロデューサーとタレント・コーディネーターのフレッド・ワイントローブが、その言葉を活きのいい大学生の観客のいるテレビ番組のセットにたくし込んだのである。彼らの根本的な過ちは、シーガーとウィーヴァーズをブラックリストに載せたことだった。その結果として、番組はおそらくアメリカのテレビ史上最も賛否の分かれるシリーズになった。

毎週一一〇〇万に達するほどの視聴者が「フーテナニー」を観ており、すぐにその言葉はトレーナーや、ピンボールマシンや、作業用の革靴や、休暇を形容したり宣伝したりするようになった（「バルモラルでは楽しいことがたくさん、十二日間のフーテナニー・ホリデーも」）。フォード車のディーラーたちはフーテナニー・セールを開催した。靴のディーラーたちはフーテナニー・ブーツを売り出した。ニュージャージーの「パリセーズ・アミューズメント・パーク」はミス・フーテナニー・コンテストを開いた。音楽業界の反応は予想できた。フーテナニーという言葉があらゆる州を覆いつくした。『フーテナニー・フート』という長編映画ができ、フートと呼ばれるダンスステップが生まれ、『フーテナニー・フォー・オーケストラ』『ホット・ロッド・フーテナニー』『サーフィング・フーテナニー』というタイトルのアルバムが出た。『フーテナニー』というひどい雑誌も二つあり、そのうちのひとつ、今は亡き、誰も名残惜しむ者のいない代物は、私が編集したものだった。

そのテレビシリーズとブームは、フォーク音楽が商業主義への抵抗の砦だと信じる保守的なフォーク・ファンにとっては忌まわしいものだった。番組がシーガーを締め出したために、フォーク・シンガーたちはキャロリン・ヘスターとジュディ・コリンズを旗振り役としてボイコットを始めた。フォークシーンは真っ二つに分かれていた。ばつの悪い思いをしたシーガーはワールドツアーをすることに決めた。純粋主義者たちは出演に反対し、彼ら以外の、仕事を求める者たちは、ボイコットをすると力量の劣るミュージシャンに番組を渡して観客を裏切ることになると主張した。番組の最も辛辣な反対者のなかには、出演依頼をされたことのなかった者もいた。ピーター・ポール&マリーは純粋に政治的な理由で出演に反対していたが、グロスマンが二万五〇〇〇ドルのオファーを断ったのは、テレビ露出が大学コンサートに悪影響を及ぼすことを知っていたからだった。「フーテナニー」は地方の優れたパフォーマーをいくらか輩出し、マザー・メイベル・カーターやドック・ワトソンが盛んに出演していた。チャド・ミッチェル・トリオは彼らならではの痛烈な曲を演奏したが、たいていの優れたミュージシャンたちは出演を避けていた。

一九六三年、アメリカはほとんど夜通し緑化にいそしんだが、芝生にはまだ雑草が残っていた。アンディ・ウォーホルはのちに、一九七〇年代はあまりにも空っぽで、一九六〇年代はあまりにも盛りだくさんだったと言った。過剰に祭り上げられたフート・ブームは摩耗していった。ディランとバエズは、ほかの誰にもましてその流行をコンサートでからかった。観客のなかには、フォーク・ソングというのは激しく手を叩いて合唱するものだという歪んだ考えを持つ者もいた。フーテナニーの流行が強まるなか、フォークの純粋主義者たちがマスカルチャーは誘惑と希薄化にほかならないと言い募る一方で、いくつかの優れたパフォーマンスがそれをかいくぐり、無名の音楽家たちが認知されていった。テレビシリーズはおそらく何百万という視聴者を優れた曲に導いた。少なくとも視聴者のうちのいくらかは、シーガーやディランやバエズといったパフォーマーたちがどうしてテレビ画面に現れないのかと思い始めていた。

フェスティヴァルの熱狂

一九六三年七月のニューポート・フォーク・フェスティヴァルの前、フォーク・ソングの熱気が最高潮に達する頃までに、ディランはフェスティヴァル形式のステージを四度、それぞれ異なる観客の前でこなしていた――東部の大学生の前で、西海岸の一般客の前で、ミシシッピの政治集団の前で、それにプエルトリコの商売人の前で。まだスターとして名乗りを上げたばかりの彼には、冷静さと骨の折れるような努力が同じだけ必要だった。一九六三年の春と夏は、次々とコンサートが押し寄せる無慈悲な三年間の始まりだった。ツアーのたびに離ればなれになるとしても、いや増しに増す彼の人気はスージーに感銘を与える一方だった。ディランもアルバートもほとんどどこにでも行く構えで、しかるべきオファーなら迷わず引き受けた。

五月十日、ボストン郊外のブランダイス大学でフォーク・フェスティヴァルが開催された。グロスマンはディランのために最高の出演順を二つ確保した――インターミッションに入る前と大トリだ。ブランダイス大学はディランを歓迎した（グロスマンはフェスティヴァルのプロデューサーに怒鳴った。「五〇〇の大学コンサートを聴いてきたなかで最悪の音響だ」）。出演のあと、エリック・フォン・シュミットがディランとスージーと私をものすごく静かなパーティに連れて行った。そこにいたのはボストンの最もヒップな人びとだった――クウェスキン夫妻、ジェフ・マルダーとマリア・マルダー、ベッツィー・シギンズとボブ・シギンズ、『ボストン・ブロードサイド』誌のスタッフ、「クラブ47」の仲間たち。ボブは彼らチャールズ川の鑑定人たちに恭しく紹介された。

アルバートはボストン人たちの冷静さに落胆したが、客のひとりがディランに対して畏怖の念を持つあまり何と言葉をかけてよいか分からなかったらしいと私が報告すると気を取り直していた。

ブランダイス大学での演奏でディランは北東部の選挙区を確保した。次は西海岸だ。エージェントのベン・シャピロを通じて、ディランは五月十八日に開催される第一回「モンタレー・フォーク・フェスティヴァル」にブッキングされていた。ラインナップにはウィーヴァーズやルーツ・フォーク・シンガーのマンス・リプスコムがいた。ディランはスタインベックの土地でやれると喜んでいた。「ディランの出演をモンタレー・フェスティヴァルのプロデューサーになかば無理矢理納得させたのはぼくなんだ」。ベンはのちに私にそう言った。彼はディランを一五〇〇ドルで土曜夜のステージに上げた。

モンタレーの観客は不思議なほど好意的だったが、『サンフランシスコ・クロニクル』紙のラルフ・グリーソンはネガティヴな反応を示した。「あれは典型的なディランのコンサートだった」。のちに熱狂的な支持者となった彼は語った。「当時はそれが好きじゃなかった。トーキング・ブルースの部分はガスリーの下手な真似事だった。自分には間違っているように見えたし、彼の声も好きじゃなかった。『はげしい雨』も好きじゃなかったが、しだいに引き込まれていった。まったく、悩ましい体験だったよ」。グリーソンはディランをこき下ろしたが、シーガーは擁護に躍り出て、俳優でシンガーのセオドア・ビケルらと共に反論を行った。グリーソンは考えを改めて潔く紙面にしたためた。「ぼくの耳は聞こえていなかった」とラルフはのちに書いている。モンタレーはディランが真にジョーン・バエズと邂逅した場所であり、彼女はその近くのカーメルに住んでいた。ボブは以前にも一九六二年のボストンのパーティでジョーンと会っていて、彼女は「ウディに捧げる歌」をその冬に聴いていた。二人はモンタレーで初めてじっくりと対面し、彼女は彼が書き、発している言葉に注意を傾け始めた。モンタレーは彼女とディランの人生に深く影響を与えた。芸術的にも個人的にも。

一九六三年七月の初め、学生非暴力調整委員会（ＳＮＣＣ）が有権者登録を呼びかける集会をミシシッピ州グリーンウッドで開いた。そこはヤズー川にある綿花文化の中心地で、ハイウェイ82がカーブを描いてデルタに向かう場所にあった。地元の活動家たちは黒人たちに投票のための登録を呼びかけていた。一九六二年の八月以降、活動の規模は大きくなってきていた。ＳＮＣＣは投獄、脅迫、殺人、誘拐といったものに対処しなければならなかったが、そうした脅威が取り除かれつつある兆候もあった。ＳＮＣＣはシンガーたちが必要だと北部にメッセージを送っていた。シーガー、ビケル、そしてディランが降り立ち、身の危険をかえりみず、数百名の黒人農民たちの前で演奏した。彼らシンガーの存在が、この地方のムーヴメントを全国へ知らせるのに一役買った（南部で数年にわたって歌い続けてきたシンガーのガイ・キャラワンは、ディランがほんの一瞬南部に訪れただけでテレビと『ニューヨーク・タイムズ』に採り上げられたことに驚いた）。ディランは今や広告塔でありスターとなりつつあり、ディランの飛行機代を払ったと言うビケルは、敬意を持って彼と接した。「ボブが南部の苦闘をじかに感じられればいいと思ったんだ。一晩じゅう飛んで、アトランタで乗り換え、そこで二時間待って、また乗り換えた。その道中ほぼずっと、ボブはこまごまとメモや詩の一節を封筒に書き留めていた。ぜんぜん喋らなかったね。口を挟んだり邪魔したりしたくはなかった。そこにすごくかすかで繊細なものを感じたからだ。少し畏怖するような気持ちもあったと思う。彼の奥でずっと何かが練られているような感じだった、何かすごく深遠なものが。彼の政治的な態度はぼくらのほとんどよりも不確かだった。ディープサウスに足を踏み入れることは、どちらかと言うと個人的なことであるようだった。彼は普遍から個人へ移行していた。たいていのアーティストや書き手は個人から普遍へと移行していくものだけどね」。ミシシッピ州ジャクソンの空港に着くと、ディランは水飲み場とトイレに「白人（ホワイト）」と「有色人種（カラード）」と書いてあるのを見て、「有色人種のみ（カラード・オンリー）」の方で水を飲んだらどうなるだろうとビケルに言った。喉が渇いたままグリーンウッドに到着すると、ジム・フォアマン、バーニス、コーデル、それにザ・フリーダム・シンガーズ、ジュリアン・ボンド、シーガー、チャンドラーが彼らを迎えた。二日と半日、新興の差別廃絶運動の真っただ中で、彼らは農民や北部の学生とともに活動した。

　七月六日、グリーンウッドから二マイル離れた綿花畑の片隅でピート、ボブ、それにビケルが歌った。三〇〇人前後が集まり、そのほとんどは地元の黒人たちで、若い白人の支援者や記者が二十人ほど、それにニューヨークからテレビ局のスタッフが四人来ていた(7)。その地域で最も反響が大きかったのは、公民権運動の「ラ・マルセイエーズ」である「勝利を我らに」だった。ディランの「しがない歩兵」は、ほんの数週間前に書かれた曲だった。全米黒人地位向上協会（NAACP）のミシシッピ州支部長メドガー・エヴァーズ殺害についての歌が、そのホームグラウンドで歌われた。「風」は彼ら農民よりもSNCCと北部の活動家に対する影響の方が大きかった。地元の人びとにとって、「風」が持つ抽象性は彼らの具体的な苦しい現実と充分に結びつかなかったのである。「ボブはすべてを観察していた」とビケルは回想する。「彼自身への反応もね。農民たちにはとても謙虚に振る舞って、自分の育ってきたところにはこんな困難はなかったと認めた。九歳になるまで黒人と出会ったことがなかったと言い、自分にできることがほとんどないと謝っていた」。バーニスはこのときほどボブを身近に感じたことはなかったと言った。『しがない歩兵』は貧しい白人もまた貧しい黒人と同様に差別の犠牲者だということを示した最初の曲だった。グリーンウッドの人たちは、ピートやビケルやボビーが有名人だとは知らなかった。地元の人たちはただ支援を得ることができて喜んでいただけ。それでもこの綿花の土地の人びとはディランを好きになった」

一九六三年の夏頃になると、コロンビア・レコードまでもがディランの潜在的な価値に気づき始めた。七月、ディランはプエルトリコで行われたコロンビアの年次営業会議に貴賓として呼ばれ、アレサ・フランクリンとトニー・ベネットも同行した。ディランはアルバート、スージー、カーラとともにサンフアンのホテル・アメリカーナに飛んだ。アルバートはマネージャー業で忙しくしていて、ボブとロトロ姉妹は、それぞれディランの妻と義理の姉だと冗談めかして紹介され、心ゆくまで日光浴、海水浴、食事、そして酒を楽しんだ。ディランが演奏したのは夕食時の一度だけで、彼に求められていたのは誰ともしれない地方の販売業者、販売マネージャー、それに現場代表者たちとの握手と気さくな会話だった。ビーチでの束の間のプライベートな時間をのぞけば、彼はずっと居心地の悪さを感じていた。

セールスマンたちの夕食の席での演奏を終えたディランには喝采が浴びせられた。広報の人間たち、特に南部から来ていた人びとは、ディランの曲をめぐって密かにあれこれ小言を言っていた。「神が味方」は自分たちの市場では厳しい闘いになるだろうと愚痴り合った。それでもディランには商売気たっぷりの微笑みを注いだ。週末、コロンビアの社長ゴダード・リーバーソンがディランとロトロ姉妹を自身のスイートルームに招待した。彼はかつて一九六二年の最初のレコーディング・セッションでボブがブルースとフォークのルーツに関心を寄せているると感じ取り、自身が一九三〇年代に敢行した南部へのフィールド・レコーディングの旅の話をしたこともあった。今回は、ディランのオフ・ブロードウェイへの興味にも気づき、ブレヒトやロッテ・レーニャについて歯切れよく語り、ボブが関心を持つだろうと思いコロンビアから新しく発売されるアルバム『ザ・バッドメン』を聴かせた。ディランは下の飛び込み台から目を離さずにつぶやいた。「とにかくやらなきゃ、あの台から飛び込むんだ」。リーバーソンは『ザ・バッドメン』をひとつ渡して彼らを送り出した。

その日の晩、リーバーソンは三人をディナーに招待した。ディランは乗り気ではなかったが、午後八時にロビーでこの大物とあらためて会った。ジーンズにワークシャツにブーツ、それからくしゃくしゃの髪で。リーバーソンとカーラは、美味しい夕食のために妥協して、店に入れるようネクタイを締めてくれとボブに言った。「絶対に妥協はしない」。ディランはぴしゃりと言った。「ネクタイを締めずに食べられる場所がないのなら、入るつもりはない。残念だけど」。アルバートはカーテンと一体になるかのようにそっと存在感を消した。社長はカーラだけをディナーに連れて行った。ディランはサンフアンのカジノでブラックジャックをすることにしたのだと、のちにカーラが教えてくれた。ネクタイなしでは入店できないと分かると、彼はアルバートの部屋に行ってネクタイを借りて入った。ディランはそのときカーラと初めて口論になった。それから何度も繰り返されることだ。彼はどのように振る舞うべきか指示してくる彼女に「真実攻撃（トゥルース・アタック）」を爆発させた。リーバーソンはプエルトリコを発つときに三人へ酒とレコードを送り、メッセージを添えた。「ボビー、スージー、カーラへ。酔っ払うのはネクタイをしているときだけにしたまえ。よい休暇を。ビッグ・ダディより愛を込めて」

ニューポート——最初のウッドストック

ディランは七月二六日から二八日にかけての「ニューポート・フォーク・フェスティヴァル」に単なるアンダーグラウンドで知られた人間として降り立ったが、出て行くときには国民的スターになっていた。六三年のニューポートは一九六九年のウッドストック・フェスティヴァルの予行演習のようなものだった。週末の参加者は合計わずか四万七〇〇〇人で、一九六九年に集まって熱狂した人びとの十パーセントにも満たなかった。しかし六三年のニューポートはオルタナティヴ文化の萌芽だった。七十のパフォーマーたちと観客は音楽でハイになり、彼ら版の公民権革命にハイになった。ミュージシャンも聴衆も、自分たちこそこの国のすべての人びとに、新しい別の生き方や考え方について何かを訴えていると感じていた。フーテナニーの流行と音楽ビジネスは、大衆が社会的な決意を表明するための器を用意したのだった。

　六三年のニューポートは、新たなポピュラー音楽としてのフォーク・ソングとディランにとってのターニングポイントだった。彼のぼろぼろの服、嚙みつくような曲、反ショービジネス的な態度、黒人の権利と平和への共感、そして「神が味方」における、歴史という神話をかなぐり捨てる振る舞いによって、ディランはフェスティヴァルの象徴となった。彼の写真がいたるところにあった——細身で、顔はやつれ、きゃしゃな肩はしおれた肩章のついたくたびれたカーキ色のアーミーシャツに包まれ、ブルージーンズは色落ちしていた。その週末のほとんどを彼は長い革の牛追い鞭を肩にしっかりと巻きつけて歩き回っていた。記者たちは彼の後ろをつけて回った。すべては「ニューポート」が体現する精神と同じくらい、自然発生的なものに見えた。しかしアルバートとディランは周到に計画を練っていたのだった。アルバートは、ディランにとって最初の大きなコンサートとなる今回のフェスティヴァルで、彼を栄えあるトリにするよう求めていた。二人はタイミングも味方につけていた。ニューポート族たちは新たなリーダーを渇望していて、ディランが満場一致で選ばれたのである。

　ニューポート・フォーク・フェスティヴァルはそもそも、母体となったジャズフェスティヴァルから一九五九年に枝分かれしたものだった。ジョージ・ウェインは恰幅のいい穏やかなプロモーター兼マネージャー兼ピアニストで、一九五〇年代にそのジャズイベントを育ててきた。一九五九年、ウェインはグロスマンと協同して、対（つい）となるフォークの祝宴を催し始めたが、初めは市の有力者たちの反対にあっていた。一九六〇年のジャズフェスティヴァルでは暴動が起こり、その結果ニューポートのすべてのフェスティヴァルが二年間の休止に追い込まれた。一九六二年の末、ウェインとシーガーとビケルがアイデアを持ち寄り、非営利団体「フェスティヴァル・ファンデーション」を立ち上げた。七人のミュージシャン役員から成る同組織は、出演者の人選やフェスティヴァルを運営するウェインの手助けをした。

　スターを起用した興行は控えめになり、地元のフォーク・シンガーたちが名の知れた面々の共演者として名を連ねた。誰もが同じ出演料を受け取った——五十ドルと食事、宿泊施設、そして諸経費だ。初日のチケット売上は好調で、私はごった返したフリーボディ・パークをグロスマンと一緒に歩き回った。グロスマンはもはやフェスティヴァルの船頭ではなく、ウェインとの共同マネージメントの権利もご破算になっていた。「たいした集客じゃないですか」と私は尋ねた。アルバートは同意した。「おかげで余暇が増えるというものだよ。素直にうれしい。ウェインが今回のようなやり方で進めざるを得なかったのは残念と言うほかないがね。あの役員会のようなやつは」。ウェインはフォーク・フェスティヴァルの実質的なプロデューサーであり続け、彼と寛大な妻ジョイスは、シーガー夫妻とともに、ニューポートに流れ込んできた何千もの若者たちの里親的存在になっていた。ベテランのパフォーマーたちも南部からやって来て、南部の黒人も白人もステージを分かち合った。

　役員会はスター・システムを拒否していたにもかかわらず、シーガーやその他のビッグネームたちはなおも多く出演していた。「ニューポート・カジノ・テニス・クラブ」で金曜午後に行われた新たな文化誕生への第一歩は、かなり静かなものだった。一〇〇人ほどの若者が裸足かスニーカーで参加していたことは、フォーク音楽への関心の高まりが一時的な流行ではないというビケルのパネルディスカッションでの発言を裏付けていた。それはパッケージ化された娯楽というものへの抵抗であると同時に「自分でやる（ドゥ・イット・ユアセルフ）」文化の復活のあらわれだった。シーガーはテレビとその権力は監視されなくてはならないと言った。そうすることによって「マスメディアのなかにマイノリティの感性のための場を確保できる。フォーク音楽が急激に広がっているのは誰の目にも明らかで、今はその思いがけない副作用を懸念し始めている」

　数人のシンガーがメロディにのせてコメントした。バエズがその先鋒だった。彼女の絹のような声に、ボブのざらついて荒く尖った声が加わった。二人が「神が味方」を歌ったとき、聴衆は首を伸ばして、ジョーンと一緒に歌っている見知らぬシンガーを見ようとした。モンタレーからの数週間で、ジョーンはディランの曲をたくさん覚えていた。バエズはこの頃『ハイファイ／ステレオ・レヴュー』誌でナット・ヘントフにこう語っている。

「プロテスト」ソングと呼ばれる曲の大半はバカげてる。美しさがないの。それに対して、ボブ・ディランの曲は……詩としても……音楽としても力強い……ボブは若い子たちが言いたいことを表現している。それに歌も大好きなの！　ああ、すごい、この子歌えるのよ！　ものすごく心動かされることがある。彼のような歌は聴いたことがない。彼が歌い出すと……「はげしい雨が降る」よ、わたしは泣いちゃうから部屋をあとにしなくちゃならない。

そのフェスティヴァルでの実験的なデュエットがジョーンとボブが公の場で一緒に歌った初めての瞬間だった。それから二年間、そして断続的に一九八四年まで、彼らは何度も互いのステージに立った。ラルフ・グリーソンはこう語っている。「ジョーニーのことは好きだけど、彼女は一人で歌うとき、ディランと一緒のときほどには上手く歌えなかった。そしてディランと一緒に歌うときも、控え室で一緒に歌うときほどには上手く歌えていなかった。彼女にスウィングはできないけど、彼にはできる。ディランは彼女を思う存分スウィングさせることができた。目と目が合えば、その演奏は最高のものになる。彼らがなんと言おうと、二人には役柄があって、どちらも役者だ。ステージに立つと、二人は見つめ合うかわりに聴衆を見なくてはならなかった」。その後の歳月で、ジョーンは自力でスウィングの仕方を学んでいった。

七月二六日金曜の夜、メインのオープニングステージには一万三〇〇〇人が集まった。その数は一九五九年のフェスティヴァル全体の聴衆に匹敵するものだった。地元警察は、この町で一度に集まった群衆としてはこれまでの最大だと述べた。フォークの継子がジャズの親より大きくなっていた。『ニューポート・デイリー・ニュース』紙によれば、ピーター・ポール＆マリーの演奏で一番良かったのは「風」で、ヤーロウのディランへのおなじみのからかいのあとに演奏された。聴衆たちはトリオにステージを降りさせまいとした。

『ニューポート・デイリー・ニュース』は後半のディランのソロステージを採り上げ、「アメリカで虐げられた人びとの代弁者であり市井の人びとの英雄だ」と記した。ディランは「ボブ・ディランの夢」「神が味方」「ジョン・バーチ」そして「はげしい雨」をやった。聴衆は静まり返って畏敬の念とともに耳を傾け、それから拍手喝采した。出番が終わるとディランは、そのときだけ革の鞭を持たずに、バックステージの芝生で私と私のガールフレンドのシェルデン・オギルヴィとリラックスしていた。何枚かサインを書き、何人かの記者の質問をはぐらかし、あるレポーターにはぴしゃりと言った。「あんたに割く時間はないんだ。友だちと話してるのが分からないのか？」だがディランは概して穏やかだった。「ショーの最後に、ちょっとしたサプライズがあるよ」と私にもったいぶってみせた。ピーター・ポール＆マリーが戻って「風」をまた演奏し、それからディラン、ジョーン、ザ・フリーダム・シンガーズ、シーガー、ビケルを呼び込んでグランドフィナーレに「勝利を我らに」を歌った。ディランはジョーンとバーニスのあいだに立ち、ギターとハーモニカを首にかけていた。十一人の演者が手をつなぎ、黒人の自由のために声を合わせた。それは運動として共に歌を歌おうという運動であり、その代弁者として指名されたのがディランだった。

ディランはその週末にあと二度ステージに立った。シーガーが進行をつとめたワークショップはトピカル・ソングと新しいソングライターをテーマにしていて、八つのワークショップのうち、約五〇〇人という最大の聴衆を集めた。『プロヴィデンス・ジャーナル』紙によれば、「多くの人が明らかに、あの小柄で痩せた若者による辛辣な曲を聴くのを待ち望んでいた。そして彼は聴衆を失望させなかった」。聴衆は「プレイボーイズ・アンド・プレイガールズ」(8)を合唱した。日曜の夜、バエズが主役として立ったとき、彼女は「これもボビーの曲」という宣言とともに舞台に戻ってきた。「長く続きすぎた恋についての曲です」と言ってから「くよくよするなよ」を歌った。聴衆のなかでスージー・ロトロは真っ青になってその場を歩き去った。エリック・フォン・シュミットがあとを追い、公然の侮辱をうけた彼女をなぐさめようとした。

ジョーンはそれからディランを予告なしに舞台に呼び、「神が味方」を一緒に歌った。グロスマンは満面の笑みを浮かべていた。その公演は、たくさんの人が舞台に上がっての「わが祖国」で締めくくられた。感動的ではあったが、金曜の夜のフィナーレほどのインパクトはなかった。ミュージシャンたちによって作り上げられるフェスティヴァルというコンセプトは成功し、公民権との関わりがイベントに目的と勢いを与えた。誰もがディランこそ今回のフェスティヴァルの「掘り出し物」だということに賛同しているようだった。週刊誌が、フォークの女王バエズがディランを皇太子に任命したといったことを書いたのもうなずけた。ディランの修行時代は終わりを告げた。彼はスターとしてニューポートをあとにした。

ダイヤモンドと錆（ダイヤモンド&ラスト）

「ニューポート」の直後、バエズは東部で十のソロコンサートを敢行した。彼女にとって現在までで最も厳しいスケジュールだった。これまでは、フラット&スクラッグスやグリーンブライアー・ボーイズが彼女とステージを共にしてきた。あらゆる要素が彼女の次なるツアーゲストとしてディランを起用する流れになっていた。アルバートはジョーンのマネージャーのマニー・グリーンヒルと詳細をつめた。ボブは一公演につき六曲前後歌い、取り分はジョーンよりわずかに多く、ジョーンはそれを快く思わなかったが、配分に抗議することはしなかった。彼女は常に何らかの大義やミュージシャンや新たなスタイルやソングライターに熱中していて、その熱狂が今はディラン一点に集まっていた。それはどこか彼女にとっての高い身分にともなう義務（ノブレス・オブリージュ）のようなところがあった。彼女は、この棄児を誰かが世話しなくては、と感じているように見えた。ボブはジョーンを、今後の彼の公演に連れて行くと約束した。

　東海岸ツアーは親密で私的な人間関係、不安定な友情、嵐のように変化の激しい恋愛模様へと発展した。ボブとジョーンのファンたちは彼らの熱に魅了され、また当惑した。デイヴ・ヴァン・ロンクは腹立たしそうに言った。「二人の関係は互いにとってまったくのご都合主義だった。間違いなく、スポンジみたいなディランはエンジンのシリンダーを八つ全部動かしてすべてを吸収した。一九六三年のあいつはほんとにジョーニーを必要としていて、どうしても成功したがっていた。金持ちになることを望んでいた」。ジョーンが新しい玩具、熱中する別の対象を望むことはなかったのだろうか？　彼女が飽きて彼を棄てたということは？「あり得ない」。ヴァン・ロンクは預言者めいた確信をもってぴしゃりと言った。「傷つけられたのはジョーンであってディランじゃない。彼女は平和主義運動の新たな光を期待していて、ボビーはボビーでそんなものは持ち合わせちゃいなかったのさ」

私はボブと出会う二年前にジョーンと会っていた。一九五九年の「ニューポート」のあと、ヴィレッジにある私のアパートメントでのパーティに来たときの引っ込み思案な少女が、やがて自信に満ちた人間になり、それから勇猛な主唱者になるのを見てきた。彼女の才能は無視できないが、彼女のディランとの関わりについては、私の見るかぎり、ディランの側に立たざるを得ない。彼がいかに、ときには友人としても、付き合うのが難しい人間だったとしても、私は客観性を損なうことなく彼の支持者でいられると思っている。そうして考えるに、ボブとジョーンの互いへの引力と求愛がたんなる職業的なご都合主義ではなかったということは確かだ。二人ともヒーローやヒロインを敬愛する傾向にあった。ディランに興味を持つ前、バエズはオデッタとシーガーを崇拝していた。ジョーンにとってディランは、崇拝の対象であると同時に庇護を与え得る存在だった。そして彼を教育することもできるだろうと考えていた。ボブは初めのうち、喜んで彼女の光を浴びた。それはより多くの聴衆にたどりつく機会でもあった。その関係性のどこかで、二人は恋に落ちた。後年、ジョーンはかなり落ち着きを取り戻し、ディランを、正直で、オープンな愛情とともに振り返るようになり、彼をからかい、馬鹿にして、モノマネさえするようになった。

「ニューポート」の直後、ジョーンはウッドストックを訪れた。ヴィレッジに戻ってきたディランはその数か月で一番嬉しそうだった。そのときの彼には、スージーや彼女の家族との果てしない諍いの代わりに、自身のアイデンティティを確立した女性がいたのだ。明らかにのぼせ上がっていた。スージーはあの「くよくよするなよ」の曲紹介にまだひどく傷ついていたが、そのライバルがいかに手強いかは気づいていなかっただろうし、その時にはあまり注意を払っていなかったのではないだろうか。「何が起こっているかは初めから分かっていた」とスージーはのちに語った。その夏、ディランは二人の女性との関係を何とか無事に保っていた。

八月初めのある夜、ヴァン・ロンクの新しいバンド「ラグタイム・ストンパーズ」がヴィレッジ・ヴァンガードでデビューを飾ることになった。私はディランに一緒に行くか尋ねた。「もちろんだ、ジョーンも呼ぶから現地集合にしよう」。早く着いたジョーンは私と私のガールフレンドと、雑談しながら席でボブを待った。やがて、酔っ払っていたのか恋にのぼせていたのか、階段で降りてきた彼はずっと外で待っていたと言った。ジョーンとボブは互いに見つめあった。リング・ラードナーの言葉を借りれば、ワッフルに注ぐこともできそうなほど甘い視線だった。バンドの最初のセットが終わると、ボブはジョーンを急き立てるようにして出て行った。人だかりに苛立って二人きりになりたがったのだ。その途中で、二人はヴァンガード・レコードの共同創設者であるメイナード・ソロモンと鉢合わせた。ジョーンは彼に深い敬意を抱いていた。一方でボブが彼を覚えていたとすれば、それは自分の才能を見過ごしたうちのひとりというくらいだっただろう。それにいずれにしても彼とアルバートはいつも仲違いしていた。理由はどうあれ、ディランは「真実攻撃」を開始した。温厚なソロモンを、彼の世話しているアーティストの面前で激しく非難した。

八月十七日、バエズとディランのツアーはクイーンズ区にあるフォレスト・ヒルズ・スタジアムを予定していた。「ニューポート」から数えて六回目の公演だった。公演の日の朝、ディランは私をクリストファー・ストリートにある「ギャラリー・デリカテッセン」での朝食に誘った（「今日もデリの糧をわたしたちに与えてください」）。ボブは気のない振りをするのもやめていた。「彼女がカーメルにある家に、ピアノ付きの専用部屋を用意してくれるんだ。太平洋岸に自分のピアノがあるんだぜ！」。まるで油絵の具を買ってくれるパトロンに出会ったばかりの貧しい画家のような言い方だった。ディランは定期的に私のアパートメントに来てはレコードを聴いたり、話したり、ピアノを弾いたりしていた。私が持っていたのは古ぼけたアップライトピアノだったが、今や彼には自分自身のピアノが手に入る見込みがあり、加えてバエズが温かく注意を傾けてくれるのだ。

「フォレスト・ヒルズ」で、ジョーンはディランを友情出演の「サプライズ」ゲストだと紹介した。演目のほぼ半分がディランの曲か、ディランと一緒に演奏する曲だった。「ボビー・ディランは、多くの同世代が感じていながらも言葉にできないことを言葉にしています」。ジョーンはおよそ一万五〇〇〇の聴衆に向かって告げた。彼女はテレビ番組「フーテナニー」をなじった。「彼らがピート・シーガーを出演させるなら、わたしも番組に出ましょう」。ディランの存在はジョーンに安らぎを与えていたようで、明らかに、ディランがそばにいることで良い影響を受けていた。伝えられるところによると、聴衆たちはそれまで五回の公演でディランを控えめに遇した。苦言さえあったそうだ。だが二人がクイーンズに着く頃には、ジョーンに負けないほどの喝采を受けるようになっていた。

コンサートのあと、ボブとジョーンはリヴァーサイドドライヴにあるクラーク・フォアマンのアパートメントへ向かった。ジョーンは彼のことを「ニューヨークの父親がわり」と呼んでいた。クラークはそのとき「緊急市民自由委員会」の長を務めていたが、かつてはルーズヴェルトのニューディール陣営で職員をしていて、マッカーシーの時代に市民解放を求める闘いを先導した。彼はほかにもゲストを招いていた——ジョン・ヘンリー・フォーク、写真家のディック・ローハン、私、それにシェルデン・オギルヴィ。ジョーンとボブの到着が遅く、私たちは心配し始めていた。楽屋の周囲にファンが詰めかけ、二人の乗る車も一時間近く足止めされていたのだ。ジョーンは慣れたものだったが、ディランにとっては初めての経験だった。ようやく到着すると、ボブはコンサートの大成功のあとにもかかわらず、青ざめて動揺しているように見えた。みんなして話しかけ、世話を焼き、息子のように気遣った。彼はそのすべてに耳を傾けていたものの、アドヴァイスなど求めていないことは明らかだった。ジョーンは彼を抱きしめてキスをしたが、写真家が親密な一場面をとらえようとするたびに彼女は追い払っていた。「約束を忘れないで」。ジョーンが注意すると、彼はおとなしくカメラを下げた。

フォアマンとヘンリー・フォークは歯に衣着せぬ物言いをする人たちで、好意的であろうが、抑圧的であろうが、敵意ある相手であろうが、どんな聴衆の前にも立てとディランに説いた。この市民解放のベテラン二人はアドヴァイスと指示を浴びせた。彼らはディランに、いまは亡き脚本家ネドリック・ヤングが語る作家の社会的責任についての演説の録音を聴かせた。もしここがヴィレッジだったら、ボブはきっとたまらず表に飛びだして、どこかのコーヒーハウスに向かい、鳴り響く音楽と、ワインの味、あるいはマリファナの匂いが自由の魔法をかける場所へと立ち去っただろう。だがその夜、彼に逃げ場はなかった。

一九六三年半ばには、誰もがまた「ボビー」をめぐって騒ぎ始めていた。まるで二年前と同じように。彼はもう子供扱いされたくないと思っていた。ジョーンの一番の過ちはここにあったのではないだろうか。彼女は彼より三年早くスタートを切っていて、自分は答えを知っていると思っていたのだ。当時は彼女もまたおびえた未熟な若い娘で、自分の立場を高める一番手っ取り早い方法が、誰か以上に経験豊富なパフォーマーの役を演じることだった。ボブは自分の面倒を彼女がみられるように促しているようだったが、やがてそれにたまりかねてしまった。この矛盾がいつも彼を誰かとの不和に導いていて、完全に対等な立場で彼と接することができる人物はごく少数だった。ジョーンの世話焼きをどれほど嫌ったとしても、彼はしばらくのあいだ、彼女を必要としているように見えた。その夜、ディランは既成左翼にのまれそうになっていた。彼はまだ自分の立ち位置を摑みかねていた。シーガーはその月、一年がかりのワールドツアーに発ち、ボブはシーガーのフェアウェル・コンサート後のカーネギー・ホールでのパーティにあいさつのため顔を出した。

ディランの直感は、ジョーンの誘いを受け入れてカーメルで彼女と秋を過ごすべきだと告げていた。彼はおそらくまだスージーを愛していたが、彼女はすでにその夏、西四丁目から出て行くことに決めていた。それは別れではあったが終わりではなかった。ボブはまだバランスを取れると思っていた。私がカーメルにジョーンを訪ねたとき、そこには彼女の妹のミミと、義理の弟のディック・ファリーナと、母のジョーンがいた。ディランが転がり込むほんの数週間前のことだ。私たちは八月二八日のワシントン大行進のニュースを見ていた。その日、マーティン・ルーサー・キング・ジュニアが彼の夢を雄弁に語った。ディラン、ジョーン、オデッタ、ピーター・ポール＆マリー、ベラフォンテ、マヘリア、それに二十万の平和を求める行進者たちが賛同の声を上げていた。

ジョーンは新しい家がカーメルヴァレーに建つのを待つあいだ、質素で、モダンで、木造の梁が渡されたコテージに住んでいた。そこは低木に覆われた渓谷に隔てられ、太平洋岸から一マイルも離れていなかった。ガラス張りの壁が、広々とした居間に田園の風景を運び込み、モダンな彫刻や、ベンチや、カジュアルな椅子が点々と置かれていた。私はディランがそこで見いだすことになる静穏を事前に見たことになる。ニューヨークのストレスから一〇〇万マイル隔たった静けさだった。カーメルとビッグサーは岩だらけの海岸と風に揺れる糸杉の地だった——ロビンソン・ジェファーズの故郷だ。隠者たる詩人ジェファーズが居を構えたその地には、古代中国の詩人が書いたような人里離れた山々があった。一九六三年の秋、ディランはその平穏な国であるジョーンの住まいに初めて滞在し、自身初の隠遁的な曲「レイ・ダウン・ユア・ウィアリー・チューン」を書いた。スコットランドのバラッドを聴いてインスパイアされたものだった。「ファンの何がいいって言うんだ?」西へ向かう直前、ディランはそう尋ねた。「喝采なんて朝飯にもならない。一緒に寝たりもできない」。そう言ったのは彼がスターになって三か月後のことで、シンプルな田舎の生活へとすでに傾き始めていた。

カーメルは、彼が夢にまで見た『怒りの葡萄』の地ベーカーズフィールドだった。北部のそう遠くないモンタレーにはスタインベックが描いたキャナリー・ロウがあり、サリナスのレタス畑があった。そこはディランにとって「エデンの門」の向こうの「エデンの東」だった。注意の行き届いたジョーンのもとで、彼は厳格なスケジュールで行動した。かつては混沌と切迫感が彼の創造性を刺激していたが、今やそれは平穏に代わっていた。昼にすべきことを昼にやり、夜すべきことを夜にやることができた。ジョーンのコテージの近くには人気のない砂浜の入り江があり、そこへは彼女のスポーツカーで十分か、歩いても三十分程度で行くことができた。彼はそこで泳いだり太平洋に思いを馳せたりするのが好きだった。朝、彼女の家でタイプライターを置いて仕事をするあいだ、ジョーンは邪魔になるのをおそれて、彼をひとりにしておいた。彼が初めて味わう平穏だった。それを再び見いだすのは四年後で、その田舎にはまた別の黒髪の女性がいた。

「ボビーには自分の健康を気遣って欲しかった」とジョーンはのちに私に言った。「タバコを減らすとか、歯を磨くとかそういったことをね」。一九六六年、当時のあなたにとってディランはどんな存在だったか問われると、彼女は顔を曇らせて思いに沈んだ。おそらくまだ彼女には、あのときのことを客観的に振り返る準備ができていなかったのだろう。慎重に選ばれた言葉には、わずかに辛辣さが込められていた。「彼はややこしくて、問題を抱えた、難しい人。ボビーは、頭のなかにかすかに傷ついたダイヤモンドを抱えている人だと思う。普通の人よりもろいのよ。彼が歌うのを座って見ていると、ちょっとした言葉や何かが通り過ぎただけでも簡単に気を散らしてしまった。でも彼がそういうことを自覚しているのかどうかは誰にも分からない。ごまかすのがとても上手だから。わたしの意見では、何らかの理由から、彼はすべての責任から解放されたがっているように見える。どんな責任からも、どんな人からもね。わたしはそう感じる。差し出すものは最低限にして何とか切り抜けようとしているみたいに。もし自分自身のことをまったくかまわなければ、他の誰のこともかまわないでいい。彼はあまりに、あまりに輝いていて、彼の内にあるおかしな磁石が人を引き寄せる。つまり、わたしはボビーが好きで、彼のためなら何でもできるの、何でもね。わたしたちのあいだでどこが間違ったのか、わたしには全然分からない。ボビーがわたしのことをどう思っているのかも分からない。わたしをどう思うかなんて、大事なことじゃない」

ボブはあなたのことになると言葉少なで、言うとすれば音楽についてだけだったと伝えた。ジョーンは答えた。「あら、彼にも秘めているものがあるってことでしょ？　でも、行動が雄弁に物語るように、彼の曲が語ってる。彼がそれを認めようとしなくたっていいと思う。どの曲もわたしがいたから生まれたと思うほど思い上がってはいない。でもいくつかの歌詞を聴くと、そうとしか思えない箇所があって、いろいろと想像してしまう」。私はジョーンのエジプトの指輪に視線を落とした。「それはカイロのファラオからの小さな贈り物？」。ジョーンは笑った。「そう、おかしな話でね。これはどうしたかっていうと……まあ、秘密にしておいたほうがよさそう。とにかく、これも歌のなかにあるのよ(A)。わたしはただボビーが無事にやっていくことを願ってる。彼は身を削っているように見える。ボビーは社会的な正義にとって並はずれた力になり得たと思う。でも一方で、自分が入っている穴にたくさんの人を引きずり込む力も並はずれているの、新しい表現を生み出すためにね。わたしはすでに、あまりにたくさんのことを彼に尋ねてきた。曲に関する質問すら、押しつけがましくて彼を不必要に悩ませているようだった。別れは仕事のレベルにまで及んだけど、おかげで自分のやりたいことをはっきり見通せるようになった。あるちょっとしたときに」とジョーンは続けた。「まだ一緒にコンサートをやっていた頃……もちろんコンサートは楽しかったけれど、わたしは凍りついて彼に言った。『ボビー、あなたはロックンロールの王様のようにステージに立っているけど、わたしは平和の女王のようにステージに立ってる』。彼はそのときまだロックンロールの王様ではなかったんだけど、すぐにそうなるだろうと感じていたの」

ジョーンの進む道は明らかに社会参加の方向で、彼女に道を踏み外させるものはなかった。ディランと彼の曲は彼女がその道を見つけ出す助けになったが、彼女はディランについていって迂回することはしなかった。彼女はディランが唯一の正しい道を離れたと批判することになった。「社会批判そのものが問題だったんじゃない」

と彼女は言った。「ただ、彼もわたしも社会を批判してきて、彼は最後には社会に対してできることは何一つないから放っておけと言い、わたしは反対のことを言っていた。一九六五年から一九六六年にかけてのディランのメッセージは次のようなものだったと思う。みんな家に帰ってマリファナを吸おう、他にすることなんてないんだから。みんなで吸っていた方がまだましだ。そこでわたしたちの道は分かれた」

私たちは積極的に政治にコミットしなくなった頃のディランと彼の世界観について話していたのだが、ジョーンはその奥底でディランはまだ政治を気にかけていると考えていた。「彼は口で言うよりも遥かに熱心に、公民権運動や平和や彼が関わったとされるすべての物事に取り組んでいたと思う」。では、どうして、彼は一九六四年に変わったのだろうか？　変化を強いられたのだろうか。「そうじゃない。彼は自分自身を含めて、誰の責任も背負いたくなかったんだと思う。ボビーは免除されたがっていたんじゃないかしら。それだけ。当時問題になっていたあらゆることからの免除ね。彼はよく、すべては大した問題じゃないと言いたがる。ボビーとわたしはまさに正反対。それに気づくのにすごく時間がかかった。わたしはすべての物事が大切にされるべきだと思ってる、それがどんなに難しいことだとしてもね。大切なものなんか何もないなんて、そんなふうに自分を偽ることはできないと思ってる。ボビーはすごく、すごく聡明だから、これについても説得力のある反論をしてくるの」

ジョーンはしばしば独善的に、一九六五年から六六年にかけてのボブのライフスタイル、あるいは死への考え方（デススタイル）を批判した。「人生は自分で作るもの。彼の生き方はうんざりするほど出来の悪いショーね。わたしは自分の生き方が好き、それほど悪くない」。詩人というのはおしなべて自己破壊の傾向があるのでは？「そんな質問には答えられない」とジョーンは言ったが、彼女の導師であり平和主義の教育者であるアイラ・サンドパールが割り込んできた。「自らを破壊しない真の詩人はたくさんいる。ウォレス・スティーヴンズがいるし、e・e・カミングスもそうだ。あらゆる詩人が自己破壊的だとは思わないな」。ジョーンは、ポップスターも名声のプレッシャーに飲み込まれる必要はないと信じていた。彼女は精神的にも精神分析的にも自分自身の平穏を見いだしていて、他のスターも同じようにできると思っていた。「一九六六年の残りのコンサートはやめようと思ってるの」と彼女は続けた。「あなたが言うところの『群衆の脅威』についてのわたしの持論は、望めばもみくちゃにされることができる、というもの。しかるべき振る舞いをして、宣伝係を雇っていればね。ヴィレッジのアール・ホテルに潜伏していればそういったものに悩まされないことも分かった」。バエズは「出世競争や、毎年収入を増やしていくことや、パブリック・イメージを保ち続けようとすること」の危険について語った。さらに、「きみの歌は恋してるときの方がいいね」と誰かに言われたとも振り返った。

長く、不安定な、そして公私にわたったボブとジョーンの関係は、まれにみるほど複雑だった。彼ら自身も何が起きているか分かっていなかったほどだ。ディランは彼女の気遣いと「保護」に浮かれていたように見えた。彼はスージーといるときは秩序や平穏をほとんど感じられなかったが、ジョーンは少なくとも彼を「受け入れて」、その混沌からの束の間の避難所を確保した。ジョーンがパフォーマーとして先にどんな経験を積んでいたとしても、ボブは音楽について彼女より多くを知っていた。『マドモアゼル』誌の記事で、リチャード・ファリーナは一九六三年一月のことを振り返っている。ジョーンと知り合う前のディランは、彼女の選曲に現代的な内容が欠けていると批判していたという。「ただ歩き回って歌えばいいわけじゃないんだ」とディランはロンドンでファリーナに語った。「ジョーニーをみてごらんよ、彼女はまだメアリー・ハミルトンについて歌っている。何の意味があるんだ？　彼女はピケラインを歩いてきた、ありとあらゆる感情を持っている、ならどうして踏み出さない？」

一九六七年の末までに、ジョーンは反戦活動に「踏み出した」ため二度も刑務所で過ごし、ほどなく徴兵制反対運動のリーダーと結婚した。その頃までに、ディランは物事をより平凡に、そして超越的に見るようになっていた。一度は姿勢を変え、社会参加をしない彼を非難するようになったジョーンも、次第に彼の社会への関わりが別の形であらわれているのが分かるようになっていった。

ディランのジョーンに対する態度が大きく変わったのは一九六三年の末だ。彼女は移り気だったが、それは彼も同様だった。バエズも言っていたように、彼が結婚を考えていて、彼女がそれを退けたことが核心にあったのではないだろうか。きっと過剰な自己疑念とエゴとナルシシズムが、カーメルのひとつ屋根の下には入りきらなかったのだろう。情熱的な愛が終わると、職業的な敬意だけが生き残った。時が経つにつれて、その敬意にも亀裂が入り始めた。数年後、ディランは少し上から目線にも聞こえるような発言をした。「気の毒に思うよ、彼女には相談する相手が誰もいなくて、率直に接してくれる頼れる相手がいないんだ。アイラ・サンドパールはジョーンの学校（非暴力学習施設）については率直だったかもしれないけど、レコード作りとなったらさ、誰が彼女に意見できる？　彼女には誰もいないんだ。そう、教えてやるよ、ぼくが彼女の家族のなかで好きだったのは——ジョーンのお母さんだ。ジョーンのお母さんはほんとに素晴らしくてさ。すごくものの分かった人なんだ。全部お見通しで。姉のポーリーンも最高。でさ、ジョーンのことだけど、本当に彼女と語り合えたことはなかったんだ。ぼくが黙っちゃうんだよ。たしかにコンサートツアーはやった、でも話はしなかった」

「で、ぼくとジョーンは深い仲になった。最初はそういう関係じゃなかったけどね。彼女はぼくをステージに上げることを楽しんでいただけだ——ぼくをゾウのように扱って——それまで誰も聴いたことのないぼくの曲を歌わせるのを楽しんでいた。小麦の粒みたいな彼女の聴衆は、とにかくぼくの曲を聴くと、みんなあっけにとられていた。ジョーンはぼくを導いてくれたんだ。ぼくの曲をレコーディングしてくれて、その点で彼女はピーター・ポール&マリーと同じくらい重要だった。フォーク・ソングの世界でぼくが自分の曲を提供できるのは彼らだけだったんだ」。彼がバエズから学んだのは間違いない。彼のなかでもとりわけ率直なコメントを、一九六四年三月にリリースされた『ジョーン・バエズ・イン・コンサートII』のジャケット・ノートに記された長い散文詩で読むことができる。とてもよく書かれたもので、彼は自身のみならずジョーンの幼年期の記憶をも織り交ぜながら、いかにして彼女から美という概念について新たに学んだかを明らかにしていた。それ以前は、ジョーンへの思いを、たくさんの名曲に託して語ることしかできていなかった。

あるときディランは、自分についてのいかなる本でもバエズは言及されるに値しないと言った。同様に信じがたいことだが、ジョーンの本『夜明け』が原稿になったとき、そこにはディランへの言及は一切なかった。その本の編集を担当し、のちに『ラグタイム』の著者となるダイアル・プレスのE・L・ドクトロウに事情を尋ねてみた。一九六八年のはじめ、彼はジョーンに、ディランとのことを一切触れずに自分についての本を一冊書き通すことはできないはずだと告げた。そこでジョーンは「ダダ・キング」という短い文章を追加した。それは非難でもあり、彼の魅力を楽しげに語っているものでもあったが、彼の名前は出していなかった。「明るいライトのしたで……エレクトリック・マイクロフォンめがけて絶叫する。彼は、巨大で透明なエゴの泡だった」。その文章は愛すべき博愛の振る舞いで終わる。「おききください、神様。彼をよく見守ってあげてください。彼はふつうの人より脆い人間です。そのうえ、わたしはあなたを愛しているのです。『「彼の魂にお慈悲を」と書かれたカードだって、何枚も持っているのです』」(9)

もちろん、ジョーンはそれ以上にディランに対して言うことがあり、彼女はそれを何年もかけて様々な手段で雄弁に語ってきた。ディランの曲をカヴァーしたバエズによる二枚組の傑作『エニィ・デイ・ナウ』は、ディランが一年先駆けて『ジョン・ウェズリー・ハーディング』で起用したミュージシャンとともにナッシュヴィルでレコーディングされた。彼女の解釈は深く、魅力的だった。楽曲とその作曲者への熱の入れようは明らかだった。一九六三年という早いうちから彼女はボブに、彼の楽曲で構成されたアルバムを作りたいと言っていて、『エニィ・デイ・ナウ』が一九六八年十二月(B)にリリースされたとき、彼女は『ニューヨーク・タイムズ』の記者にこう語った。

人類というものへ力を貸す気があろうがあるまいが、彼は天才なの。ボビーの何かは歴史に残ると思う……ある人が一定以上に神秘的で天才だったら、その人が書いた曲なら何を聴いても何かしらの洞察を得ることになる……わたしは彼の下品な、憎しみに満ちた、醜い曲は歌うことはできない。そうした曲の誠実さはよく分かるし、メロディも良いけど、わたしには歌えない……わたしもまたディランとうまく行きそこなったことがある。わたしたちが一番近しかった頃、わたしは彼が作る曲なら何でも好きだった……わたしは彼の曲を全部取り出して――一〇〇曲はあったかも――床にひろげて、音にしたいと思ったものを譜面台に置いて、歌い始めたの。

その頃、ジョーンはディランと二年は言葉を交わしていなかった。彼女の「全曲ディラン」のアルバムは、かつての恋人への手紙であり、彼と彼の曲をまだ愛していることを伝えていた。たとえその愛が彼女にとって、距離を置いて初めて上手く機能するものであったとしても。ディランからもバエズからも、もちろん周囲の人間や友人からも、二人の関係の「終わり」を告げる言葉が聞かれたことはない。彼らの最も深刻な決別は一九六五年春のイギリスで起こった。その断絶は数年にわたり、『エニィ・デイ・ナウ』のリリースを経ても続いていた。それでも両者はどのようにしてか、一九八〇年代過ぎまでに交流を復活させていた。ジョーンは一九八〇年と一九八二年にロンドンで私と会ったときに、ディランとの交流について話してくれた。彼女はそれを一九七五年のアルバム『ダイヤモンド&ラスト』に収録された同名の名曲で世界に告げていた。ジョーンはどうやら、愛憎入り交じるとは言わないまでも、愛と憎しみに近い相反する感情を強く抱えているようだった。彼女は『レナルド&クララ』の映画製作にも付き合った。映画のなかでの自分の姿に当惑しながらもだ。ジョーンが私にディランのことを語るときはいつも、彼のジェスチャーを、スラングを、タバコの吸い方を、言い回しを、あますところなく真似た。笑えるものだったが、どこか悲しくもあった。まるでそうすることだけが彼女にとって、あの手に負えない、捉えどころのない男を把握する唯一の方法であるかのようだった。

より重要なのは、いかに彼らの仕事と物の見方が互いに影響を与え合っていたかということだ。この点についても、影響の程度を見極めることは簡単ではないが、ジョーンと結びつけ得るディランの曲は本書のなかでしばしば言及している。ジョーンは一九六六年に私に語った。「彼は言葉にできるけど、私には書けないの、書けたらいいんだけどどね」。そう語ったとき、彼女は未来の自分が進む道を予見していたのだ。「ダイヤモンド&ラスト」は彼女が書いた最良の曲で、彼女はそれを至るところでとても巧みに演奏していた。それは彼に対するとりとめのない批判や賞賛の言葉以上に雄弁だった。彼女の一九七一年の曲「トゥ・ボビー」はナイーブで子供っぽく感じられた。まるでディランに救世主を演じてくれと懇願しているようだった——それは彼がとっくに棄てていた役割だったにもかかわらず。七五〜七六年の「ローリング・サンダー」ツアーのあと、ジョーンの曲作りのテンポは早まった。アルバム『ガルフ・ウィンズ』での、「スウィーター・フォー・ミー」「オー・ブラザー!」「タイム・イズ・パッシング・アス・バイ」といった楽曲は明らかにディランに宛てられているか、彼から影響を受けたものだろう。ジョーンはディランについて、友人には決して語らなくても、曲のなかでは語ることができた。

恋愛はそれだけでも複雑きわまりないもので、大衆の視線に晒されていたらなおさらだ。ジョーンは何年もかけて変化してゆき、曲のなかでさえ、一九六〇年代の自分が独善的だったことを認めるようになっていた。ついに彼女は、自らの過ちと、彼への態度があまりに手厳しく、性急で、長きにわたって無慈悲なものだったことを認めた。二十年にわたる関係が取るに足らないものだったという二人の素振りは、大衆と自分たちのプライドに向けられた虚飾にすぎなかった。二人は長きにわたって互いに取り憑いていたのだった、彼らがファンに取り憑いたのと同じように。

一九六三年から六四年にかけて彼らの心が離れていったのは、二つの膨れ上がる大きなエゴを覆っておける屋根がなかったからではないだろうか。リードシンガーが二人いるからといってハーモニーを奏でられるとは限らない。当時の二人は、カップルとして調和するにはあまりにも個人としての自己を確立するのに躍起になりすぎていた。きっと担がれた台の上では愛し合うのに不安定すぎるのだ。崇拝する相手は遠くからの方が愛しやすいのかもしれない。

「ぼく自身が言葉だ」

ディランのスターダムに対する幻想は、あったにしても、ニューポートから三か月以内に消え始めていた。彼の幻滅は記者への対応の変化にあらわれている。ディランの話題作りへの本能は天性かつ独学のものだった。報道陣との付き合い方について、グロスマンは多くを教えなかった。フルタイムの広報係を雇ったのは一九六八年になってからで、彼が十年近くマネージャーを務めたあとのことだった。そのときまで、グロスマンの報道との関係を取り持っていたのは彼のパートナーであるジョン・コートか、チャーリー・ロスチャイルドか、レコード会社か、もしくはアーティスト本人だった。「モンタレー・フェスティヴァル」はディランに、印刷された言葉がどれほど人を傷つけ得るのかを教えるものだった。まずはグリーソンの批判があった。それから一九六三年五月三一日の『タイム』も辛辣だった。

彼をどうして信じられよう……荒っぽいギターリック、叫ぶようなハーモニカ、か細い声、髭のないあご……陶磁器のような仔猫の目……まるで十四歳だ。それに彼のアクセントはでたらめなネブラスカ訛りか、おそらくブルックリンのヒルビリーのもの。安物雑貨屋の哲学者、ドラッグストア・カウボーイ、隣から話しかけてくる男子トイレの議論好きだ……このようなシティビリーについて言うとどうしても違和感がぬぐえないが、それでもディランは、真実からフェティッシュを生み出す芸術における新たなヒーローなのである……最良の瞬間においてさえ、彼の声は結核患者のサナトリウムの壁を漂っているように響く――だがそれもまた魅力のひとつらしい……何か言うべきユニークなことがあり、彼がそれを言うときは……ウディ・ガスリー以来のフォークのスタイルのなかでも最良の曲で歌う……模造品の雰囲気が彼にまとわりついている……

ニューポートのあと、知ったかぶりの論評は減っていった。フォークについて語るマスコミの言葉は一様に批判のトーンを落とし始めた。ニューヨークの『ブロードサイド』は賛辞の手を休めず、ボストンの『ブロードサイド』はディランとジョーンを表紙に据え、そして二か月も経たないうちに別の号でディランひとりが表紙で採り上げられた。熱狂的な賛辞が『シング・アウト!』の十月・十一月号でなされ、彼らは「ボブ・ディラン、自身の世代を代弁する詩人のはかりしれない飛翔でもって、われわれの時代精神の核に触れる人物」の仕事を賞賛していた。一九六三年九月十二日、ニューヨーク『ミラー』紙のシドニー・フィールズがディランの言葉を報じた。「でもぼくは原子力のバスルームも電気仕掛けのベッドルームも高性能な缶切りも見たくなかった。ぼくが見て感じたかったのは、人びと、塵、溝、荒野とフェンスだ」。ディランは複雑な物言いをした。「ディケンズやドストエフスキーやウディ・ガスリーは彼らの物語をぼくよりはるかに上手に語るだろ」ディランは言う。「だからぼくは自分が語りたいことに専念することにしたんだ」

ディランは一九六三年十月二十日に発行されたニューヨークの『デイリー・ニュース』において、もっと率直に、想像力豊かに語っている。見出しはこうだ。「メッセージのこもった音楽――現代の怒れる若者たちはスピーチをしない。ギターを買ってフォーク・シンガーになる」。マイケル・イアチェッタはこう書いた。

「今なぜフォーク音楽がブームになっていると思う?」とディランは問いかけた……「それは時代が真実を求めているからだ……誰もが真実を聞きたいと思っていて、それこそ現代の優れたフォーク音楽に聞き取れるものなんだ……人びとの話を聞くとき、ぼくは彼らが語らないものだけに耳を澄ましている。偉大なフォーク音楽には秘密が、魔法が、真実が、そして聖書が含まれている。それに触れるなんて望むべくもない。でもやってみるつもりだ」

根無し草の家出人というキャラクターを作りながら、ディランはメディアにそのイメージを増幅させた。彼は一九六三年八月二二日の『ナショナル・ガーディアン』紙の記事について、曲解されているとは言わなかったが、その内容に苛立っていた。記事は彼を既成左翼の代弁者だと断じていた。

ディランは自身の最も強力な武器――詩的なイマジネーションと不正義への軽蔑――を思いのままに操って、不正義を行使してくる人びとを非難する。その人物がＫＫＫの被るフードや株式相場の表示機の奥に隠れていようとも。「書いているときにはなにも考えていない」と彼は言う。「反応して、それを書き留めるだけだ。書いているものに対しては真剣だよ。たとえば、友達が南部の牢屋に入れられてこっぴどく殴られていたりしたら、めちゃくちゃに怒るだろうね。ぼくの音楽から出てくるのは行動への呼びかけだ」

『ナショナル・ガーディアン』は様々な大テーマに対する彼の手短なコメントを掲載した。

資本主義については？「ううんと、どん底の生活をしている人を横目にキャデラックを乗り回してる連中には反対だ」。社会主義は？「ロシアにはいつか行きたい。どんな感じか見て、できればロシアの女の子とも会って」。アメリカについては？「アメリカで何か誠実なことを言える奴は誰もいない。どこを見回してもインチキと嘘が散らばっている」。政治は？「いや、ぼくは投票には行かない、投じるべき人物がいないから。自分に通じるものがあると思える人は誰もいない、ぼくが感じているようには感じていない……バートランド・ラッセルとかジム・フォアマンとかマーロン・ブランド、そういう人たちが作る政府が見たいな……」

ミシシッピで、彼は言った。「空気で分かる。もっとたくさんの人が言いたがっているんだ。『安全なんてくそくらえ。欲しいのは権利だ』。できる限り手を貸したいと思っている。あそこではぼくの音楽を本当によく聴いてくれていると感じる」

この記事はディランのメディア離れの始まりを告げるものだった。骨の折れるイメージ作りの果てに、マスコミは彼のコントロールを超えて尾ひれをつけ始めた。ガスリーがそうであったように、彼は既成左翼の吟遊詩人たれという圧力をかけられていると感じていた。ひとつひとつの理念にすぐ曲で応じる御用詩人であれ、と。彼は、ファンたちから押しつけられる救世主の役割、若いフォーク好きだけでなく若者一般のためにも語ってくれという人びとの要請から身をかわそうとしていた。スージーは、誰からも影響を受けまいとするボブの苦闘に共感していた。のちにバエズが「責任からの退却」と単純化しすぎたディランの振る舞いは、遥かに複雑なものだった。ディランはあらゆる言葉を石に彫り込みたいと思っていたわけではなかったのだ、たとえ彼がときに、木槌とのみをポケットにいれて歩き回っているように見えたとしても。

私はスージーに、どうしてボブは左翼に眉をひそめるようになったのだろうかと尋ねた。「本当に嫌になったというのじゃなく、ただ物事をいつも個人的に見ていたんじゃないかと思う。左翼は彼に扉を開いたけれど、彼は扉の向こうに何かもっと窮屈なものを感じていたんじゃないかしら。彼に何か別のことを求める派閥のようなものを。『ナショナル・ガーディアン』の記事を読んだときの彼の反応を覚えてる。『私たちの代弁者』と言われてた。当時でさえ、彼はそんなもの欲しがってなかった。でもあらゆる記事で誰もがそう言ったのよ――彼らは自分たちの都合のいいように書いてた。このときに限らず、ディランがジョー・ヒル（C）だったことは一度もなかったし、彼は今も昔もジョー・ヒルになりたいなんて思っていなかった。そういったことが彼をうんざりさせたの」

カーラ・ロトロは語る。「『シング・アウト！』のアーウィン・シルバーは彼に無理難題を押しつけていた。『シング・アウト！』は雑誌の都合にあわせてディランに預言者の役割を見いだしていた。ボビーはそのとき二二歳だったのよ。ねえ、一体どうして、彼が答えなんか持てたと思う？　でも救世主作りにいそしむ連中は、彼に、あなたは答えを『持っているはずだ』と告げて、しばらくするとディランが本当に答えを持っていると信じ始めたのよ。それがディランにとってのターニングポイントだった。彼は頑固で、すべてを知り尽くしたような、辛辣な青年になった。一九六三年の八月から九月にかけて、彼は本当におびえていて、スージーはそれを感じ取って理解していた。救世主を作りたがる人びとや自分自身を、怖がっているの半分、笑い飛ばすの半分だった」

夏の終わり、スージーは再び西四丁目の家を去った。独りになる必要があったのだ。ディランがカーネギー・ホールで大規模なソロコンサートを敢行し、メディアへのトラウマに苦しんでいる頃のことだった。コロンビア・レコードの広報であるビリー・ジェイムズとジョン・カーランドは『ニューズウィーク』に特集記事の掲載を持ちかけていた。『ニューズウィーク』の調査員アンドレア・スヴェドバーグは、フォレスト・ヒルズでのバエズとディランのコンサートにいたく感銘を受けていた。そして苛立たしげにビリーへ電話をかけ、ディランやグロスマンと接触するのにとても難儀していると伝えた。ビリーは語る。「彼女は『ニューズウィーク』がディランの過去について何かしら確かなことを突き止めるのに大きな関心を持っていると言った。ぼくは彼女に、ボビーはそんなことを話すのは好まないと伝えた。放っておいてやってくれとね」

一九六三年十一月四日号に掲載されたその記事は、ふたを開けてみれば悪意に満ちた内容で、このためにディランは何か月も鬱々とすることになった。結果として彼は両親や弟との接触を何年にも渡ってほぼすべて断つようになり、ビリー・ジェイムズとの関係は滞り、グロスマンはメディアへの偏執的な不信を募らせ、『ニューズウィーク』は自責の念にかられた。ディランとメディアの複雑な関わりは新たな時代に突入した。ディランは利用しやすいキャラクターから、インタヴューの質問をもてあそぶ用心深いゲームプレーヤーとなった。怒りの込もった「アンチ・インタヴュー」を発展させ、ショッキングなことのみならず、有害なことや、自分も信じていないことすら喋るようになった。新興のアンダーグラウンドメディアのことさえも自分を理解してくれるのかどうか怪しむようになった。

『ニューズウィーク』の記事は「ぼく自身が言葉だ」という見出しで掲載された。用いられる言葉は刺々しいものだった。「洗っていない顔……ぼさぼさの髪……痩せた体格……今風のおしゃべりは下品な物言いが差し挟まれる。歌声はかすれていて、耳障りに叫ぶため、初めのうちは彼が成功するとはとても思えなかった……しかし観客を感動させる才能は疑いようがない」。その要因は彼の二〇〇に及ぶ楽曲の言葉にあるとして「そのシンプルな言葉が現状を責め立てる」と述べ、「ディランは実質的に宗教だ」と認めながら、彼の信憑性に疑念を投げかけた。

彼は苦しんでいた。困り果てていた。ああ、金もない、女もいない、頭のなかの回線がこんがらがっていく……観客は彼の痛みを分かち合い、そして嫉妬しているように見えた。というのも彼らは平凡な家と……学校で育ってきたからだ。皮肉なのはボブ・ディランもまた、平凡な家に育ち、平凡な学校に通っていたことだ。彼は矛盾のなかに自身の過去を包み隠しているが、ミネソタ州ヒビングの電気機器販売業者エイブ・ジママンの長男だ……

「探してみろよ」

ディランはダルースに生まれてヒビングで育ったことを認めている、だが……ボブ・ディランがボビー・ジママンだったことは否定した。「ぼくの徴兵カードを探してみろよ」と彼は言う。「ボブ・ディランだ」

（彼が名前を法的に変えたのは一九六二年の八月九日だ）。両親は？「両親のことは知らない」と彼は言った。「あっちもぼくを知らないんだ。何年も連絡を取っていない」。だがほんの数ブロック離れたニューヨークのモーテルのひとつに、エイブ・ジママン夫妻はいた……彼らは息子のカーネギー・ホール公演を観るのを楽しみにしていた。ボビーが東部への旅費を負担してチケットを送っていたことを、彼らはミネソタの友人たちに話していた。「八月に何日かミネソタで過ごしていったよ」と語ったのはデイヴィッド・ジママン、ボビーの十七歳の弟だ。「仲は良い方だった。二人とも野心があって。何かしようと思ったことは、たいていやってのける。彼は今の彼みたいになることを目指して出て行ったんだ」。「ぼくの過去はものすごく込み入ってるんだよ、信じないだろうけど」とディランは言った。「ボビーには理解し難いところがある」とデイヴィッド・ジママンは言った。

イメージ

どうしてディランが――彼はディラン・トマスへの敬意からその名を選んだ――わざわざ過去を否定するのかは謎のままだ。もしかしたら自分が腐心して育ててきたイメージが崩れると感じているのかもしれない……「風に吹かれて」を書いたのもディランではないと勘ぐる噂さえある……ディランはすべてを説明する本を書いている最中だと言う。だが、と彼は主張する、説明は重要ではないと。「ぼく自身が言葉だ」と彼は語る。

その記事にはレコーディングに臨むディランの写真が添えられており、下のキャプションには「ボブ・ディラン　名前が何だって言うんだ？」とある。彼の家族が「暴露」されただけでもひどいが、「風に吹かれて」を盗作したのではないかという非難はとどめの一撃だった。ディランはこんな記事を『ニューズウィーク』に書かせたことでビリー・ジェイムズを糾弾した。ウォルター・エルドットの取材に応じて、『ニューズウィーク』のみならず、同様に腹立たしい記事を一九六三年十月十一日付の『ダルース・ニュース・トリビューン』に掲載させたことで両親をけなした。それから、ディランはグロスマンを責めた。彼はインタヴューを許すかわりに最終チェックを行う権限を得そこねていた。

だが何も明かされてはいなかった。グロスマンの弁護士は、「風に吹かれて」の噂に関する名誉毀損の出訴期限までたっぷり七年あると言った。グロスマンは遅ればせながら報道陣に対する自分の無愛想な態度のデメリットに気づき始めた。一九六八年、彼は『ニューズウィーク』音楽欄のエディターであるヒューバート・サールをウッドストックに招待し、ディランへインタヴューさせた。ジャニス・ジョプリンの死後、アルバートは『ニューズウィーク』に短いコメントを寄せさえした。

私は『ニューズウィーク』の記事を読んで一時間も経たないディランと話をした。私は『フーテナニー』誌用の原稿に取り組んでいるところだった。ボブはほとんど叫び出さんばかりだった。「ぼくにインタヴューしたいのか？　分かったよ、すればいいさ、だけどこれから先ぼくは友だちとだけつるむことにする。『ニューズウィーク』の記事を読んでからにしてくれ。いや、ぼくが読み聞かせたりはしない。自分で読んでくれ、そうすればジョーンがぼくに『タイム』や『ニューズウィーク』とは口もきくなと言った理由が分かるはずだ。『タイム』（一九六二年十一月二三日の特集記事）はジョーンを一年間も悩ませた、そして今度はぼくの番だ。ぼくは詩でも戯曲でも小説でもなんでも、五〇〇〇枚は書いてきた。ぼくは自分のやっていることで人に知られたいんだ」ディランの怒りが爆発していた。彼は明らかに、ジャーナリストの品位というより、自身の演奏や作曲と本質的に無関係な領域で裸にされることに怒りを感じていた。

私はジョーンに、『タイム』の記事に苛立ったのなら、どうして反論しなかったのかと尋ねたことがある。「『タイム』で言えば、悩まされたのは彼らの文章のなかでも本当のことか、部分的に本当のことだった。彼らはわたしが裸足で、髪はくしゃくしゃで、オープンカーに乗っていたと言った。その言い方はひどいものだったけれど、それは本当のことで、だとすればわざわざ反論したりする？」（ずいぶんあとに、彼女は「タイム・ラグ」という曲を書いてレコーディングし、同誌を批判した）。

ディランは『ニューズウィーク』に直接は反論しないことにした。ボストンでのコンサートを終え、彼は三週間表舞台から姿を消し、ヴァン・ロンクやバリー・コーンフェルドと過ごした。グロスマンは、気分が落ち着くようボブにユダヤ人哲学者マルティン・ブーバーの本を数冊与えた。隠遁しているあいだ、ディランはブーバーを読み、ふてくされて物思いにふけりながら、堰を切ったように書いた。その後再びメディアと対峙することになるが、彼の言葉はしばしば興味ぶかい謎掛けをつくり出した。これはディランと『シカゴ・デイリー・ニュース（CDN）』の一九六五年十一月の対話である。

CDN　いわゆるフォーク・ロックと呼ばれる音楽を演奏するつもりは？
ディラン　いや、あれはフォーク・ロックなんてものじゃない。ただ楽器を鳴らしているだけさ……ぼくは数学的な音って言っているんだけど、インド音楽みたいなものだ。うまく説明できないけど……ロックンロールをやっていたのは十三とか十四とか十五の頃で、それも十六か十七の頃にやめることになった、そのやり方じゃ上手くいかなかったから……
CDN　どうしてフォークをやめてしまったの？
ディラン　それだけをやっているにはあまりにもたくさんの通りに立ったからだ……本当にフォークをやっている人たちは四二丁目なんか見たことない。彼らは一度も飛行機に乗ったことのないような人たちで……
CDN　まるで人から徹底的に孤立しているみたいな話し方だけど。
ディラン　何かに強いられて断絶しているんじゃないんだ、性格なんだよ。ぼくはそういう人間なんだ……でも分からない、つながっているより切り離されているほうが楽なのかどうかはね。つながりを感じている人たちを讃える気持ちはすごくある……つながりを感じたことはいくらでもあるよ。でも何かが立ち行かなくなったときは、自分がばらばらになる前に、切り離すんだ……
CDN　人との密な関係を避ける？
ディラン　人との交流はある。ぼくみたいな人間は、それと同時に孤立しているんだ、そういう孤立した人はたくさんいる。疎外されているとか切り離されているとか怖いという感情はない。孤立した人びとの組織なんてものがあるようにも思えない。ぼくは組織と名のつくものと折り合わないだけなんだ。ひとりぼっちで地下鉄に乗っていて、電車が停電して困ったとき、そこに四十人の乗客がいたら、彼らと知り合わなくてはいけないよね。そうしたらやるべきことをするよ。

最もヒップな記者さえもディランの皮肉には苦労した。一九六五年三月二五日、『ヴィレッジ・ヴォイス（VV）』のジャック・ゴダードはウッドストックから報じた。

ディランは……深く、有意義ではあるが、身を切るような、彼がこれまで何年ものあいだ苦しめられてきた質問に応じてくれた。以下は……ディランと彼を待ち受けるたくさんの記者陣とのやり取りである。

VV　（ウディ・ガスリー風のもの）以前は誰のような曲を書いていたのですか？
ディラン　ジーン・ヴィンセントは聞いたことある？　バディ・ホリーは？
VV　ということは、ハイスクールではロックンロールバンドをやっていた？
ディラン　ハイスクールではバナナバンドをやってたよ。
VV　そのあとでガスリーを聞いて人生が変わった？
ディラン　それからジョシュ・ホワイトを知って……
VV　それからガスリーを……
ディラン　それからサンフランシスコの暴動を知って……
VV　HUAC（下院非米活動委員会）の暴動ですか？
ディラン　で、ジェームズ・ディーンに会いそこねたから、ウディ・ガスリーに会うことにしたんだ。
VV　彼から最も深く影響を受けた？
ディラン　しばらく彼という概念はぼくに大きな影響を与えていた。

VV　ブレヒトはどうですか？　たくさん読んだ？
ディラン　それほど。読んではいるけど。
VV　ランボーは？
ディラン　短い本は読んだな、『悪の華』。
VV　それはボードレールですね。
ディラン　うん、彼の短い本も読んだ。
VV　ハンク・ウィリアムスは？　何らかの影響を受けていますか？
ディラン　ねえ、いいかな、ぼくはハンク・ウィリアムスにもキャプテン・マーヴェルにもマーロン・ブランドにも「テネシー・スタッド」にもクラーク・ケントにもウォルター・クロンカイトにもJ・キャロル・ネイシュにも影響を受けてるんだよ……
VV　あなたの映画について聞かせてください。
ディラン　白黒になると思う。
VV　アンディ・ウォーホルのようなスタイルになる？
ディラン　アンディ・ウォーホルって誰？　いいか、ぼくの映画は……初期のプエルトリコ映画のスタイルで撮られると思う。
VV　脚本は誰が？
ディラン　アレン・ギンズバーグ。それをぼくが書き直すんだ。
VV　あなたは誰を演じますか？
ディラン　ヒーロー。
VV　そのヒーローとは？
ディラン　母さんかな……
VV　ボブ、生と死について何か哲学を持っていますか？　死については？

ディラン　分かるわけないよ、まだ死んでないんだから。なあ馬鹿にしてるのか……

VV　あなたとジョーン・バエズの関係はどうです？　最近二人でいるのを見かけないけど。

ディラン　彼女はぼくの占い師だ。

VV　ボビー、あなたが改名しているのは知っています。ねえ、本名は何なんですか？

ディラン　フィリップ・オクス。それで稼いだらまた戻す……

VV　ボブ、アメリカの詩人についてはどうですか。ケネス・レクスロスによれば、一九〇〇年からおよそ三十人の詩人が自殺しています。

ディラン　詩人三十人だって！　じゃあアメリカの主婦は、郵便配達員は、道路清掃員は、炭坑夫は？　勘弁してくれ、詩人と呼ばれたその三十人の何が特別なんだ？　ぼくだって自殺してしまった本当に素晴らしい人たちを知ってるよ。そのうちひとりはガソリンスタンドで働いて一生を終えた。誰も彼のことを詩人だとは呼ばないけど、もしロバート・フロストみたいな人間を詩人と呼ぶのなら、そのガソリンスタンドの彼も詩人だったと言うべきだ。

VV　ボブ、本を書いていると聞いているのだけど。

ディラン　うん、面白い本だよ。春までには出るかな。

VV　何についての本？

ディラン　天使たち。

VV　……世界について抱いている何か重要な考えは？

ディラン　強い酒は飲まないとか、そういうことでいいなら。

VV　そうではなくて、いわゆる世界一般のことです。あなたと世界については？

ディラン　冗談だろ？　世界はぼくのことなんてかまわないさ。おい、ぼくは五フィート十インチ（約一七八センチ）しかないんだ。ぼくなんていなくても世界は上手くやっていくよ。知ってるだろ、誰もが死ぬんだ。自分のことをどれほど重要だと思ってるかなんて関係ない。シェイクスピアやナポレオンを見てみろよ。ついでにエドガー・アラン・ポーも。みんな死んだだろ?
VV　それじゃあ、ボブ、あなたの考えでは、世界を救える人物が一人いるとすれば?
ディラン　アル・アロノウィッツ。

　どの記者も「レアな」インタヴューの機会を得ると、自分だけはスフィンクスを説得してその口から砂を取り出してやろうと考えた。『ブラウン(大学)・デイリー・ヘラルド』紙のスチュアート・クランプは、こう告げてインタヴューを終わらせている。「結果はインタヴューというより茶番劇に近い」。クランプは書いている。

　彼の三枚目のアルバムを手渡してサインを求めると、彼は写真のなかの自分にあごひげと口ひげを描いてサインした……私はブルースを定義してくれと言った。彼は言った。「ブルースはポケットがついていないズボンだ。そういうの好き?……ブルースはポケットのなかに何も入っていない破れたズボンだ」。さらにこう言った。「ブルースは色だよ。それだけだ」。「アメリカのフォーク・ミュージックにおける自分の立ち位置をどうお考えですか?」。「ぼくが他の誰か以上のフォーク・シンガーだなんてことはないよ」。車に乗るとき、彼が「フォーク・シンガーは共産主義者だ」と叫ぶと、五十人はいるかというファンは沸いた。

「年を重ねるにつれてご自身はどうなっていくと思いますか……そして次の世代(われわれの子供たち)が彼ら自身のリーダーを見つけ出すことについては?」。ディランは……少し真剣になって答えた。「新しい世代のことは好きだよ……近いうちに新しい世代はぼくに反抗するだろうね、ぼくが古い世代に逆らったように……変化ほど揺るぎないものはない。それが肝心なんだ……ぼくは自分の人生を考える。大事なことなんだ、ぼくの頭もね。ぼくは自分の頭を心配している。フォーク音楽の商業化とかじゃなくて!

……」

「フォーク・シンガーはマッシュルームをちゃんと食べていない。マッシュルームを食べないと、やせ衰えるばっかりだ。ハリー・ベラフォンテみたいになっちゃうよ」。「ほかには？」。「あとはカエルの足だな！」

ディランはどのジャーナリストの足を引っ張るかについてはきわめて公平だった。『マッコールズ』の記者が彼に、女性のどのような美を崇拝しますかと質問すると、彼はこう答えた。「汚れている女性はすごくいいね。動物的な感情を呼び起こすんだ。汚れた長い髪が乱れているといい。毛を剃った脚や腕は嫌いだ。クリーニングも収れん化粧水も。防腐剤のにおいが嫌でね」。ディランの皮肉、反語、言葉を使った策略への退却は、初めて体験する者にとってはまるで暗号化されたメッセージだった。それは外交官の複雑な専門用語、詩人のヴェール、イソップの寓話、冗談のなかの冗談、隠しながら明かすということだった。「ぼく自身が言葉だ」と彼は『ニューズウィーク』に語ったが、周りは彼を信じていなかった。「変化ほど揺るぎないものはない」と彼は大学新聞の編集者に語った。だがそれをまともに聞いていた者はいただろうか？

ただの歌う声

ステージ外の騒動が絶えない一九六三年のただなかで、ディランはカーネギー・ホール、フィラデルフィアのタウン・ホール、そしてボストンのジョーダン・ホールでソロコンサートを行った。彼はプロのミュージシャンらしくこの三公演をやってのけた。十一月二日のボストン公演は、例の『ニューズウィーク』の記事のあとで、いささか平静さを失っている兆候が見えた。

カーネギー・ホールでの公演は「ポップ好きのティーンガールたち（ティーニーボッパー）」が現れたという点で特別なコンサートになった。それまで、フォーク音楽の聴衆はポップ音楽の聴衆とは異なる服装や振る舞いをしていた。ビートルズの二枚目のシングル「プリーズ・プリーズ・ミー」が一九六三年二月にイギリスでヒットしていた。ビートルマニアは十月までに爆発的に増え、ちょうどその頃ディランマニアの最初の波がアメリカを襲っていた。カーネギー・ホールの聴衆は、それまでのキングストン・トリオのファン以上に若く、熱狂的で、手に負えなかった。キャンプファイヤーを囲むようなフォーク・ファンではなかった。ディランは聴衆をはげしく揺さぶった。保守的なフォーク・ファンはこのエンターテイナー兼演説者に面食らった。彼はおよそ二十曲を次々と演奏した。「ハッティ・キャロル」「オックスフォード・タウン」「ヒーロー・ブルース」そして、もちろん「トーキン・ジョン・バーチ」(「テレビではやらせてくれない曲をやるよ」)。一般をこき下ろした。彼はモラリストとしてやってきた。ディランはガーディス以降さらに雄弁になった。舞台中央に立って、検閲ティーンのアイドルであるファビアンや、テレビの石けんコマーシャル、テレビ番組「フーテナニー」、そして検閲一般をこき下ろした。辛辣な言葉はわずかな人にしか理解できなかったが、彼はデマを商売にするラトガース大学の講師もそんな風に攻撃した。「風に吹かれて」いることの意味も分からないくせに、と言って。

ディランはまだすべての批評家を納得させたわけではなかった。『ヴァラエティ』では、レオナルド・L・レヴィンソンは譲歩してこう述べていた。「ディランは未来の声だった……しかし……その未来は過去と現在への不満ばかりを抱えていて……どこにも……希望や救済となる言葉がない……ディランの楽曲は陰鬱さを競っている……」。『ヴァラエティ』がうんざりしていたのはその「作曲と歌唱」のスタイルだった。「……意図的に無知なフリをしている。彼の歌詞のいくつかはよく考え抜かれて効果的であるものの、ほとんどはぞんざいに韻が踏まれ、基本的な文法は踏まえておらず、最初に書き手の頭に浮かんだ発想や形式にとどまろうとする明らかな意志に満ちている」

聴衆のすべてを感動させたわけでもなかった。コネチカット州ウェストポートから来た十六歳のアン・ライオンズは、三十分で会場をあとにしたと書いてよこした。「はげしい雨」をパラフレーズしながら彼女は書いていた。「裕福な女の子たちが自分たちを不良のように見せようとしているのを見た。苦行者のような顔をした男の子たちと顔のない男の子たちを見た。羊のようなひとたちと羊のように振る舞うひとたちを見た。諍いともつれた髪を見た。ネクタイにジャケットを着た男の子にエスコートされて、わたしはすごくうれしかった」

レヴンソールはそのあと西九六丁目の自宅でディランと友人たちのためにパーティを催した。そこには偶然にもスージーの友人たちが来ており、ほかにも急進的なカストロ支持者と、一九四八年からウィーヴァーズのメンバーであるロニー・ギルバートもいた。ロニーは私に言った。「素晴らしく情熱的だった！　あんな歌唱も曲も初めて聴いた！　一時的な流行なんかじゃない、ディランには不滅の価値がある。彼は別格ね」。そのスター張本人はあちこちで乾杯を求められていた。ボブは私の方に歩いてきた。「さあ、どうだい、ぼくがやれるとは思ってなかっただろう？」私は前からずっとやれると思っていたと応じたが、彼はかまわず言った、「よおし、やった、やったぞ！」

だが『ニューズウィーク』が彼の勝利に影を落としていた。どういうわけか、猛烈な仕事ぶりと注目のただなかで、ディランは斬新さと若々しさを失い始めていた。ひと月と経たずして、十一月二二日のジョン・F・ケネディ大統領暗殺がアメリカを絶望へと突き落とした。ディランのカストロ主義者の友人数名はこの暗殺に淡々とした態度で接していたが、ディランは動揺した。最も強大で裕福な改革論者でさえも凶弾に倒れるような社会を批判するのは向こう見ずだと思えた。一九六五年の『エスクァイア』誌の大学特集号の表紙には、学生にとっての四人のヒーローの合成写真があしらわれていた――ケネディ、マルコムX、チェ・ゲバラ、そしてディラン――私たちはボブがいつか暴力的な死を迎えて他の三人に加わるかもしれないと思っていた。その予感は彼の青年期特有の死への強迫観念によって倍増した。バディ・ホリーより、ハンク・ウィリアムスより、ジェームズ・ディーンより大きなヴィジョンを持つ者たちが死につつあった。それはまるで、神のような者たちは大地に磔にされる運命にあるとでもいうかのようだった。その一方で、世間にはディランをアメリカの若い世代に救済をもたらす救世主に担ぎ上げようとする空気が満ちていた。

ディランを救世主として扱う風潮は長く続いた。一九七〇年十一月、イギリスの週刊音楽誌『メロディ・メイカー』は「ディランは新たなキリスト」という見出しと、「ディラン 救世主」というキャプションのついた写真の下に、次のような文章を掲載した。「ボブ・ディラン（これまで言われていたようなナザレのイエスではない）は、現代の若者にとっての生ける救世主である……十人のイエスよりディランからの方が人生について多くを学べるのだ……ディランから引用しよう――『注目されることは重荷になり得る。イエスは注目されたがために磔にされた。だからぼくは何度も行方をくらます』」――ケン・ペイン。

クラーク・フォアマンの緊急市民自由委員会（ＥＣＬＣ）は、毎年恒例で権利章典の日にあわせてチャリティ・ディナーを催し、トム・ペイン賞を設けて、自由と平等のために戦ったと考える公人を表彰していた。一九六二年、ＥＣＬＣはバートランド・ラッセル卿を表彰した。一九六八年の受賞者はベンジャミン・スポック博士。一九六三年はディランだった。彼自身はこんな賞をもらうには値しないと感じていた。自分はただ何曲か書いた「だけ」だ、と。彼はジョー・ヒルになりたいわけでもトム・ペインになりたいわけでもなかった。それでもなお、彼はチャリティ・ディナーに出かけた。

一九六三年十二月十三日、ディランは早いうちから飲んでいた。ほかの高位な人びとが演壇に立つのを見ていた。作家、教育者にして、ラモント家の遺産相続者コルリス・ラモント、司会者のジョン・ヘンリー・フォーク、そしてこざっぱりしたスーツとネクタイを身につけた作家のジェイムズ・ボールドウィン。政治的な信条は異なるとしても、これはボブの父が参加するユダヤ人のコミュニティ「ブナイ・ブリス」のようなものだった。ボブは、中産階級として守られ、丸くなったラディカリズムのなかにいる約一五〇〇人の既成左翼の市民の顔と、灰色や禿げ上がった頭を見つめていた。トム・ペイン賞受賞者として紹介されると、ディランは口をひらいた。準備のない、ほとんど肉体をともなっていないような声が、「真実攻撃」を始めた。

ギターは持っていないけど、話せるよ。キューバに行ったすべての人に代わってトム・ペイン賞に感謝する。何よりもまず彼らは若く、ぼくは若くなるのにとても時間がかかったけど、いまやっと自分のことを若いと思えるようになった。そしてそれを誇りに思ってる。若いことが誇らしい。ぼくが願うのはただ、ここに今日、いや今夜座っているみなさんがここにいないことだ、そうすれば髪の毛なりなんなり、若さに通じるあらゆるものがついた頭を見ながら、昨日下院非米活動委員会を打倒したってことを祝えるからだ――みなさんはビーチにいるべきだ。泳いで、それから……リラックスすべきときにリラックスして。（笑い声）世界は年寄りのものじゃない。世界は年寄りとなんの関係もない。年寄りは、髪が抜け落ちたら、退場するべきなんだ。（笑い声）ぼくが見下しているのは、ぼくを管理してぼくの規則を定めようとしてくる人たちだ――そういう人にはたいてい髪がない――本当にいらいらする。（笑い声）そして彼らはニグロの話をする、黒と白の話をする。そして赤や青や黄色みたいな色の話をする。でも、ぼくは何を見るときもどんな色かなんてまったく気にしない……人びとの気持ちを教えてくれる歴史書は見たためしがない……だから過去を振り返る参考にすることもできない。一九三〇年代にこの場に立てていたらと思うことがある、ぼくの最初のアイドル――かつてのアイドル、ウディ・ガスリーが一九三〇年代にいたように。（拍手）でもウディがいた時代とぼくが今こうしている時代のあいだに変化があったのは間違いないだろう。事はもうそんなに単純じゃない。人びとは以前に増して恐れているように見える……黒も白も、左も右も、ぼくにはない。上と下だけがあって下は地べたに限りなく近いんだ。そしてぼくは政治のような些末なことは考えないで上がっていこうと試みてる。なんの関係もないことだから。ぼくが考えるのは普通に暮らしている人たちと、彼らが傷つけられるときのことだ。受け取ろうと思う……緊急市民自由委員会からのトム・ペイン賞を。ぼくの名において受け取りたいところだけど、でも実際はぼくの名においても、ニグロのグループだろうがなんだろうがその他のいかなる組織を代表しても、受け取るつもりはない……あのワシントン大行進で演台に立ち、そこにいるニグロたちを見回したけど、ぼくの友人でないような人たちは一人もいなかった。ぼくの友人はスーツを着ない。ぼくの友人は自分を立派なニグロだと証明するために身につけるようなものはいっさい着ない。ぼくの友人はどうあってもぼくの友人で、友人であることが、親切で礼儀正しい人たちだという証しだ。そしてぼくは彼らを引っかき回したくはない。（拍手）だから、ぼくはこの賞をフィリップ・ルース（情熱的な新左翼で、のちにラディカルな友人たちを夢中にさせた）に代わって受け取りたい。彼はキューバに行く一団を率いた。誰もがキューバに行ってみるべきだ。どうして誰もキューバに行けないのか分からない。どうしてどこかに行くだけで傷つくことになるのか分からない。どうして何かを見るだけでその目が傷つくことになるのか（分からない）。対照的に、ぼくの友人のフィリップはキューバに行った。しっかりと認めなくちゃならないことがある、自分に正直にならなくちゃいけないことが。ぼくは認めなくちゃならない、ケネディ大統領を狙撃したリー・

オズワルドという男の、はっきりどこがとは言えないけど――実行するとき彼が何を考えていたかも分からないけど、認めなくてはいけない、ぼくもまた――彼のなかに自分の一部を見たことを。自分もやったかもしれないというわけじゃない――実行まで考えが及ぶと思っているわけじゃない。でも正直に言うならば、ぼくは彼の感じていたことを自分のなかにも見た――考えが行き過ぎて発砲するといったことはないとしても。（ブーイングとざわめき）ブーイングでもなんでもすればいい、でもそんなことをしたってなんにもならない。それに――ぼくは、ただ――言っておくと、なあ、権利章典っていうのはフリー・スピーチのことだ、そして（誰かがディランに「そろそろ時間です」と言う）ぼくはこのトム・ペイン賞を学生非暴力調整委員会のジェームス・フォアマンに代わって、キューバに行った人たちに代わって受け取る。（ブーイングと拍手）(10)

聴衆はざわついた。この若造はオズワルドが共感に値すると本気で言っているのだろうか、暗殺から三週間しか経っていないのに？　彼は自分たちのことを時代遅れの、禿げた、歴史の屑山予備軍の年寄りと呼んだのか？　募金集めを進めるうちに、フォアマンはディランの戯れ言がいかに酷いものだったかを理解した。寄付金は出し惜しまれ、情けない額にしかならなかった。フォアマンは打ちひしがれた。組織内の反対を押し切って、ディランをこの名誉ある場に立たせたばかりに、今や否定派の言葉がよみがえってきて彼に取り憑いた。怒り狂い、禿げ上がった年寄りたちは、これほど敬意を欠いた若造にスピーチをさせる組織に理解を示さなかった。クラークの息子ジーノ・フォアマンは、三年後に事故で亡くなるのだが、集金額は想定より三〇〇〇ドル少ないと教えてくれた(D)。だが彼の父はのちにディランに、想定より六〇〇〇ドル少なかったと伝えた。

反発が強まると、ディランはＥＣＬＣが自分のメッセージをまったく理解しなかったのだと悟った。ボブは自分なりの「ピッグス湾事件」(E)を行ったのだった。ケネディがアイゼンハワーに助言を求めたように、ボブはガスリーのエージェントでシーガーのマネージャーだったハロルド・レヴンソールに話しに行った。ハロルドは五十代の、頭の禿げ上がった既成左翼だった。彼がディランに聞かせたのは、そういった年寄りたちは今でこそ裕福で食べものにも困ってないように見えるかもしれないが、生涯のほとんどの時期を戦って過ごしたのだということだった。ハロルドはマッカーシーの時代について詳しく話した。その頃は彼らの多くが、ブラックリストに記録されて生活を脅かされながらも、社会的な意識を失わなかったのだと。ディランは耳を傾け、それからタイプライターに向かった。彼はECLCに公開書簡を送った。それはガリ版刷りで同組織のリーダーたちに回覧された。ディランは自分のムラっ気について語り、そんな気分のムラが、真意を伝えるという、もとより不得手なことをしようとする人間にとっていかに邪魔なものであるかを記した。自分はただのソングライターで、演説家ではないのだと。

おそらく「ありがとう」とだけ言うべきだった、とディランは書いた。しかしそれ以上を期待されていると感じた。それで、船から突き出た一枚の板の上を目隠しで歩くか、車の前へ飛び出すかのように、ラストソングを叫んで飛び込んだ。リー・オズワルドのことや、すべての犯罪の責任の一端はわれわれにもあるという言説にうんざりしていると語った。彼は国家間の自由な行き来についての発言を修正し、自分に対するマスメディアの解釈にいかにうんざりしているかを述べた。物事は自分の力で学びたいと思っていた。

ディランは故郷のことについても書いていて、どんな噂にもかかわらず、自分の来歴にも、自分に流れている血にも誇りを持っていると述べた。そしてニューヨークでいかに生まれ変わったような気持ちになったかについて記した。古い世代の人びとについて言ったことを撤回し、彼らが三十年代から五十年代にかけてやってきたことが、六十年代に自分がやっていることに影響を与えていると述べた。何度も、彼はこれが説明であって謝罪ではないことを強調した。ディランはトム・ペインの笑顔があしらわれた美しい賞の返却を申し出た。トム・ペインについてはよく知らないけれど、彼のために歌いたいとも書いていた。賞を受けたことは誇りに感じているが、返す必要があるならそうすると。ディランはディナーの目的が寄付の募集だったことも、自分の演説が運営者に損失を与えていたことも知らなかった。委員会に対しては良心の呵責があると言った。彼は金を払うことも提案し、これからはまた路上に戻ると言った。

自分にとって、とディランは続けた。書くことは、恐ろしすぎて考えたくもないような狂気に陥りたくないという願いによって駆り立てられている。そう、それは恐ろしい世界なのだ、と彼は締めくくった。彼は委員会の知人たちに親愛の気持ちを表明した。嫌うつもりはない、あまりに疲れることだしトラブルにするまでもない、と。彼は人生を開かれた窓に喩えたが、再びなかへと引っ込むこととなった。彼はその書状を「メッセージ」と呼んだ。

この件はここで解決とするべきだった。だが半年後、ディランがこの出来事をまた別の観点で語るのを聞いたナット・ヘントフが、それを『ニューヨーカー』の記事に盛り込んだ。のちに私が、あの記事で言葉は適切に引用されていたかと尋ねると、ディランは言った。「あれはトム・ペイン絡みの問題についてぼくが言ったほぼその通りだよ」。ヘントフがメモを取るそばで、ディランはあの問題について「リヴィング・シアター」で俳優をしている知人に語った。

ぼくはどんな運動の一員でもない。もし一員だったら、「その運動」にいる以外に何もできないだろ。周りで見てる人間にルールを作られるのが嫌なんだ。ぼくはどんな運動も許してくれないようなことをたくさんするからね……どんな組織とだって一緒にはうまくやれない。罠にはまったのさ……トム・ペイン賞を受け取るのに合意したときにね……しかもアメリカーナ・ホテルでだよ！　大広間で！　そこに着いたとたん、緊張がおさまらなくなった……一緒に来てくれた人たちは入ることができなかった。みんなぼくよりさらに奇抜な恰好をしていたからだ……ほんとに緊張した。酒を飲むことにした……ぼくが考えるような政治とはまったく関係のないような人たちをたくさん目にした。彼らを見ると恐ろしくなった。味方だったのかもしれないけど、自分と何の結びつきも感じられなかった。そこにいたのは三十年代に左翼の活動に尽力して、今は公民権の活動を支援している人たちだった。たしかに素晴らしいことだよ、でも同時に彼らはミンクの毛皮や宝石を身につけてもいて、まるで罪悪感から金を出しているようにも見えた。立ち去ろうとしたけど、みんなが追ってきて行かせてくれなかった。賞を受け取らなきゃと言うんだ。スピーチをするために立ち上がったとき、言えることはひとつもなくて頭に浮かんだことを話すしかなかった。みんなが話していたのはケネディが殺されたことと、ビル・ムーアとメドガー・エヴァーズとベトナムの仏教僧が殺されたことについてだった。ぼくはリー・オズワルドの話をすることにした。オズワルドの気持ちについて新聞でいろいろ書かれているのを読んで、彼が神経質になっていたのが分かったと伝えた。ぼくもまた神経質になってたって言ったろ、だから重なる部分が多々あった。オズワルドのなかに自分を感じる、とぼくは言った。そして彼の内に、ぼくたちがこうして暮らしている時代が濃密に見て取れた、とも。そうしたら、ご存じの通り、ブーイングが始まった。獣を見るような目で見てきた。ぼくがケネディは殺されて良かったと言ったと思ったんだろう。信じられないよな。ぼくはオズワルドの話をしただけなのに。それからハーレムにいる友人たちの話をした。何人かはジャンキーで、みんな貧しい人たちだった。彼らにも他のみなと同じような自由が必要だ、彼らのために誰か何かしているだろうかと言った。司会の人がテーブルの下でぼくの足を蹴ったから彼に『うせろ』と言った……ぼくはきっと……お利口な猫でいるべきだったんだ。『この賞に感謝します、ぼくは偉大なシンガーです、リベラルの力を心から信じています、ぼくのレコードを買ってください、あなたがたの信念をサポートしますから!』とでも言えばよかったんだろう。でもそうしなかったから、あの夜に受け入れられなかったんだ。いま話しているような一連の騒動の原因はこれだよ——ひとりになりたい人たち……孤独ってどんな感じだと思う? ぼくは三〇〇〇人を前にして孤独だと感じることがある。あの夜も孤独だった……ああ、あの夜はみんなで自由の闘士について話していたよ。ぼくはミシシッピに行ったことがある。公民権運動の他にも別のレベルで活動している人たちを知ってる。彼らはぼくの友人だ。SNCCのリーダーのひとりジム・フォアマンもそうだ。いつでも彼の側に立つつもりだよ。でもあの夜の連中は有色人種を有色人種として見るようぼくに仕向けてきた。言っておくけど、ぼくはどんな政治組織とも金輪際かかわらないつもりだ。友だちが選挙のために活動していたら手伝うことはあるかもしれない。でもどんな組織の一員にもなるつもりはない。あのディナーにいた連中もほかと変わりはしないさ。みんな刑期を務めているんだ。自分たちのやっていることに鎖でつながれている。肝心なのは、いくら彼らがモラルや善行で鎖を包もうとしたって、彼らは基本的に自分の地位を危険にさらしたくないと思っているってことだ。仕事を失いたくないのさ。そんなところにぼくの居場所はないし、ぼくと一緒にいる人たちの居場所もない。唯一申し訳なく思うのは、ディナーでの集金に悪影響を与えてしまっただろうことだ。スピーチのあとに寄付を募るなんて知らなかった。相当な額をふいにしてしまったんじゃないかな。とにかく、ぼくの話のせいで彼らがどれだけ損したかは分からないけど、埋め合わせに支払うつもりだと言ったよ。金額は問わないと伝えた。借りを作るのは嫌いなんだ、特に精神的なものは。金の借りよりもっとたちが悪い。(11)

『ニューヨーカー』の記事が出回った直後、クラーク・フォアマンが「未返済の借金」をめぐる戦いをしかけた。彼は一九六四年十一月二日にディランに宛てて書いた。

親愛なるボビー

『ニューヨーカー』のきみについての記事のおかげで、数人の友だちから……きみにいくら請求したのか尋ねられた。私はきみの寛大な申し出を受けずにうまくやれはしないか見てみると答えてきた。だが今は無理だと考えている。私の知る限り、融資してくれる可能性のあった多くの人たちがきみに侮辱されたと感じたことで、集金の被害は六〇〇〇ドルにのぼる。もしきみがその金額で私たちを助けられるのなら、きみの負った倫理的または金銭的な借りは清算されるだろうと思う。

一週間後、フォアマンは『ニューヨーカー』に宛てて投書した。

貴誌のボブ・ディランについての記事には極めて重大な誤認があります……権利章典の日のディナーについてです。彼の発言として引用されている言葉を彼が言ったということが信じられません。これほど明らかな誤りはどれだけボジョレー・ワインを飲んだって生まれることはありません。暗殺されたばかりの大統領への黙禱をのぞけば、ディランがオズワルドの話をするきっかけとなるような一連の議論はありませんでした。司会者の振る舞いについても同様です……それにまた……ディランの前に話されたミセス・サイラス・イートンだけは彼に、件の記事で言われているように、人種を意識させたかもしれませんが……ディランが最後のスピーカーであるジェイムズ・ボールドウィン氏以上にそうした物事へ敏感に反応するというのは極めて考えにくいことです。

ヘントフはフォアマンに返信した。

私はミスター・ディランの言葉から正確に引用しました。その文章を彼に電話で読み聞かせて正確であるか確かめたとき、彼は変更の提案をしませんでした。

十一月二十日、フォアマンはまたヘントフに書いた。

あなたがディランのものと考えている、他の演説者に関する発言は、同様に信じがたいものです。私がお送りした『ライツ』誌からだけでなく、ディランの弁明の言葉からもそのときのことを確かめられるはずですが、あなたはそれらをすべて見過ごされたようだ。おそらく無意識だったのでしょう、なぜならそのような行為をすることで、あなたはディランと『ニューヨーカー』のみならず、緊急市民自由委員会にも危害を加えたことになるのですから。

フォアマンとヘントフの論争は続いた。フォアマンはディランが委員会に負っている借金の支払いを求めていた。一九六四年十一月九日、グロスマンはフォアマンに、ＥＣＬＣのために慈善コンサートをやる意向がディランにあると伝える友好的な電話をかけた。一九六五年二月五日という日付が決まり、契約書にサインがなされたが、まもなくしてジョン・コートがフォアマンに連絡をしてきて、グロスマンは今メキシコにおり、二月五日にはディランがヨーロッパにいる予定なのでスケジュールを取り消して欲しいと告げた。コートによれば、春の頭に新たな日取りが提案されるとのことだった。だが春になってもコンサートの日付が決まらないと、フォアマンはまたディランに借金の催促を始めた。一九六五年十二月十三日、騒動から二年経って、フォアマンはディランの「メッセージ」から引用して書いた。「請求書を送ってくれ云々……お金なんて大した問題じゃない」、「などと言っておきながら」とフォアマンは厳しく言う、「言葉、言葉、言葉ばかり――コンサートもなし、現金もなし……同封した文章を見てもらえれば分かるように、私たちはベトナムで戦うことを望んでいない若者たちを助けようとしている。資金こそ今最も必要としているものだ」

この件は一九六八年五月十五日まで解決しなかった。その日、ＥＣＬＣのイーディス・タイガーがグロスマンに手紙をよこした。フォアマンが人権擁護活動から退くにあたって送別パーティが計画されているという内容だった。「ちょっとした文化行事とビュッフェ式の昼食会をオシニングにあるラモントの屋敷で開くつもりです……この機会をボビー・ディランにお伝え頂けることと思います。彼とフォアマン博士との交友は親密で価値あるものです。したがって、彼は社会と我々全員へのフォアマンの多大な貢献に感謝するために出席したいと思われるのではないかと存じます」。この最後の手紙の複写控えには鉛筆でこう書かれていた。「返信来ず」

この一件は、ディランがフォアマンのアパートメントに落ち着きなく腰を下ろしてフォアマンとフォークの小言を聞いていた一九六三年八月の夜とともに、次第に忘れられていった。ジョーンがそばで優しげに歩き回るあいだ、二人の老いた闘士はディランに、胸の内を話すことを恐れるなと諭していた。決して、決してどこのどんな聴衆に対しても、自分の考えを伝えることに萎縮してはいけない、と。ディランが持っていた真実という武器は、フォアマンとフォークによって研ぎすまされた。その四か月後、彼はその武器をうっかり、装備を手伝ってくれた当の本人たちに向けてしまった。それでも彼の「メッセージ」は、彼が年寄りを手ひどく愚弄するだけの人間ではなかったことを証明していた。かつて彼自身が私にした助言を取り入れていたのだ――「立ち去るのにそこをこき下ろす必要はない」。彼は大きな二項対立と格闘していた。つまり、彼は音楽を通じて無数の人びととコミュニケーションができるものの、他の方法でコミュニケーションを取ることは実質的に不可能だと気づいたのだ。言葉とヴィジョンという才能を持っているにもかかわらず、彼はタイプライターとギターを通してしか真のコミュニケーションを取れないことを認めざるを得なかった。

ありとあらゆる私

一九六三年の秋の終わりから冬にかけてディランは意気消沈していた。成功の果実を味わってしかるべきときに、絶望の薬を飲んでいた。それは部分的には、多くのスターたちが成功の直後に味わってきた失望だった。新たな目標が古い目標に取って代わるまで、気が抜けたような思いが付いて回るのだ。それに彼は、暗殺事件直後のアメリカを覆っていた不安にも苛まれていた。ディランは、南部では毎日のように無名の黒人たちが撃たれ、殴られ、恫喝され、苦しめられているのを知っていた。彼の絶望はいや増しに増す孤独のために深まっていた。スージーは家を出て行き、二人の関係は悲惨なものになっていた。スージーは自暴自棄になっていた。彼の言う「有名であること」は何一つ幸せを意味しなかった。彼は薄汚れた西四丁目の穴ぐらにひとりきりで、曲と過去の自分（ヒズ・バック・ページズ）を吐き出していた。

スージーは初めペリー・ストリートのカーラの家に転がり込んだ。それからアヴェニューＢ１０６に部屋を見つけた。ボブはよくそこに泊まったが、関係は以前のようにはいかなかった。ボブとスージーの軋轢はカーラ・ロトロとメアリ・ロトロによって激化した。カーラはボブと住まいを交換しようと提案したが、彼は自分の家を変えたがらなかった。彼はスージーに、高価な美術本などの贈り物を買った。ときにはほとんど無言のまま夜二人で座ってテレビを見ていた。カーラは私に、ディランが有名になればなるほど、スージーから活気が失われていった、と語った。スージーはまだ自分のアイデンティティを求めて戦っていて、アートスクールや仕事を次々と試していた。

一九六三年のクリスマス・シーズン、過ぎゆくこの年を誰もが忘れてしまおうとしていた。クリスマス・イヴには、ニュージャージーのロトロ夫人の家でディナーパーティがあった。来客のなかにはヴァージニア・エグルストンがいた。ペイン賞の会場にいて、ディランのただならぬスピーチを容認した数少ないひとりだった。クリスマスの夜、アヴェニューBのパーティに二十人ほどが集まった。ボブはとても社交的で友好的だった。カーラは回想している。「彼はクリスマスの日、自分と折り合いをつけられていたようで、私は昔の『カーラ義姉さん』になれていた」。ゲストたちがロックンロールを演奏し、いいクリスマスを過ごした。しかしながら、ディランはカリフォルニアへの長期旅行を考えていた。その頃ロトロ家には、ファンの若い女の子たちからディラン宛の電話が大量にかかってきていて、とても攻撃的な電話もあった。ディランに近しい人びとにプライバシーはなくなっていた。

クリスマスも過ぎたある夜、ディランがひょっこり訪ねてきた。そのとき私は短命に終わった雑誌『フーテナニー』の最新号制作に悪戦苦闘していた。『ボストン・ブロードサイド』誌の元編集者リン・マスグレイヴと一緒に編集していた雑誌だ。ディランは『フーテナニー』に詩の記事を二本寄稿してくれていたが、彼はこの雑誌の意義について私以上にあれこれ思いをめぐらせていた。「煉瓦でもタイルでも、きみが何か建てようというなら提供する」と彼は言った。「でも何を建てるつもりなんだい？　壁？　家？　適当に煉瓦を投げれば誰かがそれを受け取って何か建ててくれるだろうなんて期待することはできないよ。煉瓦がどこに行くのか知りたいんだ」。ケネディ暗殺以降、フォーク・ムーヴメントの理想は徐々に衰えていた。言葉に何ができるというのだろう？

ディランは暖炉に並んだクリスマスカードの列とテレビを眺めた。それから、それらの「季節の挨拶」のほとんどは友人からのものではなくてレコード会社の広報とプロモーション部門からだなと言った。きみには友だちからのカードの方が嬉しいのは知っている、と。ボブの視線が、痩せた顔のフィル・スペクター、あのポップ・ソングの作曲家にしてプロデューサーの奇妙で小さな写真をとらえた。スペクターの顔は長髪に覆われており、黒いグレムリンの人形が肩に乗っていた。ディランは身体を折り曲げて笑った。「おいおい」彼は言った。「クリスマスにこれはないだろ！」スペクターの強烈な佇まいがディランを虜にしていた。このときから二年も経たないうちに、ディランはスペクターと親しくなり、サングラスをかけ、髪もスペクターと同じくらい伸ばし、コロンビア社が全身パネルを作るのまで許可して、それが彼のフォーク・ロック・アルバムを宣伝することになる。だが一九六三年のクリスマスの時点では、まったくバカげて見えるポップ音楽の世界にディランが足を踏み入れる兆しは見られなかった。

大晦日、一九六四年を迎えるというよりもむしろ一九六三年を見送る儀式として、ディランはヴァン・ロンク夫妻の家での小さなパーティに出席していた。一年前、ボブは私の家で、もっと大掛かりで親密さに欠けたパーティにいたのだった。今回は、ほんの一握りの人たちと一緒にいたいと思っていた。スージーは落ち着いているように見え、ボブはやつれていた。私はパーティをはしごしていて、ここが終着駅だった。ディランと二十代の友人たち六人は通夜のように静かに腰かけていた。ボブは希望と野心で胸を一杯にして一九六三年をスタートさせ、それを名声と成功のうちに終えたのだったが、幸せではなくなっているようだった。ヴァン・ロンクの猥談にさえ笑わなかった。私は通りを渡って寝に帰り、あの若者たちがどれほど年老いて疲れきって見えたことだろうかと思った。何か変化がなければ、ディランは一九六四年が終わる前に死んでしまうのではないかという気がした。

一九六三年の秋、ボブは『ブロードサイド』の友人に重要な公開書簡を送った。これは――この時期としては――彼が個人的なことを公にする最後の出来事だった。ディランはシス・フリーゼンとゴードン・フリーゼンには正直に話すことができた。彼らはスローガンではなく、いつも人間の言葉でものを考えていたからだ。ゴードンは一九七〇年代後半、私にこう書いてきた。既成左翼は「芸術家の扱い方を理解していなかった。ウディがその地域の世話役から送られてきた手紙を見せてくれたときのことを思い出すよ。『規律を守らなかった』ことについての釈明のために顔を出せと書いてあった。どうやら彼が約束した時間に『デイリー・ワーカーズ』紙を売る場所に現れなかったらしいんだ。まったく！　連中はウディの役割が曲を書くことであって彼らの新聞を売ることではないということが分からなかったんだ。この手の視野の狭さに悩まされたアーティストは他にも知っている。『アメリカの息子』を書いたあとのシカゴのリチャード・ライトのような小説家たちや、写真家やエッセイストだよ。同じことが繰り返されて、ボブ・ディランも関わった途端に疎外されたんだ」。ゴードンはアメリ

郵便はがき

おそれいりますが切手をおはりください。

160-8565

〈受取人〉

東京都新宿区大京町22－1

株式会社 **ポプラ社**

一般書編集局 行

お名前 (フリガナ)

ご住所 〒

TEL

e-mail

ご記入日 年 月 日

ご愛読ありがとうございます。

読者カード

●ご購入作品名

[　　　　　　　　　　　　　　　　　　　　　　]

●この本をどこでお知りになりましたか？

1. 書店（書店名　　　　　　　　　　）　2. 新聞広告
3. ネット広告　4. その他（　　　　　　　　　）

年齢　　歳　　性別　男・女

ご職業　1.学生（大・高・中・小・その他）　2.会社員　3.公務員
4.教員　5.会社経営　6.自営業　7.主婦　8.その他（　　）

●ご意見、ご感想などありましたら、是非お聞かせください。

●ご感想を広告等、書籍のPRに使わせていただいてもよろしいですか？
（実名で可・匿名で可・不可）

●このハガキに記載していただいたあなたの個人情報（住所・氏名・電話番号・メールアドレスなど）宛に、今後ポプラ社がご案内やアンケートのお願いをお送りさせていただいてよろしいでしょうか。なお、ご記入がない場合は「いいえ」と判断させていただきます。
（はい・いいえ）

本ハガキで取得させていただきますお客様の個人情報は、以下のガイドラインに基づいて、厳重に取り扱います。

1. お客様より収集させていただいた個人情報は、よりよい出版物、製品、サービスをつくるために編集の参考にさせていただきます。
2. お客様より収集させていただいた個人情報は、厳重に管理いたします。
3. お客様より収集させていただいた個人情報は、お客様の承諾を得た範囲を超えて使用いたしません。
4. お客様より収集させていただいた個人情報は、お客様の許可なく当社、当社関連会社以外の第三者に開示することはありません。
5. お客様から収集させていただいた情報を統計化した情報（購読者の平均年齢など）を第三者に開示することがあります。
6. はがきは、集計後速やかに断裁し、6か月を超えて保有することはありません。

●ご協力ありがとうございました。

カのアーティストの窮状をよく分かっていた。「メルヴィルは最後の三十年を税関であくせく働いて過ごした。ホイットマンは、わずかな友人の援助によってなんとか生活しながら、正当に認められることのないまま詩作を続けた。ソローが死んで長い時間が経ってやっと、『ウォールデン湖』が売れるようになった。ポーとスティーブン・フォスターは困窮したまま死んだ……」。こうした思いやりを持ったシスとゴードンのもとで、一九六四年一月の『ブロードサイド』にディランの手紙が掲載された。それはかつてのディランの名残だったが、世界に知られる前よりもさらに孤独で悩めるアーティストになっていく新たなディランを示唆してもいた。

それは友人たちへの告白の手紙だった。ディランが名声に圧倒されながら、それでいて孤独なアーティストだということが伝わってくる。彼はサインを書くことに葛藤を感じていた。それは好きなことでも嫌いなことでもあった。自分が矛盾を生きていることに気づいていた。ディランは恐れと正面から向き合い、感情を受け止めなければならないと感じていた。彼は罪悪感があることを受け入れた。誰もが安全で守られていると感じたがっていることへの驚き。彼は神がなぜこんなにも恐ろしい存在なのかと問いかけていた。マネージャーとエージェントを、買い手と売り手を繰り返し非難した。テレビ番組「フーテナニー」に触れ、その番組への出演を必要としないスターではなく、その仕事を必要としている人びとに対して反対運動を展開する面々に言及した。彼は自身の汚れたフラットの様子を語り、漆喰がはがれて床板が腐れかけていたために引っ越さなければならなかったと言った。だがそれでもある種の美をそこに見いだしていた。とりわけそこにあったレコードプレーヤーでピート・シーガーの「グアンタナメラ」を聴いているときには。彼はピートを聖人と呼び、彼を愛する気持ちは言い表せないと言った。そして愛が話題を、すでに去ったスージーへと導き、彼女を愛したようにみんなを愛せればと願った。スージーを愛したように周りを愛せたらキリストみたいになれるだろう。彼はその考えに笑った。

これはディランがあらゆる自分を受け入れようという祈りである。

去れ、立ち去れ、あらゆる魔物よ
私を私のままでいさせてくれ

人間たる私を
冷酷な私を
乱暴な私を
やさしい私を
ありとあらゆる私を (12)

ディランは『ブロードサイド』の発展についてや、執筆者のポール・ウルフやフィル・オクスについて短いコメントをした。彼の「小説」『タランチュラ』は行き詰まり、プロットもなく、ちょっとした紙切れにシーンの断片が書かれたまま停滞していた。ブレヒトと劇作への賞賛の言葉があった。歌と比べたときの演劇最大の美徳は、歌が自身の気持ちだけを伝えるのに対して、劇はひとつの上演でたくさんの人の気持ちを伝えられることだと考えていた。

彼は『ブロードサイド』に哀しい別れを告げた。そこには『ニューズウィーク』への昔の怒りや、ゴシップ好きたちへの恨みもないわけではなかった。これまで直面した悪夢と憎しみと怒りが、自身への希望に込められていた。「そしてぼくはある朝目覚め／また愛することを始めよう」

【原注】

（1）ディランが一九六三年の秋に緊急市民自由委員会でスピーチをしたあとのＥＣＬＣ宛の公開書状「メッセージ」より。
（2）ディランによる「ノー・モア・オークション・ブロック」は『ブートレッグ・シリーズ第1～3集』に収録。
（3）ディランは「ウィリー・ザ・ギャンブラー」を「ランブリング、ギャンブリング・ウィリー」というタイトルでレコーディングした。
（4）『時代は変る』のライナーノーツ所収「11のあらましな墓碑銘」。
（5）『エッセンシャル・ボブ・ディラン』のライナーノーツにディランの事務所が指示した唯一の修正項は、彼の楽曲をカヴァーした著名なミュージシャンのなかにデューク・エリントンを加えるというものだった。
（6）「ウディ・ガスリーへの最後の想い」は『ブートレッグ・シリーズ第1～3集』に収録。
（7）この日ディランがグリーンウッドで歌う映像は映画『ドント・ルック・バック』におさめられている——おそらくはこの「ニューヨークからきたテレビマン」が提供したもの。
（8）ディランがシーガーとデュエットした「プレイボーイズ・アンド・プレイガールズ」は『ニューポート・ブロードサイド、ニューポート・フォーク・フェスティヴァル１９６３』（一九六四）に収録。アルバムには「ステイシー・ウィリアムズ」（シェルトンの別名）が当時を書いたライナーノーツが添えられている。「このレコードは……気まぐれでかつ怒りに満ちた、特徴的な曲で始まる。作者は多作なボブ・ディラン。ミネソタ州ヒビング出身、二二歳の歌う詩人である。彼こそ、彼の世代のすべてのトピカル・ソングを押し進める大きな原動力だと信じている人もいる」。同フェスティヴァルのディランの「風に吹かれて」が収録されているのは『ニューポート・フォーク・フェスティヴァル１９６３、イヴニング・コンサート ボリューム１』（一九六四）。
（9）ジョーン・バエズ『夜明け』（小林宏明訳 一九七三年 立風書房 一二六～一二七頁）
（10）緊急市民自由委員会へのディランのコメントは、委員会事務局長のイーディス・タイガーにコピーを提供していただいた。
（11）ナット・ヘントフによるディランについての記事は『ニューヨーカー』、十月四日、一九六四年、六四ページに所収。
（12）ディランによる『ブロードサイド』宛の手紙、一九六四年。

【訳注】

（A）第8章492ページ。〈シー・ビロングズ・トゥ・ミー〉の項を参照。
（B）原著では「一九六九年一月」と記されているが、正しいと思われる日付に修正した。
（C）ジョー・ヒル（1879-1915）は、アメリカの歌手、労働運動家。労働運動を大きく後押しした歌手として有名だが、冤罪によって処刑された。
（D）原著では「三万ドル」と記されているが、文脈から「三〇〇〇ドル」に修正した。
（E）一九六一年四月十五日～十九日、在米の亡命キューバ人の部隊が、カストロ政権を打ち倒すためにキューバに侵攻した。彼らが上陸した場所から「ピッグス湾事件」と呼ばれる。

06

ロール・オーヴァー・グーテンベルク

詩を大学教授と……四角四面（スクエア）な人びと……から奪還するのはとても重要なことである。もし我々が詩をこの国の生活に持ち込むことができれば、それは創造的なものになり得る……ホメロス、あるいはベーオウルフを引用するあの男は、ショービジネスをやっていた。我々はただ詩をショービジネスの一部にしたいのだ。

——ケネス・レクスロス　一九五七年(1)

こんにちの詩人が語りかける相手は自分だけである……マスメディアとの競争は苛烈になっている……かつて詩には聴衆がいた……グーテンベルクは印刷という素晴らしいアイデアを提示したが、聴衆は彼とともに去ってゆき、詩人の聴衆は失なわれてしまった！

——ローレンス・ファーリンゲティ　一九五七年(2)

一九五〇年代にジャズと詩に携わった者たちが……十年後に目を覚ますと、風変わりな少年が自分たちのやりたかったことをやっていた……詩を路上へ、人びとへ、そしてジュークボックスへと持ち込んだのである。

——ラルフ・J・グリーソン　一九六六年

偉大な絵画は美術館にあるべきじゃない。美術館は墓場だ。絵画はレストランの、安物雑貨店の、ガソリンスタンドの、男子トイレの壁に掛かっているべきだ……音楽だけが、いま起こっていることに同調できるものだ。本でもだめだし、舞台でもだめ……なくさなきゃいけないのは博物館であって、爆弾じゃないんだよ。

——ディラン　一九六五年

アイコンとしての詩人。『時代は変る』のためにバリー・ファインスタインによって撮影された有名な写真、一九六三年一二月。

当人は否定したとしても、一九六三年と六四年は、ディランが詩人として花開いた時期だ。マスメディアを独自の仕方で使い、新たなジャンルを築きつつあった。サンフランシスコのビート詩人たちはスポークン・ポエトリーをジャズと結婚させようと試みていた――この実験は地下室からほとんど表に出ることはなかった。ジャック・ブレルのようなフランスのシャンソン歌手たちは、歌こそ詩にとっての理想的な受け皿だと昔から理解していて、それは歴史上に存在した無名の吟遊詩人、古英語時代の詩人、遊歴学者、中世の叙情詩人、ミンストレル、中世フランスの吟遊詩人、イギリスのバラッド詩人、大道芸人たちも同様だった。ディランの周囲には「詩人」がいたるところにいて、彼自身は民主的なフォークの伝統の中心にいた。その伝統を、ガスリーはこのように的確に述べている。「言葉の嵐が自分の内側に、数百の曲と本を書けるくらい渦巻いている。私に聞こえるこれらの言葉は、私だけの所有物ではない……きみは私を詩人と呼ぶように教えられたのかもしれないが、私がきみ以上に詩人だなんてことはありえない……きみが詩人であり、きみの毎日の言葉が、私たちのうちで最良の詩人による最良の詩なんだ。私はたんなる秘書であり天気読みなんだ。私の作業場は歩道であり、きみのストリートであり、畑であり、ハイウェイであり、きみの建物なんだ」(3)

一九六三年のあいだ、私はディランの編集者を務めていた。ディランは何を書くときにもスピードと才能と独創を保ちながらこなせていると感じていた。私が彼の書いた通りに掲載し、風変わりな綴り方もそのままにし、何を書くべきかも一切口出ししないことを彼も分かっていた。彼との最初の仕事は一九六三年のニューポート・フォーク・フェスティヴァルのプログラムに寄せた文章で、私はステイシー・ウィリアムズというペンネームで編集した。ディランはミネアポリスの旧友デイヴ(トニー)・グローヴァーに宛てた公開書状という形で書くことにした。古い黄色の用紙に狭い行間でタイプされた原稿は、ガスリーのフォーク的な語り口とディラン独自の崩した句読法で書かれていた。およそ一五〇行にわたる散文詩で、古き良き日々と「ニューヨークに突撃する／突撃される前にぼくを知っていた」(4)友人のことを回想していた。

ミネアポリスのグループは、古い音楽、なかでもブルースを頑なに支持していて、ディランが政治的なスローガンとプロテストと時事問題を取り上げるようになっていくのを警戒していた。ディランは自分やグローヴァーが歌った古い曲を回想した。そうした曲が生み出された時代には、ガスリーによると、道は二つしかなかった――それは「アメリカ的な道かファシスト的な道か」(5)であり、あらゆる問いかけが二択だった。だが時代がそれを変えた、とディランは書く。「そして簡単に見分けのついたシンプルな二項は、徹底的に激しく壊れて唸って爆発したから、現代にまで残ってぼくたちを構成しているのは、ユラユラと転がる一つの巨大なこんがらがった円だ……」(6)。社会における害――国旗を振ってショットガンを携えたジョン・バーチ協会の人間たち、人を殺す犬に枯葉剤、インスタント食品に流行――について述べたあと、ディランは書いている。「誰がこんな世界にしたのかは分からないが、そいつらは自分の欲しいものを手にし、ぼくやきみを恐ろしくて蹂躙された世界に直面させている……」(7)。「廃墟の街」や「愚かな風」の萌芽を感じさせるこの文章は、「そいつら」がアメリカに対して行ってきたことを告発する。「そいつらはこの国の憲法を奪い去り、コソコソと思想を検閲し……／そいつらはオークションですべてを買い占め、愚かさと恐怖と腹立たしいほどの胡散臭さに満ちたゴミのような市場をぼくらに残した……」(8)

もはやディランはトラディショナル・ソングを歌ってはいられず、代わりに「戦争の親玉」「七つののろい」「ホリス・ブラウン」などの曲を歌った。それでも、政治的でないフォーク・ソングを否定しているのではないと彼は強調した。なぜならそれらの曲は「ぼくに教えてくれたからだ……歌は何か人間的なことを語り得るものだということを」(9)。彼は後年、プロテスト・ソングを書いたのはあくまでニューヨークのフォーク・ソング・ムーヴメントを盛り上げるためだったと語るようになるが、この手紙は明らかに心からのものだった。彼は当時トピカルソング・ムーヴメントの流れのただなかにいた。数週間後、グローヴァーからの返事はあったかとボブに尋ねた。彼はにやっと笑った。「まだだよ、でもメッセージが伝わってるといいね」

一九六三年の夏の終わり、私はフォーク・ソングをテーマにした雑誌『フーテナニー』の編集を担っていた。四号出したきり、それを生み出した流行とともに無慈悲にも忘れ去られるのだが、ディランには隔月で「風に吹かれて」と題したコラムを書いてくれないかと頼んでいた。形式も、長さも、内容も彼の自由だ。私は一本につき七五ドルという相当な額を提示して、グロスマンは眉をひそめたがディランは喜んだようだった。「金じゃない」とディランは言った。「アイデアが気に入ったんだ」

最初のコラムは一九六三年の初秋に掲載された。私が『シング・アウト!』よりもかなり広い層を想定していることを知っていたディランは、音楽についての細かい議論はやめにしようとフォーク・ファンたちに呼びかけた。「そんな風に音楽で人生を奏でるのは健康的じゃない――/きみの人生で音楽を奏でるのだ……目を覚まして進め――/目を開いて歩いていけ――」(10)。そして彼はモンタレーから東の、開けた広野の自然な美しさを讃えた。ニューヨークはストレスフルで醜い街だが、不思議な美しさも持ち合わせていた。ディランはそのエネルギーと多様さに惹かれていた。その記事に見られる「次なるガスリー」のトーンは明らかで、経験や人生や音楽に身を投じ、そこから何かを学び取る必要性を強調していた。枠にはめようとしてくる人間、分析してくる人間、ルールを押しつけてくる人間に「自分の境界を定められる」(11)のを許してはいけない。

『フーテナニー』での二本目の記事では、二人のポップ・フォーク・シンガーを、名前は伏せつつ厳しく非難した(アイラ・ロジャーズとリロイ・インマンだ)。ディランは彼らの音楽を口先だけの、媚びへつらうような白人向けの黒人音楽だと説明した。彼らの黒人びいきのお喋りにディランはゾッとしたのだった。彼らの音楽を聴きながら、ディランは自身が敬愛する黒人の活動家やアーティストたちを思い出していた。イヴァン・ドナルドソン、ジム・フォアマン、ジョン・ルイス、ミセス・マクギー、バーニス・ジョンソン、ザ・フリーダム・シンガーズ、マイルス・デイヴィス、メイヴィス・ステイプルズ、ポール・ロブスン、ダイアナ・サンズ、ジェイムズ・ボールドウィン。そしてディランは「時計を質に入れて妻と子供に楽をさせたいがためだけに/宝石店に盗みに入って/逮捕された貧しいけちな泥棒」(12)について書いた。ステージがまた暗くなるなか、アンクル・トムは演技を続ける。「そしてぼくは心のなかの鏡に問いかけた……／『この犯罪者って言葉はいったい何を意味してるんだ？』／『誰が一番ひどい犯罪者なんだ？』／『世界を一番歪めているのは誰なんだ？』／『本来のあり方を一番覆い隠しているのは誰なんだ？』」(13)。ぼくなら、とディランは言う、軽蔑すべきシンガーたちを立たせて壁に押しやり、所持品検査をして手錠をかけ、「そして連中の頭にこんな看板をぶら下げて／無実の人たちが近づきすぎないようにするだろう……『逮捕』」(14)

これは間違った法に疑義を投げかける数々の曲の前奏曲だった。独自のスペリングと句読点と構文の他に、このエッセイにはもう一つ特徴的な文体上の実験があった。彼は先のデュオの歌唱スタイルに重ねて文章を書くことに成功したのだ。彼らが「ブラック・イズ・ザ・カラー・オブ・マイ・トゥルー・ラヴズ・ヘアー」を歌うように、ディランは最初の単語「Black」を引き延ばし、「a」を三十個、「k」を八個タイプして、「Blaaa…kkk」と三行にまたがって記している。

一九六三年の終わり頃、ディランは忙しすぎて『フーテナニー』のコラムを続けられないと言った。私は思いやりを感じた、というのも彼は質問の集中砲火を浴びせて挑んできたからだ。この雑誌の活用法は何か。彼がコラムを書くのと書かないのとで何が違うのか。私の答えは彼も私自身も納得するものではなかった。もう一号の発行をもって『フーテナニー』は終わった。お粗末なマネジメントと関心の欠如が原因だ――フォークの聴衆はすでに分断化が進みすぎてどんな雑誌も受け入れられなくなっていた。だが少なくとも、私はディランに寄稿してもらう機会に恵まれたわけだ。ディランは雑誌を楽しんでいたようではあったが、そのときすでに『タランチュラ』に取りかかっていたし、熱に浮かされたように曲を書いていた。そのなかには、次なるアルバムに収録されるいくつかの傑作があった。レコードこそが何よりも人びとに訴える力を持っていることを彼は知っていた。

ターンテーブルの文学

アルバム『時代は変る』が一九六四年二月にリリースされたとき、コロンビア社はついにディランのスターの素養に気づいた。ディランは事実上アルバム全体をコントロールでき、トム・ウィルソンがプロデュースを手がけた本作の裏ジャケットに記された詩は、従来のポピュラー音楽のLPから大きく逸脱したものだった。裏ジャケットに入りきれない文章は内側に差し挟まれた冊子に続いていて、その「11のあらましな墓碑銘」はディランにとって初めて公に発表された詩となった。当時マリー・トラヴァースの配偶者だったバリー・ファインスタインが撮影したジャケット写真は、強い緊張感を漲らせて苦悩し苛立ちをにじませるディランを写し出していた。強烈な終末の空気がアルバムを支配している。トピカル・ソングにおけるディランの進歩は、彼のそれまでの楽曲すらも遥かに凌いでいた。「ハッティ・キャロル」「しがない歩兵」そして「ホリス・ブラウン」は当時のニュースを題材にしていたが、彼は同時に、自身の内にある大きなヴィジョンや広い普遍性を備えた複雑な「ストーリー」を堂々と編み込んでいた。

〈時代は変る／The Times They Are A-Changin'〉

六十年代的なムードの総決算。警戒を促すような問いかけはもはやなく、預言者的な声で変わりゆく秩序を歌っている。セルビア語、フランス語、ヘブライ語、その他さまざまな言語に翻訳されレコーディングされた。イメージは原初的で、素朴だ。洪水、回転する運命の車輪、ふさがれた門戸、戦いの嵐、道の変化。プラハ、パリ、シカゴ、あるいはバークレーの映像に合わせて流れても不思議ではない曲であると同時に、古いやり方に縛られた者たちと新たなものを求める者たちとのあいだで交わされる、いつの時代にも通用する対話でもある。初めの方の歌詞の聖書的な展開は黒人霊歌を反映しているように思える。タイトルが現れる箇所は、ヨハネの黙示録第一章三節「時が迫っているから」を思わせる。マルコによる福音書第十章三一節「しかし、先にいる多くの者が後になり、後にいる多くの者が先になる」の反響も聞き取れるだろう。ディランの言葉ではこうだ。「いまの敗者は／やがて勝つことになる」(15)。そして「いまの先頭は／やがて最後尾になる」(16)。洪水が押し寄せ、ハルマゲドンが近づく――「表では戦争が起きている／すごい激しさだ」(17)。そして「待ちかまえる衝撃」を警告する――変化は理解する暇もないほどの早さでやってくるだろう。若者に受け入れられた曲だが、「時代は変る」は古い世代を批判しているというより、のちに彼が言うように、「生きているものと死んでいるものを切り分ける」べく、凝り固まった考えを批判している。厳しく異議を申し立てながらも、ディランは親たち、作家たち、評論家たち、そして政治家たちにさえも、この変化の波に加わる機会を与えている。「どうか使命を忘れないで」(18)、「どうか新しい道をあけてくれ／手を貸せないのなら」(19)。食いしばった歯のあいだから歌われるような激励は、歌の大胆なリズムと救世主めいた調子と調和している。ディランは「間違いなくひとつの意図を持った歌で、スコットランドのバラッドに影響を受けている」と述べている。

〈ホリス・ブラウンのバラッド／Ballad Of Hollis Brown〉

トラディショナルな要素をふんだんに含んだ新しいフォーク・バラッド。メロディには「プリティ・ポリー」や「プア・ボーイ」や「プア・マン」のような曲に見られる様式的な悲しみがある。農村の貧困と惨事をめぐる痛ましい物語が力強い音楽となっている。充満する孤独の感覚――「分かってくれる誰かはいるか／気にかけてくれる者はいるか？」(20)――と、ひとつの家庭の絶望の集積が、小麦粉のなかのネズミ、死んだ馬、枯れて黒くなった草、干上がった井戸の描写によって時系列的に語られる。シェイクスピアの『マクベス』さながらに、殺人の道具である一丁のショットガン自体が力を得て、私たちをこの一節に導く――「七つの銃声が響く／海のはげしい波のうめきのような」(21)。印象的な死の情景が描き出されるあいだにも、どこか遠くで新たに七人が生まれている。これは希望の印なのか、それともさらに七人が同様の運命を辿ることの暗示なのか？「ホリス・ブラウン」の説得力あるストーリーテリング、十一の詩節で展開される悲劇は、もっと知られてしかるべき一曲である。

〈神が味方／With God On Our Side〉

ディランの最も痛烈な神話破壊のひとつ。やがて巻き起こる教育やカリキュラムや教科書に対する批判を先取りしていた。タイトルの一節は、ロバート・サウジーの詩（「法は我らとともにあり神が味方している」）やバーナード・ショーの「聖女ジョウン」にも見られる。皮肉なことに、この曲はあるファンの母親を安心させた。

「少なくとも彼は神様を信じているのね」。ディランはよくバエズとこの曲を歌っていて、アルバムに収録されたのはこの曲の最良のテイクではない。「不敬な戦争を神が容認している」という神話を定着させようとする故郷や教育について繊細で謙虚な若者が語るという内容は、明白にフォーク音楽の鋳型に沿っている。私たちからイスカリオテのユダ(A)まで、神が味方してきたものを挙げてゆき、最後の詩節では語り手の新たな倫理観が強調される。「もし神が味方なら/次の戦争を止めてくれるだろう」(22)。劇作家ブレンダン・ビーハンの弟であるドミニク・ビーハンは、自身のアイルランドの抵抗歌「パトリオット・ゲーム」のメロディを盗用しているとしてディランを公然と責めた。だが実は、ドミニク自身もそのメロディをかつてのポピュラーソング「メリー・マンス・オブ・メイ」から借用していたのだった。「神が味方」は後年のアルバム『スロー・トレイン・カミング』に収録された福音主義的な楽曲群と驚くほどの対比をなしている(23)。

〈いつもの朝に/One Too Many Mornings〉

スージーとの別れと結びついている二曲のうちのひとつ。ぼんやりしたマンハッタンの夜明けが迫るとともに、疲れきったディランがスージーのもとからヴィレッジへと歩き去る。苦痛を和らげるハーモニカの音は、ブルースマンが「落ち着かず満たされない気持ち」(24)を和らげているようだ。怒りはなく、恋愛のトラブルに対する批判もない。「きみはきみの側から正しい/ぼくはぼくの側から正しい」(25)。この若きロマンティストを苦しめているのは、なによりも愛の壊れやすさである。

〈ノース・カントリー・ブルース/North Country Blues〉

ヒビングを振り返るにあたり、ディランは炭坑夫の妻という仮面を借りてこの「物語」を語った。作者は「ブルース」と呼んでいるが、この曲はむしろ十九世紀西部のバラッドに似ている。ディランが描写するアイアン・レンジの鉱山閉鎖は実際の経済に起きたことである。「もっと安いんだから/南米の町では/坑夫たちがタダ同然で働く町では」(26)。

〈しがない歩兵／Only A Pawn In Their Game〉

これも社会の現実を描く曲だ——南部にはびこる人種差別がもたらす分断が、いかに貧しい白人を黒人同様に抑圧しているか。「だが貧しい白人は道具のように使われるばかり」(27)。一九六三年の初夏、NAACP（全米黒人地位向上協会）のミシシッピ州支部代表メドガー・エヴァーズ暗殺のニュースが国を揺るがした。『ブロードサイド』の面々はいち早くターナーやオクスらの曲で反応した。なかでもディランの曲は最も力強く、ひとりの黒人の殺害を端緒に、その根源にある問題、権力の結託、そして加害者と被害者の混同に焦点を当てた。

〈スペイン革のブーツ／Boots Of Spanish Leather〉

別れゆく恋人たちの対話を通じて、愛と、求めることと、失うことの悲しみを歌ったもうひとつの曲。古風な言葉選びとその使い方が、ガレオン船とエキゾチックな島々のヴィジョンを喚起する。おそらくはスージーのイタリア滞在に触発された曲だが、曲の悲しみは普遍的な広がりを獲得している。評論家のクリストファー・リックスはこの曲をディランの最も優れたラヴソングだと言っている。

〈船が入ってくるとき／When The Ship Comes In〉

預言的で、楽観的でありながら復讐心に燃えている一曲で、邪悪なものが清められる日の到来を告げている。その言葉は強く福音を思わせ、ファラオやゴリアテといった旧約聖書のキャラクターと新約聖書のヨハネの黙示録を同時に喚起させる。船は普遍的な救済のシンボルだ。ガブリエル・グッドチャイルドは言う。「神話や文学を通じて、私たちは水が無意識や、精神世界や、死の象徴であること、そして船が、そうした危険な海原を、孤独に、あるいは輝かしく旅する人間の小さなエゴの象徴だと知る」。キャロリン・ブリスは修士論文で、ヨハネの黙示録第七章第一節「大地の四隅から吹く風をしっかり押さえて、大地にも海にも、どんな木にも吹きつけないようにしていた」という箇所と、ディランの曲の冒頭「さあ時が来るだろう／風が止み／そよ風さえ吹くのをやめる時が」(28)を比較している。「世界中が見ている」(29)という箇所は、一九六八年にシカゴで民主党全国大会が催された際のデモ参加者たちによって合唱された。

〈ハッティ・キャロルの寂しい死／The Lonesome Death Of Hattie Carroll〉

実際の出来事がこのレイシストの正義をめぐるバラッドに着想を与えた。一九六三年二月八日、ボルティモアの名士がミセス・キャロルに杖で暴行を加えた。彼女は十一人(B)の子供の母親で、動脈硬化症を患っており、倒れると脳出血で翌日に亡くなった。彼女を襲ったウィリアム・D・ザンジンガーには、メリーランドの政界に影響力のある父親がおり、過失致死と暴行で有罪判決を受けたものの、軽い刑で釈放された(30)。この出来事を、フランソワ・ヴィヨンの構造で書いた曲に落とし込んだとディランは語った。実際の事件を取り上げて詩的な力を込めているが、階級をめぐる正義というテーマを語っているわけではない。ハッティ・キャロルが黒人だと強調されることは決してないが、私たちはそれを曲全体から感じ取る。リックスはこの「法のなかで置き場所を間違えた信念についての国民の歌」について広く講義していて、怒りのトーンを抑えた激しさを賞賛している。彼はディランの「ひとつひとつの言葉を的確に操る能力」、ハッティ・キャロルについての詩句の優しい終わり方、ぎこちなく見える箇所に潜む技巧に言及した。「裕福な両親が彼を養い守っている」(31)。五年後、この事件と楽曲はC・レスター・フランクリンの劇「ア・スカフォールド・フォー・マリオネッツ」に影響を与え、その劇はボルティモアで「私たちの町にはびこる敵対感情や偏見のセンセーショナルでショッキングな暴露」と宣伝された(アルバム『バイオグラフ』のライナーノーツで、ディランはヴィヨンからの着想については触れていない。「この曲の構成は、たぶん、ブレヒトの曲『海賊ジェニー』に着想を得ている」)。

〈哀しい別れ／Restless Farewell〉

アルバムの最後の曲を支配するのは後悔と自省の念である。メロディはアイルランドの民謡「ザ・パーティング・グラス」を下敷きにしている。ディランは新たな旅立ちでアルバムを締めくくることが多い。このとき彼は

『ニューズウィーク』の暴露記事に悩まされており、その誤解され、疲れ切ったアーティストが別れを告げている。「時間」が重要な要素で、アルバムタイトルでの使われ方と対照をなしている。歌い手は自身の時間もまた移ろうことに気づくのである。「ああ、ニセの時計がぼくの時間を刻んでくる／ぼくに恥をかかせ、気持ちをかき乱し、悩ますために」(32)。酩酊をともなう夢想のなかで、語り手はこれまで浪費してきた金、ないがしろにしてきた友人たち、飲み干してきたボトル、触れ合ってきた女の子たち、戦ってきた敵たち、自分を苦しめてきた考え、自らをとりまくゴシップを振り返ってゆく。そして自信を持ってこう結論する。「ぼくは負けずに抵抗しよう／ぼくのままでい続ける／さよならと言ってあとは気にすまい」(33)。彼は未完成のヴァージョンを私に歌ってくれたことがあり、これが伝わると思うか尋ねてきた。伝わると思うと答えたが、きみが満足させなきゃならない唯一の相手はきみ自身だとも伝えた。

「11のあらましな墓碑銘」

ディランはアルバムジャケットの裏と内側のノートに刷った散文詩で、アルバムの曲に広がりを与えている。この内省的なパートで、彼は他より自由に自身について語っている。『ボブ・ディラン全詩302篇』にも収録されているこの墓碑銘集は、ディラン・トマスの「詩は墓場に向かう途上の宣誓である」という言葉を思い出させる。『ニューヨーク・タイムズ』で詩を担当する編集者トム・ラスクは詩人としてのディランを、「墓碑銘8」の次のような一節を引用して激しくこき下ろした。

（もし韻を踏んでいれば、踏んでいる
そうでないなら、そうでない
やってくるなら、やってくる
そうでないなら、そうでない）(34)

この部分に通じるものがあるとすれば、T・S・エリオットの「闘技士スウィーニー」の、ジャズに影響を受けたこの箇所だろう。

あなたに話しかけるとき私は言葉をつかう
でもあなたがそれを理解しようがしまいが
私にもあなたにも関係のないことだ
誰もが するこことをするだけ……(35)

不安定さと時おり顔を出す明らかな自動記述のなかで、墓碑銘には才気と洞察がきらめいている。書き手はギターとハーモニカを脇に置いて踏み出したのである。自伝のようにも詩のようにも読め、さりげなく見えるが、優れたバランス感覚と統制と枠組みを見て取ることができる。路上への、そして疾走する書き手への言及が繰返されている。詩は夕方から夜の深みへ、そして夜明けへと推移する。「墓碑銘」という言葉には二つの含意がある。ひとつはディランのこれまでの人生ですでに死んだものへの祈念であり、もうひとつは墓碑銘8、10、11のように、ディランが最も神聖だと考えているもの、そして自身の墓碑銘としていつか選ぶかもしれないものへの賛美である。全体を通じて、彼のアイデンティティは青年期から大人のものに変わってゆき、過去へ「哀しい別れ」を告げている。まずもってソングライターであるディランは、「墓碑銘」に豊かな彩りとリズムを浸み込ませており、それらの形式はのちに「ラヴ・マイナス・ゼロ／ノー・リミット」や「ハリケーン」といった楽曲のなかで発展していく。

「墓碑銘1」

自分自身のイマジネーションという聖域に身を任せるために、彼は「この目のよろい戸をピシャリと閉める」(36)。声は告げる。「彼はイカれている／決して目を開けることがない」(37)。語り手は幻覚を見ている混乱と、方向感覚やイデオロギーの失調を語る。ついで、啓示のひらめきがある。「その銃声がぼくを叩き／起こした……そんな音はこれまで／聞いたこともなかったから」(38)。その銃声はケネディを、メドガー・エヴァーズを撃ったものだったのか、それとも引きこもるべき自分だけの世界を見いだせという、認識の一撃だったのか？

「墓碑銘2」

子供時代を過ごした場所への、「盗まれた時間の中の生活」よりも成熟した視線。ダルースは「思い出というものを持ち合わせていない」(39)が、ヒビングは「ぼくに失われたものたちの幻影を残している」(40)。彼は古い北ヒビングの衰退と新たな町への移住を語る。一帯が衰退し、冷たい風が吹く。「まるで／戦時の雨によって／その土地が空爆され、壊滅されてしまったかのように」(41)。彼はそれでも走り続ける。「でもぼくの道は多くの変化を目にしてきた／ぼくは避難民としてときを過ごしてきたから」(42)。彼は自分が「変わってしまった目」(43)とともに戻ってくるだろうと想像する。年老いた者にも若者にも語りかけようとする様はホイットマン的だ。その町の前で立ち止まり、その町を抱きしめ、愛しさえすることで、若かりし頃の反骨心と折り合いをつけている者として自分自身を捉えている――「ぼくは学んだ／期待しないことを／町がぼくに与えることができないものは」(44)

「墓碑銘3」

ディランは、自身が影響を受けたロマンチックな神話のことを考える。たとえば、ガスリーが恐慌時代のニューヨークに降り立ったというエピソード。だがガスリーの時代とは違い、ディランを歓迎してくれる労働運動などなかった。彼はヴィヨンの「昔日の美女たちのバラード」をもじってふざけてみせる（「ああ去年あったあの力はどこにいった?」)(45)。それからウェールズの炭坑夫を歌ったイドリス・デイヴィスの詩と、その舞台をアメリカに移したピート・シーガーの歌「リムニーのベル」を並べてみせる。ディランはニューヨークへの自分なりの歓待の言葉を探していた。彼は迷子になったのでも、よそ者というわけでもなく、「むしろ/ここに住んではいない者」(46)だった。結びでは、ある伝説的なブルースマンと『詩篇』の二三篇を引き合いに出しながら、過去の指針から自由になることを宣言する。

何が捜し求めるに足るものかを
知っているようなふりはしない
すくなくとも
そばにはいない
ぼくの子供っぽさをそそのかし
まちがった挑戦をうながし
ぼくに泥水(マディ・ウォーターズ)をすすらせるような亡霊は
そうだぼくこそ
きみの家のドアを叩く者
もし中にいるのがきみで
その音が聞こえるのなら(47)

コロンビア・レコードはアルバムの一面広告にこの最後の四行を使った。

「墓碑銘4」

組織化された政治に抗する死の詩。いかなる政治団体も運動も彼の望む答えを提示できていない(「ジム」とはおそらくSNCCのジェームス・フォアマンのことだろう）。これはまたイデオロギーと教育における「洗脳された理想」(48)への墓碑銘でもある。彼はハイウェイへ、彼の公道へと「死にものぐるいで走る」(49)。「もうかまわない／人びとが何を知っているかについては／それよりも彼らがどう感じているかをこそ」(50)

「墓碑銘5」

作家アル・アロノウィッツとその妻アンの家を訪ねると、じれているような質問と煙にまく返答が交わされる。そんな気の滅入るような曲をやりながら幸せだということがあり得るのかと訊かれた彼は、こう答える。

レニー・ブルースいわく、汚い言葉など
ない……ただ汚い心があるだけ、そしてぼくも言う
気の滅入る言葉などない、ただ気の滅入る心があるだけ(51)

この墓碑銘は曖昧だが、詩を「なにか終わりのないもの」(52)と説明していて、ステージの上の歌を「ぼくの幸せを／繙（ひもと）いたものにすぎない」(53)と述べる。

「墓碑銘6」

アイドルと、アイドル崇拝の危険について。彼の最初で最後のアイドルであるガスリーから、彼は「人間は人間」(54)なのだということを学んだ。

「墓碑銘7」

ハーレムの台所にいるネズミたちも追い出せないのに外国の悪魔と戦うのはやめるんだ、とディランは書く。「赤ん坊を食べるロシア人ほどの／悪党はいない／でもネズミだって赤ん坊を食べる」(55)。この墓碑銘には、し

ばしば引用される、政治的レッテルについての嘲笑も含まれている。

右翼などというものはない
左翼も……
あるのは上翼
それから下翼(56)

「墓碑銘8」

彼を盗作者よばわりするゴシップからの防御。彼はフォーク音楽の過程を説明し、古いものの上になにかを築くことは「クローゼットに閉じこもったぼくの思考に裏庭の空気を通す」(57)ためだと告げる。無数の曲に影響を受けていることを認めながら、彼は書く。

すべての曲が導かれて海に戻ってゆく
そしてあるとき、そこには
それをまねて歌う舌もないときがあった(58)

誰も罪から自由ではいられない、それに「世界は法廷以外のなにものでもない」(59)。彼は警告する、被告人は法廷をせっせと掃除をしているから検察官はまもなく掃き出されるだろう——「ハッティ・キャロル」における偽りの正義のテーマが、ここにも響いている。

「墓碑銘9」

メディアによる裁判という、もうひとつの法廷。『ニューズウィーク』や『シング・アウト!』など、彼を標的にした雑誌への反抗的な返答である。「記者の気まぐれには応じまい」(60)。そのような露出のために協力はしない、と彼は書く。なぜなら「ぼくは自らを『明かして』いる／ステージに立つたびに／いつも」(61)

「墓碑銘10」

最後の二つの詩は、敵、大義、そして政治から去り、人生と、愛と、歌を讃える。それらはディランの揺れる感情に対応している。怒りを消化してから愛を表現するのだ。この墓碑銘は夜想曲である――ディランは「ぼくの終わりのない夜という地下牢」(62)から夜明けへと飛び立つ。自らの破壊性を認めながら、スージーに対してはただ優しい思いを向けている。他にも友人たちが登場する。エリック・フォン・シュミット、ジーノ・フォアマン、ヴァン・ロンク夫妻。そして彼は音楽と、加速する自身の思考を讃える。

ぼくはフェアなレースに参加している
コースはこの夜だけ
競争相手は夜明けだけ(63)

「墓碑銘11」

哀歌のような言葉が、たえず変化する天候を予見する。気の向くままに、彼は自分にインスピレーションを与えた人物の名前を挙げていく。その長いリストはウィリアム・ブレイクからジョニー・キャッシュ、そしてシーガーにまで及ぶ。その叙情は『若き芸術家の肖像』における、ジョイスのアイルランドへの別れを思い出させる。その本の主人公スティーヴンは、沈黙と狡猾と流浪で身を守るのだ。ディランは自らを孤独なシンガーの系譜に連ねる。

そしてぼくの孤独は強く

深くとけ込んでいる
ぼくの自由の底のほうに
そして、それは、けっきょく
ぼくの曲に残るだろう(64)

その芸術性にもかかわらず、『時代は変る』と墓碑銘の批評的評価は真っ二つに分かれた。『リトル・サンディ・レヴュー』では、「四五分の憂鬱……音楽的には、間違いなく彼の最も貧弱なアルバム」であり、「自由連想で書かれた八二二行の空虚な詩」は「精神的なマゾヒズム」だと切り捨てられた。『ハイ・フィデリティ』はこう警告している。「ディランはあなたを楽しませてはくれないだろう。それは彼の仕事ではない。代わりにあなたの魂を枯らすだろう」。『ハイファイ/ステレオ・レヴュー』は「終末のヴィジョンに耳を傾ける、この痛めつけられた人」への判断を留保している。このレビュアーはディランをガスリーと同等に評価していたが、「傷ついた自尊心の気取った擁護者になりさがってしまう」のを懸念してもいた。トニー・ハーバートと名乗るヴィレッジのフォーク・ファンは「神が味方」のパロディを書き、プロテストには金がつきものだと述べた。だがアルバムと詩には賞賛も与えられ、ディランの評判はまた広まった。ひどく辛辣な大衆の意見はかなりのものだったが、彼は誰の命令にも耳を貸さず、孤独な道を歩むことを選んだ。あらましな墓碑銘を記したばかりではあったが、ディランの人生はまだまだ続く。

アナザー・サイド

一九六四年五月にロンドンで公演を行ったあと、ディランはパリとギリシャへ短い旅行をした。旅にはツアーマネージャーのヴィクター・メイミューズが同行し、ディランはヴァーニリャという小さな村を訪れた(C)。六月に帰国すると、わずか二晩で十一曲を録音し、さらにライナー用の詩を書いた。コロンビア社は一九六四年初夏のリリースで『ボブ・ディラン・イン・コンサート』というアルバムを予定していた。それは一九六三年十月二六日のカーネギー・ホールでの公演を中心に、一九六三年四月十二日のタウン・ホールでの公演からもう一曲と「ウディ・ガスリーへの最後の想い」の詩をあわせて収録することになっていた。だがそのアルバムはキャンセルされ、一九六四年八月に『アナザー・サイド・オブ・ボブ・ディラン』がリリースされた。

ほとんどの批評は冷ややかだった。フォークの左翼は彼が「過度に主観的」になっていると考えた。ほかの批評は審美的な理由で批判していた。最も嫌味なレヴューはおそらく『ハイ・フィデリティ』の下手な詩のパロディだろう。「でも、ボブ／彼にはふたつの問題がある／ちいさいほうは／彼が書いている言葉／あれが英語じゃないこと／そして彼の踏む韻が／歌じゃないこと／この手の／倒錯した知性は／私を／徹底的に／退屈させる」。『アナザー・サイド』はたしかに性急に録音されており、歌もディランのベストではない。だがこのアルバムは間違いなく、疲弊と、冷笑と、旅のもの憂さを捉えている。自立して進む新たな方向性もはっきり示していて、そこにはディランの悪ふざけめいたウィットが戻ってきている。それは『時代は変る』では顕著に欠けていたものだった。ディランはトム・ウィルソンが提案したアルバムタイトルをしぶしぶ受け入れた。

〈オール・アイ・リアリー・ウォント／All I Really Want To Do〉

複雑で、お堅い、フロイト的思考を持つ女性と関係を持とうとする「単純な」男についての冗談。風変わりな列挙を続け、同じ行内や各行の最後で豊富に韻を踏み、ディランは自分の冗談を、歌いながら、ヨーデルを披露しながら、ふざけながら、笑っている。精神分析の時代における「ボーイ・ミーツ・ガール」と、社会的・性的関係に対する価値観の変化を風刺している。

〈黒いカラスのブルース／Black Crow Blues〉

カントリー・ブルースの表現に対するディランの理解はいつも優れている。このオリジナルのブルースは、デルタの農場から発されているような悲しみと疲労と憧憬が込もっている。穏やかにスウィングする演奏で、調子はずれのホンキートンクのピアノが説得力を加えている。

〈スパニッシュ・ハーレム・インシデント／Spanish Harlem Incident〉

ディランのラヴソングにおける女性と詩の女神(ミューズ)のリストは長い。ジプシーの占い師に屈するこの歌のモデルとしては、ディランのあらゆる友人が考えられる。ディランはつねづねミドルクラスの、学生の、知的な女性の空虚さを軽蔑する一方で、より深い現実に触れさせてくれる『タランチュラ』のアリーサのような黒人の地母神の生命力を称えてきた。情熱的な歌いぶりで、「ホームレス」と歌う箇所は、メキシコのランチェラのように声を震わせて発される。

〈自由の鐘／Chimes Of Freedom〉

言葉の点では、その広がり、普遍性、思いやりの深さにおいて、彼の最も卓越した歌・詩である。私の半ダースに入るお気に入りのディラン作品であり、言葉の色彩と暗喩、そして包み込むような人間性が際立っている。ディランの弱者への親近感が、これほど高潔な表現に至ることはめったにない。彼は虐げられた人びとのための「自由の鐘の閃き(ひらめ)き」(65)を聞く。これはディランのなかでも有数の政治的な曲であり、最も優れたラヴソングのひとつでもある。ここで彼は愛や共感を拡張しているからだ。「癒えることのない傷が痛む者たちのために／混乱し、責められ、誤解され、疲れ果てた無数の人たちのために、さらに追い込まれている人たちのために」(66)。曲は「荒れた大聖堂の夜」(67)の劇的な嵐を舞台にしていて、彼お気に入りの大嵐の暗喩を展開させている。「荒々しく激しく雹(ひょう)が狂わしく神秘的に打ちつけるなか／空は驚きをあらわに詩へひびを入れる」(68)

ジャック・マクドノーによれば、この曲は現代における「ロマンティックで、ブレイク的な子供時代」への小旅行であり、「感情を剥奪してくる相手に対する、感情による抵抗」である。この曲には「共感覚」(D)として知られる過剰でしばしば暴力的なイメージがある。その強烈な鮮明さはポーやハート・クレインに見られ、特にランボーの「母音のソネット」に顕著で、そこでは母音から色彩が生じるという有名な言葉が語られる。論文「ボブ・ディランとフランス象徴派の詩」において、ベル・D・レヴィンソンは「はげしい雨」と「自由の鐘」

について、「ディランはテーマのみならず、スタイルもランボーのそれに近い」と述べている。私は、「自由の鐘」の歌詞はディランが「はげしい雨」から一歩踏み出して詩的な力を最大限に発揮し始めた象徴的な一篇だと考えている(69)。

〈アイ・シャル・ビー・フリー No.10／I Shall Be Free No.10〉

奇抜でダダ的なナンセンスへの突然の移行。ガブリエル・グッドチャイルドは言う。「リア王が嵐に放り出されたような苦悩と世界の無秩序のヴィジョンのあとでは、道化師のあからさまなナンセンスをありがたく感じる」。このトーキング・ブルースの位置づけはおそらくコミカルな緊張緩和で、ディランは自分自身を愉快そうにからかってみせる。「さてみんながぼくに詩を読めと言ってきた／ここは女学生の社交クラブ／打ちのめされて頭はくらくら／女子学生部長を相手にしなくてはならなくなった／イッピー！　ぼくは詩人だ、分かってる／だいなしにしないといいけど」(70)

〈ラモーナに／To Ramona〉

性的な渇望を含んだ優しい忠告で、ラモーナに自身のアイデンティティのために戦うことを呼びかける。ディランの女友達を組み合わせたような相手に宛てられていると考えることができそうだが、おそらくは南部の公民権運動に勤しむ一人の女性に向けられたもので、彼女のニューヨークでの不安な時期が念頭に置かれているのだろう。「街の花は／息吹きのようだけれど／ときには死のようになる」(71)。それでも、語り手は恋人に向けて語りかけながら、迎合はしないよう自分に言い聞かせている。「常態化と権力と友人たちから／きみの悲しみは生じる／きみを煽り、役割を押しつけ／きみを連中と／まったく変わらないのだという気分にさせる」(72)。安らぎをうながすとき、語り手はより謙虚になる。「すべては過ぎ去る／すべてはうつろう」(73)。いつか彼も、女性が探している安らぎと進路を必要とするかもしれない。ブレイクとディランについての論文のなかで、ユージン・ステルツィグは、ディランが自由を定義する試みは、ありふれた「政治」を超えて「経験の政治」へと進んでいる、と言う。ディランはすでに『ニューヨーカー』でナット・ヘントフにこう述べていた。「爆弾より深刻な問題がある。問題は自由な人がいかに少ないかということだよ」。ビル・キングは「悲しみの痛みは過ぎ去るだろう／きみの感覚が目覚めたときに」(74)の「過ぎ去る(to pass)」の箇所と欽定訳聖書の関連を指摘している。

〈悪夢のドライブ／Motorpsycho Nitemare〉

次の三枚のアルバムで展開するフォーク・ロックへの接近――リズム・セクションがほとんどイメージできる。農家の娘と、旅するセールスマンをめぐる古い艶話を作りなおしたもので、二重の意味を持った歌詞が機関銃のように発される。ディランは、『サイコ』風のシナリオを、フィデル・カストロと彼の髭のことで頭がいっぱいなアメリカ中産階級のパニックに変形させた。ヒップスターが『リーダーズ・ダイジェスト』誌を武器にした保守的な男と対峙する、いたずら心にあふれた魅力的なストーリーは、風刺として申し分なく長持ちする。

〈マイ・バック・ペイジズ／My Back Pages〉

悲しげなメロディは「ハッティ・キャロル」を思い出させる。これはうわべだけの言葉、主義、安易な答えからの独立を宣言した重要な一曲である。ニューポートの公開書状の時期から、ディランは自分が「死体の福音主義者」(75)の言う「人生は白と黒だ」(76)というメッセージを受け入れることはできないと気づいていた。彼はみずから「説教を始めたとたんに」(77)自分自身の敵にさえなる。ここには、彼がかつて受け入れていたものと現在疑いを抱いているもののあいだの内的な対話があり、死と再生を示唆する有名なリフレインがある。「ああ、でもあのときぼくは老いていた／いまはあのときよりずっと若い」(78)。ブレイク的な「経験」から、ディランは「無垢」へと戻ってゆき、それが彼を永遠に若くする。ジャック・マクドノーによればこうだ。「ディランの作詞における最も重要な達成のひとつは、ここでワーズワースとブレイクの世界を戦後のアメリカに転移させたことである」

〈アイ・ドント・ビリーヴ・ユウ／I Don't Believe You(She Acts Like We Never Have Met)〉

『ボブ・ディラン全詩集』において、ディランは別のタイトル「彼女はぼくたちが一度も会ったことがないかのように振る舞う（シー・アクツ・ライク・ウィー・ネヴァー・ハヴ・メット）」を提案している。「荒々しく焼け付くような夜」(79)のあとで別れを告げるのはたいてい女性であり、男性ではない。彼は愛の幻想と現実を比べてみせる。「ぼくにはすべてが新しい／なにか神秘のようで／まるで神話のようですらある」(80)。快活なメロディーは冷笑的な言葉にさからっている。ディランが三つめの詩節で笑って吹き出しているのは、その最後の五行で間違って四つめの詩節の歌詞を歌ってしまったからだろう。

〈Dのバラッド／Ballad In Plain D〉

ディランの最も直接的な自伝的楽曲のひとつで、率直な語りは後悔に満ちている。「D調」というキーワードは、容易に死（death）、絶望（desperation）、廃墟（desolation）を連想させる。一九六四年三月の半ば、アヴェニューBのスージーとカーラのアパートメントで痛ましい事件があった。スージーがヒステリーを起こす一方で、ディランとカーラは床の上で取っ組み合いになった。友人ポール・クレイトンとバリー・コーンフェルドの二人が仲裁に入った。この出来事はボブとスージーのロマンスを事実上終わらせた。彼らは何か月も連絡を取らず、その後何年も友情を復活させなかった。スージーはボブがこの曲を書いた理由を分かっていたが、一九六八年に私にこう語った。「あの曲は行き過ぎだと思う。どれだけ力を持っていたって、どうにもできないことだってあるのよ」。カーラは、ただ妹を守ろうとしただけだと語った。「私は居候じゃなかった。いつも働いていて、家賃にも食費にも貢献してた」。彼女は、ディランがこの曲について最終的に謝罪したと言った。だがディランが立場を変えることはなく、私に語った。「この曲はあの状況をよく要約していると思うよ」。ディランは、普段の会話でもスラングを連発していたが、このときはまったく違った語り方をしている。「説明のつかない意識」(81)、「怒りの影に偽りの平穏」(82)、「傷ついた墓石」(83)。最後の詩節では失われた恋人を、自由を欲していない囚人になぞらえている。

ああ、監獄から来た友たちが、ぼくにたずねる
「自由でいるのはどんなに、どんなにいい気分だい?」
ぼくはこの上なく謎めかして答える、
「鳥たちは航空路の鎖から自由だと思う?」(84)

〈悲しきベイブ/It Ain't Me Babe〉

愛の重荷についての一曲。ステルツィグはこの曲と「くよくよするなよ」に「女の意志」の反響を見る。ブレイクはそれを自身の詩「永遠」にある格言で攻撃した——「歓びでみずからを縛るものは/羽のある生を破壊する」——とはいえ、ディランは前曲で羽のある鳥でさえ自由ではないと言ったばかりなのだが。もしビル・キングが指摘したように「ディランはラヴソングの形式を借りて人間関係一般を比喩的に語っている」とするなら、真実の愛という神話を拒絶するこの曲は、観客の要求に対するディランの拒絶も表していると言えるだろう。

「いくつかのべつのうた……詩」

『アナザー・サイド』のジャケットの文章は「いくつかのべつのうた……ボブ・ディランによる詩」と題されている。彼の曲が紙の上の詩の世界を広げているのと同じように、詩もまた彼の曲を押し広げている。コロンビア社はディランが書いた詩のうち五編を、窮屈な、電話帳の字のサイズで印刷した。『ボブ・ディラン全詩集』においてテキストはより読みやすくなっていて、十一編が収録されている。「墓碑銘」と同じ数だ。「いくつかのべつのうた」はディランによる、音楽としての言語と、しばしば捉えどころのない彼の世界観をめぐる実験の記録である。その形式は象徴主義的でシュールレアリスティックだ。

「詩1」

一行が短く、韻が快活なテンポで縄跳びかけんけん遊びのように跳ねる極めてリズミカルな挿話（このような形式のストリート・ポエトリーはオーピー夫妻やトニー・シュワォーツといった人たちによって蒐集され、ドミニク・ビーハンやイワン・マッコールらによって『ザ・シンギング・ストリーツ』というアルバムで歌われている）。この最初の詩の中心人物は「ベイビー・ブラック」で、若いハーレムの女に違いなく、生き延びるために苛酷な暮らしを強いられている。「ベイビー・ブラック／殴り返す／盗む、質入れする／商売して生きる」(85)。私たちは『フーテナニー』での最初のコラムに出てくる娼婦をここに見る。「ベイビー・ブラック」はまた「スパニッシュ・ハーレム・インシデント」にも関連づけられる。「きみは秩序をもとめる／彼女は世界を／質に入れる／一ドル二五セントのために……ぼくをあげよう／質に入れてくれ」(86)

「詩2」

可憐なフランス人シンガーのフランソワーズ・アルディに捧げられた、一九六四年春のディランのパリ旅行の甘い思い出。春のパリのスナップショットが、首脳レベルの会談と対比されている。

「詩3」

勝負に取り憑かれた勝者が敗者を「這いつくばらせたい」と思う、という会話で始まるチェスゲーム。別の箇所は、一九六六年のローリング・ストーンズの曲「マザーズ・リトル・ヘルパー」に先駆けている――「よくいる家事手伝いがドラッグストアにあるクスリで酩酊している、合法で／売られているんだ、それがキッチン掃除のお供になる」(87)。ディランが作家ヘンリー・ミラーとカリフォルニアで卓球をしたときのことも語られる。ディランは女性の記者をからかう。「ぼくに言わせたがる／彼女が言わせたいことを。彼女は／ぼくに言って欲しがっている。彼女が／理解できることを」(88)。最後の部分は暗澹たる情景である。「立ち退き。感染症による壊疽そして／原爆。どちらの側も存在し続けられるのは／欲している人間がいるからだ／利益を」(89)。イエス・キリストへの漠然とした言及のあと、このくだりは昆虫の、ヘビの、アリの、カメの、トカゲのいる自然の世界へ、そしてチェスプレーヤーのところへと帰っていく。「そしてすべてがいまだに這い回っている」(90)。

「詩4」

イメージはチェスからトランプゲームに移行する。使い慣れた古いトランプで、ダイヤのジャックが出てくるのは伝統的なブルースからの引用だ。この詩は大声で読むべき叫びのニュアンスがあり、叩き付けるようなリズムで、鮮やかな韻とイメージが輝いている。ディランはアメリカの俳優ベン・カラザースと一緒に夜のパリの通りを歩いたことがある。ベンは、ディランに断りなく「詩4」の一部を拝借して曲にした。その「ジャック・オ・ダイヤモンド」は、一九六五年、カラザースとイギリスのグループ、ザ・ディープによってレコーディングされ、のちにフェアポート・コンヴェンションによっても歌われた。オデッタの「ジャック」が最初期の影響源だろう。

「詩5」

これらの詩篇のハイライトで、黒人霊歌「ジェリコの戦い」とともに断片的な内省が提示される。ブルックリン橋の上から破滅へ飛び込もうとしているひとりの男の見事な描写がある。「一目見ただけで分かった／彼はどうしようもなく孤独だった」(91)。人だかりのなかで、ディランは男が飛び降りるのを見たいと思った自分を恥じる。彼は群がる野次馬と飛び降りようとする男のどちらにも自分を見いだす。彼の思いは現代の孤独な群衆の空虚さから、ニューオーリンズの謝肉祭「マルディグラ」の群衆へと移っていく。これはのちの『タランチュラ』を思わせる。「知的な蜘蛛たちが／うねるように六番街を進む」(92)。彼は一四丁目をうろつき、彼を自分のレベルの絶望まで引き下ろそうとする人間と会う。彼は自分や他者の自己破壊性と向き合わなくてはならないことを知っている。共感を込めて、逃避のために映画館へ向かう群衆を見る。「奴隷たちに特別な色はない／そして鎖の連なりには／特別な順序などない」(93)。彼のギターがギリシャの女性を踊らせ、笑わせる。彼は失われた愛に思いを馳せ、誓う。「これからはもう／生きている魂を追って／身勝手な愛の牢屋に／閉じ込めたりしない」(94)。そして彼はジョシュアに戦いに行けと言い、語り手はウォールデンを思わせる森に退却する。実存的に、ロマンティックに、自己への認識を得るには孤独が一番だと信じて。ディランはジョシュアにそっと、次の戦いには自分も参加すること、ジョシュアの戦いはいつか歌で讃えられるかもしれないということを告げる。

［詩6］
スージーをめぐる恋のライバルであるエンゾへの羨望とかつて抱いた憎しみについての短い一編。嫉妬との戦いという点で「マイ・バック・ペイジズ」を思わせる。

［詩7］
ミケランジェロが描いた天使の顔の上で眠るチャーリーという男についての六行の謎めいた言葉。

［詩8］
ヒッチハイカーの女の子が車に乗ってドライヴァーと話をする。このケルアック的な路上の感覚が、危険を伴う自由を想起させる。

［詩9］
貧しく、何も持たない青年ジョニーについての、憂いに満ちた物語。両親は、彼が何をしてもきちんと世話をしてきた。でも彼を金で大学にねじ込むことはできず、両親はその代わりにこう告げる、「ほら息子よ、（キャデラックの）車だよ坊や」(95)。彼はその車を壊す。

［詩10］
「政治などというものはない」と題をつけられそうな一篇。皮肉屋と、きちんとした真面目な生活を送っている

ように見えるが実際は空虚であるような人との対話。「神聖な空虚さもある／そう、空虚な神聖さも」(96)。謎掛けと真実を伴う、ディランの魅力が出た優れた一節——

きみはぼくに質問する
するとぼくは言う　どんな質問も
もしそれが誠実な質問なら
問いが答えになり得ると(97)

「詩11」

「由々しい不信が船出する」最後の詩では、ウェディング・ソングと鐘が鳴り、「リムニー」に通じるものがある。いたずらっぽいトーンだが、粉々になった幻想にうち震えて締めくくられる。

祭壇の内で
劇場の外で
神秘が崩れ去る
不信が蔓延するときに
忘れさられた数珠(ロザリオ)は
釘付けになる
砂の
十字架に

そして金持ちは見つめる
彼ら私有の壁画を
すべては失われたんだ
すべては失われた(98)　シンデレラ

「いくつかのべつのうた」は難解だが、そこには冒険的な暗喩や、コントロールされたニュアンス、流れるようなリズムがある。ディランの自己探求は、何らかの意味を見出すためにはもっと多くの問いかけが必要だと結論している。一見不規則に並んだ彼の言葉は、姿を現しつつある彼の内面を暴く占いのカードである。これらの詩は、彼の個人的な喪失と再編の時期に書かれた。隠されていた、あるいは次第に姿を現しつつある内面の発見は、ロマン主義詩人の大きな特徴でもある。ディランの洞察の核は、問いかけこそ答えであり得る、というものだ。この先には一九六五年と一九六六年にリリースされる三枚の偉大なアルバムにおける彼の錯乱したヴィジョンと、それらが投げかけるさらに大きな問いが控えている。

文学が立場（ターンズ・テーブルズ）を変える

文学の狭い定義を葬るため、ディランの詩を「いくつかの別の歌」とするのではなく、反対に彼の歌を「いくつかの別の詩」と呼んではどうだろう。一九六四年にリリースされた前述の二枚のアルバムのあと、ディランを文学として受け入れる声は高まっていった。だがそれから二十年を経た八十年代においても、歌詞を文学として受け入れることへの冷ややかな嫌悪は文学の世界に満ちている。

皮肉なことに、この態度は口承芸術としての詩と文学のルーツを見誤っている。ほぼあらゆる文化圏において、歌は詩の最も古い受け皿だ。詩と音楽の底にはリズムという共通の要素がある。有史以前から、口承文学は物語の、伝説の、神話の、叙事詩の、そしてロマンスの受け皿だった。口承文学は労働と崇拝を伴う。そこには聖なるヒーローとヒロインが、神々が、そして女神たちがいた。そこには道徳的教訓があり、慰めがあった。グーテンベルク以前、詩は社会的な芸術だった——それからゆっくりと私的な芸術になっていった。かつては大衆的な形式だったが、貴族とエリートのためのものになって久しい。ディランが達成したことのなかでもとりわけ重要なのは、詩を再び大衆のもとへ引き戻したことだ。声に出して読まれることで生命を得る詩は数知れない。シェイクスピアやブレイクは、演説者や歌手の声によって歌で満たされる。

優れた歌詞を口承の文学として認めさせようという戦いは決して珍しいものではない。民俗音楽学者たちは長年にわたってそんな戦いを生きてきた。フランシス・ジェームズ・チャイルド教授を先陣に、ハーバード大学のシェイクスピア研究者グループは古いスコットランド・イギリスのバラッドを擁護した(99)。聖書学者たちは、旧約聖書の大部分が紙に記される前は歌われていたのだと主張した。ブルースを研究するポール・オリヴァーやチャールズ・ケイル、それにサミュエル・チャーターズ、またバラッドの蒐集家だったロマックス父子などは、ブルースやフォーク・ソングやバラッドを基に当時の人びとやコミュニティの姿を描き出した。フォーク・ソングとフォーク詩の泉は、マーラーやバルトークといった作曲家、そしてイェイツやサンドバーグといった詩人たちの根を潤してきた。

いまのところは、質についてとやかく言うのはやめよう。ポピュラー音楽のなかにある口承文学の痕跡を否定しようとする輩はいつも、儚さ、平凡さ、味気なさといった弱点を狙おうとする。だが誰にチャック・ベリーやスモーキー・ロビンソンやハンク・ウィリアムスやロバート・ジョンソンの詩の才能を否定できるだろう？　聖書の預言者や讃美歌作家たちは代々受け継がれてきた智恵を歌ってきた。古代ギリシャの神話と文学はどうか？　ホメロスは吟遊詩人であり、神話のオルフェウスとディオニュソスは音楽と詩の源だったではないか。中世ウェールズの詩人たちはどうだ？　ロバート・グレーヴスの『白い女神』は宮廷詩人と吟遊詩人が達成してきたものを詳しく描いている(100)。ゲルマン人と北欧人の偉大な叙事詩の語り手もその伝統に加わり、自らが属す民族の口承の／アウラ的な歴史を口から耳へと届けたのだ。

歴史上の文学的な歌い手のなかで私のお気に入りはゴリアールたちだ。一一六〇年頃、ディランがヴィレッジにやってくる実に八〇〇年前に全盛期を迎えた歌手／詩人たちで、ラテン語で歌詞を書き、教会の連禱（れんとう）という形式を崩して歌ったのは酒場と肉欲の歓びだった。彼らは風刺とパロディを駆使する反抗者だ。堕落した聖職者や道を外れた僧侶をしつこくからかい皮肉った。ほとんどのゴリアールはみすぼらしい流浪人、落伍者、逃亡者であり、いつも路上にいて、大学から大学へと移動しながら、物乞いし、盗み、たかり、歌った。ゴリアールの歌はカール・オルフの傑作「カルミナ・ブラーナ」に活用され、クラシック音楽の世界に受け渡された。

オペラや演劇で繰り返し語られる、ギリシャ神話で最も名高い歌う詩人オルフェウスはどうだろう？　彼は妻のエウリュディケーを救うために冥府に降りてゆく。地上に戻る際に妻を失って絶望した彼は、それ以降女性と関わろうとはしなかった。するとトラキアの女たちが彼を八つ裂きにした。ロックファンの十代の女の子たちがロックスターにやってしまいかねないように。オルフェウスの頭部だけが形を残したままレスボス島へと流れ着き、そこで彼の頭部は、有名なオルフェウス教というカルトを神託で導いた。

ディランがオルフェウスの生まれ変わりだとか、新たなゴリアールだとか、フランソワ・ヴィヨンの再来だと言いたいのではない。そうではなく、放浪者であり詩人であり抵抗者であり反抗者であり説教者であるというあり方が、私たちの意識から離れないということだ。フォーク・ムーヴメントはウディ・ガスリーの資質を見抜いていた。一九五〇年代にビートの詩人たちが自身の詩をサンフランシスコのジャズクラブ「ザ・セラー」に持ち込んだとき、ローレンス・ファーリンゲティも、ケネス・レクスロスも、のちにはアレン・ギンズバーグも、詩と音楽とは自然に同じベッドに入るものなのだと気づいていた。ディランは自らを新たな吟遊詩人として世に知らしめた。マスメディアはディランのそんな姿を学問の世界よりも早く受け入れた。一九六五年、『サタデー・レヴュー』誌で詩を担当する編集者だったジョン・キアルディは、甥がディランのことを詩人だと理解していたことを認めた。「だが甥は、私がこれまで会ったディラン・ファンの例に漏れず、詩については何も詳しくない。ボブ・ディランもそうだろうね」。四年経っても、キアルディは「ロック詩」という美学に異議を唱えていた。「あれが詩だって？　書き出されてみれば一目瞭然だろう？　獣だって同じリズムで鳴いている……どうやら評論家たちは詩の概念自体を変えてしまったようだ」。そのとおり！

対照的なのは、作家、詩人、翻訳家であるレクスロスだった。彼は『サタデー・レヴュー』によく寄稿していた。一九五七年、彼はザ・セラーにおけるジャズと詩のムーヴメントを牽引しただけではなく、一九三〇年代の時点で、ジャズと詩の融合という実験をシカゴで展開していた。レクスロスは一九六六年にこう語った。「ディランのような人は今までアメリカにいなかった。フランスやドイツにならカール大帝の時代からああいう歌い手の伝統があるけど、ディランはそれをたった一人でやったんだ。ディランのすごいところは、誰もがあちこちで彼の真似をしたことだ。裸足の少年少女の新たな娯楽社会においてはとても重要な現象だ、詩が共同体のなかに浸透していくんだから。そういったことが詩の大きな土台になるわけさ。そうやって広がっていく。大昔の中国では、文官は登用されるために詩を書かなくてはならなかった。そうやって最も質の高い詩の上に天国が築かれたんだ」。一九六六年三月の『ホリデー』誌で、レクスロスは詩の展望についてこう纏めている。「近年の詩における最も重要な事件はボブ・ディランだろう……彼はフランス文明に匹敵する古さを持つ伝統をアメリカで始め、彼の書いたもののいくつかは鋭い批判を平然と放つ、極めて優れたものである。ディランというブレイクスルーは詩にとっての新たなる大きな希望だ」

一九六五年十二月、『ブックス』誌はディランをアメリカのエフトゥシェンコと呼び、ディランと詩について作家たちにアンケートをとった。詩人のサンドラ・ホックマンは言っている。「詩人が再び吟遊詩人になりつつあるのは素晴らしいことだと思う。あらゆる詩は歌と結びついているわけで、詩がどういうものであり得るかという考えに、彼は真に寄与しているわけです」。小説家のジョン・クレロン・ホームズは言う。「ディランはアメリカのブレヒトのように見える。歌われるべくして詩を作るブレヒトだ。冷酷なユーモアも、皮肉っぽい温かさも、暴力的で断片的な比喩も、あるべき姿を摑もうとする切迫した独特な姿勢も共通している……ディランは詩を歌のもとへと帰したんだ」。ヴァーモント大学のサミュエル・ボゴラッドは『ブックス』に語っている。「ディランを現代の合衆国一の詩人だと評する人間は大馬鹿です……一度レコードを聴いたことがありますが、歌えてすらいないと言い切れます！　ディランは鳥に聴かせておけばいい——それと鳥並みの頭しかない連中にね！」。フィリップス・アカデミーのハート・リーヴィットはこう言っている。「彼の詩は極めて自覚的なケルアックの模倣だ」

一九六三年九月、私は『ニューヨーク・タイムズ・マガジン』に、詩人、哲学者、そしてモラリストとしてのディランを正当に評価しようと提案したが却下された。彼らはディランをエンターテイナーとしてしか描きたがらなかった。だが一九六五年十二月になると、『ニューヨーク・タイムズ・マガジン』はディランの特集記事を組み、こんな見出しをつけた。「大衆作家ナンバーワン？」。副題はこうだ。「ソール・ベローは必要か？　こう言う人たちがいる。われわれの世代の文学的な声――そして最高の詩人――は……ボブ・ディランであると」。それを書いたトーマス・ミーハンによれば、フォークナーとヘミングウェイが死んだのち、アイヴィーリーグの大学三校で英文学を専攻する学生に非公式の調査をしたところ、「彼らが好きな現代アメリカ作家」はディランだということが「明らかになった」。ブラウン大学のある学生は語っている。「ぼくたちはソール・ベローの『ハーツォグ』的な苦悩にも、メイラーの個人的な空想にも興味はない。ぼくたちが気になっているのは核戦争の恐怖のこと、公民権運動のこと、それにアメリカにおける不誠実と体制順応主義と偽善の横行なんだ……そしてディランはアメリカの書き手で唯一そういったテーマを共感できる形で扱っている。現代の詩として、彼の歌が文学的にとても優れていると感じている……彼の曲はどれも、たとえば『はげしい雨』ひとつとっても、すごく心惹かれるんだ……ロバート・ローウェルのような詩人の詩句全部を合わせたよりもね」。ミーハンは、ディランの社会へのプロテストには一九三〇年代のクリフォード・オデッツとマクスウェル・アンダーソンに通じるものがあると述べた。そして「イッツ・オールライト・マ」の歌詞を取り上げ、「彼はヒルビリーのW・H・オーデンだ――特に『一九三九年九月一日』を書いた初期のオーデン」だと言った。

一九七二年五月号の『エスクァイア』では、文芸評論家のフランク・カーモードと詩人のスティーヴン・スペンダーがディランの詩学について考察している。『エスクァイア』はこう書き添えていた。「何か月も無益に働きかけたあとで、ついにわれわれはディランと電話で話すことができた。われわれは彼にまずレコード界のワーズワース本人かと尋ねた。『きみたち自身はぼくをどう思っているの？』と彼は答えた。『そうですね、われらの漏斗の一番先を体現する人といいますか』と私たちは答えた。『そりゃ悪くないね』と彼は言い、電話を切った」。スペンダーはディランについてこう述べている。「高いスキルを持っている人だ……歌詞を『詩』だと判断するのは難しい、というのもそれらが詩である必要がないからだ。感情と、色彩と、穏やかなウィットの印象をシンプルに表出させていればそれでいいのだ」

カーモードはもっと熱狂的であり、ディランの詩学についての本さえ構想していた。彼は音楽を「聴く」ことの重要性を強調した。「彼は演奏家としても優れており、優れた演奏を念頭において言葉を書いているため、ページの上の言葉は、それを思い出すためのメモか、ヒントか、影のようなものでしかない」。偉大だとされる詩、たとえばギリシャ悲劇や中世のバラッドも、似たような形で始まった、とカーモードは記した。「間違いなく」と彼は続ける。ディランが「長い時間をかけて育ててきた謎めいた言葉遣いへの愛着は、彼の成長において極めて重要な要素である……この秘密や曖昧さへの愛着、テキストにおけるある種の空虚さ、意味付けることへの消極性が彼に深く根ざした特質なのは疑いようがない」。カーモードが興味を惹かれるのは、シェイクスピアとベートーヴェンが一般的に「四つの時期に分けられる」のに対し、ディランが一九七二年の時点で、すでに三つの時期を終えていることだった。彼の考えでは、ディランの矢継ぎ早なスタイルの変化は「強制的な社会参加」へのリアクションとして起きる。ディランの長所は「単なる曖昧さだけではなく謎、純真さの幾何学ともいうべきもので、(聴き手は)そこに肉付けすることが可能になる」点だとカーモードは結論づけた。「彼の詩は開かれていて、空白があり、共謀をうながすものである。極めてモダンアート的な手法だと言えばそうだが、ディランはよく分かっているように、それは複雑に絡み合った過去とともに作られるアートでもあるのだ」

一九六七年一月二六日の『ヴィレッジ・ヴォイス』で、ジャック・ニューフィールドは、巻頭記事においてディランを「ジュークボックスのなかのブレヒト」と絶賛し、「三十歳以上の文学関係者や知識人のほとんどは、彼のエレクトリックな……アメリカの悪夢のヴィジョンに注意を払っていない」ことに不平を漏らした。そしてディランを「事実と空想を操るピエロの曲芸師であり、チャップリンとセリーヌとハート・クレインの私生児」だと呼んだ。ニューフィールドはこう締めくくった。「そして彼は詩人だ。もしホイットマンが現代に生きていれば、彼もまたエレキ・ギターを弾くだろう」

イギリスにおいては、一九六五年四月十六日という早い時期に、『ガーディアン』紙がディランを「デニムをはいたホメロス」として評価しており、「彼が母音や子音で韻を踏むゆるやかな構成、そして八から十二の音節を行き来する弱強格のリズムは、言葉を自然と、お喋りのようにも歌のようにも響かせており、その点で彼は、若々しく情熱的だったパウンドやオーデンやマクニースらに連なる」と指摘した。この新聞は、「本質的には、ホメロスと同じ伝統に属して」曲を書いている作家にしては、ディランの観客の規模が極めて大きいことに驚きを表明している。

私は詩人としてのディランについて定期的に調査してきた。イギリスの小説家アントニイ・バージェスはこんなふうに答えた。「問題は、彼の歌は聴いたことがあっても、紙に書かれた歌詞を読んだことがないということだ。もちろん、それらの詩句が口承の／アウラ的なものであるのは知っているし、それはいいことには違いないが、言葉が見たいと思うときがある。彼が『フォーク』音楽の作詞家として極めて優れているのは知っているが、フォーク・アートがその他の洗練されたアート形式の模倣以上のものであるかは疑わしい。彼はたしかに極めて限定的なジャンルのなかで極めて高い水準に達している。一流のポップアートだと言う人もいるかもしれない。それでも、フィリップ・ラーキンや、エイドリアン・ミッチェルのような詩人とさえ比べることはできない。決して見くびっているわけじゃない、賞賛しているんだ。彼にはぜひ、ある程度の量の詩を、歌とは別に書いて、判断させてほしいね」

一九六八年八月までに、ロッド・マッケンというシンガーソングライターが、お粗末な詩を纏めた三冊を百万部売り上げ、アメリカのベストセラー「詩人」となった。業界紙では、レコード会社がジェリー・ジェフ・ウォーカーやローラ・ニーロの曲の宣伝に歌詞を印刷した一面広告を打っていた。コロンビア大学の教授Ｆ・Ｗ・デュピーは、ポップの歌詞が次第に学者たちに受け入れられていくのを感じていた。「結局」と彼は言った。「ホメロスも北欧の叙事詩も歌われたものだった。基本的にこの傾向は歓迎すべきものだと思っている。彼らはやっと本来のあり方にたどり着けるんだ」。六十年代の半ばから終わりにかけての新たな詩のほとばしりを察知したのは、権威ある文学のご意見番たちではなく、ポップの観客とポップの評論家たちだった。ディランという電気時代の詩人が無数の家に迎えられたことで、詩は再び民主的で社会的な芸術になった。靴屋の店員と博士課程に進もうとする学生が、レコード店で互いに交わせる言葉は少なかったとしても、そろってディランの、ビートルズの、ファグスの、バーズのアルバムを買った。熱狂的なファンは、最初の真に現代的な「大衆芸術」としてポップ音楽は映画と肩を並べたと考えていた。『ニューズウィーク』（一九六九年三月三日号）による若い詩人たちについての淡々としたレポートは、詩の目覚ましい隆盛を記し、それが生き延びているだけでなく、成功していることを伝えている。

若い詩人たちのひとつの共通点は、白人黒人を問わず、ロックであるということだ。「ぼくの詩は話し言葉とメロディが含まれている」と二七歳のトム・クラークは言う。「ロックを聴くこと――その精神と陽気さ――は自分の書くものに影響している」。極めて高い人気を誇り、才能あふれるロックの詩人たち――コーエン、ビートルズ、ジム・モリソンにディラン（彼はときに「世代一番の詩人」と評されている）――は、詩人たちにロックの歌詞を取り込んでいくことをうながしている。

「ロックの知性」によって導かれた文化の無血革命が起こった。当時の私たちは、もうダンスホールも、ディスコも、レコード収集も、分別のない十代のばか騒ぎとして看過されることはないだろうと信じた。私たちはイースト・ヴィレッジのバー「ドム」で、ナイトクラブ「バルーン・ファーム」で、サンフランシスコのライヴハウス「フィルモア」で、マレー・ザ・Kがロングアイランドの格納庫に作ったディスコで、アートフェスティヴァルのようにショーを観た。強烈なビート、光の意匠、ストロボ、映像、躍動的な壁画、そして何より大音量が感覚を襲った。歌詞はそれらを通じて、私たちの一部になるまで繰り返された。おそらく私たちは純朴だった、『プレイパワー』のリチャード・ネヴィルのように、そして『緑色革命』のチャールズ・ライクのように。幼さであったかもしれないが、それはまた純粋な理想主義、ユースカルチャーが社会を変え得るという信仰でもあった。冷淡でシニカルな一九八〇年代から振り返ると、深い変革はそう単純には起こらないということを認めざるを得ない。だが私たちとて、グーテンベルクの時代が終わりを告げたとか、本と劇場がなくなったなどと考えていたわけではない。それらに注がれていたエネルギーや生命力が、ポピュラー音楽に手渡されたと思っていたのだ。

ポップ音楽の先導者たちは本を侮ってはいなかった。彼らは本を書きもした。ジョン・レノンはエドワード・リア風の二冊の本『絵本ジョン・レノンセンス』と『らりるれレノン ジョン・レノン・ナンセンス作品集』を書いた。レナード・コーエンはギター片手にポエトリー・リーディングを締めくくった。コーエンは私に、自作の詩を歌えとインスピレーションを与えてくれたのがディランだったと教えてくれた。「ディランは偉大な詩人というだけでなくて、偉大な男なんだ」、そうコーエンは言った。ポール・サイモンはこの新たな流れを引き継ぎ、やがて疎外感や空虚さといったものについて歌った。ドアーズのジム・モリソンは驚くべき歌詞を書いた。アレン・ギンズバーグはバーズのメンバーにインドの聖歌を教えた。リチャード・ファリーナは物書きから歌と作曲に舞台を移し、妻のミミ・バエズとともに活動した。エド・サンダース率いるニューヨークの五人の実験的な詩人たちは、音楽を学んでファグスを結成した。フィル・オクスはアルバムのジャケットに毛沢東の詩を添え、私にこう言った。「左翼で最初のスターになりたいんだ」

六十年代の若者たちは今よりも大人びていた。ランディ・ニューマンやジェームス・テイラーといった歌手たちは繊細な回想者のように、青年期の孤独なエピソードの表現を深めていった。ビートルズは孤独な人びとの空虚さと、「エリナー・リグビー」のように虐げられた人たちについて歌った。依然として中身のないレコードがヒットを飛ばしていたが、私たちは六十年代にポップ音楽の世紀がやって来たんだと感じていた。ファリーナは一九六五年に書いている。「こう言う人がいてもおかしくない……もし詩が歌という形式とそう遠くないならば、今は有史以来これまでを合計した以上の人びとが詩を聴いているだろう、と」

キャンパスの緑化

こうした一九六〇年代の詩の隆盛も、今ではどこか空疎に響く。その当時から現在までのあいだに、文学と社会学におけるポピュラー音楽研究が盛んになっていった。その時期を通じて、学際的な領域としての大衆文化をめぐる綿密な調査が急激に広がった。アメリカの大学では大衆文化を教えるコースが六千近く開講した。なかでもディランの作品は多くのコースで中心を占めている。一九七七年という早い時期から、主要な大学やカレッジの文学部の代表一五〇人を対象に、フォートウェインにあるインディアナ・パデュー大学の歴史家ルイス・カンター教授が調査したところによると、その頃までにディランの詩のみを扱うコースが通算で一〇〇以上もあった。カンターは言う。「ディランの根がついに、学問の森にしっかりと定着した。ディランは詩人としての正当性をめぐるブレイクやエリオットと並んで教えられているのは珍しいことじゃない。ディランが文学研究のコースでアカデミックな議論を勝ち抜いているようだ」。私もまた、ディランの歌詞の文学的分析をめぐってアカデミックな世界と活発に交流してきた。数十以上の論文を読んだが、そこで彼の幻視的でロマン主義的な歌詞は、イェイツや、エリオットや、カバラや、ホイットマンの詩、聖書の預言者や使徒たち、フランス象徴主義の詩人たち、それにブレイクやカフカ、ビート詩人たちと結びつけられていた。

ディラン解説者として最も誉れ高いのは、おそらくクリストファー・リックスだろう。彼は『ミルトンの荘重体』や『テニソン』『キーツと恥』の著者でもある(E)。彼は世界中でディランの詩を教えていて、ディランを「人を楽しませる達人で、偉大なエンターテイナーであり、ディケンズやシェイクスピアのように、最も親しまれ続けているアーティストに連なる人物」だとしている。リックスの考えでは、ジョン・ベリーマンとロバート・ローウェル亡きあと、ディランは「アメリカで最も優れた言葉の使い手」である。それでも「彼を詩人と呼ぶのにはためらいがある」、なぜなら「彼は優れた言葉の使い手であるだけではない」からだ。リックスは彼の「韻文詩人としての素晴らしい、圧倒的なわざ」を賞賛する。彼いわく、「彼のすべての作品が完璧だと思うほどその才能に酔っているわけではない。彼はシェイクスピアくらい良いというだけであって、シェイクスピアも大量に間違いを犯しているのだ！」

ディラン学者のあいだで初めて大規模な会合があったのは一九七五年十二月、サンフランシスコでの米国現代語学文学協会の年次集会においてだった。ディランについての大衆文学セミナーが、アラバマ州オーバーン大学のパトリック・D・モロー教授によって開かれた。フォーク好きの研究者数人が演奏して歌い、三つの論文が取り上げられた。ベル・D・レヴィンソンの「錯乱の預言者　ランボーとディランの詩」、エミリー・トスの「ボブ・ディランのなかの女性たち」、そしてW・T・ラモンの「ディランと文化的コンテクスト」だ(F)。リチャード・グドールは「ディラン再訪」会議をイギリスのマンチェスターで開催した。そこではフィルムやテープやビデオが使われ、雑学を含みながら真剣な議論が交わされ、リックスとラモン、そして音楽学者のウィルフリッド・メラーズやコレクターたちが熱気を振りまいていた。一九七〇年代にディランについての論文で博士号を受けたのは、ノースカロライナ大学のビル・キングと、カリフォルニア大学バークレー校のベッツィー・ボウデンである。一九八〇年代前半には、アメリカのみならず西ドイツ、ベルギー、イギリスでも博士論文が書き進められていた。

ブレイクとディランについての貴重な文章が、ニューヨーク州立大学ジェネセオ校のユージン・ステルツィグによって書かれている。「ディランの歌詞を批評的に読み始めると」とステルツィグは私に書き送ってきた。「彼が預言者としてのロマン主義芸術家の伝統に根ざした、現代を代表する声のひとつであることは明らかでした」。広く読まれる著書を持つブラッドリー大学のデイヴィッド・R・ピカスク教授は『ベーオウルフからビートルズまで　詩へのアプローチ』(G)という変わったアンソロジーを編んでおり、そのなかにはベン・ジョンソン、オーデン、フロストらと並んでディランの歌詞が十編、それぞれ全文掲載されている。ダートマス大学のゼミで教えるルイス・A・レンザは、学生たちに「曲を詩としてとらえて議論させ、アルバムをひとまとまりのテキストのように扱わせています……厳密に『文学』としての読解を守りながら……学生たちはよく、歌詞の詩としての質や、彼が形而上的な詩の表現を更新し続けていることに驚いています」

タラハシーにあるフロリダ州立大学の文学教授W・T・ラモン・ジュニアは、『ニュー・リパブリック』と『ベニントン・レヴュー』でディランについての素晴らしい記事を書いている。その草分け的な論文「ポップロアとディラン」のなかでラモンは、現代アメリカにおいては民俗学（フォークロア）に続くものとしてポップロアがある、と言う。「ポップは少数の人間を裕福にする。ポップロアはそれに取り残された者たちを生かす。消費文化においては、大量の、即座に移ろうイメージが、電子的メディアやその他の流通網を通じて現代人に投げ出されている。そのイメージの氾濫のなかに神話の反響を読み取ることを通じて、有益なパターンを見いだすのがポップロアだ……フォークを活用できなくなった社会が――しかし学問（ロア）は必要としていて――ポップロアが生み出された……ディランがロックを受け入れたことが、アメリカ文化のゆくえを変えたのだ。新たな文化が始まるときはつねに、大衆文化という現在の躍動が見なおされる。こうした回帰は、たとえば十八世紀の文学が、小説を通じて貴族社会の生活から中産階級の生活のほうを向いたときと同じものである」

　南部の大衆文化学会ではディランについての論文が、モンタナ州立大学のケネス・J・クック博士やグレッグ・キーラー博士といった人びと、またタルサ大学のボブ・グラールマンとリン・デヴォアらから発表された。アーカンソー大学のスザンヌ・H・マクレー教授はディランの活動についての研究を人文系のコースに組み込んだ人で、いわく、ディランを「中世の風刺の伝統に属している作家と比較しさえした」。彼女の論文「ボブ・ディランこそが天気予報士（ウェザーマン）である」（H）は、『スロー・トレイン・カミング』がリリースされる遥か以前に書かれたにもかかわらず、再生というテーマを取り上げている。テキサス大学アーリントン校では、歴史学の准教授であるジェローム・L・ロドニツキーが大学院生たちに、ポップ音楽の研究に取り組むよう奨励した。彼の本『夜明けの吟遊詩人たち　文化的英雄としてのフォーク・プロテスト・シンガー』（I）では、ディランについての章が三五ページ割かれていて、章タイトルは「左翼と右翼を超えて」である。

　ディラン文学の研究はガルヴェストンのペリカン島から、テキサスA&M大学の海洋科学・海洋資源ムーディー校にまで及んだ。同校で人文科学の講師を務めるトーマス・S・ジョンソン博士は、「ディランの作品は、最もオープンな姿勢の人文科学者による詳細な調査にも耐えられるほど力強い」と言った。ジョンソンは私に、ディランのようなテーマにアカデミックな研究が取り組むとき、「教訓主義によって、読み手や聴き手が歌詞そのものに率直に、個人的に反応する能力が阻害される」リスクが潜んでいる、という懸念を書いていた。北テキサス州立大学では、ジェームズ・ベアード博士がディランの歌詞についてのコースを担当していて、各アルバムや『タランチュラ』を教材にしていた。ベアードは言う。「私たちは英語の既存の可能性をもっと押し広げたいと思っています。そして新たな参照の枠組みを作りたい。ほとんどの学生はディランがたくさん本を読み、その読書が楽曲に活きていることを知らないのです」。テュレーン大学で歴史学の博士課程にいるスティーヴン・タッカーは、「ディランは学問の世界で健在だ」と報告してくれた。ラトガース大学でケヴィン・ヘイズが教えていたのは「三人の革命的な幻視者――ブレイク、ギンズバーグ、ディラン」だった。

ディラン研究が学問の世界で広まってゆき、六十年代が過ぎ去った素晴らしい過去としてますます輝かしく膨らんでいくにつれ、それがどこにたどり着くのかは見当もつかなくなっていく。アカデミックな世界でなされる大衆文化の分析はつねに、その文化本来の生命力とストリートにおける真実味を減じる危険をはらんでいる。

グーテンベルクが帰ってくる

マクルーハン信者の考えに反して、本はまだなくなっていない。口承の／アウラ的な文学研究においても、印刷された言葉が録音された言葉にすっかり取って代わられてはいない。理想は、録音された曲に親しんでいる人たちが印刷された歌の歌詞を読んだとき、その音がページの上で響き渡ることだろう。ディランの最初の本『タランチュラ』は逆に、書かれた言葉がときとして、声に出して読まれたときに最も力を発揮することを証明している。それはジェラード・マンリ・ホプキンスの言葉を思い出させる。「耳で読むのだ」

ディランの最初の歌詞集は、歌詞カードを別にすれば、『ボブ・ディラン全詩集』（"Writings and Drawings"）というタイトルで、一九七三年四月にアルフレッド・A・クノップフ社から刊行された。クノップフ社の社長で編集長だったロバート・ゴットリーブは私に、この本を作ることは「大きな歓び」だったと書いた。「大衆音楽がずっと好きで、とりわけディランには大きな賞賛の念がある。本作りはとても順調に進んだよ、ボブが好むデザインやトーンを理解してからはね。みんなが互いにうまくやっていた」。二か月も経たないうちに、ケープ社がイギリス版を刊行した。それからヨーロッパ中で、また日本でと、次々続いた。作品は時系列で並んでおり、ファーストアルバムから『新しい夜明け』までが十一のセクションに分かれていた。全部で一八七の歌詞、十七点のドローイング、五ページの手稿、そして「11のあらましな墓碑銘」と「いくつかのべつのうた」を含む二六の詩が収録されている。歌詞のなかには公式にレコーディングされているものだけでなく、まだ聴いたことがないものまで入っていた。とりわけ興味を引いたのは、正式リリースの二年も前に掲載された『地下室』の歌詞たちだった。

ディランが素朴な線で描いたドローイングは、彼がガスリーに多くを負っていることを思い出させる。ガスリーもまた曲やその他の文章にイラストを添えていた。献辞の文章がウディの明快なリズムで書かれている。ガスリーと偉大なデルタ・ブルースマンのロバート・ジョンソンが「火種をまいてくれた」ことを讃えていた。適切な言葉とフレーズを求めるディランの苦闘を知りたい人は、見返し四ページ分の歌詞の草稿と、「サブタレニアン・ホームシック・ブルース」の最初期の下書きに惹き付けられるだろう。『ボブ・ディラン全詩集』は何度も増刷や改訂を重ねてよく売れ続けているが、権威筋や文学出版界からは重要な詩集として受け取られなかった。ラルフ・グリーソンはその本についてコラムを書き、その価値を讃えた。「アメリカの文化史に関心のあるすべての人、現代の最も重要な詩人に関心のあるすべての人に向けられたものだ……ぼろをまとったナポレオンを、一時の流行とかトピカル・ソングを歌うソングライターだと片付けてはいけない。彼は詩人なのだ」

イギリス版刊行時には『タイムズ』と『オブザーバー』でたっぷりと批評が出たが、レヴューは「これは詩なのか?」という問いかけからも分かるように、否定的だった。『タイムズ』のロバート・ナイはこうあしらっている。「詩人としての彼はまったく話にならない。この本から見えてくる彼は疑りぶかくて惨めな男であり、不完全な韻を踏む能力さえコントロールできていないし、繰り返しにかけては真の天才だ」。クライヴ・ジェームズは、ソングライターのピート・アトキンの曲に一時期だけ歌詞を寄せていた作詞家だったが、『オブザーバー』でこう書いていた。「この本を読むときのフラストレーションの原因は、どの節も最も優れた一行にはかなわず、どの詩文も最も優れた節にはかなわないと気づいてしまうことだ」

タランチュラ

ディラン研究者たちは、楽曲の歌詞にある曖昧な一節の解明には取り組むことができた。だがおかしなことに、彼らのうちでディランの「小説」である『タランチュラ』に深くはまり込む者は多くなかった。文学界はこの本にいっさいの信頼を示さなかった。『タランチュラ』はクエスチョン・マークに包まれた謎だ。そのうちいくらかは自動筆記の産物であり、大半は極めて音楽的であり、そのすべてが声に出すことでより多くのものをもたらす。ディランは一九六六年の大きなバイク事故の時期、この本については消極的だった。それがどのように書かれ、マクミラン社によってどんな風に宣伝されるかについては多くを語らなかった。彼は書評家がこの本をどう遇するかについても懐疑的だった。マクミラン社はすでに彼を「若きジェイムズ・ジョイス」として大々的に宣伝していた。この本の出版によって、彼は文学の闘技場に連れ出され、選択の余地なくライオンと相対することになった。

私はガブリエル・グッドチャイルドに『タランチュラ』についての分析と議論を頼んだ。彼女は本書を「夢のサーカス……夜の真実と、部分的な真実が書かれている」と評した。毒のあるタランチュラのひと噛みを、舞踏病（タランティスム）と結びつけ、「本書は狂った『ダンス』として、また『音楽』として、成功している」と述べる。左翼の人びとはディランがベトナム戦争について明確なコメントをしないことを非難したが、その戦争は本書のなかにこれでもかというほど見いだせる。グッドチャイルドによれば、ここではシュールレアリスト的な「戦争」が「我々のコントロールを逃れながらしかし我々の生活を毒し続けている」。「盗まれた鏡のなかで結びつけられ」というディランのフレーズを借りて、彼女は本書を二面の鏡に見立てる。ひとつは「スーパーマーケットと栄養失調の現実世界を見て」いて、もう一方は芸術家の内面を向いている。彼は混沌を受け入れながらも秩序を探しているのだ。グッドチャイルドは「その劇的なあり方、複数のペルソナ、音のパターン」、そしてそのリズムの点で『タランチュラ』を『追憶のハイウェイ61』に重ねあわせ、彼が「同時発生、偶然の一致、矛盾をふくむ言語」を用いていると指摘している。廃品置き場の天使アリーサへの語り手の畏敬の念は、ディランがのちに出会う多くのゴスペル歌手たちのことを考えれば、彼を知る上で極めて重要なポイントだ。アリーサは「『その裸に刺されるような』無垢な肉体の象徴である。彼女はまた、現代の実存という空虚な砂漠における、精神の再生でもある」

グッドチャイルドは『タランチュラ』をこう評す。「言葉の組み合わせが笑えるときに最も力を発揮する……つまり『ウィット』が効果的なときということで、そのとき言葉は、新しく決然としたエネルギーを、水平の繋がりを、タイム・ワープを、新たな世界を、つまり第六感を生み出そうと、圧力を高める。だがそれはしばしば失敗し、平板で、たんに奇妙な、つまりナンセンスという結果に終わる」。多くの評者たちはジョイスを連想した。ある者はこの本を「ペプシ世代の『フィネガンズ・ウェイク』だ」とまで言っていた。グッドチャイルドはしかし、本書はビートの書き手たちの流れに置く方がもっと有益だろうとしている。とりわけウィリアム・バロウズ、またジャック・ケルアックには「即興的」という点で負うものが大きい。「『オン・ザ・ロード』は十年前の作品であるが、内的な深み、新たなる罪悪感と連帯感、苛烈になる内的また外的な暴力への洞察の点では、『タランチュラ』と何光年も隔たっていると言っていい。『オン・ザ・ロード』から『タランチュラ』までの十年間には、とてもたくさんのことが起きていたのだ」

グッドチャイルドは、一九四一年の作品ではあるが、ケネス・パッチェンの『アルビオン・ムーンライトの日誌』(J)との強い関係に気づいた(ある夜のヴィレッジでのパーティで、『タランチュラ』のゲラを受け取ったばかりのジョージ・プリンプトンからもその名前を聞いた。ケネス・パッチェンは、トニー・グローヴァーが好きだった書き手でもある)。「二冊に共通するのは、その響きやうわべやジョーク以上に、われわれ読者からの反応を得ようと書き手が苦闘しながら、つねに苛立っているという点だ。どちらも舞台は鏡のある大広間で、そこでは幻想だけが唯一の現実となっている」とグッドチャイルドは書く。パッチェンはブレイクを、ディランはランボーを思わせる。「なぜこの夢の世界は暴力的なのか？　なぜなら戦争が起こっているからだ。一九四一年のパッチェンにとっては、ヒトラーの戦争が。一九六五年のディランにとっては、ベトナム戦争が」

この小説には、ディランが抱く「言葉の英知と愚かしさへの並はずれた愛情」が反映されている。「私たちはその大波に飲み込まれ、沈み、当惑し、躍る。共にあるのは、酔っ払ったような笑い声と躁的な暴力の、おぼろげな記憶だけである……ディランは自身の『世界』を、それがまさに形作られて発見される過程とともに差し出す。その輪郭はときに不完全で、鏡はひび割れ、イメージは移ろい、場面の断片はばらばらになり、その内容はごちゃまぜになってまた別の光景に整理される」。もし『タランチュラ』に主題があるとすれば、とグッドチャイルドは書く、それは混沌と、混沌を表現する芸術的な形式を探す苦闘である。「事故のあと、彼がこの本を書き直すのはますます困難になった。一九六八年には、彼はこのプロジェクトとの関わりを（『ニューズウィーク』と『シング・アウト！』で）否定している」。一九六九年、彼はこの本を、紙の切れはしをコラージュするみたいにくっつけただけだと説明していた。だがグッドチャイルドはそれらの発言が「煙に巻く側面もあった」と考える。なぜなら本書は「真剣で、よく考えられた、おそらく決死の企てだったからである」。スティーブン・ピッカリングの論文「二匹のタランチュラ テクスト比較」(K)を引き合いに出しながら、彼女は書く。「我々が目撃するのは、ランボーの『七才の詩人たち』のエピローグで締めくくられていた初期の原稿『タランチュラ・ミーツ・レックス・ペースト』を、ディランがいかに緻密に編集しているかということである」。彼女の考えでは「彼がこの本を書いたと同じくらいこの本が彼を書いている……もしこれらの言葉の背後に『アナザー・サイド』から『ブロンド・オン・ブロンド』にいたるメロディーが聞き取れたなら、本来は『オフレコ』なり『A面』なりの名前で呼ばれるべきこのエレクトリックな散文についてよりよく理解できるだろう。この小説が真に力を発揮するのは、我々がそれを、強烈なリズムに満ちた一九六五年のディランの声と歌い回しで、歌として聴くことができるときだけである」

『タランチュラ』に現れる多くのキャラクターのなかで主要なものは二人しかいないとグッドチャイルドは言う。「思いやりぶかい母であり、ミューズでありヘルパーであるアリーサ……彼女は無垢な肉体の象徴である。彼女はまた、現代の実存という空虚な砂漠における、精神的な再生でもある。彼女が司っているのは音楽だ……そしてもうひとりは語り手である。ディランそのものでもあり……彼以外のすべてでもある……この手に負えないドラマの主要な人物をもうひとり選ぶとすれば、それは読者だ。われわれは挑まれ、苛まれる。場合によっては、求愛される……この本はどこか宮廷の騎士道的な愛の詩のように読めるかもしれない。ひとりの恋する者が、自ら創り出したにもかかわらず手に入らない、『信教の太腿』たる最愛の者の前にひざまずいて敬愛を示しているのだ。となれば私たちの役割は、その道化師が演じ、裁かれる舞台である宮廷そのものを創り出すことである」「だが本書はその他のキャラクターたちによってこそ生かされている。彼らは廃墟の街のカーニヴァルや社交パーティに集い、奇妙でサイケデリックなあだ名をもっていて、なかにはテレビや映画から、わらべ歌から漫画から、絵画から哲学から文学から、聖書から、伝説から、歴史から、政治の世界から、フォークの歌曲集から、ブルース、ジャズ、ポピュラー音楽の本から、ショービジネス、そしてニュースの世界からやってきたキャラクターもいる」。ケルアックとの関連を見いだしながらも、彼女は『タランチュラ』を暴力、パラノイア、そして合成麻薬への賞賛という点で、ニュー・ジャーナリズムの潮流にいる書き手とも結びつける。ディランは数人のノンフィクション・ノベルの作家にインスピレーションを与えた。ディランが彼らと共有していたのは、プレッシャーのもとで何かを生み出すという決意と、シェイクスピアがラテン語の文法を無視したように、名詞を形容詞にし、大文字を強意として扱う手法だった。彼らは今この瞬間というぬかるみからニンニクでもサファイアでも取り出し、それをみな一緒くたにして、凍りついた道に放り投げるのだ」

読み進めるには骨が折れるが、グッドチャイルドは読者に恐れることはないと呼びかけ、ディランの音楽のファンにぜひ試してみることを勧めている。「ハイウェイ61を別のビュイックで再訪するのは、たとえエッジ・シティにたどりつけなかったとしても、やってみる価値がある……タランチュラ嬢の蜘蛛の巣にご用心。そしてアメリカにご用心。夢にも、現実にも、ご用心！　なにより、『あなたにとってのタイタニック号に乗船するまえに生きておきなさい』。夜明けに出航するのは分かっているのだから」。『タランチュラ』は難しい読み物である。恐ろしく笑えて、ときにひどく暴力的だが、創造的で、独創的で、挑戦的だ。『タランチュラ』を試してみることをお勧めする。大きな声に出して読んでみてほしい。本を開く前には『ハイウェイ61』を何度か聴いてみるといい。グッド・ラック、いい旅を。グーテンベルクも驚いて墓のしたでひっくり返るだろう！

【原注】

（1）「Essay Towards a New Form: Jazz and Poetry（新たな形式に向けてのエッセイ ジャズと詩）」, Ralph Gleason（ラルフ・グリーソン）編, *Jam Session: An Anthology of Jazz* (New York 1958) 所収, p. 285-6.
（2）同書, p. 286.
（3）ウディ・ガスリー, *Sing Out!* 17:6（十二月／一月号）, 1967―1968, *Born to Win* に再録。
（4）Newport Folk Festival program book, 一九六三年七月。
（5）―（9）同書。
（10）*Hootenanny,* ボブ・ディランによるコラム、一九六三年九月。
（11）同書。
（12）*Hootenanny,* ボブ・ディランによるコラム、一九六三年十一月。
（13）―（14）同書。
（15）『時代は変る』。
（16）―（19）同上。
（20）「ホリス・ブラウンのバラッド」の歌詞。
（21）同上。
（22）「神が味方」の歌詞。
（23）ネヴィル・ブラザーズは、ダニエル・ラノワがプロデュースしたアルバム『イエロー・ムーン』（一九八九年）に「神が味方」のカヴァーを収録する際、ディランの許可を得てベトナムについての歌詞を加えた。
（24）「いつもの朝に」の歌詞。
（25）同上。
（26）「ノース・カントリー・ブルース」の歌詞。
（27）「しがない歩兵」の歌詞。
（28）「船が入ってくるとき」の歌詞。
（29）同上。
（30）二〇一〇年に亡くなる前、ウィリアム・ザンジンガーはBBCラジオ4の番組「ハッティ・キャロルの悲しい死」に出演した。番組内で、ハワード・スーンズはハッティ・キャロルが襲われた夜に居合わせて暴行を止めようとした人びとにインタヴューした。
（31）「ハッティ・キャロルの寂しい死」の歌詞。
（32）「哀しい別れ」の歌詞。
（33）同上。

(34)『時代は変る』ライナーノーツ所収「11のあらましな墓碑銘」。

(35)「Sweeny Agonistes（闘技士スウィーニー）」, *Collected Poems, 1909-1962*所収、T S Eliot, 1936 by Harcourt, Brace & Jovanovich. © 1963, 1964 by T S Eliot. Reprinted by permission of Harcourt, Brace & Jovanovich New York and Faber & Faber, London.

(36)『時代は変る』ライナーノーツ所収「11のあらましな墓碑銘」。

(37)―(64)同上。

(65)「自由の鐘」の歌詞。

(66)―(68)同上。

(69)シェルトンはのちに「自由の鐘」をディランの曲のフェイバリットに挙げている。

(70)「アイ・シャル・ビー・フリー No.10」の歌詞。

(71)「ラモーナに」の歌詞。

(72)―(74)同上

(75)「マイ・バック・ペイジズ」の歌詞。

(76)―(78)同上

(79)「アイ・ドント・ビリーヴ・ユウ」の歌詞。

(80)同上。

(81)「Dのバラッド」の歌詞。

(82)―(84)同上。

(85)『アナザー・サイド・オブ・ボブ・ディラン』のライナーノーツ所収「いくつかのべつのうた」。

(86)―(98)同上。

(99)ハーバード大学のフランシス・ジェームズ・チャイルド教授が蒐集・カタログ化した三〇五曲にわたるイギリスとスコットランドのバラッドのなかには「Barbara Allen」「Matty Groves」「Geordie」といった曲がおさめられている。なかにはジョーン・バエズ、フエアポート・コンヴェンション、スティーライ・スパンらの初期のレパートリーになったものがあり、ハリー・スミスの「アンソロジー・オブ・アメリカン・フォーク・ミュージック」に収録されているものも一曲ある。このコレクション全体が、チャイルドによる五巻本 *The English and Scottish Popular Ballads* (New York, 1965) において分析されている。

(100)ロバート・グレーヴス（一八九五～一九八五）はイギリスの詩人で小説家。一九四八年に刊行された、詩的な着想についての研究 *The White Goddess* は、ディランが影響を受けた本として取り上げている。

【訳注】

(A)新約聖書に登場する十二使徒のひとり。

（B）ディランの歌詞では「十人の子供の母親(gave birth to ten children)」となっている。
（C）本文では表記をそろえたが、「ヴァーニリャ」という地名の英語表記は原文中に「Vernilya」と「Vermilya」の二通り出てくる。そもそもこの地名はどちらも検索しても出てこず、著者が名前を間違えたのか、小さな村を訪れたこと自体がフィクションなのか、真相は分からない。
（D）ひとつの刺激に対して二つの感覚が反応することを「共感覚」と言い、「母音が色に見える」と記したランボーは、まさに共感覚の持主の例として挙げられる。
（E）順にChristopher Ricks, *Milton' s Grand Style,*; *Tennyson,*; *Keats and Embarrassment*.
（F）順にBelle D Levinson, "The Deranged Seer: The Poetry of Rimbaud and Dylan" . Emily Toth, "The Women in Bob Dylan" . W T Lhamon "Dylan and the Cultural Context" .
（G）David R Pichaske, *Beowulf to Beatles: Approaches to Poetry*.
（H）Suzanne H MacRae, "Bob Dylan is the Weatherman" .
（I）Jerome L Rodnitzky, *Minstrels of the Dawn: The Folk-Protest Singer As a Cultural Hero*.
（J）Kenneth Patchen, *The Journal of Albion Moonlight*.
（K）StephenPickering, "The Two Tarantulas: A Textual Comparison"

アルバム『アナザー・サイド』の
写真のためにポーズするディラン。

07

いくつかの地獄の季節

歩いて、曲がりくねった
六つのハイウェイを
這っていった。

——ディラン　一九六三年(1)

地獄にいるとは漂うこと……
天国にいるとは乗りこなすこと。

——ジョージ・バーナード・ショー　「地獄のドン・ファン」

ぼくは混沌を受け入れる。
向こうが受け入れてくれるかは
分からないけど。

——ディラン　一九六五年(2)

きみはまさに
情熱ある若者という感じだ。

——カール・サンドバーグがディランに　一九六四年

ヴィクター・メイミューズとボブ・ニューワース、
新品のトライアンフに乗るディランと。

O DIRECTION HOME

一九六四年のニューポートで舞台に立つ。

一九六四年二月三日に始まる、われらがアンチヒーローの、狂気じみた、怒濤の、混沌の――そして二年半ほとんど息継ぎすることのない――ツアーに参加する前に、少し振り返っておこう。前章でステージ／ページ／エレキを通した詩を検討しているあいだ、ディランの現実の人生の物語は一九六三年の末で止まっていた。ケネディの死、スージーとのロマンスの終わり、得るものより苦痛が大きかったトム・ペイン賞、『ブロードサイド』に宛てた暮れゆく年を要約した手紙。一九六四年、アメリカを再発見する旅に出ることにしたディランは、まだ二三歳にもなっていなかった。

その旅が始まった一九六四年二月以降、ニューヨークからカリフォルニアへたどり着くまでに、一行は片手では足りないほどの場所に寄り道をした。争議中の鉱山労働者と会うためにケンタッキーへも立ち寄った。そして師と仰ぐ詩人のもとを巡礼し、ニューオーリンズと当地の謝肉祭「マルディグラ」へ行き、南部の公民権運動の活動家たちとも再び交流した。予定されていた公演はわずか四つ。ディランはコンパスも持たず、ただ「魂のロードマップ」(3)を携えていた。ゴールを求めてさまよう数年を経て、オルフェウスはいくつかの地獄の季節へと降下していった。彼は雷のように轟きながらアメリカの風景をめぐり、ホイットマンの「大道の歌」を、ガスリーの「ハード・トラヴェリン」を、ケルアックの『オン・ザ・ロード』を、ホッパーとフォンダの『イージー・ライダー』を、キージーのイベント「アシッド・テスト」(A)を通り抜けていった。落ち着きのなさ以上に、経験への好奇心と渇望がディランを駆り立て、肉体と精神を動かし続けた。

彼は同行者を慎重に選んだ。四人の若い男がひとつのステーションワゴンに乗り合わせながら錬金術を行うとなると、調和をとるのは難しい。のちに、ディランは私に語った。「ラッキーだった。たくさん稼げたからじゃなくて、最高の人たちと一緒にいられたから。不安はなかったし、周りの連中が不安を抱くようなこともなかった。それが肝心だよ。日々の糧と、自由があって、不安がない」。運転とビジネスのことを取り仕切ったのはヴィクター・メイミューズだった。長身で、寡黙で、クリント・イーストウッドとヴィットリオ・ガスマンを混ぜ合わせたような趣があるヴィクターは、するどく暗い目に乱れた髪をしていて、口をつぐむ能力に秀でていた。俳優か映画業界で働くことを目指していたため、今の自分にもどかしさが込み上げることもあったが、主な仕事が雑用であったとしてもディランを批判することはめったになかった。

ピート・カーマンはロトロ家の年来の友人で、堅実な仕事と何種類ものネクタイを持っており、母メアリ・ロトロから責任感の塊だという評価を得ていた。彼は単に面白がってついてきた。『デイリー・ミラー』紙に勤めた経験を持ち、のちに旅行雑誌の編集者となった。ディランの旅自体について書くことはなく、ただそれが狂気じみていたことと、彼が感じた幻滅について語った。前年、カーマンはキューバを訪れていた。「ディランはたしかに途方もない人物だが、チェ・ゲバラが自分の会ったなかでは最も素晴らしい人だと思う……チェ・ゲバラやボビー・ディランは、こちらの煙草に火をつけてくれたりはしないだろう、だがそれでもチェとディランは我々の時代における最も偉大な民衆のヒーローだ。私はかつてディランを『若造』と呼んだものだった。『調子はどうだい、若造？』、そのとき私は二十歳で彼はまだ十九歳だった」。この旅行のときには、ピートはもう彼を若造とは呼ばなくなっていた。ディランはのちに語った。「最後にはピートを追い出して飛行機で帰すはめになったんだ」(4)

最後のサポートメンバーはポール・クレイトン、イエスのような髭と穏やかさをたたえた内省的なシンガーで民俗学者だ。学者でありロマン主義者であるクレイトンは、古いバラッドとともに生きたいと思っていた。二十数枚のアルバムを出していて、一時期は「アメリカで最も多くのレコーディングをした若手フォーク・シンガー」と呼ばれたこともあったが、世に知られることはほとんどなかった。二つの学位と民俗学の百科事典的な知識を持ちながらも、クレイトンはいつも気取らず、控えめで、自分の取り組む芸術と友人たちに対して献身的な人物だった。彼の友人たちのなかで最も成果を上げたのがディランだった。カーマンによれば、旅のあいだクレイトンは何か言葉にならない個人的な悩みを抱えているようだった。ポールはカーラと親密にしていた時期があり、ポールとディランとロトロ姉妹はときとして互いを巻き込み合って人間関係のこじれを大きくすることがあった。ピートによれば、ポールは旅のあいだじゅう誰よりも頻繁にドラッグでハイになっていた（仕事で抱えたフラストレーションと薬物依存に屈したクレイトンは、一九六七年四月六日、バスタブで感電死しているのが発見された）。

旅はひっそりと始まった。ヴィクターが車に数千ドル分のトラベラーズチェックを積み込んだ。ピートがグロスマンの家に現れたのは午前十時だったが、一行がスージーとヴァン・ロンク夫妻に別れを告げ、ケンタッキー州ハザードでストライキ中の鉱夫たちのために服をかき集めて出発したのは夕方になってからだった。青いフォードにはスーツケースと楽器と古着が詰め込まれた。服を届けてからは、ディランは車の一番奥に引っ込んで歌詞やコードを書いた。お喋りや暇つぶしの合間に、四人はしばしば長い沈黙に陥った。ディランが入り込む孤独、彼の周りを包む殻は、触れられそうなほどだった。彼はその旅のあいだに少なくとも二曲、重要な曲を書いている。「自由の鐘」と「Dのバラッド」である。

最初の夜の目的地は、クレイトンがかつて通った大学街ヴァージニア州のシャーロッツヴィルだった。その一年半前、クレイトンはディランをシャーロッツヴィルにあるレストラン「ギャスライト」に連れてゆき、彼のことをビル・クリフトンやマイク・シーガーといったフォーク歌手たちの前で賞賛した。クリフトンは「ディランとの素晴らしい夜更けだった。ただ弾いて、歌ってね」と振り返っている。クレイトンは郊外に質素な小屋を持っていたが、四人はポールの友人スティーヴ・ウィルソンの家に泊まった。道中で配るために『時代は変る』を二ダースほど買ったとき、学生も店員もディランに気づいた。

翌朝にはシャーロッツヴィルを発ち、ケンタッキー州東部に向かった。炭鉱の地である。ヴァージニア州アビンドンの近くで、ロバート・スワンという若い炭鉱夫を乗せた。ライトのついたヘルメットをかぶり、顔はすすけていた。ディランが『フリーホイーリン』を手渡すと、このヒッチハイカーは心動かされたようだった。スワンは彼らにとって、ハーラン郡と、自分たちとはまた別の種類の「地下（アンダーグラウンド）」にいる男たちのことを垣間見せてくれた人物だった。一行はハーラン郡を横切り、ストライキのリーダー、ハミッシュ・シンクレアと面会した。彼は炭鉱労働者全国委員会の主事だった。シンクレアは、ニューヨークのベネフィット・コンサートで歌った人でもあり、デモ隊とその支援者のつなぎ役だった。彼はディランたちを温かく迎え入れた。一行は積んでいた服を降ろした。ハミッシュは、仲間の釈放と、デモ隊の支援と、法的な手続きを指揮するので手一杯だった。ディランは服以上のもの、たとえばベネフィット・コンサートのようなもので協力をしたがっていた。だがシンクレアはすでにあまりに忙しく、ディランたちに他の労働者やデモのリーダーであるジェイソン・コンブたちと会うよう告げた。ディランたちは思っていたよりも早くそこをあとにしたが、それはヒビング時代の記憶があまりに痛ましかったせいではないかと思う。

彼らは南東を目指した。最初の夜はケンタッキー州パインヴィルのモーテルに泊まった。次のノースカロライナ州アッシュヴィルは、『汝再び故郷に帰れず』を書いたトマス・ウルフの故郷だ。まだ人種隔離が続いていたが、営業時間には、白人の店も黒人の客を迎えていた。一行は黒人用のボウリング場でプレイし、ビリヤードをし、ヌード映画を観た――ディランは出演している女性が以前ヴィレッジの「ギャスライト」でウェイトレスをしていた女の子だと気づいた。

ノースカロライナ州フラットロックの近郊、ヘンダーソンヴィルへ。彼らは初め作家カール・サンドバーグの家を見つけられなかったが、ヤギを育てているサンドバーグという名の人物の家に案内された。その彼こそ作家のサンドバーグだった。サンドバーグは彼らにとって大きな存在だった。八六歳の詩人であり、リンカーンの伝記作家であり、フォーク・ソングの蒐集家にして歌い手でもあった彼とディランは多くの共通項があった。サンドバーグもまた、中西部で移民の子供として生まれた。若きサンドバーグがホイットマンを敬愛していたように、今のディランはサンドバーグを敬愛していた。この老作家はそれまで、評論家ハーヴェイ・ブライトの言葉を引けば「イリノイで牛乳配達をし、カンザスで小麦を収穫し、コロラドで皿洗いをし、オマハで石炭を掘り、プエルトリコで兵士をした……ホーボー、新聞記者、小説家、歴史家、伝記作家、バラッド歌手、ヤギ飼い」だった。一九一九年、フランスの小説家で平和主義者のロマン・ロラン宛ての手紙のなかで、サンドバーグはウディ・ガスリーを参照したとおぼしき文句を書いている。「私は世界産業労働組合(5)のメンバーだけれど、赤い会員証は持っていません。アナーキストだけれど、どの組織にも属していない……あらゆる場所にいてどこにもいない……こう言ってよければ、いつどこにいても私は満足しきっているすべての人間に異議を唱える人たちと共にいるのです」

ステーションワゴンがサンドバーグの二四〇エーカーのコネマラ・ファームに入ると、ポーチにはノーマン・ロックウェルの絵から出てきたような陽気なおばあさんがいた。それがミセス・リリアン・サンドバーグだった。彼女は髪の毛がぼさぼさの男四人を見ても特に驚かなかったようだ。ピートによれば、ディランはこう告げた。「ぼくは詩人です。ロバート・ディランと申します。ミスター・サンドバーグにお会いしたくて来ました」。彼女が家に消えると、彼らは静かな、傾斜のある牧場を見渡した。ヤギが草を食み、その先の深い森の背後にはシュガーローフ山がそびえていた。大小の登山道があるグラッシー山からは、生い茂る松の木々が家の付近までおよんでいた。家は百年前に南部連合の財務長官クリストファー・メミンジャーによって建てられたものだった。サンドバーグ夫妻と娘たちは、一九四五年からサンドバーグが亡くなる一九六七年七月までそこに暮らした。

待ち時間はおそろしく長かった。ついに、その詩人が現れた。朗らかな、ゆっくりと動く人だった。灰色の髪が左耳あたりで波打ち、無精髭が生えていた。髭を毎日剃ることなど考えてもいないようだった。古いウールの格子柄のシャツにバギーパンツを身につけ、緑のサンバイザーがべっ甲の眼鏡の上に影を落としていた。サンドバーグの射抜くような目が、ジーンズにジャケット、カウボーイブーツ姿の客を慎重に査定していった。直感からか、彼の薄く青い目がディランの輝く青い目と出会った(のちにピートは私に語った。「サンドバーグは残りのぼくたちも見たけど、ディラン以上に興味は持たなかったようだ。二人のあいだには一瞬のうちに、無言のコミュニケーションがあった」)。サンドバーグは言った。「きみは何でもこいって感じだな。四十くらい質問をしてみたくなるね。みんな、いかなる緊急事態への準備もあるように見える」。ディランは老作家に『時代は変る』を手渡し、クレイトンも進み出て自分のアルバムをひとつ差し出した。サンドバーグは、ディランの作品は全然知らないが、詩とフォーク・ソングには関心を持っていて、その二つの芸術は親戚同士だと思っていると言った。訪問客たちは、サンドバーグの先駆的な歌曲集『アメリカン・ソングバッグ』(初版は一九二七年で、二八〇の歌とバラッドが収録されている) に親しんでいることを伝え、誉め称えた。

およそ二十分ほど、五人はポーチで語り合った。ディランはこの偉大な作家に「明かして」欲しいと思っていて、書斎に自分たちを案内して本や手稿の山を見せてくれるのではないかと期待していた。サンドバーグはもらった二枚のアルバムを聴いてみると繰り返し、ディランは自分もまた詩人なのだと繰り返した。「詩人」という言葉が出るたびにサンドバーグの耳はそばだつようだった。老詩人は、原稿や手紙に取り組まなくてはならないと言ってその場を辞した。ピートはこう振り返る。「みんな、たしかにがっかりしていた。サンドバーグがボビーのことを知らなかったというのが特にこたえた。覚えているかぎり、残りの道中でサンドバーグの話が出ることはなかった。ディランはまた静かな憂鬱に身を沈めていた」

フラットロックを抜けてサウスカロライナに入ると、そこでは花火が合法的に売られていた。打ち上げ花火、ロケット花火、それに爆竹を車に詰め込んだ。それからジョージア州アセンズ――ここもまた大学街だった。ピンボールの魔術師ディランはビリヤード場に赴き、全員でビリヤードやピンボールをプレイした。学生たちは道端のいたるところでディランに気づき、なかにはサインを求めておずおずと歩み寄る者もいた。レコード店で熱狂的に迎えられると、サンドバーグの無関心による幻滅はやわらいだ。翌日、彼らは進歩的なアトランタの街を歩き回った。その日の晩、近くのエモリー大学でディランのコンサートがあった。観客の学生たちは冒頭のフレーズを聴いただけでほとんどの曲が分かった。そのあと催されたパーティには、地元におけるフォーク音楽の要人たちと南部の改革主義者たちが招かれていた。ガスリーを小粒にしたような、荒っぽい、気骨あるアーニー・マーズは、「ディランとかいうガキ」を興味ぶかげに検分した。デモか座り込みから着いたばかりのバーニス・ジョンソンとコーデル・レーガンもいた。翌日、ディランはアトランタの彼らのもとを訪ねた。

西を目指してディープ・サウスのブラックベルトを抜け、ミシシッピ州に向かった。けばけばしい広告板に「白人のみ」とある。こうしたものがまだアメリカに存在することが信じられなかった。南部はほとんど変わっていなかったのである。ディランは道端を見渡した。彼は小さな紙切れにいくつかメモをして、「自由の鐘」が内なる耳に響くのを聴いた。ミシシッピに入ると、二股の分かれ道になった。トゥーガルー大学のSNCCに半ば約束していた通り合流するべきか？　あるいは南へ、マルディグラが行われるニューオーリンズへ行くべきか？　興奮と好奇心がニューオーリンズを指し示した。彼らはミシシッピ州メリディアンに一晩停車した。カントリー音楽の父である「歌うブレーキ係」ジミー・ロジャーズの出生地だ。ニューオーリンズがどれほど伝説的な音楽の街であるかは改めて語るまでもないだろう。華やかな「三日月の街（クレセント・シティ）」ニューオーリンズと、そこで催される年に一度の奔放なカーニヴァルの誘惑が、一行を足早にガルフ海岸方面へと進ませた。

　これまでもたくさんの人びとが巡礼してきた土地だ。ジャズの水源、クレオールたちによる路上での呼び売りの本拠地、ケイジャン族の湿地帯から生まれたスワンプ音楽（B）の中心地、ブルースの熱が音楽の混ざり合う大鍋でぐつぐつ煮える街。盛大なパレードの音楽がニューオーリンズじゅうに響く。ブラスバンドが墓地へあるいは墓地から流れ、ピアニストたちはストーリーヴィルの歓楽街でケークウォーク（C）とラグタイムで遊んでいる。ニューオーリンズはバディ・ボールデン、ジョージ・ルイス、ルイ・アームストロングらジャズの巨人たちの街だ。マヘリア・ジャクソンもここで歌を学んだ。通りでは人びとが、小銭目当てにクロッグ・ダンス、バック・アンド・ウィングス、シャッフルにジュバダンスを披露し合っていた。ここは路上のヴァイオリン弾きと路地裏のフィドル弾きの街、「ダービー・ラム」のような旧世界のフォーク・バラッドを「ディドゥント・ヒー・ランブル」のようなジャズ・クラシックに仕立てるような街だ。ニューオーリンズの音楽の歴史すべてが自由を、多様なスタイルの融合を意味していた。その地では誰もジャズマンにあれを演るなとかこれを演るななどとは言わず、やりたいものを演奏し、楽しければ弾きたいものを盗みも飾りもする。ニューオーリンズはすべての音楽的信仰にとってのエルサレムだ。そこでは労働歌と霊歌が愛し合ってブルースが産み落とされ、ブルースが田舎から都市へと運ばれ、どんなものでも叩かれ、打たれ、弾かれ、打ちつけられ、吸われ、吹かれ、楽器になった。煙突掃除夫や野生のベリーの行商人が通りのあちこちで歌っていた。古くてなお活き活きとしたアメリカのポピュラー音楽すべての故郷が、このけだるく気さくな街だった。ニューオーリンズは一年がいつでもカーニヴァルだったが、マルディグラの日は格別だった。

毎年、憂鬱な四旬節が始まる直前、ニューオーリンズは街をあげて冷静さをかなぐり捨て、数百万ドルかけたフェスティヴァルを行って世界中の観光客を魅了する。マルディグラ（元の意味は「太った火曜日」）は異教徒からキリスト教徒へ、そして商業主義へと手渡されていった。今やこの祝祭はナイトクラブと土産物屋とホテルの客寄せとなっていた。それでもなお、フェスティヴァルの最もにぎやかな催しは、通りで無料で行われる。「クレセント・シティへようこそ、キング・ズールーの行進に参加しよう」とか「この道はレックス・パレード用」といった垂れ幕が見える。仮面や仮装をして行進する人びと、ダンスバンド、マーチング・クラブが舗道に列をなす。映画『黒いオルフェ』と『イージー・ライダー』が一緒くたになったような光景だった――メフィスト姿のステージ・マネージャー、バーで接客するディオニュソス。一行が唯一見つけた宿は一晩五十ドルだった。彼らはその渦巻く通りを探索し始めた。ピートは単独行動でちょっとした問題を起こした。バーボン通りのどこかで、彼はニューヨーク訛りの、ヒュー・ロムニーを知っているというストリッパーと出会った。彼女はマリフアナを探していて、ピートは手に入る場所があるかもしれないと言った。彼女にモーテルの番号を告げたが、誰と一緒に旅しているかは言わなかったようだ。モーテルに戻ると、みな早くに床に就いていた。午前三時、ストリッパーがピートに電話をかけてきた。ピートは寝ぼけた同行者たちに自分の軽率な行動の言い訳をしようとして、一時的なパニックに陥っていた。彼らはピートをつまみ出した。翌朝、彼がへとへとになって戻ってくると、みなマルディグラに参加し、例のヒュー・ロムニーを知っているストリッパーを見つける気満々だった。

　マルディグラでどんちゃん騒ぎをしている人びとはパレードを囲み、それぞれ酒瓶を手にしているのが常だった。そして人種隔離の街ニューオーリンズのもうひとつの伝統がまもなく明らかになった。四人は混み合った通りの、眺めのいい角に集まった。朝食の時間のすぐ後だったものの、誰もがワインボトルを持ってがぶがぶ飲んでいた。仮装したひとりの黒人ダンサーが通りかかった。火のついた蠟燭を高く掲げたそのたいまつ持ちがディランたちの前で立ち止まった。二マイルも踊り歩いて疲れ果て、その男は喉が乾いていた。ボブは持っていた瓶を差し出し、ダンサーはたっぷりと飲んだ。するとディランの周りにいた人びとがそわそわし始めた。親切そうな顔の小柄な老女が泣くような声で言った、「自分の瓶からニガーに酒をあげようっていうのかい？」ディランは返事をしなかった。数人の船乗りが威嚇するように近づいてきた。ピートが言った。「おしまいだ。俺たち殺されちまうぞ！」ディランは仲間たちに言った。「人ごみのなかに逃げよう」。再び集まったとき、ディランは物思いに耽っていた。「同じ国とは思えないな」

マルディグラの狂騒がディランに残した印象は長く消えず、「廃墟の街」や「ジョアンナのヴィジョン」といった曲に表れているが、このときのことは彼の書き物のなかではわずかに言及されるに留まっている。『アナザー・サイド』のライナーノーツの五番めの詩で一瞬このカーニヴァルに言及しており、「白人の南部詩人」ジョー・B・スチュアートのことが曖昧に触れられている。名前の綴りを間違えてはいるが(D)、ディランはニューオーリンズでの即席の友情を覚えていたのだ。ジョー・B・スチュアートはディランを覚えていて、一九六七年にそれを書き留めている。彼はモービルにある高校の英語教師で、若々しい顔つきにとがった耳、それに温かい目をしていた。ジョーはすぐにディランを好きになり、ディランもまた同様だった。ディランとばったり出会ったとき、ジョーと友人たちはすでに五日間、昼も夜も寝ずに過ごしていた。「素晴らしい気分で、あらゆるものにオープンでいられた」と彼は書いている。「ラ・カーサの二軒めのバーに立っていたとき、ウォルト・ディズニーが入り口に現れても驚かなかっただろう。私は彼の青白い顔をみとめた。笑顔はなくてしかめ面で、目はせかせかと辺りを見渡して、気づかれるかどうか確かめているようだった」。ジョーはシンプルにこう言った、「ハイ、ボブ」。ディランは立ち止まらなかった。

ニューオーリンズにおいても、一九六四年はフォーク・シンガー・ディランの年だった。ラ・カーサの一角にあるバーの店内で、フォーク歌手の一団がタダ酒とチップを交換条件にして歌っていた。若い白人のフォーク歌手の旅行者は通りに集い、ギターを弾いて歌い、ディランになりきろうとしていた。ある街角には白いドレスを着た骨太で情熱的な黒人の老女がいて、地獄と救済について説教すると、ゴスペルや霊歌を歌い始め、タンバリンでリズムをとった。スチュアートは言う。「ラ・カーサの近くで、またディランと『仲間たち』が通りかかるのを見た。ちょうど立ち去るところで、静かで、笑顔はなく、酔ってもいなかった。私はもう一度ハローと言ったが、前回同様、彼は歩き続けた」。スチュアートと友人のジム・フールマンは混沌のなかを進んだ。どこかで、ミシシッピ川の対岸から来たルイジアナの若い女の子をひっかけた。ジョーが三度めにディランを見たときは彼女もそばにいた。ボブは走ってきて言った。「ねえ、さっきはきみに話しかけないでほんとに悪かった」それから、そのルイジアナの女の子ウェンディを見てディランは言った、「きみの目、すごく淡いブルーだね！」ウェンディはディランに答えた、「髪がすごく長いのね」。彼は言った。「そう、この髪を通りじゅうに伸ばして建物の上から詩を書くつもりなんだ」

ジムとウェンディが行ってしまうと、ディランはアラバマの教師スチュアートと打ち解けた。ディランがさらにワインを飲みたがったので、二人はスペイン音楽がとどろきグラグラと揺れるラ・カーサへ戻った。そこにはスチュアートの友人が何人かいた。テュレーン大学の博士過程にいるノーマン・ボイルスは、ディランと学校教育の価値について議論した。その大学院生は、教育というのは手引きのようなものだと主張した。音楽が大きくなり酔っぱらいの叫び声も勢いを増してきた。ディランはもっと内輪のパーティを提案した。五人がカナルに近いイベルヴィルの角に立って通りを眺めていると、クライマックスを飾る最高のコムス・パレードが道いっぱいに広がるなか、また別のたいまつ持ちが現れた。五人はボトルを手渡し、パレードが投げてくるビーズとダブロン金貨に飛びついた。スチュアートは言う。「私たちは魔法にとらわれていて、誰も感情を抑えようとはしなかった」

コムス・パレードが終わると、彼らは表と同じくらいうるさいバー「ワンダの七つの海（ワンダズ・セヴン・シーズ）」に移動した。ディランはすべての会話に参加しようとし、グループからグループへと渡り歩き、質問したり意見を差し挟んだりしていた。疲れ果て、彼らはバーボン・ストリートに転がり出た。そこでは少年が壁を背にして立ち、ギターを弾きながら「くよくよするなよ」を歌っていた。ディランは言った。「すごくうまいね。もう一曲聴かせてよ」。少年が歌い始めると、ディランと他の面々も加わった。その若いフォーク・シンガーは歌い淀んだ。「あんたは！いや……嘘だろ。あり得ない！」ディランは繰り返した。「すごくうまいよ」、そして彼らは立ち去った。

ディランは痩せこけた黒人に近づいていって一緒に飲もうと誘った。彼らは「コシモズ」に向かった。その五人の白人とひとりの黒人がやってくると、バーテンダーは扉に駆け寄ってきた。「ジョー、ここには入れない」

バーテンダーは懇願した。「なかに入れないでくれ。トラブルはごめんだ」。話し合いが持たれ、妥協案が出た。ジョーが黒い友人にビールを買うのはかまわないが、表で飲んでもらう。ジョーはもっと面倒の少ない別のバーを提案した。黒人が経営している「ベイビー・グリーンズ」だ。一行が誘った黒人は言った。「あんたたちの店に入れないっていうなら、うちらの店に来ればいい」。六人はバーガンディ・ストリートを突き進んだが、「ベイビー・グリーンズ」に着くなりディランは言い争いを始めた。「どうしてだよ、どうして？」ディランは黒人のバーテンダーに叫び続けた。バーテンダーは言った、「トラブルはごめんなんだ。お巡りがきたら牢屋に入れられちまう。行けよ、坊や。母ちゃんがどこかでお前のためにひざまずいて祈ってるぞ」。周りの皆はボブにこの分断へ挑みかかるのを止めさせた。彼らはフレンチ・クオーターに行って「七つの海」に入った。そこでヴィクターとジョーは卓球とチェスをした。他の皆はディランについて近くのカフェバー「モーニング・コール」に入り、それからまた合流した。

ジョーにはフレンチ・クオーターに友人がいた。そこへ向かう道中、ジョーはなぜか駆け出したくなった。ディランは後を追い、あてのない酔っぱらいの追いかけっこは、ディランが縁石につまづいて舗道に派手に倒れるまで続いた。彼らはボブを友人のアパートメントの前まで連れて行った。友人のスーザンは結婚しており、一週間ずっと酔っぱらいを泊めるのに耐えてきて、うんざりしきっていた。ジョーは一緒にいるのはボブ・ディランだと告げた。スーザンはドアを開けた。彼らはねんざしながらもくすくす笑っているディランを運び込んだ。揺り椅子に座ったディランはゼリーグラスにワインを注ぎ、前後にリズミカルに揺れ、ときどき壊れやすい物がいっぱいに置かれたテーブルにぶつかった。喋っているのは、ほぼ彼と女主人のスーザンだけだった。ディランはこれまでの旅を著名な作家との出会いの連続だったと語った。そんな彼を見ながらスチュアートは思った。「この男はそう長くないだろう、燃え尽きてしまうか、ばかげた事故で命を落とすかのどちらかだ、ジェームズ・ディーンのように」。ジョーはディランがろくに確認もせずに車の前に飛びだしたのを目にしていた。チェスの最中、ヴィクターはジョーに、ハイウェイでディランが車を止めさせてくれなかったとも教えていた。彼はひたすら「進んで進んで進みたがっていた」のだと。ディランとスーザンの会話は南部の作家の名前にまで及んだ。ディランはテネシー・ウィリアムズを「罪なやつだ」と一蹴した。会いたい作家リストの筆頭はフォークナーだった。

ディランがまた表に出たがったので、一行は「ジン・ミル」に向かった。カナルを目指して歩く途中、スチュアートは詩の一節を詠んだ。「それ誰が書いたんだい――ハンク・ウィリアムス？」とディランが尋ねた。「いやあ」ジョーが答えた。「ぼくだよ」。ディランは言った、「ああ、ぼくもきみみたいにいかれた先生に教わりたかったよ」。ディランは自分の通った学校が分かりきったことばかり教えてくるから退屈だったと文句を言った。ジョーは彼にいつ兵役に就くのかと尋ねた。ディランは答えた。「入ろうとしたけど向こうがとってくれないんだ」。一行はメンバーを増やしながらフラフラとラ・カーサに戻った。そして新たな刺激を求めて次々と店を移った。誰かが陽気なギリシャ風のバーに行こうと言い出した。このときには、また別の教師も一行に加わっていた。ディランは言った、「学校教師！　学校教師！　学校教師に囲まれてる！」それからジョーに、大学の学生が好きで彼らが何を考えているのか知りたいんだと言った。ギリシャ風のバーによろめきながら向かう途中、荒くれ者の一団がそばの車のなかから叫んできて、車から躍り出た。「よーし、ディラン、俺たちと行くか、どうなんだ？」ボブは後ずさって冷ややかにつぶやいた。「ぼくから言うことはない。ヴィクターが話してくれる」。ヴィクターは、精一杯胸を反らしてゴロツキたちに失せろと言った。「分かった、分かった、好きにしろよ」。ひとりが車内から叫び、彼らは夜に消えていった。

「アテネの部屋」に着いたのは夜中の三時近くだった。上の階では、酔っ払った船乗りがドラァグ・クイーンと踊っていた。女装した男は船乗りをのけぞらせて、キスして、尻をつまんだ。そばのテーブルでドラァグ・クイーンの仲間たちがわめいていた。飲んで、歩き、興奮して、みな疲れきっていたが、ディランだけは違って、教師たちに絡んでいた。「ぼくの詩を生徒たちに教えてくれる？　そしたらそのクラスに顔を出すよ」。スチュアートと友人たちはボブに別れを告げた。ディランはとどまらせようとした。「まだいいだろ、な？」ジョーは朝八時に起きなきゃならないんだと言った。「たいしたもんだよ」とディランは言った。「高校で教えるなんて、たいしたもんだ」。ディランは、そろそろ自分たちもデンヴァーに向かわないとと言った。ディランの人生においてはライナーノーツの一節に過ぎない男ジョー・スチュアートは、午前三時半に立ち去った。マルディグラは終わった。懺悔の四旬節が始まるのだ。ジョーが最後にディランを見たとき、彼はジュークボックスの脇に立ち、張り詰めて、何か言いたげにしていた。夜明けを待つ彼は少し悲しげで孤独に見えた。

再び路上へ（オン・ザ・ロード・アゲイン）。ヴィクターはハンドルを握りながら、デンヴァーのコンサートまであと二日しかないと気づいていた。大規模なミシシッピ・フリーダム・サマーが計画されているトゥーガルーにも立ち寄らねばならなかった。大急ぎだったので、そこで挨拶できたのはドリー・ラーナーやロバート・モーゼス、それにトム・ヘイデンといった活動家たちだけだった。彼らは観客を集めていた。ディランは一時間歌った。別れのあいさつを済ませ、ヴィクターはディランの短い滞在を謝り、一行を急かしてステーションワゴンに乗せた。彼らは走り出す前に地図を見た。ジャクソンからデンヴァーまでをたった二日で！　ディランはダラス経由で行こうと提案した。

ケネディの暗殺から三か月しか経っておらず、新聞は街の復興の話題でいっぱいだった。フリーウェイがダラスに入ると一行は色めきたち、ケネディが狙撃された通りはどこかと街の数人に尋ねたが、誰も通りの名を知らないようだった。テキサス教科書倉庫ビルの場所を尋ねさえしたが、返事はなかった。ついに彼らは尋ねた。「大統領が撃たれた場所へ行くにはどうすればいい？」最初の男が答えた、「あのくそったれケネディのことか？この道を二ブロック進んでそこを右に一ブロックだ」。ディーレイプラザで、彼らはオズワルドが単独犯だったという説を支持した。ステーションワゴンはケネディの進んだ道を辿り、運転手をのぞく全員が振り返って、弾丸が飛んできたとされる倉庫ビルを見つめた。ピートは回想している。「みんな、ボビーも含めて、探偵のように振る舞い始めた。遠くにある窓の列を見ながら、あの窓からケネディを撃ったとするなら、そいつは凄まじい腕の狙撃手だっただろうという見解で一致した」

デンヴァーを目指し、フォース・ワースを抜け、パンハンドルを通り、ウィチタ・フォールズに向かった。テキサスとニューメキシコの州境付近のどこかで、小さな軽食店に立ち寄った。十九歳かそこらのウェイトレスが「どこから来たの？」と尋ねてきた。彼女はニューヨークの人間に会ったことがなかった。誰かがボブは歌手なんだと言うと、彼女は驚いていた。手渡されたアルバムの写真とボブの顔とを見比べて、完全に疑いの表情を見せた。数時間後、彼らはクロードの近くでまた別のテキサスの道路沿いの軽食店にいた。一行は皮肉っぽく質問した。「このあたりでは最近何かあった?」。「最近は何もないね、でも一年ほど前にポール・ニューマンとハリウッドの連中が来て映画『ハッド』を、まさにここで撮影したときは大騒ぎだったよ」。『ハッド』で描かれた親指をベルトに引っ掛けた自信たっぷりの不遜な態度がディランに与えた影響は、バリー・ファインスタインによって撮影された写真の多くに見て取れる。彼らはカメラの活用法をよく心得ていた。

コロラド南部で、ディランは地図上のラドロウを指さした。一九一四年に労働組合に反対する虐殺があり、それに触発されてガスリーの曲を筆頭にたくさんのバラッドが書かれた場所だとポールは教えた。労働史家のジョン・グリーンウェイは、その事件を「アメリカの労働組合史において最も無慈悲で残虐な出来事」だと語っている。コロラド南部の鉱山のいくつかは当時、炭鉱経営者によって厳しく管理されており、経営者は政府の一員だった。一九一三年九月二三日、貧困に追い込まれていたラドロウの鉱夫たちがストライキをする。州兵が組合のリーダーであるマザー・ジョーンズを不当に収監したのをきっかけに、一〇〇〇人の女性と子供たちが抗議を行った。チェイス副将が中隊を率いてデモ隊と接触したが、途中で落馬してしまった。デモ隊たちに笑われ、チェイスは騎馬隊に突撃を命じた。四人の女性とひとりの少年がサーベルで傷つけられた。実際に殺戮が起きたのは一九一四年四月で、ストライキ八か月目のことだった。鉱夫たちは、会社が運営する住宅から立ち退かされており、仮設のテントに暮らしていた。チェイスは、軍の指揮からは解放されていたものの、荒くれ者の集まる州兵の中隊ふたつを率いていた。四月二十日、発砲のアクシデントがあり、自らを衛兵と任ずる二〇〇人がテントをマシンガンで取り囲み、銃弾で蜂の巣にした。一日中発砲を続け、夜にはテントに火を放った。多くの鉱夫は塹壕に入って難を逃れたが、十四時間にわたる争いの末に、彼らの家族一〇〇人以上が怪我をし、三十人以上が死んだ。ディランと一行はアメリカ鉱山労働者組合によって設置された追悼の銘版の前に立った。学校では歴史にいっさいの関心を持たなかった若者が、路上で教えを受けていた。

デンヴァー。ディランは身体を洗い、髭をそり、汚れた古着から清潔な古着に着替えた。コンサートプロデューサーのハル・ノイシュタットは、デンヴァー・シビック・オーディトリアムでの公演に大満足だった。その後、ディランと一行は地元のコーヒーショップやフォーク・シンガーのたまり場めぐりをして、ジュディ・コリンズを探した。彼女が街にいなかったため、ディランは仲間を連れて山に登り、セントラル・シティを眺めた。再建された新興都市に、一九五九年以来初めて戻ったのである。雪が積もっており、以前にも増して幻めいていた。彼らは唯一開いていたドラッグストアに入り、歴史名所の絵はがきを買った。

サンフランシスコに行くためには、冬の最も苛酷な嵐のなかロッキー山脈を越えなくてはならなかった。それまで持ちこたえていたタイヤチェーンがラヴランド峠で切れた。コロラドのグランドジャンクションで一晩過ごした。気温は零度を下回っていたが、彼らはホテルを飛び出て天然の温泉に飛び込むことができた。運転はピートからヴィクターに変わった。彼らの前には三十台の車を率いる葬列があった。ヴィクターが時速七十マイル（約一一二・七キロ）以上で葬列を追い抜いたために、この列を先導していた警察との追いかけっこが始まった。「パニックになった」とピートは言っている。彼らはドラッグ関連のものを素早く隠した。ヴィクターが警官に話した。「合唱隊の一員なんです。あと数時間でリノに行かないと失業してしまう」。車検証を見せると、警官は「アッシェズ・アンド・サンド」という聞いたことのない会社の名前を見て、折れることにし、彼らを解放した。

四人は安堵の声を上げたが、ディランはポールとピートのどちらかが運転するよう言った。一行は午前八時にリノに着いてカジノに向かったが、負けた。ピートは残っていた最後の三二ドルを使い果たし、それからはディランに頼り切りだったが、ディランもブラックジャックで一〇〇ドルほど負けた。店を出るとき、ボブはスロットマシンの前で立ち止まり、残った小銭を入れた。突然マシンがタイムズスクエアのように輝き、洪水のように二五セント硬貨が出てきた。ピートは勝者と敗者というものについて考え込んでしまった。リノ近郊の砂漠で――映画『砂丘』のようなところだった――彼らはサウスカロライナで買っていた花火に火をつけた。派手なロケットの爆発と炎を見て子供のように笑った。シエラネバダまで来ると、彼らはさらに子供のように遊んだ。スキーリフトの揺れる椅子に座って山を登ったのだ――この自由な気晴らしが雄大な風景への別れになった。猛スピードでサンフランシスコに近づくうち、道は混み合ってきて、農業と商業の広告が目に入るようになった。旅の終わりが近づいていていた。

ディランは一九六四年二月二四日にバークレーで公演した。彼のように自由気ままな気質の人間にとって西海岸は居心地が良かったことだろう。そこにはバークレーの前衛的な伝統があり、新たな考えに対するサンフランシスコのオープンさがあり、カリフォルニア全体を包む空気というものがあり、そこでは人びとはネクタイを巻かず、思考にも堅苦しいところが少なかった。西海岸の主要な批評家はしっかりとディランについた。ラルフ・グリーソンは「バークレー・コミュニティ・シアター」でのディランのコンサートに向けた事前記事やレヴューを寄せた。マルヴィナ・レイノルズのようなご意見番たちは『ブロードサイド』の福音を地方都市に広げた。グリーソンは、最近これほど期待の高まるコンサートは記憶にないと書き、拡大の兆しを見せるカウンターカルチャーの旗手としてディランを見始めていた。ビート、ボヘミアン、はぐれ者や反逆者が珍しくないベイエリアにおいても、ディランがやって来るというのは特別なことだった。グリーソンは書く。「ユダヤ・キリスト教の厳格な教義、父親世代の岩のように強固な倫理観、潔癖が敬虔さの次に重要だという考えのもとに育てられた世代にとっては、意図的なだらしなさや、自分たちが完璧だと考えてきたものに対するディラン世代からの軽蔑はショッキングだ。でも先行世代は間違っている。ディランたちが行きついた場所を見よ……現実の核心部分が、ディランの音楽、最良のジャズ、現代詩、絵画、あらゆる芸術を、COREやSNCC、ディック・グレゴリー、ジェイムズ・ボールドウィンといった人たちを生み出してきた社会革命と結びつけている」

ファリーナはバークレーのコンサートに来ていて、『マドモアゼル』への記事のためにメモを取っていた。彼のレポートはバイク事故とディランの解放を予言していた。

　　もう、彼が前の晩にどこで演奏していたかとか、打ち上げのパーティが終わるとすぐに移動しなければならないことなどには驚かなくなっていた。その代わりに、ジェームズ・ディーンと似通ったものを感じていた。ときに露骨で、ときに寡黙な彼の、身体的な弱さに、唐突に気づいたのである。いまの彼を捉えなくては、ということを考えていた。来週にはバイクに乗ってズタズタになっているかもしれないのだから。（6）

バークレーのコンサートのあと、ステーションワゴンはジョーンのいるカーメルに向かった。そのときまでに、カーマンは決定的な仲間割れを起こしていた。「もう同行できない。もし行ったら狂ってしまうよ」と彼は言った。他のみなは彼に代わってボブ・ニューワースが現れたのを喜んでいた。このさすらう無鉄砲な画家／映画作家／カントリーシンガーは、のちにヴィクターからディランのロード・マネージャーの仕事を受け継ぐことになる。彼らはナッツと果物を手土産にジョーンの家に着いた。ジョーンの母はビーフシチューをこしらえた。「ディランの音楽についての話が出たのは」とファリーナは振り返っている。「ジョーンが彼の曲だけでアルバムを一枚作りたいと言ったときだけだった。彼は『もちろんいいよ』と言った」。次の日、ボブとジョーンは南カリフォルニアに行った。ジョーンは自分のジャガーEタイプを運転し、ディランと仲間たちは相変わらずステーションワゴンに乗った。ファリーナは語る。「ディランはハリウッドの『サンダーバード・モーテル』に泊まって、仕事の合間にパーティや、フォークをやっている地元のナイトクラブにふらっと出かけていた。ジョーンはレッドランズにいる家族や友人と過ごして太陽の下に寝そべり、早くに床に就いた。彼女はある夕べに自分の通った高校で歌い、スタンディングオベーションに感動して涙ぐんだ。アンコールのとき、彼女がディランの名前を出すと拍手が起こった。それと同じ夜、ディランはリヴァーサイドの熱心な聴衆の声援に応えていた」

ディランはニューヨークに帰るのをためらっていた。それがスージーとのさらなる諍いを意味していたからだ。ついに二人の関係は一九六四年の三月に終わりを迎えた。同月の「フォーク・シティ」で、ディランはいかにもニューヨークらしい強迫観念と競争に見舞われる。並はずれたデュオのサイモン&ガーファンクルがデビューを控えていたのだった。トム&ジェリーという名前で「ヘイ・スクールガール」をチャートに食い込ませていた二人は、かねてからポップの世界に親しんでいた。サイモンは何か違ったことをしようとロンドンのイースト・エンドからヴィレッジにやってきて、高まるフォーク音楽への関心をもっと活かしたスタイルで再登場していた。ある夜、カーラがディランをサイモンに紹介した。二人には通じるところが多いだろうと思ったからで、少なくともイギリスの歌手マーティン・カーシーとの親交という点では共通するだろうと思っていた。サイモンとディランは言葉を交わしたが、打ち解けることはなかった。数日後、ディランと私がフォーク・シティにいると、サイモン&ガーファンクルが出演した。すぐに世間に知られることになる二人の優美なハーモニーは、ガーディス・フォーク・シティという風雨にさらされたエスニック・ソングの本拠地においては場違いに響いた。ボブと私はバーでけっこうな量を飲んでいて、特に何の理由もなく笑うほどになっていた。彼らのパフォーマンスに笑ったわけではなかったが、サイモンはそう思ったのかもしれない。ディランはたしかに他の歌手たちをこき下ろすことがあったが、だいたいは面と向かって批判した。サイモン&ガーファンクルはファーストアルバムでこそ「時代は変る」をカヴァーしていたし、サイモンはディランの抱える疎外感や抵抗や同胞の感覚を少なからず共有していたにもかかわらず、三枚目のアルバムでは直接的にディランをパロディにした。彼らの曲「簡単で散漫な演説」は風刺の作品だった。ハーモニカの演奏と「アルバート」への呼びかけを聴けば、その標的は疑い得ない。

一九六四年の大半を通して、ボブはほとんど笑うことがなかった。その憂鬱にもかかわらず、彼は商業的にも芸術的にも成長し続けた。スージーとの別れ、ジョーンとのいざこざ、無数の観客を前にしたときの寄る辺ない孤独、こうしたすべてが彼に影を落としていた。その年、彼は前後不覚の転がる石（ストーンド・ローリング・ストーン）となることが多く、明らかに自制が利かず、「自分勝手なスピードで」(7)走っていた。それでも彼が道から逸れずに持ちこたえていられたのは、書くことへの切迫感、必要性、そして自制心からだろう。

ストリート・オブ・ロンドン

一九六四年五月、ディランは再びイギリスに渡った。複雑な思いを抱いていたのは、イギリスへの最初の訪問を思い出していたからだ――一九六二年十二月と一九六三年一月、彼はＢＢＣのドラマ「マッドハウス・オン・キャッスル・ストリート」で主役をやることになっていた。田舎から出てきた青年ディランは、ロンドンのメイフェア・ホテルに当惑した。「ホテルの外に帽子をかぶったガードマンたちがいて、値踏みするように見てくるんだ。めかしこんだジョージ・ワシントンみたいな格好だった。近づいてくると荷物を取ってホテルまで運んでくれる。扉の向こうに足を踏み入れると別の誰かが迎えに来て、ぼくは外からわざわざ荷物を運んでくれたガードマンにチップをやる。そして荷物がロビーからエレベーターに運ばれると、またそいつにもチップをねだられる。そいつにチップをやったら、今度はエレベーターボーイが荷物をなかに入れるもんだから、エレベーターを出るときにはそいつにもチップをやらなくちゃならない。するとまた別の誰かが荷物をエレベーターから出して部屋の扉を開けて荷物をベッドの足元に置く。そんな感じで、十人くらいにチップをやるはめになる」。警備のリレーが済んだあと、ディランは部屋を見渡し、そこが自分の居場所じゃないとはっきり悟った。チェックアウトし、ドラマのプロデューサーのフィリップ・サヴィルのところへ行き、一緒に泊まってくれる「グルーヴィー」な人を探してもらうわけにはいかないかと頼んだ。このロンドンでの孤立について、ディランは言った。「そのとき、黒人であるというのがどんな気分か分かったよ」

それから有名なロンドンのフォーク・クラブ「トルバドール」に行き、アンシア・ジョゼフに出会った。彼女は行き場をなくした者たちを世話していて、のちにEMIやCBSレコードで正式にアーティストの宣伝担当を務めることになる。「扉のそばにいると、階段を降りてくるブーツが見えた。大きくて茶色い革のブーツ。あら大変、またひとりサウスエンドからやって来たのね、と思った。とんでもない子たちがよくそこから来てたのよ、ジャック・エリオットみたいな服を着ていたり、ディランっぽい恰好をしてたり。それでさっきのブーツが階段を降りてきて、足が見えてその上の体が見えると、心のなかでこう言ったの。『私、この子知ってる!』そうしてブーツから一番遠い場所にある顔を見た。その顔は私のところまで来て言った。『あなたがアンシア? ぼくはボブ・ディラン。入っていい?』。『もちろん』と私は言った。『店のために歌ってくれたら、タダでいいわ』。彼は本当に魅力的で、すごく楽しい人だと分かった。おしゃべりなわけじゃないけど、胸の内ではものすごく楽しんでいるように見えた。人を眺めるのを止めず、笑いも絶えなかった。それは彼がメイフェアを出てきた日のことで、泊めてもらえるところを知らないかと尋ねてきた。こんな放浪者に誰も部屋を手配してやらなかったのに驚いた。彼は歌ったあと、トルバドールで出会った誰かと出て行った。ほとんどの人が彼の歌に感銘を受けていた。みんなが凄い人だと思ったのよ」(8)

アンシアはディランを、グレイズ・イン・ロードのパブ「プロスペクト・オブ・ウィットビー」のシンガーズ・クラブに連れて行った。「ペギー・シーガーは彼に歌ってと頼まざるを得なかった。あまりにも多くの客が彼のことを知っていたから。本当は頼みたくなかったのよ。おかしな人たちでね、イワン・マッコールとペギーの夫婦って。ボブが『ホリス・ブラウン』を歌い終えたとき、観客はほとんど気絶してしまいそうだった。人生でそれほど強烈なものに出くわしたことがなかったのね。すさまじい歌声が観客に襲いかかるたびに、たとえば私なんかは、美味しくて強い酒を飲みたくなった。ペギーとイワンは座って岩のように黙っていた。ペギーは彼のところまで行って『どうも、ありがとう』と言った。それきり。私は驚いた。彼女から賞賛の言葉はなく、イワンに至っては一言も発さなかった。私たちは早々に立ち去った。ボブはとどまっていたくないようだった。雰囲気さえよければ何時間だって歌う人なのに」

イギリスへの最初の旅で、ボブはすぐにマーティンとドロシーのカーシー夫妻と仲よくなった。現代化された伝統に対するカーシーの寛容なスタンスは、ボブをほっとさせた。カーシーは振り返る。「彼のことは『シング・アウト！』で読んでいた。自然と、歌を頼んだよ。クラブ『キング・アンド・クイーン』の観客が彼の歌を聴くと、みんな夢中になった。でもおかしなことに、彼がクラブを去ると、さっきまで熱狂していた観客たちは彼をこき下ろし始めた。彼に歌わせたのは『大間違いだった』とね」

カーシー夫妻は何度か手紙を書いたが、ディランは一九六三年の春に一度だけ長い手紙を返したきりだった。トピカル・ソングをめぐる議論や、この時代に必要なもの、そして二人との素晴らしい思い出が熱っぽく書かれていた。「マーティンが『ロード・フランクリン』を歌ったときのことを思い出す。ぼくは今でも、真実を伝え、あるべき形であり続けるシンガーや歌を信頼している……今でもマーティンとドロシーのことを思い出しては、本のなかでも映画館でもレコードプレーヤーでも言い表せないような気持ちになる。二人のような人はそうそういないんだ」

ディランがイギリスに行った目的はＢＢＣのドラマ出演で、役柄は「曲を書いているアナーキーな若い学生」だった。未知数のディランに対し当時としては高額な五〇〇ポンドという額で契約を交わしていたサヴィルは、自分が雇った男が脚本家志望でもあることを知った。「ボブはエヴァン・ジョーンズが用意した台詞を言いたがっていないんだと分かった。自分の台詞を自分で書きたがっていた」とサヴィルは一九七一年に語った。「リハーサルで、姿を現したときは、台詞を言うのにも何の問題もなかったんだが、彼は筋金入りの個人主義で、その脚本をせめて自分のパートだけでも完全に書き直したがっていた。私たちは互いに、彼が書かれた通りには演じられないのだと悟った。それでその中心的な登場人物を二人に分割することにしたんだ」。のちに映画『モーガン』で主演を務めるデヴィッド・ワーナーは、当時その名を知られつつあったシェイクスピア俳優で、もともとはディランにあてられていた台詞を語る役を担うこととなった。ボブとワーナーは意気投合した。ハムステッドにあるサヴィルの家に幾晩か泊まって――サヴィルにとってはディランにリハーサルへ来てもらう確実な手段だった――ディランは自分の曲をおさらいし始めた。サヴィルは深く感銘を受け、「風に吹かれて」をオープニングとエンドロールの裏で歌ってもらうことにした（サヴィルはまた、このときディランは「ミスター・タンブリン・マン」を作っていたと振り返っている）(9)

いくつかの技術的な問題が生じ、サヴィルは撮影に数週間の遅れが出そうだとグロスマンに告げた。アルバートは、ボブには予定があるため追加のギャラと飛行機の往復チケットをBBCで手配してくれと言った。「オープニングとエンディングの曲とセリフ一言のためにひとりの歌手へ支払われた最高額のギャラになったのは間違いない」とサヴィルは語った（ちなみにその台詞はこうだ。「まあ、分からないけど、家に帰って考えてみるよ(E)」）。いずれにせよ、サヴィルはディランと「風に吹かれて」をイギリスに紹介できたことを誇りに思っていた。彼はディランの「ほとんど仏教徒のような内的集中と、洗練されたロンドンに対して示した少しのナイーブさ」に魅了されていた。

追加されたロンドンでの時間で、ディランはボストンから来ていた二人の旧友と会った。エリック・フォン・シュミットとリチャード・ファリーナだ。レーベル「フォークロア」でアルバムのレコーディング中だった彼らはディランをたやすく説得し、ブラインド・ボーイ・グラント名義で「ユー・キャント・オールウェイズ・テル」「クリスマス・アイランド」「コカイン」「グローリー・グローリー」といった曲にハーモニカを吹き込ませた。このセッションはチャリング・クロス・ロードの「ドーベルズ・ジャズ・レコード・ショップ」で一九六三年一月十四日と十五日に行われた。ディランは「エスタブリッシュメント・クラブ」でも演奏した。そこでは彼の権力（エスタブリッシュメント）に抗する歌が人気を博した。

　イギリスでの逸話には事欠かなかった。彼はたくさんのシュールなパーティの話をしてくれた。太ったアメリカ人たち、フランス人に見えるイギリスの若い女の子、入り口から部屋の中程までよろよろ歩くのに十分もかかる足の不自由な老女。別のパーティでは、骨身にしみる刺すようなイギリスの冬にもかかわらず、周りは半袖のシャツでうろついていた。「イギリス最先端のヒッピーたち」のパーティでは、ボブはガスストーブに身体を近づけすぎてズボンを焼いてしまうところだった。彼らはエヴァリー・ブラザーズのレコードで踊っていた。「イギリス人は片脚だけを動かしてツイストできるんだ！」ディランは彼らに向けて歌ったが、彼らの冷ややかさは部屋の寒さといい勝負だった。オデッタがローマに行こうというとき、ディランも数日間同行した。スージーはすでにニューヨークに戻っていた。最初にイギリスから戻ってきたとき、私はディランにロンドンは気に入ったかと尋ねた。「なあ」と彼は言った。「ローマには行くべきだよ。ローマは最高だ！」イタリアで、ボブは「悲しきベイブ」と「北国の少女」、そしておそらく「スペイン革のブーツ」を書いた。

　十五か月後、一九六四年の五月、ディランはイギリスに戻ってきた。十七日の「ロイヤル・フェスティヴァル・ホール」の公演を前にディランは盛り上がっていた。アンシアはチケットを手に入れられなかったが、「ディランはバックステージに来ればいいと言った。「来たほうがいいよ、ローリング・ストーンズも来るんだから」と彼は言った。テムズ川に沿って数千ヤードの列がホールへと伸びていた。二七〇〇席が早々に売り切れていた。アンシアは語る。「あの頃は、みんな髪を伸ばして、ジーンズを穿いていて、長髪の男の子が寝袋を丸めて持ち歩いて、そのきっかり二歩後ろをガールフレンドがギターを持って歩いていた。肌身離さずギターを持ち歩く吟遊詩人たちね。チケットのキャンセルは出なかった。ボブの最初の質問はこう。『ローリング・ストーンズは来てる？』私は言った。『流浪する人びと（ローリング・ストーン）を見たいなら、ドアから頭を出してみるといいわ』。彼は言った、『おいおい、こんなの見たことないよ！』彼の信奉者たちがありとあらゆる場所からヒッチハイクで来ていた」

コンサートは成功だった。ボブはカポを忘れて、誰か持ってないかと観客に尋ねた。みなが波のように押し寄せた。「私のを」、「ぼくのを使って」。ディランはそのうちひとつを笑顔で受け取った。「貸したのを忘れないでくれ、じゃないと返せないから」。『タイムズ』は、ディランの人を惹き付ける力がマリア・カラス、アンドレス・セゴビア、カウント・ベイシーのような人たちだけが持つ「真の磁力」の域に達していると記した。ロンドンの『デイリー・スケッチ』紙の見出しはこうだ。「声はどうあれ——卓越したシンガー」。わずか一年前にイギリスの冷淡さを知ったばかりのそのシンガーは、思春期のファンのように楽屋口に群がるビートや知識人の観客たちの喝采を聴くことになった。広報マンのケネス・ピットは言う。「彼の安全が心配だった。とても痩せている人だからね。タクシーに乗り込むために群衆を縫って歩くとき、彼をほとんど抱きしめるようにして進んだのを覚えている。ファンが車の脇を叩き始めた。ついに出発できたけれど、途中、ファンたちが車を止めさせてボブを引きずり出そうとした。ディランは言い続けていた。『なあ、ここから連れ出してよ』。私は素晴らしいことが起こっていると気づいた。ここに集まった人たちはただ彼に触れたいんだと思った。手に負えないファンのヒステリーなんかじゃない。彼に心から愛情を感じていて、それを示したがっているように見えた」

ディランは三十分のライヴをBBCテレビの「トゥナイト」で行い、BBCラジオの「サタデー・クラブ」とテレビ「ハレルヤ・クラブ」の収録も行った。こうした下地が、一九六五年、彼をスーパースターに押し上げる雄弁な観客たちを生み出すことになる。イギリスのシンガーソングライター、シドニー・カーターは私に言った。「イギリスの若いソングライターの大部分がディランに影響を受けている。一種のロマンティックな預言者めいた吟遊詩人として登場し、早逝する定めだというイメージにおいて、ディラン・トマスはウディ・ガスリー以上にボブ・ディランに影響を与えたと言えるだろう。ロマンティックな詩人は早死にするものだという誤った考えで育てられる人もいる。彼らは屋根裏とか洞穴に住んでいるんだろうってね。シェイクスピアは商業的にも成功したしテニスンは男爵になった。でもたいていの詩人のイメージというのは、二五歳以下が望ましく、革命的で、目鼻立ちもよく、女性についてでも、クスリについてでも、ワインについてでもいいけれど、そうしたことにすごくだらしがないものだ。そういうのがイマジネーションを強く刺激する。ディランの書くものには死との親和性がよく見いだせるけれど、ぼくを惹き付けているのはむしろ、生の肯定だ。ブルースと同じで、憂鬱なときを切り抜けさせてくれる希望に心を打たれる。ディランは生命と胆力に満ちているんだ、ディラン・トマスと同じようにね。ジョーン・バエズを見るとドラクロワの『民衆を導く自由の女神』を思い出す。それこそまさに今フォーク音楽に起こっていることだ。茶化しているんじゃないよ。この劇的な絵は、一八三〇年代にそうだったように、一九六〇年代のぼくらとともにあるんだ。ギリシャで何か困ったことが起こると、詩人バイロンはすぐにそこへ駆けつけた。フォーク・シンガーたちが南部に向かったのも同じことだ。権利のために戦い、若くして死ぬ。詩人という言葉の意味は人によって様々だ。おかしなことに、商業的な芸術家について話すことはできるのに、商業的な詩人とくるとそうはいかない。詩人には神聖なところがあって、才能に満ちている存在でなくてはならないんだ。ディランにとっては難しい役割だろうが、彼はまさにロマンティックな詩人のイメージにはまっている。自分を駆り立てる内なる声に耳を傾ける者なんだ。これまで詩人たちがずっと試みてきたこと——広く大衆に届けるということ——を、フォーク・シンガーたちはひそかに達成してしまった。間違いなく、イギリスのフォークソング・クラブで歌われているのは詩だ。それにこれはイメージの問題でもある。彼はまるでフットボール選手か闘牛士のようだ、その武器が言葉とハーモニーだという違いがあるだけでね。若者にとっての新たなヒーローのイメージであり、裕福で有名になる方法を示してもいる。中等教育を失敗してもひと財産築けるのさ。スペインやメキシコの闘牛士のように、あるいはスラムから力と優美さとともにのし上がる黒人ボクサーのように」(10)

だがときとして優美さに欠けるボクサーもいる。一九六四年、フォークソングを取材する評論家カール・ダラスがイギリスに滞在するディランと出くわした。ディランは言った、「味方、それとも敵?」ダラスは答えた。「はっきり言うと、きみのことはよく知らない」。「丁重に追い返されたよ」とダラスは語っている。ブリティッシュ・フォーク・シーンの大御所ロリー・マキューアンは、ボブを夕食に誘ったときのことを回想している。ディランと一緒に「三十人くらいの人たち」がやってきたという。彼はボブに魅了されるのと同じくらい嫌悪感も抱いた。「彼の傲慢さが気に入らなかった。その濃密な生き方で、とてもたくさんの体験を経ているように見えた。入ってくると、その部屋にいる誰よりも世界について少し多くを知っているような印象を与える態度なんだ。実際そうなんだろうが、彼がいかにもそんな風に振る舞っているように見えて少し苛立たしかった。おそらくディランは二十世紀初の真のテクノクラート（F）なんだろう。すべてのドアを開けられるんだよ。だがイギリスでブレイクしたあと、彼はジレンマに襲われていた。歓迎は拒絶と同じくらい大きな問題になり得るからだ」

作家で、著名なテレビ司会者であり、ケネス・タイナンと結婚していたこともあったエレーヌ・ダンディは、ディランに打ちのめされ彼を天才だと言った。別のパーティでディランはロバート・グレーヴスに会った。グレーヴスはディランに歌を頼み、ずっと話し込んでいた。

フェスティヴァル・ホールでの公演が終わると、ディランは数日パリに駆け去り、それからヴィクターと一緒にギリシャへ短い休暇に出かけた。アテネ郊外のヴァーニリャで、ディランは『アナザー・サイド』の大部分を書き上げた。次第に落ち着きを感じ始めていた。ギリシャに留まりたがったものの、スケジュールが埋まっていたためにニューヨークへ戻り、ウッドストックに向かった。ディランはイギリスを後にするたびに、二度と行くまいと誓っていた（これは一九七八年のイギリス行きが大成功に終わり、意見をすっかり変える前の話である）。初めのうち、彼はイギリスにいるほとんどの人は冷淡で、フォークのコミュニティは偏狭で、攻撃的なイギリスメディアは特に付き合うのが難しいと思っていた。それでも毎年のようにイギリスへ戻り、一九六五年の帰還でイギリスへの態度を大きく悪化させることになる。

ニューポート六四年再訪

六三年のニューポートがディランを中心に展開したのを考えれば驚くにあたらないが、彼は一九六四年のフェスティヴァルを期待はずれだと感じた。彼には、リーダーシップをとることの重荷について考え、あからさまに政治的な曲は自分の仕事のあくまで一部だと決心する時間があった。もはや彼は「人のためではなく、今は自分のために曲を書く」ようになっていた。ディランがスポットライトを勝ち取ったのが一九六三年だとすると、彼は一九六四年に事実上そのスポットライトを避けた。彼は先人シーガーのように、ステージの中心から一歩下がって同業者たちを眺めるつもりでいた。フィル・オクスは、意気揚々と、政治の旗振り人として登場した。ニューポートのプログラムに寄せた原稿のなかで、フィルは時事問題を取り上げる歌が急増していると書いた。「『エルヴィス・プレスリーがスペイン内戦を歌う』といったアルバムが出ても、ビートルズが『中印国境紛争についてのベスト曲集』といったレコードをリリースしても驚きはしない」

二つのフェスティヴァルのあいだの一年で、トピカル・ソングはその地位を確立していた。オクスは大学キャンパスの人気者になった。繊細な職人であるトム・パクストンもそれに追随していた。レン・チャンドラーが耳目を集めつつあった。バフィ・セントメリーが最も巧みな女性のソングライターとして登場し、マルヴィナ・レイノルズはいまだに長として君臨していた。シーガーは、まだワールドツアーでアメリカを離れていたが、リーダーであり続けていた。新たなトピカル・ソングの書き手には他に、ビリー・エド・ウィーラー、パトリック・スカイ、フレッド・ヘラーマン、ピーター・ラファージ、ティム・ハーディン、ジム・フリードマン、ジュリアス・レスター、シェル・シルヴァスタイン、ボブ・ギブソンなどがいた。二人の新たな才能は自分のスタイルを見いだすのに苦労していた。エリック・アンダースンとデヴィッド・コーエン（別名デヴィッド・ブルー）はほとんどディランのレプリカのようになり始めていた。二人とも人間の愚さと誤った制度を案じていたが、初期のディランが歩んだような政治的な道は辿らなかった。彼らの曲はもっと主観的で個人的なものだった。このときはまだ表に出ていなかった十三歳のジャニス・イアンは、ほどなく「ソサエティーズ・チャイルド」で世間を騒がすことになる。

ディランは六四年のニューポートで三度ステージに立った。金曜午後のトピカル・ソングのワークショップでは「悲しきベイブ」と「ミスター・タンブリン・マン」を歌った。誰もディランの新曲二曲が歌手にとってのみ「時事的」だということは気にしていなかったようだ。その夜のコンサートは、ニューポートの歴代観客動員記録を塗り替え、バエズがディランを呼び込んで「悲しきベイブ」をデュエットして終えた。観客たちは政治的な刺激を求めており、ジョーンはそれに応えて「勝利を我らに」を歌った。ディランのソロコンサートが日曜の夜にあり、一曲目は「オール・アイ・リアリー・ウォント」だった。多くの人が彼の新しい「アンチ・ラヴソング」のなかで持ち前のウィットが再び現れたのを喜んだ。だが残りの曲はそれほどよく受け入れられなかった。ステージに長く立つほど、パフォーマンスはとっ散らかっていった。「ラモーナに」はあまりに精彩を欠いていて、私はためらいがちに疑問をメモした。「アメリカのエフトゥシェンコはアメリカのエドガー・ゲスト（G）になってしまったのか？」彼は「タンブリン・マン」を歌ったが、たどたどしく、歯を食いしばっていて、流れるようなイメージも勢いがなかった。曲の合間にチューニングするとき、ディランは時々よろめいた。酔っ払っていても圧倒的な演奏に影響することはめったになかったが、このときは明らかに統制を失っていた。彼は最後に「自由の鐘」を歌い、さらにアンコールでジョーンを呼び「神が味方」をデュエットした。

とりとめのないパフォーマンスには多くの人びとが驚いたものの、ステージ裏にいた二人の友人は例外だった。ステージに上がる前、ボブはトニー・グローヴァーとケンブリッジのベッツィー・シギンズとお喋りしていた。トニーは一万五〇〇〇以上もの観客と対峙することにボブがものすごく緊張していると気づいていた。ディランはトニーに言った。「関係ないね。自分の音楽をやるだけだ。関係ない」。トニーはからかって、観客の敵意を避けるために背を向けて演奏すればいいと言った。パフォーマンス中にしばらく、ディランは実際にそうしていた。ディランは拍手喝采を受けていたが、不安そうだった。父親の方のジョン・ハモンドは叱った。「あんなショーをやったからにはひっぱたかれても文句は言えない」。パット・クランシーは舌打ちしながら言った、「ボビーには才能があるんだ、あんなパフォーマンスはふさわしくないよ」。私は報道陣用のテントに向かいながら、今のディランのパフォーマンスが最高のものだったと言い張るチャーリー・ロスチャイルドに公演は失望するものだったと伝えた。

その夕べはディランがすでに重々承知していたことをさらに実感させるものとなった。つまり、パフォーマーはつねに自らの力量を証明しなくてはならないのだ。批評的な耳は達人が見せる凡庸さなど受け入れない。ニューポートで一番がっかりしたのは、早いうちからディランを賞賛し続けてきた人びとだったろう。友人たちは、付き合いの新しい人も古い人も、直接あるいは紙上で、彼を叱咤激励した。一九六四年十一月号の『シング・アウト！』で、編集者のアーウィン・シルバーは「ボブ・ディランへの公開書状」を書いた。そこではこれまで抱いてきた尊敬の念がまとめられたうえで、懸念が表明されていた。「ニューポートで、きみが観客とのつながりを失うのを目にした……名声につきもののあれこれがきみの行く手を邪魔している……ジェームズ・ディーンのことを思い出した……そして少し涙が出た……ひどい自己破壊の可能性を考えると……きみの身に起こっていることの責任は、ある意味でぼくたち全員にもある……アメリカ的な成功のシステムは一日ひとりの天才を食いつぶしながら、まだ飢えているんだ」

この手紙がディランを元気づけたとしても、せいぜいヒビングでの一週間の休暇と同じ程度だったのではないだろうか。彼のやることすべてが誰かを不愉快にするようだった。ミネアポリスの人びとは彼がプラカードを持ったことで非難した。そして彼は裏切りのかどで石を投げられた。今度は説教臭いフォーク歌手たちが訓戒を垂れ始めていた。アーティストには、自身の声を聴き、自分らしく書き、演奏し、演じ、服を着る道はないのだろうか？　ありとあらゆる自分をあますところなく示せないのか？　公衆の所有物であるときにそれは難しい。多くの人が十一月の『アナザー・サイド』のリリースを待ち（H）、ディランが「ノンポリ」になったことを確かめた。十二月、かつてディランが賞賛した『ブロードサイド』のライターであるポール・ウルフは、六四年のニューポートを、オクスがポリティカル・ソングのチャンピオンになり、ディランがプロテストを「放棄した」瞬間として捉えていた。ウルフの見た「新たな」ディランは「離脱して……より高次の芸術形式に向かって」いた。オクスとディランを比較して、彼は「意味vs無味乾燥、観客の好みに従順vs徹底的な無視、理想主義vs自意識の利己主義」とした。ウルフは「タンブリン・マン」が「失敗」であり、「自由の鐘」を「この上なく困惑させられる」とこき下ろした。彼が描き出したディランは、映画『群衆の中の一つの顔』のロンサム・ローズだった――トリックスター、偽善者、そして聴衆を操る者。オクスはディラン擁護に乗り出した。「まるでフォークのコミュニティ全体が巨大な生物学の教室で、ボブが珍しい、貴重なカエルであるかのようだった。シルバー教授と学生ウルフは、解剖しようというときにこのカエルがあちこち跳ね回るのにかなり苛立っているらしい……だいたいディランは自分を何者だと考えているのだろう？　ひとりのアーティストのスタイルに慣れてくると、人はそのスタイルを急に変えてがっかりさせてほしくないと思うようになる。ものの考え方を変えるのに貴重な時間を費やしたくはないものだ」。オクスの皮肉は率直な怒りにつながってゆく。「観客の好みに迎合することは、彼らに敬意を示すこととは違うものだし、そのことを分からない観客がいたら、それは敬意を示すに値しない観客だ」

シルバーの手紙におけるキーワードは「取り巻き」だ。今ではディランが金で雇われたおべっか使いたちに囲まれているということを指していた。ディランは常にそうした人間たちをはねつけていたが、周りにはいつも人が寄ってきていた。一九六三年五月の「ブランダイス・フォーク・フェスティヴァル」を振り返っても、ディランは大勢の支持者に高々と持ち上げられたジーンズ姿のマハラジャ（I）のように見えた。一九六四年春、『ライフ』はディランがジーノ・フォアマンとアルバート・マーと一緒にいて無愛想な顔をしているところを捉えている。マーはハーバードスクエアの急進派で、一九六三年にキューバを訪れ、一九六四年にはロマンチックな改革主義者ディランへの賞賛の念から、ディランのコンサートツアーのいくつかに顔を出した。マーはヒューストンの億万長者の実業家ジョン・F・「ビッグ・ジョン」・マーの息子だった。彼が急進的になったのは十五歳のときで、カストロの著作を読んだのがきっかけだった。その傾向は一九六一年のピッグス湾事件のあとに加速した。一九六四年の初め、ディランはマーと散発的に会っていた。ボブとスージーが別れてから数か月後、彼女とマーは長い交友関係を始めた。

ディランの取り巻きのなかでもとりわけ近しかったポール・クレイトンは、批判の余地のないフォークのモラリストで、一九六三年から六四年にかけてのディランについてこう語っている。「彼は成功を期待しているように見えたけれど、大衆の前に立つと成功に向き合う準備がないことに気づいた。人気が出ると、死ぬほどおびえるようになった、その原因の多くは人びとから投げかけられる質問だった。ブラウン大学でのコンサートを思い出すよ。コンサートのあと、ヴィクターとニューワースとぼくとで彼の周りに非常線を張った。記者たちがテープレコーダー片手に追いかけてきて、自分をフォーク・シンガーだと思うか、なんて聞くんだ！　それこそ彼がおびえるたぐいの質問だった。彼は三十分ほど延々とまくしたてることもできたけど、その意見は弁解じみていた。確固とした、決定的な言葉は言わずに、相手に結論を出させようとするんだ。彼はだいたいいつも相手に選択を迫るけど、核心に近づけようとはしない。自分に確信が持てないときには、あらゆるヒップなスラングと不平と『ねえ、あんた』を盾にしていた。でも書くときには違う。書くものについては編集ができたからだけど、喋るとなるとそうはいかないから、自分の口にする言葉を完全には信頼していなかった。大勢の人を前にすると無口になった。一緒にいて安全だと思えるのは二十人ほどで、そのなかでも一緒に長い時間を過ごせるのは五人か六人だ。人が周りにいるときでさえ、彼は長い時間をひとりきりで過ごす」

ヴィレッジの界隈には、のちに『アイ』誌が「ディラン・ギャング」と呼ぶ、ディランと気の合うフォーク・シンガーが六人ほどいた——ジャック・エリオット、エリック・アンダースン、デイヴ・ヴァン・ロンク、デヴィッド・ブルー、フィル・オクス、ティム・ハーディン、他にあと数人だ。彼らヴィレッジの住人たちは、ディランに代わって説明し、擁護することを買って出た。当人がそういうことをしなかったからだ。オクスはディランが何度も彼をけなしたあとでも、最も雄弁であり続けた（ディランを「真にシェイクスピアに匹敵する」と評していた）。ヴィレッジの人びとがディランに受けた衝撃を解説しながら、マイケル・トーマスは一九六八年八月の『アイ』に書いている。

ディランはみなに自覚をうながしながら、自分自身のことも見いだしていった。そしてタンブリン・マンの声を聴くことができたから、彼は預言者になれた。彼は同時代人の野心に触れた。オクスやパクストンやティム・ハーディンといった人たちは、その熱を感じ取ってエネルギーをもらった。アンダースンやブルー、あるいはリチャード・ファリーナのような破滅的なヒーロー、そして「最後の偉大な大学二年生」ポール・サイモンも、ディランの存在に打ちのめされてしまったが、彼が非難されるようなことではない。

六四年のニューポートのあと、またも議論が持ち上がった。もしディランがブルースをやっているなら、彼は黒人音楽を盗む白人だ。もしウディのトーキング・ブルースを発展させているなら、彼は模倣者だ。もしアングロ・アイリッシュのフォークソングを翻案しているのなら、彼は泥棒だ。トピカル／プロテスト・ソングを書けば、伝統主義者たちは彼を裏切り者だと思うし、主観的なものを書いても、自分に夢中な実存主義者だと思われる。飛び交う罵りを見て、グリーソンは結論した。「アメリカの貨幣文化において許されない罪のひとつは、成功の階段の頂点に上り詰めておきながら、同時に権力組織に背を向けることだ。そうしてしまうと、下に隠れていた悪魔が姿を現して襲いかかってくる」

ディランの擁護者たちはあらゆる場所から現れた。一九六四年三月、当時フォークファンにはまだあまり知られていなかったカントリーシンガーのジョニー・キャッシュが、こんな要求とともに『ブロードサイド』に登場した。「黙れ！……そして彼に歌わせろ！」。六四年のニューポートで、キャッシュは素晴らしいパフォーマンスをやってのけた。フェスティヴァルがその日一番いい時間に登場させたのは、すでに評価を確立しているナッシュヴィルのスターだった。彼はフォークのファンにも語りかけた。キャッシュは本物だった――オザークの農家の出身で、生皮のようにタフで、生肉のように柔和だった。鉄道員の息子で、少年期の恐慌に育てられた、チェロキー・インディアンの血を半分継ぐキャッシュは、様々な音楽の世界でバランスを取れる洗練された人物でもあった。金曜の夜のパフォーマンスが終わると、キャッシュはすぐに「ヴァイキング・モーテル・イン」のバエズの部屋に急ぎ、そこでディランと一緒に、彼女に捧げる曲を何曲か吹き込んだ。ゴツゴツした、岩を削ったような風貌はキャッシュをタフガイに見せていたが、彼はディランが受け入れてくれたことに深く心を動かされた。キャッシュは大物のカントリースターであったが、感情の起伏とハードな生活にほとんどまいりかけていた。再びスターダムへの長い道のりを歩み始めた時期で、恐怖でいっぱいだったが、そのほとんどは彼自身の不安定な自己破壊の性質によるものだった。だがニューポートの温かさに、彼は励まされた。フォーク界の二人の若きスター、バエズとディランが一晩収録に付き合ってくれたことに心を打たれたのだ。その感謝を伝えようと、彼は自身が持っていたギターの一本をディランに贈った。翌朝、バエズは誇らしげにその夜のことを語った。彼女の秘蔵っ子がまたも新たな勝利を収めたのだ。

ニューポートの鋭敏な耳を持つ観客たちのなかには、シカゴからやってきたもうひとりの謙虚な巨人マディ・

ウォーターズを聴いた者もいただろう。彼はブルースに様々な表情があることを示し、ディランが一九六五年にエレキ・ギターで演奏する遠因にもなった。マディは農家の小作人で、キャッシュと似通ったところがあり、違うとすればマディはミシシッピ州の黒人で、つまりさらに貧しく、わずかに絶望は深かったというくらいである。十三のとき、まだマッキンリー・モーガンフィールドという名前だったマディは、土曜夜のフィッシュ・フライ（サタデー・ナイト・フィッシュ・フライ）（南部の黒人たちのハウスパーティ）でハーモニカを吹き、一晩五十セントのギャラと両手一杯の魚と酒を得る日々を送っていた（J）。一九四一年、アラン・ロマックスは議会図書館へ所蔵するためにモーガンフィールドのカントリー・ブルースを録音した。マディはそのとき、北部の音楽界に救済を見いだした。キャッシュがメンフィスへ向かったように、マディは「列車でシカゴに向かった。ひとりで。スーツケース、服を一着、それにギターを持って」。戦後のその街で、彼のカントリー・ブルースはよりタフに、印象的に、そしてエレクトリックになった。一九五四年、マディは力強いリズム・アンド・ブルース「ローリング・ストーン」をレコーディングした。ミック・ジャガーがバンド名にし、ヤン・ウェナーが雑誌のタイトルにし、ディランが自身の曲と、ウッドストックで飼っていた猫の名前に取り入れた曲だ。「転がる石（ローリング・ストーン）」に埃が積もることはなかった。

　六四年のニューポートでの歴史的な瞬間は人びとの前を素通りしたようだった。ディランがのちにロックバンドを率いて現れ、さらにその後ナッシュヴィルに向かったとき、初めてすべての要素が合致した。ディランがトピカル・ソングを超えていき、キャッシュがカントリーのやっかいごとを歌い、マディ・ウォーターズがバンドを引き連れることで、音楽は火が灯っている限りつねに動き続けるものだと示した六四年のニューポートに、すべてが持ち帰られていた。

ウッドストックの村

　一九六四年の夏と秋、ディランはますます長い時間をウッドストックで過ごすようになった。西四丁目の殺風景な部屋はあまりにもがらんとしていた。彼は少ない持ち物を移動させたいと思ってそわそわしていた。ニューヨークに滞在する必要があるときは、グラマシー・パーク・ウエストにあるアルバートの大きなアパートメントか「チェルシー・ホテル」に泊まればいい。かたやウッドストックは圧迫感も人ごみもない村で、献身的な友人たちもいた。ウッドストックには、ベアズヴィル近くのアルバートの大邸宅に個人用入口つきの専用の部屋があったし、ティンカー・ストリート五九番地に「カフェ・エスプレッソ」というたまり場もあった。

「エスプレッソ」はどこかグリニッチ・ヴィレッジに似ていた。外観はすすけた茶色で、照明は間接的で柔らかく、テーブルは会話するのに程よく離れている。大きな暖炉があり、店の外のテーブルにつけば大通りを行き交う人が見える。チェスボードとチェック柄のテーブルクロスはフランス風だ。オーナーはフランス生まれのバーナード・パチュレルで、彼の気さくな態度はカフェと、ディランにとってのウッドストックを肩肘張らない場所にした。バーナードは一九六一年にウッドストックに移ってくるまで、ニューヨークのル・ヴ・ドーやリュテスといった華々しいレストランで働いていた。古きウッドストックは彼に、フランスのコート・ダジュールの丘の上にあるサン・ポール・ド・ヴァンスのアート・コミューンを思い出させた。「カフェ・エスプレッソ」が売りに出されているという話をききつけて、バーナードと彼の妻メアリー・ルーは、そこを現金の後払いで買った。「自分たちで改修して、五年も保たせたんだよ」。ライヴのエンターテインメントとして、フォーク音楽は悪くないように思えた。フォークのコミュニティはウッドストックにずっと昔からあった。黎明期のバラッド蒐集家サム・エスキンはそこに住んで長く、バンジョー弾きで歌手でもあるビリー・フェアは一九五〇年代の後半から町の顔になっていた。バーナードは、ビリーとフランスのフォーク・シンガーであるソニア・マルキンに、歌手を集める手伝いを頼んだ。バーナードが最初にブッキングしたグループはダン・アンド・ザ・ディーコンというデュオだった。そこで仕事をしたなかには、パクストン（五十ドルと食事で三日間）、ジョン・ウィン、エド・マッカーディ、レヴァランド・ゲイリー・デイヴィス、ハッピー・トラウムがいた。バーナードが初めてディランについて聞いたとき、ディランは「ガーディス」で旋風を巻き起こして週二〇〇ドルを稼いでおり、「エスプレッソ」には手が出なかった。ディランが店にいるのを初めて見たのは六三年夏の日曜の午後のことだった。ボブはジョーンら数人といて、手回しの蓄音機をいじり回していた。修理屋としても名を馳せていたバーナードがそれを直してやったとき、その古い品が七八回転のものだと気づいた。ボブとジョーンが古いスピリチュアルを聴くためのものだった。ウッドストックが避難所で、まだ動物園でも「国（ネーション）」でもなかった日々だ。ディランはしばしば道端で練習した。こっちの垣根の上で、あっちのベンチで。バーナードはすぐにディランがジョーンと一緒にクラブへ再び現れるのを見た。ボブが少し酔っているのを見て、店の優しい主人は、彼を丁重にアパートメントの二階にあるパチュレル夫妻の大きな白い部屋に案内した。ボブはそこでどんちゃん騒ぎの酔いを寝て覚ますことができた。ディランはすぐにその部屋を気に入った。静かで隠されているうえ、階下がクラブであるために孤独もやり過ごせた。「彼はまるで私たちの家に越してきてその部屋の鍵まで持っているかのようだった」とバーナードは語った。「家賃は取らなかった。ただ彼が来たいときにいつでも泊まっていいという共通認識があっただけだ」

一九六四年の冬と春のめまぐるしい旅のあと、ボブはウッドストックに戻ってきた。『アナザー・サイド』をレコーディングする準備をしていて、彼が見つけたバーナードとメアリー・ルーのいる避難所は、しっかりと「いくつかのべつのうた」で言及されている。ベアズヴィルでは、アルバートはいつも人に囲まれていた。妻のサリー、映画作家のジョーンズ・アルクとハワード・アルク、ピーター・ヤーロウ、ジョン・コート、そこを訪れていたジュディ・コリンズやオデッタやイアン＆シルヴィアなど。快適なアルバートの屋敷のなかでもプールはボブのお気に入りだった。彼はバイクをガレージに置いていて、裏手の道で乗り回していた。ボブはグロスマン界隈の「排他的な」楽しみを好んではいたが、たいていはひとりでいたがった。アルバートの屋敷は「エスプレッソ」から三マイルしか離れていなかったが、ボブはよくバーナードの部屋に引っ込んだ。階下でヴィクターかバーナードとチェスをして過ごしたり、バーナードと車でキングストンの中華料理屋の向かいにあるカビ臭くて古いビリヤード場に出かけたりした。

アルバートのベアズヴィルの屋敷の前には、こんな看板があった。「電話で約束していない場合、不法侵入と見なします」。アルバートはウッドストックに電話番号を三つ持っていた。ディランはひとつも持っていなかった。彼は自身の招待客名簿を厳選していた。クレイトンは一九六四年の頭ごろによく来ていたものの、しだいに仲間から外されていった。ニューポートのあと、ジョニー・キャッシュが訪ねてきた。ダニエル・クレイマーは一九六四年にウッドストックに行き、数か月間、断続的にディラン専属カメラマンを務めた。のちに、クレイマーが早々に辞めさせられると、ジェリー・シャッツバーグが交代し、気に入られなくなるまで続けることになった。クレイマーはディランが落ち着きのない被写体だと気づいた。彼はポーズにこだわりを持っていた。クレイマーはディランが作曲しているところやギターを弾いているところを撮りたがったが、ディランはひとりきりで書くものだからと拒んだ。クレイマーはそれでもディランの素晴らしい写真をいくつか撮っていた。田舎道を歩くところや「エスプレッソ」で座っているところ、アルバートの家のポーチのロッキングチェアで揺れているところ、高い木の枝に立っているところ。木の写真を見たとき、ボブは次のコンサートで木の上から歌ってみようかと言った。クレイマーの撮った最良のショットのひとつは、ボブがポーチのブランコの上で笑っている写真で、まるでヒビングのエコの小屋の前のブランコで揺られているようにも見える。

一九六四年から六五年にかけてウッドストックで過ごすあいだ、ディランはたくさんの曲を書いた。その緑や美しい丘や静かな小径に囲まれながら、彼は鋭く、なにか宣言するような、緊張感ある音楽を、次のアルバム群に向けて準備していた。ワーズワースが詩について述べたありふれた文句を借りるなら、ディランは、ウッドストックの平穏のなかでさまざまな情感を思い出していたのだろう(K)。コンサートとレコーディングセッションはひっきりなしにあり、息をつけるのはウッドストックだけだった。もしニューヨークにとどまっていたら、感情の平静を完全に失っていたかもしれない。彼はウッドストックから、一九六四年のふたつの主要なコンサートに向かった。

一九六四年八月八日、ジョーンは「フォレスト・ヒルズ・ミュージック・フェスティヴァル」で野外の一万五〇〇〇の観客の前で歌った。彼女の歌はいつも通り滑らかで安定したものだった。後半、彼女は舞台上で靴を脱ぎ、ディランを呼び込んだ。これほど貧しいディランのパフォーマンスは聴いたことがなかった。片方しかない翼で苦闘して、地面を離れられないでいるようだった。声は耳障りで、よく出ていなかった。ジョーンの落ち着きは彼の混乱を際立てるだけだった。私は彼について辛辣なことを書かなくてはならなかった。あとになって、ジョーンと彼女のマネージャーが、『タイムズ』での私のレヴューを読んだディランが怒り狂って罵り、復讐を誓っていたと教えてくれた。

一九六四年十月三一日、ニューヨークの「フィルハーモニック・ホール」で、ディランの公演をもう一度見る機会があった。いわゆるハロウィーン・コンサートだ。ディランはそれまでのなかでもとりわけ素晴らしいパフォーマンスをした。およそ半年ぶりに、彼はハンドルをドリフトさせるのではなく、きちんとコントロールしていた。「時代は変る」「ジョン・バーチ」「はげしい雨」「ハッティ・キャロル」「デイビー・ムーア」「ボブ・ディランの夢」「神が味方」といった曲を引っ張り出した。「悲しきベイブ」を、よくリハーサルされたジョーンとの連携で歌った。「タンブリン・マン」の輝くような彷徨が光を増した。「エデンの門」は卓越していた。「イッツ・オールライト・マ」も演奏し、刺すような詩行を強烈に叩き付けた。私はレヴューを次のように結んだ。「半年間の遠回りの末、ディランはその豊かな音楽と文学の才能を、再び前に押し進めたようである。この才能と、意義深い演目を使いこなす能力が高められた結果、アメリカの卓越した若き歌う桂冠詩人によって、その夜はたびたび心奪われるものになった」(11)

コンサートのあと、ディランは二番街のはずれの宴会場でパーティを開いた。私は友人たちと出かけていった。ジョーンとボブは腕を絡めて、穏やかに私に挨拶した。ディランは明らかに八月の私の辛辣なレヴューのことを忘れていた。自分が大勝利を収めたと分かっていたのだ。彼はワインがきちんとみなに行き渡っているか確かめた。ワインはもちろんボジョレーだ。出席者のなかには詩人のアレン・ギンズバーグやグレゴリー・コーソ、ジャズマンのオーネット・コールマンがいた。とはいえこれは有名人の集まるパーティという以上に、コンサート終わりのリラックスしたムードのなかで友人たちと会う機会だった。

自分を非難する相手に対し、彼は「フィルハーモニック・ホール」のパンフレットを通して、言いたいことがたくさんあったようだ。その「ゴタマゼな誕生日にジェラルディンにあたえる忠告」は、彼を縛り付けようとしてくる規範に対する皮肉に満ちている。

線を越えるな、足並み揃えろ、人びとが

恐れるのは
足並みを揃えない者。そんな人間を見ると
自分が馬鹿みたいな気分になってしまう、
足並みを揃えていることが。それどころか
こう思いさえするかもしれない、自分たちの歩みこそ
間違っているのではないかと……
きみのことをはっきりと定義してみせろと言われたら
言ってやるといい、わたしは厳格な数学者であると
言ってもやってもいけないのは
きみの前にいる人が
理解できないこと、彼はきっと
きみがなにか知っているようだと感じてしまう、彼が
知らないことを (12)

「寂しき四番街」や「ジェラルディンにあたえる忠告」といった彼の「中期」における典型的な非難の詩は、どこか被害妄想のトーキング・ブルースに聞こえるかもしれないが、実際はアーティストの独立宣言である。ディランは権威を嫌悪していて、そのなかには『シング・アウト!』や『ブロードサイド』や『ビルボード』や『タイムズ』に寄稿する、趣味嗜好の決定者も含まれていた。彼が誰に宛てているのかは誰にも判然としないが、多くの人は彼がそうした連中を標的にしていることを肯定的に取っていた。ディランはただ従いたくなかったのだ。「真実攻撃」をほとばしらせるとき、自分が負いかねない傷の重さを気にすることはめったになかった。彼はこのメッセージを、一九六五年十月一日の「カーネギー・ホール」でのパンフレットに載せてもまだ有効だと思っていた。そのとき彼はザ・ホークス（のちのザ・バンド）と一緒に登場した。

ディランは評論家たちとは遠回しに争うのを好んでいた。面と向かっているときは、できるかぎり礼儀正しくしていた。「フォレスト・ヒルズ」での弱々しいパフォーマンスからほとんど間をあけずに、ヴィレッジで私はディランと夜を過ごした。彼は私のネガティブなレヴューには触れなかった。かすかに打ち解けきらないところがあったが、彼はちょっとした情報と助言をくれた。その情報とは、遠回しな言い方ではあったものの、彼が累計一〇〇万枚を売り上げようとしているということだった。スタッフへの賃金と税金を引いて全体の二十%でも受け取れれば良い方だと知っていてもなお、彼は明らかに驚いていた。話題を私に向け、いま何を書いているのかと聞いてきた。私は取り組んでいる色々なもののことを話した。歓びのために書いているもの、稼ぐためだけに書いているもの。リンダ・メイソンがディランの曲を歌ったどうということのないアルバムのライナーノーツを、私がアダム・バーンズという偽名で書いていることを彼は知っていた。チャーリー・ロスチャイルドが教えたのだ。彼は辛辣に、もしきみがまた金に困ったときはぼくに言えよと言ったが、そうすることはなかった。私はカントリー音楽について書いている本と、ほかの企画の話をした。彼は私に、生活のための文章以上のものを書くことにベストを尽くせと言った。「心に強烈に迫ってくるものを見つけて、それを書くんだ」。ギャスライトで、彼は私にそう言った。そのときは分からなかったが、彼は遠回しに私を本書の執筆へと導いていたのだ。彼がもう私の保護を必要としていないことを痛感させられた。

翌日、彼はウッドストックに戻り、足早に抜け出しつつあった過去を思い出させてくる評論家とヴィレッジの友人たちから離れていった。それからの数か月で、彼は新しい、刺激的な友人たちと知り合い、そのなかには何人かの若いミュージシャンがいた。彼らは自らをザ・バーズと、ザ・ビートルズと名乗っていた。

【原注】

（1）「はげしい雨が降る」の歌詞。

（2）『ブリンギング・イット・オール・バック・ホーム』のスリーヴ・ノート。

（3）「はげしい雨が降る」の歌詞。

（4）二〇一〇年、ピート・カーマンは執筆を続けている。Karmanturn.blogspot.com.を参照のこと。

（5）IWW-Industrial Workers of The World は一九〇五年設立。

（6）リチャード・ファリーナによる記事は、*Mademoiselle*（一九六四年八月号）に「Baez and Dylan: a generation singing out（バエズとディラン ひとつの世代が歌う）」というタイトルで発表され、*The Dylan Companion* に再録された。

（7）「悲しきベイブ」の歌詞。

（8）アンシア・ジョゼフ（一九四〇～一九九七）はディランと付き合いを続け、映画『ドント・ルック・バック』にも登場する。彼女はロンドンのCBSで働き、のちにジョー・ボイドのウィッチシーズン・プロダクションズにうつった。

（9）フィリップ・サヴィルはテレビドラマの分野で際立ったキャリアを歩んだ。主要な監督作に一九八二年の *Boys From the Blackstuff* がある。更なる理解のためには *The Dylan Companion* 所収の「Bob Dylan in the Madhouse（マッドハウスのボブ・ディラン）」を参照のこと。二〇〇七年、BBCテレビがドラマのメイキング・ドキュメンタリー *Bob Dylan in the Madhouse* を放映した。二〇〇八年、BBCラジオ2はディランが一九六二年から六三年の冬にかけてはじめてイギリスに行ったときについてのドキュメンタリー *Bob's Big Freeze* を放送した。

（10）シドニー・カーター（一九一五～二〇〇四）は「ロード・オブ・ザ・ダンス」の作曲家として最もよく知られている。

（11）このコンサートはすべて *The Bootleg Series, Volume 6: Bob Dylan Live 1964, Concert At Philharmonic Hall* (2004) に収録されている。ロバート・シェルトンによる『ニューヨーク・タイムズ』でのレヴューがブックレットに再録されている。CDにはバエズとのデュエットが四曲収録されており、二人のデュエットはさらに *Joan Baez: Rare, Live & Classic* (1993) にも収録され、なかにはそこでしか聴けない「トラブルド・アンド・アイ・ドント・ノウ・ホワイ」（一九六三）や「風に吹かれて」（一九七六）がある。

（12）"Advice for Geraldine on Her Miscellaneous Birthday" © 1964 by Special Rider Music, renewed 1992 by Special Rider Music.

【訳注】

（A）西海岸で作家のケン・キージーが主催していたイベント。この時期はまだLSDが違法になる前で、キージーはその使用を広めようと活動していた。

（B）サイデコやケイジャン音楽の影響を受けながら一九五〇年代に発展し、一九六〇年代にポピュラーになったアメリカ南部のブルースのひとつ。

（C）十九世紀後半にアメリカ南部で広まった黒人のダンスステップのひとつ。

（D）「Stuart」を「Stewart」と書き間違えている。
（E）英語のセリフは「"Well, I don't know, I'll have to go home and think about it"」。
（F）科学技術や政治経済の知識を持つ位の高い官僚の呼び名。
（G）イギリスに生まれアメリカで活躍した詩人（一八八一年〜一九五九年）。多くの人に親しまれる大衆的な詩人で、楽天的・牧歌的な詩が多い。
（H）『アナザー・サイド』の発売は、実際には一九六四年八月。第6章404頁参照。
（I）サンスクリット語の称号。「偉大な王」の意であり、統治者の称号としても使われる。
（J）「サタデー・ナイト・フィッシュ・フライ」は、歌手・サックス奏者ルイ・ジョーダンによる一九四九年のR&Bのヒット・ナンバー。
（K）ワーズワースは、詩とは「自然に流れ出す力強い感情」であり、その起源は「平穏のなかで思い起こされる情感」である、と述べている。

一九六五年イギリス、レスターでの記者会見のあとで一息つく。

一九六四年七月、ウッドストックの自宅で思いにふけるディラン。

08

オルフェウスが
プラグを差し込む

もし彼らにぼくの曲が分からないなら、なにかを捉えそこねている。もし彼らにポルノグラフィーめいた灰皿が、緑の時計が、濡れた椅子が、紫色のランプが、敵の彫像が、木炭が分からないなら……やっぱりなにかを捉えそこねている……どれも音楽なんだ、それ以上でも、それ以下でもない。

――ディラン　一九六五年

ディランは、われわれのポピュラー音楽を成熟させる、たったひとつの最も重要な力だった。

――ジョン・ピール　一九七〇年

時代ほど暴力的な歌があり得るだろうか？……たしかにうまいやり方ではなかったかもしれない。乱暴だったかもしれない。でも彼はわれわれを揺さぶった。そして詩人と芸術家はそのために存在するのだ。

――ジム・ルーニー　一九六五年

エレクトリックにしたのは誰の指示でもなかった……いや、誰かに尋ねたわけでもない。誰にも相談ひとつしなかった、信じてくれ。

――ディラン　一九六五年

「ディランが道を拓く」『メロディ・メイカー』一九六五年一月号の巻頭。

ENNON

● GEORGE HARRISON

BEATLES SAY— DYLAN SHOWS THE WAY

BY RAY COLEMAN

music scene is e with talk of v trendsetters. ionally, there is getting a hotter n than Bob Some say he is

is a 23-year-old who has sud- come fashionable narkable degree. dern folk poet", been described, g enormous in- o the pop world. with the Beatles Dylan-inspired their latest al- ny people in the rld predict even ccess for him in

iclear

nger - songwriter - narmonica player dy tasted huge a writer, because ved "Blowin' In ". Most of his ve strong social ies and bear "With God On "The Times They angin' ", "Masters nd "Hard Rain"— out nuclear after-

ylan performances use Of The Rising Sun" and "Baby Let Me Follow You Down" — have been hit parade influences for the Animals.

And in America, Dylan is regarded as the most important singer and songwriter since Woody Guthrie.

Two Beatles particularly go for Dylan in a big way. George Harrison has all his LPs and plays them regularly. John Lennon admires Dylan, too, and he conceived "I'm A Loser", the Dylan-type song on the "Beatles For Sale" LP.

Does Lennon think the Dylan cult in Britain can make him a really enormous star?

Influence

"Well, I can't see him getting much more popular than he is," John said this week. "It's funny, but the first time you hear Dylan and if you buy his LP, you think you're the first to discover him. But quite a lot of people had discovered him long before us.

"I think Bob Dylan's music will grow steadily in this country, but I can't see him becoming the kids' new craze. I'm not saying the kids in this country won't grow to like his stuff, but there can't really be Dylanmania."

Lennon makes no secret of the fact that "I'm A Loser" was inspired by American folkist. "Anyone who is one of the best in his field—as Dylan is—is bound to influence people," said John. "I wouldn't be surprised if we influenced him in some way."

The mutual admiration between the Beatles and Dylan led to their first meeting—in New York. But the first time they latched on to his work was when they were in Paris.

Paul McCartney had heard about Dylan in England, and the Beatles were visiting a radio station in Paris. In the room were the LPs of the American star.

Exchange

"Paul got them off whoever they belonged to," Lennon recalled, "and for the rest of our three weeks in Paris we didn't stop playing them. We all went potty on Dylan."

In New York last year, the Beatles met Dylan twice. He visited them and they talked about songs. The link became strong enough for Lennon and Dylan to swap addresses and talk of exchanging ideas for lyrics.

"That might strike a lot of people as funny," points out George Harrison. "After all, there must be a lot of staunch folk fans who like Dylan but who don't like the Beatles. I do know he likes our work, and that knocks us out."

John says he has heard that Dylan digs "I'm A Loser".

Rebel

What it is about Dylan—a rebel with a cause, a strong personality rather similar in his swaggering image to the late James Dean—that the Beatles ad-

JOAN BAEZ
"a female Dylan"

"I like his whole attitude," declares Harrison. "The way he dresses, the way he doesn't give a damn. The way he sings discords and plays discords. The way he sends up everthing—I mean some of the words are just marvellous, y'know.

"On his new LP, which I've just bought, he does a marvellous send-up of Cassius Clay, and I love his Talking Blues about World War Two.

"Oh, we met Joan Baez, as well, in Denver. She's good, too—a sort of female Dylan as far as the words of her songs go, but more polished."

John likes the messages in Dylan's material. He says "A Hard Day's Night" was in Dylan vein when he first wrote the opening bars. "But later we Beatle-ified it before we recorded it," he added.

"I could have made 'I'm A Loser' even more Dylanish if I tried," said John.

Genius

Dylan is an acquired taste—the sort of performer whose records could send the new listener screaming from the room on first hearing.

But he is exciting and magnetic.

He is a mediocre harmonica player, and a functional guitar accompanist. And Lennon admits that when it comes to singing, Dylan is a bit of a "neigher".

Despite this, he remains a powerful, provocative, biting, refreshing, intelligent performer. And when one considers Dylan's age, he can't be far short

時や場所を問わず「路上の学者」だったディランは、高校時代のロックンロール、学生時代のラジオ音楽を忘れ去ることは一度もなかった。一九六四年の後半、ビートルズは増えつつある新しいロックグループのひとつにすぎなかった。弾き語るフォーク・シンガーの単旋律は、単調というわけではなかったが、多重録音で身を固めたサウンドに取って代わられた。ファビアン、フランキー・アヴァロン、それにボビー・ヴィーが作った、ギターをかき鳴らすモック・ロックの時代は過去のものになった。ヴィーが一九五九年にディランと演奏の契約を交わさなかったおかげで、ディランはフォークソングを自由に探求することができ、これまでロック・ミュージシャンたちが手をつけていなかった領域から様々なものを引き出した。

そして一九六四年頃には、概して静かなウッドストックで、ディランはドラムロールに、シンバルに、フェンダー・ベースの重い響きに、エレキ・ギターから流れ出した身悶えするような金属的なフレーズに耳を澄ました。それまでのアコースティック・ギターとハーモニカをたずさえたソロ歌唱を手放したわけではない。言葉の奔流こそ、それが優雅なものであれ怒りに満ちたものであれ、最も重要な力だと彼は分かっていた。ただ、それらの言葉を異なる文脈に置こうとしただけだ。しかし、一九六五年の二枚のアルバム『ブリンギング・イット・オール・バック・ホーム』と『追憶のハイウェイ61』に対する聴衆と評論家の反応はこの上なく極端なものだった。彼は、ある人にとっては裏切り者の日和見主義者となり、ある人にとっては天才の救世主となった。

ディランは密かに計画的に指示されたのではなかった。独断でロックに飛んで帰ろうと決めたのだ、フォークソングのストーリーテリングとメッセージはそのままに。ビートを加えたことと、時事的なスローガンを取り去ったことに関する議論が、真に重要な発展を見えにくくした。ディランは過去三年間以上に洗練された、新たな表現を生み出しつつあったのだ。「フォーク・ロック」の発明はポップカルチャーの転換点になった。ディランの新たな作品以前、ビートルズも含めたほとんどのロック・ミュージシャンたちは味気ない、浮ついた歌詞を歌っていた。多くの愚かなフォーク・ファンたちがディランの新たなアプローチを理解するのに手間取る一方で、ポップの新しい信奉者たちは即座に反応した。

レヴューは幅広く書かれたにもかかわらず、ほとんどの評論家は一目瞭然のポイントにこだわっていた。口承文学、フォークの伝統、そしてロックの実験性を見事に混ぜ合わせることによって、『バック・ホーム』と『ハイウェイ61』はポップソングの歌詞を変革したのだと。一九六五年のディランはどこへ向かっていたのか？　彼のロードマップは、三つの美学的かつ哲学的なコンセプトを指し示していたように思う。アートにおけるグロテスクと不条理の探究、実存主義、そして意識の鏡としての夢と幻視である。

グロテスク

ディラン作品の新たな登場人物たちは、グロテスクな存在に事欠かない。「ロビン・フッドに変装したアインシュタイン」(1)と「ぼろを着たナポレオン」(2)がディランの歌詞の伝統に流れ込んだ。ミスター・ジョーンズ、ドクター・フィルス、サベージ・ローズ、そしてオペラ座の怪人といったキャラクターは、中世ノートルダムのガーゴイルのまたいとこ、ランボーとアポリネールが生み出した類型の継子、カフカの『変身』の毒虫の隣人だ。彼のごろつきの美術館はフランスのシュールレアリストたちと同様、ゴヤ、ベラスケス、ボス、カロの絵画に見られる痛めつけられた者たちと遠くで通じている。ディランには詩人コールリッジの持っていた「イメージを造型する力」があった——自分自身の詩的な別世界を創り出す能力だ。その世界で展開するドラマに私たちはこわごわと足を踏み入れる。人生の冷酷な側面から、彼は落ち着きのない魔物、霊魂、悪魔、そして悪意あるミューズたちを、拡大し、歪め、造型し、いびつに作り上げた。リルケは天使を見た、ブレイクは預言者のイザヤとエゼキエルに出会った、そしてディランは奇人変人を描いた。

日々の暮らしのなかでグロテスクなものと出会うために地獄の季節を通過する必要はない。ただラジオをつければいい。するとアドルフ・アイヒマンやカリー中尉の歌が流れる(3)。グロテスクという黒い笑いは芸術のなかにずっと響いている。グロテスクなものは、自然で、保守的で、伝統的な秩序への信仰が崩れようというときに人の心を摑む傾向にある。人びとはそうして、混沌とした無意識の地下世界から現れた魔物や戯画や霊魂の支配下に置かれるのである。

一九六四年までに、ディランはスローガンが何も変えないことを悟った。「風に吹かれて」はアメリカの黒人たちの生活を向上させたか？　それは教会の讃美歌のようなものではなかったのか——魂を高め、希望を肯定するような？　だがそれは本当に変化を起こしたか？　情熱的に解決を訴えてきた社会の預言者がそれでも見過ごされていたと気づいたとき、どうなってしまうのか？　この預言的なシンガーはきっと、真には聴かれていないということを恐れている。そして彼は内面に向かっていき、自身のスローガンが奇妙な謎掛けに変化した預言者となる。未解決の危機という真空を闇と風刺のユーモアで満たすことが、正気を失った世界に向き合う最良の方法だと思うようになる。「グロテスク」についての以下の定義はシュールレアリストの絵画にも、レニー・ブルースの独り語りにも、ギンズバーグやファーリンゲティの吠え声にも、そしてディランの「歌・詩」の多くにも当てはまるだろう。

『グロテスクなもの——その絵画と文学における表現』において、ヴォルフガング・カイザーは「突発性、不意打ちがグロテスクなものの本質的属性なのである」と述べている。

われわれの世界の信憑性というものが実はみせかけにすぎぬとわかるものだから、恐怖はわれわれにはげしく襲いかかる……グロテスクなものは死の恐怖よりも生の不安をそそりたてるのだ……ルネッサンス期の装飾的な芸術以降どんどん進行する解体……アイデンティティの喪失、「自然のままの」均衡の歪曲、物体範疇の廃棄、人格概念の破壊、歴史的秩序の断片化。『黙示録』の獣たちがあらわれる……デーモンたちは日常世界に侵入する……その侵入者は不可解で非人称のままである……われわれは疎外された世界ではわれわれ自身の位置を定めることができない。その世界が不合理だからである……一芸術ジャンルとしての悲劇は、まさにその無意味・不合理なものにおいて――何かより深い意味の可能性を暗示する……グロテスクなものを表現する者は、意味を暗示してはならないし、暗示することもできない……グロテスクなものの表現は不合理なものをもてあそぶ遊戯である。それは快活に、ほとんど自由奔放に始めることができる……しかし、それは戯れる者を夢中にさせ、彼から自由を奪って、彼が軽々しく呼びだした妖魔たちに彼自身をすっかりおびえさせることもできるのだ……この世界を疎外することができる暗い力のせいで恐れおののきつつ途方にくれるにもかかわらず……真の芸術的な表現が同時にひそかな解放をもたらすのである……暗闇がみきわめられ、無気味なものがあばかれ、不可解なものが釈明を求められる……グロテスクの最終的な解釈はこうだ――すなわち、グロテスクなものの表現はこの世において魔神的なものを呼び出しつつ追い払うという試みである。(4)

不合理な混沌を包み込める芸術的な構造を探すうちに、ディランはいかにしてか自分の世界や曲をコントロールすることに成功し、解放の形式を手に入れた。

実存主義

ディランはいまや政治を、社会を、あるいはモラルを問うことをやめた。『ブロードサイド』での日々、彼は浅薄な社会分析をしていた――差別は悪い、貧困は不公平だ、戦争は醜悪だ、平和と同胞愛が肝心なんだよ、そうだろ。一九六四年、ほとんどの急進主義者より早く、ディランはプラカードの哲学がもはや用をなさないことに気づいた。サルトルやカミュといった人たちに続いて、彼は路上の実存主義へと旅した。それは系統立った思考以上に、感情的な反応に突き動かされていた。ディランは駆け出しの頃の考えや方向性をないがしろにしなかったし、サルトルやハイデガーについて熱弁することもなかった。だがもし私たちが実存主義を大学のゼミからハイウェイに持ちだせば、コンパスが指し示すのはディランの一九六五年から六六年にかけての作品群である。『リーダーズ・エンサイクロペディア』における実際的な実存主義の定義はこうだ。

出発点は人間の意識と精神的なプロセスである……人間には確固たる格があるという考えは幻想だということが示される……人格はその人が積み重ねてきたものでしかない。いかなるときにも、人格とは、その人がその瞬間までに形作ってきた人生の集積なのである。その人の始まりにある「無」は、したがって、人間の自由の根源である……人間の精神はこの宇宙における存在の意味を理解することがない。幻想を取り払ったとき、人は人間をめぐる状況の不条理におののく……だからこそ人は、あらかじめ決まった絶対的な価値観のない世界で、自分のモラルを創り出さなくてはならない。自己への誠実さは実存主義者に共通する主要な価値観である。あらゆる実存主義的な文章にはそれを達成しようとする際の苦悩が刻まれている……善い信念を持っている人間は、自分ひとりでなく、すべての人がそれをするかどうかを検討することによって潜在的な行動を判断する。その選択の難しさにかかわらず、人生から身を引くのではなく、他者とともに活動的に生の営みに参加、「アンガージュ」するのである。(5)

この伝統に連なる書き手としてユダヤ人の神秘主義者マルティン・ブーバーを引用したあと、次のような区別がなされている。カミュが『「不条理な人間』と呼んだものはサルトルの『誠実な人間』と共通するところがあり、どちらもこの世界の沈黙に直面する孤独な人間を捉えている。絶望を拒絶し、可能なかぎり愛することの責任と苦悩を引き受け、どちらも、自身の自由を行使することは他者が自由を行使できることと切り離せないと考えており、そのためには、誰もが貧困から、政治的圧力から、その他の回避し得る外的な制限から自由でなくてはならない」

ディランもまた、抗えない死と絶望を意識するなかで、苦悩に満ちた誠実さの探求に取り組んでいた。路上で彼は、自身の苦悩と責任を検討し、自身の孤独を観客たちの孤独と向き合わせ、自身の不条理なロックの人生を、不条理主義的なイマジネーションの発明で満たした。彼にとっては、そのどれもが「たしかに存在する人びと」

なのである。

現実の鏡としての夢と幻視

説教者であり預言者であり芸術家である者が見る夢は、通常の時間と空間の外にありながら、それでも日常世界の鏡になっている。それらの夢が彼を際立たせ、才能があることはもちろん、彼を「難しい」人間に見せていた。アーティストは私たちより強烈に、明確に物事を見ている。そしておそらくは、彼らがヴィジョンに形を与えることで、ほんの少し垣間見れるくらいであった物事を私たちが知覚し、理解する手助けをしてくれる。シュールレアリストにとっては、夢や、イメージや、そして幻覚さえも、自然によるものだろうと化学によるものだろうと、自身の芸術の領域を広げ、深めてくれるものだった。そうしたアーティストたちにとって、人生は現実を超えていて、真面目さを超えたものだった。それがシュールレアリズムの美学だ。フォークの美学はすべての男女がアーティストになり得るというものである。どこにでもいるアーティストと「神聖な」アーティストが共存し、重なりあう。アーティストは、最高の夢想家として、自身の見るヴィジョンに構造、形式、色彩を与え、それをある時点で、観客たちと分かち合うのである。最良のアートとは私たちのイマジネーションを暖める炎であり、人類全体の経験に輝きを与える地球規模のかがり火なのだ。

特に一九五〇年代後半からは、マリファナの使用が広まったために、麻薬の影響を受けた夢によって、多くの人が自分をアーティストであり幻視者だと感じるようになった。麻薬を吸って互いに「ビューティフルだよ、なあ！」と唸っている連中はアーティストとは言えないにしても。たくさんのブレイクやコールリッジ、ランボーやボードレールが、知覚の扉の向こうでコミュニケーションを交わし、その「異なる世界」に実在性と物質性を与える言葉や音や色を、他に類のない方法で見いだした。数えきれないほどのディランのファンが私に、ボブの一九六五年から六六年にかけての作品のほとんどは、アシッド（ＬＳＤ）をやらずに理解するのは「不可能」だと主張した。「アシッド音楽」、彼の中期三枚のアルバムがそんなふうに呼ばれていたときもあった。だが聴き手がアーティストと同じドラッグストアで買い物をする必要はない。フィッツジェラルドが必要とした量のジン・

フィズを飲まなければ『グレート・ギャツビー』や『夜はやさし』を味わえないなどということはない。ディランは確かに、かなりの集中力と、一歩踏み出して自分についてくることを聴き手に求めている。初めのうちは単純に、凝り固まった考えのフォークニクたちに踏み出す準備がなかった。彼らがまだスペイン内戦の英雄たちを追いかけているあいだ、ディランはタンブリン・マンを追って、退廃的で疎外され、シュールレアリスティックで、実存的な感覚とヴィジョンに移行していった。

ニューヨークで一九六五年の一月一四日と一五日にレコーディングされた『ブリンギング・イット・オール・バック・ホーム』は、あえて「難解」に書かれた歌・詩ではない。「すべてを家に持ち帰る」というタイトルは、ディランが英語に刻み込んだ優れた口語のフレーズだ。それはロックをイギリスの発明だとぼんやりと思っているビートルズやローリング・ストーンズのファンたちに、すべてはアメリカで始まったことを思い出させる。のみならずこのフレーズは、ディランがリズムのある音楽に帰ってきたことを示してもいる。いかなる派閥でもない、私たちすべての人間のための痛烈なプロテストが復活している。ディランは不誠実さがアメリカの若者を標的にしていると考え、抵抗してからかうべきものとしてそうした不誠実さを列挙する。そしてラヴ・ソングはディランを、内省と、アイデンティティの探求と、エデンを構成するものへの理解へと立ち戻らせた。この頃ディランは言っていた。「混沌はぼくの親友だ。真実は混沌としている。美もきっと混沌だ」。それでも社会の、そして魂の混沌を描出するにあたって、彼はその「親友」に芸術的な秩序を与えた。

ダニエル・クレイマーによるジャケット写真は、象徴的に綴られたエッセイのようだ。ディランは猫をあやしている――名前はローリング・ストーン。背後にはエリック・フォン・シュミット、ロッテ・レーニャ、ロバート・ジョンソン、インプレッションズのアルバムがある。彼の背後のいちばん奥には前作がある。魅力的なブルネットの女性はサリー・グロスマン、アルバートの妻だ。あちこちに、核シェルターの標識、『タイム』誌、十九世紀の肖像画などがある。暖炉の上の中央左寄りにあるのは「ピエロ」で、バーナード・パチュレルが棄てようとしていた色ガラスをディランが張り合わせて彼に贈ったもの。アルバム裏には、このシンガーの生活を垣間見せる写真がある。ジョーンがディランのハーモニカを吹いている。ピーター・ヤーロウが憲兵にむかって頭を掻いており、ディランはどうやらオリエント急行に乗ろうとしている。穏やかな佇まいのアレン・ギンズバーグがシルクハットとネクタイを身につけている。ディランがスタジオのキーボードを弾いている。映画作家のバーバラ・ルービンがディランの頭をマッサージしている。『不思議の国のアリス』から抜け出してきたかのようにシルクハットをかぶり、大きな笑みをたたえて、ディランがファンと向かい合っている。多くの人が『バック・ホーム』を彼の歴代のレコーディングで最高だと見なしている。いくつかの曲はロックバンドの伴奏があるが、そのエレクトリック・バンドの残響は、B面の、主としてアコースティックなサイドにも響いている。

〈サブタレニアン・ホームシック・ブルース／Subterranean Homesick Blues〉

ディランが再びエレクトリックに向かうことを最初に示したのが、一九六五年前半にリリースされたこのシングルで、チャートの三九位までのぼった。リズム&ブルースのやんちゃな夢想家、チャック・ベリーの音楽的影響が色濃く出た曲で、ディランはチャックのシンプルなブルースコード、卓越した楽器としての声の使い方、皮肉っぽい歌詞、明るいムード、軽快なテンポを拝借している。「サブタレニアン」は『アナザー・サイド』の「悪夢のドライブ」と「ベイビー・ブラック」の詩から生まれた。短く、パンチのきいたフレーズからなる歌詞は、縄跳びのような韻に負うところが大きい。ブルースとR&Bは、アメリカのストリートで遊んだ少年なら誰でも知っている、この伝統的なスタイルの韻をよく使う。ガスリーと「ポール・キャンベル」（シーガーの変名）は「テイキング・イット・イージー」でこの手法を使っている——

ママがキッチンで準備する食べ物（イート）
姉さんがパントリーで探すイースト
パパが地下室で混ぜるホップ
兄さんが窓辺で見張る警察（コップ）

ディランの機関銃のような韻は完全なおふざけのように見えるが、黒々とした不条理がこの見事なナンセンス歌詞に影を投げかけている。民主社会を目指す学生同盟の好戦的な組織ウェザーマンは、その名を本作の歌詞「予報士(ウェザーマン)なんかいなくても／風向きなんて自分で分かる」(6)からとった。「指導者には従うな」(7)は反権威主義の基本的教義である。ディランは学校教育にも痛烈な言葉を浴びせている。「二十年学校に通えど／日雇いだ」(8)。「サブタレニアン」の歌詞は、サイレント映画のスラップスティックな追いかけっこに登場する、早回しで動く警官、役人、地方弁護士に似ている。そのあとに続くのは、わずかな言葉で見事に語られた、悲しく、無意味で、つねに失敗を先回りして案ずる「ベイビー・ブラック」の人生だ(9)。

〈シー・ビロングズ・トゥ・ミー／She Belongs To Me〉

ディランはアンチ・ラヴ・ソングを発明したのかもしれない。これまで、ポップスはもっぱら青臭い愛を歌ってきた。ディランはその形式を大きく成熟させ、語り手を傷つけ落胆させ困惑させた女たちに遠慮なくやりかえす。アイロニーはつねに彼最良の武器だった。整然とした韻と言葉の長さを持ち、極めて均整のとれたブルースの形式のこの歌が部分的にでもバエズのことでないとしたら、ディランにはエジプトの指輪をあげたことのある知られざる女性アーティストが他にもいるに違いない。三番めの詩節にある「彼女は決して転ばない／彼女には倒れる場所がない」という歌詞(10)は、トラディショナルなフォーク・ブルース「アイム・ア・ストレンジャー・ヒア」に呼応する。一番めの詩節には、ジョン・リー・フッカーのブルースからタイトルをとった映画『ドント・ルック・バック』の萌芽が見える。辛辣な歌詞は優しく温かいメロディに乗り、歌い方はのんびりとしている。軽やかに揺れるようなテンポは、ワルツのように優雅だ。エンジニアリングの成果でディランがそばにいるような感触があり、エレキ・ギターとハーモニカが曲の辛辣さを和らげている。

〈マギーズ・ファーム／Maggie's Farm〉

一九六一年、ディランは地主に搾取される小作農の過酷な生活を歌ったプロテスト・ソング「ハード・タイムス・イン・ザ・カントリー」をよく歌っていた。その曲のもとを辿れば、一九五〇年にシーガーが録音した「ペニーズ・ファーム」にいたるだろう。シーガーの歌に出てくるジョージ・ペニーは、これ以上ないほど卑劣な地主だ。「ペニーの農場（ペニーズ・ファーム）」で「過酷な日々（ハード・タイム）」を生きたあと、ディランは徐々に彼らの言葉とメロディを完全に作りかえ、「マギーズ・ファーム」を生み出した。ディランは早いうちから、プロテスト・ソングの伝統的な曲が、軽妙さのない真面目な歌だけに限定されるものではなく、社会的主張を多くのやり方で包みこめるものだと知っていた。「サブタレニアン」がそうだったように、ここでの笑いは悪魔的であり、社会批判は鋭い。この「反労働歌」には、あらゆる無意味な労働への強い非難が含まれており、その響きは服従に対する独立宣言のようだ。シンプルなR&B構造でスウィングするバンドをバックに、ディランの声はトランペットのように鋭く響く。語り手の苦難を笑っているうちに、私たちはみな誰かの農場で働いていることに気づかされる。イギリスでは、一九七八年以降マギー・サッチャーの保守政府を嘲笑するものとしてこの曲は再びもてはやされた。このタイトルは『タイム・アウト』誌の連載漫画にも使われた。

〈ラヴ・マイナス・ゼロ／ノー・リミット／Love Minus Zero/No Limit〉

彼のアンチ・ラヴ・ソングはますます冷笑的になっていたが、それでもなおディランは、誠実で、だましだまされの神経質なラヴゲームを避けることのできる賢い女性を夢見ていた。タイトルはギャンブル用語からの借用で、すべての愛は賭けだと示唆している。

ぼくの愛する彼女は沈黙のように話す
理想も暴力も抜きで
彼女は自分がいかに誠実かを言う必要はない
それでも彼女は真実だ、氷のように、火のように[11]

ここでディランは新しい詩の力を試している。クリストファー・リックスは理想と暴力の結合を喜んでいた。ジャック・マクドノーはディランとボリス・パステルナークの魅力を「沈黙と謎という二人の代母」で結びつけ、さらに「孤独を通した自己認識、ロマンチックかつ実存的」というディランのもうひとつの関心を見いだした。「ラヴ・マイナス・ゼロ」の音楽の流れはとても穏やかで、マントと短剣、真夜中の揺れる橋といった不吉なイメージも、愛する女性が醸し出す静けさを妨げはしない。

〈アウトロー・ブルース／Outlaw Blues〉

原始的なR&Bのビートとコード進行が詰まった、チャック・ベリーの「メンフィス・テネシー」の影響を感じさせる一曲。トラディショナルなR&Bの文脈にのせて、ディランはブルースを風刺している。再び転倒のイメージに引き寄せられ、彼は悲痛とあやしげな沼地を、なんなく避けて通る。二番めの詩節では、悪党の神話学が展開する。ジェシー・ジェームズが絵をかけているときに、ロバート・フォードなるご友人に撃たれる。四番めの詩節はまたもR&B的で、ディランは魔除けのお守りの代わりに黒い歯とサングラスを身につけ、最後の対句でマスコミに対する自分の態度を要約する。「くだらないことについてくだらないことを聞いてくるな／本当のことを教えてやるから」(12)。曲は聴き手を心地よく揺さぶり、各詩節の最後に一度ヴォーカルのブレイクが入る(ポール・ウィリアムズはロックに関する自著の題名に「アウトロー・ブルース」を使い、一九七七年には、ピーター・フォンダ主演のカントリー音楽にまつわる映画のタイトルにもなった)。

〈オン・ザ・ロード・アゲイン／On The Road Again〉

入り口はグロテスクな予兆である。ナポレオンの仮面をかぶったパパ、ダービーハットの牛乳屋、議論好きの郵便配達人に執事、靴下のなかのカエル――幻想の農場での静かな一日である。明るくシンプルなロックに、効果的なハーモニカが入りこむ。だが、曲自体は刺しこむようなビートとはねつけるようなリフが圧倒的で、黎明期のロックと同じ乱雑さがある。

〈ボブ・ディランの115番目の夢／Bob Dylan's 115 th Dream〉

最初の夢についての曲から一一三個の夢を軽やかに飛ばし、ディランは「一一五番目」を提示する。スタジオセッションは、しばしば空気が張り詰めるものだ。緊張の兄弟である笑いは、たいていすぐそばに座っている。一回目のテイクのとき、バンドが出だしの合図を見逃したために起こった笑いが、とても自然に、すぐに伝染したため、トム・ウィルソンとディランはそのまま録音に残すことにした。ディランが好むのは荒唐無稽なほら話にのせて自由に風刺し、思いつきのようなウィットの奇妙な断片を歌うことだ。今回、グロテスクな夢はアメリカ大陸発見を扱っている。有名なクジラ「モビー・ディック」のハンターは「エイラブ船長」と名を変え、彼が見つけた混沌のクジラがアメリカという設定。ここでもコメディ映画のコマ撮りを見るようだ。コメディアングループのキーストン・コップスよろしく追われては追いかけ、駆けるようなテンポと流れるような拍子が、ひとつの場面から次の場面へとたたみかけるようにフィルムを高速でまわしてゆく。ディランの夢が暗転する前、彼はなお人生は恐ろしいものというより滑稽なものと思っている。彼の耳はつねに、意表を突き、面白がらせるような見事な韻を探している。

軽薄で生意気な調子で始まる『バック・ホーム』だが、そのB面に詩的な飛躍があるとは誰が想像するだろう。これから紹介する四曲はディランの作品のなかでも有数の、後世に残る傑作だ。彼の才能について限られた時間で説明せよと言われたら、私はこの二三分のB面をかけるだろう。曲の長さすらトレンドを生んだ。ディランは、アルバムの一曲を三分内に収めるというポップの慣例を破り、六十年代の終わりには「ヘヴィな」アルバム・トラックとして知られていくものをここで始めていた。

〈ミスター・タンブリン・マン／Mr. Tambourine Man〉

超越を探し求める芸術家を歌う壮大な叙事詩。ディランの関心はここでも感情にある——その本質は何か、そしてそれに屈するのか、それともユーモアとタフさで制御するのか。最初の頃はジュディ・コリンズやザ・バーズのヴァージョンの方が知られていたが、ディランのヴァージョンはこの歌の捉えがたい核に私たちを近づける。一九六八年、ディランは『シング・アウト!』でこう語った。「ひとつだけ、やろうとしてうまくいかなかったものがある。もうひとつの『ミスター・タンブリン・マン』を書こうとした。これまでに『もうひとつ』書きたいと思った唯一の曲だ。でも、とことんやってみて、だんだん嫌になってきたからやめた。あんなことは二度とやらない」

一九七三年十一月十一日の『(ニューヨーク)サンデー・ニュース』紙でアル・アロノウィッツはディランがニュージャージーのバークレー・ハイツの邸宅でこの曲を書いたことをこう語った。

ボブは夜明けまでタバコの煙のなかでキーを叩いていたはずだ。ちょうど……スージーと別れたばかりだった……彼にとっては、さらなる孤独に足を踏み入れる大きな一歩だった……私はくずかごがくしゃくしゃの書き損じでいっぱいなのに気づいた。ゴミ箱に捨てようと横のドアからくずかごを取ったとき、心のささやきにとらわれた……私はしわくちゃの紙を手に取って広げ、狂ったように跳ねる文字を読み、着地しなかった跳躍にほほえみ、紙をファイルに入れた。その紙はいまもどこかにあるはずだ。

「タンブリン・マン」は見事な描写だが、曖昧さがつきまとう。ディランはいかなる経験、道、新しい扉が、私たちに幸せと達成感をもたらすかと尋ねる。最も広く受け入れられているのは、ディランがドラッグのことを語っているという解釈だ(リチャード・ゴールドスタインは大学におけるドラッグについて書いたデビュー作のタイトルを『ミスター・タンブリン・マン』にするつもりだったが、グロスマンのパートナー、ジョン・コートが出版社に名前を変えるよう要請、あるいは命令した)。ドラッグの比喩という説を仕立てるのは簡単だ。超越、自由、逃避というモチーフに加え、二番めの詩節には「トリップ」と「裸にされた感覚」、四番めの詩節には「心の煙の輪」(13)という直接的な表現がある。トマス・ド・クインシーは『阿片常用者の告白』のなかで阿片を「暗黒の偶像」と呼んだ。ラテン語の「マテル・テネブラルム――暗黒の母」からの訳である。しかし、ディランがド・クインシーを読み、「マテル・テネブラルム」という音の響きに心を奪われ、「ミスター・タンブリン・マン」に言い換えたなどということがあり得るだろうか？

だが、この曲はドラッグよりはるかに普遍的な経験に通じている。黒人霊歌を知るディランであれば、タンブリン・マンを、教会に「喜びの叫び」をもたらす宗教的な救済の使者と見なしたはずだ。信ずるに値する救世軍団体なら、ゴスペルを明るくするためにタンバリンを使うものである。タンブリン・マンはやすやすと音楽と詩の女神、あるいは大人のための眠りの精（サンドマン）の権化になれる。それは私たちを日々の行進から連れ出してくれる精霊である。そこには、「狂った悲しみのねじれた手から遥か遠く」[14]、「明日までは今日のことを忘れ」[15]られるという望みがともなっている。ガブリエル・グッドチャイルドはかつて、舞踏を超越のイメージとして捉えたイェイツとの比較を提起した。彼にとってのタンブリン・マンは皇帝、もしくは砂浜で踊る子どもである。イェイツは「ビザンティウム」のなかで、超人のイメージを追い続け、真夜中に「死んで舞踏と化し／恍惚の苦悶となり／袖ひとつ焦がさぬ炎の苦悶」[16]にもがく自分に気づく。ディランのヴィジョンでは、「ダイヤモンドの空」の下の踊りという「凍った」動きとして現れている。

ディラン自身は、フェリーニの映画『道』と、スタジオセッションで大きなタンバリンを持っていたミュージシャン、ブルース・ラングホーンが直接的な着想だと語っている。「この曲にドラッグはなんの関係もない」。この曲の魔法の一部は、タンブリン・マンがたくさんいるということである。私の場合は、タンブリン・マンはディラン本人であり、彼は私に向けて歌い、追うことを許し、踊りの魔法にかけてくれる。彼は生気というものに惹かれているが、それはまさにディランが数多くの人びとに与えてきたものに他ならない。彼の歌を聴けば、私たちはどこへでも行ける。彼は今日のことを忘れさせてくれ、明日はまた新しい歌を歌ってくれるだろう。

〈エデンの門／Gates Of Eden〉

救済の探求。つまるところ、天国と地獄にまつわる誓約もしくは恐怖は、万人が向き合う問題だ。『オルフェウスのヴィジョン』(A)のなかでグウェンドリン・ベイズは言う。「睡眠と覚醒のあいだの境界はホメロスもウェルギリウスも知覚しており……両者ともこの二種類の空想的世界を区別していた。象牙の門と角の門という有名なシンボルは、この歌詞を読み解く基盤となる……死者の世界に通じる角の門を通れば真実そのものに到るのに対して、『光る象牙』の門を通ると、しばしば偽りの夢が人間にやってくるのである。このように、古代人は賢くも、夢が真実と過ち両方の使者になり得ることが分かっていた」(17)。ガブリエル・グッドチャイルドは言う。「実は彼はエデンのことではなく、エデンでないもののことを語っている……彼はこの世界のこと、破壊、残虐、偽りの約束、預言者と悪党、見せかけの安全といった幻想のことを語っている。唯一の慰めは『エデンの門の内側には関係ない』(18)ということだけだ。すべては終わり、無がやってくる。もし無だけが唯一の望みだとしたら、なんとひどい世界だろう」。「エデン」の皮肉の最たるものは、天国は、私たちが信じ込まされてきた以上のものであると同時にそれ以下のものでもあるということだ。ディランからすれば、死後の生には悩みも心配もないという考えは究極のたわ言である。そんな考えは人生の醜悪さを無視しているからだ。人は死んだら死ぬのであって、永遠の眠りより安らかなものがどこにある？

二番めの詩節で、金属的で機械的な街が、エデンの静穏を求めて泣く赤ん坊たちの叫びで覆われる。三番めの詩節では、野蛮な兵士たちと耳の聞こえない狩人たちが門へ向かう神話の舟を待っている。四番めの詩節で、アラジンの魔法と修道僧の魔法が楽園を約束するが、その楽園も、エデンの内側を知るまでは笑い飛ばされることはない。五番めの詩節ではマルクス主義者がささやきながら、新たな王であり指導者が引き継ぐのを待っている。そのあいだ、観衆たちは政治的・哲学的な苦闘から逃げだす。エデンに王など存在しないことを知っているのだ。六番めの詩節では、バイクに乗ったヒップスターーと、彼の反意語たるグレーのフランネルの愚かなビジネスマンが、どちらもおびえて罪の意識に苛まれているが、死あるいはエデンにおいて、罪は存在しない。七番めのシニカルな詩節において示されるのは、歴史が私たちに教えてくれることはろくになく、ブレイク的な「経験の王国」(19)はただ風のなかで朽ちていくということである。貧者は他の貧者の持ち物を欲しがって争い、富める者はそのあいだ議論を続けているが、エデンの門の内側では問題にならない。さらに憂鬱なのは、「友人たちと他の見知らぬ人たち」(20)が、無益にも自らの運命を変えようとしていることだ。だがそれもまた、エデンの門の内側には関係ない。最後に、語り手の恋人が見る夢さえも、意味や真実を求めて探られることがない。真実はエデンのなかにしか、眠りにしか、死にしかないのだ。

一七九三年、ブレイクは『楽園の門』という一連の寓意画を出版する。一八一八年、彼は多くの画に改訂をくわえ、「門の鍵」というテキストを追加する。その寓意画は人間のゆりかごから墓場までの歩みをたどり、そこで欲望や死へのフラストレーションといった様々な魂のありようを描いた。ブレイクにとって、墓は死を意味する場所ではなく、聖書、スペンサー、シェイクスピア、ミルトン、スウェーデンボルグなどと響き合う魂の神秘の場所だった。「エデンの門」は、ブレイク的な無垢の歌であると同時に経験の歌なのだろうか？　コールリッジは、詩を理解する最もよい方法はそれらを「完璧にではなく、大まかに理解すること」だと言った。それに従って、「入れ墨の刻まれた帆の船」(21)を、死へと導く乗り物としての船という普遍的な隠喩とみなしてみる。すると、金の子牛の横鞍に腰かける僧侶たちは、モーゼが十戒をもたらすまで金の子牛を崇めていたイスラエルの民を思わせるのである。

〈イッツ・オールライト・マ／It's Alright, Ma (I'm Only Bleeding)〉

タイトルはアーサー・「ビッグ・ボーイ」・クルーダップが作曲し、プレスリーのファーストシングルとなった「ザッツ・オール・ライト・ママ」の茶目っ気あるもじりである。タイトルが似ているとボブに言ったとき、彼は鋭く返した、「そうだよ、似たような曲だろ」。「イッツ・オールライト・マ」は究極のプロテスト・ソングである。たくさんの神話と社会悪を破壊していく。

「イッツ・オールライト・マ」は怒っているというより悲しげだと思う。彼は両親の世代と、これから親になる世代に同時に語りかけているようである。そう、つまりすべての人に。「時代は変る」からの二年のあいだの、書き手としての成熟を見るようだ。詩節をひとつ書き写してみても、時間が尽きる前にすべてを言い終えなくてはならないと彼を駆り立てていたような強烈な衝動、エネルギーが鳴りをひそめているのが分かる。論文「ボブ・ディラン 市場のアーティスト」(B)のなかでビル・キングは、この曲が「資本主義にとって、共産主義にとってのケストラーの小説『真昼の暗黒』のような存在の曲である」と書いている。舞台はまたも幻想的で、新たな苦痛(「正午の始まりの暗黒」)(22)があらゆるものに影を落としている。そして、生気のなさ、絶望への敗北に対する激しい攻撃がある――「生まれるのに忙しくないやつは/死ぬのに忙しい」(23)。おそらく最大の曖昧さは、視点の揺らぎにあるだろう。このシンガーは自分について語っているのか、それとも聴き手の苦境を描写しているのか? いくつかのスペルミスと粗悪な転記にくわえて、歌詞カードと『ザ・ボブ・ディラン・ソングブック』は四つめと五つめの詩節の四五行が省かれている。修正されたものは『ボブ・ディラン全詩集』を参照のこと。

「イッツ・オールライト・マ」は、ディランがもう社会的なことに関心を抱いていないという批判を覆す。彼はプロテストをより高いレベル、人間の条件について語るという段階に持ち上げたのだ。卓越した詩節のなかで、ディランはまだ三年先まで待たなくてはならないセックス革命を予見している。彼は、ヒビングでよく知っていた「年寄りの女判事」(24)を激しく非難する。安全を強硬に守ることも、死への保険にはならないことを彼は知っている。彼の標的は広がり、広告、プロパガンダ、猥雑さ、偽りの神々、にまで狙いを定める。その怒りにもかかわらず、彼は嘘や不快を人生の一部として受け入れ、悲しみに対する鼻息の荒い怒りをやわらげ、本来そういうものだと納得する。暗に、彼は人生の瑕は善し悪しを超えたところにあると見ている。これはほとんどギンズバーグの「吠える」のようなスポークン・ポエトリーである。実際、メロディアスで、リズムに富んだベース音は、釘に打ち下ろされるハンマーの役割を果たしている。いくつかのフレーズの繰り返しは、劇的なインパクトとなり、緊迫感を高めている。

〈イッツ・オール・オーヴァー・ナウ、ベイビー・ブルー/It's All Over Now, Baby Blue〉

別れがいくつかのものに向けられている――付き合った女性のうちの誰かへの挨拶、左翼への別れ、あるいは自身の若き日の幻想への別れ。自己との対話でもある。彼は「置き去ってきた死者のことは忘れてしまえ/追ってはこないさ」(25)と自分に言い聞かせる孤児だ。これは墓碑銘ではない、というのも彼は「また別のマッチを擦って、もういちど始める」(26)ことができるからだ。二番めの詩節（「偶然にも集めてきたものを持ってゆけ」）(27)を、『易経』の英語版にユングが寄せた序文を参照しながら見てみよう(28)。ユングはそこでシンクロニシティについての説を詳述している。それは「ある時空間における出来事の偶然の一致のことであり、そこにはたんなる偶然以上の意味、つまり、客観的な出来事同士のみならず、観察者の主観的（精神的）な状態に奇妙な相関がある」。『血の轍』以前で言えば、「ベイビー・ブルー」は痛みについてのディラン最良の一曲である。その声は、穏やかな諦めにまで和らげられた苛酷な経験を捉えている。『バイオグラフ』において、ディランはジーン・ヴィンセントの「ベイビー・ブルー」を関連づけている。

アルバムのライナーノーツは『タランチュラ』的な、神経質な思考の断片と、名前のリストと、荒々しい並列で始まる。第二部はアフォリズムの謎掛けである。完璧主義への別れ、ホワイトハウスの俗物根性への苛立ち、混沌を受け入れること、恐怖の描写、そして「経験が、沈黙こそ人びとを最も恐れさせるものだと教えてくれた」(29)という発見。この格言家めいたゲームを通じて、彼はいまこそ「詩はひとりの裸の人間だ……ある人びとは私のことを詩人だと言う」(30)と宣言する準備をしていた。ほとんど自分を詩人だと認めかけているが、完全にはまだだ。

『追憶のハイウェイ61』

『追憶のハイウェイ61』は一九六五年八月にリリースされた。ディランの勢いに空白期間はなかった。というのも七月に出たシングル「ライク・ア・ローリング・ストーン」が数週間、チャートのトップにい続けたからだ。この成功にもかかわらず、ディランは二人目のプロデューサー、トム・ウィルソンと決別した。しばらくして彼は理想的な相手、ボブ・ジョンストンを見つけた。シャイで、穏やかな話し方をするナッシュヴィル人の彼は一九六五年の初めにコロンビア・レコードに入るまでの二年間、フリーのプロデューサーをしていた。二年後、彼はコロンビアのカントリー・アンド・ウェスタン部門のA&Rのディレクターになる。キャッシュ、サイモン&ガーファンクル、ルイ・アームストロング、ザ・バーズ、アレサ、パティ・ペイジ、フラット&スクラッグス、シーガー、レナード・コーエンのプロデュースも手がけた。何曲かヒット曲を書き、いくつかはプレスリーによって録音されたが、レコード・プロデューサーはアーティストに手を差し伸べつつ、最大限の自由を与えるべきだと考えていた。「ディランは王だ。向こうから聞かれないかぎり、彼の曲をどう思っているか本人に語ることはない」。かつてジョンストンはそう言った。

ジョンストンによれば、ディランはつねにスタジオの空気を良くしようとしていた。「どうもうまくいかない状況になると、いったん解散し、翌日の午後か夕方にまた集まった。そんなときディランはこれ以上ないというところまで曲を練り直してきた。一緒に演奏する相手が誰であろうとね」。ニューヨークやナッシュヴィルのスタジオ・ミュージシャンたちについてはこう語った。「彼らは自分たちが世界でも屈指の優れたアーティストと演奏していると分かっていて、ディランはそれを活用した。彼は追従者ではなく、先導者で、つねに変わり続けた。彼がカントリー・ソングを録音すれば世界が追従した。変化は彼の地位や彼自身を保つもののひとつだ。もし彼が誰かにスイッチを入れてほしいと思えば、エンジニアはすぐ手に入った」。ジョンストンは典型的なセッションの様子をこう話した。「ボブがいきなり電話をかけてきて、新しい曲がまとまってできたから録音したいと言う。スタジオはたいてい予約でいっぱいだが、ほかのグループに、どんな大物でも、部屋を空けさせるのは簡単だった。それほど誰もがディランを尊敬していた。スタジオセッションのメンバーは、彼が聴いたことがあって使いたいと思っている連中だったと思う。ディランとやる場合、ほとんどすべてがぶっつけ本番で、重ね録りは最低限で済んだ。こうして録音はほんの二、三回のテイクで終わる。ディランはすごい。彼と一緒に仕事ができるだけで誇らしいよ。大切な友人で、彼のために環境を整えたいと思っている。ミキシングには一週間かけるし、もし彼が気に食わなければ最初からやり直す。仕事の優先順位は彼次第だ。彼はボスだが、仕事は一緒にやる。ディランは完璧主義者だ。二番目にいい、では満足しない。とても熱心で、これまで私が協力してやってきたどんなアーティストとも違う。彼のアルバムを『プロデュース』するというより、彼がスタジオを笑って出て行けるようにベストを尽くしているだけだ。ボブは頭のなかに音楽がある男だから」

『ハイウェイ61』は全体的に『バック・ホーム』よりもアンサンブルがすっきりして各楽器とそこに重なる声がより際立っており、今回もアルバムを飾るのはクレイマーの写真だ。撮影は室内だが、ディランが着るバイクのTシャツとカラフルなシャツがまたも路上の雰囲気を醸し出している。裏面にはセッション中のディランの写真が三枚収められている。

〈ライク・ア・ローリング・ストーン／Like A Rolling Stone〉

六分に及ぶスケールの大きさと切迫感から、しばしばロック・シングルのオールタイムベストと見なされる傑作。最初、語り手は意地悪く見える。まるで、過保護にされてきた人間が無慈悲な世界に放りこまれるのを見て楽しんでいるようだ。ディランは弛緩した快適さに抗わなかった者にほとんど同情しない。だが、それからの展開では、悲しいあきらめが提示され、「だから言っただろ」のトーンは弱まる。ある晩、この曲についてディランから話を聞いた。「どうしてみんな『ライク・ア・ローリング・ストーン』について、『ディランは――彼は人を見下すことしかできないのか？』みたいなことを言うんだろう？　ぼくは歌で人をけなしたことは一度もない。みんなが勝手にそう思っているだけだ。この曲は吐き出すように書かれた形になってる。二十ページくらいありそうだけど、実際は六ページだ。そういう風に書けるときってあるだろ。ぼくはそれをピアノでやった。そしてレコードを作ったときは、ぼくと一緒にやってくれる人たちに声をかけた。どうやるかを話し、そのやり方を気に入らない人とは一緒にやらなかった。『きみは一流の学校に行ったけれど、ミス・ロンリー／結局しぼりとられるだけだった』(31)という歌詞を書いたけど、学校についての曲を書いたわけじゃない。周りがそう思ってるだけだ。世間の学校の定義は、ぼくのとはまったく違う。ぼくの言葉は彼らとは違う。ほんとに、ぜんぜん違うんだ！　一流の学校はたんに泥沼から抜け出すって意味かもしれない。ここでの『学校』はどんな意味にもなる。この歌はまちがっても学校の歌じゃない」

おそらく彼は「学校」を生き方の象徴として使ったのだろう。ディランが見つめるのは、どんな形であれある種の人生の型に縛られたあと、いきなり解き放たれる人を覆う恐怖である。その経験はある人には解放をもたらし、別の人にはパニックや無力感をもたらす。彼がここで責めているように見える「女子学生」は、自分の繭から抜け出し、案内役も親も規則も松葉づえもない人生の本流に足を踏み出すのを恐れるあらゆる人のことである。書かれた文字は曲で聴くより残酷だ。ブルジョア的な環境から転落した人への思いやりを持ってドロップアウトとして生きることを歓迎しているように見える。「ローリング・ストーン」は無垢の喪失と経験の過酷さを歌った歌だ。神話や支えや古い信念が崩れ、厳しい現実が現れる。

サウンドは美しい仕上がりで、スタジオ入り前のリハーサルを思わせるところがあり、メンバーがひとつになって見事なコード展開へと飛び立つ。録音はワンテイクだったとディランは言う。オルガン——アル・クーパーの力強く、まとまった滑らかなトーンと、金細工のように軽やかな流れと構成——は素晴らしい。マイク・ブルームフィールドのギターにかかればありふれた奏法も味わい深く、見事にリズムを取っている。ドラムが明るくスウィングする一方、ディランの声はビートを切望しているように響く。基本のコード進行はシンプルで聞き覚えのあるようなものだが、同時に太く力強い音が複雑な構造を作りだしている。回想録『バックステージパス』(C)でアル・クーパーは、あの有名なイントロ部分を即興で演奏し、ディランほかみんなが歓喜したときのことを語っている。二十年後、ディランはこの曲の録音は一日で終わったと回想した。サラ(・ラウンズ、ほどなくディランと結婚する)と彼はウッドストックのキャビンに住んでおり、そこでこれを書いた。「曲が降りてきたんだ」(32)と彼は言った。

〈トゥームストーン・ブルース/Tombstone Blues〉

チャック・ベリー風の前のめりでアップテンポなナンバー。基本コード進行はC、C7、FからCに戻るというものだが、サビの部分ではFとCが繰り返される。グロテスクな曲だが、不調和な表現には恐怖よりおかしみを覚える。キャラクターは幅広い——ベッドのなかの子どもたち、市の有力者たち、ポール・リヴィアの馬、ベル・スター、イゼベル、切り裂きジャック、洗礼者ヨハネ、等々。全体にベトナムがほのめかされているのは明らかである。それはとりわけ曲のタイトルと、三番めと四番めの詩節に顕著だ。私は四番めの詩節のペリシテ人の王にリンドン・ジョンソン大統領を見る。リフレインの縄跳びの跳ねるような韻に、のんきさと不満が入り混じる。極めて逸話的な曲で、よく考え抜かれた不条理が、聖書的であれ、歴史的であれ、音楽的であれ、またべつの不条理を呼んでいる。ブルースシンガーのマ・レイニーとベートーヴェンが、軍隊行進のリハーサルをするチューバ奏者に取って代わられる。ひとつの不遜なイメージに、ディランの言葉に対する突出した能力を思い知らされる。「骨についた罪なき肉体という幾何学が原因で／ガリレオの数学本は放りなげられる」(33)

音楽は滑らかに進む。ブレイク部分のスライドギターは原始的ながら、まるで霊感を得たかのようにタイミングはぴったりである。あるブレイクではフットペダルが、引き延ばされたギターの音質を変える。曲はトレモロで進み、弦を弾く指がさらに別の音質を加える。この曲は一九六五年七月一九日、「寂しき四番街」と「悲しみは果てしなく」と一緒に録音された。警官が死についてした話が彼の歌詞に影響を与えている。ディランは『バイオグラフ』に初めて収録された「ジェット・パイロット」を「トゥームストーン」の原型と呼んでいる。

〈悲しみは果てしなく／It Takes A Lot To Laugh, It Takes A Train To Cry〉

一九四〇年代のカンザスシティやセントルイスの古いシャッフルサウンドをルーツとする伝統的なブルースの形式の曲につけるには皮肉なタイトルである。ボビー・グレッグのけだるいドラムが物憂いテンポを刻み、かすかにオフビートを強調する。ここに、昔懐かしい感触を台無しにするような、これみよがしの技巧が入る隙間はない。格別なハーモニカが粗削りな音に加わる。歌はストレートなブルースで、歌詞の「海（シー）」と「ボス」の部分を延ばして歌うことによって、淡々としたブルースをわずかにドラマチックにしている。

〈ビュイック6型の想い出／From A Buick 6〉

このタイトルは、チャック・ベリーが自動車を自由、地位、逃避、性衝動のシンボルとして歌詞のなかに走らせたことを思い起こさせる。C調のブルースの感じは古めかしい趣があり、ベリーよりさらに古い。リードギターの音は、ロバート・ジョンソン、チャーリー・パットン、あるいはビッグ・ジョー・ウィリアムスをエレクトリックにしたようなリフだ。いくつかのおふざけを除けば、歌詞は伝統的な二連詩である。もうひとつのファンキーな地母神に対する土臭い賛歌である。

〈やせっぽちのバラッド／Ballad Of A Thin Man〉

ディランの生み出した大いなる原型のひとつ「ミスター・ジョーンズ」はペリシテ人であり、物を見ない観察者であり、正しい問いにたどり着けない人物だ。利己的な税控除のために敬虔に寄付を行い、見世物ショーを見るために金を払うが楽しめず、それなりの教育を受けて育ちもいいが、肝心なことにはうとい。私はいちどミスター・ジョーンズについてディランからこう聞いた。「ミスター・ジョーンズはとても弱い、まあ、恵まれた人間だ。物質的にという意味ではなく、いつでも家に帰れると感じているという点で。友人らはミスター・ジョーンズを讃えるだろうが、それは彼を好きだからではなく、社会の慣行上そうしなければならないからだ。彼には彼自身の環境があり仲間がいる。彼の孤独は簡単に覆いかくされ、自分が一人であることすら認識できない。ミスター・ジョーンズは突然部屋に閉じ込められ、部屋をよろめく。誰だって似たようなものだろう！　ミスター・ジョーンズを小人と変人と裸の男と一緒に三方を壁に囲まれた部屋に入れるのは、それほど不条理なことでもないし、それほど突飛なことでもないよ。そして声が……声が彼の夢に入りこむ。ぼくはしゃべる声にすぎない。いつもぼくは人について歌っていて、人は夢で歌を聞くものだとしたら、ぼくの声は彼らの夢から出てくるものだ。ミスター・ジョーンズは力強い、なぜならとても簡潔で感情的だから。分かる？」

何かが起きているのにそれが何か分からないミスター・ジョーンズは世のなかにたくさんいることを私たちは知っている。ディランにとってミスター・ジョーンズは具体的に誰だったのか？『タイム』のジェフリー・ジョーンズという記者は一九七五年の『ローリングストーン』に、それはディラン自身のことに違いないと書いた。私ならディランのエレキ音楽に完全に面食らったピート・シーガーか、ディランのレコーディングについての考えを理解しなかったトム・ウィルソンか、映画『ドント・ルック・バック』でディランが激しく非難したもう一人の『タイム』の記者ホーレス・ジャドソンか、共に同映画のスタッフを務めたジョーンズ・アルクの夫ハワード・アルクを候補に挙げるだろう。ミスター・ジョーンズはまちがいなく様々な人物の寄せ集めだ。ディランの流れるような非難に対し、多くの人が罪を認めた。それ以外にもさまざまな説が流れた。ミスター・ジョーンズは好戦的な黒人作家リロイ・ジョーンズだ、ミスター・ジョーンズはヘロイン常用者の隠語だ、ミスター・ジョーンズはジョーンを男性化したものだ、ミスター・ジョーンズはオーウェルの小説『動物農場』に出てくる農夫だ……。私がディランのロックのメッセージを理解するのにもたもたしているあいだに、私のことをミスター・ジョーンズだと考える人も出てきた。だが私は長らく「やせっぽち」だったことはない。音楽的には、ほとんど威厳さえ感じさせ、やはりオルガンがきっちりまとめあげている。小説家ジョーゼフ・ヘラーの作品『なにかが起こった』のタイトルはこの曲からとったと言われている。

〈クイーン・ジェーン／Queen Jane Approximately〉

いたずらっぽいタイトルで、さまざまな解釈が可能である。人によっては、ジェーンがわずかにジョーンに近いことから、ディランはここでもなお反バエズ的な感情を抱いていると信じる者もいる。一六世紀初めにジェーン・シーモアがエドワード王子を生んでほどなく書かれたイギリス・スコットランドのバラッド（チャイルド・バラッド一七〇）があり、バエズのレパートリーでもあったが、その曲名は「クイーン・ジェーンの死」である。ミック・ジャガーのクイーン・ジェーンはディランのものとどう関係しているのだろうか？　「メリー・ジェーン」がマリファナの隠語であるため、ドラッグを意味する歌だと言う人もいる。歌詞は、喜びも意味も見いだせない、作法にこだわる堅苦しい従順な家庭生活を厳しく攻撃している。音楽にはやや活気がない。バンドの音は鈍く、エレキ・ギターは音こそずれていないが、足並みが揃っていない。私には、根底に流れる悲しい気分のほかにはあまり訴えるもののない小品である。

〈追憶のハイウェイ61／Highway 61 Revisited〉

ハイウェイ61は、ダルースからミネアポリスに通じ、ウィスコンシンを通ってブルースの国ミシシッピに向かっているため、ディランがヒッチハイクするには特に便利な道路である。この道は、南部黒人というアメリカで最も疎外されたグループを、その道の北の果てで疎外されていたシンガーと結びつける。この明るいブルースのシャッフルはパトカーの音で強められている。演奏はドラムのリズムに乗って進み、極力抑えたボトルネックギターと繊細なピアノがそれを彩る。聖書物語のパロディから始まる歌詞は、「聖なるブルース」というより、ロード・バックリーやビル・コスビーといったコメディアンの言葉に近い。もし神がハイウェイの北端近くでエイブラハムと話すとしたら、息子はディラン本人だろう。まさにハイウェイを走り出そうとしたときに「殺し」が彼の心を捉えたのかもしれない。ジョージア・サム、哀れなハワード（フォークで歌われる人物）、マック・ザ・フィンガー、ルイ王、そして七番めの息子にまつわる神話的な魔法についてのブルース的なたわごとによって、曲の滑稽さはいよいよ増す。最後に、コンサート・プロモーターが次なる世界大戦を起こしてくれと頼まれ、引き受ける。ここには、そんなことも起こるかもしれないという不安が暗示されている。

〈親指トムのブルースのように／Just Like Tom Thumb's Blues〉

「廃墟の街」にたどり着く前に、シンガーは国境のどや街を訪れる。場末のホアレスで、われらがアンチヒーローは病と絶望と娼婦と聖人のなかでよろめく。「雨のなか、ホアレスで道に迷う／しかもイースターのときに」(34)という一節から、マルカム・ラウリーの『火山の下』を思わせる、息詰まるような悪夢が創り出される。男は重力、否定、悲しげな異国情緒が醜い場面を支え、不調和なピアノがホンキートンクの雰囲気を出している。酒、病、嘆きと記憶に引っぱられて「ゆっくりとさまよい」ゆき、意表をつく最後の二行で、きっとマシなことがあるだろうニューヨークへ戻る手立てを見つける。意図的に焦点をぼやかし、角の丸くなったような、美しい情景描写である。モルグ街は大通りなのか、それとも悪夢の路地で、ポーが殺人と自殺をほのめかしているのか？

ハリファクスの学者デイヴィッド・M・モナガンは、この曲は明らかに、疎外された現代人を描いたT・S・エリオットの決定版的な「J・アルフレッド・プルーフロックの恋歌」を暗示している、と述べた。モナガンによれば、ディランは「過去を見ることで発見できる精神的価値を追い求めよと現代人に呼びかけている」

〈廃墟の街／Desolation Row〉

「はげしい雨」が降ったあとの近所はどんな風に見えるだろう？　ディランはそれをここに描く。二曲とも、預言を轟かせる黙示録的光景だ。私たちが物質主義を捨てなければ、未来はこうなるだろう。ディランは現代における黙示録のヴィジョンをロックで明確に伝えている。「廃墟の街」はエリオットの「荒地」とギンズバーグの「吠える」と並び、黙示録を最も力強く表現した作品のひとつである。ユージン・ステルツィグはしかし、「エリオットの幻滅があきらめであるのに対し、ディランのものは反骨心に満ちている」と述べる。情景は夢に見た風景で、ディランの描写はグロテスクと実存と夢を力づよく結びつける。「廃墟の街」は歴史や神話の英雄や悪党が並んで歩きまわるグロテスクなマルディグラだ。滑稽だが、私たちの笑みはこわばっている。この書き手は社会に二年間問いを投げかけてきてようやく答えを見ているが、見えた答えが気に入らない。すべては歪み、あべこべで、なにもかもが失われ、滑稽で、唯一の真実は廃墟の街にしかない。登場人物は奇妙だが、みな生々しい人間だ。秘密のベールを保つため、彼らの顔は組み変えられ、名前も変えられる。まるでキュビズムのように。シンデレラ、よきサマリア人、オフィーリア、アインシュタイン、ドクター・フィルス、彼らの旅券を調べても意味がない。ガーゴイルを追って廃墟の街を歩く。やがてディランが糾弾する現代の組み立て工場に出会う。チャップリンの『モダン・タイムス』から出てきた、狂った人間ロボットだ。そしてまるでついでのように、安易な政治的コミットメントをぶち壊しにする。ほどなく沈むタイタニック号に乗っているのに、どちらの味方かなんてどうでもいいではないか？　皮肉とあざけりが「廃墟の街」の街灯であり、それが完全な絶望の闇を照らしている。大量絞首刑を直前に控えて放たれるブラックユーモアだ。

ゆったりとしたテンポが歌の聖書的な役割を高め、繰り返されるフレーズが、旧約聖書の朗誦（ろうしょう）のように警告を強調する。巧みでロマンチックなギターの旋律がヴォーカルの背後に流れることでいくらかこの反復の印象をやわらげているが、繰り返されるうち、安らぎよりも警告が強調されていく。この世界のイメージは社会発展への歩みとはかけ離れている。詩的なヴィジョンを持った人間の不幸のひとつは、物事がどうあるかと、どうあるべきかの違いが鮮明に見えすぎることだ。

「本当のことを教えてやるから」(35)

ディランの記者会見は一種のパフォーマンスになり、ファンはとりわけ無礼な会見を楽しんだ。記者が事情通で思いやりがあれば、いつもよりよくしゃべった。質問が気に入らないと、ひねくれた、もしくはふざけた答えを返した。ボブは、インタヴューを制限すればそれだけ干渉されずに済むと分かっていたし、逃げると余計に関心を引いてしまうことも分かっていた。インタビュアーとじっと目を合わせながらも、彼は巧みに質問をかわすことができた。彼の音楽のように、無防備で無意識に出てきたように聞こえる言葉が、実はあらかじめ考えられていたということはよくある。一九六五年の晩夏、『ニューヨーク・ポスト』のノーラ・エフロンとスーザン・エドミストンは彼から多くを聞き出したが、それでも石の壁にぶち当たった。

ニューヨーク・ポスト(NYP)　アメリカのフォーク・シンガーのなかには——たとえばキャロリン・ヘスターなど——あなたがいまやっている新しい音楽「フォーク・ロック」が自分たちを解放したと言っている人もいますが。

ディラン(D)　キャロリンがそう言ったの？　解放されたのならいつでもぼくを訪ねてほしいと伝えてくれ……

NYP　「ミスター・ジョーンズ」とは誰ですか？

D　実在の人物だ。きみも知ってるよ……いつの夜だったたか、彼が部屋に入ってくるのを見たけど、ラクダみたいだった。前に進んで来て目をポケットに入れてさ……全部、本当の話だよ……

ＮＹＰ　「クイーン・ジェーン」とは誰ですか？

Ｄ　クイーン・ジェーンは男で……

一九六五年の冬、『カヴァリエ』誌のためにインタヴューしたとき、私は彼の自制心に驚いた。「ぼくがやっているのは曲を書き、歌うことだけだ。溝は掘れないし、電線をつなぐことはできない。大工じゃないから。ぼくはいまショービジネス界にいる。フォーク音楽業界にいるんじゃない。そこが大事なところだ。ロスコー・ホルコム、ジーン・リッチー、小さな孤児アニー、ディック・トレイシー、そしてジョンソン大統領もしかりだ」。ディランの表情はかげり始めたが、鋭さは変わらなかった。「ぼくの話すことは全部オフレコだなんて言わないでくれよ。演奏者はつねに記録されるものなんだ」。『シング・アウト！』に掲載されたシルバーの批判的な「公開書状」について尋ねると、ディランは話を避けた。「彼の手紙は悪くない。それで彼の気分がよくなるのならそれでいい。ぼくのところにはいつもいろんな人から手紙が届く」。飲酒年齢を下げることやマリファナの合法化に興味はある？「なんでも言ってよ、ぼくが合法化するから。ぼくは誰にも、どんな規則も押しつけるつもりはない」。彼は自分のサラダを食べ終え、私のぶんを食べ始めた。健康を気づかっているのだろうか？「ぼくが明日死んでもこの世はまわり続ける。ケネディも死んだ。エドガー・アラン・ポーも死んだ。でも世界はまわる。マルクスも、ウィンストン・チャーチルも死んだ。ジョンソンだって死ぬ。時間は止まらない」

記者会見では苛立ちが表に出て、彼はしばしば誤解された。一九六五年十二月三日、サンフランシスコのＫＱＥＤ―ＴＶのインタヴューより。

ＫＱＥＤ　あなたは自分を歌手だと思いますか、それとも詩人だと思いますか？

ディラン　ああ、ぼくは自分のことをソング・アンド・ダンスマンだと思ってる。

ＫＱＥＤ　ジョシュ・ダンソンは、あなたが商業的利益に魂を売ったとほのめかしていますが。

ディラン　罪悪感はまったくない。
KQED　商業的利益に身売りするとしたらどこを選びますか？
ディラン　女性下着業界。(36)
KQED　新しいアルバムはどんな内容ですか？
ディラン　……いろんなことについて――ネズミとか、風船とか……。
KQED　フォーク音楽をどう定義しますか？
ディラン　大量生産の合憲的再生。
KQED　「ミスター・ジョーンズ」とは誰ですか？
ディラン　ミスター・ジョーンズ？　彼のファーストネームは言えない。訴えられるから。
KQED　（ミスター・ジョーンズの）職業は？
ディラン　ボーリング場のピン係。サスペンダーを着ている。
KQED　将来の望みはなんですか。世界をどう変えたいと思いますか？
ディラン　将来への望みはない。ただ、履き替えられるだけのブーツは持っていたいと思う。

それから数週間後のロサンゼルスでの記者会見で、ディランはほとんど怒っていた。

Q　フォーク・シンガーのなかで、現代のプロテスト・シンガーと呼べる人は何人くらいいますか？
ディラン（D）　意味が分からない。もういちど言ってくれないかな。
Q　あなたと同じ音楽畑で働く人のなかに、プロテスト・シンガーは何人いますか？　つまり、歌を使って私たちがいるこの社会について抗議する人はどれくらいでしょう？
D　何人か？　一三六人かな。（笑い）一三六人か、一三二人だ。
Q　プロテストという言葉はあなたにとってどんな意味がありますか？

D 本当は歌いたくないときに歌うこと。歌いたいという意志に反して歌うこと。
Q あなたはプロテスト・ソングを歌いますか？
D ノー。
Q では何を歌うのですか？
D あらゆるラヴ・ソング。
Q 名前を変えたというのは本当ですか？ 本当なら、もとの名前はなんだったのですか？
D クネゼヴィッチ。名前を変えたのは、あらゆるところからぼくのところに来てコンサートのチケットをねだる親戚を避けるためだ。そう、クネゼヴィッチ。
Q それはファーストネーム？ それともラストネーム？
D ファーストネームだ。（笑いと拍手）ラストネームはあまり教えたくない。
Q ボブ、なぜいまシンガーのあいだでこれほどドラッグが広がっているのでしょう？
D さあね。あなたはシンガー？
Q あなた自身はドラッグを使用しますか？
D ドラッグが何かも知らない。見たこともない。見ても、そうだと分からないと思う。
Q ボブ、曲を書くときどんなテクニックを使うのですか。それともテクニックとは呼びませんか？
D 椅子に座ると、次の瞬間もう目の前にある。
Q どうしてあなたは私たちや世間をからかうのですか？
D あなたの質問と同じくらい立派に答えようとしているだけだ。
Q 嫌というほど聞かれたとは思いますが、あなたは自分の音楽で何を言おうとしているのですか？ 私にはひとつとして理解できませんが。
D 気にしなくてもいい。あなたに何か言っているわけじゃないから。理解できないのなら、考える必要はない、あなたに向けて書かれたものじゃないから。

Q　曲を書くときは何か意味を込めているのですか？　それともただ楽しませようとしているのですか？
D　ぼくはただのエンターテイナー。それだけだ。
Q　あなたにとって書くことと歌うことは本当に重要だと思いますか？
D　（怒ったように）ちょっと、本気で腹が立ってきたな。
Q　それとも成功したからそうしたいだけですか？　本当に自分が感じていることを書いているのですか？
D　感じるって何を？　何か言ってみてよ。
Q　一般的な感情の話です——痛み、嘆き、愛……。
D　そんな感情はまったくない。
Q　曲を書くときはどんな気持ちで書くのですか？
D　ぼくの感情なんか説明する必要ない！　裁判に来たんじゃないんだ！
Q　とても疲れて、具合が悪そうですね。それがいつもの状態ですか？
D　侮辱だな。そんな言葉は聞きたくない。
Q　カリフォルニアを訪れた理由はなんですか？
D　ああ、ここに来たのはロバを探すためだ。いまキリストの映画を作ってる。
Q　制作はどこで？
D　東のほう。
Q　最後にご両親に会ったとき、何か特別な助言はくれましたか？「グッド・バイ」とか「グッド・ラック」とか何かそんな言葉は？
D　いや、きみの両親はそう言うの？
Q　小さい頃からシンガーソングライターになりたかったのですか？
D　いや、映画館の案内係になりたかった。それが長年の夢だったけど、どうやら叶わなかったようだ。
Q　どうしていまの若者はあなたの歌を聴くのでしょう？

D　分からない。でも数日前、驚くような話を聞いた……サンホセのコンサート会場の外で、十五歳の女の子が……なぜそこに来たのかインタヴューされていた……その子はウィリアム・ブレイクみたいな詩人に詳しくて、作品も知っていて、その年齢の子が普通は知らないさまざまなことに通じていた。だから、おそらく、その子は新しいタイプの人間で、新しい種類の十五歳なんだと思う。いまの二二歳の大学生の精神は前よりもはるかに自由だ。それは間違いない。

一九六五年三月、ウッドストックのディランは上機嫌だった。マウラ・デイヴィスは高校の新聞部から来たふりをした。『カヴァリエ』は鮮やかな黄色と茶色の格子柄のウールネクタイをつけたディランの写真と共にインタヴューを掲載した。以下はその抜粋である。

デイヴィス　ミスター・ディラン、ニュー・バッファロー統合高校から来ました。全学生が知りたがっています──あなたにとって世界で最も重要なことはなんですか？
ディラン　驚いた！　ほんとにそんなことを知りたがってるの？　いまつけているこのネクタイかな。
デイヴィス　なぜ……そのネクタイが？
ディラン　実はジョンソン大統領が前にこんなネクタイをしていたんだ──大統領になる前に。それは一般人のしるしで、ぼくは一般人だ。だからぼくはそこに関わるために、こんなネクタイをしてる。
デイヴィス　曲を書くときもそのネクタイを？
ディラン　曲を書くとき？　いや、たいていはとてもいいものが書けたあとに締める。いい気分になるためにネクタイをつけ、ますますいい気分になる──そしてたいていその曲はヒットする。

一九六五年九月、ロサンゼルスの恐れ知らずの記者はディランに、人生で最も大事なものは何かと尋ねた。「そうだな、ぼくはモンキーレンチを集めていて、とても興味がある」。なぜディランはこうも十代に影響を与えるのか？　「自分が十代だったときのことは何にも憶えていない。だからなぜ、彼らがぼくを好きなのか分からない。別の世界だ」。そこで彼はむっとした。「プロテストものは古い。それに何の意味がある？　それで何が止められる？　誰が耳を傾ける？　みんなそれが役に立つと思ってる。でも歌で世界は救えない」

その月、ディランはザ・ホークスとのリハーサルのためにトロントに飛んだ。『トロント・スター』紙の書評コラムニスト、ロバート・フラーはのちに、ディランと会うことは「ローマ教皇と個人的な会話の機会を設定するよりいくらか難しかった」と書いた。数か月後、トロントでマーレット・スティーンはそのポップ界の教皇にインタヴューし、次のような見出しでディランのエレクトリック音楽に関する長い記事を書いた――「あなたではない、ボブ・ディラン！　絶対に違う！　フォークを歌う若者のアイドルが商業に走るなんてあり得ない。これまで決して――ほとんど――インタヴューを受けなかったスターが『スター・ウィークリー』に真実を語る」。ディランはほんとうに「身売り」したのか？　彼は答えた。「それをロックンロールに分類して見下すのは簡単だよ。ロックンロールっていうのは単純な十二小節のブルースコード進行だ。ぼくの新しい歌はそうじゃない。ぼくは昔、古めかしいフォークをやる前からロックンロールをやっていた。十年前、まだ子どもだったころだ……いまの音楽業界はまったく違う……ロックンロール歌手はいま……古い人たちをぞっとさせている……ティン・パン・アレーだ！　そういうことがあるのは知っている。太った男たちが葉巻をくわえて金のレコードを持ち歩き、曲を売り、才能を売り、イメージを売るんだろう。そんな場所はまっぴらごめんだ……十年前のシンガーはみな子どもだったけど、物事を動かしてたのは古い連中だった。いま実際に力を持っている奴らはもっと若い――マネージャーも、レコード会社のボスも二十代で……いいか、ぼくのこれまでの経験をもってしても、この部屋を出て行ってずっと曲を書いてゆくことなど絶対にできないんだ……いや、幻滅してるんじゃない。幻想を抱いていないだけだ。ぼくは公民権運動やプロテストの歌を、誰も書いていないときに書いた。いまはみんなが書いている。でも、ぼくはあることに気づいた。ああした曲や運動をプロモートする集団は、ぼくを取りこんで、彼らの歌うスポークスマンにしようとするんだ――そしてこの手の集団のなかには大統領・副大統領・秘書官みたいなのがあって、政治が生まれる。狭い世界にがんじがらめになって、ヘイト集団みたいにたちが悪い。

ぼくがファンクラブさえ作らないのは、作るとそこには『長』が必要になり、集団になるからだ。人は支援者が多ければ多いほど影響力があると考える。そうかもしれないけど、多くなればなるほど薄まるということでもある。ぼくは数の信奉者じゃない。最高のものは個人によってなされると信じている」

一九六五年十一月二七日の『シカゴ・デイリー・ニュース』のインタヴューでディランは、なんらかの宗教もしくは哲学を持っているかと尋ねられた。「哲学はぼくに何も与えられない。宗教も何も与えることはできない――ぼくがまだ持っていないものは何ひとつ」。唯一「驚くほど真実」なのは、「すべてを包含し……信じるに足る偉大な本であるだけでなく、極めて卓越した詩」でもある『易経』だった。

ナット・ヘントフの有名な『プレイボーイ』のインタヴューの初稿で、あまりに編集が多すぎてディランは怒り、二度目のセッションで皮肉の極みに達した。彼は私に言った。「ゲラを読んでぼくは言った。『いったいどこからこんな言葉を持ってきたんだ？』ヘントフは『プレイボーイ』の記者がもう少しよく聞こえるように書き変えたと言った……それがもうどうしようもなく、くそくだらない、反吐が出そうな言葉なんだ。見栄っ張りもいいところだ。とにかくけったくそ悪くてばかばかしい内容で、ぼくに会って話すのを聞いた人なら、ぼくがこんなことを言うはずがないと思うようなことだ。なにもかも文脈からはずれていた。ぼくは言った、『こんな記事は出せない』。すぐさま弁護士とアルバートに電話した。弁護士が『プレイボーイ』に文書を送ると、彼らはびびって電話をかけてきて、ぼくは言った、『記事を書き直せるかな？』ぼくは質問に答えた。ぼくの答えはひどかった。もう少しうまくやるべきだった」。だが、ヘントフと多くの読者はディランが本当によくやったと感じていた。ヘントフはファン雑誌『ジママン・ブルース』（第六号）でブライアン・スタイバルに、『プレイボーイ』の編集者は「ディランが言ってもいないことを言ったように書き、言葉をこねくりまわした」と思う、と言った。ヘントフが突っ込み役にまわり、ディランはくだらないインタヴューに即興で答えていた。

プレイボーイ　なぜプロテスト・ソングを作って歌うのをやめたのですか？

ディラン　……メッセージソングは誰もが知ってるように退屈だ……ぼくはいまタウン・ホールを借りてウェス

タン・ユニオン通信会社の従業員を三十人くらい雇おうかと思ってる。つまり、それだけいればなんらかのメッセージがあるはずだからね……
プレイボーイ　去年のインタヴューであなたは「やりたかったことはすべてやった」と言いました。それが本当なら、これから何を期待しますか？
ディラン　救済。単純な救済だ。
プレイボーイ　ほかには？
ディラン　祈ること。それから料理雑誌も始めたいな。それからずっとボクシングのレフリーになりたかった。
プレイボーイ　大きくなったら大統領になりたいというような少年らしい夢を抱いたことがありますか？
ディラン　ノー。ぼくが子供のころはハリー・トルーマンが大統領だった。誰がハリー・トルーマンになりたいと思う？
プレイボーイ　ではあなたが大統領だとしましょう。最初の千日で何をしたいと思いますか？
ディラン　……最初にするのはたぶんホワイト・ハウスの場所を移すことだ……大統領補佐官マクジョージ・バンディには絶対に名前を変えさせて、マクナマラ将軍にはアライグマの毛皮の帽子とサングラスをつけさせる。アメリカ国歌「星条旗」はすぐに書き変えて、児童には「アメリカ・ザ・ビューティフル」の代わりに「廃墟の街」を覚えさせる。それからいますぐ毛沢東と決着をつけたい。彼と一対一で戦って――それを誰かに映画にしてもらう。(37)

一九六六年の哀愁に満ちた三月、『ランパーツ』誌の記事でラルフ・グリーソンはディランに彼の「複雑な」歌について語らせた。「ぼくにとってはまったく複雑じゃない。どれも自分にとっては極めて明快でシンプルなものなんだ……理解できないものは何ひとつない。ぼくは自分が本当に見えていないものを書いたりはしない。すべては実際に存在する人たちのことについて書かれている。ぼくの歌に出てくる人間はきっとどこかで見たことがあるはずだ」。ディランはいまも「神話や聖書や疫病や飢饉といったものに由来する」フォークソングの複雑さと繊細さに敬意を抱いていた。「それは謎以外の何ものでもなく、謎はすべての曲に見いだせる——人間の心臓から育つバラや、ベッドのなかの背中から槍を生やす裸の猫や、七年間のあれや八年間のこれ、その謎のどれもが誰も真には触れられない」。ディランは自分の変化を説明しようと試みた。「ひたすらいろいろな曲の書き方を試すように書いてきたけど、そういう方法は頭打ちになった。あまりにも簡単すぎて、正しいことではなかった……でもいまのぼくは、上手くいくと分かっていることを曲にしている。それがなんなのかはっきりとは分からないけど、それぞれの細部や層がどんなものかは分かっているようなものを。『ローリング・ストーン』はこれまで書いたなかで最高の曲だ。あの曲はイギリスツアーのあとでできた。煮詰めはしたけど、すべては目の前にあった。イギリス行きのあと、ぼくはやめなくてはならなかった。立ちどまらなければと思っていた。あの曲を書いているとき、これはバンドと歌うべきだと思った。書いたら、それが散文でも、必ず歌う。それで、これはバンドと歌うべきものに聞こえたんだ」

イギリスでのブレイク

一九六五年春のイギリスへの旅はターニングポイントとなった。八公演、五万人の前で演奏しただけだったが、四月から六月にかけてのツアーはディランをひとりのフォーク・スターから国際的なポップ・スーパースターに変えた。この時期、ポップの世界における熱狂の多くはイギリスから生まれていて、ディランの衝撃はアメリカにも届いた。最初の兆候は三月にあった。五月十日のアルバート・ホール公演の七〇〇〇席のチケットが二時間で完売した。

ディランのイギリス人気のきっかけとなった外部要因があるとすれば、ビートルズが公に彼を支持したことだろう。それは魔法のようだった。かつて本人が言ったように、ディランが「ニューヨークで生まれ変わった」とするなら、イギリスでは転生したと言って間違いない。一九六五年の初めまで、ディランはアメリカの両海岸でコンサートを行っていた。猛烈な勢いで曲を書いては録音し、二月にはレス・クレインのＷＡＢＣ－ＴＶショーに華々しく登場した。彼はスターの寝床を作り、いまやそこで心地よく寝返りをうっていた。一九六五年三月、ニューヘイヴンとサンタモニカでの公演は地元紙にレヴューが出たが、のちにイギリスの全国紙がもてはやしたような反応はなかった。あの小さな国の熱狂は、ヤカンの蒸気のようだった。ポップの世界とメディアはお祭り騒ぎになった。記者団は愕然とし、困惑し、夢中になり、ディランは恰好のネタになった。ディランをめぐる熱狂の引き金となったのは、おそらく一九六五年一月九日の『メロディ・メイカー』に掲載されたレイ・コールマンによる記事で、そこには「ビートルズは言う――ディランが道を拓く」の見出しが躍った。レノンとハリスンとディランの写真つきの記事は、コロンビアから出たシングル盤「サブタレニアン」のスリーヴに再掲載された。B面は「シー・ビロングズ・トゥ・ミー」だ。一部を抜粋しよう。「ビートルズのなかでもこの二人はとくにディランに傾倒している。ハリスンはディランのLPをすべて持っていてよくかけており、レノンも彼を賞賛している」。レノンは言う。「初めてディランを聴くと、自分が最初に彼を見つけたような気になるんだ。でもすでに多くの人が自分たちより先に彼を見つけている……ボブ・ディランの音楽はこの国で着実に育ってゆくと思うけど、彼が新たな流行になるとは思えない」。ハリスンは言う。「彼の姿勢すべてが好きだ。服の着方、何にもかまわない態度、不協和音の歌い方や弾き方。すべてをからかう態度も」

のちに『ディスク・アンド・ミュージック・エコー』そして『メロディ・メイカー』の編集者となったコールマン(38)は私にこう書いた。「一九六五年は、ディランがイギリスを征服し、『風に吹かれて』と『時代は変る』が大学生とポップ熱狂者のフェイバリットになった年だ。ディランはどちらかと言えば知名度の低いフォーク界から、より広く危険なポップアイドルの世界に躍り出た。ディランにとって、それは苦難だった。私はロンドン空港でディランを出迎えた数百人のひとりだった。彼はすっかり当惑していた。七つの主要都市で、ディランは異様な観客に直面した。半数はにわかファンで、半数はポップ信奉者だった。ディランはチャートの状況についてはまったく頓着しなかった。コンサートでは沈黙を貫いた。あのやかましいポップスのファンさえ、彼の言葉と、誠実な演奏に黙りこんだ。彼はあくまで愛すべき謙虚さを示し続けた。ステージを移動する姿に、不滅のポップアイコンにありがちな大物然とした雰囲気はまったくなかった。世間を驚かせたレスター公演の成功に対する観客の見解はおおむね、ライヴ演奏がスタジオアルバムのものよりもっと電撃的で重要なのだということだった。観客は『バック・ホーム』のアルバムをひっつかんだ。ある学生は言った。『ぼくたちを夢中にさせるのは、彼が歌詞に意味があるように歌うところなんだ。これまでゾンビみたいに演奏するアーティストをたくさん見てきた、金のためだけにそこにいるような』」

ディランが四月二六日の月曜に到着するずっと前から仕込みが始まっていた。三月一九日の『ロンドン・イヴニング・ニュース』と翌朝の『デイリー・スケッチ』はアルバート・ホールのチケットが「砂金のように」売れていると報じた。『デイリー・ミラー』はアメリカからの情報を元に予告記事を書き、ポップス週刊誌は舞台裏話を載せた。マンフレッド・マンとアニマルズによる賛辞もさらに期待を盛りあげた。ディランを乗せた飛行機がロンドンの空港に入ってくるのを雨のなか二〇〇人のファンが待ちうけ、なかには彼の有名な「あの帽子」のレプリカをかぶっている者もいた。彼らはディランをビートルズ扱いし始め、髪を引っ張り、服を引っ張り、空港の記者会見室に文字どおり運びこんだ。警察の助けのもと群衆を抜けたディランはいくぶん震えているように見えたが、こう言った。「前はこんな風じゃなかったのに！　オーケー——ケガはない。ちょっと髪を切られただけだ。酔っぱらう準備はできてる」。ディランはほかの仲間——バエズ、グロスマン夫妻、『ドント・ルック・バック』の撮影隊——の様子を確かめた。彼は哲学者ディオゲネスが持つランプのような特大電球を持っていた。「それはどういうメッセージです?」と聞かれたディランは、「頭をまともに保ち、つねに電球を持ち歩け」と答えた。バエズ、ビートルズ、ドノヴァンに関する質問をかわし、ディランはヌードモデルのクリスティン・キーラーの居場所を尋ねた。彼女はそのころ政治スキャンダルの渦中にあった。

BBCでの十分間のインタヴューをテープに収めたマイク・ハーストはのちにこう語った。「彼はここに来る前から生きた神話だった。メディアの多くは神話を壊そうともくろんでいた。最初は、かなり生返事だった。彼の音楽の話になって、ようやく本気で話し始めた。まるでこっちがインタヴューされているようだった」。ディランはサヴォイ・ホテルで個別に、あるいは記者会見の形でメディアに相対した。ある者は「櫛の歯がイライラしそうな髪……レスタースクエアのネオンもかすみそうな派手なシャツ」と書き、またある者は「栄養失調のオウムのようだ」と書いた。「ミスター・ディランは見事に全員をいらだたせた……鼻の下で赤いバラを揺らし、るだけ」)。

『お固くて、冷淡で、死んでいるみたいだ』と言うのが聞こえるようだった」と『イヴニング・スタンダード』のモーリーン・クリーヴは書いた(ビートルズの友人だったクリーヴはこうぼやいた。「どうすればいいの、どうすれば彼に話をさせられる? イエスかノーしか言わず、マスターベーションしているみたいに体を揺すってるだけ」)。

ディランにはそれよりももっと言いたいことがあった。「スターの印象は与えたくないんだ、自分がそうだと思っていないから……ぼくは……流行が来ては去ってゆくのを嫌というほど見てきたし、自分は流行以上の存在だなんて思っていない。二〜三年もしたら最初の——無名の頃に戻ってるだろう……いま本気で考えているのは、ぼくの歌を聴きたい人たちに向かって歌うことだけだ……どうやらぼくは故郷よりここでのほうが人気があるらしい……成功がもたらした違いがあるとすればただひとつ、もっといいアルバムを作らねばと感じていることかな……原子爆弾にも、ぼくらの政府にも飽き飽きだ。目先を変えるために、政府の誰かがあごひげを生やすことを心から願うよ」

『デイリー・メール』紙の記者は、ディランに濃い緑色のサングラスを差し出された。ディランは言った。「ボブ・ディランのように世界を見てみなよ……ぼくはここで一人ぼっちだ。三年前にここにきて、通りを歩き回った。二年もしたらぼくは消えて、あんたは別の誰かに話しかけているだろうね」。なぜ下っ端のフロント係も燕尾ジャケットを着るサヴォイのようなホテルに滞在しているのかと聞かれ、ディランはぴしゃりと返した。「あばらやに住めっていうのかよ!」グロスマンは『デイリー・メール』の記者を別室に追いやりながら言った。「ゴム人形を売るために来てるんじゃないんだ。ニュース記者の前で演じるためにいるのでもない……ボブはポップ界だけでなく、アメリカの暮らしにとってとても重要な人物なんだ」。バエズは座って「サリー・ゴー・ラウンド・ザ・ローゼズ」を歌っていた。『ミラー』の取材に、ボブとジョーンはバルコニーで並んでポーズをとった。一人の記者に、なぜ七五歳の老人のようにいつも不機嫌なのかと尋ねられ、ディランは答えた。「ぼくは不正義を憎む。だから人種差別や自由のことを歌い、誰もがやりたいことができるように訴える。初期のレコードで不機嫌そうに聞こえたのは、貧乏だったからだ。あの頃は日に二セントも使わずに暮らしてた。いま不機嫌なのは金持ちになったから……ぼくは真実を歌うことで幻滅を広めているんじゃない……ぼくの歌を聴くのは新聞を読むようなものだと思う……ぼくは正直であるのと同じくらい人を楽しませたいんだ」

歌手のマーティン・カーシーは私に言った。「彼をいつ訪ねても、実際に話ができるのはほんの三十秒くらいだった。サヴォイ・ホテルの部屋はつねに人であふれていた。彼はほんとうに超然としていて、たくさんの人の相手をしていた。有名になればなるほど、彼はホテルにこもりがちになった」。ドロシー・カーシーはこう言った。「石の欄干が見えるとても高い窓があってね。ペネベイカーが部屋の角でカメラを構えていた。みんなが食べて話をしているところに、突然ボブが隣室のバスルームからその高い窓を通って真顔で入ってきたの。彼は椅子やソファや、部屋のあらゆる家具の上を渡って、誰も気づかないうちにドアから出ていったわ」

ツアーのあと、ディランは『ディスク・ウィークリー』誌のローリー・ヘンショーと衝突した。『ディスク』は尋ねた。「近頃はさぞ大金を稼いでいるんでしょうね」。「全部使ったよ」とディランは答えた。「キャデラックを六台、家を四軒、ジョージア州に大農園をひとつ持ってるんだ」。ヘンショーが食い下がったので、ディランはだんだん腹を立てた。「いいか、きみの雑誌がぼくのことをどう書こうとほんとうにどうでもいい……ぼくの歌を聴く人たちにきみの雑誌は必要ないんだ」。『ニュー・ミュージカル・エクスプレス』は大胆にもディランにアンケートめいた質問をぶつけた。初舞台は？　「オー・ヘンリーズ・スクエア・ショップのクローゼット」。いまも売れつづけているレコードは？　「『サンフランシスコで恋人と別れたけれど彼女はホンジュラスに現れ、二人で香港に旅し、リノにしばらく滞在したけど、オクラホマでまた別れた』」。最新のリリースは？　「『女王たちがやってくる』」。それはアルバムか？　「そうだよ」。専属マネージャーは？　「ドッグ・ジョーンズ」。音楽ディレクターは？　「ビッグ・ドッグ」。好きな食べ物は？　「ターキッシュ・マーヴィン」（ネブラスカ産のナスの一種）。好きな服は？　「鼻ガード」。好きなバンド／プレイヤーは？　「コーキー・ザ・キッド（ソンブレロス）」。好きな作曲家は？　「ブラウン・バンプキンとシドニー・シギー」。好きなグループは？　「ザ・ファブ・クロックス」。ほかに好きなものは？　「車輪のないトラック。フランスの電話。なかに煮プルーンが入ったものならなんでも」。嫌いなものは？　「毛むくじゃらの消防士、親指の爪、ガラス運搬業者、耳のある鳥」。一番わくわくした経験は？　「誕生日ケーキをノーマン・メイラーに踏まれたこと」。音楽の好みは？　「ピーナツバターみたいなのがいい」。個人的な野望は？　「ウェイトレスになること」。プロとしての野望は？　「スチュワーデスになること」。『ジューイッシュ・クロニクル』紙の記者は尋ねた、「あなたはユダヤ人ですか？」。ディランは「いや、違う。でも親友の何人かはそうだ」と答え、『クロニクル』をなだめた。「ツアーエージェントのティト・バーンズにインタヴューしたらいい。彼はユダヤ人だから」

　バーンズはツアーに大満足だった。彼は三つの要素がディランのイギリスでの成功を後押ししたと感じていた。彼が行ったフォーク・ファンへの事前のアピール。そしてツアー自体。それからコロンビア社のイギリス系列会社であるCBSレコードがディランのレコードを積極的に売り始めていたこと。七か所のコンサートチケットは一時間かそこらで売り切れた。バーンズは語った。「チケットを買うチャンスがなかった人たちから脅しの電話や手紙が届いて、私はアルバートにどうにかしてくれと頼んだ。私がリンチされることはないとしても、きみとボブは分からないぞと。アルバート・ホールを五月九日から二日間おさえた。チケットは一時間一五分で売り切れ、それでもまだ数千人がチケットを求めてた。私はシェフィールドまで行った。それまでディランが演奏するところは見たことがなく、二、三曲だけ聴くつもりだった。でも結局、二時間そこにいたよ。すっかり魅了されたからだ。私はインテリではないし、内容の半分も分からなかったけど、その魔法はいまも私にとり憑いている。一九六四年、フェスティヴァル・ホールで彼がそれほど稼いだとは思えない。だが一九六五年、彼は最高に稼いだ。きたる一九六六年春のツアーではチケットの値段を倍にできたはずだが、彼は拒んでいる。チケットの値段は今回と同額、一番高い席で一ポンドにするように言われた」

「ビートルズとストーンズがアルバート・ホールに現れ、私たちは後ろのボックス席を用意した。彼らはコンサートが始まった直後に現れ、終わる直前に退場した。誰もがそこにいた！　マリアンヌ・フェイスフルが電話でチケットを八枚頼んだ。彼女の母親は女男爵だからね。とにかくスターというスターがいた。私たちは一五〇ほどの招待席をおさえておいた。どんなことになるか分かっていたから。行き交う有名人たち……ヘアウッド伯爵だ――すごいよ！」

四月三十日、初日となるシェフィールドでのコンサート。「高級車オースティン・プリンセスを連ねてシェフィールドに近づくぼくたちは王族のようだった」。イギリス人ツアーマネージャー、フレッド・ペリーはそう言った。シェフィールド・シティ・ホールの観客席は円形で、あふれた客がステージに座っていた。ペリーは語る。「これまで三十回のイギリスツアーを担当してきたけど、こんなのを見たのは初めてだった！　観客はまるで教会に入るような様子だった。彼らのなかでディランは伝説で、彼らの畏怖が表情から見て取れた」。『ニュー・ミュージカル・エクスプレス』誌は、シェフィールド・ホールの敬虔なまでの静けさに言及している。ディランは暗い観客席をのぞき、「えらく静かだな。みんなどこにいるの？」と言ったという。『ガーディアン』はこう書いた。「観客は……歌う救世主ことボブ・ディランの再臨に……宗教的な熱を発していた……ポップシンガーではなく、一人の詩人が会場を満たすとき……時代は変わるのだ。なぜならこれこそディランの本質だからだ……彼の声にかかると、歌詞は驚くべきものになる。声なしで、文字に書かれたものであっても、詩になっている」

五月一日、ディランはこれらすべてをビートルズのホームであるリヴァプールに持ち帰った。「ディランを拒否するような反応を示す場所があるとしたら、それはリヴァプールだろう」とペリーは言った。「観客は静かに会場のオデオン・シアターに入り、教会にでもいるように座った」。アデルフィ・ホテルはリヴァプールのサヴォイといわれ、レストランではネクタイを着用しなければならない。ディランは黒のタートルネックセーターで現れ、ネクタイを腰に結んでいた。「スコットランドの民族衣装のようにぶらさげていた」とペリーは言った。ホテル側は慌てたが、給仕しないわけにはいかなかった。翌朝、ホテルには数百人のファンが集まった。

レスター公演の頃になると、『メロディ・メイカー』はディランを「現代の最も重要なフォーク・シンガー」と呼び、「ディラン熱は国じゅうを席巻している」と書いた。『デイリー・ワーカー』紙はディランは「観客をとりこにする……磁力と、完璧な間の取り方」と述べた。コンサートマネージャーは観客の反応を「ビートルズ以来最大」だと語った。三〇〇〇人の観客のうち三〇〇人ほどの若い女性がディランの車に群がると、ディランは彼女たちに向かってふざけて棍棒を振りまわすふりをした。二日の休みのあと、彼はバーミンガム・タウン・ホールで演奏した。一ポンドもしないチケットに五ポンド払った者もいた。『バーミンガム・ポスト』にはこう書かれた。「この若者はわれわれの目を開かせ、この小さな世界を新しい視点で考えさせる詩人の力を持っている」

五月六日のニューカッスル・タウン・ホールでのコンサート前、キツネの毛皮に身を包み、十代の息子たちを連れた地元の州長官夫人が楽屋にいきなり現れた(39)。二人のローディーにあいさつ代わりのスピーチを述べたあと、彼女はディランを見つけ、キンキン声でまくしたてた。「三人とも私の息子なんです。あなたがあまりに素晴らしいからと試験を全部ほっぽり出してきたのよ。すべてを投げ出してあなたの曲を聴きにきた。とても素晴らしい曲だわ。ときには自分で曲を書いているんでしょう？　若者たちのいい見本になると思うわ」。ニューワースがディランのハーモニカをひとつあげると、彼女はさえずるような声で別れを告げ、みんなに聞こえるような声でお付きの者に言った。「まあ、なんてチャーミングな人かしら」。ロビン・フッドはこうして州長官夫人を征服した。ニューカッスルの公演は、マイクが六分間入らないアクシデントはあったものの、またしても大成功だった。五月七日、マンチェスター・フリー・トレード・ホールも同じようなプログラムで同じような反応だった。ペリーは飛行機の時間までに四十分しかないと気をもみ、ツアー隊にこう言った。「彼の髪の毛ほしさにグラスゴーからヒッチハイクしてきたようなやつは入れるなよ」

二度のアルバート・ホール公演も地方と似たようなものだった。『メロディ・メイカー』のマックス・ジョーンズは書いた。「馬を失った謎の吟遊詩人のように、その奇妙で圧倒的な歌の数々で」ディランは会場を静かに支配した。モーリス・ローゼンバウムは『デイリー・テレグラフ』紙と『モーニング・ポスト』紙にこう書いた。「世のなかにはもっとうまいシンガー、もっとうまいギタリスト、もっとうまいハーモニカ奏者、もっと優れた詩人がいる。だが、それをすべて同等のパワーと、オリジナリティと、きらめきを持ってやってのける二三歳はどこにもいない……この干し草の山のような髪をした若きアメリカ人は、映像が増えて文字が減り、意味よりもやかましい感情がもてはやされる時代において、言葉の驚くべき勝利を達成している」

その後もディランはBBCのテレビ番組に出演し、レコーディングをし、『ドント・ルック・バック』の主役を務め、ミュージシャン仲間と会い、写真撮影に臨み、またも『メロディ・メイカー』の長いインタヴューに応じなければならなかった。

静かな観客を受け入れるのは大変だ。客が静かだと、自分が何を歌っているか、何をしゃべっているかをあれこれ考えてしまって……抑圧されたような気になる……誰もが同じように育つわけじゃないだろう？……イギリスの若者は柔軟だ……アメリカでは、場所によっちゃあ髪が長いだけで殺されかねない……なにか場違いなことを言うだけで本当に殺されるかもしれない……イギリスはもっと寛容みたいだ。ぼくをなにか主義主張のある奴だとけなさないで欲しい。ぼくの曲は自分自身に語りかけているだけで……自分以外の誰に対しても責任はない。ぼくを好きだと言うなら、それでいい。そうでなければ、ぼくは何か別のことをするかもしれない。歌はぼくが見ている映像にすぎない――ほんの一瞬の――たぶん人生の……ぼくの曲はどれももっとうまく書けたかもしれない。これまではそれが悩みだったけど、いまはもう悩まない。完璧なものなんかどこにもない。だから自分に完璧を求めないほうがいい……

ツアーのあいだにディランは昔の友人に会い、新しい友人と出会う機会を得た。そのなかにはバンドの「マンフレッド・マン」がいて、とりわけポール・ジョーンズと仲よくなった。ディランのツアーのあいだ、マンフレッド・マンの「神が味方」はイギリスのチャートに入っていた。「ディランがイギリスのポップシーンに与えた影響は計り知れない」。のちにジョーンズはそう言った。「ビートルズだってどれだけ影響を受けたことか」。ディランは昔からアニマルズ、とくにリードヴォーカルのエリック・バードンと、ヴォーカルでピアニストでオルガニストのアラン・プライスと親交があった。一九六四年、アニマルズはディラン版「朝日の当たる家」をイギリスでヒットさせた。一九六五年の初めにアニマルズがアメリカツアーに出たとき、ディランはハーレムのアポロ・シアターに出演していたシュープリームスとともにバー「ケトル・オブ・フィッシュ」のテーブルを囲んだ。そこで驚くヴィレッジのフォークファンのなかに私もいた。ポップ史を扱う『ザ・サウンド・オブ・ザ・シティ』（D）のなかでチャーリー・ジレットは、アニマルズの最初のレコードはディランもカヴァーしている「連れてってよ」だったと述べている。

レノンが夜遅くサヴォイ・ホテルのディランを訪ねた。彼は、ディランが豪華なホテルに滞在することを非難する者たちを愚かだと思っていた。レノンはこう問いかける。「サヴォイに滞在してどこが悪い？　屋根裏部屋で飢えていれば彼の言うことに説得力が増すとでもいうのか？　フォーク人って民族は貧しく、慎ましく行動しなくてはならないと世間は言うんだ。ほんとうにくだらない！　彼がときおり攻撃する人種――なかでも政治家たち――を見てみれば、おそらく二倍は贅沢な暮らしをしている。もしディランのように言いたいことがたくさんあって、それを人に聞いてもらいたければ、自分を高めて有名になればいい。そうすればみんな聞いてくれる。ひと財産かせぐことと人が耳を傾けることはなんの関係もないが、たまたまそれができたのなら、運がいいってことだ」。「ディランがサヴォイで食事ができないと知るや、レノンはサリー州ウェイブリッジにある自宅へ夕食に招いた。レノンは言った。「何枚かレコードをかけて話をした。彼はいいアイデアを持ったおもしろいやつだ。住所を教え合い、曲のアイデアをやりとりしようと言ったが、実現はしなかった。彼はぼくに物を送ったと言ったが、書き留めた住所が間違っていて届かなかった。だからきっとぼくたちは気が合うんだろう――なにしろ二人ともかなりいい加減な人間だから」

ボブは私にこう言った。「ジョンにこの写真を送った――ぼくの車の屋根に張りつけた二枚の写真。でも彼のところには届かなかった。住所を書き間違えたんだ。でも今は正しい住所が分かるから、何か思いついたら送るつもりだ。ジョンのことは好きだ。書き手としてもシンガーとしてもビートルズの一員としても。会うたびにいいと思う人はほとんどいないけど、ジョンは好きだ。多くの人と違って、彼は物事をあまり深刻に受け止めない。そこがいいんだ」。ボブによれば、レノンは「まさにビートルズの一員で、とても口数が少ないけど、とてもとても賢い男」だった。

ディランは一九六五年と六六年のイギリス訪問のあいだにレノンを訪ねた話をしてくれた。「彼の家はすごかった。部屋が二二あった。イギリスから戻ってぼくが何をしたと思う？　部屋が三一ある家を買ったんだ、分かる？　自分の家だよ！　イギリスから戻ってすぐに買った。悪夢になったよ！」（アルバム『バイオグラフ』のメモによれば、ディランとジョンはテープレコーダーを介して共同で曲を書こうとしていた）(40)

マスコミはディランと、最初のレコード「キャッチ・ザ・ウィンド」をディラン風に歌ったグラスゴーの孤高の吟遊詩人ドノヴァンのライバル意識を掻きたてようとした。ドノヴァンについては、ディランはいくつかのコンサートで「第3次世界大戦を語るブルース」の歌詞を「レコードプレーヤーをかけた——ドノヴァンが歌っていた」と変えてジョークの種にした。彼はドノヴァンの「キャッチ・ザ・ウィンド」を熱心に聴き、こう言ったそうだ。「素晴らしいレコードだ。あのディ・ディ・ディ・ディの部分はいまいちだけど、彼の『不安（アンサートゥンティ）』の言いかたが気に入った。でも、彼にそっくりの歌い方をするやつがアメリカにいる。真似しているやつがいるに違いないね」。記者にドノヴァンに影響されたかどうかを聞かれるとディランはこう尋ねた、「ドノヴァンって誰？　昨日までまったく知らなかった！　壁に貼って、話しかけてみるよ」。サヴォイ・ホテルでドノヴァンは師に数曲披露し、彼のマネージャーは記者を締め出した。「信者が救世主に会うのに邪魔者はいらない」

イギリスのCBSレコードにとって、ディランのツアーは理想的なタイミングだった。一九六五年三月にリリースされた最初のシングル「時代は変る」はよく売れた。ツアー中に出た「サブタレニアン」はエレクトリックなビートとビートルズのお墨付きのおかげでさらに売れた。「マギーズ・ファーム」はツアー終了と同時にシングルで出た。CBSレコードの販売促進部の部長スタン・ウェストはのちにこう言った。「一九六五年の三月から十二月を通じて、ディランのレコードはわが社の契約歌手の誰よりもよく売れた」。ウェストはそれが一九六五年に盛んになった船上の海賊ラジオが要因でもあるとした。そうしたラジオは公共放送BBCの独占への対抗であると同時に宣伝にもなっていた。「サブタレニアン」と「ローリング・ストーン」はとくに海賊ラジオ局で人気を集め、ザ・バーズ版「タンブリン・マン」もヒットした。

ディランのイギリス人気に刺激され——四枚のLPがトップ二十入りし、『バック・ホーム』はナンバーワン・アルバムになった——コロンビア・レコードは「ハモンドの愚行」と呼ばれたディランをアメリカで熱心に推し始めた。六月、コロンビアはアメリカでの一大プロモーションキャンペーンを発表する。ディランが「すべてを故郷に持ち帰る（ブリンギング・イット・オール・バック・ホーム）」というスローガンはキャンペーンの主要テーマだった。コロンビアはもうひとつ、「誰もディランのようにディランを歌えない」という広告文句を掲げ、二十センチの段ボールの切り抜きディラン人形と、シェパーズ・ブッシュにあるBBCスタジオでスケッチされたポーランドの画家フェリクス・トポルスキによる線描画つきの豪華な宣伝資料を用意し、大々的に宣伝した。

五月十二日、ボブはニューボンド・ストリートにあるレヴィーズ・レコーディング・スタジオに出かけ、のちにブートレッグのテープとなる短いセッションを行った。トム・ウィルソン(41)は『レコード・ミラー』のジェイムズ・クレイグに呼びかけた。「今夜はちょっと実験的なことを試すんだ」と彼は言い、一台のピアノと二台のオルガンに向かって手を振った。「ボビーが新しいものを録音したがっている。アルバムになるかもしれないし、ならないかもしれない」。スタジオに現れたのは、アルバートとサリー・グロスマン、フォーク・シンガーのナディア・キャトゥーズ、シドニー・カーター、エリック・クラプトン、ポール・ジョーンズ、ジョン・マクヴィー、ヒューイ・フリント、ブルースマンのジョン・メイオール、三人の女性バックコーラスだった。ディランはCBS販売委員会への宣伝メッセージ用に「イフ・ユー・ガッタ・ゴー」と、噂では「ヘルプ」を録音した。マイクテストのとき、ディランは南部なまりでこう言った。「やあ、みんな。ここマイアミに来られて最高だ。ぜひともみんなと一緒にいたいけど、いまちょっと手が離せなくてね。とにかく、神の恵みがありますように、そしてぼくのレコードを買ってくれてありがと」

イギリスのツアー中バエズは「近く」にいたが、なぜかステージには立たなかった。空港やサヴォイでの記者会見では一緒で、地方のツアーにも何度か同行した。イギリス中部とリヴァプールに向かうときは別の車に乗り、ディランが出演したテレビ番組には出なかった。のちに私は、なぜバエズが同行したのか尋ねた。「彼女が一緒に来たがったんだ。ぼくは彼女になんの借りもなかった。ぼくに言わせれば、借りは返していた。アメリカにいるとき、彼女にはもう一緒には歌えないと告げた。向こうを発つ前にそう言った。それでも子猫みたいについてきた。彼女はぼくがやったことをすべて経験していた。彼女はぼくがやるのを見るのが好きだった。ぼくの音楽に彼女の居場所はない。ぼくの音楽には合わないんだ。いや、ぼくが彼女の音楽に合わせることはできる、でも彼女はぼくの音楽にもコンサートにも合わない。彼女が出たら間の抜けたものになる。ぼくになんのメリットもないし、観客にも誤解を招くものになったはずだ」

ポルトガルでの短い休暇のあと（彼の曲「サラ」に言及がある）、五月の下旬にディランはイギリスに戻り、BBCの番組収録を行う予定だった。彼がウィルス感染症にかかり、パディントンのセントメアリー病院に数日入院したことで予定は二、三週間遅れた。リチャード・ファリーナによれば、バエズはディランを訪ねてきたが、部屋にはサラがいて、バエズに「ディランは誰とも会いたがっていない」と告げたそうだ。これまでイギリスに登場したことのなかったバエズは、そこで地位を確立したがっていた。彼女がディランのコンサートツアーにときおり出演して相乗効果を期待していたのは無理からぬことだ。しかし期待は叶わず、彼女は見るからに動揺していた。彼女の「さよならのキス」は『ドント・ルック・バック』からの退場の合図だった。彼女はのちにこう語った。「私がかつて彼にやったことを彼もやってくれると、私をイギリスに紹介してくれると思っていた。すごく、すごく傷ついたわ。みじめだった」。最初のコンサートが終わった時点で去るべきだったが、残りたいという気持ちがどうしても抑えられなかったと彼女は言った。六月八日、ディランは青ざめ、ぐったりした様子でテレビスタジオに現れ、二四日に放映される三十分番組二本を収録した。

イギリスでの大成功にもかかわらず、フォーク保守派はなおも攻撃の手を緩めなかった。イワン・マッコールとペギー・シーガー率いるフォークの原理主義者たちにとって、成功は妥協を意味した。一九六五年九月、『メロディ・メイカー』のインタヴューでマッコールはこう予測した。「これから、片足をフォークに、片足をポップに突っこんだディランのコピーが次々と現れるだろう……私にとってディランは、この社会における反＝芸術家の完璧な象徴だ。彼はすべてに歯向かう――本気で世界を変えたがらない人の最後の砦だ……彼の詩はたわごとだ。模倣であり、ひどく古臭い……ディランの歌はありのままの世界を受け入れるだけだ」(42)

ドント・ルック・バック

一九六五年のイギリスツアーのあいだ、ハンドカメラは約二十時間、思いつきでしゃべるディランに密着し、それが彼の初の長編映画になった。タイトルの『ドント・ルック・バック』は一九五〇年代に劇作家ジョン・オズボーンが書いた戯曲『怒りをこめてふりかえれ（ルック・バック・イン・アンガー）』のもじりで、聖書のロトの妻の塩柱も連想させる。一九六七年に公開されると、賛否両論が巻き起こった。ツアー中のディランのあわてぶりや困惑、ステージや楽屋の様子、くつろいでいるとき、苛立っているとき、ファンから逃げる様子、記者との応酬などを捉えたこの映画は、一九七五年まで独立芸術系の映画館や大学で上映された。一九八二年には再公開され、ロンドンの現代芸術協会ICAで特集された(43)。

この作品に対するディランの反応は揺れ動いた。編集前のフィルムを見た彼は言った。「これは一種のドキュメンタリーだ。どう転ぼうと、まさしく映画になるだろう。(製作者のドン・)ペネベイカーは最高だ」。のちに彼は、じっと座っていられないほど落ち着きのない男の肖像について、ペネベイカーとグロスマンと対立した。映画を恥ずかしく思っていたらしい時期から数年後、彼はまた考えを変え、一九七一年には「この数年で前よりあの映画がずいぶん好きになったよ」と言った。それは「振り返るな」と言った男に人生の一時期を振り返る余裕ができたということか?「いや、ぼくが言ったのは肩ごしに振り返るなってことだ」。ディランは冗談で返した。『ドント・ルック・バック』には六回ほどのステージの様子と、ディラン、バエズ、ドノヴァンによるオフステージの歌が数曲、そして議論、インタヴュー、シネマ・ヴェリテ的(E)な混乱とリアリズムがふんだんに収められている。

『ドント・ルック・バック』はグロスマンとジョン・コート、そしてペネベイカーがもうひとりのカメラマン——リチャード・リーコック——と設立したリーコック・ペネベイカー社によって製作された。『ドント・ルック・バック』に独特な力があるのは、ディランが途方もない人物だからだ」。一九七一年、ペネベイカーは私に語った。「多くの人はいまだにこの『変わった長髪ヒッピー』が重要人物であることに我慢できない。でも彼は奇妙なバランスを保っている。人は彼のことを知りたがるが、決して知ることはない。彼の価値はそのカリスマと謎にある。音楽映画で、まず気にかけるのは実際の演奏だ。ハンドカメラを使わなくてはならない——これは基本だ。カメラをいつでもどの方向にも自由に動かせなければ音楽の一部にはなれないからだ。映画のきっかけは彼の妻サラだった。彼女は一年ほど、わが社とタイムライフ社の連絡役を務めていた。一九六五年の二月か三月のある日、アルバートが入ってきて言った、『ボブで何かやらないか?』もちろん、と私は答えた。アルバートは三～四〇〇〇ドルの頭金を提示し、私たちはコロンビアに映像の一部を提供するという提案をたずさえボブ・アルトシュラー（CBSレコードグループの報道と広報の部長）を訪ねた。フィルム半分にわずか五〇〇〇ドルを提示したが、コロンビアは断った。私はボブに負担を負わせずに映画を作りたかった。撮影フィルムは二万五〇〇〇フィートにおよび、日に二本半のリールを使った。フィルムをたくさん買いだめしていた。こちらで曲の一節を撮り、別の場所で違う一節を撮った。一九六五年から六六年にかけての冬に、二、三週間をかけて編集作業を行ったが、無駄にしたフィルムはほとんどなかった」

「アルバートとはずいぶん揉めた。彼は大学での上映を望み、私は質の高いアート・シアターに持っていきたかった。私はディランと同じく、この映画はなかなか見られないものであるべきだと思っていた。劇場で上映するには多額の費用がかかる。アルバートが提案した何人かのハリウッド大物プロデューサーはこの映画をどうしたらいいか分からなかった。私たちは配給に関心のある、四十社からなるアート・シアター・ギルドにかけあった。当初はドキュメンタリー映画とは言わなかった。エンターテインメント作品と見なしていたからだ。封切はサンフランシスコだった（一九六七年五月）。正直、あの巨大なニューヨークで叩かれるのが怖かった。四か月をかけてニューヨーク以外の四十すべてのギルドで上映したあと、ニューヨークの東三四丁目に持ち込むと、批評家と観客の好評を得た」

「ディランの大きな強みは謎に答えないまま残しておくところにある。映画のなかで情報を提供しようという気はみじんもなかった。ディランは私に、ホテルの部屋でのケンカを削除してくれないかと言った。こんな風にいつも争っていると思われたくなかったのだ。気持ちは分かったが、私はもっと大切な点があると思った。『きみは、きみがそうだと思っている人間だ』。素晴らしい言葉じゃないか！　これこそ実存主義者の根本概念だ。そしてディランはそれを体現している、それについて書いているノーマン・メイラーとは違って。それこそが映画の本質だから、削除することはできない。ノース・ハリウッドで初めて完成した映画を見たとき、ボブはショックを受け、変更しなければならない点がたくさんあると言った。だが、手にメモ紙を持って二度目に見たあとは『変更はなしだ』と言って出てきた。彼ら（ケネディ、メイラー、ディラン）は台詞は言わない。彼らはどんなときも台本なんか持たずに式に臨む。主たる問題は、撮影した人間が編集をしなければならないことだ」。製作費は編集、音楽使用料、一六ミリから三五ミリへのブローアップなどで四万ドルにのぼったとペネベイカーは言った。映画の収入総額は一〇〇万ドルを超え、その三分の一がプロデューサーの儲けになり、リーコックとペネベイカーは十万ドルをディランと折半した。

『ドント・ルック・バック』の評価は映画そのものではなく、もっぱらディランに集中した。ラルフ・グリーソンは映画をこう見た。「観客との対話に苦労するアーティストについて、そして若い世代との対話に苦労する古い社会もしくはその逆について描いた作品だ。ディランはうなり、ののしり、歌い、笑い、輝き、ふくれっつらをしてなお天才で、この誠実な描写こそが映画を極めて価値あるものにしている」。『ニューズウィーク』のジョー・モルゲンスターンは書いている。「ペネベイカーのカメラはディランの生活への侵入者であり、映像におさめられたほかの侵入者となんら変わらない……カメラが見せる偽りのない真実は、一人の歌う天才だ。彼は自分の歌がどこから来たのかを知らず、知らないという事実に煩わされないだけの勇気と知恵を持っている」。『ライフ』の論評はこの映画の面白さを認めつつも、不満を呈した。「映画は不完全だ。これではディランの内側で何が起こっているのか見えないし、感じられない。物事は彼の周りで起こり、彼はそれに反応しているだけだ……ディランは世間から私生活や感情を隠す達人で、映画でもその能力を発揮している」。『ニューヨーク・タイムズ』のリチャード・ゴールドスタインは、この映画が「新品のミンクコートを着た客室係のメイドかのように、名声を手探りで捜している」ディランを見せたと語った。このシンガーソングライターは「わが世代のシェイクスピアとジュディ・ガーランドだ。われわれは彼が言うことを信用する。だが、彼のはなはだしき神秘性は——たとえそこに裏がなくても——この預言者めいたスターの内面をせめて一瞬でも見たいという欲求をかきたてる……ペネベイカーのカメラは映画的な引き立て役を演じるにはあまりに能動的でありすぎる。プログラムなしには、演技と真実の判別はつかない……（この映画は）ニュー・ジャーナリズムが示すのと同じ問題を抱えている……小説的なテクニックで現実を強化したとするなら、どうやって表現と真実とを見分ければいいのか？」プロデューサーとしてのグロスマンの役割に触れながら、ゴールドスタインはこの映画を「せいぜいが委託された肖像画だ。芸術的な作品ではあるが、なお細部の虚飾がよけいである」と評した。
いくつかの広告や、バランタイン社から出た映画本には、こんな悪評が書かれた。「これまで観たなかで最低の映画。しつこく、退屈で、子供の部屋のように散らかっている」(『カンザス・シティ・スター』)。「埋葬されるべき……安っぽく、シーンによっては汚らわしい映画だ、そもそもこれが映画と呼べるならばだが……まちがっても風呂に入り、ひげを剃るような映画ファンのためのものではない。これは『アンダーグラウンド』の映画で、ただちに埋められるべきだ。あるいはかつて、さっさと棄てるべきゴミについてよく言ったように、『ボロ切れは燃やせ』。ヒュー!」(『クリーヴランド・プレイン・ディーラー』)。「近所のガキ大将が鼻をかむところを九十分間撮った、退屈で下品なホームビデオ」(『アトランタ・ジャーナル』)(44)
一九六六年のツアーのあいだ、ディランはペネベイカーと、めったに公開されないABCテレビ制作の『イート・ザ・ドキュメント』に参加した(45)。その後も頻繁に脚本を受け取ったが、もういちど出演するほど「ぼくに合った」役柄を見つけられなかった。次に応じたのは、サム・ペキンパー監督がディランに役を用意した『ビリー・ザ・キッド／21歳の生涯』だった。しきりに映画の話を持ちかけたのは、アラン・アーキンのマネージャー、ハロルド・レヴンソールと、レヴンソールが共同プロデューサーを務めた映画『アリスのレストラン』のスター、アーロ・ガスリーだった。一九六九年、レヴンソールはアーキンとディランの会合を手配したが、レヴンソールによれば「ボブは会話しなかった」。一九七一年の初め頃には、レヴンソールはディランがなんでもいいから映画に出る気になれば「すぐに電話をかけ、二〇〇万ドルを調達して」プロデュースすると言っていた。
しばらくのあいだ、ディランはマーロン・ブランドを通じて映画に近づいているように見えた。一九六五年九月にブランドと出会ったディランは私に言った。「カリフォルニアでマーロン・ブランドとしょっちゅう会って、彼がここに来たときにも会った。ここで四～五時間話したよ。コンサートにも来てくれて、ニューヨークにも電話をくれた。マーロン・ブランドはぼくの友だちだ、本当に友だちだと思ってる。とてもいい人だ。彼はマスコミや世間から浴びせられるあらゆるたわごとを切り抜けてきていた」。ブランドは一九六四年という早いうちに、『ファーゴ』というタイトルの映画の脚本を構想していた。役中のブランドには弟がいた。エージェントのベン・シャピロはブランドとディランを会わせようと考えた。一九六五年九月、ベンはディランのハリウッド・ボウルでの公演のあと、総勢三〇〇人ほどの慎ましいパーティを催した。バージェス・メレディス、デニス・ホッパー、ジョン・バリモア・ジュニア、ジャン＝ピエール・オーモン、ジェームズ・コバーン――「ハリウッド上流階級の面々」が顔をそろえたが、映像化には結びつかなかった。

一九六七年は、九五分のドキュメンタリー映画『ニューポート・フォーク・フェスティヴァル』が初公開された年だ(46)。マレー・ラーナーが監督とプロデュースを手がけ、一九六三年から六六年にかけてのニューポート・フォーク・フェスティヴァルの映像素材を使っていた。ディランは出演した十五人のうちの一人で、「タンブリン・マン」と「マギーズ・ファーム」を歌っている。一九六五年、「ディランが来季のブロードウェイに出演するかもしれない」という噂が流れた。だがその計画も、ディランが『キャッチャー・イン・ザ・ライ』に出演するという噂も、それきりだった。一九六三年から六四年にかけて、ディランはレスター・パイン脚本の『ダフィー』という映画があるから、そこでヘイリー・ミルズと共演してはどうかとしつこく迫られた。一九六五年六月、アレン・ギンズバーグはロンドンの『デイリー・メール』に、ディランのための映画脚本を書いていると語った。「ロシアも含め、世界じゅうで撮影できればと思っている」。ディランは映画について、自分もギンズバーグと共同で、あるいは彼のために脚本を書いていると、よく冗談を言った。一九六六年、ディランはシカゴの作家／コメディアンのポール・シルズとハリウッド映画の企画について話をしたと言われている。一九七〇年頃には、彼がブロードウェイ版『群衆の中の一つの顔』の音楽を書いているという噂が流れたが、のちに本人が否定した。

ディランはずっとウディ・ガスリーの伝記映画を撮りたがっていたが、一九七五年、ハロルド・レヴンソールがそれは無理だと伝えた。ハル・アシュビー監督が契約していたからだ。ボブはすぐにアメリカ全国ツアー「ローリング・サンダー・レヴュー」をスタートさせた。そこには多くのスターが参加し、専属の撮影隊が集ってツアーの模様を撮影した。その成果は、ディランにとって最も大胆で、苦難に満ちた映画『レナルド&クララ』に結実した。いつものように、ディランは自分だけのショーをやりたがった。

「カズン・エミーを呼び戻せ!」

一九六五年七月のニューポート・フェスティヴァルで、ディランはまた別のドラマの主役となった。したことと言えばロックバンドとともに三曲を演奏しただけだったが、それでも嵐を巻き起こした。六五年のニューポートは幸先が悪かった。バエズが新しい秘蔵っ子ドノヴァンを連れて現れた。午後のワークショップではフォーク純粋主義のアラン・ロマックスが、グロスマンと契約予定のポール・バターフィールド・ブルース・バンドの紹介のしかたをめぐって、グロスマンと派手に衝突した。「ブルースヴィル・ワークショップ」の主宰者で外交手腕に欠けるロマックスは、パネリストの黒人ブルース歌手に同情的になり、バターフィールド・バンドにかみついた。「このシカゴの子供たちがブルースの何を知っているか見てみようじゃないか」。バターフィールド・バンドの演奏が喝采を浴びると、グロスマンはロマックスの横柄な紹介を激しく非難した。暴言が飛び交い、やがてフォークロアの巨人とフォークビジネスの大物は取っ組み合いの喧嘩になった。周囲が二人を引き離した。喧嘩は個人的なものだったとしても、そこには理念的な原因があった。ロマックスはロックを黒人音楽とみなしており、そういう考えが深く浸透しているのはフォークの仲間内においてだけだったのだ。

日曜の夜の前から、ディランは新しく奇妙な強迫観念にかられているようだった。例のごとく彼はほんの数人だけに計画を話し、衝撃と劇的な始まりを楽しもうとしていた。反撃がくるなど想像もできなかった。一月以降、彼のエレクトリックなシングルとアルバムは飛ぶように売れていた。ニューポートでは、バターフィールド・バンドとチェンバーズ・ブラザーズが今年、マディ・ウォーターズが前年に、エレキ楽器とヘヴィなリズムがもはやタブーでないことを証明していた。ディランにとっては「どれも音楽で、それ以上でもそれ以下でも」なかった。

一九六五年のニューポートのプログラムで、私はフォーク系のポピュラー音楽とカントリー音楽に対する寛容を訴えた。「フォーク音楽を聴く中産階級の大学生たちは、音楽界のほんの一部にすぎない。高校生や退学者、労働者階級の子供たちの趣向や関心、社会的態度も尊重されるべきなのだ」。私はフォークファン全員に改宗を訴えたわけではなかった。だが彼らの多くが、ラジオのダイヤルをビートルズやほかのイギリスロックグループやR&Bに合わせながらも、自分たちのトラディショナルな音楽だけが「健全な」要素と「公正な」真理を具現化していると思っていた。

ディランにとってはさらに苦しいことに、ピート・シーガーが日曜夜の最後のプログラムについて、これは現代のフォーク・ミュージシャンが新生児に送る、われわれが住む世界についてのメッセージだ、と宣言した。残念ながらこのテーマはディランのパフォーマンスの狙いとは合わなかった。彼の日曜の出番は、カズン・エミーとシーアイランド・シンガーズという非常に伝統的なパフォーマーのあいだにはさまれた。カズン・エミーの目玉は「オクラホマミキサー」だった。ディランは寄せ集めのバンドでサウンドチェックもなしに、与えられた枠を埋めなければならなかった。

バンドメンバーがどうやって集められたかについては諸説ある。ディランは当時すでにアル・クーパーのセッションを高く評価していた。フェスティヴァル会場でクーパーがうろうろしていると、アルバートはボブがきみを探していると言ってバックステージパスを渡した（クーパーの一九七七年の回想録『バックステージパスと裏切り者たち』(Backstage Passes & Backstabbing Bastards) のタイトルの由来になった）。ディランはクーパーに、「ローリング・ストーン」のサウンドをステージに載せたいと言った。バターフィールド・バンドから三人が選ばれた。ギターのマイク・ブルームフィールド、ドラムのサム・レイ、ベースのジェローム・アーノルド。さらにニューポートのパーティで、ピアニストのバリー・ゴールドバーグに声をかけた。ディランは近くのマンションで、夜が明けるまで即席のバンドとリハーサルを行った。ステージに上がるまで計画は秘密だった。ディランはマタドール・アウトロー風のオレンジのシャツと黒の革ジャケットで、エレキ・ギターを抱えて現れた。バンドが「マギーズ・ファーム」のエレクトリック・ヴァージョンを始めたとたん、ニューポートの観客は唖然とした。次に何が起きたかはそのときどこにいたかによるが、私にはそこらじゅうから怒りの声が聞こえた。バンドが「ファーム」の演奏を終えると、控えめな拍手と激しいブーイングが次々に起こった。誰かが叫んだ、「カズン・エミーを呼び戻せ！」マイクとスピーカーは完全にバランスを欠き、音響はひどく、偏っていた。この新たな音楽の熱心なファンの目にも、そのときの演奏は説得力がなかった。ディランがバンドに「ローリング・ストーン」を始めさせると、観客はますます騒ぎ出した。「フォークをやれ！　裏切り者！　フォーク・フェスティヴァルだぞ！　バンドを追い出せ！」ディランが「悲しみは果てしなく」を始めると、拍手は小さくなり、野次が大きくなった。ディランとバンドは舞台裏に消え、長くぎこちない沈黙が続いた。ピーター・ヤーロウはボブに戻るよう促し、アコースティックギターを手渡した。ボブが一人でステージに戻ると、使えるハーモニカがないことに気づいた。「ぼくに何をさせる気だ？」そうヤーロウに尋ねた。「タンブリン・マン」を求める叫びにディランは言った。「分かった、きみたちのためにやるよ」。昔の曲は鎮静効果をもたらし、激しい拍手が鳴り響いた。それから彼は「イッツ・オール・オーバー・ナウ、ベイビー・ブルー」を演奏したが、その歌詞は新しい意味を持ち、まるでニューポートに、フォーク純粋主義者たちにさよならと歌っているかのようだった。彼はエレクトリック・ミュージックを受け入れない観客の怒りを抑え、ステージを去った。

バックステージは表に負けず劣らず大騒ぎだった。アンプにつながった楽器の最初の音が響くなり、ピート・シーガーは怒りをあらわにし、足を蹴り出し、両手を振りまわした（フェスティヴァルの担当者はのちに「あんなに暴れるピートを見たのはあのときだけだった。彼はディランに激怒していた！」と言った）。噂によれば、役員の一人——おそらくシーガー——がひどく怒り、電気配線をすべて引き抜けとおどした。冷静な数人が客席が真っ暗になると暴動が起こってしまうとたしなめた。

その晩遅くに開かれたパーティでは、チェンバーズ・ブラザーズがダンスのためにロックを演奏し、ニューポートはディスコのような雰囲気になった。フェスティヴァルの技術プロデューサーのジョージ・ウェインになぜフォーク・ロックが嫌いなのかと尋ねると、彼は「レコード業界に洗脳されたようだな」と返してきた。会場の隅では不機嫌そうなディランがケンブリッジの「クラブ47」のベッツィー・シギンズの膝に座っていた。彼は当惑し、震え、落胆しているように見えた。

一九六五年七月二五日の日曜夜のニューポートでの紛糾は、音楽史における別の驚くべき事件を思い出させる。一九一三年五月二九日、シャンゼリゼ劇場でストラヴィンスキーの『春の祭典』が初演された。ストラヴィンスキーの先駆的な楽曲とニジンスキーの振付に、パリの観客の評価がまっぷたつに分かれた。バレエ団が現れてカーテンが開いたとたんに嵐が吹き荒れ、ストラヴィンスキーは舞台裏で地団太を踏んだ。カール・ヴァン・ヴェクテンはのちに、怒り狂った聴衆の多くはストラヴィンスキーの音楽を「芸術としての音楽を破壊する冒瀆的な試み」と見なしたと記した。すさまじい騒ぎにオーケストラの音は聞こえなくなった。野次、ブーイング、非難の声に演奏と踊りは妨げられた。通路の客は医者を呼び、二人の医者どころか、歯医者までが駆けつけた！　バックステージも大混乱だった。著名な振付師ディアギレフは、騒ぎを鎮めるには明かりを消すしかないと判断した。彼は電気技師に劇場の明かりをつけて、それから消すよう命令した。舞台袖ではストラヴィンスキーを従えたニジンスキーが椅子の上に立ち、「漕艇舵手のようにこぶしでリズムを叩き、ダンサーたちに曲を叫んでいた」。演目が終わる頃には、オーケストラもダンサーも製作責任者も聴衆も疲れ切っていた。それから一年も経たないうちに、パリで同じ曲がピエール・モントゥーの指揮で演奏されたときは、指揮者もストラヴィンスキーもスタンディング・オベーションを受けた。

出演者と観客が六五年のニューポートを去り、同胞たちのコミュニティ内には決定的な分裂が起こった。ディランはまたもや美的な独立宣言をした。温厚なボストンのミュージシャン、ジム・ルーニーはのちに『シング・アウト！』にこう書いた。「保守派にとっては不愉快なものだった……ボブはもはや新たなウディ・ガスリーではない……彼がいま旅するハイウェイは……大恐慌時代に……あてもなくさまよい歩いた者たちにはなじみがないものだ……彼は飛行機で移動する……彼が知る山や谷は心のなかのもの——内の世界と外の世界の暴力にとても敏感な心のものだ。ピート・シーガーが愛してやまない「人びと」は、ディランが憎んでやまない「暴徒」である……彼らはあの夜初めて、ディランが一年以上も前から言っていたこと——自分は彼らのものでも、ほかの誰のものでもない——の意味を理解したのだろう。そしてその言葉が気に入らず、ブーイングをした……時代ほど暴力的な歌があり得るだろうか？　フォークソングはこの国の山や谷や兄弟姉妹の愛情についての歌でなければならないのか？　絶望はブルースのなかだけでしか許されないのか？……フェスティヴァル全体を通して、ボブ・ディランただひとりが、われわれの立場に疑問を投げかけた。たしかにうまいやり方ではなかったかもしれない。乱暴だったかもしれない。でも彼はわれわれを揺さぶった。そして詩人と芸術家はそのために存在するのだ」

　フェスティヴァルの翌週、私はニューヨークで二度ディランと会った。彼はなお当惑し、悩んでいるようで、全身から敵意を発していた。観客が「エレキ・ギターを捨てろ！」と叫んだことに、彼は動揺した。しかし言い返しはしなかった。ニューポートでエレクトリック・ミュージックを取り入れたことと、それから数年にわたって続いた議論について、ディランはこう繰り返した。「あれは正しかった。間違いじゃなかった」

エレクトリックの嵐がふく
——一九六五年、ニューポート・フォーク・フェスティヴァルの
午後のリハーサルで、ディランがプラグを接続する。

【原注】

（1）「廃墟の街」の歌詞。

（2）「ライク・ア・ローリング・ストーン」の歌詞。

（3）カリーはアメリカ陸軍の軍人。ベトナムのミライ集落における虐殺の罪に問われた。

（4）ヴォルフガング・カイザー、『グロテスクなもの——その絵画と文学における表現』竹内 豊治訳、法政大学出版局、一九六八年 二五八〜二六三頁。

（5）The Reader's Encyclopedia, W. R. Benet 編, © 1965 by Thomas Y Crowell Company.

（6）〜（8）「サブタレニアン・ホームシック・ブルース」の歌詞。

（9）多くの識者が、ディランが「サブタレニアン・ホームシック・ブルース」にあわせてキューカードをめくっていく『ドント・ルック・バック』の冒頭を、最初のミュージック・ビデオだと捉えている。

（10）「シー・ビロングズ・トゥ・ミー」の歌詞。

（11）「ラヴ・マイナス・ゼロ／ノー・リミット」の歌詞。

（12）「アウトロー・ブルース」の歌詞。

（13）〜（15）「ミスター・タンブリン・マン」の歌詞。

（16）『イェイツ詩集』高松雄一編 岩波文庫 二〇〇九年、二七三頁。

（17）Gwendolyn Bays, *The Orphic Vision*, p.212.

（18）〜（21）「エデンの門」の歌詞。

（22）〜（24）「イッツ・オールライト・マ」の歌詞。

（25）〜（27）「イッツ・オール・オーヴァー・ナウ・ベイビー・ブルー」の歌詞。

（28）Carl G. Jung, foreword to *I Ching* or the *Book of Changes* (New York, 1950), p. iv.

（29）『ブリンギング・イット・オール・バック・ホーム』のスリーヴ・ノートより

（30）同上。

（31）「ライク・ア・ローリング・ストーン」の歌詞。

（32）この曲についての詳細な分析は、グリール・マーカスによる *Like A Rolling Stone: Bob Dylan at the Crossroads* を参照のこと。

（33）「トゥームストーン・ブルース」の歌詞。

（34）「親指サムのブルース」の歌詞。

（35）「アウトロー・ブルース」の歌詞。

（36）「女性下着」への言及は、二〇〇四年にディランがエキゾチックな下着のテレビコマーシャルに出演したとき、再び話題になった。

（37）一九六六年三月、『プレイボーイ』によるインタヴュー。すべてのインタヴューについては、*Dylan on Dylan* を参照のこと。

（38）レイ・コールマン（一九三七～一九九六）は一九七〇年から一九八一年にかけての『メロディ・メイカー』で編集者と編集長をつとめた。彼は熱心なディランのファンでもあり、ロバート・シェルトンをフリーのライターとして雇用した。
（39）『ドント・ルック・バック』で印象的に捉えられていた。
（40）一九六六年、ドキュメンタリー『イート・ザ・ドキュメント』において、リムジンの後部にいるディランとレノンが捉えられている。そのときの対話は『モジョ』一九九三年十一月号に収録されている。
（41）一九六五年の「ライク・ア・ローリング・ストーン」での成功にかかわらず、その後ディランとトム・ウィルソンは袂を分かった。ウィルソンはフランク・ザッパとヴェルヴェット・アンダーグラウンドのプロデュースを手がけた。没年一九七八年。
（42）イワン・マッコール（一九一五～一九八九）はイギリスにおけるフォーク・リヴァイヴァルの牽引者で、「ダーティー・オールド・タウン」や「ファースト・タイム・アイ・エバー・ソー・ユア・フェイス」といった曲を書いた。ディランを「二流の才能をもった若者」と見誤ったのはよく知られている。
（43）『ドント・ルック・バック』はロンドンのＩＣＡにおいて、ディランによく似た「パンク詩人」ジョン・クーパー・クラークの *Ten Years in an Open Necked Shirt* と二本立てで上映された。
（44）二〇〇六年にリリースされた『ドント・ルック・バック』のＤＶＤは、「五つのノーカット音源」、Ｄ・Ａ・ペネベイカーとボブ・ニューワースによるコメンタリー、それに「サブタレニアン・ホームシック・ブルース」を使ったオープニングの別ヴァージョンを売りにしていた。
（45）『ドント・ルック・バック』の「続編」『イート・ザ・ドキュメント』はいまだに「めったに公開されることのない」状態だが、映像の一部がスコセッシの『ノー・ディレクション・ホーム』で見ることができる。
（46）二〇〇七年、マレー・ラーナーは一九六〇年代のニューポートにおけるボブ・ディランのパフォーマンスをまとめ、*The Other Side Of The Mirror: Bob Dylan at the Newport Folk Festival, 1963-1965* というタイトルでＤＶＤリリースした。

【訳注】
（Ａ）Gwendolyn Bays, *The Orphic Vision.*
（Ｂ）Bill King, "Bob Dylan: The Artist in the Marketplace".
（Ｃ）Al Cooper, *Backstage Passes.*
（Ｄ）Charlie Gillett, *The Sound Of The City.*
（Ｅ）演出等を排除して真実を映そうとするドキュメンタリー的手法の映画。

一九六五年一月、スタジオにて『ブリンギング・イット・オール・バック・ホーム』を収録する。

09

闘技場（コロシアム）のなかで

大衆の好奇心という虫眼鏡で見られているとき、きみのあらゆる誠実な行動がある人にとってはヒロイックに見えるように、きみの弱さはある人にとっては犯罪的に見える。誠実な振る舞いが疑問に付されるときすらある……読み手はあまりにも横暴だ。なにかのきっかけで詩人を好きになると、彼らはそれが何度も何度も、永遠に繰り返されることを期待する。彼らは詩人の性格のあらゆる変化、ひいては彼の詩の変化を、いわゆる成長ではなく、道を逸れたのだと解釈する。

——エフトゥシェンコ(1)

ああ、ぼくがぼくでなくてよかった。

——ディラン　自分について書かれた新聞を読んで、一九六五年

詩人は人生の最良の部分を取って仕事に注ぎ込む。
だからその作品は美しく、人生は悲惨なのだ。

——トルストイ

一九六六年、イギリス、バーミンガムへのツアー中に自分について書かれた新聞を読む

ニューポートで起こったブーイングは一九六五年十月までアメリカ各地のコンサートで間欠的に続き、一九六六年晩春にかけてのワールドツアーで再び始まった。一九六五年七月からの一年は、ディランにとってストレスの多い一年だった。ポップの世界でもてはやされながら、かつて彼を神と崇めた多くのフォーク信奉者からは拒否されるようになった。模倣され、なじられ、張り合われ、とがめられ、叱責され、そして賞賛された。彼が本当にやりたかったのは書いて歌うことだけだった。まさに「ああ、ぼくは時を／コロシアムのなかで過ごしてきた／ライオンたちから身をかわして時間を浪費してきた」（2）の心境だったに違いない。

ディランはわずかな睡眠と食事と、当人が言うところの「大量の薬」で生き延びていた。世間に押しつぶされそうになりながら、彼は結婚を考えていた。エレクトリックへの転向に関する論争は世界じゅうに広まった。歌手で俳優のセオドア・ビケルはニューポート・フォーク・フェスティヴァルでの失敗をこう語った。「ディランは戦略的ミスを犯した。まずアコースティックから始め、そのあとエレキでやるべきだったんだ。彼はわざわざ手を差し伸べなかった。観客に話しかけなかった。普通の人間なら、あんな反応のあとでは演奏をやめていただろう」

ディランはニューポートの騒動について、一九六五年八月二八日にクイーンズで開かれたフォレスト・ヒルズ・ミュージック・フェスティヴァルに登場するまで沈黙していた。チャーリー・ロスチャイルドが『ニューヨーク・タイムズ』に電話をかけてきて、インタヴューを申し出た。以下は私のメモである。「ニューポートのことはそれほど気にしちゃいない。ぼくは自分が何をやっているか分かっている。想像力のある人なら、ぼくが何をしているか分かるはずだ。ぼくの歌が分からないのなら、何かを聞き逃してるってことだ。フォレスト・ヒルズではエレキを何曲かやるつもりだ。ニューポートでは、誰だか知らないが音響の責任者は事態が分かっていなかった。今回は新しい歌を二曲から四曲くらいやるつもりだ。ステージでは時間があっという間に過ぎる。何をやるかより、何をやらないかを考えなければならない。もううんざりだよ。『神が味方』を十五年も歌ってはいられない」。フォーク音楽とロックを対立させることについてはこう言っていた。「どれも音楽なんだ、それ以上でも、それ以下でもない。ベストは尽くすよ、でもぼくはぼくだ」

その夏、フォレスト・ヒルズの一万五〇〇〇席を売り切ったのはディラン、シナトラ、ストライサンドだけで、収益は一晩で七万五〇〇〇ドルに達した。前座のあと、ディランのステージでマレー・ザ・Kの名で知られるDJマレー・カウフマンは繰り返しこう言った。「ロックでもない、フォークでもない、ディランという新しいものだ。いま起こっていることはディラン、としか言いようがない」。ファンは待っていた。グロスマンは楽屋で激怒していた。「マレー・ザ・Kをステージにあげたのは誰だ？　全員訴えてやる」

コンサートはアコースティックの「シー・ビロングズ・トゥ・ミー」で幕を開け、「ラモーナに」「エデンの門」「ラヴ・マイナス・ゼロ」と続いた。反応はよく、盛んな拍手が送られた。ディランはその場を支配していた。「廃墟の街」が初めて披露され、聴衆はグロテスクなイメージに聞き入った。続いて「ベイビー・ブルー」「タンブリン・マン」。休憩後、ディランはエレキ・ギターのロビー・ロバートソン、電子ピアノとオルガンのアル・クーパー、エレキベースのハーヴェイ・ブルックス、ドラムのリヴォン・ヘルムを引き連れて現れた。バンドと力強い歌は、はじけそうなほど強烈だった。曲が終わるごとに、ブーイングと「昔のディランを！」の叫びがあがった。「マギーズ・ファーム」のあとには「裏切り者！」「冗談はよせ！」「フォークをやれ！」の怒号が飛び交った。入り乱れる音楽と観客の騒音のなかで、誰かが「カス野郎！」と叫んだ。ディランは答えた、「おい、かんべんしろよ」。数人の「聴衆」が果物を投げ、若いロック好きたちが追い出された。ふざけた男がステージにのぼり、アル・クーパーを椅子から突き飛ばした。ディランはバンドに「やせっぽちのバラッド」のイントロを演奏し続けるよう指示し、五分後、その緩和剤が効いた。「悲しきベイブ」でバックバンドの音が小さくなると野次もほとんど収まり、「ライク・ア・ローリング・ストーン」はすでにヒットを飛ばしていて、観客の大半が声を合わせて歌った。六五年のニューポートと新しい音楽に対する批判は間違いだったことが証明された。フォレスト・ヒルズでのサウンドは正しく、プログラムは練られ、演奏には説得力があった。問題は観客にあったのだった。

『ヴィレッジ・ヴォイス』は「フォレスト・ヒルズ・ミュージック・フェスティヴァル」を表紙の見出しにした。「ディラン「モッズとロッカーズが『ディラン』という名の新しさをめぐって喧嘩」。『ヴァラエティ』はこうだ。「ディランの進化は速すぎ、ほぼどんな物事の過激な変化にも動じない若き追従者たちもついてゆけなかった」。私がコンサートの前に『タイムズ』に書いた記事(タイトルは「ポップシンガーとソングライターがボブ・ディランという道で競い合う」)と熱狂的なレヴュー(「ディランが荒れる観客を黙らせる」)には、その七年で書いたどの記事よりも多くの手紙が——賛否どちらも——届いた。

東部でのブーイングは事実上収束した。十月一日のカーネギー・ホール公演では、新しい音楽に対する歓声があがった。その公演の日までに、ディランは自由なロサンゼルスで三週間を過ごして元気を取り戻していた。「ロスのコンサートでは何のトラブルもなくて物足りないくらいだったよ」と彼は私に言った。カーネギーはチケットも完売し、リヴォンとザ・ホークスがバックを務めた。「ライク・ア・ローリング・ストーン」のあと、多くの観客がアンコールを叫びながらステージに押し寄せた。「そんな風に感じていたとは知らなかった」とディランは淡々と言い、アンコールの前につぶやいた。「気に入ってくれるとは思わなかったよ」。ある解説者はこのコンサートを「ボブ・ディランを守ろう集会」と形容した。ジャック・ニューフィールドは『ヴィレッジ・ヴォイス』で、「新たな文化的伝統が生まれつつある……ハイ・カルチャーとは対極の……シーモア・クリムがかつて『ストリート・カルチャー』と呼んだものだ。これまでチャーリー・パーカー……アレン・ギンズバーグ、レニー・ブルース、ウィリアム・バロウズといった人たちがそれを築いてきて、ディランもまた、象徴的な詩と新しいフォーク音楽の融合によってそれに寄与している」

フォークがロック

フォーク・ロックは音楽業界の大きな潮流となり、紛糾する議論の種となった。ディランの変化が再び大きなムーヴメントになったのは、彼の芸術と革命的なポップミュージックがもたらした当然の結果だった。政治のリーダーシップを拒否した彼は、音楽のリーダーシップを引き受けたのだ。これまで見てきたように、彼のフォーク・ロックの萌芽は一枚目のアルバムにもあり、二枚目で未収録となった曲にもエレキを使ったものが四つあり、一九六二年の時点ですでにバンドを従えたシングルを一枚出している。バンドなしの四枚目のアルバムでも、フォーク・ロックのビートとドライヴ感は潜在している。プロテスト・フォーク・ロックについても、彼がスタイルを確立したものだった。ソニー&シェールと、「明日なき世界」を書いたP・F・スローンは、その二年前のディランを追いかけていた。フォーク・ロックの熱狂は一九六五年の終わりに終息していったが、そこから生まれた数多くのスタイルが今も隆盛をきわめている。

フォーク・ロックの根は、ブルースとカントリー音楽にあった社会学的な部分、メッセージやプロテスト、社会への言及といった要素に深く根ざしていた。ジャズもまた反抗の表現のひとつだった。フォーク・ロック的なものは一九五〇年代にもあって、チャック・ベリー、ジョニー・キャッシュの一連のロカビリー、エディー・コクランの「サマータイムブルース」、フィル・スペクター、ジェリー・リーバーとマイク・ストーラー、バリー・マンとシンシア・ワイルといった作曲家の楽曲にもそれを聞き取れる。トリニ・ロペスは一九六三年と六四年に「天使のハンマー」と「レモン・ツリー」をロックのスタイルで歌い、ガーシュウィン兄弟、リチャード・ロジャーズとローレンツ・ハート、コール・ポーターらのポップバラードにも詩は確かにあった。ミュージカル劇はずっとメッセージを伝えてきた。

一九六三年、アメリカのプロテストは公民権運動へと集中していき、イギリスでは核爆弾廃止デモとなって展開した。一九六四年秋、カリフォルニア大学バークレー校での大規模な学生デモは新たな抗議運動のきっかけとなった。この「フリー・スピーチ（言論の自由）運動」はその後の学生運動の原型となり、一九六八年にはパリとプラハ、一九七三年にはアテネとバンコクで同様の運動が起こった。アメリカの学生たちは、教育の方針や内容だけでなく、教師や教科書のもつ偏見、勉学と日常生活の関連度合いにも疑問を投げかけた。学生たちは軍事産業施設による大学研究機関への援助にも抗議した――「戦争の親玉」たちが角帽とガウンを身につけている、と。学生たちはディランが「人にものを教える雑種犬」と呼んだものを攻撃し始めた。このような風潮のなかで、フォーク・ロックという新しい音楽が栄えるのは当然だった。

　学外では、アメリカが中印国境紛争に介入して深刻な社会不安が広がっていた。三六代大統領リンドン・ジョンソンは、ピート・シーガーが「ビッグ・マディ」(3)で歌ったような泥沼にアメリカを導き、大量の兵を送り込み、徴兵に応じよと呼びかけていた。何の相談もなく、アメリカの若者は自分たちのエネルギーを、才能を、血を、人生をしぼり取られようとしていた。平和運動は公民権運動以上に多くの人びとに影響を与えた。プロテストや声を上げることへの渇望が、フォーク・ロックをたんなるスタイルの融合以上のものにした。『対抗文化〈カウンター・カルチャー〉の思想』のなかでシオドア・ローザックは「若者について……知ろうとするとき、その人はポスターや……ダンスに注意を向けた――なかでもとりわけポップ・ミュージックは、十三歳から三十歳の世代をひとつにしていた」と書いた。これまで、ディランは世代の代弁者と見なされてきたが、彼が代弁していたのはあくまで一部の急進派グループの声だった。だが今や、フォーク・ロックの大観衆の前に立った彼は、彼を支持するすべての人の代表者となっていた。

　一九六五年、ザ・バーズがカヴァーした「ミスター・タンブリン・マン」は、その十年で最も売れたシングルのひとつとなり、ディランのロックへの、そしてのちにはカントリー音楽への傾倒に勢いをつけた。ディランはザ・バーズについてこう言った。「彼らは障壁を乗り越えている。よく分かってるんだ。精神をオープンにし続ければ、ほんとにすごいことになるかもね」。ザ・バーズの活動初期にはビリー・ジェイムズが広報を担当していて、バーズはよくディランの曲をレコーディングしていた。人気が出ると、ディランとも共演するようになった(4)。

　ザ・バーズのリーダーで十二弦ギターを弾くジム（のちロジャー）・マッギンは、それまでチャド・ミッチェル・トリオ、ライムライターズ、ボビー・ダーリンなどのバックを務めていた。一九六四年、マッギンにはフォーク音楽が「ひどく商業的になり、セロファンで包まれたプラスチック商品みたいになった」ように思え、「もっと別のことをやりたいと思うようになった」という。一九六四年夏、マッギンはロサンゼルスの「トルバドール」でジーン・クラークと出会い、グループを結成した。のちにデヴィッド・クロスビーが加わり、「ジェット・セット」というグループ名でリハーサルを行った。デビューアルバム『プリフライト』には力強さに欠けた「ミスター・タンブリン・マン」も収録されていたが、ヒットはしなかった。マネージャーのジム・ディクソンがクリス・ヒルマンを誘い、ドラムのマイク・クラークが加入して面子がそろった。マッギンは言う。「隙間が見えたんだ。ディランとビートルズはコンセプト的にもたれ合っていた。その隙間に狙いをさだめた」。そして彼らはヒットした。軟弱に聞こえないよう、あえて「鳥(birds)」のつづりを避けて「Byrds」にした。一九六五年一月、コロンビアと契約したザ・バーズは「ミスター・タンブリン・マン」を再レコーディングした（プロデューサーはドリス・デイの息子テリー・メルチャーだ）。

その曲を彼らがどうして見つけたのかははっきりしない。おそらくディランが正式にアセテート盤にする前、四枚目のアルバムで不使用になったテープをディクソンが見つけたのだろう。ジャック・エリオットも共に歌っていた(5)。ヒルマンによれば、ディクソンが「曲を持ってきた。最初はそんなに好きでもなかったし、意味も分からなかったけど、彼はぼくたちが理解するまでその曲を推してきたんだ」。マッギンはロスでディランに会い、「ぼくたちの『タンブリン・マン』のアレンジを聴かせた」。ディランは言った、「ワオ、踊れるじゃないか！」マッギンいわく、ディランは「驚いていた。ぼくたちは彼の別の曲も何曲か歌ったけど、自分の曲だとすら気づいていないようだった。しばらくは親しくつきあったよ、でも結局、彼は導師でぼくらは生徒だ。彼がぼくに影響を与え出したのは、ぼくが彼の曲を歌い始めてからだ。でも、ぼくたちが彼の楽曲を通じてやったことを、彼自身がやり始めた――そうなるとぼくたちはもう彼の曲はやれなくなった。彼が自分でやったからだ。大金を稼いでいることに後ろめたさがあるようだった。彼は言っていた。『きみたちがどうやれば一〇〇万ドルを稼げるかは分からない。手を貸してあげたいけどね』。それからぼくたちは宇宙の本質とか、そんな深遠なことについて美しい哲学的な話をして、そのあとはどうでもいいことをしゃべったり、歌詞にリフをつけたり、言葉遊びをしたりした。なつかしいね」

「ミスター・タンブリン・マン」の二度目のレコーディングで皮肉だったのは、参加したバーズのメンバーがマッギンだけだったことだ。他のメンバーは参加できず、有名なベースのイントロはラリー・ネクテル、ドラムはハル・ブレイン、セカンドギターはレオン・ラッセルが担当し、要のコーラスはバーズがあとから加えた。彼らのコロンビアでの最初のアルバムには、ディランの曲が他に三曲収められている。「タンブリン・マン」のシングルは一九六五年三月、ザ・バーズがロスのナイトクラブ「チーロズ」にいる頃に発売され、ディランはもちろん、誰もが店を訪れた。満員の「チーロズ」がアメリカの新しい流行の発信地として注目された。ハリウッドが再び踊りだした！　コロンビア・レコードの宣伝部は「すぐに」トップチャートに入ると豪語したが、実際はアメリカで三か月、イギリスでは四か月かかり、ザ・バーズはビートルズのブレイク以来トップに立った初めてのアメリカのバンドとなった。六月、彼らは「オール・アイ・リアリー・ウォント」をシングルでリリースしたが、アメリカではソニー&シェールによるカヴァーの陰に隠れてしまった。マッギンが何よりがっかりしたのは「ディランがやってきて『負けたな』と言ったことだ。信頼を失ったんだ。彼は気分を害していた――自分の作品を貶められていたから。そして、彼の音楽の擁護者で支援者であるぼくたちがいながら、ソニー&シェールの勝ち逃げを許したんだ！」

ザ・バーズはコロンビアのスタジオに戻り、「ベイビー・ブルー」「時代は変る」を試したが、どちらもしっくりこなかった。結局、噂によれば八十回のテイクのすえ、最終的にシーガーの「ターン！　ターン！　ターン！」を録音して発売し、五週後に一位を獲得した。マッギンはかつてバーズを「エレクトロニックな雑誌」と評した。フォーク・ロックからアシッド・ロック、ラーガ・ロック、それからカントリー・ロックへと移行するとき、彼らはしばしばその媒体としてディランの曲を選んだ。一九七一年、マッギンは『サウンズ』誌のペニー・ヴァレンタインにこう語った。「一度だってディランをアイドルとして崇拝したことはない。彼のことはいつも仲間と思っていた……ディランは常にぼくの一、二歩先を歩いていたけど……彼に嫌われたのは『イージー・ライダーのバラッド』のせいだと思う。ぼくが曲を提供したその映画にはディランもかかわっていたから、映画のクレジットに彼の名前が載った。彼はひどく怒って電話をかけてきた。『はずせ。クレジットに名前を入れるなと言ったはずだろ。こんなことは毎日誰かにやっている。きみに詩の一節をあげた――それだけだ』。たしかにそうだった。ぼくたちはその曲に一緒に深く取り組んだわけではなかった」。一九七三年になると、クロスビーやヒルマンらは一九七〇年代に人気を誇るロックバンドの仲間入りを果たしていた。バーズのオリジナルメンバーであるマッギンが西海岸でソロのレコーディング中、ディランが陣中見舞いに立ち寄った。友情復活のしるしにディランは、アルバム『ロジャー・マッギン』のリード曲「アイム・ソー・レストレス」のバックでハーモニカを吹いた。一九七五年になると、マッギンはディランの「ローリング・サンダー・レヴュー」ツアーにも名を連ねた。

一九六五年に戻ろう。ディランは音楽界からトレンド・オブ・ザ・イヤーの称号を与えられ、ザ・ビートルズ以来の「快挙」と言われた。一九六五年九月八日の『ヴァラエティ』にはこうある。「ひとりで音楽業界を操るボブ・ディランはフォーク・ロックジャンルの創設者か？」その頃、ディランの作品が八曲――そのうち半分は自分で歌った曲――がトップ四〇入りしていた。『ヴァラエティ』は、息まく音楽業界の雰囲気をうまくとらえている。「今週はディノ・デジ&ビリーが『自由の鐘』を追いかけるように発売し、ソニー&シェールが『風に吹かれて』を録音し、シェールは自身の次なるアルバムにディランの曲を三曲入れる予定だ……デイヴィッド・ローズは次のアルバムにディランの歌詞を二篇組み込み……ザ・リヴァプール・ファイブも……ディランの曲をやる予定である……コンピューターでもないとてもすべては追えないほどだ」

一九六五年半ば、フォーク・ロックによるプロテストを体現したヒット曲、P・F・スローンの「明日なき世界」が元ニュー・クリスティ・ミンストレルズのバリー・マクガイアによってレコーディングされた。「明日なき世界」は、社会の不平等を列挙し、今すぐ変わらなければ核による大殺戮が迫っていると警告していた。単純なビートと稚拙な不平不満を連ねる「明日なき世界」はディランの「サブタレニアン」を押しのけ、たちまち主要ラジオ局のトップ四〇に躍り出た。厳しい検閲が始まったのはそのあとだ。ABCラジオを含むラジオ局の多くが「明日なき世界」をブラックリストに入れた。社会学者R・サージ・デニソフは『ザ・ジャーナル・オブ・ポピュラー・カルチャー』(A)で、この行進曲風の楽曲が「スペイン内戦の歌、そしてナチ賛歌」を思わせると指摘した。「明日なき世界」における告発があまりにも多岐にわたるものだったためか、デニソフがアンケートを行った学生のうち、曲のテーマを理解した者は十四パーセントだけで、メッセージを部分的にでも理解した者さえわずか四五パーセントしかいなかったという。「明日なき世界」は右翼からも左翼からも非難された。『シング・アウト！』は、この大衆化されたプロテストを、錯乱した詭弁だと言った。三流のグループ「ザ・スポークスメン」はアンサーソングとして「ドーン・オブ・コレクション」をリリースしたが、それは単に美と楽観を歌っただけのものだった。

一九六五年の夏、ディランに刺激を受けたフォーク・ロックが次々にヒットを飛ばした。ザ・タートルズは「悲しきベイブ」でチャート入りを果たし、ソニーとシェールはどちらもディランのように歌い、彼のスタイルをまねた。彼らの「アイ・ガット・ユー・ベイブ」はたちまちヒットした。奇抜な服のせいでレストランから追い出されかけた体験を元に、ソニー&シェールはプロテスト風のフォーク・ロック「ラフ・アット・ミー」を大声で歌い、この曲は一日で五〇〇〇枚も売れた！『ブロードサイド』の秘蔵っ子、十五歳のジャニス・イアンは「ソサエティーズ・チャイルド」で異人種間の恋を擁護した。大手レーベルは二の足を踏み、ようやくヴァーヴ・フォークウェイズがレコーディングに応じたが、当然のごとくラジオ放送禁止になった(6)。その他のフォーク・プロテスト・ソングもフォーク・ロックの服に着替えて戻ってきた。バフィ・セントメリーの「ユニバーサル・ソルジャー」、オクスの「ゼア・バット・フォーチュン」、ドノヴァンの数曲。サイモン&ガーファンクルは、アコースティックな「サウンド・オブ・サイレンス」にリズミカルなビートを加え、無名時代から第二のキャリアへ歩き出した(7)。ロックの歌詞に意味を持たせようと試みてきたポップ・ミュージックの作曲家たちも表舞台に現れ始めた。バリー・マンとシンシア・ワイルの「ウィ・ガッタ・ゲット・アウト・オブ・ディス・プレイス」は黒人が強いられているゲットーの生活に抗議する曲だったが、エリック・バードンとアニマルズによってレコーディングされた。

九月、ディランは『ニューズウィーク』に語った。「ぼくは政治的な曲を書いたことは一度もない。歌で世界は救えない。そういうことはみな経験済みなんだ」。彼の「敵」についてさらに聞かれると、こう答えた。「連中は誰でも叩きつぶす。殺して、四二丁目に放り出し、ホースで水をかけて側溝に流すんだ。地下鉄に押し込んでコニー・アイランドに連れていき、観覧車の下に埋める。どうしろって言うんだ？」

ときとしてディランは、フォーク・ロックの生みの親として望む以上の「称賛」を浴びた。『ライフ』の記事では「ボビー・ディランの子どもたち」が特集された――だが彼がP・F・スローンやバリー・マクガイアと関係を持ちたがっていたとは思えないし、ましてや父親になりたいと思っていたはずがない。一九六六年、『ルック』はディランを「フォーク・ロック界のミスター・タンブリン・マン」と呼び、こう定義した。「ティーンと学生にとっての絶対的なヒップスターであり、彼らの『情緒不安定な』アイドルであり、ジングル・ジャングルな現実の歌う分析家であり、安全で漂白されたいかなるアメリカンドリームよりも彼らに訴えかける」。この記事に対して彼はこう答えた。「ぼくは何も定義しない。美も、愛国心も。ぼくはありのままを受け入れる、これまでのルールで決められたあるべき姿は関係なく」

まもなく、フィル・オクス、エリック・アンダーソン、デヴィッド・ブルー、ハミルトン・キャンプ、ジュディ・コリンズといったフォーク・シンガーも、エレクトリックなバンドと一緒にやるようになった。イギリスではドノヴァンが現代に通用するフォーク・ロックの形を模索していた。マンフレッド・マンはイギリスのテレビ番組「レディ・ステディ・ゴー」で「神が味方」を演奏した。一九六五年の九月には、イギリスのチャートにマクガイアの「明日なき世界」と、ドノヴァンがカヴァーした「ユニバーサル・ソルジャー」が入った。十月までに、少なくとも十二のプロテスト・ソングがイギリスでチャート入りした。ホリーズは「トゥー・メニー・ピープル」で人口増加についての歌を水爆の爆発で締めくくった。ジョナサン・キングがヘッジホッパーズ・アノニマスのために書いた「イッツ・グッド・ニュース・ウィーク」は、爆弾投下をふざけた歌詞で歌った。十二月になると、イギリスのプロテスト・ソングはもはや流行ではなくなった。ポール・マッカートニーは『メロディ・メイカー』でこう語っている。「あの手の歌はちょっとダメになってきてると思わないか。プロテスト・ソングは歌詞に注意を奪われすぎるから、ぼくはあまり好きじゃない」

フォーク・ロックはことあるごとにまったくのプロテスト・ソングだと誤解された。「伝道の書」から言葉をとったピート・シーガーの「ターン！　ターン！　ターン！」のどこがプロテスト・ソングなのか？　マレー・ザ・Kはフォーク・ロックを「アティチュード・ミュージック」と呼ぶことを好んだ。フォーク・ロック・プロテストのブームは一九六六年の初めには弱まったが、フォーク・ロック、あるいはアティチュード・ミュージックはなくならなかった。一九六五年より以前、多くの人が、ポップやロックはどうでもいいことを歌っているに違いないと思っていた。非知性的であるだけでなく反知性的でさえあると。この表面的な受け取り方が、社会的な表現としてのポピュラー音楽が真に理解されることを妨げていた。フォーク・ロックは、一時的流行が冷めたあと、ポピュラー音楽の大きな発展に影響を与えた。その功績において、ディランは称賛に値するだろう。

異端派はどんな教義を目指す？

どうしてディランは、かつての信奉者たちからの偏見と戦うことになったのか？　一九六五年半ばから、彼は異端者で背徳者だと見なされるようになる。しかしどんな正統性から見た異端者であり、どんな教義からはずれた背徳者なのだろう？　フォークの正統を振り返れば、純粋という名のもとにどれほど多くの人間が教義にこだわり、ゆえにそこから逸脱したディランを非難したかが分かる。フォークという教義の主たる起草者は、「フォークロアは非嫡出子の歴史にほかならない」と信じる民俗学者と収集家たちだ。民俗学者は音楽（と伝説、おとぎ話、芸術、意匠）を、口承で受け継がれた民間の知識、技術、芸術——貧しさのなかで培われた豊かさ——の総体だと考えていた。こうした学者たちが、大衆文化の浅薄さや、伝承されてきた素材を大衆文化が活用もしくは「洗練」させようとするたびに起こる文化の破壊を非難するのは分からないでもない。民俗学者の大半は、大衆商業文化のなかでフォークが豊かになるという可能性を思い描けなかった。筋金入りのフォーク絶対主義者も学者たちの見解を支持した。彼らは物ごとを「小さく」まとめたがり、音楽も小さく、静かなまま、宣伝することも、額に入れることも、ステージにあげることも拒んだ。文字を知らない貧しさのなかで生まれた伝統芸術の驚異を崇拝するあまり、フォークの要素を大衆文化に持ちこむことで生まれる恩恵には目を背けていたのだ。

こうした見解は、大衆化を支持するアラン・ロマックスによって大きく更新されていった。一九五九年にカーネギー・ホールのプログラムに寄せた文章のなかで、彼は伝統的な芸術家を尊重しながらも、ブルーグラスとゴスペルの新しい発展に注目していた。ブルーグラスは古いストリング・バンドを現代風にしたものだったが、ロマックスの目にかなった。黒人音楽はいかなる変化にも耐えうると彼は感じていた。だが白人のロックと都会のフォーク・ミュージシャンは別物だと見なしていた。押しの強い性格と広範な知識により、ロマックスは自身の見解を広く浸透させていった。

イギリスにおける二大フォーク・ソング理論家はA・L・ロイドとイワン・マッコールで、二人とも創造的かつ明快な意見を備えた、歌う学者である。マッコールにとって、大衆化はフォーク音楽と労働者階級の結合を意味した。彼は本人もまたそうであったにもかかわらず、中流階級の都会のシンガーソングライターを蔑視した。一九五〇年以降、フォークの支持者が減少した頃、『シング・アウト!』はアーウィン・シルバーの編集のもと、フォーク・ソングの「正しい方向性」を主張した。彼らの意見に影響され、フォーク純粋主義者たちはショービジネスと大衆文化を見くだし、左翼とヒューマニストの思考がつねにフォーク・ソングに反映されると主張した。「社会闘争、階級闘争における武器としての芸術」という信念からの逸脱は、営利主義への身売りを意味した。ディランの自由気ままな探求が背徳と見なされたのも無理はなかった。

一九六四年十一月、シルバーが『シング・アウト!』に寄せた「ボブ・ディランへの公開書状」はとくに辛辣だった。「ニューポートで、きみが観衆とのつながりを失うのを目にした……名声につきもののあれこれがきみの行く手を邪魔している」。また別の新たな「父親」に、何を書きどう振る舞うかを指図され、ディランは激怒した。どうしてシルバーは電話をかけるなり手紙を出すなりしなかったのか。シルバーは自分の雑誌を売るために彼を利用していただけだった。ディランはグロスマンに、『シング・アウト!』には二度と自分の歌を載せるなと言った。「ジェラルディンにあたえる忠告」を別にすれば、彼は直接なんの返答もしなかった。一九六五年九月、シンガーのマッコールは『シング・アウト!』でまたもやディランをこきおろした。「伝統的な歌とバラッドは、飛びきり才能のある芸術家たちによって作られたものだ。彼らは……時間をかけて……形作られた規範のなかで取り組んできた……現代アメリカで歌を作っている作家たちは、その規範のなかで取り組むことに無自覚であるか、取り組む能力がなく、わざわざそれを破壊しようとさえしているようだ。『でもボビー・ディランは違うじゃないか？』そう叫んで怒っているのは、あらゆる年齢のティーンエイジャー……凡庸な才能しかない若者たちだ。水っぽい粥のようなポップミュージックで育った、批判意識をまったく持たない観客だけが、そんな低レベルな戯れ言にひっかかる。『でも彼の詩はどうなの？』詩とは何だ？ 彼のトピカル・ソングの教養ありげな無学さのことを言っているのか？ それとも小学四年生の生徒が書くような恥ずかしい自由詩のこと？……ディランは……現代アメリカのソングライティングを体現している。それはジャーナリズムが芸術よりも重んじられ、安っぽい感傷と声高な自己憐憫が情熱の代わりとなる運動（ムーヴメント）だ」

一九六五年十一月、イジー・ヤングが『シング・アウト！』に寄せた記事。「ディランは自らのゲームのしがない歩兵になった……音楽産業のトップ四〇ヒットチャートとの連絡役になり果てている……チャートはロックンロールを要求し、彼はそれに従っている……」。反感は一九六六年一月の同雑誌で頂点に達した。トム・パクストンは「フォークの腐敗」と題したコラムで攻撃した。「あれはフォークではない。あれをリードし、煽り、育てたのがディランでなかったなら、誰もあれをフォークと混同するようなことはなかっただろう」。ジョシュ・ダンソンは、「二時間のフォーク・ロックより、一分間のすぐれた『黒人音楽』の方に、より多くのプロテストと気概がある」と述べた。

バリー・マクガイアやタートルズのような演奏者を支援していたわけではないものの、私は意見を曲げないフォーク純粋主義者たちと対決した。一九六六年一月三十日の『サンデー・ニューヨーク・タイムズ』で、私は『シング・アウト！』に対する二段落の右フックを打ちこんだ。これは名指しの辛辣な批判を巻き起こし、私を『タイムズ』からはずせという声さえ上がった！ 巨大音楽ビジネスと裏で結託していると非難されたのだ。私は『シング・アウト！』を、実験も前衛も認めようとせず「うんざりするほど狭量」だとやり返した。彼らの態度は「詩人エフトゥシェンコを異端者と糾弾し、正統性という草原に突き返したソヴィエトの文化機関」を思い出させると告げた。シルバーはかっとなって反撃してきたため、私の担当編集者は『シング・アウト！』の元主任編集者ナット・ヘントフとポール・ネルソンにギャラを提示して議論に参加するよう持ちかけた。ヘントフとネルソンは、フォーク・ロックに対して私と同じ肯定的見解を持っていた。シルバーは逃げたように見えたが、ほどなくフォーク・シーン界隈にいっせいに手紙が駆けめぐり、フォーク・ロックを認めるシェルトン派と、シルバー、ダンソン、ヤング派のどちらにつくかを問うていた。

　ディランは極力この論争を避けていて、あまり関心がないのだとよく言っていた。だが彼は傷つき、しかも不思議なほど「自分を説明」できないようだった。彼の傷は新しい観客を得た満足によって和らいだ。ゴードン・フリーゼンは『ブロードサイド』のなかで、論争者たちがこきおろし合戦で破滅しないことを望むと述べた。『シング・アウト！』の新しい主任編集者エド・バドーは、シルバーの見解は個人的なもので、編集サイド全員が彼に同意しているわけではないと記した。シーガーはなぜかこの騒動から一歩身を引いていた。論争はかなりしつこく、数年間続いた。フォーク・ロックの熱狂が収まり、ディランがアルバム『ジョン・ウェズリー・ハーディング』で周囲を驚かせたあと、保守派たちはやっと態度を和らげた。イギリスでは、最初こそフォーク・ロックに対する拒否は激しかったが、音楽的進化はアメリカよりも創造的だった。インクレディブル・ストリング・バンド、スティーリー・スパン、フェアポート・コンヴェンション、アルビオン・カントリー・バンド、JSDバンド、グリフォンといったイギリス、スコットランド、アイルランドのグループは、伝統的な素材に現代の意識を吹きこんだ。最終的に、一九六八年九月二八日、シルバーはアメリカ版『ガーディアン』(8)に、非を認める雄弁な記事を載せた。

　アメリカでは……多くの人びとが、急激な政治的変化を完全には理解できず……自分たちを気にかけてくれている――と信じていた――詩人に見捨てられたと感じた。現にディランは見捨てた――私たちをではなく、アメリカを再生するという責務に合わなくなった時代遅れの価値観を。「この国はきみたちのものではない(ディス・ランド・イズ・ノット・ユア・ランド)」、ディランは一九六五年に私たちへそう告げていたのだ。しかし、世間にはガスリーやシーガーの歌で育った者もいる……薄められたレーニン主義と正当化されたスターリン主義に基づく表面的な「マルクス主義」の後継者たちに、ディランの言葉にこめられた革命的示唆を受け入れる準備は整っていなかった。もしそれを受け入れるなら……それに従って行動しなければならないからだ！　診断が水疱瘡やおたふく風邪であったなら、社会の病理に新しい薬を投与することもできた。だが詩人たちは、病気は癌だと言い続けていた……。

ともあれ、私たちは学んだ。私たち年寄りにとって、その学びの過程は苦しく、骨が折れるものだ。それは数多くの基本的前提を見直すことだからだ……ディランは私たちの詩人だ――指導者ではない。詩人は私たちが触れて欲しいと思う場所に触れる……たとえ触れそこねたとしても、それは私たちの落ち度であって、彼の罪ではない。ディランは政治的なのか、反政治的なのか、非政治的なのか、政治に無関心なのか？　その問いは響き以上にバカげている。「解放週間」のフェアウェザー・ホールや、「自由選挙週間」のリンカーン・パークでディランの歌を聴いたり演奏したりすれば、ここぞとばかりに意思の疎通が図れるのだろう。それでも問いは残る。なぜディランはＳＤＳ世代(9)の感情的なエッセンスであり続けるのだろう？

パクストンもまた辛く当たりすぎたと認めた。私が知るかぎり、ヤングは最後まで意見を撤回せず、マッコールはディランについて二度と書かなかった。

ザ・バンド

ヒビングの頃から、ディランは自前のバンドを持つことを夢見ていた。二枚目のアルバムで数人とセッションをした時期にはもう、バンドのことは頭にあった。一九六一年から六四年にかけて、彼はジャム・セッションを好んだ。しかるべきバンドを作るには時間と労力がかかった。一九六五年初めのある晩、ディランとニューワースと私はポール・バターフィールド・ブルース・バンドを聴くために「ヴィレッジ・ゲート」へ行った。私は前にギャスライトで彼らの演奏を聴いたことがあり、見てみようと勧めたのだ。すると彼は、これまでシカゴの一流ブルースメンと共演してきたバターフィールドが率いるバンドの、はじけるようなＲ＆Ｂにすっかり魅せられた。「ソニー・ボーイ・ウィリアムソン三世かリトル・ウォルター二世みたいだ」、彼らのハーモニーを聴きながら私が言うと、ディランは「いや、ポール・バターフィールド一世だな」と言った。数週間もしないうちに、グロスマンはバターフィールドと契約した。ディランはバターフィールドと、そのバンドの素晴らしいギタリスト、マイク・ブルームフィールドと仕事をしようと考えていたが、相性と方向性の違いから彼らを採用することはなかった。

一九六五年夏、ディランはようやく仲間を見つけた。カナダのグループ、ザ・ホークスだ。のちに短期間ザ・クラッカーズと名前を変え、最終的にザ・バンドの名に落ち着く。『タイムズ』はディランとザ・バンドの出会いを「ロック史における最も決定的な瞬間」と呼んだ。それはやがて一人のポップスターとバックバンドの長きにわたる関係へと発展した。彼らはまず音楽に対する考え方で意気投合した。ブルース、カントリー、R&B、古いロックンロールと新しいロックに浸かってきたザ・ホークスは、ディランが他のミュージシャンとは束の間しか味わえなかった仲間意識をもたらした。彼らにはディランよりも長い――成功とは言わないまでも生き残っていくだけの――巡業経験があった。苦しい歳月のなかでディランが何より必要としていた分別を、彼らは持ち合わせていた。

仲間意識が生まれるのに大した犠牲はともなわなかったようだ。ディランが荒れても、ザ・ホークスは淡々と受け流すことができた。彼らが一九六五年から六六年のワールドツアーに参加したときも、ディランはプログラムの半分でソロ演奏を続けていた。しかしツアーの終盤になると、ザ・ホークスはただのバックバンドではなく、ディランの望みどおり、強烈なスタイルを持つ存在になる。驚くことに彼らは、バックバンドを持たないスター、あるいはスターのいないバックバンドが失いがちなアイデンティティを失わなかった。芸術的かつ商業的な成功が、彼ら自身なかば持っていると知らずにいた創造性を解き放ったのだ。

ロビー・ロバートソン、リヴォン・ヘルム、リック・ダンコ、リチャード・マニュエル、ガース・ハドソンにとって、むさくるしいロニー・ホーキンスとの長年にわたるトロントでの活動からディランのバックバンドへの移行は、大きな飛躍だった。ザ・ホークスとして、彼らは夢を抱く若いミュージシャンしか耐えられないような単調な仕事に耐えてきていた。一夜かぎりのステージ、ディスコ、安っぽい酒場、そして土曜の夜、すえたにおいのする体育館で、なんの違いも分からない騒々しい客の前で激しいビートを叩くような仕事にも。一九六五年にホーキンスと袂を分かったとき、彼らは実質ブルースメンとなっていた。ディランのワールドツアーは人も羨む仕事だったが、フォーク信奉者たちはなおもディランがエレキ・ギターで演奏することに怒号をあげ、五人の悪の使者たちによる耳をつんざくエレキ・ギターの音とヘビーメタルのようなロックのリズムを、これでもかと攻撃した。

　ファーストアルバム『ミュージック・フロム・ビッグ・ピンク』（一九六八年）で、ようやくザ・バンド（その頃にはこの名になっていた）は単独グループとして認知される。当時流行のサイケなアシッド・ロックの潮流に反し、彼らの音楽は人道的な音量で、控えめで、抑制されていた。『ビッグ・ピンク』はロックを静かな小径に招き入れ、田舎の風とある種の敬虔な宗教的響きで満たした。そこには意識下の過去に深く根ざした何かがあり、平穏な谷間の教会を連想させた。『ビッグ・ピンク』はディランの『ジョン・ウェズリー・ハーディング』に続いてリリースされ、この二枚は一九六八年の、ほぼすべてのベストアルバムリストに選出された。ポップミュージックに対するこれらの鎮静剤的な効果はすぐに現れた。ディランは慰めと癒しを得て、田舎で生まれ変わった。ザ・バンドは地理的にも芸術的にもディランを追い、揃って心癒されるみのりの牧場（パスチャーズ・オブ・プレンティ）へ向かった。

　一九六四年、ジョン・ハモンド・ジュニアがトロントのライヴでザ・ホークスを「発見した」と言われている。ハモンドはメンバー三人に、一九六五年春に録音するアルバム『ソー・メニー・ローズ』に参加してくれないかと頼んだ。バックバンドとして、ギターのジェイミー・R・ロバートソン、ドラムのマーク・リヴォン・ヘルム、ハモンドオルガンのエリック・ハドソン、C・D・マッスルホワイト、ブルームフィールド、ジミー・ルイスらが参加した。ザ・ホークスに対するハモンドの執心ぶりはたちまち加速した。グロスマンの幹部秘書で、のちにカナダからソングライターのレナード・コーエンを連れてくるメアリー・マーティンは、トロントへの帰省時に何度かザ・ホークスを聞いたことがあり、ともすればハモンドより前から熱を上げていた。

　一緒にやると決めるのは「すごく簡単だった」とディランは言った――彼らがディラン語を話し、ディランがホーク語を話すかどうかを確かめるためのセッションやリハーサル、打ち合わせや探り合いや自己分析にかけた時間については語らなかった。ロビー・ロバートソンはこの重要な出会いの頃をあまりよく憶えていない。「ディランから電話はなかったし、こっちからもかけなかった。憶えてるのはそれだけだ。彼のアルバムは一枚持っていて、みんな好きだったけど、先を争って聴くというほどでもなかった。それに、彼があれほど力強いとは思わなかった。あとになって分かったよ。彼に初めて会ったとき、おれたちはどさまわりバンドだった。彼はおれたちに飛行機で移動することや、重要人物に会うことを教えてくれた」。かつて、ロバートソンはこう言っていた。「たしかおれたちはアトランティック・シティで演奏していた。彼が誰かも、そんなに有名だとも知らなかった。一緒に演奏するなんて少しも思っていなかった。でも実際にセッションしてみて、たくさんのことが起こったんだ。おれたちは互いにすごく影響し合った」。一方ヘルムは、ザ・ホークスが演奏していたニュージャージー州サマーズ・ポイントに電話があったのを憶えている。「ハリウッド・ボウルで演奏する気はないか？」とディランは言った。ヘルムは、あなたのことはバンドの誰も聞いたことがないと言い、他に誰が出演するのかと尋ねた。「ぼくたちだけさ」とディランが答えてヘルムは驚いた(10)。

ディランはとりわけロバートソンと親しくなった。二人がステージで顔を見合わせる様子を見れば分かるように、二人の音は友情の縄を編んでいるようだった。ロビーに対する誉め言葉でディランがよく言ったのは、意味の分からないふざけた比喩だった。「出会ったなかで、後ろで弾いていてぼくの過敏な大腸を悩ませない唯一の数学的ギターの天才だ」。意味するところは、おそらく、ロビーが腹に響く音を出せるだけでなくテクニックも優れていたということだろう。ディラン同様、ロバートソンもトロントという「北国」の出身で、ともに少年時代の孤独を南東から届くラジオ放送でなだめた。二人とも孤独で夢にあふれた青年時代を過ごし、どちらも作曲と作詞に興味があった。年上のミュージシャンに関心があるところも共通している。ロビーは十五歳でロニー・ホーキンスのローディーになった。ザ・ホークスのフレッド・カーターがロビーにベースを教え、その後リズムギターを教えた。一九六〇年頃には、バンドのリードギタリストになっていた。

しばらくしてリヴォン・ヘルムが加わった。ホーキンスも故郷と呼ぶアーカンソー州ウェスト・ヘレナの高校を中退した彼は、十二歳まで夏は綿摘みに汗を流す少年で、高校ではジャングル・ブッシュ・ビーターズなるバンドを結成した。「臭いトラクターと三八度の暑さから逃れるにはギターしかなかった」。その後ドラムに転向し、ウォッシュタブベースを弾く妹とともにカウンティフェアで優勝したこともある。

ザ・ホークスのオルガン奏者ガース・ハドソンは、第一次大戦のパイロットから農場検査官になった男の息子で、ウェスタンオンタリオ大学で音楽を学んだ。足踏みオルガンを修理し、見よう見まねでバッハを練習し、おじの葬儀ではそれをオルガンで演奏した。十二歳のとき、地元のバンドでアコーディオンを弾き、のちにデトロイトで自分のロックバンドを結成する。

ベースやギターを弾くリック・ダンコは、カナダのタバコ栽培地帯出身。木こりの息子で、十歳まで家には電気がなかった。十代になる前から、彼は定期的に地元のロックンロールバンドで演奏していた。彼に世俗的な音楽教育を授けたのはナッシュヴィルのラジオ番組「グランド・オーレ・オプリー」だった。五歳でマンドリンを習得していたダンコは、メンバーのなかで最も早く音楽で身を立てようと決めていた。幼い頃は、毎週三人の兄弟たちとともにホームコンサートをしていたそうだ。

オンタリオ州ストラトフォード出身のピアニスト、リチャード・マニュエルも、最初に影響を受けたのはナッシュヴィルのラジオ放送だった。ヘルムがディランの最初のワールドツアーから離脱したときはサンディ・コニコフが代わりにドラムを担当した。海外ではジョニー・リヴァースのドラマーだったミッキー・ジョーンズが入り、ヘルムがいないあいだは、ボビー・グレッグもホークス・アンド・ディラン・バンドでドラムをたたいた。

ステージでのザ・バンドのアンサンブルは質実そのもので、大げさなところはほとんどなかった。ガースは陽気な熊のように体を揺らし、ダンコは頬をふくらませ、ロビーはアイデアを追いかけるかのようにそわそわと歩きまわった。四人はみなヴォーカルを務めることができたが、ハドソンはコーラスに入ることが多かった。彼らは十七の楽器を操り、拍手をあおるためでなく、演奏のためにそのテクニックを使った。切れ味の鋭さより、繊細なニュアンス、丸みや輪のなかに興奮を求めた。ギターで言えば、ロバートソンは完璧主義のテクニシャンで、かたやディランは基本的に楽器の技術を目的ではなく手段として使う表現者であり続けた。歌に関しては、ロビーもまたディランの多岐にわたる歌い方――その駆り立てられるような痛切さ、肩に手を置くほどの親密さ、極端なアクセント付け、ぞっとするほどの直接性、大いなる誠実さ――にたちまち引きつけられた一人だった。

一九六五年、ロバートソンとヘルムはフォレスト・ヒルズでディランとともにステージにあがり、その後ディランは彼らとワールドツアーの契約を交わす。それが終わると、ザ・バンドはディランを追って田舎に引っこんだ。ウッドストックに近いソーガティィズ郊外のビッグ・ピンクと呼ぶ家にこもり、彼ら独自の新しい方向性に集中した。メンバーはすぐに、マスコミに対するディランの不機嫌な態度を真似るようになった。一九六八年、キャピトル・レコードが『ミュージック・フロム・ビッグ・ピンク』の発売に合わせて計画したくだらない宣伝キャンペーンを、ロビーが代表となって止めさせることになった。キャピトル社はディランが描いたアルバムジャケット――素朴なフォーク・アート風の水彩画で、五人のミュージシャンが楽器を弾いている――に名前をつけるコンテストと銘打ち、大々的に「ビッグ・ピンク・シンク・キャンペーン」をやろうとしていた。

ディランはロバートソンを『ブロンド・オン・ブロンド』に参加させた。やがてレコードへと実っていく彼らの共作が初めて公になったのは一九六七年、ディランとザ・バンドがウッドストックで録音した『地下室』の海賊盤だった。ザ・バンドは一九六八年一月二十日、カーネギー・ホールでのウディ・ガスリー追悼コンサートで二度、ディランのバックを務めた。一九六九年七月十四日、ディランはイリノイ州エドワーズヴィルの「ミシシッピ・リヴァー・フェスティヴァル」に飛び入りで登場し、「エルマー・ジョンソン」と紹介されて、昔のカントリー「イン・ザ・パインズ」を含む三曲を歌った。ザ・バンドとともにアンコールに戻った彼はバディ・ホリーの「スリッピン・アンド・スライディン」を歌う。数週間後、一九六九年八月三一日、ディランとザ・バンドはワイト島音楽祭に登場したが、広すぎる会場のそっけないセットと全体的な不手際に苦しんだ。一九七一年の大みそか、ディランはまたしても飛び入りで、アカデミー・オブ・ミュージックでのザ・バンドのコンサートに登場した。ザ・バンドは管楽器を加え、二枚組アルバム『ロック・オブ・エイジズ』を録音した(11)。ディランとザ・バンドのコラボレーションのなかで最も有名で、息が長く、評価が高いのは、一九七四年のツアーと、同時期に共同制作として初めて市場にリリースされたアルバム『プラネット・ウェイヴズ』だ。ツアーからはＬＰ

二枚組の『偉大なる復活』が生まれた。一九七六年十一月二五日、ディランはサンフランシスコのウィンターランドで行われたザ・バンドの解散コンサート「ザ・ラスト・ワルツ」に出演した。

ザ・バンドはディランの曲を数多く録音したが、そのうち四曲はディランに先行して彼らがリリースした。『ビッグ・ピンク』の「アイ・シャル・ビー・リリースト」「怒りの涙」「火の車」、そして『カフーツ』（一九七一年）の「マスターピース」である。『ビッグ・ピンク』で初めて世に出た「リリースト」はのちに一九七一年十月、ディランとハッピー・トラウムによって録音され、『グレーテスト・ヒット第二集』に収録された。この曲からはアルバム『ジョン・ウェズリー・ハーディング』に通じる宗教的な憧れが聞こえてくる。漠然とした神秘主義がディランに頻出のテーマとして登場する――幽閉と解放について考える肉体的また精神的な囚人というテーマだ。聖書のような流れと静謐さをたたえた歌詞は、詩節を追うごとに来るべき解放へと高まっていく。ディランは孤独という牢獄を語っているのかもしれないし、人間関係に巻きこまれて身動きが取れなかった昔の自分を語っているのかもしれない。「リリースト」は、『ブロンド』と『ジョン・ウェズリー・ハーディング』を結びつけている。ザ・バンドがこれを録音する頃までに、彼らはキーボードを使ってどこにいるか分からないような不穏な雰囲気を作り出し、現実離れした効果を出すことに成功していた。

「怒りの涙」も同じ素材から切り取られたもので、作曲はリチャード・マニュエル。子供の愛を切に求める親を歌った「怒りの涙」は『リア王』と同じ風景を描いている。ディラン自身が父親になることを学んでいた頃に書かれたもので、聖書のカインとアベルの物語を語り直したスタインベックの『エデンの東』への言及とも読める。

『地下室』にも収録された「火の車」は、イギリスのジュリー・ドリスコル・アンド・ブライアン・オーガーによって録音されて世に知られた。この曲はザ・バンドの『ビッグ・ピンク』と『ロック・オブ・エイジズ』にも収められている。作曲はダンコだ。タイトルは聖書の預言者エゼキエルの幻視から取られたもので、黒人霊歌「エゼキエルの見た車輪（エゼキエル・ソー・ザ・ホイール）」でも歌われている。人生を運命の車輪にたとえるのはチョーサーほか中世文学にも見られ、シェイクスピアは晩年のリア王が「燃ゆる車輪に縛附（しばりつ）けられ」ていると書いた（B）。ディランの分身とも言える語り手は戻ってきた旅人で、ぼんやりとした個人の話を未来の炎と爆発という不穏な予兆に発展させる。

それは爆発するバイクの車輪のことなのだろうか？　『ボブ・ディラン全詩集』に収録された絵のなかで、ディランは明るいスケッチでこの暗い車輪を遊びの道具に変えている。「火の車」はディランのなかでも特に不可解な歌詞だが、この歌は緊張と弛緩の山が続いて揺るぎない。ときに言葉の響きは、それが持つ意味より重要だ。

ローリング・サンダー・レヴュー・ツアーでしばしば演奏されることになる「マスターピース」は、他よりも分かりやすい。ザ・バンド四枚目のアルバム『カフーツ』に収められたこの曲は出色の出来で、アコーディオンの部分が電子楽器クラヴィネットで演奏された。言葉は一見、重苦しい。この録音（とレオン・ラッセルがプロデュースしたディラン本人のヴァージョン）は、言葉の奥に秘められた鋭い皮肉を目覚めさせる。「マスターピース」で、語り手は過去の文化の記念碑を、若者文化の産物たる自分自身と結びつける。マイケル・グレイは著書『ディラン、風を歌う』のなかで、「マスターピース」の語り手はF・スコット・フィッツジェラルドの『夜はやさし』の主人公ディック・ダイヴァーの延長にあるという説得力のある説を唱えた。小説における「断片的な光景」、とりわけダイヴァーとローズマリーの関係が破たんし、ダイヴァーがローマとその神秘的雰囲気が崩壊するさまを見つめるエピソードに着目し、歌詞に登場する足形とスペイン広場を、直接この小説に関連づけた。ダイヴァーがローマにいるあいだ、「彼は自分が書こうとしていた傑作は決して書けないと認めるようになる。つまりディランのタイトルには、興味深い二重の意味が隠されていることになる――『マスターピースを描くとき』は決して来ないかもしれないのだ」

この曲が『ボブ・ディラン全詩集』の最後に配置されているのは別れの予告なのかもしれない。語り手が飛ばす冷淡な皮肉から、これがメロドラマでないことが分かる。一九六三年の初め、ディランはローマを訪れ、新たな希望とともにヴィレッジに戻ってきた。ある晩、彼はギル・ターナーと私に、金ができたらイタリアに連れていきたい、と言った。「そして夜も昼も、めちゃくちゃになるまで赤ワインを飲もう」。「マスターピース」の歌詞に登場するコロシアムの主題は、スターとしての人生を闘技場で戦う古代ローマ剣闘士になぞらえたものだ。「ゴンドラ」と「コカ・コーラ」の見事な韻のあと、語り手はベルギーに向かう。「キャンディーを舐めている新聞記者は／強大な警察に押さえつけられている」(12)という歌詞は、彼流の批判を込めた、人をなじるような二連詩だ。率直な発言とはぐらかすような言葉がやすやすと交じり合った、記憶に残る曲である。

ディランとザ・バンドの親密な関係を考えると、一九六五年から一九七四年に二つのアルバムが出るまでこれほど時間が空いたのは不思議といえば不思議だ。離れていたほうが、バックで演奏する他のミュージシャンともっと自由にアイデアをやり取りできると話し合ったのかもしれない。一九六五年には何度か一緒にレコーディングを行なっていた。ディランのシングル「窓からはい出せ」ではバックバンドを務めた。『地下室』と七四年のツアーより前は、一九六五年から六六年にかけてのワールドツアーを通じて最高の関係を享受していた。

『ブロンド・オン・ブロンド』

プレッシャーは容赦なかった。一九六五年から六六年のワールドツアーは、ディランにとっては生と死が踊るような時期で、何千人もの観衆の前で演出し、さらに無数のリスナーのために指揮しなくてはならなかった。あらゆることが押し寄せた。週に三回、ときには四回のステージ。聴衆は新しいアルバムをせがみ、信徒は新たな方向性を待ちわび、ビジネスマンはさらなる商品と利益を要求した。ディランがどれだけの犠牲を払っているかを考える者はいなかった。秋から春にかけて、全米を駆けまわりながら、彼は新しい曲を書き続けた。コンサートの合間に楽屋でアイデアを書きつけ、ザ・バンドがツアー用のチャーター機ロッキード・ロードスターで眠るあいだ、ディランは夜中過ぎまで新しいメロディづくりに励んだ。車の後部席で、みんなが世間話をしているあいだ、彼は目の前の景色を超えてさらに遠くに目を凝らしていた。タバコくさいモーテルの部屋でリフをしぼり出し、ギターでフレーズを生み出した。

『ブロンド・オン・ブロンド』のリリースは一九六六年の五月だったが、構想には一年以上かかっていた。セッションのさなかにあふれ出た着想もあったが、多くは何か月も温められたものだ。どれも書く必要に迫られてのものだったが、ディランは最高の演奏を行い、初めての二枚組アルバムのために素晴らしい内容を集め、締め切りに追われながらも芸術性を発揮しているように見えた。だが、ストレスは日ごとに顕著になった。慢性的に疲れ、冷静さを装いながらも不安にさいなまれていた。私がジョン・コートにディランの本を書こうと思っていると言うと、彼は冷ややかにこう言った。「そりゃ急いだほうがいい」

『ブロンド』の一番の成果は、『バック・ホーム』で始まった彼の最初の大きなロック期の文句ない集大成になっていることだ。これまでのディランのアルバムで、ここまでスタジオ録音に時間をかけた作品はなかった。事前作業は一九六五年のクリスマス前に始まり、断続的に冬じゅう続いた。セッションはコロンビア・レコードのニューヨーク・スタジオで始まり、十一時間におよぶ録音は実を結ばなかった。まとまり始めたのは一九六六年二月、すべての作業がナッシュヴィルに移ってからだ。「ポップスターのメイヨー・クリニック」（C）の異名を持つナッシュヴィル・スタジオには昔から治療効果があるとされてきた。ペリー・コモ、ローズマリー・クルーニー、バール・アイヴスも、ここで作業をすることで弱った神経を回復させた。このテネシー州の州都ではさほどいら立つこともなく、質のいい演奏家たちもすぐに集めることができた。『ブロンド』のセッションには、ウェイン・モス、チャーリー・マッコイ、ケネス・バトレー、ハーガス・ロビンス、ジェリー・ケネディ、ジョー・サウス、アル・クーパー、ビル・アイキンス、ヘンリー・ストルゼレッキー、ロビー・ロバートソンが顔をそろえた。ディランは何より安息を求めてナッシュヴィルに行ったのだが、プロデューサーのボブ・ジョンストンがそこを拠点にしていたのも理由のひとつだった。

アル・クーパーは、ジョンストンがナッシュヴィルのミュージシャンたちへ寄せる信頼こそ、ディランを南部に向かわせたものだと言っている。収録中、ジョンストンは「雨の日の女」を救世軍のブラスバンドスタイルでやりたがったが、それにはすぐに管楽器の演奏者を呼ぶ必要があった。午前四時半、マッコイは一本の電話をかけた。三十分後、一人のトロンボーン奏者がやってきて、三テイクで見事な演奏を録音し、一時間後に帰っていった。クーパーは地元のごろつきに殴られそうなときもあったが、ナッシュヴィルはいい雰囲気だと言った（そのときスタジオの灰皿を掃除していたのがクリス・クリストファーソンという若い掃除係だった）。いつものように、ディランはスタジオに籠もり、大量の詩を書いては書き直し、思いついた言葉を歌に発展させた。「ジョアンナ」と「悲しい目の乙女」について言えば、ホテルの部屋にあるピアノの前で五時間も背を丸めていた。ときおりクーパーが入ってきて、進行中の曲のコードを鳴らし、変更点をほかのメンバーに伝えた。

このアルバムには、のちにディランが『ストリート・リーガル』でもう一度試みる特徴的な「音」がある。彼はそれを「あの薄くて、激しい水銀のような音」と表現した。『ブロンド』はおふざけで始まり賛歌で終わり、そのあいだに状況や愛や社会や幻想や叶えられなかった願望という主要なテーマがウィットをまじえて語られるという構成になっている。「ぼくたちはここで行き詰まって座ってる、でもみんなそのことを否定しようと必死になってる」(13)という歌詞は歌い手の立場を表現し、「この空っぽの牢獄が腐食しているのが見える」(14)には、いくらかの希望を感じる。ディランはモービルのなかから——極めて個人的なアルバムにおける数々の役柄から——「抜け出せず」にいる。おそらく彼は「プレッジング・マイ・タイム」において、疲れにもめげず、強く、冷静であり続けようとする自分の努力を最も端的に表現している。

ひどい頭痛だった
でも気分はいい
ぼくの時間をきみにあずける
きみも切り抜けられることを祈って(15)

すさまじい疲労が募りながらも、冷静を保ち、時間と努力に懸ける思いを強くしている。ローレンス・ファーリンゲティがディランの仕事ぶりを評した「現実離れをさらに超えた」という言葉はまさに『ブロンド』のためにある。私たちは陰と煙の向こうに彼の破滅的な幽閉を感じると同時に、彼が生き、愛し、歌い続けようと誓うのも感じる。命なき状態に抵抗する戦いはなおも続いている。

ここにはファンキーでブルース的なロック表現主義と、非連続性、混沌、空虚、喪失、「行き詰まり」といったランボー的なヴィジョンの融合がある。「その部屋はずいぶん空気がこもっていて/息もできないほどだ」(16)と彼は歌う。言葉は明確だが、そこには認識を超えた音楽的な価値がある。ウォレス・フォーリーがランボーを論じたように、私たちはディランがここで「言葉の持つ音と色に言葉を従属させようとしている」と考えることができる。フォーリーが言うように、もしある種の現代の詩人が「夜に捕らわれなければならない」ならば、『ブロンド』は真夜中が始まるときのディランだ。「きみがそんなに静かにしていようとするなんて、まるで夜がいたずらを仕掛けてきてるみたいじゃないか？」(17)と彼は問う。

〈雨の日の女／Rainy Day Women #12&35〉

チャート二位になったこの曲は、一九六〇年代のジェネレーションギャップを風刺している。ディランはここでは極めて攻撃的である――ふざけた題名、いいかげんな歌い方、歌いながら漏れる笑い声、マニアックな楽器編成、酒とドラッグをにおわせる言葉遊び。「雨の日の女」は純粋な喜びの発露だ。そのふざけた歌い方は激しいドラッグ・ソング論争を巻き起こし、彼はこう発言した。「これまで『ドラッグ・ソング』を書いたことはないし、これからも書くつもりはない」。「雨の日の女」はアメリカとイギリスのラジオ局で放送禁止になった。一九六六年七月一日の『タイム』はこう評した。「変化しやすい多層な若者言葉のなかで、『ゲット・ストーンド』は酔っぱらうの意味ではなく、ドラッグでハイになるという意味である……『雨の日の女』という言葉は、ジャンキー（ママ）なら誰でも知っているように、マリファナタバコのことだ」

前副大統領スピロ・アグニューがアメリカの若者をヘロイン針へ向かわせるという理由でロックのドラッグ・ソングを非難したとき、その標的のなかにはヴァレリー・シンプソンとニコラス・アシュフォードの「レッツ・ゴー・ゲット・ストーンド」も含まれていた。レイ・チャールズが広く歌ったナンバーだ。「すごくバカげてる」とヴァレリー・シンプソンは言った。「あれを書いたのはずいぶん昔で、ジンのことを言ってるの。間違っても薬のことじゃない」。フィル・スペクターとディランがロサンゼルスの行きつけのコーヒーショップ「フレッド・C・ドッブス」にいたとき、ジュークボックスでレイ・チャールズの「ストーンド」がかかった。のちにスペクターから聞いた話では、そのときは二人とも「こんなに自由に遠慮なく聞けることに驚いた」という。数か月後、ディランは「雨の日の女」を録音した。古い街頭行進を思わせるバンク・ジョンソン風のジャズで、悲しげなトロンボーンと陽気なドラムがニューオーリンズを彷彿とさせる。その叫びと笑いのすべてが音楽、人生、混沌を孕んでいて、奔放さとハイな――ストーンドな――気分を伝えている。ここには苦い含みもあった。その年、世間はディランにいわば石を投げつけていたのだ。

〈プレッジング・マイ・タイム／Pledging My Time〉

シカゴの影響を大きく受けた、強く、響くようなスローなブルース。荒々しいハーモニカと、三つめと五つめの詩節のあとの長いハーモニカの音色が雰囲気を作っている。歌詞は即興ブルースのようだが、そこには洗練が忍ばせられている。一貫したムードが、無秩序なフレーズを救っている。このあとディランがバイク事故を起こすことを考えると、最後の歌詞は預言的だ。事故に遭ってどうすれば「運がよかった」と言えるのか？

〈ジョアンナのヴィジョン／Visions Of Johanna〉

五つの長い詩節からなる歌詞と、悪夢、白日夢、トランス状態の雰囲気を帯びたコーダ形式からなる大作。イントロの演奏が七分半の曲に聴く者を引きこむ。哀愁に満ちたハーモニカが悲しげに沈黙を破る。淡々としたドラムとひそやかなオルガンにいつの間にか取りこまれる。オルガンは取り憑くような感覚を持続させる。歌は素晴らしい。考え抜かれたフレージングに、けだるい心音のようなリズム。エレキ・ギターが入ってくる。強調するように、深く。軽やかなイメージが、精神の下流を流れるかけらのように投げ出される。時間も形式もその力をとどめることはできない。不連続なヴィジョンは、ばらばらになった意識を記録する回転カメラのようだ。空気は耐えがたいほどの悪臭を放ち、悲しげだが、四つめの詩節に来て一気に「フリーズ」「スニーズ」「ジーズ」「ニーズ」と重なる韻が、ムードを明るくする。そして再びグロテスクなものたちのなかに戻る――行商人、伯爵夫人、夜更かしの少女たち、迷える少年、モナ・リザ。

ビル・キングは博士論文「市場のアーティスト」（D）のなかで「ジョアンナ」をディランの作品のなかで最も印象深い複雑なラブソングであり、ディラン「最高の詩」と呼んでいる。彼によれば書き手は「つねに物理的な世界を超え、ジョアンナのヴィジョンが本物になる理想の世界への到達を目指す。それは決して叶わないが、それでも探求なき人生は無意味である。これは『ヴィジョン』の核心をなす逆説で、キーツが『ギリシャの壺に寄す』で探求したのと同じものだ」。最後のあいまいな二行に関して、キングは「死とすべての扉を開ける鍵の両方を暗示する」マスター・キーという、キーツ的な両義性の解釈に難儀している、と述べている。

〈スーナー・オア・レイター／One Of Us Must Know (Sooner Or Later)〉

影のある「ジョアンナ」から打って変わって、平凡なほど明快な口語形式の曲。この活発な興奮剤は、アンフェタミンを飲んだ時計台ビッグ・ベンのように四分の四拍子で時を刻む。見方によれば、男が女に付き合いの難しさを語りかけているようである。だがそれと同時に、フォーク界という、彼をその気にさせた恋人に向かって語っているとも取れる。音楽には辛辣さとドライヴ感があり、ピアノのブロック・コード（E）がテンポを作りだしている。

〈アイ・ウォント・ユー／I Want You〉

これがアルバムタイトルになるという噂があったが、そうならなかった理由はディラン本人にしか分からない。ディランは即座にヒットを生み出すことができた。この曲はチャート二十位を記録した。コントラストについて知れば——四つの詩節の終わりにほとんど無意味に響くサビを置き、リズムを短く、覚えやすいものにすれば——ヒットする。これらとバランスを取るものとして、主要な詩節を引き締める見事な比喩がある。罪悪感を抱いた葬儀屋や酔っぱらった政治家が歌詞に登場することで、焦燥感がほのめかされる（ビル・キングは『真実の愛』という神話への反駁」であり、「欲しがっても決して手に入らないもの」についての歌だとも述べる）。

〈メンフィス・ブルース・アゲイン／Stuck Inside Of Mobile With The Memphis Blues Again〉

ディランはこの「ビッグ・ブルース」をどうすればいいか決めかねていた。歌詞カードでは「Stuck Inside of Mobile With The（モービルにとらわれ、かたわらには）」となっているが（ここで唐突に終わっている）、『ボブ・ディラン全詩集』では「Stuck Inside of Mobile With the Memphis Blues Again（モービルにとらわれ、かたわらにはまたもメンフィス・ブルース）」となっている。ブルースとカントリーにおいては、置き去りにしてきた場所への嘆きがよく描かれる。この曲がどれほど狂った想像力を駆使しようと、長いタイトルと、そこに込められた辛辣な混乱のメッセージが、九つある詩節の最後に削岩機のように一撃を加えて締めくくる。歌い方はブルース風の叫びのようであり、うめきのようであり、ゆったりしている。バンドがドライヴ感を出し、長い歌詞を加速させる。それにしてもなんという配役だろう。くず屋、ダンディなシェイクスピア、「ネオンの狂人たち」。「廃墟の街」がメイン・ストリートになったとしたら、「メンフィス・ブルース・アゲイン」は移ろう、寂しい、失われた社会というこの国の状況を表していることになるだろう。

〈ヒョウ皮のふちなし帽／Leopard-Skin Pill-Box Hat〉

愚かで過剰な格好についての執拗な冗談。帽子はファッションや演説やポップカルチャーやハイ・カルチャーにおけるトレンドを意味しているのだろう。ディランはここで、人の嗜好がいかに外部から操作されたものかを辛辣に示している。

〈女の如く／Just Like A Woman〉

耳に残るメロディの魅力にもかかわらず、この曲の女性観は議論の的となった。一九七一年三月十四日の『ニューヨーク・タイムズ』の「ロックは女性を貶めるか？」という記事のなかで、マリオン・ミードは、この曲ほど「性差別主義者による中傷の羅列として完璧なものはない」と書いている。ディランはそこで「女性の生来の性質を貪欲で、偽善的で、泣き虫でヒステリーだと定義している」。この曲名は男性による紋切り型であり、女性の反感を買うのは当然だ。私は、ディランがそうした紋切り型を皮肉ったのだろうと思う。

ビル・キングはこれを「社会神話が生み出した幻想が人間関係を失敗させることについて歌った最高の詩」だと言った。ディランは暗に、男たちを見捨てる一人の女性、または女性たちだけでなく、性差別主義的な男性をも批判しているのかもしれない。ロバータ・フラックはこの曲をまったく違う形で録音し、女性が犠牲になることを嘆き、女性の感情の深さを思いやる情熱的な哀歌に変えた。彼女は解釈を変化させることによってそれに成功したのみならず、歌詞の視点も変えている。彼女はおそらくオリジナル曲に基づいた「アンサーソング」を試みたのだろう。『血の轍』におけるイメージの観点からもう一度「女の如く」を見てみよう。『血の轍』においては、同じく雨、痛み、乾きが何度も言及されながら、それが後悔に満ちた自己批判の文脈で現れる。彼がのちに行った、もっと優しげな「女の如く」の演奏は、曲が間違って解釈されてきたのだと言おうとしていたとは考えられないだろうか？　この曲に性差別主義者による中傷を感じた人には、再解釈もしくは返答としてのフラックの録音を勧めたい。ディランによる曲は映画『帰郷』のサントラに使われた。

〈我が道を行く／Most Likely You Go Your Way And I'll Go Mine〉

明るいテンポのブルースのリフがぐいぐいと進む。ひとつのパターンが繰り返され、それを行進曲の太鼓のようなドラムが支える構造になっている。ディランは七四年のツアーでこの曲に新たな生命を与え、『偉大なる復活』の一曲目にも採用した。この曲はディランのなかでも有数の踊れるナンバーとなった。陳腐な歌詞ではあるが、別れる恋人の会話を簡潔に表現している。

〈時にはアキレスのように／Temporary Like Achilles〉

この煙った、スローテンポのブルースは、ニューオーリンズ風のバレルハウスであり、売春宿のピアノとテネシー・ウィリアムズの夏のけだるさを思わせる。古典的なブルース風の歌唱で、荒っぽくしゃがれており、とくに各詩節の最後の一行で、印象に残る言葉が繰り返されている。アキレスは語り手が失いつつある女性を守ろうと立っている。なぜ彼女のボディガードに傷つきやすいギリシャの英雄の名をつけたのだろう？　なぜ「時には」なのか？　この曲の歌詞全体が「ぼくは何もできない、金持ちの子どもみたいに」(18)という何気ない一行から生まれたのかもしれない。

〈アブソリュートリー・スイート・マリー／Absolutely Sweet Marie〉

アップテンポなブルースのリズムが刻まれ、真にメンフィス的である。歌詞にはいくつか効果的な小道具が使われている。廃墟のバルコニー、黄色い鉄道(19)、トランペットを鳴らす男、川船の船長。語り手は刑期を終えた男で、マリーに対して費やした時間も悔やんでいる。ここでは古いブルースが、雰囲気にとどまってはいるものの、歌詞に出てくるペルシャ人の酔っぱらいのように付きまとっていて、まさにディラン的だ。六頭の白馬にはブラインド・レモン・ジェファスンが反響している。厳しすぎる法を設ける際の理由としてよく引用される言葉がある。「でも法の外で生きるには、誠実でなければならない」(20)。この曲はキャッチーで明るく、オルガンの音が輝いている。最初と三回目のコーラスのあとの間奏は長くハードなリフになっている。ザ・バンドは強烈なドラムを響かせ、締まったアンサンブルを聞かせている。四回目のコーラスのあとに、鋭いハーモニカが入り込む。

〈フォース・タイム・アラウンド／4th Time Around〉

ジョン・レノンはこの曲をザ・ビートルズの「ノルウェイの森」の模倣だと思っていた。ディランは彼らのためにロンドンでこれを演奏したことがあったのだ。レノンはのちに自分の誇大妄想だったことを認めたが、この曲を気に入らないと言っていた。そしてさらにあとになって「素晴らしい」と評した。ディランの声は疲れた年寄りのブルースマンのようである。ギターはさざめくような、ロマンティックなメキシコ風のリズムを刻む。私はラテン音楽の影響について尋ねた。「ぼくはこれまでずっとテックス・メックス(F)とカンガセイロ(ランチェロやマリアッチよりもいくらか深いメキシコのポップ・フォーク・サウンド)に惹かれていた。若い頃はメキシコにいたこともあるしね。『ベイビー・ブルー』や『親指トムのブルース』はそこに立ち返ったんだ」。歌詞は逃避のファンタジーについてのもので、ソフトな曲調とはほぼ調和していない。

〈5人の信者達／Obviously Five Believers〉

アルバムのなかでおそらく最高のR&Bで、真のホンキートンクである。チャーリー・マッコイのハーモニカがうまく乗っている。この古めかしいブルースは、昔のR&Bらしい、ストリートから聞こえてくるような「ハニー」と「ママ」を繰り返して進む。三番と五番の詩節に現れる一歩成熟したイメージも、トラディショナルなものである。「黒い犬」に見られる、黒いヘビと同様の性的なイメージも、ブルースにはつきものだ。

〈ローランドの悲しい目の乙女／Sad-Eyed Lady Of The Lowlands〉

ツアー中にセッションし、録音の準備が整ったとき、ディランはこの曲を「自分の書いた最高傑作だ」と私に語った。デンヴァーのモーテルでディランとロビー・ロバートソンのあいだに座って聴いた午前三時のセッション（十章参照）においては、その究極の成果を垣間見ただけだった。『ブロンド』の最後で、フォークの伝統が現代の詩と出会う。五つの詩節のなかで繰り返されるタイトルが古めかしい雰囲気を持っているのは、スコットランドとイギリスのバラッドが昔から低地（ローランド）に言及しているからだ。ポール・ネルソンはこの印象的な女の肖像である曲を「芸術作品、聖人、永遠なる威厳と驚異としての女性への祝福」と呼んだ。

異世界の貴婦人は物質世界の来襲に苦しむ。彼女は霊的であると同時に肉体を持ち、神話的でありながら人間で、高貴でありながら哀れだ。彼女は苦しみに耐えられそうもないが、それでも内なる力、生まれ変わる能力を発している。最もロマンティックなディランがいる。「彼は特定の一人について歌を書いたことは一度もない」と、いつかボブ・ニューワースは私に言ったことがある。「歌になるのはたくさんの人か、ときには誰でもないこともある」。貴婦人のモデルを知らなくてもこの曲は味わえる。だがこれは実質的にディランの（今ではかつての）妻サラ・シャーリー・H・ラウンズにささげられたウェディング・ソングである。二人は一九六五年十一月二二日に内輪で式を挙げた。式にはグロスマンやディランの弁護士ソール（ピート）・プライアーら、ごく近しい関係者数人だけが出席した。この事実は十二月二五日の『メロディ・メイカー』で記事になるまで伏せられていた。ノーラ・エフロンは一九六六年二月九日の『ニューヨーク・ポスト』でこう書いた。「秘密よ！　ボブ・ディランが結婚した」(二人は一九七七年六月二八日に離婚した)。

サラを世間の目から隠すことを決意する一方で、ディランは多くの歌に彼女を登場させた。妻と五人の子供たちのプライバシーを懸命に守りながらも、サラは彼の作品でしばしば際立つイメージとなった。レノンとマッカートニーはそれぞれヨーコ・オノとリンダ・イーストマンとの結婚を公にしたが、ディランは家庭生活と芸術の過程を秘密にした。一九七五年に「サラ」を書くまで、彼の人生を変えた賢く穏やかで温かい「マドンナのような女性」は比喩的に語られるだけだった。「サラ」以前にディランが彼女に曲を捧げたことはなく、はっきりと彼女について語ったこともなく、曲では自分の愛や痛みを訴えるだけだった。

「悲しい目の乙女」がサラであることを示す具体的な事実がいくつかある。彼女は黒髪で、彫りの深い顔立ちで、背が低く、華奢な身体つきだった。そして何より、悲しい目をしていた。ディランはサラに最大の賛辞を送っている。「彼女は人前に出たがらない。幸せになるのに、どこであれ、表に出る必要はないんだ」。彼はサラの内面の豊かさ、静けさ、理性的な穏やかさ、彼がいてもいなくても彼女自身でいられる力を賞賛した。この曲から伝わってくるのは、神秘的で謎めき、半分子供で半分女性のような、深く、超然として、思いやり深く、おびえ、過去に傷つきながらなお生命力に溢れる女性だ。ウッドストックで、サラは静かな尊敬を集めていた。彼女の態度は、冷たくもなければ無礼でもないのに、「どうか立ち入らないで」と言っているように見えた。

ウッドストック在住の音楽ジャーナリスト、リン・マスグレイヴは語った。「ジョニー・ヘラルドと私が歩いていると、青のステーションワゴンに乗ったボブが近づいてきた。サラは前座席に、ボブと幼い娘と座っていた。後部席にはニューワースがいた。サラの幼い娘が私の方を向いて聞いてきた。『どこに住んでるの?』私が、もう通りすぎたから見せてあげられないのと答えると、彼女はジョニーを指さし、『この人と一緒に住んでるの?』と聞いてきた。私がそうだと言うと、サラは嬉しそうに目を輝かせてこちらを向いた。本当にうれしそうに。サラはまさに歌に歌われたような『がらくた置き場の天使』(21)なんだと思う。大仰な母なる大地ではなく、ただ自然を受け入れているの。腰が据わっていて、頑丈というのではないけれど、それに近い。それこそ彼女がウッドストックで毅然と暮らし、ディランの妻でありながら決して表に出すぎなかったゆえんだと思う。不平を漏らしているところも聞いたことがない。彼女から強い人という印象を受けた。あのフレーズ、『彼女は沈黙のように話す』(22)——あれこそがサラよ」

ボブとサラが初めてそろって公の場に出たのは一九六八年一月、カーネギー・ホールで行われたウディ・ガスリー追悼コンサートだった。サラはもっぱら一人で、ウッドストックで知り合った友人たちのそばで恥ずかしそうにしていた。おとなしそうに見えたが、自分の夫に夢中になる群衆に少し不安を感じていたようだ。私は二言三言会話した。彼女の深く大きな目と輝くような肌の色と超然とした雰囲気が印象に残った。サラの友人たちは彼女を、とても温かい人柄で、特定の人には献身的だと評した。自分のエゴを出さない性格を優雅だと表現され、ディランは安心した。彼女はロマ風の精神を持ち、年齢以上に賢く見え、魔術や民間伝承、古くからの知恵に詳しかった。

ディランは自分の「悲しい目の乙女」についてそれでも喋りすぎたと感じたらしく、一九六八年、リチャード・ゴールドスタインが『ロックの詩』に歌詞を載せたとき、三番めの詩節の掲載を拒否した。しかし、その部分はアルバムの歌詞カードに載っており、のちに『ボブ・ディラン全詩集』にも掲載された。ゴールドスタインは言う。「『悲しい目の乙女』はディランのなかで最も自意識が出ていない曲で……最も胸を打つロックのラブソングだ。その欠点さえもがヒロインの真実を逆説的に伝えている。この悲しい目の乙女は平然と強くもなれれば、想像どおりに弱くもなり、清らかであると同時に汚れることもあり得る……彼の悲しい目の乙女はみんなの恋人であり、みんなの恋人であることこそラブソングのすべてだ」

連続する直喩が、きらびやかに織り上げられた言葉のタペストリーで主題を覆うことに成功している。ディランは高度な比喩と文学的隠喩をロックに持ちこんだ。悲しい目の乙女は、シェイクスピアの「黒い貴婦人(ダーク・レディ)」のように、インスピレーションと驚異をもたらす捉えどころのない源泉だ。サラとディランは、しばらくのあいだ新しい生活をともに築き上げ、きっと「マスター・キー」で互いのドアを開けていた。一九七三年まで、二人はとても仲むつまじいカップルだった。「悲しい目の乙女」以降のディランの歌には、究極に美化された理想の女性像が繰り返し現れる。しばらくのあいだ、サラはそのイメージの体現者だった。

『ブロンド』は、一九七四年までのあいだで、ディランの最も饒舌で詩的で実験的と見なされることの多い期間を締めくくる作品だ。ディランたちはロックを、広大な地平線を持つ新たな芸術形態に変えつつあった。彼の芸術は新しい解説者たちを刺激した。そのなかの一人ポール・ウィリアムズは『クロウダディ』という謄写版の即席の雑誌を発刊し、とりわけ優れた自身の記事のいくつかを、ディランの曲名を冠した本『アウトロー・ブルース』にまとめた。『ローリングストーン』や、ポップの特集を組んだ『ヴィレッジ・ヴォイス』や、その他の似たような定期雑誌には、ロックの新しい受容が見て取れた。ファン雑誌のなかには文芸や社会学的なものに路線を変えたものもあった。一九六八年に『ニューヨーカー』のロック評論家になったエレン・ウィリスは、ディランについての記事で優れた洞察力を示した。『イースト・ヴィレッジ・アザー』紙は、詩人フランク・オハラが「悲しい目の乙女」を評した言葉を引用した――「実に美しいランボー的リリシズム」。ディランはまた、オハラに若きオーデンを連想させた。「大衆詩人という点が共通している。たとえ歌の形であっても、作品は本質的に詩として提示されていた」

当時アメリカで最もヒップなロック評論家と見なされていたゴールドスタインは、一九六六年九月の『ヴィレッジ・ヴォイス』で、『ブロンド』はミステリアスでも気難しくもない、ディランの「最も難解でない作品で……どの曲も女性について歌っている」と書いた。『ブロンド』の歌詞カードの序文で、ポール・ネルソンはこのアルバムを「さまざまなスタイルがにぎやかに詰まった、ピカソに挑むような一作」(23)と呼んだ。このタイトルが示唆しているのは「ディランの幻想と錯覚の音楽からわれわれが期待する単一性であり二重性である――そこにおいて彼は、探求者としての放浪者であると同時に、幸せな犠牲者としての道化師でもある」。ジョン・ランドーは『クロウダディ』で、ディランの歌は「これまで録音されたロック・パフォーマンスのなかでも最高のひとつ」と書いた。スティーヴン・ゴールドバーグは『サタデー・レヴュー』の特集(一九七〇年五月三十日)で、ディランの詩才は「絶頂期」にあり、「ジョアンナ」と「メンフィス・ブルース」に関して、「神秘的な経験は、神秘主義と慈悲の詰まった人生に道を譲らなければ、逃避の言い訳として使われてしまう、という差し迫った発見」について歌ったものであると述べた。

『ブロンド』がリリースされた頃、古いポップ評論家たちは意見の方向を定めなおし、新しいロック評論家たちは文学と芸術とロックがひとつに収束していることに気づきつつあった。レナード・コーエンやリチャード・ファリーナらは歌う「作家」として肩慣らしを始めていた。一九六六年四月、ファリーナが亡くなる数週間前、私は彼にインタヴューした。「今の音楽界で何より腹立たしいのは、四年か五年のサイクルで変化を求められることだ。ぼくたちはみな彼と同じように速い動きを期待されている」。なぜ人はディランをあんなにも謎めいた存在だと思うのか？　「逆説的に言えば、彼が確かな存在だからだ。彼の言葉と行動は一貫していて、彼の表現はまさに彼そのものだ。それはきっと彼がとても空っぽで、オープンだからだろう。彼はそのポーズゆえにひどく叩かれたが、多くのことを試みている。とても人間らしい。彼は世間が望むようなことを多く語る準備もなければ、語る気もないように思える。彼についてひとつだけ確かなのは繊細だということだ。でも彼の心のなかは分からない。ディランは二〇〇〇万人に、逆説と近寄りがたさという魔法をかけている。人は彼の音楽の何かに心を打たれても、それが一体何なのか分からない。おそろしいほど鋭く高遠な詩とは、いつもそういうものだ。シェイクスピアの作品にもそんなふうに感じる言葉がある――言葉の魔法に打ちのめされるのに、誰が演じているかを知る必要はないんだ。そして聞き手の内面は強い困惑に襲われる。自分たちの心の核心を何やら歌っているようだと気づいてからは、自分たちのことについて教えてくれるこの書き手についてもっと知りたくなるんだ。一方ジョーン・バエズは、誰かがぼくたちに聞かせるために書いた作品を再解釈する。ジョーンは歌のなかに新しい意味を生み出す母で、ボビーはそれを育てる父だ。ヘミングウェイはわくわくするような存在感と風貌を持った生身のヒーローを持ちこんだが、ディランは私たちの脳や関心を引きよせる『知性のヒーロー』を持ちこんだ。それにしてもなんて複雑だろう！　彼のやることや書くことはすべて複雑だ。でもこの地球にいる限りどうして単純でいられる？」

来るべき衝撃への過酷な旅

ニューポートとフォレスト・ヒルズのあとでツアーに出るのはかなりの胆力が必要だったはずだが、ディランは「いまぼくたちがやっていることを見せ」たいと望み、当時の気分をこう語った。「明日なんてないように思えた。目が覚めるたびに、どこにいようと、つねに今日だった」。政治に色濃く染まった観客は、新しいビートではなくスローガンを欲しがった。たしかに時代は変わっていたのだ。一九六五年十月一五日、十万人がワシントンに集まってベトナム戦争反対を唱えた。その半数は学生だった。ミシガン州アナーバーでは徴兵委員会に対して座り込みデモを行って三八人が逮捕され、ウィスコンシン大学では五十人の学生がトルアックス空軍基地でデモを行い、司令官を「大量殺人と大殺戮の従犯者」として捕えようとして失敗した。一九六五年十一月、ベトナム戦争反対を唱えるティーチ・インやバッジやポスターが若者の怒りを声高に叫んでいた。「戦争ではなく愛を！　人びとに力を！　三十歳以上は信用するな（ドント・トラスト・オーヴァー・サーティ）」。ディランは三年のあいだ、戦争、偽善、差別に反対する大学キャンパスに向けてデモ行進曲を書き続けたが、ここにきて足並みを変えた。彼は「学校の先生でも、羊飼いでも、救世主でも」ない。彼こそ「救い」を求めていた。

観客のなかには少数ながら彼の救いのメッセージを受けとめる者もいたが、それもフォーク風に歌われたものだけだった。大半は「政治的な力と導き」「なんらかの救済」「わたしを酔わせて」のラベルを貼った空のバスケットを手に彼のもとへやってきた。彼らは美術館、コミック本、テレビ、ファッションといった視覚芸術における「ポップ」に匹敵する経験を求めていた。これらの分野において「ポップ」が強調していたのは、楽しさ、反抗、愚かさ、そして変化を求める実験的な社会における刺激的な喜びといった側面だった。ポップアートは第一次大戦後のダダイズムの派生物だった。スーザン・ソンタグは有名なエッセイ「《キャンプ》についてのノート」で、ポップは「両性具有的スタイルの極致であり……不自然なものを愛好するところに――人工と誇張を好むところに」本質があると述べた（G）。ささいなことがキャンプであり、古い映画はポップの郷愁だった。ディラン狂になったアンディ・ウォーホルはポップを「すべてに美を見いだす」手段と見なした。彼はヴィレッジで自前のイヴェント「プラスティック・イネヴィタブル」を主宰し、パンクロックバンド、ヴェルヴェット・アンダーグラウンドのスポンサーとなった。

　政治に傾倒した若者にとって、大半のロック（デイヴ・ヴァン・ロンクが「新しい無感覚」と呼んだ）はベトナム以前にあったロックの輝かしい時代への逃避を意味していた。ディランの『ブロンド・オン・ブロンド』の世界観は新しいポップのムードにぴったりだった。ポップ文化――カーナビー・ストリートの見かけだおしの服やコミック本――の大半は使い捨てられたが、ウォーホルのカンヴァスは古典となり、ディランの芸術は生き残った。だが、麻薬と『バットマン』、騒々しいティーチ・インといった混乱した状況のなか、ディランは一九六五年から六六年のワールドツアーの準備を楽々と進めていたわけではなかった。のちに彼はこう言った。「二年間ツアーの連続だった。それもすごいペースで。ステージに出ずっぱりで、他の出演者はいなかった。そんな生活はとても神経をすり減らす。健康に悪い状況がこれでもかと起こる。歌うためにぼくは舞台に立ち続けた。ほかのみんなが楽しんでいるときに。もっとほかにやることがあるはずだと分かるくらいには充分やったつもりだ。ぼくが選んだんじゃない。言うなればそういう状況に押しこまれ――押し流された」

　一九六五年九月三日金曜日、最初のコンサートはハリウッド・ボウルだった。その前に行われた記者会見は一時間に及ぶネコとネズミの追いかけっこだった。『ロサンゼルス・タイムズ』のチャールズ・チャンプリンはディランを「歌うときのように謎めいていて、捉えどころがなく、噛みつくように話す」と言った。どこかの記者に、どうしてフランキー・レインみたいに愛想がよくないのかと聞かれてディランは答えた。「愛想がよくなくて当然だ。ぼくは説教師でもなければ訪問セールスマンでもない。ぼくはぼくのやり方でやる。周りが理解してくれるかどうか気にした時期もあった。でも、今は違う」。のちに彼は弁明する。「ぼくは難しい人間だ。周りかららいい人と言われなくてもかまわない。ぼくは正直だ。間違った理由で行動したら、恥ずかしくて人と付き合っていられないよ」。ロサンゼルスでのディランはひどく辛辣で、ビリー・ジェイムズはこんなインタヴューを続けていいものか疑問に思ったという。

　一九六五年秋の日程表。九月二三日、オースティン。二四日、ダラス。十月一日、カーネギー・ホール。二日、ニューアーク。九日、アトランタ。二二日、ウースター。二四日、デトロイト。二九日と三一日、ボストン。三十日、ハートフォード。十一月十二日のクリーヴランドでツアー再開。十四、十五日、トロント。十九日、コロンバス。二一日、シラキュース。十一月二六、二七日はシカゴのエリー・クラウン・シアター。二八日、ワシントンDC。それからディランと仲間たちは十二月三日の公演に向けてカリフォルニアに飛んだ。

十三人乗り双発機ロッキード・ロードスターにディランとザ・ホークスを乗せて移動するには、元帥なみの統率力が必要だった。ボビー・ニューワースとヴィクター・メイミューズが交代でロードマネージャーを務め、ニューワースが搭乗したときはヴィクターかビル・アヴィスがホークスのローディーを務めた。二つの運送業者とトラック運転手が機材を入れた八個の木箱を積みこみ、次の公演地に向けて夜どおし走り、着いたら三万ドルのアンプ装置を組み立てる。ときおり『ヴァラエティ』がツアー収益を計算し、ディランが「現代のショービジネスで最高にホットな現象」だと報じた。チケットが完売したボストンでのコンサートの総収益は一万二〇〇〇ドル。トロントでは「十一月十四、十五日のマッセイ・ホールのコンサートで一万七二七八ドルになり、ディランはその七十パーセントを手にした」と報じられた。シラキュースの報告はそれほどでもなく、十一月二一日は六六〇〇席のうち埋まったのは三四八六席で売り上げは一万二五〇〇ドル。そこでは最低でも十五人のミュージシャンをステージにあげろと要求する地元の演奏家組合と揉めた。

秋の初めに起こった問題は、ツアーの最後まで尾を引いた。会場のほとんどで音響のバランスがよくなかったのだ。スポーツ会場の音響は劇場やコンサートホールに遥かに及ばない。コンサートが終わるたびに、ディランは尋ねた。「どんな風に聞こえた？　歌のことじゃなくて、きみが座っていた場所でどう聞こえたかってことだ」。ニューポートからアルバート・ホールまで、公演はアンプの不具合に悩まされた。音響さえもっとよければ、観客のフォーク・ロックへの移行はもっと早かったかもしれない。

『ニューヨーク・ヘラルド・トリビューン』紙はツアーに関して大々的な特集を組み、ウィリアム・ベンダーはディランを「この国がこれまでに出会ったなかで最高の都会的なプロのフォーク作曲家」と呼んだ。記事には宣伝として、ダニエル・クレイマーの「フォトグラフィック・ポートフォリオ」と題された六ページの見開きがついていた（実際はディランの友人アル・アロノウィッツが文章を書き、ディランが手を加えたもの）。この記事は当時の断続的なロックの狂乱ぶりを的確に捉えていた。ミュージシャンが群れをなしてうろつき、追っかけの男女たちが現れては消えてゆく。グラマシー・パークにあるグロスマンの家とおぼしき屋敷で、ディランはテンプテーションズのレコードをかけ、ロバートソンがハーモニカを吹いていた。ローリング・ストーンズのブライアン・ジョーンズがロールスロイスで現れ、みんなでバーへ押し掛け、ディランは言う。「ここの壁に書けばいいさ……ここでは誰もきみを詩人とは呼んでこないから」。筋肉質な女、水兵たち、運転手、ニューワースが登場する。水兵のひとりがテーブルに跳び乗る。陽気な一行は地下の映画館に行くが、そこでは映画の代わりに「体を緑色に塗ったミュージシャンたちが……三か月かけて準備した儀式をやっている」。ピンボール・アーケードへ、占い師のもとへ、ディスコへ、大聖堂へ。ようやくディランは「貸し部屋」に戻り、思いをめぐらす。「マーロン・ブランドはW・C・フィールズを……ウォーレン・ビーティはジョニー・ワイズミューラーを演じるべきで……ぼくはヴィクター・マチュアの生涯を演じようと思っている」

　このエピソードはまったくの作り話ではない。一九六五年のクリスマスの少し前、私はこれと同じようにバカげた夜を目撃した。ポールとベティのストゥーキー夫妻が、ヴィレッジのベッドフォード・ストリートにあるしゃれた古いレンガ造りの家でセミフォーマルパーティを開いた。むさくるしい連中もめかしこんであらわれた。グロスマンはユダヤ教の儀式バル・ミツワーのために正装して氷山に立つペンギンの給仕長のようだった。彼の副官チャーリー・ロスチャイルドは浴槽で眠りこみ、三重奏団がボッケリーニ、コレッリ、ヴィヴァルディの傑作を弾いていた。

　パーティが終わりに近づいた頃、招かれざる集団がずかずか入ってきた。彼らを率いていたのはジーンズとスエードジャケット姿ですっかり酔っぱらったディランだった。ベティ・ストゥーキーは念入りに準備した会が台無しになり、呆気に取られていた。ザ・ブルース・プロジェクトのトミー・フランダースが次々にパーティと客と室内合奏団を非難するあいだ、ベティは私の横に立っていた。「こちらが主催者だ」と私がベティを指さし、彼らはにらみ合った。ディランはマネージャーの周りをぐるぐる歩きながら真剣な議論を始めたため、アルバートは話を聞きながら三六〇度回転しなければならなかった。

午前三時近く、ディランはデイヴ（ブルー）・コーエン、フィル・オクス、私と私のガールフレンドのリズ・ニューマンを集め、次の場所に向かった。私たちはボブがレンタルしたリムジンに乗りこんだ。運転手はモリスという名の制服の中年で、『ベンハー』に出てくる戦車の馭者のようにリラックスしていた。ディランが指示した先は、東四九丁目一五八番のオールナイトクラブ「クリック」だ。ディランが私たちを連れてテーブルに向かうと、クラブは静まりかえった。知らない人びとが近づいてきて質問を浴びせ、メニューにサインをせがみ、自分をミスター・ジョーンズと思い込んでいるカンザスシティに住むまたいとこの義理の弟の誰それがよろしく言っていた、と告げた。かつてのヴィレッジ仲間キャシー・ペリーが駆け寄ってきたが、ひどく疲れていたディランは彼女をグルーピーかなにかのように追い払った。ディランの伝記を書きたいという私の手紙を読んだ、と言った彼はその案を気に入ったようだった。「正しい文脈でさえあれば」、彼はその言葉を何度も繰り返した。そして鋭い質問をしてきた。「どんな契約になる？　きみに文章の決定権はあるのか？　編集者があちこち切ってまったく別物になるのか？　事実に反することを書きたてるのか？」その心配はないと答えると、彼は「協力するよ」と答え、今週じゅうに電話で詳しく相談しようと言った。疲れたディランは「側近たち（アントラージュ）」と座り、その言葉がどんなに嫌かを語った。「雑誌に『ディランが取り巻きを連れてここに来た！』なんて書かれるのが嫌でたまらない。ぼくにいつ取り巻きがいた？　『側近』なんて吐き気がしそうだ。ぼくのために働く人みんなを侮辱することになるし、『友人』を持つことそのものへの侮辱だ」

　コーエンは比較的新しい友人で、のちに映画『レナルド&クララ』にも出演する。ディランがコーエンに目をかけていた頃、長年ディランの信奉者だったフィル・オクスへの評価は下がり始めた。二か月前、ディランはコーエンとオクスのためにシングル「窓からはい出せ」を演奏した。コーエンは気に入ったが、オクスはこれが売れるとは思わないと言った。その晩、ディランはリムジンをとめて車からオクスを追い出した。「お前はフォーク・シンガーじゃない、ただのジャーナリストだ」。オクスはめげず、さらに罵られるのを覚悟で戻ってきた。デイヴが黙って座っているあいだ、ディランはオクスのポリティカル・ソングとトピカル・ソングをなじった。「そうじゃないんだ、分かるだろ。それはもう重要じゃない。時代遅れなんだ」。ディランがオクスの作品に詳しいことに誰もが驚いた。オクスは非難を黙って聞いていた。ディランがテーブルを離れたすきに私が「よく耐えられるな」と言うと、彼は「結局、ディランに何か言われたら聞くしかないんだよ」と答えた。デイヴは次の標的になるのを恐れたのか、早めに離れた。ディランはテーブルに戻り、毒舌を続けた。「いっそスタンダップ・コメディアンになったらどうだ？」彼はフィルに言った。楽しそうではなかった。ひどく青ざめ、チェルシー・ホテルに戻ろうともしない。ヴィレッジへのタクシーをつかまえるとき、リズが言った。「彼、今にも死にそうよ」

私たち古い友人でさえ、数週間前のツアー期間中にディランが何をしていたのかほとんど知らなかった。テキサスのオースティンがどんなにうんざりで、西海岸がどんなに素晴らしいかくらいは言っても、日々の緊張がどの程度なのかはわずかにほのめかすだけだった。ヴィレッジで座って話しながら、私たちには彼にとってテキサスがどんなものだったのかは到底分からなかった。オースティン市はコンサートの前宣伝のため米国在郷軍人会から人を呼び、小さな兵帽をかぶった一団にきびきびと行進させた。まさに「戦争の親玉」だ！　コンサート前に行われた記者会見には地区検事官きどりの記者たちが集まった。

Q　自分のことをどう思いますか？　どういう職業だと思いますか？
ディラン（D）　ええと、空中曲芸師かな。
Q　以前、あなたは歌わなければならないから歌うと言いました。今はなぜ歌うのですか？
D　歌わなければならないから。
Q　あなたの声は……ここでは優しいのに、レコードではひどい鼻声のようですが。
D　寝起きだったから。
Q　何か成し遂げたいことがありますか、世界を変えるとかいうような？　あなたは人びとに理想主義を押しつけようとしているのですか？

D　ぼくの理想はなんだと思う？
Q　分かりません。あなたはただ歌いたいから歌うのですか？
D　いや。もっと深い理由がある。
Q　好きなパフォーマーは誰ですか？　フォークにかぎらず、一般的に。
D　ラスプーチン。シャルル・ド・ゴール。ザ・ステイプル・シンガーズ。
Q　神の何を信じますか？　あなたはクリスチャンですか？
D　まず神は女である。分かっているのはそれだけだ。そこから想像してくれ。

十二月三日、サンフランシスコKQED－TVでのインタヴューではペリシテ人の質問が言葉のパチンコを誘発した。

Q　好きな詩人は？
ディラン（D）　ランボー。W・C・フィールズ。サーカスの空中曲芸団。スモーキー・ロビンソン。アレン・ギンズバーグ、チャーリー・リック。
Q　あなたの歌を分析する人をどう思いますか？
D　両手を広げて歓迎する。
Q　われわれ三十歳以上の人間に対して、あなたは自分をどう呼びますか？　あなたの役割はなんですか。
D　あえて呼ぶなら「三十歳よりかなり下」だ。ぼくの役割はできるだけここに長く座っていること。
Q　ダンス音楽を演奏したことがありますか？
D　いや。そんなタイプの音楽じゃない。
Q　そんなことありません。
D　どう答えればいい？　そこまで言うのなら、ぼくよりよほど音楽を知っているんだろ。何年やってるの？

一九六五年から六六年の冬のあいだ、ラルフ・グリーソンもディランが死ぬのではないかと思っていた。「彼のことはとても心配していた。ひどい痛みに耐えているようだった。何が原因なのか聞きたかった。まだ働いているとは知って驚いたよ。いまにも倒れてしまうだろうと思っていたからね。ひどい腹痛か、脳腫瘍でもあるのかと思っていた」。十一月半ばまでにはチケットが完売した北カリフォルニアツアーの観客は、ディランの体調にまったく気づかなかった。十二月三日と四日にバークレー・コミュニティ・シアター、次の土曜日にサンフランシスコ・メソニック・オーディトリアム、次の夜がサンホセ・シビック・オーディトリアムで、さらに十二月五日の日曜日にメソニックでの公演が追加された。

エージェントのメアリー・アン・ポーラーはグロスマンと話し合って予定を決め、さらに三つのパーティを計画した。グリーソンはKQED－TVの記者会見を主催し、カリフォルニアで行われたすべてのイベントに参加した。彼は言った。「ある晩、私たちはサンフランシスコのブロードウェイをぶらぶら歩いていた。ディランは通りを歩いてどこかへ行くことができないとぼやいていた。私たちはあとで落ち合う約束をした。彼がどこを指定したと思う？　ブロードウェイの『エンリコズ』に近い、サンフランシスコのナイトライフのどまんなかにあるマイクズ・プール・ホールだ。ビリヤード場だよ！　なんて美しいんだと思った！　彼は窓際に座りたがった！　通りから丸見えの席に！　十分もしないうちに人だかりができて、店を出なければならなかった。彼はとても疲れ、険しく見えた」

バークレーの最初のコンサートを回想して、グリーソンは言った。「最前列にラリー・ファーリンゲティ、ギンズバーグ、ケン・キージーとバイカー集団『ヘルズ・エンジェルズ』の二人が座っていた。翌週はエンジェルズが十二人くらいに増えていた。彼らを引き連れたアレンは大きく見えた。彼はある意味、自分をエンジェルズの生みの親と思っていた」。ディランの何がビート詩人たちを夢中にさせたのか？　「ラリーがディランにアレンの魅力を教えたか、もしくはアレンが『カディッシュ』を読んだディランから手紙をもらったんだろう。ディランはランボーについて話し続けた、ギンズバーグではなくてね。それでいて、ギンズバーグの著作をすべて覚えているふりをしていた。『あごひげ』の作者で詩人・劇作家のマイケル・マクルーアはメソニックのディランの楽屋に座り、どうやってヒット曲を書き、億万長者になったかをあれこれ尋ねた。サンフランシスコの詩人たちはこのディラン現象に震えあがった。その週末、ラリーは気難しい顔でおびえる悲劇の人だったと思う。『エレキ・ギターを抱えた、あのやせこけた若者はあんなところで何をしているんだ?』つまり『私は有名な詩人だが、あの若者はこの会場で三五〇〇人もの若者を集めている』というわけだ。それ以来ラリーはぼやき続け、それ以外の詩人は群がっただけだった。これが、詩人たちが表舞台に出た最初だ。アレンはディランとビートルズを高く評価した。ディランとアレンは『廃墟の街』についてえんえんと語った。ディランは隅っこに座り、床には、これから略奪に向かうどこかの古代高地種族のような髭面のヘルズ・エンジェルズ団が革やメダルをぶらさげて座っていた。明らかに、ディランは彼らに話しかけられないでいた。『座りごこちは悪くない?』と繰り返すだけだった。タバコを吸い、足をそわそわさせるのは、ディランの緊張度を測る計器だ。彼はグロスマンとニューワースという衛星に囲まれた力の象徴だった。彼が心から信頼できるのはロビーだけだった。ここにあるのは興味深い力関係だ。彼のささいな、束の間のちょっとした反応が、リアルで厳しい、生きるか死ぬかの命令に翻訳される。それはグロスマンにも言えた。このアルバートという人物がどんなタイプであれ、ディランは彼にとって重大だった。アルバートはナポレオンを怒らせないためならなんでもやった」

なぜラルフ・グリーソンはディランとマイルス・デイヴィスを比較したのか?「二人とも小さい雄チャボのようで、かなりプライドが高い。全世界を信用していないようなポーズをしながら、その実、誰かを信じたくてたまらない。感傷的で、善良な部分がたくさんあるのに、それを認めようとしない。マイルスかディランに何か聞いても、きっと答えは返ってこない。マイルスとまともな関係を持つ唯一の方法は、彼を一人にしておくことだ。それは虐待されておびえる子犬の信頼を勝ち取るようなもので、ここは忍耐しかない。これまで彼を苦しめてきた人たちとは違うということを態度で示さなければならない。それでも完全には信用されない。つねに試される。信頼はいつ吹き飛ぶか分からない。一度でもやりかたを間違うと……」

麻薬とミュージシャンについて、グリーソンは言った。「ディランは輝くカリスマ的存在だ。もし六か月間、医師団が起きているあいだじゅう彼と行動をともにしたら、みな彼はヘロインをやっていないと書くだろう、誰も信じないとしてもね。彼が初めてドラッグをやったときに自分もその場にいた、なんて主張する連中にしょっちゅう出くわす。そんな連中の話を真面目に聞いていたら、彼は十七年ものあいだ『初めの一発』をやり続けてなくちゃならないはずだ」

バークレーでのコンサートの頃までに、シングル「寂しき四番街」がチャート七位になり、グリーソンはこのコンサートについて『サンフランシスコ・クロニクル』に書いた。「ディランのバンドは黄金の発見のようにもてはやされた……会場には大学教授の顔があちこちに見られ、この経験に打ちのめされた者もいた……観客はいつまでも席を立たず……家に帰ろうとしなかった。何かとても確かなことが起こりつつあった」。バークレーのステージ上方にはニューワースが描いた四枚の絵が掲げられていた。ロックを視覚的に高める初の試みだった。グリーソンにはそれぞれの絵が「ディラン自身の抽象的イメージだった――少なくとも、コップ二杯のミルクとハーシーズ・チョコバーのあとの私にはそう思えた」

その老練のジャーナリストがミルクとチョコレートに酔っていたとしたら、観客の多くは薬にとりつかれていた。麻薬常習者の会合のようなコンサートでもあり、未来のウッドストック・フェスティヴァルに通じるところがあった。麻薬に関してディランから答えを引き出すたったひとつの方法は何も聞かないことだった。たいていは短く語るか、まったく語らないかだった。初めて私にマリファナへの関心を持たせたのはディランだが、私は何の知識もなく、その他の化学物質にもかなりの恐怖を抱いていた。彼は自分が何をやっているか分かっていたし、すべてを――法的にも医学的にも――コントロールしているという様子だった。

一九六五年の秋、ロサンゼルスに滞在しているあいだ、ディランはプロデューサーでソングライターのフィル・スペクターと親しくなる。再びグリーソンは言う。「ある意味、ディランは真向からスペクターに援助を求めた。二人の経歴には多くの類似点がある。ディランは彼に『生き方を教わり』たかったんだ」。たしかに、ディランは前にこう言っていた。「初めて本当に有名になったとき、自分のような人がいないか辺りを見まわした。そしてフィル・スペクターがそうだと思った。彼は若く、すべてを自らの手で作りあげていた」。私がスペクターに会うのは簡単ではなかった。彼はアイク&ティナ・ターナーの「リヴァー・ディープ・マウンテン・ハイ」のプロデュースに苦闘しているさなかで、私はサンセット大通りのオフィスで一時間近く待たされ、スペクターの秘書を三度はつついた。彼女が奥に消えると、重厚なドアの向こうから甲高いどなり声が聞こえた。「おれはここにいないと、そのくそ野郎に言っておけ!」秘書が青ざめて戻ってきた。彼女に嘘をつかせないよう、私は「考えがある」と言った。ビリー・ジェイムズに泣きつき、いくつかの電話がなされ、ようやく二日後にゴールド・スター・スタジオで会う約束を取りつけた。スタジオのスペクターは、十八人のミュージシャンを仕切る、十二の耳を持つ魔法使いだった。ブースのなかでは、ヘッドフォンをつけたティナ・ターナーが合図を待っていた。ティナとバンドはシングル録音作業の三週目に入っていた。フレーズごとに、全員がプロデューサーの方を見て反応を待つ。スペクターは冗談で演奏をリラックスさせる完璧主義者だった。三台のピアノと三本のリズムギターが彼の「ウォール・オブ・サウンド」(H)作りを支えていた。リハーサルは完璧に思えたが、スペクターは音を止め、アコースティックのギタリストにチューニングが合っているか尋ねた。誰もが驚いたことに、たしかにギターの弦は一本、少し音がずれていた。

セッションのあと、この痩せた小柄なプロデューサーはずるがしこい笑みといたずらっぽい目と余裕の態度で言った。「近ごろザ・ビートルズとディランもやってるようだけど、ぼくがいつもやってるあげ足とりのおふざけインタヴューにしてもいい。だがきみは正攻法でやってきた。ならば真面目に受けるのも悪くない」。私たちはハリウッドのこぢんまりしたレストランに向かった。お抱え運転手は何も食べずに座り、主人の命令を待っていたが、夕食の途中で帰された。その後スペクターはハリウッド・ヒルズのドライヴウェイと重々しい鉄門の奥にある自宅に私を連れていった。それから六時間、彼は断続的にディランとポップ界の生活について語った。豪邸には、このおそろしく孤独な若者しか住んでいないようだった(折しもディランはカリフォルニアの記者会見で「ぼくのいる場所はいつも孤独だ」と答えたばかりだった)。スペクターは手塩にかけて育てたライチャス・ブラザーズが去ったときはひどく傷ついたと言った。「曲づくりとは詩を書くことだけど、詩人と呼べるのはボブ・ディランしかいない。ザ・ビートルズは一日五時間はディランのレコードを聴いて彼のやっていることを学ぶべきだ。ディランは競わないし、頓着しない。詩を語るのは簡単だけど、詩を歌うのはとても難しい。ディランは記録者であり、哲学者だ。特異な才能で、この時代にあれほど鋭く、本質を見ている人間はいない。あの天賦の才は本物とまがい物を見分ける眼識にある。あと必要なのは、彼の歌をどう録音するかを本当に知ってる人間の手にゆだねるだけだ」。ディランをプロデュースしたいと思いますか？ 私の問いにスペクターは同意するように目を光らせた。「まだ誰も触れていない道がある。彼が今のような、すべてが彼を失望させる時期に来るのは分かっていた。ディランのイメージはすべて他人によって作られたものだ。彼はまるでビートルズの一員になったかのようだけど、本当はそうじゃない。世間は彼に役割を与え、彼はそれを受け入れなかった。そのなかで動いていただけだ」

「ディランは誰にも何にも借りはない。自分が三年前に書いたことを、いま生きているだけだ。ソクラテスは毒殺された。イエスが最後に公の場に出たとき、どうなった？ 二、三年前、ディランは社会派のプロテスト・シンガーだと言われていた。いま彼は所有物になった。ディランはぼくが二、三年前に経験したことを経験しているところなんだ。不安で、苦しんでいる。何より驚いたのは、ディランとバエズが『神が味方』をやったことだ。アメリカ人の根幹は中西部の愛国的な鉱山労働者だ。あの歌で、ディランは彼らが信じていたものすべてに挑んだ。コンサート会場の外に怒れるデモ隊がたくさんいないのが不思議なくらいだ。彼はすべての硬貨に『われわれは神を信じる』と刻まれた国で無神論の歌を歌ったんだ」

その晩、ぴちぴちした若いハリウッドの女たちが現れては辺りを見まわし、はしゃぎながら、スペクターの指示を待った。ワーグナーの胸像がピアノをにらむように見おろしていた。豪華な部屋のすべてに番号のない電話がついていた。スペクターは大音量でマスターテープを鳴らした。それからリムジンを運転してくれる人物を見つけ、ラ・コリーナ・ロードのクラブにアイク&ティナ・ターナーを見に出かけた。なんというエネルギーだろう！ ティナは翌日も、スペクターのスタジオに戻るのだろうか。私は友人のアパートの前で車を降ろしてもらった。スペクターはリムジンの後部席で、柔らかく、贅沢で、相変わらずの孤独に包まれていた(24)。

一九六五年十二月のある晩、ディラン、ニューワース、スージー・ロトロはケトル・オブ・フィッシュの奥の席で映画作家バーバラ・ルービンと座っていた。スージーとボブは古い友人同士、再会を喜び、ディランは「文学界の権威」にかみついていた。「ポエトリー・センターの連中がぼくを舞台にあげたがってる。あの人たちはみんな、数年前はどこにいたんだろうね？　いまとばかりに時流に乗るつもりのようだけど、ぼくには関係ない」。バーの奥に黒い革ジャケットを着た優男――アンディ・ウォーホルが立っていた。恥ずかしそうにディランに手を振ると、ディランも振り返したが、テーブルに呼ぼうとはしなかった。次に現れたのは、オランダのヒップスター、ジャン・クレマーで、彼は以前ディランに自著『わたし、ジャン・クレマー』（Ⅰ）を献呈していた。彼は近づいてきたがニューワースが追い払った。

黒い革ジャンを着たバイク乗り風の男――気持ちはヘルズ・エンジェルズだがメンバーではない――が写真を手にディランに近づいた。恋人か赤ん坊の写真だろうと思った。ディランは写真を見ながら褒めている。私が見せてくれと頼むと、ボブから手渡されたのは男のバイクの写真の束だった。ディランの会話はほとんど脈絡がなく、今度はマイケル・マクルーアを褒めちぎった。「彼にハーモニカをあげてから、自分の詩を歌うべきだと言ったよ」。それからギンズバーグ礼賛が始まった。「本当にすごいものを読みたければ、『カディッシュ』を読めよ」。彼は私が編集したウディ・ガスリーのアンソロジー『ボーン・トゥ・ウィン』を読み、感想を述べた。「いいと思う。でもあれは特定の時間と場所のためのものだ」。私が、マリー・トラヴァースが「ディランはもうひとりのノーマン・メイラーになりつつある」と言っていたと話すと、彼は「ノーマン・メイラーは一度も読んだことがない」と冷たく返した（メイラーはかつて「ディランが詩人なら、私はバスケットボール選手だ」と言った。彼は一九七五年の『ローリングストーン』で「ディランは現代の最も偉大な叙情詩人かもしれない。多くの叙情詩人と同じように、必ずしも自分の詩を理解している必要はない」と述べている）。ディランはジュディ・コリンズがカヴァーした「アイル・キープ・イット・ウィズ・マイン」を気に入っただろうか？　気に入ったと彼は言ったが、あれはサラと彼女の子供のことかと尋ねると、むっとした。「何も分かっちゃいないな！」。ニューワースがあわてて口をはさんだ。「あの歌はニコに書いた曲だ。ニコだけのために！」ディランは怒りを鎮めた（ニコはヴェルヴェット・アンダーグラウンドに参加したスターだった。彼女がディランとかかわりがあったとは思えない)。一月にイギリスへ行ってボブの伝記のイギリスに関わる部分を取材するつもりだと伝えると、彼はマーティン・カーシーとその妻に何でも話すよう一筆書いてくれた。「この男は古い友人で――たまたまいまは記者をしている」。彼はスージーと別れ、私たちはイースト・ヴィレッジのパーティに向かった。ディランはベルトつきのしゃれた茶色のスエードコートを着ていた。タクシーに乗りこみ、降りるときになっても誰も払おうとしなかったため、私はあわてて料金を払った。「金は持ち歩かないんだ」、ディランは言った。「決してね」

彼は再びロードに戻った。二月五日、ホワイト・プレインズのウェストチェスター・カントリー・センター。六日、ロチェスター・オーディトリアム。それからメンフィス、リッチモンド、ノーフォークをくまなく回る。ウェストチェスター・カントリーでは五〇〇〇人が集まり、いつものごとく賛否両論に分かれた。『イーストチェスター・ハイスクール・イーグル』紙は、ディランが「悲しげな操り人形のようで……半分眠り、あるいは半分死んでいるようだった」と書いた。二月十日、メンフィス。『メンフィス・コマーシャル・アピール』紙のグランヴィル・アリソン・ジュニアの記事はこうだ。「観衆は若く、行儀がよかった。五七七八席あるエリス・オーディトリアム・アンフィシアターの二九九五席が埋まった。バスケットボールの決勝戦でもこれほどは入らなかっただろう。二五歳以上の客は一〇〇人もいなかった。メンフィスは人口六十万のうち三五パーセントが黒人だが、黒人の若者は一人もいなかった。メンフィスの公共施設で人種隔離は行われていないのに。音響は最悪で、十のうちひとつも何を言っているか分からなかったが、観客は気にする様子もなかった」

二月十一日、リッチモンド。十二日、ノーフォーク。二十日、ニューヘイヴン、オタワ、モントリオール(J)。フィラデルフィアのアカデミー・オブ・ミュージックで二度の公演のあと、二月二六日にロングアイランドのウエスト・ハムステッド。『ニュースデイ』紙は書いている。「ディランはW・C・フィールズというより、リヴァプール的なぴったりした茶色のチェックのスーツを着ていた……五一〇〇人の観客はほとんどが十代で……すべてに幻滅したこの社会批評家が何も言うべきことを持たないらしいことに、驚いてはいないようだった……近頃のディランは何に対してもほとんど抗議しない。文句を言うのはせいぜい仕立て屋に対してくらいだろう」

私は二月二四日と二五日のフィラデルフィアのコンサートに行った。案内係がステージから丁重にアマチュアカメラマンを追い払った。「彼は演奏中にフラッシュをたかれるのを好みませんので」。カメラマンは鼻で笑った。「何のためのアーティストだ？」演奏は素晴らしく、私は何人かの観客に尋ねた。カムデン・カトリック高校の三人は、好きな詩人はディラン・トマスとファーリンゲティだと言った。サスケハナ大学の学生はこう賞賛していた。「ディランはとびきり変わってる。ぼくは彼の選択の自由を信じている。それこそ彼がぼくに訴えるもので、それを一人で言おうがエレキを使って言おうがかまわないんだ」。三月三日、マイアミビーチに着く頃には、ギャスライトのサム・フッドがコンベンション・ホールのコンサートを手配していた。『マイアミ・デイリー・サン』紙が若い女性にインタヴューしていた。「ディランは歌を作るテネシー・ウィリアムズだと思う」。別の女性は言う。「私の姉は彼を救世主だと思ってる。私は素晴らしい詩人だと思う」。マイアミのコンサートでのサプライズゲストは、当時映画でエスキモーを演じて間もないアンソニー・クインだった。何が「マイティ・クイン」執筆のきっかけとなったかは尋ねるまでもない。

中央アメリカへの帰還

私は一九六六年三月十一日、セントルイスでツアーに合流した。ボブの滞在するホリディ・イン・ダウンタウンにチェックインし、キール・オーディトリアムに向かった。見事な会場で音響もよく、ぞくぞくするような公演となり、スタンディングオベーションが起こった。ディランは彼が「ラビット・スーツ」と呼ぶ、流行の黒と茶色の千鳥格子を着ていた。ロビー行きつけのトロントの仕立て屋に作らせたのだ。彼は「届いた手紙のいくつか」に感銘を受けていた。「驚いたよ！　読み切れないほどだ。ましてや答えるなんてね。あらゆる地域の人がぼくの歌とレコードについて話してる。そして自分の悩みとか、考えてることとか、どこかに閉じこめられてそこから出たいといったことを話してるんだ」。セントルイス大学の学生は言う。「もしぼくがディランだったら、何年か姿を消すね。太平洋のどこかの島とかに。彼に関するくだらない非難が多すぎる。どこかに逃げて、みんなに彼のありがたみを分からせるべきだ」

ホリディ・インに戻った私は彼に、つきまとわれているような気分にさせてないかと尋ねた。「間にあってよかったよ。どうやってここに？　ぼくたちの移動用飛行機はあんまり好きじゃないんだ。よほどでないかぎり乗りたくない。ダグラスDC3を買おうかと思ってる」。彼は明日の夜、飛行機のなかで、と言った。今夜、彼らには仕事が山ほどあったのだ。

一九六六年三月十二日、ネブラスカ州リンカーン。グレートプレーンズのきっかりどまんなか。ディランは中央アメリカの本拠地にいた。人口十二万人で九八パーセントが白人。主な職種は製粉業、乳業、肉加工梱包、保険会社、穀物飼料業、レンガ・タイル職人。文化の中心はネブラスカ州立大学、学生数約二万人。バスケットボール以外のビッグニュースは、ベトナムにかかった費用が概算を下まわっているというジョンソン大統領の発言。テキサス州ラレドでは、ティモシー・リアリーがマリファナ移送の罪で三十年の刑を言い渡された。ディランに関するニュースはなかったが、それでもパーシング・メモリアル・オーディトリアムの支配人は喜んでいた。「まったく驚いたよ、あの若者にこんなにマスコミが集まるなんて。ここリンカーンのじゃないぞ、全国からたくさん来てるんだ」

この頃までに、ディランは会場での写真撮影とテープ録音は禁止というルールを決めていた。私はマランツのレコーダーを支配人のオフィスに置いておかなければならなかった。あとでディランは、コンサートを録音したテープが売られていると言った。私は心配しすぎではないかと思ったが、それは海賊盤が出まわる初期段階にすぎなかった。観客はエレキ・ギターでの公演に列をなした。ディランは黒と白のソリッドボディエレキ・ギターにプラグを差し込み、ロビーと言葉を交わし、観客に背を向けた。聴衆は身じろぎもせず見つめる。ディランがハトのようにつま先の向きを変える。長めの髪が襟に落ちかかる。ズボンには申し分のない折り目が入っている。彼はバックバンドを歌に引きこみ、ズボンが裂けるのではないかと思うほど大きく脚を広げた。またしても観客は総立ちだった。ホテルに戻ると、ディランの部屋に電話してくれというヴィクターの伝言があった。すぐに下りてきてくれと言われて向かうと、外の廊下に二、三十人ほどの若者がたむろしていた。ロビーとディランはツインベッドに寝そべり、他のメンバーたちはくつろいで歩きまわっている。ディランは言った。「ボブ、きみは年上だからきみの言うことなら聞くかもしれない。あの子たちに、ぼくは会えないと言ってくれ。本当に疲れているからと」。ファンの若者たちに伝えると、半分は帰り、半分は残った。ディランとロビーと私はしゃべり、ディランがテープ録音禁止について言った。「何が起こっていると思う？　コンサートで歌った歌が、ぼくがまだ録音もしないうちに出まわってるんだ！　テープをコピーして曲をコピーしてる！」彼は私の本の話をした。「つきあうよ、ちゃんとした本になるのなら。子供のように扱われるのは嫌だ。どこかの『億万長者の変人ロックスター』として小さなハト小屋に入れられたくはない」。ヴィクターが来て、飛行機に空きがあるとディランに告げた。私はあわてて荷物を詰めた。

リンカーン空港に向かう車が二台、ホテルの前で待っていた。一行の半分は階段を駆けおり、ディランたちと残りの半分はエレベーターで下りた。ロビーには、五十人ほどのファンが集まっていた。猛然と車に突っ走る私たちを見てファンが叫ぶ。「ディランがいた。ほら、あそこ！」私たちは銀行強盗のように逃げた。車がタイヤをきしませてカーブを曲がり、ヴィクターが笑みを浮かべた。「今回はまだいいほうだ」。ディランが言った。「車にすらたどり着けないときもある」

一九六四年七月、ウッドストックのディランとアレン・ギンズバーグ。
ディランいわく、「ぼくは二人の聖人を知っている……一人はアレン・ギンズバーグ」。

【原注】

（1）Yevgeny Yevtushenco, *Stolen Apples* (New York, 1971), 序文 "Being Famous Isn' t Pretty" より。
（2）「マスターピース」の歌詞。
（3）CBSテレビが一九六七年に放送禁止にした曲。
（4）その二十曲すべてが収録されたCD『ディランを歌う』（2001）がある。
（5）「ミスター・タンブリン・マン」のディランとランブリン・ジャックのヴァージョンは『ノー・ディレクション・ホーム』のサウンドトラックに収録されている。
（6）ジャニス・イアンの才能は、ロバート・シェルトンによって絶賛されている。詳しくはイアンの回想録 *Society' s Child* を参照のこと。
（7）「サウンド・オブ・サイレンス」はサイモンとガーファンクルの知らぬ間にエレキ風にオーバー・ダビングされてヒットした。CBSの重役たちはそれを『追憶のハイウェイ61』で中心となったバンドのおかげだと感謝した。
（8）二〇〇一年、アーウィン・シルバー（一九二五〜二〇一〇年）は『シング・アウト！』に一九六四年に書いた書状のことを振り返っている。「私の公開書状は、ほんとうに失望を感じていた時期に書かれている。私が書いた意見は揺らがないとしても、もういちどやり直せるなら、まったく違うトーンと方法で書いただろうね」
（9）SDS、民主社会を求める学生連合は、一九六〇年に設立された。
（10）リヴォン・ヘルムはホークスでも叩いたが、一九六五年のエレクトリックのパフォーマンスに浴びせられたブーイングにひどく憤慨し、ディランのバンドを抜けた。そののちメキシコ湾で石油掘削に従事し、一九六七年の『地下室』が制作される時期に、歌うドラマーとしてザ・バンドに復帰した。
（11）ディランのザ・バンドとのパフォーマンスは『ロック・オブ・エイジズ』が二〇〇一年にリイシューされて聴けるようになった。
（12）「マスターピース」の歌詞。
（13）「ジョアンナのヴィジョン」の歌詞。
（14）同上。
（15）「プレッジング・マイ・タイム」の歌詞。
（16）同上。
（17）「ジョアンナのヴィジョン」の歌詞。
（18）「時にはアキレスのように」の歌詞。
（19）ディランが自身のソングライティングについて最も赤裸々に語ったインタヴューのひとつは一九九一年にポール・ゾロによってなされたもので、ジョナサン・コットが編集した *Dylan On Dylan* に再録されている。「パフォーマーになれば、世界を旅することになる。毎日同じ窓から眺めるわけじゃないんだ……『黄色い線路』で言えば、それは太陽の照りつけるぎらぎらした日にどこかの線路にいて、それが心に残っていたんだ」

(20)「アブソリュートリー・スイート・マリー」の歌詞。
(21)「ビュイック6型の想い出」の歌詞。
(22)「ラヴ・マイナス・ゼロ／ノー・リミット」の歌詞。
(23)『ブロンド・オン・ブロンド』のソングブックにポール・ネルソンが寄せた序文。
(24)フィル・スペクターは現在服役中で、彼が罪を問われた二〇〇三年のラナ・クラークソン殺害の現場は、シェルトンが一九六六年にインタヴューを行ったのと同じハリウッドのマンションであった。

【訳注】
(A) R Serge Denisoff, *The Journal of Popular Culture*.
(B) シェイクスピア『リア王』(福田恆存訳 新潮社 一九六七年 一七一頁)
(C) 一八四六年にミネソタ州ロチェスターに開設され、いまもアメリカ随一の病院として名高い総合病院。
(D) Bill King, "The Artist in the Marketplace".
(E) 両手で同時に和音の固まりを弾くピアノの奏法。
(F) テキサスとメキシコの文化が混ざり合ったものの総称。
(G) スーザン・ソンタグ『反解釈』内「《キャンプ》についてのノート」(高橋康也訳 竹内書店新社 一九七一年 三〇三、三〇八頁)
(H) フィル・スペクターによる独自のレコーディングスタイル。多重録音により厚く音を重ねることからその名がついている。
(I) Jan Cremer, *I, Jan Cremer*.
(J) 本文は原著の表記のままだが、実際には十九日オタワ、二十日モントリオールとされている。

BILL'S
MILLSTREAM MOTEL
TANNERY BROOK MOTEL
SCHUYLER C.
SCHULTZ
LICENSED
REAL ESTATE
BROKER
INSURANCE

一九六四年七月、悪名高いオートバイ「トライアンフ」にまたがるディランとジョン・セバスチャン。
これからウッドストックのメインストリートに繰り出そうというところ。

10

片足をハイウェイに

ボブ・ディラン、
国へ帰れ。

――『パリ・ジュール』 一九六六年

ユダ！

――マンチェスター・フリー・トレード・ホールでの野次
一九六六年（1）

死がかたわらにある。自殺がかたわらにある、
それは知っている。人は夢で歌を聞くものだとしたら、
ぼくの声は彼らの夢から出てくるものだ。

――ディラン 一九六六年

O DIRECTION HOME

アメリカ国旗の前で、二五歳のバースデー・コンサート、パリのオランピア、
一九六六年、「ディランの数多いキャリアのひとつの、終わりの始まり」。

一九六六年三月中旬、土曜の真夜中すぎ。リンカーン空港は暗く、周囲の農場に溶けこんでいた。ディラン、ザ・ホークスの五人、二人のローディー、そして一人のゲストが乗る二台の車が飛行場に向かって加速していた。飛行場に着くと、滑走路灯が点灯し、航空管制官室がざわめき、整備士たちがディラン専用の双発機ロッキード・ロードスターの周りでせわしなく動き始めた。操縦士と副操縦士が飛行前の点検を行なった。次の目的地はデンヴァー、それからニューヨークに戻ってスタジオ作業をしたあと、太平洋北西部、ハワイ、オーストラリア、スカンジナヴィア、アイルランド、イングランド、フランス、そして合衆国に戻る予定だ。これはディランの数多いキャリアのひとつの、終わりの始まりだった。

ディランが暗い食堂に入ってきた。コーヒーメーカーからどろりとしたコーヒーをプラスチックカップに注ぎ、窓から夜を見つめる白いオーバーオールの整備員の横に立って言った。「寂しいところだね」。二人は互いを見ることなく、滑走路を見ている。「まったくですね」整備員は答えた。「でもこれが仕事です。与えられた時間を働いてるだけで」。「気持ちは分かる、よく分かるよ」。ディランは言い、二人は外の平原を見つめた。ほどなく彼は外に出た。ホテルのロビーで五十人ほどのファンから逃げてきたばかりだったが、機体の周りにも五～六人のファンがいた。「素晴らしいコンサートだった」。一人のファンが言った。「本当に素晴らしかったよ、ボブ」。別の一人が言った。「今度いつここに来る？」ディランは分からないと答え、言い添えた。「ありがとう。楽しんでくれてよかった」

彼は二、三人にサインをした。十七歳くらいの若者が恥ずかしそうに近づいた。眼鏡、きちんとした白いシャツにネクタイ。「ミスター・ディラン」。青年はおずおずと言った。「ぼくも詩が好きなんです」。「へえ、そう？」。

「ええ」と青年。「時間があるときに、ぼくが書いた詩を読んでもらえませんか」。「いいよ」ディランが答えると、青年はフットボールくらいぱんぱんに膨らんだ大きな封筒を手渡した。「これ、全部、詩？」ディランの問いに青年は誇らしげに言った。「はい。あなたの歌を勉強し始めてからたくさん書くようになりました」。「ああ」とディランは言った。「ありがとう。今夜いくつか読んでみるよ。住所は封筒に書いてある？　いずれ感想を送るよ」。青年は顔を輝かせた。「うれしいです。気に入ってもらえるといいけど」

機内では、バンドのメンバーがすでにうとうとし、重なり合うように眠っていた。誰よりも睡眠が必要なのはボブだったはずだが、いまやすっかり元気を取り戻し、飛行機が出発するまでの数分を有効に使いたがっているように見えた。文学について。「ランボー？　もうランボーは読めない。最近は読みたいものを読む。これまでだと『カディッシュ』が最高だ。それ以外はゴミだ。パウンドやエリオットをいいと思ったことはない。シェイクスピアは頼まれて書いていただけだ。神秘主義者でもなんでもない、王女の原型のひとつにすぎない。シェイクスピアは好きだよ。狂った王女に、宇宙的なアンフェタミン漬けの脳みそ」。自分の新しい音楽について。「何も変わらない。どんなに楽器が変わっても魂のなかの愛や死は変わらない。ぼくの音楽はぼくの音楽だ。フォーク音楽なんてクズだ。これまでにフォーク・ソングを録音したことは一度もない。ぼくがフォーク・ソングだと思うのはジーニー・ロバートソンかドック・ボグスだ。歴史伝統的音楽とでも呼んだらいいかな。ぼくはいま曲を書きたい。『ブリンギング・イット・オール・バック・ホーム』まで、ソングライティングは二の次だった。そのときまではまだパフォーマーだったんだ。そのあとで曲を書くべきだと悟った。褒められようと人の顔色をうかがう必要はない。本当だよ。文学界の人間や詩人を連れてきて、ぼくのレコードの前に座らせればいい。きっと面白いと思う」。公民権について。「南部を見てみろよ。黒人が街を牛耳ってる。だけど、それがどうした？権力、それがすべてだ。結局金持ちの黒人が力を持つ。運動は始まりにすぎない。ぼくが黒人だったら、白人と一緒に学校に行きたいと思うかは分からないな」。言葉はあふれるように出てきた。「くだらない。すべては死だ、悲しいけど。自分が死ぬのを見たくはない。信念に背くくらいなら、いますぐ車を走らせて崖から落ちたほうがましだ。プレッシャーに勝たなきゃならない……セントルイス空港でチャック・ベリーを見かけたよ。ひとりきりのときにバディ・ホリーは聴けても、チャック・ベリーは？　ハイウェイにでも出なきゃ無理だ」

ロードマネージャーのビル・アヴィスとヴィクター・メイミューズ（2）が全員のシートベルトを確かめた。ディランは私と向かい合わせに座った。片膝には、出版社から送られてきたばかりの『タランチュラ』のゲラを載せ、もう片方にはさっきのファンからの封筒を載せていた。今夜はたぶんどちらも開けないだろう。私はエンジン音に悪態をつきながらテープレコーダーをいじり、彼から三十センチほど離れた位置でマイクを向けた。彼の目は今にも閉じそうだった。疲れきっていたが、たとえ私がここにいなくても眠らなかっただろうと言った。やるべきことが山ほどあったのだ。

「このペースで続けるには大量の薬がいる」と彼は言った。「かなりきつい。こんなツアーじゃ身が持たない。十月からずっとこうだ。ほんとに気が変になりそうだよ。前はこんな風じゃなかった。異様な時期で、本当にまいってる。本気で数を減らすつもりだ。来年は、ツアーは長くても一か月か……二か月。今年こんなふうにやってるのは、みんなにぼくたちがやってることを知ってほしいからだ」。ディランは紅茶をすすり、タバコの煙をくゆらせ、シャツの襟を引っ張って続けた。「自分の無意味さに苛まれながら無為な時間を過ごすなんてばかげている。そういう人たちは他のものも無理矢理自分の穴に引きずり込んで、苦しんで死ぬ。問題はそこだ。でも、もうそんなのはごめんだ。もう何度も言ったはずだ。きみは冗談とか、見せかけだと思ってるかもしれないけど。人がぼくをどう言ってるかなんて本当に――心底――どうでもいい。人がぼくをどう思おうとどうでもいい。人がぼくの何を知ってるかもどうでもいい。そんなことはぼくにとって何も重要じゃない」

「いまはステージで演奏するのが楽しい。前は違った。あの頃は自分がやってることがむなしいと分かっていたから。死んだような大使たちがぼくを見に来て手を叩いてこんなことを言う感じだよ、『ああ、素晴らしい、彼を呼んで一緒にカクテルを飲みたいものだ』。いっそ息子のジョゼフを連れて行こうか？　ジョゼフはたくさん手を叩いていたからな。プログラムを気に入ったんだろ、ジョゼフ？』そしたらジョゼフは言うんだ、『うん、もちろんだよ、パパ、パパ、パパ。うん、気に入った――わーいわーい！』そして尋ねる、『イザベラを連れてきてもいい？』そして気づくとコーラとジンジャーエールの瓶を持った五、六人の男の子や女の子が歩きまわり、目の前では、背骨を揺らさんばかりに肩をつかんで褒めちぎろうともくろむ大使たちが片手をポケットに入れて待っているんだ。誰であろうと二度と楽屋へは入れない。褒めてくれる人でもね。もう褒め言葉はいらない。そんなのどうでもいい」

言葉のリズムと次々にあふれる考えがディランを覚醒させ、すっかり覚めた目で続けた。「ぼくがどうやって寝ているのか聞かないでほしい。ぼくがどうやって成功し、自分がやってることをどう思っているかも聞かないでほしい。それ以外なら、何だってかまわない。きみは好きなだけ質問し、ぼくはその場で答える。あとは、本についてひとつだけはっきりさせておきたい。アルバートにはぼくたちが本に関してひとつの理解に達したと話すつもりだ。きみにはできる限りの時間を割く。終わらせたい質問にはすばやく答える。きみはいつでも話を戻してかまわない。きみが好きなように。そうされるのはいやだけど。この本は伝記じゃないだろう。だってぼくはまだ死んでないんだから。これは時代を超えたものになる、だろう？」

「ぼくのことは誰も知らない。いったい人が何を知ってる？　ぼくの父親の名前がジママンで、母方が中流階級だってことか？　それが嘘だと触れまわるつもりはない。自分がこれまでにやってきたことをごまかすつもりはない。これまでにやったどんなことも、どんな発言も取り消すつもりはない。生まれてからこれまでやってきたことを言い逃れする気もない。世界についてだろうとぼくについてだろうと、なんであろうと、きみの考えは間違ってると人に説こうとするのは諦めた。ぼくには関係ない。きみは書きたいことを書けばいい」

「この本を切り刻むつもりはないんだろう？　編集されるのか？　ちゃんと契約のなかに入ってる？　なかったら問題だ。きみがどれほど客観的に書こうと、何を書こうと、編集者は勝手に言葉を足していくらでもねじ曲げられる。そうなったら、『ボブ・ディラン公認』とは言えない。ぼくは表紙にそう書くつもりだ。表紙にサインをして四つの文を書く。こんな風に。『ボブ・シェルトンがぼくのことを「ニューヨーク・タイムズ」に書いてくれたのが五年前。彼はいい人で、ぼくは好きだ。その彼がこの本を書いた。だからこれは』――ネブラスカやワイオミングでも売れるような言葉にしよう――『クソ安っぽいものではない』」。冷ややかな宣伝文句に満足して、ディランは笑みを浮かべた。

「ぼくには暴かれるようなことなんて何もない。世間はくだらないことに関する暴露話――名前を変えたとかなんとか――が書いてあると思うだろう。そんなのは本当にどうでもいい。ただ唯一頭にくるのは、そんな話を持ち出されて『にきびができてたね』とか『寝転がったときに下着が汚れていた』とか言われるときだ。分かるだろ？ それがうんざりなんだ。音楽の話じゃない。そんな内容を喜ぶやつらだ。世のなかにはそんなクソみたいなものを読みたがる人がいる。そして言うんだ。『うわ、信じられない』とか『おれには関係ないけど』とか。でも、それが彼らの好奇心をくすぐるんだよ」

そわそわと身をよじりながら、ディランはますます生き生きと目を輝かせ、彼にとりつく亡霊に怒り、聴衆の貪欲さに怒った。彼は自分自身について説明したがっているように見えた。何についてであれ彼が説明するのは珍しい。そもそも彼の説明を理解できそうな人間がいなかった。彼は新しい切り口を試そうとしていた。「ぼくがやっているのは、書くこと(ライティング)に尽きると思ってる。それ以外の呼びかたじゃ安っぽい。でも、この世にぼくほど書くことをいいかげんに考えている人間もいない。書くことが天国に行ける助けになるなんてこれっぽっちも思っちゃいない。『燃え盛る炉』(A)から守ってくれるとも思っていない。書くことで命が延びるわけでもないし幸せになるわけでもない」

「何がきみを幸せにすると思う？」と私は尋ねた。「ぼくは何かに出会えるだけで幸せだ。幸せになる必要はない。幸せなんて安っぽい言葉だ。世のなかにはものすごくお高くとまった幸せってものがある。いいかい、ぼくは何かができないからって片耳を切り落とす(B)ようなやつじゃない。そうするくらいなら自殺するよ。何かもうまくいかなくなったら銃で脳みそを撃ち抜く。窓から飛び下りる。何があっても片耳を切り落としたりなんかじゃなくて、銃で自分を撃つ。ぼくは死について、少しも気にせず考えられる。恐れることは何もない。神聖なものもない。死は神聖でもなんでもない。これまでたくさんの人が死ぬのを見てきた」。私は尋ねた。「生は神聖だろうか？」。「生も神聖ではない」とディランは答えた。「この状況を支配してる連中を見てみろよ、生気もないのに人を引き寄せるんだ、ひとつの理想として、もしくは太陽系をまたにかけた駆け引きみたいに。政治や経済や戦争の茶番を見てみろ」

それはこれまでディランがテーマにしてきたもののひとつの変形だった。すなわち内なる絶望と外なる希望の葛藤。「いまやぼくにとっては何をするのも簡単になった。きみには分からないだろうけど、何もかもが思い通りになる。いまや何をしても金になる。でもそんな金は欲しくない。ぼくの全財産を考えても億万長者じゃない。でも、それにすごく近い。来年の今頃は、億万長者になっているだろう、でもそれにはなんの意味もない。億万長者になるってことは、次の年にはそれを全部失う可能性があるってことだ。ぼくは何ひとつ言い逃れをしてこなかったってことを分かってくれ。言い逃れしないでやるべきことをやるっていうのはとてもハードなことだ。つまり、ぼくは自分のやることを愛している。それによって金も稼いでいる。なあ、ぼくは本当のことを歌っていて、それは一貫している。それがすべてだ。人が何を言おうと関係ない。ぼくは誰の賞賛も受けないし、影響も受けない。誰もぼくのすることを批判し、影響を与えることはできない。誰ひとりとしてだ。少しでも影響を与えかねないものは、好意的に書かれたものだろうと批判的に書かれたものだろうといっさい読まない。だから、人がぼくについて書いた記事は絶対に読まない。関心がないんだ」

「自分にあずかり知らないほどの金があると分かったとき、ぼくはエージェントがその金で何をしているのかを確かめてみた。まず、ぼくはお抱え運転手が好きだ。前回イギリスから戻ったときは、運転車を雇うのではなく、レンタルした。はっきり言っておこう。ぼくは人を雇うために金が必要だ。そうやって世のなか成り立っている。金持ちじゃなかったら、ぼくは透明人間のように歩けただろう。でもいまは金が必要だ。透明人間のように歩くために金がかかる。金が必要な理由はそれだけだ。服とかつまらないものを買う金なんていらない」。再び彼は怒りを募らせた。「魂と引き換えに金を手に入れるなんてぞっとする。明日ぼくが歯を失っても、彼らは新しい歯を買ってはくれない。ぼくには金をやれる人間がごまんといる。ぼくが欲しいのは、正当なぼくの金だ。ティパリロ葉巻を吸い、いつもポケットをひっくり返して外に出し、眼鏡をかけ、グルーチョ・マルクスになりたがったことがあるような、ぼくで金儲けをしようとする小男たちにはうんざりだ。そんな人間は山ほどいる。音楽業界の人間はみんなそうだ」

「それに、興行主にだまされなかったとしても、チケット会社にだまされる。いつだって誰かに苦しめられる。

レコード会社の数字もあてにならない。正しかったためしがない。どういうわけか、いつも不正確だ。みんな知られたくないから、誰もはっきりと言わない。ある時期まで、ぼくが書いた曲はぼくのアルバムに入れたときより、キャロリン・ヘスターやなんかのアルバムに入ったときのほうがもらえる金が多かったって知ってる？ そんな契約だったんだ。ひどいったらありゃしない！」

絶望の色が消えた。ディランはどこまでも冷笑のセンスを失わない。「無理だと思うけど、ホッグタウン・ディスパッチの文学集団には認められたい、貴族みたいに股間を紫の布で飾って、あらゆる映画リストを把握できているか確認しているような人たちに。レコード評、書評、映画評を書き、同じコラム欄で女性援助会やＰＴＡの集まりについても書く人たち。そんな人たちに認められたい。受け入れられない理由はない。でも、たぶん無理だろう。ビートルズは受け入れられたけどね」。ビートルズのように受け入れられたかった？「いや、そうじゃない。ぼくはただ、ビートルズは到達したと言ってるだけだ、だろ？ あらゆる音楽に言えることだ、ストラヴィンスキーだろうとレオポルド二世だろうと、『ファイヴ・スポット』か『ブラック・ムスリム・ツインズ』か知らないけど、そういうところで演奏する人たちでもさ。ビートルズは受け入れられた、そして彼らがやることは受け入れなきゃならない。彼らは『ミッシェル』とか『イエスタディ』みたいな歌を歌う。すごく心地いい曲を」

ジョーン・バエズは次のアルバムで「イエスタディ」を歌うようだと言うと、彼は答えた。「ああ、そうだろうね、それで『私はビートルズを分かってる』と若い女の子たちに伝えて、『イエスタディ』とか『ミッシェル』とかを歌う。言っとくけど、あの歌はどっちもまっとうなもんじゃない。議会図書館に行けば、もっとましなものが見つかるよ。『ミッシェル』とか『イエスタディ』みたいな歌は、ティン・パン・アレーでごまんと書かれてる」

でも、きみのような歌は誰も書いていない、と私は指摘した。「それはどうかな。それを言うなら、ぼくの歌を歌えるのはぼくしかいないってことになる。そうなったら廃業してしまうよ。そうなったら年に一万枚はレコードを出さなきゃならなくなる。ぼくの書く歌をレコーディングする人が誰もいないのなら」。きみが若者に影響を与えたのはルールを破ったからだろうか？　「ルールを破るとかの問題じゃないだろ？　ぼくはルールなんて破っていない。そもそも破るべきルールがないんだから。ぼくに言わせれば、世のなかにルールなんてない」

レニー・ブルースのような口調だった。彼はギターコードではなく、声でリフを演奏していた。言葉が音楽のように流れ出た。ジャズマンが主旋律に入ってきては去っていくように、会話に入ってきては去っていった。それは「すべて音楽で、それ以上でも、それ以下でもない」もので、言葉の、雑談の、語りの、隠語の音楽だった。彼は完全に目覚め、メロディに載せてリフを奏でた。色から詩まで、思いつきをしゃべり続けた。「色が大切なんだ。白黒じゃない。いつも色がある。服でもなんでも。色。いまは、何かを駆り立てるような色、ときにそれは炎のような赤になる。そしてときには真っ黒に」

「うまくやらなきゃならないよ。『うまくやる』っていうのは有名なフォーク・ロックのスターになるって意味じゃない。『うまくやる』というのは自分の得意なものを見つけることだ。誰にでもどこかにその人の得意なものがある。人は地上の生き地獄を経験しなければならないと思ってるけど、ぼくはそうは思わない。この世の生き地獄を経験しなければならないとか、人生は悲劇だと信じている人は単純で、自分に言いわけしてばかりの、視野の狭い人だけだ。誰にも得意なものがある。みんな生まれて死んでゆくけど、世界は彼らがいなくても進んでゆく。ナポレオンが死んだって――人類は歩んできた。ハーポ・マルクスが死んだって――世界はまわり、一秒たりとも止まらなかった。悲しいけど本当だ。ジョン・ケネディしかり、だろう？」

人はこの世にいるあいだに何をしたかで違いがあるんじゃないのかと尋ねた。「誰も何もしなかったってことが分からない？　本当に何かした人間がいる？　何かをなしとげたと思う人を見てみればいい。名前を挙げてみてよ」。ショー、と私は答えた。「ジョージ・バーナード・ショー」、ディランはゆっくりと繰り返した。「彼が誰を助けた？」。「人びとが自分の知性を使うように働きかけたよ」と私は答え、付け加えた。「きみは人びとが頭と耳を使う手助けをしてきた」。「どうかな」ディランは返した。「ぼくにはそうは思えない。どうしてそんな風に思うんだろう？　ぼくは間違っても人助けをしてるなんて言うつもりはない。一時期、自分について書かれた記事をたくさん読んだ。三年か四年前に。でもいまは、まったく何も読まない。だから人がぼくのことをなんて言っているかはまったく分からない。本当に知らないんだ。たくさんの人がぼくを愛してくれているのは知っている。それは知ってる」

大平原の八マイル上空（エイト・マイルズ・ハイ）を飛びながら、彼は小刻みに膝を揺らし、片方に『タランチュラ』のゲラ、片方にネブラスカの青年の詩を天秤のように載せていた。片方が上がると片方が下がる。まるで文学の重みを無意識に秤にかけているように。『タランチュラ』は文学界の権威や本流の詩人たちに受け入れられると思うか？「まず最初に」と彼は意気ごんだ。「詩人や文学者に向けて書こうと思えば、理解しておかなければならないことがある――」そこで言葉を切った。「詩人というのは自分を詩人と呼ばない人だと思う。自分を詩人と呼べてしまう人は詩人にはなれない。彼らはありもしない祖先のロマンスや歴史的事実に安住しているだけだ。そして周りの人間より少し高い位置にいると思いたがる。周りがぼくを詩人と呼び始めたら、ぼくはこう言うよ。『ああ、なんて最高なんだ、詩人と呼ばれるのは最高だ』ってね。でも、それはぼくに何の益ももたらさなかった。ぜんぜん幸せになんかならなかった」

「いや、詩人とは言いたい。本当は自分を詩人だと思いたい、でも詩人と呼ばれるどうしようもない連中のせいでそう思えないだけだ」。じゃあ誰が詩人だろう？　アレン・ギンズバーグ？「彼は詩人だ」。ディランは言葉をたたみかけてきた。「詩人であるには必ずしも紙に文字を書かなくてもいい。どういう意味か分かる？　モーテルの階段を下りるトラック運転手も詩人だってことだ。彼は詩人のように話す。詩人がすべきなのはそれ以外にないだろ？　詩人」、彼の声はあいまいになった。頭の回転が速すぎて舌が追いつかないといった感じだ。「詩人、老人、死、衰退、木や枝の詩を書くロバート・フロストみたいな人たちの詩、言いたいのはそんなことじゃない。アレン・ギンズバーグがぼくのなかでは唯一の書き手だ。それ以外にはあまり敬意を持てない。本気で書きたければ、歌うべきだ。ぼくは自分を『プロテスト・シンガー』と呼ばないのと同じくらい詩人と呼びたくはない。ぼくを悩ませてばかりの多くのやつらと同じカテゴリーに自分を入れることになる。彼らと同じ枠でくくられたくない。誰もだましたくない。ぼくは詩人だと言うってことは人をだますことだ。それは自分をカール・サンドバーグとかT・S・エリオットとかスティーブン・スペンダーとかルパート・ブルックとかと同じ部類に入れることだ。ほら、ほかにもいる――エドナ・セント・ヴィンセント・ミレイ、ロバート・ルイス・スティーヴンソン、エドガー・アラン・ポー、ロバート・ローウェル」

「ぼくは二人の聖人を知っている」とディランは続けた。「聖なる人はこの二人だけだ。一人はアレン・ギンズバーグ。もう一人は、いい言葉が見つからないから、『サラという名前の人』とだけ呼んでおく。ぼくの言う『聖なる』は時間と有用性のあいだのあらゆる境界を越えていくという意味だ。もちろん、好きな人はたくさんいる。でも彼らはどうみても詩人じゃない」。ふと尊敬する別の二人が浮かんだ。「ウィリアム・バロウズは詩人だ。彼の昔の本はどれも好きだ。ジャン・ジュネの昔の本も。でもいま話してるのはこの国の作家だ。ジュネの衒学的な講義は時間の無駄だ、退屈なだけで。でも書き手という点で言えば、詩人と呼べるなかではアレンが最高だ。つまり彼の『カディッシュ』だよ、『吠える』じゃなくて」

「アレンは『カディッシュ』を歌わなくてもいい。どういう意味か分かる？　彼はそれを書きとめるだけでいい。彼はぼくが知る唯一の詩人だ。彼に対する感情はうまく説明できない、あまりに色んな感情を含みすぎて。彼はもの書きのなかで尊敬できるたったひとりの人だ。つまりすべてを含んで書く人という意味で。彼は何もする必要はない。アレン・ギンズバーグは聖人で、ぼくがそう思う二人の人間のひとりだ」。サラはどんなふうに聖人なのかな？　「彼女のことは本には入れたくない。彼女を関わらせたくないし、彼女を『女』とも呼びたくない。彼女を何らかの形で呼ぶとしたら、これ以外の言葉は思いつかない――かっこつけるつもりはないし、ひどく陳腐なのは分かっているけど、彼女を言いあらわす言葉は『聖母のような』くらいだ」

　録音されているのを忘れたのではないかと思い始めたとき、彼は言った。「全部、録音してる？　テープはあとどれくらい残ってる？　いまもまわってる？」テープはまだ何時間ぶんもあると言うと、彼は勢いよく続けた。「愛とセックスには誰もがひどく苦しめられるものだ。物事がうまくいかなくて、自分が何者でもなく、どうにもこうにも相手がいないとき、人はひねくれる。人につらく当たる。いったいどうしてセックスがこんな状態に人を追いこむのか、ぼくには分からない。はっきり言って、男と女はセックスするためにこの世にいるわけじゃない、それが目的じゃない。神が女を男の衝動の受け手となるために造ったとは思えない。そんなわけがない。

そんな風にできているとは思えない。世のなかには、関わりたくないと思うことがほかにいくらでもある。セックスと愛に男と女は関係ない。二つの魂がたまたまそこにあるだけだ。それが男と女かもしれないし、そうじゃないかもしれない。女と女かもしれないし、男と男かもしれない。それを批判することはできない。そんな事態が起きてないかのように振る舞うことはできるし、あざけり、中傷することもできる。でもそれは正しいことじゃない。分かってる、分かってる」

万華鏡のような独白はフル回転だった。本や雑誌の取材を警戒してきた数年のあいだに積み重なった、見えないプレッシャーに突き動かされるように、言葉が流れ出た。当然ながら、話題の多くは音楽になった。飛行機に乗る前にディランは「音楽はぼくの二十パーセントにすぎない」と言っていたが、やはり音楽は彼の専門であり、衝動であり、仕事であり、遊びだった。

「きみの本ではぼくの歌を解説してもらいたい」とディランは言った。「これまで誰もやったことないような」。

「たとえば」、私は言葉をはさんだ。「きみにとってミスター・ジョーンズが誰かとか？」ボブは質問をかわした。

「いや。そんな話じゃない。ぼくはきみに話したいことを話す。ぼくの人生のミスター・ジョーンズが誰かを話すことはできる。でも、人にはそれぞれのミスター・ジョーンズがいるだろう、だからみんなにとって同じ人物とは言えない。ミスター・ジョーンズに名前はつけられない、分かるだろう。彼がいるのは分かってる――」。

それからいきなり「やせっぽちのバラッド」と「ライク・ア・ローリング・ストーン」の話になった。この深夜二時のうねるような言葉の洪水ほど、強く印象に残ったものはない。「ミスター・ジョーンズの孤独は、彼がひとりでいきなり部屋に閉じこめられたことを理解できないという箇所で簡単に隠せる。ミスター・ジョーンズを小人と変人と裸の男と一緒に三方の壁に囲まれた部屋に入れるのは、それほどばかげたことでもないし、それほど突飛なことでもないよ。そして声が、声が彼の夢に入りこむ。ぼくはしゃべる声にすぎない。いつもぼくは人について歌っていて、人は夢で歌を聞くものだとしたら、ぼくの声は彼らの夢から出てくるものだ」。自分の歌が他人にどんな風に届くかを説明する彼の「客観的洞察」に驚いた。彼は矢継ぎ早に、学校教育や職業に関するまちがった神話を攻撃し始めた。

「大学のことは話したくもない。大学にはなんの敬意もない。たんなる時間の引き延ばしだ。大学には行ったけど、あんなのは逃避だよ、人生からの、経験からの。弁護士になりたがる人間は山ほどいるけど、ぼくに言わせれば、本当にまっとうな弁護士は一〇〇パーセント、まともな学生生活を送っていない。学校ではつねに変わり者で、そこでやっていくのに苦労していた。多くの弁護士が人をただの商売の材料と見なしているんだ。彼らはみな取引をし、どこかいかがわしい。医者や弁護士みたいな連中は――たんに金と恨みのためにその職業についてるだけだ。彼らは仕事に時間を費やし、時間や金を取り戻そうとする。彼らのやり方も分かる。でも別のやり方も必ずあるはずだ――ぼくの知ってる人のなかにもすごく苦しい状況にいて、金を集めて当然な、純粋な人がいて、でも彼らが手にすべき金を得ようと弁護士に頼んだら……言っていること分かる？　訴える相手の弁護士たちが、雇った弁護士と手を組んでるんだ。こんなことはつねに起こってる。客を惑わす弁護士なんて誰も尊敬できない！　ぼくにも弁護士たちがいるけど、顔も見たことがない。弁護士には会わない。彼らはつねにチャンスをうかがい、飛びつこうとしてる」

ジョーン・バエズのことは話したいだろうか？　当時の最も魅力的なショービジネスの仲間をどう思っているかについて、いまでは光を当てたいのではないだろうか？　それとも私に嚙みつくだろうか？　「ぼくとジョーンの関係？　話すよ。きみから説明してもらいたい、これがまともな本になるのなら。彼女はぼくを育ててくれた。ぼくは彼女に頼ったけど、借りがあるわけじゃない。彼女のことは気の毒に思っている。これは話しておきたい。ちゃんと文字にしてもらいたい、これは冗談じゃないんだ。彼女のことは気の毒に思う、けど、そんな必要はないと分かっている。まちがっても彼女はぼくだろうと誰だろうと同情されたくはないはずだ。気の毒なのは、彼女には誰も相談する人がおらず、本音を言ってくれる頼れる人もいないことだ。彼女と、いかれた楽器を演奏するストリートの浮浪者に共通点はほとんどない。彼女はそんなタイプの人間じゃない。とても上品な家庭の出だ。とても繊細で、病みがちで、ぼくは彼女と暮らし、その場所を愛した。これを全部、本に書ける？　書けないのなら、時間の無駄だ。つまり、きみの本は成熟した本になるのか、それともこうして話していることはすべて時間の無駄なのかってことだ」。私は書くと約束した。

ディランはなぜか挑戦的になった。彼のいちばん厄介な、反英雄的な面を強調し、否定的な思考や自虐癖をあえてぶつけているように見えた。あとから考えると、彼は分かって欲しいと訴えていたのかもしれない、たくさんの賞賛の裏には、たくさんの痛みがあったことを。彼は私たちがヴィレッジを一緒にほっつき歩いていた頃の話をした。「スージーが出ていってから、しばらくはとても辛かった。それはもう本当に苦しかった」。でも、その精神的につらい時期をなんとか乗り越えたと彼は言った。

「人との関係に捉われたり引きずられたりしないと事前に分かってたらなんでもできる、そういうのは前に経験したから。ぼくは人とかかわってきた。人とのかかわりで長いあいだ苦しんだ。人はドラッグみたいなものだ。それ以上でも、それ以下でもない。同じように人を殺し、同じように人を蝕む」。誰が彼を殺し、蝕んだのかは尋ねなかったが、そこで私はふとジャン・ポール・サルトルの『出口なし』の一節、「地獄とは他人のことである」を思い出したと伝えた。ディランはジョークで返した。「まあ、なんでもいい。サルトルは知らない。知ってるのは彼が斜視だってことだけだ。斜視に悪いやつはいない」。彼はそう言って底に落ち込んだ。「死がかたわらにある。自殺がかたわらにある、それは知っている」

この絶望の言葉は録音から削除しようかと尋ねると、彼は言った。「ぼくはまだ説明をしていない。説明するから、使えばいいよ。ぼくが話したことは入れてかまわない、文脈に合うなら。誰もぼくがいた居場所のことを知らない。多くの人がぼくがヘロインをやってると思っている。くだらない。ぼくだっていろんなことをやってるさ。ここに座ってきみに嘘をつき、ぼくが何をやってるのかとあれこれ考えさせる気はない。ぼくは自分の助けになることをいろいろやっている。そしてそれに頼らなくても生きてゆけるくらいの知恵はある。それだけだ。そういうものだろ」

そのとき私は、ある晩ギャスライトでディランが「きみにとって本当に大事なことだけを書くんだ」と言ったのを思い出していた。そのときは、まさかその「大事なこと」が、アドヴァイスをくれた当人についての本の執筆になろうとは夢にも思わなかった。ディランは続けた。「ぼくは傷つかない、その本が誠実なものなら。嘘じゃないよ。傷つくもんか。きみには誠実な本を書いて欲しいんだ、ボブ、ゴミみたいな本じゃなくて。きみを信用している。いまきみとここにいるたったひとつの理由は、この世に一緒にやりたい人間がいるとしたら、それはきみだと分かってるからだ。いろんな人と話をして、分かったのは、その多くが二二歳くらいの若者で、少しはものが分かり、書き、ギャップがあることも分かっているけど、誰も理解をして文字にすることができないということだ。そんな連中とは何もしたくない。そんなものはどうせクソだ。でも、きみとならやる」

会話はフォークソングの「ムーヴメント」に移った。そのころ彼のフォークとロックのエレクトリックな融合はフォーク界から激しい敵意を向けられ、私たちは苦々しく思っていた。「エレクトリックにしたのは誰の指示でもなかった」。彼はきっぱり言った。「誰にも相談ひとつしなかった、信じてくれ。そもそもぼくは二枚目のレコードでエレキを使ってる。そのことを本に書いてくれない？」一九六三年五月にリリースされたアルバム『フリーホイーリン』には、とディランは振り返った。「エレキを使った曲が四曲あった。エレキの曲がカットされた唯一の理由は、ぼくが書いた曲じゃなかったからだ。コロンビアはいまも音源を持っていて、手を加えようとしている」。ビートルズがアメリカで知られる前、一九六五年の「フォーク・ロック」の狂乱の前から、ディランは自分が鳩の巣穴にこもるパフォーマーではないことを示そうとしていたのだった。「ぼくは人が貼ってくるどんなレッテルも嫌いだった。それがレッテルだったから。とにかくみっともないし、心の底ではそれは自分じゃないと分かっていた。ぼくは今いる場所に到達したんじゃない。戻ってきたところなんだ、この道しかないと分かったから。ぼくがいまやってるのは前に進むためにしなければならないことだ」

ディランは音楽の世界と若い頃に惹かれたフォーク音楽をしきりに話し始めた。質問する間もないほど、ひとりでしゃべり続けた。「誤解されたくないからあまり言いたくないけど、ニューヨーク・シティに着いたとき、気づいたことがある。ものすごい数の観衆がいた。ぼくとは合わないだろうと感じる人びとが。こんなところにはいられないと思った。ぼくが求めているものじゃないと思った。何度も拒否した。何度も反抗した。いつも彼らは自分たちとぼくが似ていると思おうとしていたが、ぼくは少しも似てないと分かっていた。ぼくはただ、そのとき頭に浮かんだことを伝えていただけだ。どんな組織にも敬意を払わなかった。ニューヨーク・シティは組織だらけだ。敬意を払った人はいる。ウディ（・ガスリー）はぼくをロマンティックに魅了した――彼は自分の時間を過ごしていた、ほかの誰もやらないやり方で。彼は周りよりほんのちょっといい人で、ほんのちょっと賢かった。それは彼が田舎出身だったからだ。ぼくはウディと会い、話をした。彼のことは好きだし、いま彼が近くにいたなら、もっと好きになっていたと思う」。ディランはガスリーのスタイルについていくつか控えめな意見を述べ、私がウディの作品は単純すぎるように思えたのではないかと尋ねると、彼は鋭く返した。「いや、少しも単純じゃない。根本的な問題は、ぼくには彼がなぜそれを書いたのかが分かることだ。彼が座り、とても穏やかに曲を書いているところが見える。けなしているんじゃない。これも全部、文字にしてかまわない。彼に惹かれたことも、彼に影響を受けたことも隠すつもりはない。彼の影響はぼくの歌い方や声にあるのではない。でも彼の声を聴くことに心を惹かれていた。ぼくには彼がとても孤独で、ひとりぼっちで、彼の時代で途方に暮れていたのが分かった。だから惹かれたんだ」

ディランはフォーク界に君臨したときでさえ、ロックンロールを愛していたと強調した。「スージー・ロトロに聞けば分かる。彼女は、一九六一年から六二年頃、周りに誰もいないときぼくがエルヴィス・プレスリーのレコードをあれこれかけていたのを誰より知っている。ぼくが幾晩も、夜中まで歌を書き、それを彼女に見せて『これでいいかな?』と尋ねていたのを話してくれるだろう。彼女の両親は労働組合と関係があって、彼女はぼくよりずっと前から平等とか自由といったことに詳しかった。スージーと一緒に曲を検討した。彼女はすべての曲を気に入ってくれた。スージーはとても才能のある女性だけど、とてもおびえている」

それから、かつて彼をもてはやし、のちに非難したフォーク雑誌『シング・アウト!』の話になった。ディランの変化を擁護するべく、私は彼らとやり合った。彼には論客たち相手に時間を無駄にするなと忠告された。「分からないのか? きみが賢いなら、突っ立ってないで進み続けるべきだ。ほかの連中はみな死にかけてる。文字通り死ぬってことじゃない。腐って、狂ってゆくっていう意味だ。ぼくにできるものなら、喜んで彼らの考えを正したいよ。でも、心の底では正すなんてできないと分かってる。だって彼らはみな九時から五時までの人間で、あり得ないような生活にどっぷりつかってる。そんなことに関わるのはごめんだ。『シング・アウト!』は巨大な組織で、大衆を動かしていると知っている。ものすごい金を動かしてる。彼らには権力がある。いいかい、ボブ、彼らは大金を稼いでる。あの組織のなかで尊敬してるのは、年寄りでヒップなモー・アッシュだけだ。彼だけは自分が真面目ではなく、道化でもなく、そして世界がサーカスでもないことを知っている。彼だけは。ほかは誰も分かっていない。彼らにあるのは力といかさま、見せかけの権力だ。やつらはバカだ。ぼんくらだ。あそこの頼みはいっさい聞かなかった。なあ、分かるだろう。やつらは滅びる。抜け出せたら万々歳だ！　だから言っておく、手を引くんだ。立ち去るのに彼らをけなす必要はない」

今夜は読まないと分かっていながら、彼はネブラスカのファンから渡された詩の束に目をやった。空港整備工に言った「寂しいところだね」という言葉に胸をつかれたと、私は言った。「彼はいいやつだった」。ディランは言った。「かわいそうなやつだ。ネブラスカの平原で何をしてる？　それを知りたかっただけだ。興味があった。どこだって寂しいさ。それに耐えられない人、受け入れられない人――そんな連中が世界を破滅させ、人びとを困らせる。ひとえに居場所がないというだけで。みんな死ぬ――これだけは万人共通だ」

「いまぼくはここにいて、誰もがぼくをうらやみ、ぼくの持っているものをうらやんでいる。ぼくが昔そうだったように。それがどんなことかは分かってる。でも、それは信念がないとか、自分を好きになれないというようなことだ。べつに禅とか仏教とかの話じゃない。自分を好きになるべきだとか、すべてが最高でなきゃいけないというつもりはない。何らかの形式に従うべきだなんて誰にも言うつもりもない。断じてね。誰の気持ちも欲しくない。そんなことになったらやめるよ。みんな、ぼくがやめかねないと知っている。多くの人がそう思っている。イギリスに行ったあと、ぼくは中断した。それを終えて、もう一度やめることもできる」。すでにウッドストックからはしばらく身を引いていると彼は言った。「引っ越したのはずいぶん前だ。（一九六五年の）夏が終わる前にニューヨークに引っ越した。あそこではもうやっていけなかった。もはやプライベートなんかなかったんだ。あんな思いは二度とごめんだ。二度と他人に住んでいる場所は教えない。誰もがぼくを引き裂こうとする。いまでは誰かを田舎に連れてゆくこともない。田舎はひとりきりになれる場所だ。もしひとりになるのが嫌で、することが何もないなら、バスに乗って戻ってくればいい。退屈したら戻ればいい。ぼくは必要なだけひとりでいられる。人づき合いなんてどうでもいい。誰に対しても言いたいことなんて何もない。でもそんなふうにいるのは、他人にとってはとても難しいことだ」

ディランの「ひとりきりになれる」場所探しには、多くの不動産仲介者と引っ越し業者が振りまわされた。彼は私に聞いた。「イギリスから戻ってぼくは何をしたと思う？　部屋が三一ある家を買った。信じられる？　それは悪夢へと変わった。なぜならぼくはまず、『追憶のハイウェイ61』を書いたんだけど、同じ場所でまったく違うものを書くなんてとてもできないと思ってしまった。これにはまいった。呪いみたいなものだ。どうしようもない。新しいものを作るためにある場所を使うと、もうその場所には戻れなくなる。なぜって――出産のにおいを嗅いだことがある？　とにかく、ぼくは出産のにおいに耐えられない。いつまでもまとわりついて。とにかく、そこは住むだけにして前に進もうとしたけど、できなかった。だからいまその家は売りに出され、ぼくはアルバートのところに戻った」

私たちは少しばかりビートルズの話をした。ディランは一九六四年のツアー中の彼らとニューヨークのデルモニコ・ホテルで初めて会った。しかし彼はその頃、ビートルズの誰よりもマーロン・ブランドに親近感を抱いていた。「きみも会ってみたら分かる。ブランドのような人はほかにいない。マスコミは誰ひとり彼を正当に扱っていない」

今回のツアーで、私はディランとマネージャーのあいだの亀裂が大きくなっているのに気づいた。「アルバートはときに無理難題を押しつけようとする。彼とぼくは自然にうまくゆくこともあれば、ぼくが彼を説得しなければならないこともある。彼は自分に利することしか意見を飲んでくれない。他のときは彼にとやかく言われたくないね」。マネージャーはスターの雇われ人であって、スターを雇っているんじゃないってことを理解すべきだと私が言うと、ディランはとつぜん怒りだした。自分では妻の愚痴を言うくせに、他人に妻を非難されるのは決して許さない男のように、彼はアルバート・グロスマンを擁護した。「アルバートはぼくに雇われてるわけじゃない。彼をこき下ろすのは――どうせ批評家たちだろう。そもそも――これはサラから聞いた話で、真実だけど――地獄には批評家のための特別な場所があるって知ってた？　聞いたことない？　ダンテの時代より前の話だ。『地獄篇』より、黒死病より前の。考えてみれば恐ろしいだろ。明らかに、紀元前二、三千年ごろにボロをまとってうろついていた人間も、口さがない連中とは顔を合わせたくなかったってことだろう。それはいまも変わらない」

ディランの気分が大きく振れるのにはとっくに慣れていた。それを踏まえて初めて、何が彼の気分を高揚させ、何が落ちこませているかが分かるようになった。今回のツアーのあいだ、彼は深く広がる悲観に落ちこんでいるとしか思えない言葉を発したことがあり、私は落ちこむ彼を元気づけようとした。数日後、彼は私の誤解をとがめた。「ぼくは悲観論者じゃない。ただ、いまの気分を手っとりばやく、簡単な方法で伝えようとしているだけだ。ぼくが悲観論者なら、話すらしないだろう。部屋の隅に引っこんでるよ。他人に自分の気分を押しつける――これだけは誰にもやったことがないし、これからも絶対にやらない。どうしてこんなに何時間も座って話をしたあとで悲観論者と思われなきゃならないんだ？　侮辱もいいところだ！」

「何が問題なのか、何がみんなを悩ませているのか教えよう。それはぼくがとどまっていないことだ。人はぼくを死んだという。そんなことを言うのはバカげてるし、彼らも分かってる。去年はちょっと過剰だったね。みんながぼくの曲を録音していた。当時のぼくならさらに曲をこしらえるのだって簡単だっただろう。そしたらみんなそれに乗っかったはずだ。ぼくの曲を必死に聞いたにちがいないよ」。彼は一九六五年のフォーク・ロックのうねりについてそう語った。

ディランの二面性は、そばにいた人すべてを当惑させ、困惑させ、ときに彼自身を混乱させた。一九七六年頃になって、ようやく彼は自身の双子座の性格について語った。「ぼくを両極端に走らせる。決して真ん中でバランスを取れない。片側から反対側へ動き、どちらにも長くとどまれない。幸せで悲しく、上っては下り、入っては出て、空高く舞いあがっては地中深く沈む」。少なくともその傾向は十年前から一貫していて、この飛行機に乗りこむときも彼は両極に大きく揺れていた。私がフィル・スペクターにインタヴューしたいと言うと、ディランは「うん、うん、会いに行けばいい」と答えた。そう言ったあとで自分がどんなにフィルに迷惑をこうむったかを話しながらも「彼のことを思うと心から愛情がこみあげると伝えてくれ」と言った。彼の二面性はマスコミ、批評家、ご意見番や世論の先導者に対しても表れる。ディランは彼らを嫌い、執拗に困らせたが、同時に気になってしかたがないのだった。「雑誌、批評家、『ニューズウィーク』『タイム』『ルック』『ライフ』――どれもみんな無意味だ。あんなもので人の心が変わるとは思えない。何かが流行すると、誰かが裏にまわって人気の秘密を探ろうとする。ぼくに言わせれば、人が何かを本当に好きになるのは、それが好きだからだ。何かに夢中になっている、それだけだ。たまたまそうなっただけ。そして何かが起きたってことは、起きたってことだ。『好き』と『嫌い』なんてなんの中身もない」

マスコミを巧みに操る男にかかればさしずめ、言論界、かくもはかなし、というところだろうか。私は彼が傾倒する黒人ミュージシャンに話を向けた。「アレサ・フランクリンにぼくのことをきいてみてよ」。ディランは言った。「ステイプル・シンガーズでもいい。メイヴィス・ステイプルズにも。マヘリア・ジャクソンが楽屋から出てきてリムジンに乗りこんだ夜を覚えてる？（一九六二年、ニューヨークのランドールズ島ゴスペルフェスティヴァルで）メイド数人をしたがえて楽屋から出てきた。メイドが彼女のドレスを抱え、車のドアを開けただろう？それは優雅だった」

「多くの人が、現代の黒人ミュージシャンたちは正当に評価されてないと思ってる。彼らの多くが正当に評価されず、真に才能を持ちながら怪しげなクラブで演奏してる。彼らの大半がそうだ。でもぼくたちが聞くレコードの大半は真似ごとだ。彼らもまた、真似するべきだと思える人たちの真似をしている。彼らに一〇〇万ドルとか、郊外の一軒家とか、ゴルフコースを与えろと言ってるんじゃない。ぼくが言いたいのはそこだ。平等の話でもなければ充分な食糧の話でもない」

なぜ、かつてあれほどのエネルギーと歌を注ぎこんだ公民権運動に対してこれほど絶望的になったのか？

「そのことに悲観的になってるわけじゃない。違うよ、そこは誤解されたくない！ぼくには白人優位を叩きこまれた人間が――ああ、そこが問題だよ！いずれにしてもぼくの口から『ニグロ』という言葉が出たら滑稽だろ。ニグロってなんだ？ぼくには分からない。ニグロってなんだ？黒い人？どんな黒？ニグロってなんだ？十二人の子どもと二部屋のあばらやに住んでる人？白人だって十二人の子どもと二部屋のあばらやに住んでるやつはいくらでもいる。だからニグロなのか？　ニグロってなんだ？　アフリカの血が混じってる人？白人だってアフリカの血が混じってる人はたくさんいる。ニグロってなんだ？　エチオピア人であるとか、そういうこと？　あれはニグロじゃない、古い歴史を背負った、敬虔な、パジャマみたいな服で馬に乗る変わり者だ！　ニグロの権利にはまったく反対じゃない。反対したことは一度もない」

すぐにディランは、ニューヨークにいた若い頃の黒人の友人たちの名前を次々にあげた。彼を息子や兄弟のようにかわいがったメルとリリアンのベイリー夫妻、学生非暴力調整委員会の前委員長ジム・フォアマン。ディランはなつかしそうに、ともに働き演奏した、ジョージア州オールバニ出身の若い黒人の名前をあげた。たとえばバーニス・ジョンソンとコーデル・レーガン。「彼らの名前を本に載せてくれ。コーデルはいいやつだ。いかれてて。唯一の誠実ないかれた男、あえて言うなら本当に悪そうな見た目で、素手で人も殺せて、どこに行くにもこいつとなら大丈夫だと思える、唯一のいかれたやつだ。いまはそんなに人に会わない。だからこそぼくが愛したたくさんの人のことを書いて欲しいんだ。彼らのことをぼくが良く言っていたと書いてくれ。なあ、ぼくは全員の申し出を断ったんだよ、ボブ。これをすべてきみにやる。きみなら付き合ってくれると信じてる。これまでぼくが間違ったことはない。この本について何か言うかもしれない。言ったとしても、干渉はしない。きみのパンを欲しがるつもりはないよ」

ディランの気分が変わりやすいことを心に置きつつ、私は人、音楽、過去の作品について彼の考えがどう変わったのかを探ろうと、慎重に語りかけた。「きみはいつも、終わったばかりのレコーディングについては熱く語るのに、数か月ほど経つとあれは無駄だったと言う。少なくともこれまではそうだった」。「いや、そうじゃない」。彼はかっとなった。「最新のレコードは気に入ってる。ぼくは『ブリンギング・イット・オール・バック・ホーム』を作り、そのレコードを愛してる。『追憶のハイウェイ61』も愛してるし、『ブロンド・オン・ブロンド』のアルバムも愛してる。四枚目のアルバム『アナザー・サイド・オブ・ボブ・ディラン』でぼくがやろうとしたのは――まあ、疲弊し切っていて、自分が何をしてるかも分からなくなっていた。作るのを急ぎすぎたんだ。すべてを一度のセッションで終える。その考えはよかった。いや、最初のアルバムは好きじゃない。それでも、いまでも光るものはある。たとえばハーモニカとか、『いつも悲しむ男』のアレンジとかは好きだ。『死にかけて』はいまも色あせない。でも全体としてはなんの意味もなしていない、分かる？　一貫性がないんだ」

自分自身ほど手厳しい批評家はいないのではないか？　「もちろん、ぼくは自分に対するいちばん手厳しい批評家だ！　今のはぼくの言葉じゃない、きみが言ったんだ。いろんなことをやってきたけど、ぼくとしては、最近のアルバム三枚は、批判の余地がない。神様のつもりで言ってるんじゃない。ただ、そうだからそうだと言ってるだけだ。ずいぶん長く取り組んできた。アルバムタイトルを『追憶のハイウェイ61』にしようと思ったとき、誰も理解しなかった。だからぼくは『彼の好きなように呼ばせればいい』という言葉をかけられるまで地位をあげなければならなかった。アルバムに何を入れるかで戦わなきゃならない。曲を入れるのは、それが正しいと分かっているからだ。そしてたしかに正しいことが証明された」

このツアーで何度もディランを悩ませたひとつがアンプ装置だった。セットはエンジニアのリチャード・アルダーソンが集めた最高のものだったにもかかわらず。音響も、特にスポーツ競技会場のときはひどかった。ディランは続けた。「今年は、ぼくたちのやっていることを知ってもらいたくてツアーをやってる。多大な時間の浪費になったよ。どんなに演奏が最高で素晴らしくても、それが観客の耳に届かなければなんにもならないと気づくのにひどく時間がかかった。しかも、後ろにいるのは忠実なファンばかりだ。彼らには応えなくてはいけない。でも、きみがその耳で聞いたように、いま使っている音響システムに勝るものは世界じゅう探してもどこにもないんだ」。彼は私がこれまで聞いた公演の音をどう思ったか詳しく尋ね、ツアーの最後をカーネギー・ホールで飾りたいと言った。私は冗談めかして、音響が最高だからと、メトロポリタン・オペラ・ハウスを勧めた。ディランは笑い声をあげ、それから真顔で尋ねた。「そこは何人入る？」

話は彼が自分のことを書いた、一九六二年の散文詩録「盗まれた時間の中の生活」に移った。ディランは二面性の巣をかけ続けた。「否定はしない。悪く思わないでくれ。知らないと言うつもりはないけど、あれはぼくじゃない。別の誰かが書いたんだ。ぼくは五年前のぼくとは違う。いうなればぼくが彼だったようなものだ」、そう言ってディランは眠るバンドメンバーの一人を指さした。「ぼくの頭のなかではあんな感じだよ、ボブ。それについては答えようがない。否定はしない。そのときぼくはぼくじゃなかった。きみは別の誰かがやったことについて話している。そのときはそうするしかなかったんだ」。私は尋ねた。「それは、きみが過去に書いたり言ったりしたことを引用するときにも当てはまるのか？」。ディランは答えた。「ああ。もちろん、でも文脈はきちんとしてくれよ。それはぼくの――ぼくの手と腕から流された血なんだから」。「誰によって？」。「ぼくの脳みそによって」とディランは答えた。「すべてを覚えてる。下書きも。これがいつか小説になるかもしれないと思いながら書いた言葉も覚えてる。どうしてそうしたのかも覚えてる。理由も。ごまかしも、嘘も、全部覚えてる。キュートでおかしいこともすべて。ぼくはいますごくラッキーだよ。これで何も生み出せなかったらラッキーとは言えない。そんなことをこの半年考えていた。たしかにぼくはひどく落ちこんでいた。十回レコーディングをやって、一曲も完成しなかった」。彼が言うのは『ブロンド・オン・ブロンド』のことだ。なぜそんなに遅れているのか？「バンドだ。でも、それが分からなかった。バンドのせいだとは思いたくなかった。間違いだったと言ってるんじゃない。もう一度やり直すつもりだ。ナッシュヴィルに戻って、そこでもダメだったら、飛行機に乗って何かが起こるのを待つよ。それが現実だ。人を責めることはできない。責める権利はない。だからと言って自分を責めてるわけでもない。ただ、落ちこんでただけだ」

私はハリウッド・スターにするような質問をしてみた――稼いだ金で何をしている？　どなり返されるのではないかと固唾をのんだ。「そんなことを知りたがるやつには」、ディランは最初で最後の資産公開をしながら言った。「自分のポケットを調べろと言っておけ」。私たちは声をあげて笑った。それから将来のヴィジョンについて尋ねた。「先のことは話せない」。ディランはゆっくり答えた。「一時期よりは話せるようになったけど、多くは話せない。映画の話がある。映画を作ろうと思ってる、最高なものになるはずだ。それと、マクミランから出るこの本」、ディランは膝に載せたままの封筒を軽く叩いた。「すでに宣伝されて、いろいろと書かれてる。みんなこういうのを期待していたんだ」。彼は『タランチュラ』の封筒をうさんくさそうに見ながら続けた。「新聞を見るたび、この本についてなにかしら書いてある。それからタイトルは人任せにしてしまった。任せるべきじゃなかった。だから変えようと思ってる。ほら、ぼくは分かりきったことが嫌いだからね。分かりきったことは後退の一歩だ。人は後ろ向きに進むべきじゃない、だって後ろにあるものを人は知り得ないからだ。見える方向は前だけだ。後ろじゃない」

まだ急降下した気配はなかったが、飛行機の振動が小さくなっていた。デンヴァーは標高が高く、東から来る飛行機を地面がせり上がって迎えるような感覚になるのを忘れていた。ザ・ホークスのメンバーがもぞもぞと身体を動かし、目をこすりながら目覚めた。彼らはディランが起きたままで、まだ話していることに驚いた。彼はヴィクターとビルに飛行機から下りる際の指示を出した。ロビー・ロバートソンにはモーテルについたら二、三時間、仕事を頼みたいと言い、ロビーはうなずいた。飛行機がそっと滑走路に着陸するあいだも、ディランは話し続けた。ネブラスカのファンからもらった詩の束を見やり、また別のときに読まなきゃなと言った。彼の視線は膝に乗せたふたつの封筒のあいだを行ったり来たりした。「彼の気持ちはよく分かる。どこか小さな町で、作家を夢見る少年がどんなものか」

ステイプルトン飛行場の地面がゆっくり迫り、着陸したのもほとんど気づかないほどだった。空港でディランはニューヨークのサラに電話した。荷物を受け取り、車を調達し、ツアー隊はウェスト・コルファクス通りの「モーテル・ド・ヴィレ」に向かった。部屋は「アッシェズ・アンド・サンド」の名前で予約してあった。ディランは一〇二号室、ロビーは一〇四、私は廊下の突き当りの一〇八号室。時差はあったが、もう午前三時近くで、今夜はこれで終わりだと思った。「十分たったら、ボブ」とディランは言った。「部屋に来てくれ」

ロビーとディランはアコースティックギターを抱えてツインベッドに寝そべり、一時間のジャムセッションを始めた。私はコーヒーを飲んで目を覚まし、演奏する二人を録音した。どれも新しい曲で、タイトルはなかった。「悲しい目の乙女」を弾き始めたとき、ディランは言った。「これまでで最高傑作だ。最後まで聞いてくれ」。ロビーの顔は疲れて青白かった(3)。もう寝なければ、明日は起きられそうもなかった。するとディランが言った。「明日の午前中、セントラル・シティに行こう。きっと気に入るよ。十一時頃に部屋へ来て」

翌朝、彼はニューヨークのグロスマンと電話していた。「あと五曲、吹きこまなきゃならない」。ディランは電話に向かって言った。「ああ、ああ、それはまともな数字とは思えない。うん、うん。シナトラが欲しがってるって？　オーティス・レディングはどう？　彼がやる方がいいな」。セントラル・シティ行きは息抜きのつもりだったらしいが、移動中の彼は無口で、気がふさいでいるように見えた。「あまり声は出したくない」と彼は言った。「今朝は声がかすれてる」

ディランが初めてデンヴァーからセントラル・シティまでの二五マイルを移動したのはバスとヒッチハイクでだった。それはまさに西部開拓時代の再現だった。金鉱、保安官、映画セットのような建物。そして一九六六年の日曜の午後、彼はまたもや感傷に駆られてそこへ戻り、ビル・アヴィスとヴィクター・メイミューズと一緒に車に乗り、曲がりくねったハイウェイ58を流した。やぶだらけの削れた丘陵地帯を抜けるこの道は、かつてデンヴァーへのライフラインと呼ばれ、資材の運びこみや金塊の運び出しに利用されていたが、いまでは観光客が通るだけになっていた。

ディランは車の前部座席に座り、デンヴァーのコンサートのために声を温存していた。『ブロンド・オン・ブロンド』のジャケットのような、ヘンドリックスたちがたちまち影響された縮れ毛が、疲れてやつれた細面の顔を縁取っていた。「今日はどう見えるか分からないけど、初めてここを登ったとき、セントラル・シティは天国のように見えた。これまで見たり経験したどんなものともかけ離れていて、魔法みたいに思えた。無理もない、高校を出たての少年がこんな山のなかに来たんだから！　世界を発見したような気分にもなるさ」。私たちは波型鉄板とタール紙と廃材でできたあばらやの前を通りすぎた。「テレビアンテナを探してくれ！」と彼が言った。最初にヤギとブタを連れて歩くあごひげを生やした世捨て人を見つけ、それからアンテナを見つけた。ディランは山道にＤＪの声が響くまでダイヤルをまわした。「ではサイモン＆ガーファンクルの最新シングル、『早く家へ帰りたい』をどうぞ」。彼はシャツの襟と、それから顎を触りながら黙って聴いていた。

二、三度、角を曲がると、一八五九年が出現した。丘陵地帯に古びた石の建物と、小さな木造の家が並んでいた。一八五九年五月、ジョン・グレゴリーという男が率いる九人のジョージアの探鉱者が、ここで金脈を掘り当てた。「グレゴリーの採掘」と呼ばれ、三か月で二万人が押し寄せた。コーンウォールの鉱夫は音楽への愛を持ちこんだ。地元で最初のヒット曲はアイルランドの伝説の鉱夫を歌った「パディー・ケイシーズ・ナイト・ハンズ」だった。一八六二年でもショービジネスはショービジネスで、モンタナ劇場のオーナー、ジョージ・ハリソンは商売敵のチャーリー・スウィッツに三五発の銃弾を撃ちこんだ。殺された方より有名だったジョージは無罪放免になった。やがて知識人が定住しはじめ、一八七八年にはオペラハウスが建設された。支援者たちはこの町を「アメリカのザルツブルク」と呼んだ。ディランがここに初めて来た頃は、芸術祭が年中行事になっていた。

古い裁判所の脇に車をとめ、ユリーカ・ストリートからメイン・ストリートをぶらぶら歩いた。「何も変わっていない。ほとんどそっくり昔のままだ」と彼は言った。私たちはロケ地を選定する映画撮影隊のようにオペラハウスの前を通りすぎた。数人の観光客がディランをじろじろと見つめ、一人の若い子が叫んだ。「彼がこんなところで何をしてるの?」メイン・ストリートの小さな名もないバーは暗く、入口に水槽のような大きな丸窓がついていた。「ここだ」。ディランは水槽をのぞきこみながら言った。ここは、あの夏ディランが数ドルをめぐって「取っ組み合った」という「ギルデッド・ガーター」があった場所だ。一九六一年に彼はこう話していた。「ぼくはほんの数分、フォーク風の歌をステージで歌っていた。そのときストリッパーたちが出てきた。客はもっとストリップを見せろとどなったけど、彼女たちはステージを下り、ぼくはステージに戻って歌った。夜が更けるにつれ、辺りの空気は重くなり、客はますます酔って横柄になり、ぼくはいよいようんざりしてきて、とうとうクビになった」

店から離れながら彼は言った。「ほんの二、三週間しか続かなかった。でもたぶん一生忘れない。給料はほんのちょっとだったけど、みんなサンドイッチや飲みものを投げてくれたし、ストリップも見放題だった。うるさい酔っ払いもタダで投げこまれたけどね」。それから小さな骨董店に入り、ディランは十五分ほど土産物を物色した。彼は私が貸した一ドルで数枚の絵ハガキを買い、おつりで小さなカウボーイハットを買った。店には全盛期に射殺された社会の敵ジョン・デリンジャーの生写真があった。店主は二十ドルと言い、「レア・アイテムだ」と言った。ディランは『俺たちに明日はない』のスチルのようなその写真をしげしげと見た。「考えておくよ。欲しくなったらまた来る」。卵とハンバーガーでさっと昼食を取り、デンヴァーに戻った。「あっという間に時が過ぎた」、彼は考え深げに言った。「まるで他人に起こったことみたいだ」

　外出のあと、モーテルに戻った。コンサートの前にひと眠りするのだろうと思ったが、彼は三十分後に来てくれと言った。部屋に行くと、彼は色あせた古いシャツとジーンズという恰好でうろうろしていた——とたんに私たちは四年前の、ヴィレッジにいた頃のシンプルな時代に戻った。私はテープレコーダーのスイッチを入れ、それから二時間、彼に質問を投げた。彼は機内にいたときほど熱心ではなかったが、それでも明晰で、率直だった。ディヒビング、ニューヨーク、ディンキータウン、ウッドストック、メンフィス、そしてロンドンの話をした。ディランはテレビをつけ、話の流れを失うことなくホラー映画に熱中した。どこかの悪党が恐ろしい毒薬を混ぜている。「おい、見ろよ！」彼は少年のように叫んだ。「シアン化合物で切り抜けるつもりだ！」

　彼は服を掛け、片目でテレビを見ながら室内をうろついた。そしてトレードマークだった帽子のこと、最初のライヴのこと、当時のフォーク・シーンについて話した。自伝を書きたいと思うか？　彼は言下にはねつけた。「いや、興味がないね」。彼が気に入れば、この本は時間の節約になるかもしれない。「きみの本に期待するのは——アルバートに話したよ、きみと一緒にやるって。彼の反応は『なんだと？』」。私たちは声をそろえて笑い、彼は続けた。「アルバートに話したら、『ふん、ふん』と言っただけだ。彼はぼくに『ふん、ふん』と言い、ぼくは大丈夫だと言った」。アルバートはきみを守りたいんだ、と私は言った。「もちろんそうさ、でも——」そしてディランは敗者であり、勝者であり、操縦者であるマネージャー一般をこき下ろした。

「こんなツアーをやりながら、どうやって仕事をしてる？　どうやって書いてる？」私の問いに彼は答えた。「かなりハードだ。九月からずっと死にそうで、本気で気が変になりそうだ。こんなことは今までなかった。ぞっとするような時間だった。ほんとに落ちこんだ」。来年はもっと減らすと彼は言った。「キャリアの話をするのは落ち着かない。話しにくいことだ。ひどくバカげてる。心のなかではすごくラッキーだと分かってて、これがいつまで続くのかは分からないから」

　それから彼の人生に重要な影響を与えた人の話をした。「スージー、彼女には残りの人生をかけて優しくしたい。何か必要なものがあったら、いつでもぼくのところに来て欲しい」。だが他の人には手厳しかった。「どいつもただのペテン師だ――ぼくと知り合いになるべきじゃないよ。ぼくと知り合いだと知って近づいてくるバカな連中に時間を取られるだけなんだから」。私たちは時間も場所も超えて自由に話した。ディランは一九六三年にロバート・グレーヴスに会ったことを振り返った。「イギリスで会った。ぼくが『ホリス・ブラウン』を歌っているとき、彼は誰かに話しかけていた。ぼくは彼が誰かも知らなかった。ぼくは少人数の前で歌っていて、そこに彼がいた。立ちあがり、自称『プロ』の四人の若者に話しかけていた。彼らはブルー・エンジェルかどこかのバーで歌っていた。一人がアコーディオン、一人がストリング・ベース、一人がグレッチのリズムギター、もう一人が歌とトロンボーン。ぼくが『ホリス・ブラウン』を歌っているあいだ、ロバート・グレーヴスは彼らに話しかけ、音楽について尋ねていた。ぼくは歌うのをやめて尋ねた。『あれは誰？』」。それからイワン・マッコールの話になった。「てっきり彼は死んだと思ってた。彼のような人間は山ほどいる。マッコールがトム・パクストンやフィル・オクスについて言ったことはあまりに卑劣で、無意味で、ありきたりで――そう、あまりに狭量だ。アメリカの伝統的フォーク音楽は偉大な音楽で、それを小さな瓶に入れて、水を入れて、沼に隠しておこうとするのはかなりの罪だよ」

時間は瞬く間に過ぎ、私は彼を疲れさせたのではないかと不安になった。「心配いらない、大丈夫だ」。彼は娘のために買った小さなカウボーイハットをもてあそび、それからわざとらしく「ラビット・スーツ」を引っ張り、コンサート用にめかしこむなんてめったにないと言いながら衣装のほこりを払った。彼は自分を笑い、私はレコーダーを切った。「来週のエル・パソにも来てくれないか」とディランは言った。まず西海岸で十数人と会う仕事があると答えると、彼は『ブロンド』の仕事が残っているから、オクラホマの二回の公演はキャンセルせざるを得ないと言った。「五月のヨーロッパツアーは無理？」と聞かれ、私は無理そうだと答えた――仕事があった。「仕事があるんだ。公演が終わった頃に行くよ」

ディランは温存していたエネルギーでまたも三〇〇〇人の前で演奏し、私は驚嘆した。彼はこれを秋からずっとやっているのだ。ジャンジャンと反響するデンヴァー・ミュニシパル・オーディトリアムの観衆は、彼がこれを一か月以内に十七回もやっていることを知らない。コンサートが終わり、混み合う彼の部屋に戻った。辺りには熱気が残り、ディランはかなり酔っていた。彼は去年アルバート・ホールでの公演のあと、レノンとマッカートニーがホールからあわてて逃げる様子を話し始めた。ビートルズのメンバーが階段を駆け下り、踊り場で息をついて追いかけられていないかを確かめ、また階段を駆け下りるさまを真似してみせた。なかなかのパントマイムで、ザ・ホークスのメンバーがどっと笑った。ファンが部屋に押しかけ、友人たちが顔を見せ始めた。彼はにこやかだったが、疲れは隠せなかった。私がそろそろ出て行こうとすると、ドアまで送ってくれた。

「ねえ、ボブ、ぼくはきみの本を信用している」。疲れと興奮の向こうに、彼のいつもの寛容さがあらわれた。「エル・パソかイギリスに同行できないか、考えてみてくれよ。あそこは違うと思う。もっといいはずだ。ラルフによろしく」。ラルフ？　そうだ！　数日前、サンフランシスコで私はラルフ・グリーソンに会うことになると話していた(4)。あんなにいろんなことを考えている彼が私の予定を覚えていたなんて。彼は部屋に戻り、もう遅くなったし、ぼくもすることがあると告げた。一人また一人、部屋を出ていった。パーティは終わりだ、とりあえず今夜は。

そして、中部オーストラリア

アメリカ中部よりさらに中程度の教養を持ち、茫洋としたオーストラリアがディランに問題をもたらすであろうことくらい、グロスマンは予想してしかるべきだった。だが、キングストン・トリオも、ピーター・ポール＆マリーもオーストラリアで売れた――ディランが売れないはずがない。シアトル、タコマ、バンクーバー、ホノルルでのコンサートのあと、ディランとザ・ホークスは四月十二日にシドニーへ到着し、十五日間のツアーにのぞんだ。『メルボルン・ニューズ・ウィークリー』は彼らをこう出迎えた。「いまや男らしい少年や可愛らしい少女たちはいない。いるのは女のような見た目ですぐ女のように考える若い男と、男のような見た目で男のように考え出す若い女だ……こうなると文明は崩壊し、より原始的で男性的な種族が取ってかわるようになる」

オーストラリア文明が崩壊しつつあることは事前に知らされていなかった。ツアー前の宣伝は最小限で、ディスクジョッキーもディランの曲をかけてはいなかった。彼は都市から都市へ飛び、敵対的で、愚鈍で、冷淡で、無知な報道陣に会い、とびきりの痛烈さで応じた。新聞記事は記事というより攻撃だった。コンサートが終わるたび賛否両論が起こり、取材陣が押し寄せた。三〇五便でシドニーに到着すると、報道陣に交じって五十人ほどのファンが待っていた。彼は何人かに「怪人（ザ・ファントム）」とサインした。彼の巻き毛とサングラスにはこんな声があがった。どうしてロックンロールをやり始めたのですか？「ここではそう呼ぶの？」あなたはプロのビートニクですか？「前は旅団にいた――給料もあったけど、高くはなかったからシンガーになったんだ」。どうして家族に会わないのですか？「どこにいるか分からない」。どうしてそんな奇妙な服を着るのですか？「ぼくの住んでるところではいたって普通だ」。髪をそんなふうにするのは大変ですか？「いや、これで二十年くらい眠っていればこうなる」。『シドニー・サン』紙はディランとの出会いをこう書いた。「小柄で青白い顔……その表情は麻酔のかかった状態で手術室からストレッチャーに載せられて出てきた男のようだった……四五分におよぶ、意味のないつぶやきとぼそぼそしたおしゃべり」。『オーストラリアン』紙の見出しは「ディランのたくさんの恨み節が街にやって来た」で、『シドニー・デイリー・ミラー』紙は彼の「ふまじめさ」を叩いた。ツアーのあいだじゅう、オーストラリアのマスコミは彼のことを書くに値しないと指摘しつつ、しぶしぶ紙面を割いた。

　最もバランスが取れ、温情ある記事を書いたのは『シドニー・モーニング・ヘラルド』紙のクレイグ・マクレガーだった。彼の記事はのちに手を加えられ、『ボブ・ディラン　レトロスペクティヴ』(C)の冒頭に採用された。ディランは時間の大半を書くことと読むことと新しい曲の演奏に費やしたが、気の合う人とはためらいつつも会う努力をし、ホテルの部屋ではファンに囲まれた。ロード・マネージャーは四月十三日のシドニー最初のコンサートとその楽屋にマクレガーを招待した。シドニー・スタジアムの一万席を前にしたディランは、一曲終わるごとに九十度回転するステージに当惑していた。マクレガーは休憩の合間にディランに近づき、床に座って次々とタバコを吸いながら、自分は「物書き」であって、ディランが目の敵にしていた「マスコミ」の一員じゃないことを説明しようとした。

『ザ・サン』は二方向の記事を書いた。初日の大見出しは「シドニー史上最も奇妙なコンサート」だったが、二日目は「誠実さと芸術性と知的追求の稀にみる融合を感じさせる」と書かれていた。四月十五日、一行は北のブリスベンに飛び、『テレグラフ』紙はこうファンファーレを鳴らした、「フォーク歌手の出迎えにファンファーレなし」。ニュースとも言えない奇妙な記事だ。ブリスベンの記者団に対し、ディランは自分の歌にはメッセージがあると認めたが、相手を怒らせるのではないかと恐れ、それが何かは言わなかった。ブリスベンでの二時間の公演はアンプに問題があったが、会場にいた人にとっては音の大きさだけでも「ものすごかった」。エレキ演奏のあいだに目立った敵意は感じられなかった。翌日『ブレティン』紙はあいまいで憶測だらけの評価を二ページにわたって特集した。『ブリスベン・クーリエ』紙の見出しは以下の通り。「ディランへのアドヴァイス　ディランのままでいろ」。『アデレード・メール』紙の見出し。「フォークの億万長者」。『パース・ニュース』紙にいたっては「十インチの長い髪、半インチの長い爪、とても長い銀行口座。そして長大なリストになるオーストラリアのファンは『人種差別も、戦争で若者が死ぬこともなんとも思わない』と言った彼にショックを受けた」と書き立てた。どこにそんなリストがあるのだろうか。オーストラリアでの主な支援者はシドニーの芸術家や作家たちで、そのなかにはアングラ雑誌『オズ』の創刊者リチャード・ネヴィルやマーティン・シャープがいた。フォークファンのあいだでは議論が高まったが、『オーストラリアン』のフォーク評論家エドガー・ウォーターズは好意的だった。「ディランは彼の世代の賢くて感受性豊かな人びとの感情を最も的確に代弁する声であり続けている。耳ざわりな音とヒステリーじみたトーンは、彼が言わなければならないことに不可欠なのだ」

　チケット完売となったシドニー最後のコンサートは音響もよく、観客も理解があり、ディランはいくらかほっとした。翌日、日曜の『サン・ヘラルド』朝刊より。「ディランは心を摑むためにここに来たのではない」。一行は二回の公演が予定されているメルボルンへ飛び、四〇〇人ほどのファンと野次馬とマスコミに出迎えられた。あなたの最大の野望は？　「肉切り屋になること」。詳しく（エンラージ）説明してもらえます？　「大きな（ラージ）肉の塊」。若者があなたの真似をするのはいいことだと思いますか、悪いことだと思いますか？　「それはことだよ」。オーストラリアをどう思いますか？　「小さい頃から来てみたかった。昔、『おじいちゃんがオーストラリアの話を聞いたことがあるらしい』と言っている人と知り合いだという人と知り合いだったんだ。それでぼくはその人に本当におじいちゃんがいたのかを知りたくてたまらなくなったんだ」。ここに来たのは金儲けのためでもある、でしょう？

「でしょうね」。どんなショーにするつもりですか？　「服を着たショーだ。そこだけはまだ自分の好き勝手にはできなくてね」。もう「人種差別や戦争に関心がない」というのは本当ですか？　「ぼくはただのストーリーテラーだ」。本当にどうでもいいんですか？　「どれだけ気にしてるかなんて伝えられるわけないだろ。不可能だ。アメリカでは誰もこんな質問はしないよ。彼らは三年間ぼくを道化にしようとした。だからいまは一切インタヴューを受けていない。ぼくは十五年、書き続けている。記者も食べていかなければならないのは分かる、でも彼らに利用されるつもりはない。もちろん、戦争について、ベトナムについて思うところはある。ぼくの考えは戦争の無益さにあるのであって、その倫理にあるんじゃない」

メルボルンでの二回のコンサートの観客は、ロックの部分に怒ったというより困惑した様子だった。『メルボルン・エイジ』紙の記者は理解を示した。「ディランは猛攻にさらされたかのように、気絶しそうに前後に揺れていた……彼はほんのわずかの人のために長いおとぎ話の答えを編んだ——無意味だが、痛烈におもしろい……もし、しびれを切らしそうになった人間がいたとしたら、それはディランだ……彼は素直に自分が『観察者』で、何ものにも巻きこまれないのだと説明しようとしている……しかし昨今の宣伝業界は非協調主義者に協調する非協調主義者を求めている」。『メルボルン・サン』紙はディランの曲を「人間の心の動きへの深い理解を示している……容赦なく、鋭いが、残酷ではない。ただありのままなのである」と評した。

四月二一日の早朝、ディランはアデレードに向かった。駐機場には数百人が群がっていたが、歓迎委員会はたったの八人だったらしい。「カウボーイはどこだ？」別のホテルの別の記者会見に向かう前に、彼は尋ねた。コンサートではエレキでの演奏パートが始まると会場を出て行く人もちらほらいた。『アデレード・アドバタイザー』紙はディランが「観客を魅了した」と評したが、「声は……ピーター・ローレのようで、見た目は……ハーポ・マルクスのようで、歩き方はマリオネットのようだった」と書いた。翌日、彼は二〇〇〇マイル西にあるパースに飛んだ。着くなり、はだしのディランは言った。「砂漠の上空は揺れたよ」。一〇〇人ほどが出迎え、記者会見ではまたしても皮肉が出た。

曲はいつ書くのですか？　「絶対書かないのは金曜日、それから火曜の夜。メキシコの古い習慣なんだ」。なぜ書くのですか？　「喉が渇けば水を飲む。お腹がすいたら食べる。ぼくはお腹がすいたら書くんだ」。ベトナム戦争をどう思いますか？　「何とも。あれはオーストラリアの戦争だろ」。でも戦地に行っているのはアメリカ人でしょう。「彼らはオーストラリア人に手を貸しているだけだ」。あなたを天才と呼ぶ人がいます――そうだと思いますか？　「ぼくを天才と呼ぶ人は祖父母がいないんだろう」。あなたは変人と思われたくないそうですが、どうしてそんな服を着て髪を伸ばすのですか？　「ぼくの服は保守的だ」。髪も洗わず、歯も磨かないというのは本当ですか？　「嘘だ。ぼくは歯を四セット持ってる」。歌でこれまでいくら稼ぎましたか？　「七五〇億ドル」。オーストラリアのツアーはどうでしたか？　「こんなに変わったツアーは初めてだよ」

四月二三日、パースのキャピトル・シアターでのコンサートのあと、パーティに少し顔を出してホテルに戻ると、若い女優ローズマリー・ゲレッテが待っていた。彼女の母が『キャンベラ・タイムズ』紙の特集記者をやっていたこともあり、ローズマリーはディランのことをほとんど何も知らなかったが、インタヴューを求めたのだ。それから数日のあいだ彼女はディランと親しくしていた。彼女はこの出会いに深く影響されたらしく、それから何年も経ってこのときの話を振り返ってくれた。私に連絡があったのは一九七七年だった。匿名の女優としてではあったが、アンソニー・スカデュトの本に数ページにわたって登場していることは知っていると私が言うと、彼女は答えた、「身にあまる光栄です」。『キャンベラ・タイムズ』五月七日の記事は、典型的な真夜中の作詞作曲セッションを伝えるものだ。ディランは『タランチュラ』の詩を彼女に読み、言った。「人は無名であることを大事に思わない。無名であることを奪われるのがどういう経験か分かっていない」。彼女は文学の話に耳を傾け、ボードレール、ダレル、オーストラリアの詩、ノーマン・メイラーの作品が部屋に散らばっているのを目にした。ディランと一行はパースを発ち、二七時間のフライトを経てストックホルムに着いた。オーストラリアのマスコミは数週間、揺れ続けた。「雨の日の女」は予定どおりリリースされ、予定どおり放送禁止になった。

ヨーロッパ十字軍

疲れと時差で重くなった体を引きずり、ディランとザ・ホークスは四月二九日に行われる一晩限りのコンサートのためにストックホルムへ到着した。スカンジナヴィアの観衆は「バンド」が現れたことに驚き、裏切りと見なした。ストックホルムでディランは五分間のラジオ・インタヴューを受け――これは違法に流通した――そして、記者会見に臨んだ。彼はコペンハーゲンの記者団に尋ねた。「いちばん近い雌牛はどこにいる?」、「ハムレットの城はどこ?」

五月五日、ダブリンのアデルフィ・シアターでのコンサートは酷評の嵐だった。この頃には公演はアコースティック五十分、エレクトリック四五分の計九五分に短縮されていた。『ディスク・アンド・ミュージック・エコー』誌は「目の肥えた行儀のいい」観客の怒りが二部に入ったとたん爆発したと書いた。「裏切り者」「バックバンドを追い出せ」「ゴリウォーグ(D)」「マイクを下げろ」といった叫びがあちこちであがった。アイルランド英語の罵声と、ためらいがちな拍手が響き、音楽関係者も呆気にとられた。『メロディ・メイカー』は書いている。「ディランが腰を揺らし、見た目も音楽もミック・ジャガーみたいになるなんて信じられない……多くの人にとって、あの夜は大いなる落胆だった」。『アイリッシュ・タイムズ』はこうだ。「彼のようなマイナー(詩人)は薄い本を出すべきだ……ギターにもハーモニカにも大がかりな宣伝にも頼らずに。これではまるで詩を大衆に売りつけているようなものだ」

レイ・コールマンが反応を要約している。「一九六五年のツアーは紛れもなく、イギリス国民を気難しい人びとに戻すことに成功したのだと見なさなければならない。彼がアコースティックギターを捨てたことへの苦々しさが広がっていた。ビートルズはディランのアルバート・ホールでのコンサートに現れ、『ボブはすごい、実に素晴らしい』と言った。のちにジョージ・ハリスンは、ディランにはバンドを使う権利があると擁護した。『途中で帰った人は愚か者で、彼らが本当のディランを理解できたとは思えない。いまなおすべてがディランそのものなので、彼は自分の進む方向を見つけなければならない。彼がエレキ・ギターで演奏しようと思うなら、それが彼の取るべき道だ。ルールを決めるのは誰だと思っているんだ?』」。「野次が飛び交うなか」とコールマンは続けた。「アルバート・ホールで私の後ろのボックス席に座っていたビートルズは嘆く観客に向かって叫んだ。『彼の好きにさせろ――黙れ!』」

ロンドンでは撮影隊が待ち受けていた。その多くが前年の『ドント・ルック・バック』に携わったメンバーだった。もともとABCのテレビシリーズ「ステージ67」のために予定されていた一時間の十六ミリカラーフィルムを撮影した。この『イート・ザ・ドキュメント』が公の目に触れることはめったになく、上映されたのはこれまでに二度だけだ。一度は一九七一年二月九日、マンハッタンのアカデミー・オブ・ミュージックで、次は一九七二年の十一月三十日から十二月十三日のあいだ、ホイットニー美術館で。そのときフィルムはディランとハワード・アルクの編集を経て、五四分の作品になっていた。美術館の宣伝文句によれば「反ドキュメント的で……大胆で……われわれがスターとそのパブリック・イメージに抱くすべての先入観に対する挑戦である」。ジョナス・メカスは『ヴィレッジ・ヴォイス』にこう書いた。「ロックにまつわる映画のなかで、おそらく最も豊かで……最良である……彼の姿勢が伝わってくる……期待、あふれる活力、そして生の大いなる歓びが一緒になっているのだ」

　ヴィンセント・キャンビーは『ニューヨーク・タイムズ』（一九七二年十二月一日）で「偏執症の詩人」という人物像に疑問を投げかけた。彼はペネベイカーの作品の大半を撮影したアルクを評価した。アルクはまた、ABCに「どの街にいて、何が起こっているか」を説明しないヴァージョンを拒否されたあとでなお、ディランとともに新しいカットを撮ってもいた。アルクの製作ノートより。「彼らが期待したのは……語られてもいない会話と、起こりもしなかった出来事だった。本物の音楽と、そうでないもの。殺人、悪事、旅、隷属と欲望。ぼくたちは本物の映画を作りたい。もしかしたら、コメディ映画を」

　撮影中は、ドン・ペネベイカーが再び名目上の責任者となったが、のちに彼はこう語った。『イート・ザ・ドキュメント』は「ディランの映画になった。彼のものになったんだ。演奏はひどく緊張していたが、歌は素晴らしかった。もとのタイトルは『ペネベイカーによるディラン（ディラン・バイ・ペネベイカー）』だったが、ディランがアル・アロノウィッツの文章からとって『イート・ザ・ドキュメント』に変えた。今回、ディランは実際の映画製作にかなり関わった。いくつかはパリのオランピア劇場で撮影した。なかでも最高のシーンは、彼の誕生パーティだと思う。スコットランドでは実際にステージで撮影した——あんなことができたなんて信じられない。最高だったのはグラスゴーだ。

高感度フィルムによるハレーションはすごかった。ステージ上のドラッグとロックのサイケデリックな雰囲気を実によく捉えていた。ボブが最終版に何を言おうと、『ドント・ルック・バック』から大きく飛躍していると思う」

ロンドンでの二十分間の記者会見はいくらか反感を引き起こしたが、『ディスク・アンド・ミュージック・エコー』の記者は彼のふざけたスタイルに理解を示した。「彼が失礼な態度を取るのは……バカげた質問をされると思っているからだ。彼は非協力的だが……広いユーモアのセンスを持った、とても思いやりのある男でもある……彼が……くだらない質問を……浴びせられ……我慢できなくなるのも当然だ」。同じ『ディスク』の記者ジョナサン・キングは、ディランが記者団に対して「ひどくマナーの悪い……顔のない飢えたハゲタカ集団」であるかのように接したと書いた。イギリス最初のコンサートは五月十日、ブリストルのコルストン・ホールで行われた。退場者あり、アンコールなし、判で押したような酷評。『グロウセスター・シチズン』紙は書いた。「こぶしを振りまわす観客の大半は、歌詞とメロディをロックの神に捧げた彼らのアイドルにずっと冷淡だった」。『ブリストル・イヴニング・ポスト』にはこんな手紙が届いた。「私の人生に大きな意味を持っていた素晴らしい詩人はいま、みずからを破壊してしまいました」。また別の手紙はこうだ。「たったいま葬儀に参列してきました……彼らは……ディランを……ギターと……耳をろうするドラムの墓に埋めてしまった……唯一の救いは、ウディ・ガスリーがこれを目にしなかったことだけです」

五月十一日、カーディフのキャピトル・シアターに集まったウェールズの観客は敬意を示した。アンプの不具合を調整するあいだ、地元の裏方のひとりは「完全に準備が整うまで、誰もマレーネ・ディートリッヒに会うことはできない」と、マスコミだけでなく劇場スタッフまで追いはらった。『ステージ・アンド・テレヴィジョン・トゥデイ』紙は書いた。カーディフの観客は「驚くほどなんの苦もなく……新しいイメージを受け入れたように見えた」

五月十二日、バーミンガムのオデオンでのコンサートは四五分遅れて始まり、カーディフ以前のパターンに戻った。アコースティックのソロパートは温かく迎えられ、ロックパートには敵意を向けられた。憤然と退場する者。「偽フォーク」「裏切り者」「本物のディランを」「ヤンキーは国へ帰れ」「聴きたいのはフォークだ」の怒号。『バーミンガム・メール・アンド・ディスパッチ』紙はこう書いた。「伝説のディランに落胆」。『メロディ・メイカー』より。「バーミンガムはエレクトリック・フォークを……にべもなく拒否した……曲と曲のあいだ、彼は長く観客に背を向け……野次を浴びせられ続けた」。『ストラトフォード・アポン・エイヴォン・ヘラルド』紙はイメージの破壊だと言った。「われわれの世代のヒーローで、これまでずっと神のように崇めてきた男は……光輪を破壊しようとした……私はいつだって、ボブ、きみとともにいる」

そして五月十四日、ビートルズの本拠地リヴァプール・オデオンでのコンサート(5)。事前の宣伝もなく、ディランがいることもほとんど知らされなかった。誰かが野次を飛ばした。「あんたのなかの詩人はどこにいった？」そして「あんたの良心に何が起こった？」。ディランは答えた、「あそこに聖人を探してるやつがいるぞ」。五月十五日、レスター。好意的な前半部のあと、ザ・ホークスに「引っこめ」と野次が飛び、口笛が鳴り、退場者が出た。『ケンブリッジ・タイムズ』紙の評。「控えめに言っても……観客はこの『ひどい仕打ち』を喜ばなかった」。『イラストレイテッド・レスター・クロニクル』紙で、のちにアイランドレコード、ＥＭＩ、ＣＢＳレコードの報道責任者となったデヴィッド・サンディソンは言った。「ディランは素晴らしいバンドに支えられている……存命でおそらく最高の若き詩人のひとりである彼は……ギンズバーグとコーソが自由詩でやってきたことをやっている……ディランは詩を生み出している……えり好みする人であっても……コンサートは成熟したものに感じられ……自分たちの偏見が、まさしくディランが反対運動をしてきた偏見と同じくらい大きなものだと……気づくだろう」

五月十六日、フォーク純粋主義者というより単なる偏屈屋とおぼしき人物がシェフィールドのゴーモン・シアターに「爆発物」を仕掛けたと電話をかけてきた。消防隊と爆弾処理班は二〇〇〇人の観客に何も知らせぬまま捜索したが、徒労に終わった。マンチェスター公演の頃には、ぶしつけな記者と観客が、保守的な見解と原始人並みの美意識をもつ体制派集団となった。なぜ彼らが野次を飛ばし続けるのかを推し量るのは難しい。その頃にはどんな公演になるか分かっていたはずなのに、なおもフォーク・ロックでの演奏を自分に向けられた侮辱と捉えようとしているように見えた。五月十七日、マンチェスター・フリー・トレード・ホールは新たな受難の場となった。ディランは音量が大きすぎだと詫びたが、怒りは静まらなかった。

五月十九日のグラスゴー・オデオンでは、野次と退場者は出たものの、新しい音楽が好きな観衆がそうでない連中を黙らせた。誰かが叫んだ、「ディランを出せ」。ディランは答えた、「ディランは具合が悪くて楽屋にいる。ぼくは彼の代役だ」。反対派が「裏切り者！」「黙れ！」と叫ぶと、支持派が「耳を洗ってこい！」とやり返した。

五月二十日のエジンバラABCシアターでは、またも聴衆は二つに分かれた。ディランがハーモニカのリードが壊れているのに気づくと、ヘイスタック・コテージのアンドリュー・ヤングが自分のハーモニカを渡した。ディランは曲を終え、楽屋から新しいハーモニカを持ってくると、自分のと一緒に借りたハーモニカを返した。スコットランド版『デイリー・エクスプレス』紙は書いている。「昨夜のステージはまたしてもブーイングの嵐で……観客の一人がハーモニカを取り出し、彼の歌に合わせて吹こうとした」。五月二一日、ニューカッスル・オデオンで「いつもの朝に」を演奏すると、「得意なやつをやれ」「アニマルズに習ってこい！」の怒号が飛び交ったが、彼が「ローリング・ストーン」を歌いだすと、観客は温かく受け入れた。

五月二四日、パリのオランピア劇場でのコンサートの日は彼の二五回目の誕生日だった。最大六十フランまで上がった二〇〇〇席のチケットは一か月前に完売。チケットはフランスのパフォーマー、ジョニー・アリディ、シャルル・トレネ、フランソワーズ・アルディ、ユーグ・オーフレイ、アントワーヌたちの手にも渡った。フランスほど報道陣が盛り上がっている場所もなかった。ディランが到着した日は一万人ほどの若者がウーランで行われたフランスの労働組合主催のフェスティヴァルに参加していた。バークレイ・レコードからディランの曲を歌ってリリースしていたオーフレイがフランス語通訳を買って出て、ルダージュ空港に「たったいま」、「私の友人」ディランが到着したと告げた。リヨンの『ル・プログレ』紙は書いた。「喝采は二倍になった。スターはオーフレイではなく、ディランだったと誰もが気づいた」。ディランをランボー、プルースト、ジェームズ・ディーン、フランソワ・ヴィヨン、ホメロスと比較する記事もあった。フランスの「ヒッピー」たちは、ジャック・ブレル、ジルベール・ベコー、ジョルジュ・ブラッサンスといったシャンソンの作詞作曲家たちのおかげで、ディランに格別の親しみを持っていた。当時二三歳だったフレンチロックスター、アリディさえ、ディランを友人（アミ）と感じていた。彼は一晩パリの街を案内し、ディランの誕生日にトルコの水タバコを贈った。パリには心理療法士より占星術師が多いらしく、フランスの新聞はアリディとアントワーヌとディランがみな双子座という偶然を喜んだ。

ディランの平和アレルギー、ボジョレー・ワインとブリジッド・バルドー好き、そして詩風もまた、フランス人には好意的に映った。フィリペ・ラブロは五月六日の『エル』誌で「彼はアメリカの裏路地、薄汚い小さなバー、奥の部屋でビリヤードに興じる男たちを歌う……タバコの煙が立ちこめ、汗臭く……会話はとぎれとぎれ……これといって何も起こらないが、これこそ偉大なる書物（スタインベック、コールドウェル、フォークナー）と素晴らしい映画（とくにロバート・ロッセン）から生まれたものだ……ディランは真の詩人で書き手である。彼は、この世界で、唯一の本物の物書きだ」

ある新聞が、ディランはレコードを一八〇〇万枚売り、年収は一〇〇万ドル以上だというい い加減な記事を載せた。パリのジャーナリストたちは、オランピア劇場で彼がマリア・カラスなみに稼ぐだろうと書き立て、『パリ・ジュール』紙は「一人の労働者が十年かかって稼ぐ額より多い」と述べた。マスコミはディランがジョルジュ・サンク・ホテルに滞在し、スペインの傑作絵画とルイ十五世の家具で飾られた豪華なスイートルームに案内されたことにも批判的だった。「これは何？」ディランはホテル支配人にそう言ったという。「ルイ十五世が趣味じゃないことくらい分かるだろう。五分以内にまともな部屋を用意してくれなかったら、いますぐ飛行機でアメリカに帰る」。ムッシュ・ディランはルイ十五世なしの、別の豪華なスイートルームに案内されたが、カーペットの色が気に入らず、彼は穏やかに言った。「野宿をしろというのならそれでもいいよ」。五月二三日にジョルジュ・サンクで行われた記者会見は、予想どおり大失敗だった。あろうことか一人の記者が、第二次世界大戦における連合国の侵略をどう思うかとディランに尋ねた！　彼はぶっきらぼうで不機嫌になった。数枚の写真は、彼がムッシュ・フィニアンという名前の大きな木の人形を抱えているものだった。会見を締めくくるのにどんな曲を選ぶかと聞かれたディランは答えた、「ハロー、ドーリー」

パリには古い友人——ガーディス・フォーク・シティのマイク・ポルコ——が現れた。彼は地元イタリアのカラブリアからわざわざ「ボビー」に会いに来たのだ。ジョルジュ・サンクに向かう途中、彼はグロスマンと出くわし、「ディランは誰とも会わない。疲れてる。無理だ」と言われた。マイクがどうしてもと言い張ってホテルの部屋に向かうと、ディランは寛大に迎えた。「ボビーはこれ以上ないほど親切だった。グロスマンの言葉とは正反対だった。彼はみんなに私を紹介し、私のことを父のような、おじのような、友人のような存在だと言った。本当にうれしかった。不思議な気がしたよ、昔の彼がどんな風だったかを思い出しながら、パリのホテルで会うのはね」

コンサートは盛りあがらなかった。観客は騒いでばかりだったが、ディランは野次を受ける一方ではなかった。誰かがステージに大きなアメリカ国旗を張り、観客が叫んだ、「ハッピー・バースディ！」彼はゆっくりとギターをチューニングし（十四分かかったという話だ）、こう言って野次を黙らせた。「ぼくはきみたちのためにやってるんだ。何を言われたって構わない。もしぼくがきみたちを観に来たのだとしたら、そんな振る舞いはしないだろうけどね」。パリの『トリブ』紙は、ディランの神経過敏で演奏は弱まってしまったが、「手に負えない観客を見事になだめ、耳に残る『廃墟の街』を歌うこの奇妙な男は……いつまでも消えない印象を残す」と締めくくった。

オランピアの聴衆はエレクトリック・セットを気に入ったようで、ザ・ホークスがぴりぴりした観客の緊張をほぐした。それでも論評は痛烈だった。『ル・フィガロ』紙は「アイドルの失墜」の見出しの下に、観客は「麻薬中毒を克服できなかった」ディランそっくりの不健康そうな人形による歌を聞かされたと書いた。『アール・パリ』紙はディランがミュージックホールの伝統を無視したことを痛罵し、あざけりや暴力や鬱は歌のテーマには重すぎると結論づけた。『ルアーブル・リーブル』紙は、コンサートは失敗だったと断定し、『パリ・ジュール』はディランのチューニング中の言葉——「新聞でも読んでれば？」とか「心配いらない、きみたちと同じようにぼくも早く終わらせて出ていきたいと思っている」(6)といった言葉を非難した。

同情的な批評家もわずかながらいた。『レヴェヌマン』紙はディランが誤解されていると書いた。『リュマニテ』紙はこうだ、「観客には『ディラン的アメリカ英語』は難しく、結果として彼が何を歌っているのか理解できなかったのだ」。たしかに、ディランは観客に英語が分かるかと尋ね、その多くは分かると言った。ルーアンの『リベルテ・ディマンシェ』紙は「彼は大衆のために詩を再構築した。彼はある意味二十世紀のホメロスだ」と称賛した。パリの新聞『ディテクティヴ』はヒントを提示した。「彼の成功の秘訣はその無関心にある。彼は苛立ち、それが人をひきつけるのだ」。『パリ・ジュール』の見出しはどこより明快だった。「ボブ・ディラン、国へ帰れ」。ロンドンのアルバート・ホールに戻ったあと、本当に彼は帰った。

ヴィクトリア朝様式の大建造物ロイヤル・アルバート・ホールは、悪名高き音響と時代遅れの壮麗さと無機質さにもかかわらず、イギリス版カーネギー・ホールのような場所となっている。そこで、五月二六日と二七日に、ディラン初のワールドツアーは締めくくられた。公演は二回ともお決まりの偏狭なパターンだった。すなわち、アコースティックのソロの部分は熱狂的で、エレクトリック・セットになると怒りの嵐。レイ・コールマンによれば「最後の公演では数百人が出て行った。ディランが怒っていたのは疑いようもない。彼は見るからに傷つき、退場者のせいでますますエレクトリック・バンドとの演奏を続けようと決意したようだった。バンドには気の毒だった。その夜の音響は最悪で、彼の言葉も聞こえなかった。実に気の毒だった」

『タイムズ』によればディランの声は「伴奏ですっかりかき消され」、『サンデー・タイムズ』の評論家は「気づくと約九〇〇〇人の観客とともに、『ドラムを止めろ』という野次にうなずいていた」。その評論家は、前半の「野蛮なメランコリー」は賞賛に値するが、バンドは「カオスから地獄を作り出した」かのようだと感じた。『モーニング・スター』はこの二回のコンサートを「ディランの音楽的大失敗で……アルバート・ホールで行われたなかでもかなり異様な演奏であり……まれに素晴らしい瞬間があっても、その魅力は不明瞭な言葉と奇妙なアクセントでまとめられてしまっていた」と評した。

ディランはアルバート・ホールの観客に対して一番多く語ったように思う。プロテスト・ソングを歌えという野次に彼は言った。「頼むよ、これもみんなプロテスト・ソングだ」。『デイリー・テレグラフ』はこの発言が「殺気だった雰囲気を抑えたが、その後、会場にはほとんど拍手が起きなかった」と書いた。「彼は話が通じようと通じまいとかまわないという雰囲気をかもし始めていた」

音響の問題も謎のままだ。フォーク・ロックの支持者を含め、そこにいたディラン研究者たちは、音はひどかったと言った。それでも有名なアルバート・ホールのブートレッグ音源は長らく技術的に素晴らしいと言われてきた。ロック評論家デイヴ・マーシュは『クリーム』と『インターナショナル・タイムズ』で、「これまで聴いたロックンロールのなかで最も華麗な音楽で……最高(ロイヤル)な音楽だ」と述べた。もうひとつ驚いたのは、ステージからの彼の印象的なスピーチだ。コールマンによれば、ディランは聴衆に怒りを爆発させた。「ああ、いつもいつも同じことばかり言って――耳が聞こえないのか?」。「雨の日の女」に対する野次と不満の嵐にほとほとうんざりしたように、彼はどなり返した。「雨の日の女」のシングルは、アメリカのラジオ局で放送禁止になっていた。内務大臣ロイ・ジェンキンスは、あるバーミンガム市議会議員から、あの歌をザ・バーズの「エイト・マイルズ・ハイ」とともにイギリスで禁止するよう嘆願書を受け取っていた。『メロディ・メイカー』によれば、ディランはアコースティックのパートでこう言った。「二度とイギリスでコンサートはしない。だからこれだけは言っておく。次の曲はイギリスの音楽紙が『ドラッグ・ソング』と呼ぶであろうものだ。ぼくはこれまでもこれからも、一度だって『ドラッグ・ソング』を書いたことはないし、書く気もない。どうやって書けばいいかも分からない。これは『ドラッグ・ソング』じゃない。たんに低俗なだけだ。自分の昔の曲はどれも好きだ。ただ、物事はつねに変わってゆく。みな知っているようにね。昔の曲を『クズ(ラビッシュ)』と言ったことは一度もない。そんな言葉はぼくの語彙にない。ステージの上に落ちていて、拾おうと思えば拾えるものにも、『クズ』なんて言葉は使わない。これから聴いてもらうのは――もっとうまい演奏法や、もっといい歌詞があるにしても――ぼくらが十歳のころから演奏していた曲なんだ。フォーク音楽はたんなる腰かけ期間で、それはそれでとても有益だった。気に入らないなら、それでいい。これはきみたちがいつも聴いているイギリス音楽じゃない。きみたちはまだ本当のアメリカ音楽を聴いたことがないんだ。ぼくが言いたいのは、きみたちが聴いてるのはただの歌だってことだ。聞こえているのは言葉と音だけ。それを受け取ってもいいし、捨ててもいい。気に入らないなら、それでもいい。『これはどんな意味?』と聞いてくる奴らにはうんざりだ。意味なんて何もないんだから」

『メロディ・メイカー』の記者によれば、「ウディ・ガスリーも墓のしたで嘆くだろう」とか「クズ！」という叫びが聞こえた。しかし大半の観客はディランの歌を聞きたがり、野次を黙らせた。ディランは「廃墟の街」「ベイビー・ブルー」と続け、最後のエレクトリック・パートに入っていった。最後の「ローリング・ストーン」では、すっかり慣れてしまったという内容の歌詞を、叫ぶように歌った。コールマンは言う。「最後まで残った熱心なファンは、歓声をあげた。彼は怒りながらも、またもや観客を征服したのだ。それでもこう思わずにはいられなかった。『彼はどこに向かうのか？　それを知る者はいるのか？　彼自身は知っているのか？』」(7)

運命のいくつものひねり

六月、ディランとザ・ホークスは意気消沈し、疲れ、不機嫌によろよろとアメリカに戻ったが、グロスマンはさほど間もおかずに全米六四か所のツアーを計画していた。ディランに言わせれば「振り返るな（ドント・ルック・バック）」と同じくらい「前を見るな」の気分だっただろう。七月二九日金曜日の夜遅く、私のもとにヒビングから電話がかかってきた。ディランの父親は取り乱した声をしていた。「ここのラジオ局から電話があった。ボブがバイク事故で大けがをしたというニュースが入ったそうだ。何か知っているかい？」私は初めて聞いたと答えた。「グロスマンの事務所はまったく助けにならない」とエイブは言った。「サラにも連絡がつかない。なんでもいいから調べて何か分かったら、また電話をくれないか？　母さんがひどく心配している——私もだ」。四か月前、私は同じような電話を受け取り、ファリーナがバイク事故で死んだと知らされたばかりだった。私は情報を求めて『ニューヨーク・タイムズ』に電話をかけた。

【原注】

（1）この出来事から二十年たってシェルトンが本書を出版したときにも、「いまだリリースされていない最も偉大なライヴアルバム」はロンドンのロイヤル・アルバート・ホールで録音されたものだと思われていた。白いジャケットのブートレッグが一九六〇年代後半に出回っており、それらがどれも録音会場としてロンドンを指していたのである。しかし、実際の会場はアルバート・ホールのコンサートの十日前、一九六六年五月十七日にマンチェスターで行われたフリー・トレード・ホールだったのではないかという意見があり、その見解の正しさは、ブートレッグシリーズ第四集『ボブ・ディラン／ロイヤル・アルバート・ホール』が一九九八年にリリースされることで証明された。この音源に連なる五つ星のレヴューは、このショーについてのマイケル・グレイの意見「これまでライヴで行われたなかでも、最も急進的で、広大で、嵐のようなエレクトリック・ミュージック」を裏付けている。一九九九年のラジオドキュメンタリー *The Ghosts of Electricity* において、アンディー・カーショウとC・P・リーは「ユダ」と叫んだ人物を突き止めようとした。キース・バトラーとジョン・コードウェルが野次の主として浮上した――しかし、ふたりとも今は亡くなっているため、真相は分からずじまいである。賛否の分かれた一九六六年イギリスツアー、「ユダ」の野次、そしてその後の展開については、リーの *Like the Night*（改訂版）に詳しい。

（2）ヴィクター・メイミューズ（一九三五～二〇〇一年）は一九六四年にディランのツアーマネージャーとして出発し、一九九六年まで断続的に仕事をした。

（3）「周りはみんな上手くいっていないよと言っていた」。一九六六年のこうしたセッションについて、ロビー・ロバートソンは語っている。「それでぼくたちは録音して夜に聞いた――ボブとバンドメンバーだけで――そして言ったよ、『申し訳ないけど、そんなに悪く聞こえない！』」パトリック・ハンフリーズとのインタヴュー、『ヴォックス』（一九九一年）より。

（4）ラルフ・J・グリーソン（一九一七～一九七五年）はサンフランシスコのジャーナリストで、ディランのキャリア初期からの擁護者。一九六七年、ヤン・ウェナーと共同で出版していた新聞のタイトルとして、『ローリング・ストーン』を提案した。二〇一〇年、『ザ・ブートレッグ・シリーズ第9集 ザ・ウィットマーク・デモ』のスペシャル・エディションがリリースされ、なかにはブランダイス大学で一九六三年五月十日に録音された、未発表のライヴ・レコーディングが収録されていた。この音源は四十年にわたるグリーソンのコレクションから提供されている。「ずっと忘れられていたのだけれど、去年に母が亡くなって家のものを整理していたときに見つかったのです」とグリーソンの息子トビーは語っている。

（5）一九九一年まで、ディランとザ・ホークスの一九六六年のツアー音源でオフィシャルなものは、リヴァプール録音の「親指トムのブルースのように」のライヴヴァージョンのみで、これは一九六六年六月にリリースされた『アイ・ウォント・ユー』のB面に収録された。

（6）フランスの報道陣と――ある程度の――聴衆には、ロックンロールの輸入に抵抗があった。一九六四年にビートルズがオランピアで公演し、マーク・ルイソンは彼らの修行時代についてこう書いている。「皮切りとなったオランピア公演での聴衆は、基本的にはパリ社会の態度をあらわしていた……しかしそこにはかすかに愛情が、聴衆と四人のリヴァプール人のあいだに芽生えていた」

（7）ディランのジェットコースター的な一九六六年のワールドツアーに関する最も綿密な調査は、故ジョン・ボールディによって成されている。*The Ghost Of Electricity* は一九八八年に自費出版された。

【訳注】

（A）旧約聖書「ダニエル書 第三章六節：ひれ伏して拝まない者は、直ちに燃え盛る炉に投げ込まれる」から来ている。

（B）新約聖書「ヨハネによる福音書 第十八章十節：シモン・ペトロは剣を持っていたので、それを抜いて大祭司の手下に打ってかかり、その右の耳を切り落とした」より。

（C）Craig Mcgregor, *Bob Dylan a Retrospective.*

（D）髪の立った黒いグロテスクな人形。

「ドント・ルック・バック――振り返るな」、ダブリンからベルファストへの道中、
一九六六年五月、コンサートは「批評的には大惨事」だった。

11

沈黙に耳を傾ける

詩人は押し黙った沈黙の中に避難所を求める。

——ジョージ・スタイナー「沈黙と詩人」(1)

無邪気で素朴な生きいきしたもの、少しばかりの友愛と献身と親愛と人間的な幸福なんかへの憧れに縁のないような人間はなかなかもってまだ芸術家だなんぞとは言えない。平凡なもののもたらす数々の快楽へのひそやかな身を灼くような憧れですね。

——トーマス・マン『トニオ・クレーゲル』(A)

疎外され、眠っていて、無自覚で、正気を失っている状態こそが、普通の人間の状態だ。

——ロナルド・D・レイン

そこを空白にすることによって、ディランは私たちに彼と共に創造するという大きな特権をもたらしている。彼の曲が私たちの曲となったのは、私たちがその空白に生きているからだ。彼の曲を聴き、歩みを共にしながら、私たちは神秘の空白を埋め、その芸術作品を拡張し、自分のものにする。それは最も民主的な形態の創造だ。

——ピート・ハミル 一九七四年(2)

沈黙によって彼(芸術家)は、自分の作品のパトロン、依頼者、消費者、敵対者、調停者、歪曲者などの形で現れる俗世への隷属的束縛から、自己を解放する。ひとたび同輩を凌駕してしまえば、彼の誇りの持って行き場所はただ一つしか残されていない。なぜなら、沈黙願望の犠牲者となることは、さらにそれ以上の意味で、他のすべての者に優ることであるからだ。それはつまり、芸術家が他の人びとより以上に多くの質問を呈することのできる知恵者であり、さらにまた、より強靱な神経と、より高い卓越性の水準の持主であることを意味する。

——スーザン・ソンタグ「沈黙の美学」(B)

一九六六年七月二九日に起きたディランのバイク事故についての詳細は、容易に解明できるものではなかった。ディランは命に関わる重傷だと広く報じられた。私としては、この事故が彼の人生を救ったように思える。ディランの乗る「トライアンフ500」の後輪が急に停止したことは、彼に生きる速度を落とさせて救いをもたらす一連の出来事の発端となった。エレン・ウィリスは雑誌『チーター』で次のように語っている。「ゾッとするような噂が出回っていた。ディランが死んだ……顔がグチャグチャになった……体が動かなくなった……精神が崩壊した……そして事故は隠遁のためのフェイクではないかという噂も立っていた……ランボーが『私とは一個の他者なのです』と語る以前から芸術家はアイデンティティから逃れることに執着しているものだ……ディランという人格は彼の歌のなかに雲隠れしていて、それこそが彼の望みだ。そのことに聴衆はうろたえる」

ジャーナリストたちは、この事故について際限なく憶測をめぐらせた。ある東京の音楽ジャーナリストは病床での「インタヴュー」を出版さえしたが、ディランはそんなインタヴューなど決して行われなかったと私に断言した。『シカゴ・トリビューン』は一九六七年に次のように記している。「預言者の典型的な行動は、隠遁および新たなメッセージを携えての再登場だ。ポップ・ミュージックに今後何が起き、そして何が起きないかはディランの再登場と彼のメッセージに大きくかかっている」。何より混乱を招いていたのは、この事故に対するグロスマンの見解と、ディランの見解が食い違っていることだった。

一九六六年から六七年にかけて六十以上のコンサートを企画していたアルバート・グロスマンは、条件の良いレコード契約を探していた。ディランは事故の重い後遺症を主張していた。しかしアルバートは、ディランは首の骨を折ったものの、仕事に復帰するまでには二か月ほどしか要さないだろうと語っていた。そしてこの真相すら不明瞭なのだった。ディランの弟デイヴィッドは私に「ボブは首の骨を折ったなんて言っていなかった。アルバートはきっと自分の首を折ったんだ」と語った。そんなわけで、私は事故の影響が報道では誇張されていたのではないかと記した。するとすぐに、デイヴィッドはウッドストックから戻ってきて「事故はあった。確実に事故はあった」と私に主張した。『ニューズウィーク』で音楽エディターを務めるヒューバート・サールは、一九六八年の初頭にディランへインタヴューを行い、こう結論づけた。「ディランが現在コンサートを行わないでいるのは、あの事故とは何の関係もなく、彼はもう全快しているように見える。『色々と責任が増しちゃったね』と彼は言う」

ディランは私に「あれは三日間寝ていなかった朝だった。油でスリップしたんだ。じめじめした天気だとまだ傷が痛む」としか語らなかった。別の人びとに対しては、ウッドストックの家の近くのストリーベル・ロードをバイクで走っていて、修理に持っていこうとしていたとき、後ろの車輪が急に動かなくなって前方に投げ出されたと語っている。転倒したあと、すぐに友人の車でミドルタウン病院へと運ばれ、数本の頸椎骨折、脳震とうの可能性、頭や顔の打撲を診断されたといわれている。八日後に予定されていたイェール・ボウルでの大きなコンサートはキャンセルされた。ディランはどれほど自分が傷ついていたかを知り、快方へ向かうなかで自分の人生について考え、生活を立て直し、家族と時間を過ごし、沈黙に耳を傾けたいと思っている自分に気づいた。たとえ事故が報道のとおり深刻なものだったとしても、その事故は一種の比喩となり、変化の時期となり、解放の機会となり、より平穏でいるための七年半におよぶ隠遁の始まりとなった(3)。

音楽ビジネスというシステムはバイクから転げ落ちるような「制御の利かない」パフォーマーを嫌う。グロスマンはこの事故について「何てことしてくれたんだ」と口にしたといわれている。彼の右腕だったチャーリー・ロスチャイルドは、私にこう質問を投げかけた。「六十のコンサートを企画するのにどれほどの労力を要するか分かるか？」(グロスマンの発言について私がボブに伝えると、彼は笑い飛ばした。「それは当時の彼の立場をよく表してる、彼が心配していたのはコンサートのことだ！」)。

アレン・ギンズバーグは九月の下旬にエミリー・ディキンソンとベルトルト・ブレヒトの本を持ってディラン

の見舞いに行き、ディランが大怪我をしたようには見えなかったと語っている。一九六七年一月頃、マクミラン社でディランを担当する編集者ロバート・マーケルは、「ディランは大きな事故から緩やかに回復している。一時期、目の自由がきかず仕事に取り組むのが困難だった。でも彼は生きていて元気にしている」と語った。映画監督のドン・ペネベイカーは『メロディ・メイカー』でこう語った。「彼は言われているほどひどい状態ではなかった。この事故は、あるテレビ番組の製作を遅らせる口実となっていて、その遅延は彼が望んでいたことだった。だがとにかく彼は入院していた。何度も見舞いに行って、彼はギプスをつけていた……彼が別の意味でも傷ついているのが分かったし、だからいずれにせよ、彼は回復に努めていた」

『ワールド・ジャーナル・トリビューン』紙の記者は、アルバートの家の裏にあるだだっ広いケープコッドハウスまで押しかけてきて、サラが追い払ったようだ。「迷惑な人たちが押しかけてきて彼を悩ませるんじゃないかと心配しているの……ここはすごく孤立してる。友だちもほとんど来れないし、街には決して行けない」。一九六七年一月、『ニューヨーク・ポスト』の記者は番犬二頭に追い返され、サラは、この記者が不法侵入したとして地元の警察を呼んだ。初めて家に入ることができた記者は『ニューヨーク・デイリー・ニュース』紙のマイケル・イアチェッタだった。ディランはイアチェッタに、一九六七年五月、「ごく少数の親しい友人としか会わず、外の世界のものはほとんど読まず、きみが聞いたこともないような人間たちの書いた本を熟読し、自分がどこに向かっていて、なぜ走り続けていて、なぜ混乱しすぎたのか、自分が何を知っていて、何を与え、何を受け取っているかについて考えている。そして何より力を注いでいるのは快方に向かうこととより良い音楽を作ることで、ぼくの人生はそれに尽きる」と語った。『デイリー・ニュース』の記事は彼を「精神的にも肉体的にも傷ついている」と形容した。しかしラルフ・グリーソンは、グロスマンの発言を引用し、ディランは『デイリー・ニュース』の記者を出し抜いたのであって、「彼は元気で、まったく傷ついておらず、今年の秋にコンサートを開く可能性を模索している」と書いた。

一九七三年の暮れまでウッドストックやニューヨークに隠遁していたあいだ、彼の創作は花咲いた。家庭生活に身を浸し、ことあるごとにポップスターであることを拒絶した。「謎」という雲の後ろに隠れたようだが、彼は友人たちにインタヴューや歌を通して不規則にメッセージを送り続けていた。そのうちのいくつかは世界に対するディランの視線の変化を表していた。「なにもないことが多すぎる」では『リア王』のように虚無に力点を置き、歌詞にある「忘却の水」というフレーズはイギリスの詩人アーネスト・ダウスンに通じており、自身が距離を置きつつあった空虚なロック・シーンを告発するものだった。「アイ・シャル・ビー・リリースト」は明らかに個人としての救済の模索だった。「漂流者の逃亡」は、自身の役割に囚われ、敵対的な群衆を前に運命の裁きを待つ人間の分かりやすいたとえ話で、その男はほとんど奇跡的に法廷から逃亡することになる。この曲の「稲妻の一撃」とはディランのバイク事故だとも考えられる。「河のながれを見つめて」では視点が当事者から観察者へと変わっている。「サイン・オン・ザ・ウィンドウ」や「イフ・ドッグズ・ラン・フリー」は恋愛関係における個人的充足の極致だ。ディランやザ・バンドが世界中でどんなことに耐えてきたかを知らない聴衆は、彼がプライバシーを求めることを理解できず、突き放されたと感じた。ディランは自らの隠遁が正当なものだと説明を繰り返さざるを得なかった。

『ニューズウィーク』に対して、彼はこう語った。「天井を数か月間眺めていた。でも昔から座ってよく天井を眺めていたから、そんなに辛いことじゃなかった。退却しているわけじゃない。自分は田舎の人間で、本当に何かを成し遂げるには一人になる必要があるんだ」。一九六八年四月二八日の『シカゴ・トリビューン』紙で、ディランはすでに一九七四年から七五年にかけてのツアー「ローリング・サンダー・レヴュー」の構想を持っていたように見える。「もしツアーに出ることになるなら移動してまわるやつがいい、みんなを引き連れてね」。様々な噂は拡大の一途をたどり、そのなかにはディランが暗殺を怖れているという噂もあった。一九六九年頃、ディランはロンドンの『イヴニング・スタンダード』紙に語っている。あの事故は「あらゆる意味で……自分にとって良いことだった。まさにペースを落とすことができた……追いつけないほど凄まじいペースでツアーをやっていた。それに自分はマンネリに陥っていたからね」

ロビー・ロバートソンは『サタデー・イヴニング・ポスト』へ次のように語っている。「これ以上無理だという限界までやっていた……みんな疲弊していて誰もが休息の時期だと口にしていた。一年間は音楽を耳にしなかった」。一九七五年の春頃には、マリー・トラヴァースのラジオで「治療する必要があった」と語った。ディランは、周囲ではなく自分が主体性を持てるポップスターとしての別の生き方があるはずだと語っていた。彼にはレコード業界や、出版社や、テレビ局との仕事で自分が主導権を握る方法を見つけ出す必要があった。一時期の友人で、長期間のマネージャーで、束の間の隣人で、ときに地主様だったアルバート・グロスマンと折り合いをつけねばならなかった。

　コロンビアとのレコーディング契約は切れていた。グロスマンはコロンビアの新たな社長であるクライヴ・デイヴィスに対して、長期契約の巨額ギャラを要求していた。デイヴィスがどうしてこんなに巨額なのか尋ねると、グロスマンは繰り返し「それが当然だからだ」と答えていた。一九六六年、デイヴィスが社長になったとき、コロンビアはある問題を抱えていた。若くケンカ腰な企業弁護士のデイヴィスはゴダード・リーバーソンの弟子として名を上げており、一九七三年に会社を去るまでに、レコード部門の経常利益を年五〇〇万ドルから年五〇〇〇万ドルにまで引き上げた。一九六六年、デイヴィスは社員たちやアーティストにプレッシャーをかけることに長けていた。彼はディランとの契約を続けたがっていたが、グロスマンがＭＧＭやキャピトルなどと繰り広げていた高額な契約争いに巻き込まれたくはなかった。デイヴィスはディランが切り札になると感じていた。ディランの影響力が実際の売上よりも遥かに大きくなっているのを知っていたのだ。

　一九六六年のクリスマスまでに、ＭＧＭはディランから契約のサインを得たと発表した。コロンビアとの契約では、ディランは同社にもう十四曲、あるいはアルバム一枚を提供する義務があった。『ニューヨーク・ポスト』紙で、ノーラ・エフロンは契約上の不備により、コロンビアは過去の膨大な印税を一度に渡したがために、ディランはその年の稼ぎの九十パーセントが税に取られると指摘した。一九六七年四月、コロンビアはすべてのディラン作品の販売を停止した。この販売停止騒動が比較的早く落ち着いたのは、ディランが新たな曲を提供すると約束したからだ。デイヴィスは、ＭＧＭとの契約争奪戦に関わった物議を醸すマネージャーのアレン・クラインに、ディラン作品の売上はＭＧＭの考えているようなものではないと伝えた。ディランからのサインは得ていたが、ＭＧＭはまだ合意のサインをしてはいなかった。

そのころ、グロスマンとディランはMGMとの契約について考え直していた。グロスマンはデイヴィスに再び連絡を取り、これまでの二倍の印税ではどうかと提案した。デイヴィスは一九七四年に自伝『アメリカ、レコード界の内幕：元CBS社長クライヴ・デイヴィスの告発』に次のように記した。「それは完璧な解決策だと思い、私は飛びついた。印税はこれまでに払っていた額の二倍だったが、ディランとの契約を継続するにはそれほどの価値があった」。一九六七年八月二一日、コロンビアは晴れてディランとの長期専属契約を結び直したと発表した。すぐにボブはスタジオへと舞い戻り、『ジョン・ウェズリー・ハーディング』のレコーディングを行った。

コロンビアとの前二回の契約は、ほとんど信頼の置けるものではなかった。デイヴィスは最初の契約は未成年時のものだったため異議を唱えないでくれと説得していた。デイヴィスはさらに、ディランのジョン・バーチの歌が名誉毀損にあたる可能性も伝えていた。しかしコロンビアのオペレーションチーフとして、デイヴィスはディランとより良い関係を築いた。一九六八年一月に二度行われたガスリー追悼コンサートの合間に行われたミーティングで、ディランと仕事における協力関係を確かめ合ったとデイヴィスは言う。ディランはデイヴィスにスタジオセッションのテープを送り始めた。デイヴィスは、各アルバムが発売される直前にディランは姿を現したと振り返っている。ディランが自ら仕事を仕切り始めグロスマンと距離を取り始めると、デイヴィスは「彼にアイデアをもたらし、何らかの刺激を与え、助言をし、必要な手助けを提供する人物が必要だと感じた。もちろん、それは相手がディランとなれば簡単なことではなく、慎重に進めなければならなかった」。ボブは私に、コロンビア社とは度々摩擦があったと語った。「何かやりたいことがあると、必ず誰かが反対する。ぼくは自分の好きなA&Rと仕事をしていて、クライヴ・デイヴィスとは一切関わりがない」

一二〇万枚以上を売り上げたディランのベストセラーアルバム『ナッシュヴィル・スカイライン』の「レイ・レディ・レイ」のヒット後、デイヴィスはヒットシングルを出して各アルバムのセールスを倍増できると語っていたが、ディランはアルバム『新しい夜明け』からシングルをリリースすることを拒絶し、『新しい夜明け』の売り上げは『ナッシュヴィル』の半分にしか満たなかった。「ときどき……ディランは歴代の大物たちのように気まぐれで予想がつかなかった。スタジオで優しく、礼儀正しく、そして協力的なときもあれば、優柔不断で、疑い深く、そしてすごく短気なときもあった……彼は効率性に取り憑かれた人間にとっての夢のようだった……物事があっという間に進む……ほとんどの曲はワンテイクで録音された。サイモン&ガーファンクルならひとつのアルバムの録音に十八か月はかかっただろう……ディランはスタジオにやって来て、曲を演奏して……それで完成だった。いかにもフラッとやって来て、レコーディングに対していい加減に見えるような姿勢だった……彼にとっては、曲こそが大切であり、その他すべてのことは二の次だった」(4)。録音したあと、ディランはアルバムのデザインや、タイトルや、発売時期など大いに口を出す。そして、アルバムがリリースされると、沈黙へと帰っていくのだった。

コロンビアとの契約が切れた一九七二年は、また別の不安定な時期の始まりでもあった。ボブは、これ以上の長期的な貢献に嫌気がさし、さらにコロンビアとの意見の食い違いも深まっていた。映画『ビリー・ザ・キッド／21才の生涯』に対するネガティブな評が『ニューヨーク・タイムズ』に掲載されると、デイヴィスらはディランにサントラアルバム発売を控えるように助言した。しかしディランはアルバムをリリースし、映画とアルバムは結局大きな成功を収めた。

この契約更新時期はデイヴィスがコロンビア社と激しく対立している時期でもあったが、それでもなおデイヴィスの発言権は社内で最も強く、ディランにはディランのやり方でやらせようとした。新たな契約では、『ビリー・ザ・キッド』のアルバムに加え、もう二枚アルバムを作成し、「一枚につき四十万ドルは保証する」とデイヴィスは伝えたが、デイヴィスが会社を去ると、契約の合意は取り消された。この時点で、ディランはすでに七四年のツアーを計画しており、コロンビアの大きなライバルであるWEA帝国の一部をなすエレクトラ／アサイラム・レコードのデヴィッド・ゲフィンと近づいていた。しかしディランはゲフィンにアルバム『プラネット・ウェイヴズ』しか渡さなかった。ツアーチケットには何百万もの応募があったが、アルバムはわずか七十万枚しか売れずディランは落胆した。

そのあいだも、デイヴィスはディランと連絡を取り続けていた。一九七三年の暮れ、コロンビア社の年に一度のセールスミーティングで、当時のトップだったリーバーソンは次のように語った。「レコード会社がアーティストを搾取していた時代があったのは否定しないが、今やアーティストがレコード会社を搾取する時代が到来した」。ディランはリーバーソンとゲフィンに二枚組のライヴ・アルバム『偉大なる復活』の印税を競わせて、最終的にアサイラム・レコードから発売した。その後、コロンビアはディランを取り戻そうとしたとデイヴィスは語った。「どのようなコストをかけてもという感じだった。彼らは自らの損失を理解したんだ……コロンビアはディランを再び迎え入れるためにどんな犠牲も払うだろう。彼らにはディランが必要で、新しいアルバムだけでなく、これまでの膨大な作品に対する巨額の印税で引きつける以外に選択肢はないとようやく悟ったんだ。高い授業料だったね、本当に」(5)

事故後の時期には、ディランとABCテレビとの問題も持ち上がった。「ステージ67」シリーズの二時間特番を巡る問題で、やがて『イート・ザ・ドキュメント』となるその映像は、一九六六年のワールドツアー中にイギリスで撮影されていた。一九六七年四月、ABCテレビの広報は構成に対する意見の相違から放送はキャンセルされたと語った。十万ドルの前払金を支払い、ABCは一九六六年の十一月に映像を受け取っていたが、同社はそれを「まったく満足ゆくものではなかった」と表現した。ABCは法的処置も検討していた。一九六八年の『シング・アウト!』のインタヴューで、ディランはジョン・コーエンに次のように語っている。「その映像は無意味に編集されていた……何とかまともなところを見つけられればと願って……設定や細部を組み立てようと試みたけど……できたものは失敗で、作ったものを渡したときには、向こうはすでに国中を駆けずり回って放送を差し止めようと動いていた……ぼくたちはあちこちからプレッシャーを感じてもいた……ツアーをやりながら、演奏のあとに映画を作るのは難しい」(6)

事故により『タランチュラ』の出版も遅れた。ディランは出版社マクミランの事前宣伝にあきれ返っていたが、出版契約は残っていた。『シング・アウト!』にこう語っている。「こんな本の書き方はダメだと学んだ……本が書かれる前に契約が交わされて、それを履行するっていうのはね……書くこと自体に困難はなかった、でもあれは本とは呼べず、ただ有害なものだった。本というものが持つべきクオリティを持ち合わせていなかった。まるで構造もなく、ただダラダラ続いているだけだ。九十ページダラダラと……短い文章が積み重なっただけで、大

きな枠組みがなかった。当時は大きな枠組みのなかで何かをしようとさえ考えられなかった」(7)

ディランとマネージャーとの関係も微妙になっていた。一九六五年十一月、彼らは音楽出版会社ボブ・ディラン・ワーズ&ミュージックを設立し、ウィットマーク/ミュージック・パブリッシャーズ・ホールディング・コーポレーションとの三年契約を引き継ごうとしていた。アーティ・モーグルが、しばらくこの会社を率いていた。グロスマンとディランは一方で強く結びついていたが、一九六八年の初め頃、ディランは自由になりたがっていた。一九六八年一月に行われたガスリー追悼コンサート中、アルバートとボブはほとんど口を利かなかった。

ワイト島音楽祭では、グロスマンのパートナーであるバート・ブロックが手配を取り仕切ったが、一九六九年十一月までに、ブロックは権利をブロックに売却した。三年の協力のあとのことだった(ブロックはジェリー・ペレンチオのチャートウェル・アーティスツに参加し、すぐにクリス・クリストファーソンを担当した)。一九七〇年後半、ウッドストックはこの著名な住人二人の仲違いの話題で持ち切りだった。タクシーの運転手やモーテルのオーナーたちが、一〇〇万ドルにも達するという「和解金」について噂していた。ウッドストックにある「カフェ・エスプレッソ」のオーナーであり二人の友人であるバーナード・パチュレルは、のちに私にこう尋ねた。「詩人とシビアな商売人——どれほど長く持つだろう?」一九七一年の春、チャーリー・ロスチャイルドは私に対し、グロスマンの主任秘書ナオミ・ソルツマンが「ディランとアルバートの決裂に重要な役割」を果たしたと語った。ナオミ本人は私にこれを否定した。ディランはやがてソルツマンを音楽関連の出版人として雇った。一九七一年五月、ディランはグロスマンとの契約についに決着がつき、六月までに自由になれることに安堵を表明した。ボブは私に語った。「結局彼を訴えざるを得なかった。アルバートは波風立てず収めたがったから、示談で解決した。奴はぼくに十年の契約にサインさせていた……信じられるか? ぼくのレコードや、ぼくのすべてから一部をいただくために。ぼくには二十パーセントしか寄越さなかった。彼に五十パーセントも渡さねばならない奴らもいた」。私たちはウッドストックのアルバート帝国、彼のレコーディングスタジオやレストラン「ザ・ベア」のことについても話した。ディランはグロスマンが古い農家に洗練されたコンチネンタル・レストランを作ったことに驚きを語っていた。ディランはそのレストランについて、そしておそらくはそれ以上のことについて、次のように語っている。「アルバートのセンスはひどかった——これは本当だ」。私は一九六四年から大きくなっていくのを見てきた不和がついに行き詰まりに達したことに驚き、ディランからアルバートとの関係を絶ったのではないかと思った。しかし彼ははっきりしなかった。「多くの人がアルバートを批判するだろうが、ぼくはしない」。事故後のウッドストックでの三年間はのどかに見えたかもしれないが、ボブはのちに私にこう語った。「ウッドストックは虚無への毎日の遠足だった」。一九六九年の暮れにヴィレッジへ戻った理由については、彼のウッドストックの家が「ひどい状態になったんだ。見学ツアーをやっていて、人びとがやって来ては土とか、芝生とか、植木を持って帰ろうとしていた」と言った。またしても楽園が失われ、なおも帰る家（ノー・ディレクション・ホーム）がなかった。

「〝ネーション〟を作った街」

ウッドストック。マンハッタンからハドソン川沿いに北へ約一三〇マイル（約二〇八キロ）、ニューヨーク州アルスター郡の、キャッツキル山地の東端にあるこの町は、一年を通じて六〇〇〇人ほどが暮らしている。その数は夏になると四倍ほどに膨れ上がる。八十年以上にわたり、その土地は清らかな空気のなかで創造性を模索する人びとを引きつけてきた。もとは手工芸のコロニーであり、地域の演劇の中心地だった場所に、オランダの植民者の子孫たちや、アーティスト、職人、ダンサー、ミュージシャン、都会のはずれ者、田舎におけるグリニッチ・ヴィレッジの代わりを求める反抗者、ＩＢＭの重役たち、自らの生活に少しばかりの彩りを加えようと目論んだ流行好きの会計士などが暮らしている。一九六〇年代の前半に、ピーター・ヤーロウは数人をウッドストック・ヴァレーに引っ越させ、程なくしてその場所が、旧来の芸術的枠組みに新たなポップミュージックの神話が貼り付けられた集落となった。ほとんど全員が、昔の方がずっと良かったと同意するだろう。

ウッドストックで身を隠し、立ち止まり、回復を求めるディランの試みは一九六三年から六年以上にもわたった。ディランは一九六五年にウッドストックへ移ったが、一九六九年頃にはそこを失われた夢のように感じ始めていた。彼の聖域は動物園へと変わってしまっていた。真に人間を愛し人間を求める隠遁者にとって、自分がどこに暮らしているかを隠し通すのは難しいことだった。一九〇〇年代になってからというもの、有名なアーティストたちがウッドストックへ移り住んできていたが、誰一人としてディランほど大勢の巡礼者を引き寄せることはなかった。タゴールやトーマス・マンら作家たち、リー・マーヴィンやエドワード・G・ロビンソンら役者たち、画家の国吉康雄、学者たち、そしてアート収集家らもウッドストックに暮らした時期があった。ディランの家の近くには、作曲家のアーロン・コープランド、画家のアントン・リフレジャー、作家のメイソン・ホッフェンバーグらが暮らしていた。ウッドストックの中心地は場所を移したグリニッチ・ヴィレッジのようだった——本屋やアンティークショップ、健康食品店、ブティック、ドラッグ用品店、ギャラリー、レストラン、不動産屋があった。リチャード・ゴールドスタインはウッドストック・ヴァレーを「都市の憂鬱（ブルー）に対する大いなる緑（グリーン）の希望」と呼んだ。そこには美しい貯水池、ビッグ・ディープという天然の泳ぎ場、オーヴァールック・マウンテン、エコー湖、そしてヘインズ・フォールズに滝があった。

一九〇二年、ヨークシャーの紡績財を受け継ぐラルフ・ラドクリフ・ホワイトヘッドが、ウッドストックに芸術家コロニーを形成し、自然への完全回帰と産業革命への反抗を試みた。ホワイトヘッドはイギリスの哲学者ジョン・ラスキンの提示する産業社会へのオルタナティヴ思想に影響を受けていた。彼は作家であり社会運動家のハーヴェイ・ホワイト、そして美術史の教授ボルトン・ブラウンと共に、何年もアメリカを歩き回った。ブラウンはウッドストックを見下ろすオーヴァールック・マウンテンに登った経験があり、そこを「地上の楽園」だと見なしていた。ホワイトヘッドは「ユダヤ教徒に溢れている」からとキャッツキル山脈を嫌っていたが、仲間二人と雄大な景色が彼を説得した。一八七〇年代以降、ウッドストック・ヴァレーはサーカスや劇団の人びとに親しまれるようになった。ホワイトヘッドはミーズ・マウンテンのほとりの七つの農場およそ一二〇〇エーカーを買い上げ、三十の建物を作り始めた。彼はそのコロニーをバードクリフと名付け、工房や家や学校の建設のために五十万ドルを投じた。一九〇三年六月、職人、学生、そして教師たちが押し寄せた。バードクリフの移住者たちは、コーデュロイのシャツにデニムを穿き、田舎の生活に憧れを抱いていた。

貴族だったホワイトヘッドはまったく民主的ではなく、バードクリフの独裁者と呼ばれることを好んでいた。

コロニーは家具作りやカラー印刷で自活していくことができなかった。最初の夏が過ぎると、学生たちは権威主義的なホワイトヘッドのもとを去り、仲間たちは分断された。「親玉」によってクビを宣告されたブラウンは、ウッドストックのロック・シティ地区に三十エーカーの土地を購入した。白人至上の理想主義が染みついたハーヴェイ・ホワイトは、一九〇四年にバードクリフからの離脱を先導し、三マイル南東に離れたハーリーの農場にマーヴェリック・コロニーを創設した。

一九〇六年頃、アート・スチューデント・リーグ・サマー・スクールがウッドストックの馬小屋や葬儀屋があった場所に校舎を移した。そして美術学生たちが街を一新した。ヒゲを生やした者たちとベレー帽を被った者たちがやって来ては去っていった。しばらくのあいだ、剃った頭とペンキで汚れたズボンが学生の制服となった。彼らウッドストック最初のヒッピーたちはひどく貧しく、選んだ相手と野外で眠っていた。散り散りにある各コロニーは街を三様に分け始めていた。学生たちはホワイトヘッドのバードクリフを「ボアードスティッフ（ひどく退屈）」と呼んだ。リーグは主要な学校となり、一九一二年までに二〇〇名の学生を集めていた。マーヴェリックはキャビンを、ミュージシャンや作家や、クラレンス・ダロウやソースティン・ヴェブレンに貸していた。

やがて、マーヴェリックとバードクリフのコロニーが統合され始めた。一九一五年八月、ウッドストック初となるフェスティヴァルで、全三つのコロニーがホワイト主催の寄付を募るパーティに結集した。キャンプファイヤーを囲んだ夕食、奇抜な衣装、天然の石切り場という劇場での演奏会が行われた。十年におよぶ隔絶を越え、ホワイトヘッドはホワイトへ丁重に接するようになり始めていた。そしてウッドストックの芸術コロニーは一九二〇年代に成熟する。アート・スチューデント・リーグ・サマー・スクールは一九二三年から四六年にかけて閉鎖されていたものの、いくつかの私立アート・スクールがその期間を埋めた。マーヴェリック・コンサートが人気を博し、ホワイトのレストラン「インテリゲンチャ」も繁盛していた。一九二四年までに、マーヴェリック・シアターが建設され、その後ウッドストックには同時に地域の劇団が六つも存在していた。エドワード・G・ロビンソン、エヴァ・ル・ガリエンヌ、そしてマリア・オースペンスカヤらがウッドストックとつながりを持つようになった。芸術家協会と商工会議所も協力関係を深めていった。ユダヤ教徒に対するかつての偏見も減っていたが、この地区ではクー・クラックス・クランの活動も行われていた。一九二九年のホワイトヘッドの死去と大恐慌により、新たなフェーズが始まった。一九四〇年代には、レッドベリーやピート・シーガーが訪れるようになり、サム・エスキンが同地域でのフォークソングの権威となった。一九四四年にホワイトがこの世を去る頃には、力を持っていたのはマーヴェリックでもバードクリフでもなかった。ウッドストックはひとつのコミュニティとなっていた。

　戦争が終わると、産業がハドソン川を上ってきて、キングストン出身の技術者や役人たちがウッドストックの家々を購入した。ホワイトヘッドはフォーク・ミュージックやダンス、そして平和といった「シンプルな」暮らしを持ち込んだが――そして息子のピーターもどうにかバードクリフに活気を絶やさずにいたが――街は反抗的で自分を探し求める六十年代の若者たちの流入を拒むようになっていた。街の有力者たちが反ヒッピーの活動を行って、街のモラルや土地の価値を守るべく声を上げていた。ドラックの所持や不法侵入、裸での遊泳などで逮捕者が出た。一九六九年のウッドストック・フェスティヴァルが開かれる前の春、地元の住民たちはウッドストックの森林保護の名目で「カルマ・メディテーション・センター」を襲撃して火を放った。しまいには、街が一九六九年のウッドストック・フェスティヴァルの開催を禁止し、実際にはベセルで行われるフェスティヴァルからウッドストックの名を撤回させようとして失敗に終わっていた。

　ディランの友人であり、運転手であり、ボディーガードだったバーナード・パチュレルはウッドストックについて次のように語っている。「ここには魔力があるんだ、光を放ってる。たくさんのミュージシャン、芸術家、そして作家たちがいる。才能ある人間はそうした鼓動を感じるだろうし、同種の住民からサポートが得られる。空気が違うんだ。自分と同じ精神、同じ人生観を持っていそうな人に会える。でもこうしたことがすべて、人がやって来すぎたことで失われてしまうかもしれない。たくさんの人がやって来ているんだ、与えるものを何も持たず、奪うためだけにね。なかには田舎に都会を持ち込もうとする者もいる」。ウッドストックの表の顔と内輪の顔はまったく別物である。レストランや、ブティックや、「スレッド・ヒル」のような音楽クラブで目にする光景は、表面的なものにすぎない。ウッドストックの「シーン」は低木の並ぶ高速や、閉じたドアの向こうにある。巡礼でやって来る者たちがそこまで足を踏み入れることはほとんどない。ウッドストック・フェスティヴァルの時期、ウッドストックや近辺にはディラン、ザ・バンド、ヴァン・モリソン、フランク・ザッパ、ザ・マザーズ・オブ・インヴェンション、ティム・ハーディン、そしてグロスマンお抱えのミュージシャン、スタッフ、ローディーらが暮らしていた。

一九六三年、ピーター・ヤーロウのあばら屋に滞在してからというもの、ディランはよくウッドストックへお忍びで訪ねた。ベアズヴィル近郊にあるアルバートの住居に滞在していたものの、そこは人が多すぎて、ディランはカフェ・エスプレッソの上にあるバーナード・パチュレルの隠れ家を使い始めていた。一九七〇年頃には、ストリーベル・ロードにある古い石造りのアルバートの家の価値は、彼が支払った四万五〇〇〇ドルの三倍に上ると言われていた。アルバートはサウナと温室を備えつけていた。ファリーナもよくそこを訪れたという。「すごく美しくて、すごく静かなんだ。仕事にもってこいの場所で、農場のような感じで、特に日中が最高だ、誰もが各々自分のことをしている……アルバートたちはすごく寛大で、とてもオープンだった」。アルバートはウッドストックにベアズヴィル・スタジオを作っていた。しばらくのあいだ、音楽業界は「ウッドストック・サウンド」という言葉を流行らせようと試みていたが、それは決して叶わなかった。

アルバートの家の部屋を使ったあと、ディランはアルバートの家の裏のスタジオに移った。一九六五年の中頃まで、ボブはバードクリフの築七五年のウェブスター・プレイスに身を隠していた。ベン・ウェブスターは建築家であり、かつ影響力のある舞台監督でもあった。その豪華な建物には二一部屋もあり――大きくて牧場のようだったが、贅沢とは程遠かった。ダークブラウンの杉の木で作られていて、丘沿いに四エーカーの広さがあった。天然の採石場はプールとして活用されていた。

しかしあまりに多くの人びとがバードクリフのことを知ってしまっていた。一九六九年の春、ディランは家族をウッドストック・ヴァレーの南部からウォルター・ワイルの住居へと移した。政治経済学者であり『ニュー・リパブリック』の創刊者であるワイルは、ホワイトヘッドがバードクリフで家を貸した初めてのユダヤ人だとされている。ディランはワイルの足跡を追うようにバードクリフからマーヴェリック上方のオハヨー・マウンテンにある孤立した農場へと移った。ワイルの家は当時も一〇〇エーカー以上の農地を備えており、外界との緩衝材の役割を果たしていた。そこでディランはニューポート・フォーク・フェスティヴァルを含む一九六八年の狂乱を眺め、ジャーナリストの友人であるアル・アロノウィッツとともに、一九六九年のウッドストック・フェスティヴァルの招待を受けるかどうか検討していた。

ウッドストックでの三年間、バーナードは「ヒューズを交換し、キャデラックか淡い青のマスタングを運転し、ボブのプライバシーを守ろうと努めた。事故のあと、ボビーに自分はIBMに勤めるかもしれないと伝えると、『ぼくが仕事を作る』と答えた。給料の額を指定はしたが、彼に言うのはいつもこうだった。『やることがあったら言ってくれ』。上司であるディランは何も言わなかったが、彼の妻は言ってきた。多くの巡礼者たちがやって来て、誰もが自分はディランの友だちだと言った。あるオーストラリア人は毎日訪ねてきて、ついにボブも彼と話をした。彼は満足して帰った。かなりハイになった見知らぬ奴らも来ることがあって、それは厄介だった。元受刑者だというイカれた男が電話してきてボブを殺すと言ったこともあった。しばらく警官が駐在していたよ」

友人たちも顔を出したり近くに住んだりしていた。ギンズバーグは裸足に白いローブでフラッとやって来て、グレゴリー・コーソもいた。ハッピー・トラウム、そして映画監督のハワードとジョーンズ・アルクもやって来た。バーナードは言う。「サラが現れるまで、ディランが死ぬのは時間の問題だと思っていた。彼の命と精神を心配していた。でもそれ以降、彼ほどに家族思いな男は見たことがない。ボブ・ディランには多くの側面がある、彼は球体なんだ」。ウッドストックの温かな雰囲気のなかで、この家族思いの男は絵画の道も追求していった。彼の父親は私に対して、一九六七年に、ボブはキャンバスに次々と絵を描いていると語った。「どの絵にもギターが描かれている」とエイブは言った。バーナードは一九六九年の春にボブの世話役を辞め、しばらくレストラン「ザ・ベア」で働いた。その後バーナードの妻は、一九七〇年四月十日にスイム・オー・リンクス近くのルート212に小さなピザ・パーラーを開いた。人びとはそこを「カントリー・パイ」と呼んだ。『ナッシュヴィル・スカイライン』に収録された曲の名前だ。

ウッドストックの時期は、アメリカにとっては悩ましい時期だったが、ディランにとっては癒しの時期だった。

暴力がはびこり、敵意や疑念が蔓延するなか、ディランは穏やかな生活を追求していた。ウッドストックに固執する彼のモチベーションは個人的なものであると同時に哲学的なものでもあったのだろう。そこを去りマクドゥーガル・ストリートの家に移ったとき、彼はしばらくのあいだヴィレッジに、ウッドストックではもはや持てなくなっていたある種のつながりやプライバシーを見いだした。彼は私に言った。「ウッドストックにはうんざりだ。ただ通り過ぎた」。ウッドストックを通り過ぎる人びとは、ディランがそこに暮らしていた前も後も、ディランを追って魔法の力やインスピレーションや慰めの源泉を見つけようと躍起になっていた。彼らはアーティスティックで緑に覆われた街の薄っぺらさを知ることだろう。ディランが通った店やバーやレストランを見つけるだろうが、それでは街の精神を見つけたことにも、その街の鼓動に触れたことにもならない。ディランにとってのウッドストックの「シーン」とは、物理的なものというよりむしろ精神的なものだった。それは丘でも、木々の生い茂る土地でも、農場でもあった。それはザ・バンドの面々や、放浪するアーティストや、作家や、音楽仲間との静かな暮らしのなかにあった。ディランのウッドストックの「シーン」や「精神」は写真や映像に写せるものではなかった。それはしかし、地下室でテープに録ることはできた。

地下室（ザ・ベースメント・テープス）のテープ

一九六七年にディラン個人としての、そして芸術家としての健康を心配する者たちは、『地下室』を通じて経過を観察し、彼がボロボロになり、無為に過ごし、放棄してしまったり、創造性が枯渇してはいないことを確認することができた。八年近く、『地下室』に収録されることになる曲が一曲をのぞいてデモテープやブートレッグの形で非合法的に出回ったのだ。一九七五年七月、修正とザ・バンドによる未発表曲六つが加えられたディランのテープは、地下室から世に出て二枚組のLPセット『地下室』として正式にリリースされた。

曲の多様さ、力強さ、豊かさ、そして決して色あせない説得力に絶賛のコメントが溢れた。『ニューヨーク・タイムズ』のジョン・ロックウェルは「アメリカのポップ・ミュージック史上最高のアルバム」と評した。『ヴィレッジ・ヴォイス』のロバート・クリストゴーは「ためらうことはない、これは一九七五年最高のアルバムだ。

一九六七年最高のアルバムでもあっただろう」と記している。『ワシントン・ポスト』紙のチャーリー・マッコラムはこうだ。「本人は嫌がり、苛立ち、落胆するかもしれないが、ディランは現代のアメリカポップ・ミュージックが生み出した唯一最大のアーティストだと位置づけざるを得ない」

曲はウッドストックにほど近いニューヨーク州ウェスト・ソーガティズにあるザ・バンドの家「ビッグ・ピンク」の地下室のレコーダーに収録されたものだった。その音楽の荒々しさは、多くの人間を喜ばせ、一九六七年のもうひとつの記念碑的なスタジオ制作アルバムであるビートルズの『サージェント・ペッパー』と好対照をなしていた。マッコラムは「ドクトロウの小説の初校、あるいはアルトマンの映画の仮編集版のようだ」とアルバムをたとえた。『ローリングストーン』のジョン・ランドーは、スタジオ制作の繊細さを欠くとして『血の轍』を酷評したばかりだった。なんということか、その後ランドーは意見を翻し、ディランの即興的なレコーディングのアプローチを褒めそやした。

ディランによる十六の曲は家からのスナップ写真、ウッドストックの荒野を垣間見せるようなものに見えた。それらの曲はディラン新曲のレコーディングへ参加してもらうために他のアーティストたちの関心を引きつけるデモとして作られたものだった。ライナーノーツのなかで、グリール・マーカスはセッションが行われた時期を一九六七年六月から十月にかけてだと記している。その地下室での制作は『ブロンド・オン・ブロンド』と『ジョン・ウェズリー・ハーディング』のあいだの大きな転換点となっている。『地下室』という変遷の証なしでは、この二つのアルバムのあいだの飛躍が誇張されてしまいかねない。『地下室』は即興演奏や、調和的でないハーモニーや、荒削りな歌い方や、整っていない機材や、バランスの悪さや、音のひずみや、地下室の喜びを大いに印象づける。これは日曜の店のように整然としたものではなく、地下室でのはしゃぎ合いだ。華麗な演奏、親密さ、興奮が丸ごと込められ、まるでジャズのセッションのようだ。変わったジャケットも『タランチュラ』と通じるところがある――小人に、剣を飲むパフォーマーに、ウェイトリフティングをする男に、エスキモーに、ジプシーに、ピエロに、太った女性に、修道女に、ベリーダンサーに、バレエダンサー。曲に出てくるタイニー・モントゴメリーやヘンリー夫人、その他の奇抜なキャラクターたちも表紙に登場している。ディランは『ブロンド』で陥っていた混沌とした死の重苦しい空気から脱し、バーの喧噪と聖歌隊のゴスペルのあいだのような、他者に開かれた感情になっていた（ザ・バンドとの六人の力強いコーラスがどれほど多かったかを思い出してほしい）。『ジョン・ウェズリー・ハーディング』の瞑想的な面の萌芽もある。こうしたセッションの素晴らしさは、のちに、ザ・バンドが『ミュージック・フロム・ビッグ・ピンク』を収録し、ディランが『ジョン・ウェズリー』の残り十二曲を収録して初めて理解されることになる。『地下室』は、これ以前とこれ以後をつなぐものとして歴史的に重要なアルバムだ。

ディランの『地下室』に収録された楽曲は大きく二種類に分けられる。ひとつ目は、救済を目指す色を帯びたもの。たとえば「アイ・シャル・ビー・リリースト」（アルバムではなくデモに収録）「なにもないことが多すぎる」「火の車」「怒りの涙」「アカプルコへ行こう」「なにもはなされなかった」、それから「長距離電話交換手」を含めることも可能だ。そしてもうひとつのカテゴリーは、歓びの歌、解放の兆しとなる歌で、残りの曲ほぼすべてが該当する。アルバムからシングルカットされた「100万ドルさわぎ」は、間違いなくその感情を体現している。「どこにも行けない」も、『ハーディング』の最後二曲の優しいラブソングと通じるものがあると言えるだろう。ディランはついに自らのコミュニティを持った。彼はひとりではなかった。しかし孤独な旅が続いていることは「怒りの涙」「火の車」「なにもはなされなかった」「なにもないことが多すぎる」そして「アイ・シャル・ビー・リリースト」に刻まれていた。こうして埋め込まれていた種は、さながらシェイクスピアの『リア王』のようである（『お前は天国に住む霊魂だな、が、この俺は燃ゆる車輪に縛附けられ』ている）（C）。こうした曲を通して、『リア王』のように、「無」や「どこでもない場所」に困惑し、苦しむ（「無から生ずる物は無だけだ」第一章第一幕）（D）。一九六八年の『シング・アウト！』のインタヴューで、ディランは間接的に『リア王』への関心を語っている。「たしかベンジャミン・フランクリンだった。彼は（正確じゃないかもしれないけど）、『人間が平穏（のような状態）でいるためには、自分が知っていることをすべて伝えるべきではなく、目にするものをすべて語るべきではない』というようなことを言っていた」。リア王には次のような対句がある。「見掛け構わず貯めこんで／知ってる程には口にせず」（E）。「なにもない」とは、死vs生、空虚vs豊穣、孤独vs人間、沈黙vs音楽、虚無vs生の衝動というディランのアーティストとしてのジレンマを表している。

『地下室』の曲たちも、軽いものと重いもの、あるいは至福の魂と火の車に分けてみることもでき、『ルーツ』というタイトルさえ付けられそうだ(8)。はやし歌、昔のブルース、初期のロック、そしてトラックドライヴァーソング、ホーダウン(F)、ゴスペル、フォークソングに満ちている。「オッズ・アンド・エンズ」がファッツ・ドミノにどれほど影響されているか考えてみるといい。あるいは「オレンジ・ジュース・ブルース」が一九五〇年代初期のR&Bにどれほど影響を受けているかを。それはパロディであり紋切り型との戯れだ。「ロー・アンド・ビホールド」をトラックドライヴァーソング、たとえばデイヴ・ダドリーの歌う「シックス・デイズ・オン・ザ・ロード」と比べてみるといい。「物干しづな」を昔のジャグ・バンドの曲と比べてみるといい。「リンゴの木」のふぞろいなゴスペル調を聞くと、タンバリンを振る昔の黒人牧師を思い出すだろう。「おもいぞパンのビン」のナンセンスの奥には、アメリカに深く根付く逃走の伝統が垣間見える。こんなところから抜け出して、ここではないどこかへ向かうのだ。「長距離電話交換手」はフォーク・ロックの「生みの親」チャック・ベリーの「メンフィス・テネシー」と、自動車と電話という二つのテクノロジー、そして十代の性的解放を思わせる。『ブロンド』での苦しみが完全に消えたわけではない。「アカプルコへ行こう」は裕福なメキシコのリゾートの浮かれ騒ぎを模しているが、アカプルコには重苦しい精神が込められている。「ドアをあけて」のタイトルは、ダスティ・フレッチャーとジョン・メイソンが作り、舞台でよく使用されていた曲を一九四七年にジャック・マクヴィーとドン・ハウエルが手がけてヒットした「オープン・ザ・ドア・リチャード」がもとになっている。光源は明るいが、それでも楽しみを引き戻すような苦しみもたくさん垣間見える。こうした対照的なムードは、ディランの二重性や葛藤を表すもうひとつの指標であるだけでなく、フィッツジェラルド／メイラー的な成熟した芸術家および人間としてのテストのようでもあった。頭や心に相反するアイデアや衝動を抱えながらも、その葛藤によって無力化されたり力を削がれたりしないという資質だ。さらなる前進、さらなる成長が、ディランの葛藤や、相反するアイデアと衝動を抱えながらも進んでいける彼の能力との対比で浮かび上がる。ザ・バンドは『地下室』において今までになく明るく、自由で、乗り気だった。ここで、ザ・バンドとディランは心地よく楽しげに、田舎の沈黙を破ったのだった。

ジョン・ウェズリー・ハーディング

一九六八年一月、のちに彼が「初めての聖書的ロック・アルバム」と呼んだメジャーアルバムがリリースされ、ディランにまつわるいくつかの新たな神話が生まれ、音楽ビジネスにまつわるいくつかの神話が破壊された。一九六五年から六六年にかけての熱狂の三部作に続けて発売された『ジョン・ウェズリー・ハーディング』は、ウィリアム・ブレイクの詩「地獄の箴言」の一節を思い起こさせるものだ。「過度の道が智慧の宮に通ずる」(G)。人びとはディランの過度なイメージの積み重ね、過度な生き方、過度に行き当たりばったりの行動を目にしてきた。今度の彼は、事故を経て、瞑想的で、思いやり深く、音楽的・肉体的・精神的な穏やかさがにじみ出ていた。ジャケットノートには現代のキリストの寓話のような曖昧な物語が記されている。そこで三人の王は与えにではなく、何かを手にするためにやってくる。このアルバムはディランの人生と作品が過去の過剰性を否定し、すべてのものに対して節度を持つ時期の始まりを告げるものとなった。

アルバムのプロモーション用のツアーは行わなかったものの、初週の売上は二五万枚に達したと言われている。四月を待たずして五度目の「ゴールドディスク」を獲得し、つまり当時で言えば一〇〇万ドルの売り上げに達したということで、この頃は二五万枚が目安だった（アルバム価格の上昇にともなって、一〇〇万枚を売り上げたアルバムが「プラチナディスク」と認定されるようになる）。ファンはディランの「言葉」や「生き方」を追い求め、今回彼がそれを明確に語っていることに驚いた。彼らは刺激や怒りや知見や熱狂を求めていたが、『ハーディング』では静寂や瞑想や自己認識の価値を知り大きく方針転換した男を発見することとなった。かつて混沌を受け入れると語ったディランが、今度は「すべてのものには秩序があるべきだと思う」と語っていた。

表面的な秩序とは裏腹に各曲の裏には複雑さが潜んでいる。ウッドストックの自宅の書斎に、ディランは大きな聖書を書見台に開いて置き、ハンク・ウィリアムスの曲を手元に置いていた。彼はコリン・ウィルソンの『アウトサイダー』に描かれるような異端者、無法者、敗者、犠牲者、被抑圧者、孤独な人間、そして疎外された人間をかき集めた。こうした要素から、彼は寓話や、詩編や、たとえ話や、シンボルや、比喩や、モラルを学び取っていた。聖書への言及、スタイル、平易な言葉と民間伝承を組み合わせた構文がアルバムじゅうに満ちていた。グウェンドリン・ベイズは著書『オルフェウスのヴィジョン』にこう記している。「真の預言者は神話を、そして言い伝えを解読する力を持たなければならない。特に古くからの物語を読み解く力を持たねばならない、なぜなら「昔の人びとは最も深遠なる真実をシンプルな物語の奥に埋め込んできたからだ」(9)。ディランの最もシンプルなアルバムは最も複雑なものとも言える。ポール・ウィリアムズは「見張塔からずっと」と冒頭の歌詞「ここから抜け出す道があるはずだ」を取り上げて「閉所恐怖症」と呼んだ(10)。

ビル・キングはディランが「普通の男という新たな神話、新たな個人および芸術家としてのアイデンティティの礎」を築いていると感じていた。「この再生という内なるプロセスこそがテーマなのだ」。キングは、アウトローであることを愛し、アウトサイダーを自任していたディランが、新しい自分とかつての自分の論争に身動きがとれなくなっていると感じた。デイヴィッド・ピカスクは「A面はとてもユダヤ的で、キリスト教的な原罪の感覚や贖罪への欲求を感じる」と言い、B面はその贖罪と達成、最後の二曲のラブソングは「真に解放された状態」だと語った。ユージン・ステルツィグはディランが「変更され、蓄えられ、さらに強力になったヴィジョンを持って、深く宗教的かつ道徳的で……魂を探求するポートレートや告白に留まらず……救済や破滅の精神的現実を受け止める視座」を持って再登場したとしている。

ひと息ついてバランスを整えたディランは、自らの曲や技術について少しばかり語っている。一九六八年二月二六日、『ニューズウィーク』。「いつもトラディショナル・ソングと共にあった。自分はただそれをまとめるのに機材を使っただけだ。まだシンプルに作る準備ができていなかったのかもしれない……曲というものは曲であることそのものがひとつのモラルだ。誰もがモラリストで……自分はただ音楽的にものを見ている……歌うための物事として。言葉が歌われるというのが音楽で、それこそが重要だ。曲を書くのは、歌うための何かを必要としているからだ。紙に書かれた言葉と歌は違う。歌は中空に消えていき、紙は残り続ける。ほとんど別物だ。偉大な詩人、たとえばウォレス・スティーヴンズなんかは、必ずしも偉大なシンガーである必要はない。しかし偉大なシンガーというものはいつも——たとえばビリー・ホリデイなんかは——偉大な詩人でもある。自分はどの曲ももっと上手く歌うことだってできた。それは自分に満足していないということではなく、自分の演奏を自慢したくないだけだ……いつもシンプルにしようと試みている。そしていつも上手くいくわけじゃない。でもぼくは書くことの方にもっと注意を払っている……『ブロンド・オン・ブロンド』でぼくは歌を書き、みんなで演奏し、それぞれの仕事に戻り、ぼくはまた別の曲を書く……昔は自分自身と自分の歌は同じものだと思っていた。でももうそうは考えていない。自分自身がいて、自分の歌があって、それがすべての人にとっての歌であることを願っている」

『シング・アウト!』のジョン・コーエンは、ディランにカフカの『パラブルズ・アンド・パラドックス』を渡したという。これらの物語は「まさに物事の核心に通じ、そうでありながら完全には解読できない」からだという。一九六八年十月の『シング・アウト!』で、ディランはこう語っている。「ぼくの知っている唯一の寓話は聖書の寓話たちだ。ハリール・ジブラーンのものも知っているけど……それは聖書には載ってない——こういう種類の精神はね。現代ではミスター・カフカがそれに少し近いかな。ジブラーンの言葉はどれも力強いが、その強度は反対の方向を向いている。昔ロスコというラジオのディスクジョッキーがいて……ときどき……ロスコはハリール・ジブラーンの詩を朗読したんだ。晴れやかな心地がしたよ、その朗読がラジオから流れてくるのは。彼の声は、夜の内なる声みたいだったね……ぼくはいつも聖書を読んでいた、寓話とは限らずに」。コーエンはディランに言う。「きみはギデオン協会が聖書を置いていくようなホテルに行って、それを手に取るようなタイプとは思えないけど」。ディランはこう返答した。「まあ、それはどうかな」(11)。(ロスコはWNEW－FMで長らくディスクジョッキーを務め、『預言者』という詩で有名なレバノン出身のジブラーンに傾倒していた。ジブラーンは、西洋の大学人たちのあいだで広く支持を集めていた。ロスコのアルバム『ミュージック・アンド・ジブラーン』は中東の音楽をバックに朗読をするものだ。ディランに対するジブラーンの影響は、「はげしい雨」のような初期の作品に比べると『ハーディング』では見えにくくなっている)

『ハーディング』の持つ政治的メッセージには反論もあった。『サタデー・レヴュー』において、スティーヴン・ゴールドバーグは、このアルバムは「リンドン・ジョンソンへの言葉にならない強い嫌悪感が最高潮にあった時期に発売された……議論や行動に与しないというディランの宣言は、行動に移る学生たちの怒りと好対照をなしていた」。ジョン・ランドーは『ハーディング』に、包み隠された政治性を見いだしていた。彼は『クロウダディ』誌にこう書いている。「ディランは戦争について、そしてそれが私たちにどれほど影響を与えているかについて深い認識を表している」。『ヴィレッジ・ヴォイス』に、リチャード・ゴールドスタインは、『ハーディング』が「解釈をうまく避けていると同時に、解釈するようけしかけている……大きなテーマは人間の脆さだ……ディランは肉屋がチキンを品定めするような目で紋切り型に向き合っている。彼の新しい曲は食肉処理された決まり文句に満ちている……ディランこそが彼のモチーフなのだ。『ジョン・ウェズリー・ハーディング』でのアウトロー／告白者に耳を傾けよう。かりそめの笑みの奥で、彼はなおも裸なのだ」と記した。スティーブン・ピッカリングは神秘主義やユダヤ文学に関する読書体験を援用して、このアルバムの核は神秘体験のようだとした。ディランのユダヤ教徒としての出自が、「彼が書いたものすべてに拡張され浸透している」と主張した。

このアルバムの質素な音楽は人びとを驚かせた。ワイルドな音楽が求められていた時代に、ディランはフォーク／カントリー的なシンプルなメロディと簡単な伴奏に転向していた。それはほとんどシンボリズムからイメージズムへの進化であった――豊かなシンボルの積み重なりから飾り気のない本質への、「なにもないことが多すぎる」という状態から少し何かある状態への、捉えどころのない情感に満ちたモダニストからシンプルな音のクラシックへの進化であり、簡明な物語はつねに「沈黙に耳を傾け」、行間の意味を汲み取ろうとするものである。彼の音楽スタイルの劇的な変化は、ビートルズによるスタジオ技術の結晶である『サージェント・ペッパー』を傍目に起こった。最小限で効果的なバックの演奏は、ナッシュヴィルのわずか三人のセッションマン――ペダルスティール・ギタリストのピート・ドレイク、ベーシストのチャーリー・マッコイ、ドラマーのケニー・バトレーによるものだ。ディランは叫びや金切り声が吹きすさぶなかで囁いていた。彼はエレクトリック音楽のプラグを抜いたのだった。

アルバムのジャケットも神秘化に一役買っている。ディランと共に写っているのはウッドストックの労働者ひとりと、グロスマンがエレクトラで収録した伝統音楽の歌い手で、ベンガル地方の吟遊詩人「バウル」のインド人シンガー二人だ。写っている木のなかにビートルズの写真が「隠されて」いるのではないかと言うファンもいた。『メロディ・メイカー』のある読者は、ふざけてこう記した。「カヴァーを『ちょうどいい角度に持ち上げ、時計回りに回してみよう、するとレコードが落ちてくる』」。私は最初に、グロスマンとモーグル、そしてのちにディランに仕えたメッセンジャーのミルト・オクンから『ハーディング』のことを聞いた。ミルトはディランが「元の場所」に戻ってきて、歌が「完全に理解でき、ほとんど完全なフォークであり、イワン・マッコールを思い出させるところもある」ことを喜んでいた。彼はグロスマンとモーグルがこのテープを手放しで喜んでいたわけではないことも示唆していた。オクンはたしかに熱心なメッセンジャーだった。

「三人の王」のライナーノーツは、ある者たちにとっては『タランチュラ』のようにナンセンスである。ピカスクは、それを「カフカ／ベル／ボルヒェルトの伝統にあり聖書とブレヒトを参考にした短編」として読んだという。「三人の王」はキリストの寓話とも解釈することができ、あるいは正直に言って凡庸な男である登場人物のフランクをディラン本人と見ることもできる。いずれにしても、ディランは再び活動を始め、三人の王は大いに儲けた。

〈ジョン・ウェズリー・ハーディング／John Wesley Harding〉

両手に銃を持った主人公の、ほのかな皮肉。当時、若者文化はウォレン・ビーティ主演、アーサー・ペン監督の映画『俺たちに明日はない』に衝撃を受けていた。ジョン・ウェズリー・ハーディンの物語を語るのではなく、この曲は、ビル・キングの言葉を借りれば「この無法者の英雄の神話的なあらましを詩の形に込めた」ものだ。一八五三年にテキサスで生まれたハーディンは、若くからギャンブラーでありガンマンだった。一八七七年、警官殺害の罪で二五年の刑を言い渡された。刑務所のなかで、彼は法律を学び、一八九四年に赦免（しゃめん）されると、エル・パソで弁護士として開業した。一年後、彼は地元の警官に殺害された（オクンが彼の著書『サムシング・トゥ・シング・アバウト』向けにディランに「一番好きな」昔のフォークソングは何かと尋ねると、ディランは彼らしく悪者についての歌「ジョン・ハーディ」を選んだ)。アルバムがリリースされると、これまで「singin'」や「ramblin'」や「walkin'」などと自由に綴ってきた負い目を払拭するかのように、ディランがハーディンの名前に無意味な「g」を加えて「ハーディング」としたことを私は紙面で批判した。

「ハーディング」は本質的には心よき無法者を歌うバラッドで、飾り気のない寓話だ。意図的に粗くした民俗フォーク調の声で、物語も簡潔に保っている。武器を持った無法者であるこの聖人は、恋人を横につれ、「決して/愚かな行動をしなかった」(12)。ハーディングもまた、この時期のディランと同じように姿を消す。この曲には西部劇のような、泥だらけのブーツのような感触がある。

〈ある朝でかけると/As I Went Out One Morning〉

英米の歌集は、この曲のように古めかしい冒頭から始まることが多い。私は曲中に登場するトム・ペインが、自由な考えの持ち主であるディランと、一九六三年にディランへ贈られた賞の名前の由来である革新的作家トム・ペインの二重のメタファーになっていると考えている。ディランは、かつて自らの思考こそが自身の教会だと語ったペインが、独断という鎖につながれている現代の自由主義者たちの思考を目にしたら驚いたことだろうと示唆している。伝統的な形式に則って物語は進み、現代的価値観との衝突に対する批評になっている。曲中の鎖でつながれた女性は二重の意味で役割が反転している。伝統的に、美しい乙女というのは捕われ/相手を虜にするものだが、ここでは語り手を捕えようとし、語り手の虜になっている。

〈聖オーガスティンを夢でみた/I Dreamed I Saw St. Augustine〉

最初の二行は「ジョー・ヒル」の歌詞を言い換えたものだ。「ジョー・ヒル」は労働組合の讃歌で、世界産業労働組合に所属し活動の殉教者となった歌手ジョー・ヒルをテーマに、アルフレッド・ヘイズが作詞しアール・ロビンソンが歌った曲だ。ディランの曲のなかでフォーク界の聖人はカトリックの聖人に取って代わられているが、ディランはどちらもやんわりと拒絶している。偏見やイデオロギーはなくなり、彼は救済を、答えを求めている。彼が心の慰めだけの信仰から距離を置こうとしていることが深く感じられる。オーガスティンは殉教者ではないが、誉れある教父として死んだ。彼の著書『告白』や『神の国』は、若かりし放蕩時代、その後の回心、そして恩寵の希求を描く年代記だ。ステルッィグは、この曲の語り手について次のように語っている。「よみがえる聖書的な預言者に死をもたらそうとしている。彼は……複雑さと罪悪感に痛いほど気づいている……ディランの歌詞には新しい要素だ。彼はひとりで目を覚まし、おびえる——彼は頭を垂れて泣く」。キャロリン・ブリスは、ディランは自分が聖人であるという考えから目を覚ましたのだと言い、「かつては聖人としての無益な自己犠牲を追求し、理解も得られず手の届かないものを追い求めていた。そうした一切は夢で、いまディランは目覚めている」。ブリスによるとディランはこう語っているのだという。「ぼくの思いやりと友情と共に進もう、ぼくの導きとともにではなく。自分の力で自分の暗闇を抜け、自分の光を見つけるんだ」。ディランは殉教や、人がそれを求める理由を考えている。しかし歌詞のなかには多くの謎が残る。語り手が泣く前に触れる「ガラス」とは何なのだろう？　窓なのか、望遠鏡なのか、それとも鏡なのか？　彼は左翼やキリストの聖人による救済を超えて、罪人から聖人となった者たちと失われた魂に同時に自分を重ね合わせているように見える。

〈見張塔からずっと／All Along The Watchtower〉

多くの人が、この十二行の歌詞の珠玉の作品をアルバムのハイライトだと考えている。不穏なギター・イントロのあと、張りつめた歌声とムードに古風な設定と登場人物の会話が織り交ざる。空虚を埋めるペテン師は『リア王』の道化師のようだ。そしてペテン師と泥棒の会話は、どちらもディランの相反する感情のように思える。ガブリエル・グッドチャイルドは言う。「見張塔は城塞都市のイメージと結びつき、人間や国民の心理状態の比喩としてやってくる。ここではディランがペテン師と泥棒に自身の二重性を見いだして道徳秩序が揺らいでいるように見える」

この不思議な二人組は城塞都市の内側にいるのだろうか、外側にいるのだろうか。その街に捕われているのだろうか、追放されたのだろうか。「問いこそが答えだ」。閉じ込められるのと締め出されるのではどちらの方が辛いだろうか。「ジョージ・ジャクソン」のなかで、ディランは人間には囚人もいれば看守もいるが、どちらも大して変わりはないと言った。ジャック・マクドノーは、この曲をイザヤ書の第二一章と結びつけている。バビロンの陥落が預言される箇所だ。ピッカリングはイザヤ書を「悪意の使者」や「あわれな移民」とも結びつけている。当時、ディランはビジネスマンたちが自分の稼ぎを飲み込み、批評家や聴衆が自分の土壌を踏みにじっていると感じていたに違いない。ディランはジミ・ヘンドリックスが歌うこの曲と、彼の強い喚起力を讃えていた。

〈フランキー・リーとジュダス・プリーストのバラッド／The Ballad Of Frankie Lee And Judas Priest〉

疑念とは言わないまでも、憂鬱が開拓期のバラッドスタイルのコミカルな長い物語によって吹き飛ばされる。マーク・トウェインや、ブレット・ハート、ロバート・サーヴィスに通じるものがある。この物語は聞き手によって、軽い物語にもなれば重いメッセージにもなる。おそらく鍵となるのはライナーノーツの「三人の王」に登場するフランクと、この曲に登場するフランキー・リーがどちらもディランであろう点だ。ジュダスは金で誘惑してくる。それは音楽ビジネス、あるいは成功のこととも考えられる。ジュダスが家と呼ぶ名声という売春宿の快感とされるものに疲れ果て、フランキーはモラルの砂漠で乾いて死にそうになっている。自分の望むところに留まり、自分の望むことをして、金や不当な成功になびかないこと、それ以外は「何も明かされない」(13)。ディランは様々なタイプのジョークを飛ばしている。フロンティア・バラッド風、ウェスタン風、そして聖書風の。私たちは意味や体系を探し、求め、手に入れようとするが、ディランは意味そのものが幻想であり、決してつかむことができないものであるのだと嘲っている。

〈漂流者の逃亡／Drifter's Escape〉

これもまた、社会から脅かされながらも打ち負かされてはいないアウトサイダーの物語だ。苦しそうな抑揚と、入念な言葉選びによる見事な歌唱。「ルーク・ザ・ドリフター」の別名を持ち、音楽生活に身を捧げたハンク・ウィリアムスを思い出させる曲だ。彼の曲のいくつかも、この曲と似たように孤独で切ない響きがある。ボブの隠遁生活が、その前の三年間で経験してきた怒りを消し去るわけではなかった。この漂流者はカフカ的な被害者で、なぜ責められているのか分からない。すると神のように雷が一閃し、検察が痛い目にあうあいだに、漂流者は逃亡する。この雷は、あのバイクと言えるかもしれない。ボブは群衆が暴徒になることを深く嫌っていた。映画『牛泥棒』を観たあと、彼は無実の人間がリンチに遭うバラッド作りに取り組んだ。この曲にはワールドツアーの恐怖が下敷きにあって、曲はまた別の「廃墟の町」への道となっている。この曲の韻律、リズム、拍子の原型は旧約聖書にある。

〈拝啓地主様／Dear Landlord〉

ディランの優れた点のひとつは、言葉に常に音楽的な響きがある点で、この曲のタイトルにもそれが見て取れる。歌声は嘆願のような調子を帯びていて、個人的な訴えは祈りのように聞こえてくる。これは極めて個人的な曲で、ディランが隠遁を続けることに動揺を隠せないマネージャーのグロスマンに宛てたものだろう。グロスマンはかつてディランが住んでいたウッドストックのコテージの地主だったし、ディランは当時コロンビア・レコード、マクミラン、ＡＢＣテレビに「借り」があった。ジャック・マクドノーは、ホーボーや地主様や移民といった曲がそれぞれ表している悪を、聖書の箴言第六章十六節と結びつけて語っている。

〈おれはさびしいホーボー／I Am A Lonesome Hobo〉

この曲もアウトサイダーの視点で語られる。最後の四行はかなり倫理的な歌詞になっていて、妬みを避け、誰の行動規範も受け入れず、自分自身の判断というものを保てと語りかける。己の信条を説くさすらいのポローニアスのような趣だ。二曲前の「漂流者の逃亡」と独特のつながりがある——この曲ではあの漂流者が裁判所から数マイル離れ、孤独に歩きながら自らの「罪」を振り返っているように聞こえる。

〈あわれな移民／I Pity The Poor Immigrant〉

思いやりと悲運への嘆きが表現されるこの曲の歌詞は、いつも私を戸惑わせる。ディランは自らを苦しめているのかもしれない、自身のうちにある（そして誰のうちにもある）善き面と、欲張りでご都合主義で強欲な面のあいだで繰り広げられる愛と憎しみの対話で。アラン・レモンは、これが運命と自由のバランスを取ろうとする試みだと指摘している——ディランは私たちみなを移民や「エデンの門」からの亡命者だと考えていたのである。ディランは当時移民の街ニューヨークの外側から、自分にとってその街がどれほど嫌なものに見えるかとメッセージを送っていた。歌声は素晴らしく、メロディはイギリス・スコットランドの伝統曲のなかでも屈指の美しさだ。彼は「カム・オール・ヤ・トランプス・アンド・ホーカーズ」を変奏したボニー・ドブソンが歌うカナダの曲「ピーター・アンバリー」を覚えていたに違いない。移民の恐ろしい行為が甘い歌声と対比され、罪の苛烈さが薄められる。最後の歌詞で、聖書的な平穏とともに「喜びが訪れるとき」(14)は、神の恩寵のような希望をもたらしている。

〈悪意の使者／The Wicked Messenger〉

聖書への言及が、この古風な言葉遣いで語られる不思議な寓話を豊かなものにしている。歌詞に登場する「イーライ」とはヘブライ語で「神のいる高いところ」を意味する。聖書におけるイーライは幼きサムエルにものを教えるイスラエルの祭司であり指導者だった。箴言第十三章十七節には「神に逆らう使者（ア・ウィキッド・メッセンジャー）は災いに遭い／忠実な使いは癒す」とある。ソポクレスの『アンティゴネー』にはこうある。「悪い知らせを運ぶ者など、誰からも好かれぬものです」(H)。シェイクスピアの『ヘンリー四世』には次のように記される。「歓迎されざる知らせを最初にもたらすのは／損な役回りだ」(I)。ディランは真実を告げるという詩人の責務について語っているのかもしれない。曲調はアルバムのなかでも有数の独創性を見せ、ブルース的で、荒々しく、はっきりとした輪郭を持っている。

〈入江にそって／Down Along The Cove〉

初めのうちは、この曲と次の最終曲は配置を間違ったのではないかと感じていた。しかしのちに、この収録順に感情的、理性的、そして音楽的な意図を感じ取るようになった。このアルバムが救済や答えを求める男について語るもの、あるいは一人の男の変化を描いた自伝的なものであるとするなら、本曲のような魅力的なラブソングはバランスや調和をもたらす。あの使者が今や良い知らせを告げている。人間の愛や、理想や、宗教的信条を通した救済——それは複雑なものでもあり得るが、女性の笑顔のようにシンプルなものでもあり得る。この曲は実に軽やかに、ダンスのようにスイングする。

〈アイル・ビー・ユア・ベイビー・トゥナイト／I'll Be Your Baby Tonight〉

またもディランは月並みな愛の言葉をもてあそぶ。この曲と他の曲との落差はつまり、哲学や教義は忘れて、シンプルな喜び、「月（ムーン）」や「スプーン」といったシンプルな真実に落ち着こうと伝えている。このアルバムは不変のものや形のないものに思いを馳せるならずもののカウボーイのバラッドから始まって、その彼が愛という慰めを味わおうと心に決めて終わる。ハンク・ウィリアムスもよくこの曲のようにマネシツグミ（モッキングバード）について歌っていて、歌詞で示唆するようなシンプルな男とは程遠かった。「入江にそって」と「ベイビー・トゥナイト」はディランの作品と人生の一つの時期の終わりを告げるものであると同時に、ナッシュヴィルの地平線（スカイライン）に沿う新たな景色を先取りするものだった。

ウディに捧げる歌

ついに、ウディ・ガスリーの衰弱、麻痺、そして痛みが終わりを告げた。一九六七年十月三日、十五年におよぶ闘病生活を経て、彼の人生は幕を下ろした。長年ウディのエージェントを務めたハロルド・レヴンソールは、ウディの波乱に満ちた人生の終焉をメディアに伝えた。死亡記事はウディが一九四〇年代にこの世を去ったと思っていた多くの人びとを驚かせた。下火になっていたフォーク・ムーヴメントは、この年長の指導者の死をもって終わりを迎えたかのようだった。レヴンソールは私にこう語った。「多くの人びとが連絡を取ってきて追悼を述べたけど、彼のために何かしようと言ってきたシンガーはたったひとりだった――ボブ・ディランだ」。チャリティ・コンサートの開催がバラッド・シンガーには最適の追悼のように思えた。収益はハンチントン舞踏病の闘病支援か、ウディの故郷オケマーに図書館を設立する資金として使われることになった。

ディランが自ら時間を割いたことで、コンサートは容易に手配することができた。映画脚本家で元アルマナック・シンガーズのメンバーであるミラード・ランペルが、コンサートの台本と監督を担当した。ウディと親交のあったハリウッド俳優の二人ウィル・ギアとロバート・ライアンがナレーションを務めた。歌手は？　追い払わねばならないほどたくさんいた。十二月、ニューヨークの新聞で、一九六八年一月二十日にカーネギー・ホールで二部制のコンサートが行われることがひっそりと告知された。そこに並んでいた名前は、ディラン、ジュディ・コリンズ、ジャック・エリオット、アーロ・ガスリー、リッチー・ヘヴンス、オデッタ、トム・パクストン、そしてピート・シーガーだ。およそ六〇〇〇の席がわずか数時間で完売した。

ディランの復帰は、このコンサートの目的を奪ってしまう恐れがあった。彼はいくつかの厳しい禁止事項を作った。写真撮影、テープレコーダーの持ち込み、押し合いの禁止だ。それでも、聴衆やメディアは、ガスリーの死を悼むよりもディランの復活を讃えることに心を弾ませていた。午後に行われた第一部で、ディランはステージ左からひっそり登場したため、すぐには気づかれなかった。キリストのようなヒゲを生やし、控えめなグレイのスーツに首元のボタンを外したライトブルーのシャツを着ていた。とても穏やかな様子に見えた。聴衆が彼に気づき始めると、感動的な一日は歓声と叫び声で幕を開けた。

「その姿を隠すことほど、伝説的な人物を永遠にするものはない」、リチャード・ゴールドスタインは『ヴォーグ』にそう書いた。彼がマイクを握った時間はわずかだったが、この日は彼のものだった。会はインストゥルメンタルから始まり、その後「バウンド・フォー・グローリー」へと進んだ。ライアンがランペルの原稿を読み始めた。「彼のギターには小さくこう刻まれていた。『このマシーンはファシストを撲滅する』。彼は自分が一歩踏み出して何に賛成し何に反対しているか口に出すことの力を信じていた。彼の困難に満ちた人生は、ひとりの男によるデモだった。彼は貧困や飢餓、人種的偏見やたちの悪い正義、詐欺師、節操のない宣教師、歪んだ政治家たちに反対した……アウトサイダーや無法者、急進派、反抗者を支持した。漂流者や流れ者を支持した」

このガスリーに対する壮大な賛辞から伝説が始まった。高邁な思想がシンプルな言葉に、怒りの感情が痛烈なフレーズに込められた。いつも言葉を練っていたガスリーの英語は、おそらくマーク・トウェイン以降どんな作家よりも鋭い表現を摑んでいた。一人ずつ、あるいは様々な組み合わせで、歌手たちはガスリーの曲を演奏し、ランペルのナレーションやウディの言葉を引き継いだ。それが散文であれ歌詞であれ歌うのは簡単なことだった。どちらにもメロディが流れていたからだ。マージョリー・ガスリーからダンスを習った学生たちが一曲踊り、国民的な吟遊詩人ガスリーがかすれた声で歌う「トーキング・ダスト・ボウル・ブルース」が流れるなか、太平洋岸北西部のスライドが映された。厳しい政治、アシッドミュージック、ポップアート、そして暗殺の時代に、ウディの言葉は聖書の言葉のように聞こえた。「ぼくはただ一人で歩き、生い茂り枯れ果てる季節のそれはもう広大な景色を立ち尽くして見渡してきた。親指を立てて。ヒッチハイクをして。歩いては語って。輪郭や印をつけながら。目で見て耳で聞いて。体験して感じて息をして匂いを嗅いで、吸収して、毛穴に刷り込んで、風を眉間に受けながら、自分の巣に蜜を詰める」

ライアンが言い終わるとライトが十秒間消え、ステージの右側で入れ替えがあった。ライトがつくと、カントリー・ミュージックのチャリティが始まった。ディランとザ・バンドはウディの有名なダムについての歌のひとつ「グランド・クーリー・ダム」を歌った。真のヒルビリーとして、たくましく、声を張り上げ、大騒ぎし、ディランは一分間もアコースティック・ギターをかき鳴らし、それからギターをマイクまで高く掲げたり、右手をさっそうと振ってザ・バンドの「指揮」をしたりした。私の隣にいた『ローリングストーン』の記者は大きな声で笑っていた。最初の曲が大きく鳴り響きながらも、聴衆は落ち着いていた。シーガーは「考える人」のように、座ってこぶしにアゴを乗せていた。オデッタは満面の笑みを浮かべ、ステージの上でスポットライトを浴びているかのようだった。ディランとザ・バンドは次に「ミセス・ルーズヴェルト」を演奏した。ボブはレースドライヴァーがギアを変えるようにキーを変えた。オルガンとドラムもそれに呼応した。フォーク・ミュージックがビートと折り合わないなど誰が言うだろうか？　ロカビリー・バンドにガスリーは歌えないなど誰が言うだろう？

拍手が落ち着くと、ディランは「アイ・エイント・ガット・ノー・ホーム」へと移った。ウディの曲がこのように演奏されるのを聞くのは驚きだった。シーガーも、どうやらエレキのショックから復活したようで、自分のギターの裏をドラムのように叩いていた。ディランの声は演奏に合わせて大きくなった。『ジョン・ウェズリー・ハーディング』とはどれほど違うことか！　彼の歌い方は鋭いものになっていた。ザ・バンドとのヴォーカルのハーモニーは現代のカントリーにすべてを取り戻していた。インターミッションでは、誰もがディランについて語っていた。わずか十三分間のステージで、ウディ以外の全員の話題をさらったのだった。

セキュリティは厳しかった。レヴンソールはカメラが入っていたら会は崩壊していただろうという。夜の部のインターミッションの直前、何者かがフラッシュをたくと、レヴンソールと制服を着たガードマンが駆け出てきて、その輩を追い出した。コンサートのあと、ランペルは激怒していた。彼は私に、大げさに尋ねた。「こんな警備態勢はウディと何の関係があるっていうんだ？」第一部の前に私が「スタッフバッジ」をつけてステージ裏へ行くと、この会の公認写真家デヴィッド・ガーが興奮してささやいた。「彼が来てる！」楽屋に、ディランがロビーとジャック・エリオットの隣に座っていた。冗談好きのランブリング・ジャック以外みんなナーバスに見えた。ボブに挨拶すると、彼は立ち上がって握手をしてくれた、珍しく社交的だった。天気や春の収穫の予想なんかについて話しているとグロスマンが現れ、ボブに紙を手渡した。ディランはそれを読み、そして笑った。その日初めて見たボブの印象は、その年の暮れに彼の弟が言うのと同じだった――「五十歳の男のように、すごく穏やか」だった。良い休息を取れたのだと思った。

ガスリーの追悼会におけるディランのパートには全員が満足したわけではなかった。あるフォーク・ファンは、その会が「ハリウッド的すぎる」過剰なスター偏重だと感じたという。しかしより重要なのは、ディランに熱狂する多くの聴衆に対してガスリーを知らしめたことだった。会が進むにつれ、オマージュを捧げられたガスリーが引き立っていき、ディランの存在が薄れていった。ギアとライアンは次々とウディの歌詞／詩を朗読していった。「ぼくはこの世界の荒くれた人びとこそが最高のシンガーであり、最も厳しい攻撃にあう、最も力強い人間であると信じるようになった」。普通の人びと、労働組合の人間、古き良き土着のアメリカ人についての曲が演奏されていった。ジュディ・コリンズは「ロール・オン・コロンビア」を歌った。シーガーとヘヴンスは共に「ジャックハンマー・ジョン」を歌った。パクストンは「ビゲスト・シング・マン・ハズ・エヴァー・ダン」の物語を語り、それからジュディがピートの歌う「ユニオン・メイド」に参加した。シーガーは三〇〇〇人の観客と一緒に「ルーベン・ジェイムズ号の沈没」を歌った。アーロは、もし現代で教えを説いていたら、キリストは再び磔になっているだろうかと問う父の皮肉めいた曲「イエス・キリスト」を歌って最高の瞬間を演出した。オデッタとヘヴンスはほとんど演奏されない「アイヴ・ガット・トゥ・ノウ」を一緒に披露した。

二部のどちらの会でも、この集いは精神の復活を感じさせた。人びとは何か確かなものを求めていた。戦争のテト攻勢について騒がれ、公民権運動の闘争があり、政治はかつてないほど粗末なままだった。誠実な者たちはガスリーの言葉のなかに希望を見いだそうと試みた。何と言われようと、自分たちは「勝利のために生まれた（ボーン・トゥ・ウィン）」のだと。全員で「バウンド・フォー・グローリー」を歌った。ディランのパートになり、彼は一瞬歌詞を忘れ、笑い、歌詞を思い出し、全員で楽しげに歌った。最後は、フォークの国歌ともいえる「わが祖国」。私たちは、そこで語られる言葉を懸命に信じようとした。涙を流す者もいた。大半は手を叩いたり、足を踏み鳴らしたり、跳ねたり、声がかすれるほど叫んでいた。バラバラの、他人を疑う、党派的な、自己を追求する個人主義はしばらくのあいだ消え失せていた。観客は一体となって兄弟姉妹愛というキャンプファイヤーを囲み、希望という幻想を本物の民主主義に変えていた。マージョリーがステージ上にいて、オデッタが手を握って彼女の周りを踊った。エリオットも不格好なカウボーイブーツで変わったステップを踏んでいた。あのウィル・ギアでさえ、曖昧にではあれ大きな声で歌っていた。スタンディング・オベーションは十分ほども続いたかもしれない。ピートがついにホールの聴衆を静め、私たちは自分たちの歌を工場に、コミュニティに、家に取り戻さなければならないと言った。工場？　誰も彼の肉体労働者的な比喩の揚げ足を取る者はいなかった。

二部制のコンサートの合間、ディランとザ・バンドは近くのシェラトン・プラザ・ホテルでくつろいでいた。ロビーは、第一部のインターミッションで私に「今夜を楽しみにしてな」と言っていたが、彼の言った通り、夜の部の興奮はさらに大きなものだった。第二部のあと、およそ一〇〇名の出演者や友人たちに向けたパーティがロバート・ライアンの広々としたマンションで行われた。セントラルパーク・ウェストのダコタ・ビルはジョン・レノンが暮らし、命を落としたビルだった。レヴンソールは大人しくしていたが、それは彼がその日ようやくウディの死に打ちひしがれていたからだと教えてくれた。深夜近く、ボブはサラ、ハッピー・トラウム、そして数名の友人と共に現れた。ボブはベンジャミン・フランクリン風の眼鏡をつけ、穏やかながら内面は沈んでいるように見えた。彼が入ってくるとほとんどの会話が止んだ。古くからの友人たちや知人たちを回ってあいさつを始め、そのなかにはアラン・ロマックスもいた。アレン・ギンズバーグは大半の時間ドスンとイスに座って瞑想して過ごしていた。

私はディランとコンサートについて話した。彼はほとんどすべてのことについて「素晴らしかった、本当に素晴らしかった」と言った。ためらいながら、私が少し前に『タイムズ』に書いた『ジョン・ウェズリー・ハーディング』のレヴューについての話に移った。私は何度聴いても、聴くたびに新しい発見があると語った。「じゃあ、もう何回か聴いてみるべきだったね」、ボブはそう助言をした。事故前の彼の辛口のやり取りに触れて、私はむしろ安心した。しかしこうしたアーティストと批評家の応酬は昔からあったもので、私たちはすぐに雑談へと移っていった。彼も雑談は嫌いではないようで、ずいぶん上手くなっていた。

『タイムズ』はそのコンサートについて熱狂的に語るコラムを書く機会を与えてくれ、『ニューヨーカー』は共感的なレポートに約一ページを割き、『ヴィレッジ・ヴォイス』は一ページ目にステージ上のディランの良い写真を掲載した。AP通信はガスリーの追悼よりもディランの復帰を強調していたが、もちろん国中を演奏して回ったガスリーの物語、彼の本や歌にも十分なスペースが充てられた。その後、カーネギー・ホールでの追悼の別ヴァージョンが、一九七〇年九月十二日にハリウッド・ボウルで行われた。キャストには、バエズ、カントリー・ジョー・マクドナルド、そしてアール・ロビンソンが加わった。ウィル・ギアと共にナレーションを担当したのは俳優のピーター・フォンダだった。ハリウッド・ボウルに場所を移したダストボウルを観に約一万八〇〇〇人が集まった。この二つのコンサートの二つの音源が、イベントの音声そのままではあるものの、一九七二年四月にリリースされ、ヴォリューム1はコロンビアから、ヴォリューム2はワーナーから発売された。収益はハンチントン病の基金とガスリー図書館に贈られた。

　多くの人びとは一九七六年秋に公開された映画『ウディ・ガスリー／わが心のふるさと』がガスリーの地位を高めることを期待していた。レヴンソールは、こうした映画を製作しようと少なくとも十年以上働きかけていた。ウディの死から程なくして、彼はネドリック・ヤングから脚本の草稿を受け取った。四つの草稿を経て、ロバート・ゲッツェルの脚本が承認された。レヴンソールはロバート・ブラモフとユナイテッド・アーティスツと共同製作を行った。監督はハル・アシュビーが務めた。「しかるべき」スター探しは長く困難なものだった。レヴンソールは一九七五年十月十三日の『ヴィレッジ・ヴォイス』にこう語っている。「背の低い俳優を求めていた。候補に挙がったのはダスティン・ホフマン……ジャック・ニコルソン……ロバート・デ・ニーロ……アーロもその役を演じたがっていた……ボブ・ディランも検討していた。彼には脚本が送られたが、私は彼を必要としておらず、一週間後に電話がかかってきて脚本を気に入ったが映画には出ないと告げられた。助かった、と思ったよ。それから一週間後、彼がもう一度電話をかけてきて映画を監督したいと言ってきた。断らざるを得なかったんだけどね、もちろん」。その役に選ばれたのはテレビシリーズ「燃えよカンフー」で知られるデヴィッド・キャラダインだった。ウディの言葉の魔法に欠けた脚本は酷評された。客足も悪く、七〇〇万ドルの赤字となった。映画よりもディランとピート・シーガーの方が、アメリカの生活と文化にガスリーを浸透させるにあたって大きく貢献していた。

ナッシュヴィルの地平線（スカイライン）

　一九六〇年代後半はロックをどこへ連れて行っただろう？　一九六九年頃には、誰もがドラッグをしてウッドストックへ行き、サイケデリック・アルバムを録音し、怒ってベトナム戦争に反対を表明せねばならなかった。そして、静かな田舎の若者がナッシュヴィルの音楽エリア「ミュージック・ロウ」に現れ、数人の仲間を獲得し、スタジオに入り、数日後、甘い低音のカントリーラヴソングをこれまでに使ったことのない歌声で収録した。多くのファンは未だに廃墟の街(デゾレーション・ロウ)をつけまわっていたが、ディランは角を曲がって救済の道へと進んでいた。

『ナッシュヴィル・スカイライン』は、一九六九年四月、改心し穏やかで愛に満ちた男を高らかに伝えた。最初の反応の多くは次のようなものだった。「どうしてこんなに失望させられるんだ？　ドラッグでハイになってウッドストックへ向かっているのに、こんな甘ったるい愛を垂れ流して？　裏切りだ！」またしても唐突な実験に人びとは戸惑い、混乱した。多くのレヴューはアルバムに含まれていないものの方を強調していた。プロテストがない、苦みがない、中毒的なシンボリズムがない、ヒップなところがない。これは一体なんなんだ？

『ヴァラエティ』はディランの歌声を「ショッキングなほどに変わった」と伝えた。『タイム』はこう報じた。「ディランはたしかに歌唱と呼ばれる何かを行っている。どこかで、どういうわけか、彼は声の幅を一オクターブ広げることに成功している」。『ガーディアン』のジェフリー・キャノンはこうだ。「カントリー・ミュージックは、いつもディランを手本にして触発されるもので、この新たなスタイルは今年あらゆるアメリカの都市で繰り返し演奏されることになるだろう。恐ろしいほど熱を帯びたストリートに間隙と穏やかさをもたらすだろう」。『ヴィレッジ・ヴォイス』のロバート・クリストゴーは「八年の精神の探索を経て、ディランは家庭、友好、安定、安心の男に変貌し、来年も撤回しないであろうことを告げている」。多くの人間は彼が柔和で丸くなったことで尖った部分を失ったと感じた。アーティストというものは苦しみのなかでより良い作品を生み出すものであり、聴衆と芸術のために苦しむべきだとされている。『ビルボード』のエド・オクスは一九六九年七月十二日にこう記した。「ディランは、満ち足りた男で、決まり文句を語り、毎日がバレンタインのように顔を赤らめている……さよなら、ボブ・ディラン、きみが幸せで嬉しいけど、かつてのきみの方が私にとっては大きな意味があった……周りと同じように混乱していたきみ……きみは家庭に退き、天賦の才は失われたが、ぼくはきみがすぐに戻ってくるんじゃないかというおかしな考えも持っている、ワーズワースが言うように、反省という平穏のなかで自身の経験を振り返るために」。『ビルボード』がワーズワースに言及するなんて！　スティーブン・ピッカリングは詩人のアーチボルト・マクリーシュとバートランド・ラッセルを引き合いに出してから、『スカイライン』には「珍しく防御を下ろしたディランの心が垣間見える……個人的な恐れを描いているが……彼の外側の人びとには益がない」と記した。彼からしてみれば、ディランは「グノーシス主義（J）の後継者になりつつあった」

ディランは、一九六九年四月十四日掲載の『ニューズウィーク』のインタヴューに答えた。「その曲たちはいつも書きたいと思っていたような曲だったね。過去の曲よりも自分の内面が反映されている。『ジョン・ウェズリー・ハーディング』なんかよりも自分に近いところがある。あのアルバムではみながぼくに詩人であることを求めていたような気がして、ぼくもそうなろうとしていた。でも今回の新アルバムは、どんな些細な一行だって、これまでのどのアルバムの曲よりも自分にとって意味がある」

ディランが都会にいる他の多くのフォーク・シンガーよりもカントリーソングの現状に精通していたことを、私はいつも思い知らされてきた。一九六一年十二月、私が初めてのナッシュヴィル訪問から戻ってきて自著『ザ・カントリー・ミュージック・ヒストリー』に取りかかり始めたとき、ボブは誰に会って誰の音楽を聴いたか尋ねてきた。彼はよくハンク・スノウや、ハンク・トンプソン、ビル・アンダーソン、ドリー・パートンらに言及していた。一九六八年九月、彼はジョニー・キャッシュを聴くためにウッドストックからお忍びでカーネギー・ホールに出向いていた。彼は周りに、ナッシュヴィルで『スカイライン』を収録する前から、カントリー・ミュージックこそが次に来るものだと考えていたと繰り返し語っていた。

『ジョン・ウェズリー・ハーディング』以後、ディランが初めてナッシュヴィルで収録準備のためのセッションを行ったのは、一九六八年九月二四日コロンビアのスタジオAだった。実際に『ナッシュヴィル・スカイライン』が収録されたのは一九六九年二月十三日から十七日にかけてだった。収録にはチャーリー・ダニエルズ、ドブロ・ギター奏者、ジョニー・キャッシュ、その他多くの地元のミュージシャンが参加した。発売から六週間後に、このアルバムはチャート一位を獲得した。紛れもないカントリー音楽だったが、「カントリー」のチャートには分類されていなかった。グレン・キャンベルやジョニー・キャッシュはポップだけでなくカントリーのチャートにも分類されていて、アレサ・フランクリンは五つのカテゴリーのチャートに登場するのに、なぜディランはひとつだけなのか不思議だった。クライヴ・デイヴィスはこう語った。「私たちは『スカイライン』が国内のレコードの市場でよく売れたのを知っている。業界誌はそうした売り上げがカントリー・アルバムとしてなのか、ロック・アルバムとしてなのか、その両方なのかを判断するすべを知らないんだ」。『ビルボード』の編集者リー・ジトは、私にこう書いてきた。「カントリーの分野でディランに対する『無言の抵抗』のようなものはない。チャートに載らない理由は曲のレパートリーにある。他の分野のミュージシャンがカントリーに足を踏み入れようとするとき、彼らはどうしてもすでに認められたカントリー・ソングの素材を使って武装してしまう。カントリー・ファンは単にそういう種類の曲をあまり好まないから、彼のアルバムを避けたんだ」。ロンドンの『レコード・リテイラー』誌の編集長マイケル・クレアはこう語った。「私も、よく彼らがどうやってチャートを作っているのか不思議に思うときがある。アーティストが自分はカントリーシンガーだと宣伝しない限り、他の誰もそう呼ばない」。ディランに尋ねると、彼はシンプルにこう答えた。「カントリーのチャートに載るのは、毎週交差点に出て歌う人だけだ」

ジョニー・キャッシュはディランにとって最も強力な「後援者」となり得る存在だった。二月十七日と十八日に行われた最後の晩のセッションで、キャッシュはスタジオにぶらりとやって来て、二人は一緒に演奏した。十二曲から十五曲、「アイ・ウォーク・ザ・ライン」「ビッグ・リヴァー」「ケアレス・ラヴ」「いつもの朝に」「アンダースタンド・ユア・マン」などを演奏した。私たちが二人による楽曲を聞くことができたのは『スカイライン』でデュエットしている「北国の少女」、キャッシュについてのテレビ映画に登場したディランのパートと、キャッシュのテレビシリーズにディランが出演した際だけだった。ある記者にディランは「ジョニー・キャッシュと歌えるのは素晴らしい名誉だ」と語った。

キャッシュとディランの交友は、実は五年前から始まっていた。テレビ収録の頃、キャッシュは舞台に引きずり出されることに少し苛立ちを見せていた。「おれたちはただの友だちだ。おれにはたくさんの友人がいる」。当時キャッシュは言った。一九七五年、二人の交流を振り返ってキャッシュはこう語っている。「ボブ・ディランのことは『フリーホイーリン』のアルバムが出た一九六三年から知っていた。これまで聞いたなかでも有数のカントリーシンガーだと思ったよ。いつも彼とは通じ合うところがたくさんあると感じていた。会う前から彼のことはよく理解できた。彼がカントリーミュージックを聞いてきてるってことが分かったんだ。それからは手紙のやり取りをしていたよ」。おれは一九六三年にはラスヴェガスにいて、作品を気に入ったと手紙を送ったんだ。それからは手紙のやり取りをしていたよ」。
対面する前から、キャッシュはコロンビア・レコードに対してやトピカル・ソングのムーヴメントのなかでディランを擁護するつもりでいたのだった（一九六四年三月十日の『ブロードサイド』第四一号に掲載された手紙で、キャッシュはディランをめぐる議論に参戦してボブの側につき、小文の最後をこう締めくくった、「黙って彼に歌わせろ！」）

一九六五年のニューポート・フェスティヴァルで、キャッシュはディランに自分のギターのひとつをプレゼントした。それは一人のアーティストによる別のアーティストへの大いなる敬意の印だった。一九六八年、キャッシュはこのときのことを振り返っている。「自分用にギターを何本か持ってきていて、彼は一九三〇年代前半にシカゴで手作りされた一本を気に入った。だから昔おれが使ったそのギターをあげたんだ。ギターはたくさんあげたよ。おれたちはコロンビア・レコードで初めて会った。いわゆるソングライター同士の仲ってやつさ、分かるだろ？　互いへの敬意だろうね。ウッドストックの彼の家にも四年か五年前に行った。二年くらい前にはイギリスでも会った。そして一年くらい前にナッシュヴィルで彼のレコーディングのときに会った」

一九六八年の秋、私はキャッシュにドキュメンタリー映画用のインタヴューをした。「ポップや、毎年のように出てくる新たな音楽は、カントリーミュージックから借用していると思う。ザ・バーズやラヴィン・スプーンフルのような人びとには大きな敬意を抱いている。彼らはおれの理解できるカントリーをやってるね。だけど真のカントリー・アーティストでなければ続けていくことはできないと思う。基盤が必要なんだ。自分が歌っていることに説得力がないと、聴く方にも分かる。聴く方はこちらが誠実かどうかが分かるんだ。カントリーシンガーになるためには南部で貧しく生きなければならないと言っているんじゃない。その経験は役に立つけどね。おれが知っている成功したカントリーシンガーはみんな生まれや駆け出しの頃はひもじい思いをして、黒人のブルースを音楽的財産の一部にしている。誰一人例外なく、全員だ。エルヴィスも彼のスタイルを学んだのは黒人のブルース・シンガーたちからだと言うだろうね」

ディランとキャッシュの友情が最も花開いたのは『スカイライン』のオープニング曲と、六月七日土曜のキャッシュのテレビ番組へのディランの出演だった。彼の出演は最小限だった。番組ホストであるキャッシュの大きな存在感を前に彼は控えめで初々しく見えた。ディランは一人で「アイ・スリュー・イット・オール・アウェイ」と「リヴィング・ザ・ブルース」を歌い、それからキャッシュが参加して「北国の少女」を歌った。ディランの紹介は名前のみで、何も語らず、歌い終わってキャッシュと握手をしてから、初めて遠慮がちな笑みを浮かべた。『ナッシュヴィル・バナー』紙のレッド・オドネルは私にこう書いてきた。「彼はがらんとした、質素なセットの方を好んだ。ディランは『普段の自分よりも良く見えるセットの前で歌いたくないんだ』と言った。グランド・オール・オープリー・ハウスでの収録時にインタヴューすると、彼はこうつぶやいた。『人と話すのは苦手なんだ。でも紙に書くから、それなら自分について何かしら伝えられるかもしれない』」。オドネルは、彼の言うところのディランの「十か条」あるいは「信条」を送ってくれた。

ぼくは子供を愛している。動物を愛している。友人に対しては誠実だ。ユーモアというものを持っている。基本的には前向きな考え方をしている。約束には時間通り行くよう努めている。妻とは良い関係を築いている。よく批判を受けている。いい仕事をしようと励んでいる。誰に対しても良いところを見ようと心がけている。

自分がからかわれていると分かっていたかどうかは不明だが、オドネルはディランに迫った。「自分がシャイな理由を説明できればいいんだけどね。自分の感情をあまりうまく分析できないんだ。自分の魅力なんて、どうやったら分かる？　ぼくは記者にとっての理想的なインタヴュー相手じゃない。だけどぼくが書くときのルールは興味を持たれるかもしれない。ぼくだってぼくについての記事を書こうとしてる人には誰でも手助けしたいんだ」。オドネルはたくさんの番組を断ってきたのにキャッシュの番組に出たのはなぜかと尋ねた。ディランは答えた。「いい番組だからだ。最近はいいテレビ番組が本当に少ないからね」

記者たちはこのときの収録の厳戒な警備を何とかくぐり抜けようと試みていた。『ルック』のチームは、あえなく追い出された。キャッシュの妻ジューン・カーター・キャッシュは、ジョニーとボブは人知れず一緒に多くの時間を過ごしていたと語って彼らの神話を明かそうとした。番組の製作総指揮を務めるビル・カラザーズは、『ディス・ウィーク』のキャロル・ボトウィンにこう語った。「ジョニーからの頼みでなければボブは出演しなかっただろう。彼がどれほど緊張していたかは言葉にできない……ある若者がボブのところに押しかけていって……警察はその若者を追い出した……ボブはそのことを申し訳なく感じていたみたいだ。ボブは関心の中心にいて、彼はそれを嫌がっているんだ、ひたすらね。ディランは番組に出るということですごく緊張の糸が張りつめているが……ジョニーのおかげで耐えられているようだ。彼は昨日私に言った。『頼むからカメラマンは入れないでくれよ、ひどい見た目だから』とね。でも、そんなことはない。ボブは日焼けして健康そうに見えるし、スーツにネクタイを締めようともしている……彼もすごく普通の男なんだってことが分かるよ、緊張して目や唇がピクピク動くのを見ればね」

カントリーのフィドル奏者ダグ・カーショウは、前日の晩にモーテルでディランと曲を書いていたと語った。「すごく人間味のある男だよ。きみは彼が恐れを抱いているということに気づいていない。ものすごく怖がってるんだ」。番組のもう一人の出演者だったジョニ・ミッチェルは言う。「周りが自分のことを愛しすぎているときというのもすごく恐ろしい。ディランはすごく繊細な人なの。今より若くて怒れる若者だったときの方が楽だったと思う――相手の質問がくだらなくて非芸術的だと思ったら怒鳴ったりけなしたりしてね。でも今は、もう怒れる若者にはなれないということを理解してる。怒鳴ったりはできないの。そうする代わりに、彼は沈黙を守って、心のなかで怒鳴ってる。相手にぶつける代わりに、心のなかにぶつけてる」

キャッシュは二人での演奏の「魔法のような力」を否定していた。「他のみんなはそういう風に見ているが、おれはそう思っていない。おれたちは何度も遊びで演奏してきた。でもここにいる誰もがおれたちの演奏した『北国の少女』が、今までで一番魅力的で心に響いたと言った。その音を、魅力を絶賛した。おれはただ座ってGのコードを弾いただけだ」。ジューン・キャッシュは、ディランは出演を怖がっていたのではなく、ただシャイなのだと語った。「ディラン一家は私たちのすごく親しい友人なの。ジョニーはボブがリラックスしていられることを願ってる。一緒にいるときは、彼のプライバシーを尊重して誰も近づけないようにしてるけど、彼が実際何を思ってるかは分からない」。ディランが出演した「ジョニー・キャッシュ・ショー」はＡＢＣテレビで放送され、何百万もの視聴者を獲得した。その成功を受けてレギュラー化が決まり、一九七〇年一月から、毎週十五万ドルの予算で放送が開始された。

ディランとキャッシュの交友は音楽を超えて築かれていた。本人も包み隠さず認めていることだが、職業的な成功にもかかわらず、一九六一年から六八年にかけてのキャッシュはボロボロだった。ジューン・カーターとの結婚は救いのようなもので、不安定な内面を再びコントロールすることができるようになった。彼とディランは、この時期に似たような復帰の道を歩んでいたのだった。二人とも静かに暮らしながら相手が安定を取り戻していくのを眺めていた。ディランはアーサーとイヴリン・バロンが製作するテレビ映画のドキュメンタリー『ジョニー・キャッシュ、ザ・マン、ヒズ・ワールド、ヒズ・ミュージック』にわずかながら出演することに同意した。ディランは一九六三年の七月に、ニューヨークでＷＮＤＴテレビのフリーダム・ソングについての特別番組を製作するアーサー・バロンと出会っていた。ディランは七曲収録したが、放送を許可したのは「いつもの朝に」でのデュエットだけだった。この番組はナショナル・エデュケーショナル・テレヴィジョンで放送されたあと、尺を十六分追加して一九六九年十月から世界中の映画館で公開された。

『ナッシュヴィル・スカイライン』は当時のキャッシュとディランの交友を公にするものだった。ジャケットに掲載されたキャッシュの讃辞は、実質的に、彼のカントリーミュージック・ファンに対してこう告げているようなものだった。「この素晴らしい友人はカントリーミュージックの何たるかを良く知っている。彼のことをプロテストする者、ヒッピー、あるいは変わり者だと語る言葉は忘れて、愛について歌うこの男の曲を聴け」。デビュー以降初めて、ディランはアルバムに過去曲（「北国の少女」）を収録し、初めてのインストゥルメンタル曲「ナッシュヴィル・スカイライン・ラグ」も収録した。「北国の少女」には初めてエレキ・ギターが使用された。何より驚きだったのは彼の一新された声だった。極めて皮肉の込もった一九六九年『ローリングストーン』でのインタヴューで、ディランはこう「説明」している。「タバコをやめたら、声が変わったんだ……それはもうガラッとね、自分でも信じられなかったよ。でも本当だ。あんたも分かるよ、タバコをやめたらね（笑う）……オペラ歌手のカルーソーみたいに歌えるようになる」

　カルーソーとまでは言わないが――彼の声にはバディ・ホリーのような響きと、ロイ・オービソンの流れるような調子と、「ラヴィング・ユー」を歌うエルヴィスのような甘さがあった。多くの場面で、言葉は明瞭に発音され、鼻音はなく、怒りで嘆くような響きもなかった。それは純粋なるカントリーシンガーとしてのディランの「新たなカギであり、新たなドア」だった。それはマール・ハガードのような骨太のカントリーというわけでも、ハンク・ウィリアムスのような痛切なカントリーというわけでもなく、病が声を台無しにしてしまう前のジミー・ロジャーズのような伸び伸びとした流れるメロディのカントリーだった(15)。「ごきげんいかが」とでもいうようなジャケット写真のように、爽やかで穏やかで、気楽な音楽だ。『スカイライン』には大きな主張はない。それは一九七四年まで続くトレンドの始まりだった――「意味」からの逃走だ。昔から色々と語られる意味は抜きにして「愛こそがすべてだ／それが世界をまわしている」(16)。これは反動のようなアルバムで、改めて「普通の男」である彼にとって、隠遁生活における幸せは、人生や愛に関する基本的な事項を再発見することだったと告げていた。

　オープニング曲「北国の少女」でのキャッシュとのデュエットは貴重な瞬間だ。出だしや、ハーモニーや、演奏など、端々では雑だが、目に見えるような親密さがにじみ出ている。互いに歌い合う彼らからは、飲み明かした朝のような友情が感じられる。むかし懐かしい音のインスト曲「ナッシュヴィル・スカイライン・ラグ」が続き、ケニー・バトリー、チャールズ・マッコイ、ピート・ドレイク、ノーマン・ブレイク、チャーリー・ダニエルズ、ボブ・ウィルソンら演奏家が、ディランをテネシー州の丘から来たカントリー・シンガーのように扱って演奏のやり取りをする。「ひげ剃りとカット25セント（シェーヴ・アンド・ア・ヘアカット）」と呼ばれる楽節はカントリーの文法を下敷きにしている。「トゥ・ビー・アローン・ウィズ・ユー」の歌い出しの前の言葉は忘れられない。ディランはボブ・ジョンストンに録音は始まってるのかと聞き、曲自体は忘れ去られているかもしれないが、カットされず曲中に残されたディランの「もう録ってる、ボブ？」という問いかけはすぐにファンの語彙に登録された。「ペギー・デイ」ではカントリーの紋切り型やカントリーミュージックの独特な曲調とたわむれている。「レイ・レディ・レイ」は、このアルバムから抜粋されてシングルとしてヒット曲となり、チャート七位を獲得した。「ワン・モア・ナイト」は、かつてビル・モンローが歌い、プレスリーのデビューシングルのB面に収録された「ブルー・ムーン・オブ・ケンタッキー」を思わせる。この曲では、カウボーイや開拓者の精神が強調され、肉体的にも精神的にも孤独な風景が描かれる。

「嘘だと言っておくれ」の演奏は、どこか「廃墟の街」の音楽性に連なるところがある。「カントリー・パイ」には遊び心と子供心が詰まっている。批評家のなかには、この曲にある「競争しているんじゃない」(17)という歌詞を、ディランの新たな「宣言」だと受け止める者もいた。「親指トム」が「リトル・ジャック・ホーナー」へと変化していた。アルバムは「今宵はきみと」で締めくくられる。「どこにも行けない」や『ジョン・ウェズリー・ハーディング』の最後の二曲と同様に、愛する相手へのコミットメントを表している。

『ナッシュヴィル・スカイライン』が及ぼす影響は信じられないほどだった。一九六〇年代の終わり、ポップとロックは新たな方向性を探し求めており、カントリーミュージックの要素はイギリスとアメリカのポップ音楽に常に存在していた。その上で、ディランはポップをよりカントリーへと近づけるための革ひもを垂らし、『スカイライン』をバックルとして活用した。一九七〇年代のポップとロックの多くがカントリー・ミュージックを研究した。すぐにナッシュヴィルの音楽スタジオは、最近までカントリーを陳腐だとけなしていたようなミュージシャンたちで一杯になった。バエズもアルバム『エニィ・デイ・ナウ』からナッシュヴィルでレコーディングをし始めた。リンゴ・スターもディランの一年半後にレコーディングを行い、ディランがナッシュヴィルで製作した二つのアルバムに参加したピート・ドレイクを師およびプロデューサーとして迎えた。一九七〇年代前半、『ナッシュヴィル・サウンド』の著者ポール・ヘンフィルは、『ヴィレッジ・ヴォイス』へ大きな変化について語った。「人びとはカントリーのアウトサイダーたちを『奇妙な眼鏡をかけた変わり者』と呼んだが、彼らが素晴らしい曲を演奏し……生み出せることを知ると、彼らのことを……尊敬するようになった。最も重要な人物のひとりは……ディランだった……ジョニー・キャッシュがディランと演奏し始めたとき、人びとはその理由を尋ねた……人びとはジャンルの政治性など忘れてただディランの音楽を聴いた」

『スカイライン』の発売から数か月以内に、ザ・バーズはアルバム『スウィートハート・オブ・ザ・ロデオ』を収録した。続く数年で優れたアーティストやロック・ミュージシャンたちがカントリーを取り入れた――代表的なのはバンドのポコ、フライング・ブリトウ・ブラザーズ、ニッティ・グリッティ・ダート・バンド、トレイシー・ネルソン、ドクター・フック&ザ・メディスン・ショー、クリス・クリストファーソン、チップ・テイラー、キンキー・フリードマン、コマンダー・コーディらだった。カントリーの影響は一九七〇年代の人気グループ「クロスビー、スティルス、ナッシュ&ヤング」によって確固たるものとなった。ディラン本人はナッシュヴィルのレコーディング環境やカントリー・ミュージシャンたちに関心を持ち続け、ロニー・ブレイクリーを一九七五年のツアーに起用し、『欲望』ではエミルー・ハリスを前面に押し出した。ロバート・アルトマン監督が優れた独自の視点で描いた『ナッシュヴィル』は、ディランが『スカイライン』で表現した新旧のカントリー・ミュージックと通じ合うものがあった。

『スカイライン』の影響は、このアルバムの存在をかすませるほどのものだった。ディランは趣向やスタイルの大きな変化を後押しし、このアルバムが他のミュージシャンたちに与えた影響に密かに驚いていた。そして観客たちが六九年のウッドストック・フェスティヴァルへ向かう頃には、かつてその地の最も有名な住民だったディランは、ほとんどナッシュヴィルの名誉市民のようになっていた。

東のウッドストック「ワイト島音楽祭」

ポップ・ミュージックにおける目覚ましい十年の締めくくりとなる一九六九年は、数人のロック界の大物が表舞台に復帰し、世界の観客が彼らの姿を目に焼きつけた年だった。一九六九年の夏、一九五〇年代以降ステージに立っていなかったエルヴィス・プレスリーが復帰し、ラスヴェガスの聴衆の前で歌った。ジョン・レノンもその年にツアーを再開させ、ローリング・ストーンズはロンドンのハイド・パークで無料コンサートを行った。そしていつかステージに復帰しようと考えていたウッドストックの聖人は、ある出演オファーを受け、それを断らないことに決めた――八月下旬に行われるワイト島音楽祭の一ステージだ。ウッドストック・フェスティヴァルは、そこに住むディランを讃える意味合いもあったが、その開催期間中に、彼は三〇〇〇マイル東で行われるヨーロッパ版ウッドストックに出演した。不在であるにもかかわらず、ウッドストックでのディランの影響力は大きかった。『ローリングストーン』のグリール・マーカスは一九六九年九月二十日、こう記している。「否が応でも、この三日間の大宴会でディランの大きさを感じずにはいられなかった……ディランはこの都会の若者たちの長老だ……ディランの避難地ウッドストック、ディランの住処ウッドストック、ディランがすべてを家に持ち帰る場所ウッドストックというメッセージは、この大群衆を六〇〇エーカーの農場へと連れてくるにあたり、いかなる広告や広報や宣伝よりも大きな原動力となっていた」

ニューヨーク州ベセルにあるマックス・ヤスガーの農場にディランが働きかけずとも、四五万の若者が働きかけたことだろう。このウッドストックで自然発生的に起きた熱狂は、『タイム』の言葉を借りれば「アメリカの若者による独自の文化が……その力強さを示した瞬間であり……この時代の最も重要な政治的・社会的出来事のひとつに数えられる」ものだった。ウッドストックは、これ以上に大仰な言葉でも語られ、ギンズバーグは「惑星的な大イベント」と呼んだ。青年国際党（イッピー）を創設したアビー・ホフマンは「ウッドストック国（ネーション）の誕生であり、アメリカという化石の死」だと見なした。地元の警察や、農民や、大工の妻たちは、そのイベントの来場者数と彼らの穏やかさに驚かされた。『ニューヨーク・タイムズ』は、この巡礼をヒステリーとして報じた。「一体どんな文化が……このような凄まじい騒ぎを引き起こせるのだろう？」しかし翌日には、同じページで「無垢なる現象」と記された。

二週間後、ヨーロッパからの無言の応答のように、第二回のワイト島音楽祭が開催された。ヨーロッパ中から、およそ二十万の若者が集まった。聴衆のなかにはザ・ビートルズやストーンズの面々、ジェーン・フォンダ、ロジェ・ヴァディム、ミュージカル「ヘアー」のパリのキャストたち、そして記者の大群もいた。姿勢を和らげたディランは報道陣に多くを語るのではないかという兆しもあった。ウッドストックの自宅で、ディランはロンドンの『イヴニング・スタンダード』のレイ・コノリーにこう語っていた。「ぼくはそんなに……隔絶した生活を送ってるわけじゃない……他の人たちと同じように普通の幸せな生活を送っているだけだ。ぜひステージに戻りたいと思ってる……人が聴きたいと思っているものをとにかく歌えればいいね……あの事故は……今でも少しぼくを苦しめてる。寒い日とか、湿気の多い日は骨が痛む。でも色んな意味であれはぼくにとって良いことだった。ぼくのペースを落としてくれた。ツアーはそれはもう大変なペースだったんだ。それにぼくもマンネリに陥ってた」。コノリーは驚いた。「この男が目に見えて愛想がいいのはショッキングだ」

ロンドンの『デイリー・ミラー』のドン・ショートとのインタヴューは、『メロディ・メイカー』にも抜粋され、そこでディランはこう語った。「サラとぼくは幼い頃ミネソタで一緒に育った。それから数年前にサラがウエイトレスをしていたニューヨークのレストランで再会した。ぼくたちは恋に落ちた——ひと目ぼれではなかったけど、五年後にニューヨークで結婚した。自分たちの個人的な暮らしが大切だと思ったから公表はしなかった。そうしておかないと、ハリウッドで暮らしてショービズの見せ物の一部になってしまうからね、ぼくたちはそんなこと求めてないんだ」。ディランはジョージ・ハリスンからロンドンのアップル・スタジオでのレコーディングに招待されたことや、ザ・バンドとの大規模なツアーを計画していることを認めた。「でも昔みたいに疲弊し切ってしまうようなツアーにはならないだろうけどね」。彼は重厚な物語の映画製作への関心についても語った。「アルフレッド・ヒッチコックのような人とだって仕事をしてみたい。彼は薄っぺらい映画は撮らないだろうから」

当時二三歳と二四歳のレイ・フォークとロン・フォーク兄弟は、ワイト島音楽祭へのディランの出演にこぎつけていた。「お金で彼を惹きつけることはできないと分かっていたから、この島のことを売り込むことにしたんだ」とレイは言った。三男で二二歳のビルは、島の美しい風景や、音楽祭の会場や、ディランのために借りる予定の家などを撮ったカラー映像を作った。バート・ブロックと共に交渉にあたり、ディランは提示されたギャラの四分の一の額で契約を結んだにもかかわらず、音楽誌は失望を表明していた。私が調べた限りでの最も信頼できる数字では、フォーク兄弟はディランに二万一〇〇〇ポンドと音楽祭の利益の五十パーセント、そして経費六〇〇〇ポンドのオファーを出していた。ザ・バンドが受け取ったのは八〇〇〇〇ポンドで、リッチー・ヘヴンスは三三〇〇ポンドだった。

ディラン一家は八月十三日にニューヨークから「クイーン・エリザベス2」に乗船した。ささやかな出発パーティが行われていたとき、当時四歳の息子ジェシーが突然意識を失った。船医はジェシーが無事に船の旅を過ごせるか保証できないと伝え、ボブは診察のためにジェシーを背負ってニューヨークの病院へと駆け込んだ。息子はほどなく意識を取り戻し、状態も「深刻なものでない」と診断された。数日後、ディラン一家は飛行機でヒースロー空港へ降り立ち、すぐにベンブリッジ近郊のフォアランズ・ファームにある十六世紀の家屋に落ち着いた。そこにはプールと、リハーサル用の納屋があった。家の門と警備によって一般の人間は近づけなかった。ロンドンの『デイリー・スケッチ』のクリス・ホワイトは、そのなかをくぐり抜けて、ディランにどうしてワイト島への出演を決めたのかと尋ねた。テニスンが暮らしていたんだ、とディランは答え、いつも来たいと思っていたと語った。「基本的には、休暇で来てるんだ」。イギリスのファンについてはこう語った。「彼らはぼくの最も忠実なファンだし、それが……復帰にあたってイギリスに来た理由のひとつだった。ぼくの関心は金じゃない。ただ音楽を演奏したいんだ」

ボブは二十分の会見を開いた。昔のいたちごっこのような問答を再現したがる記者もいたようで、彼にドラッグや結婚のこと、生真面目(スクエア)な人間になってしまったのかどうか、そしてイギリスに来た理由などを尋ねた。ディランはテニスンにこだわっていた。一番長い発言はこうだった。「ぼくの仕事は音楽を演奏すること。それだけで満足だ。きみも良い仕事ができたら満足するだろ」。怒りや反抗はなかった。投げつけた爆弾の信管が外されてしまって苛立つ記者もいた。記者たちはより刺激的な見出しを求めて会場を調べた。島のそばを流れるソレント海峡ではフェリーやホバークラフトが運行していて、ある新聞は「第二のダンケルク(K)」と記した。見出しには他にも「Dデイ」や「ディラン島」とするもの、そしてビートルズの曲のタイトルをもじって「Ticket To Ryde(チケット・トゥ・ライド)」とするものもあった。「Ryde」はワイト島のフェリー乗り場がある場所の名前だった。イギリスのあらゆる新聞が一面で採り上げ、多くはファンたちの写真付きだった。

音楽祭は金曜に始まり、ザ・ナイスとボンゾ・ドッグ・バンドが演奏した。土曜はザ・フーとジョー・コッカーの独壇場だった。ジュリー・フェリックスやヘヴンズの演奏にはアメリカのフォークの影響が見られ、ディランの曲もいくつか演奏された。その晩は他にもエドガー・ブロートン・バンド、マーシャ・ハント、ファミリー、ブロドウィン・ピッグらが出演した。日曜は音楽と詩を融合させたリヴァプール・シーンが登場し、サード・イヤー・バンドやインド・ジャズ・フュージョンズらが違った色を添えた。詩人のクリストファー・ローグとジャーナリストのアンソニー・ヘイデン＝ゲストが、テニスンではなく現代詩を朗読した。ひとつのサプライズだったのはトム・パクストンに対する反応だった。彼のフォーク／トピカル・ソングに対する聴衆の反応を『メロディ・メイカー』は「驚くほどすごかった」と記した。その後バンドのペンタングルが登場し、フォークのスタイルが続いた。

私はバックステージで『ニューヨーク・タイムズ』のグロリア・エマソンとクリーヴ・バーンズと世間話をしていた。ディランの一行が到着し、微笑みながら、いたって普通でリラックスしているように見せようと努めるディランが現れた。時間を確認すると午後七時二三分だった。ディランが七時半には準備を終えていたことは記しておくべきだろう、なぜならディランはのちに遅い登場と短い出演時間をめぐって大勢から怒りをぶつけられることになるからだ。登場する時間が遅くなった理由ははっきりとは分からない。のちにボブは、自分にもその理由は分からなかったが、音楽祭の運営はかなりずさんに感じたと言っていた。カール・ダラスは自身の『アコースティック・ミュージック』誌で、バート・ブロックがディランとザ・バンドには演奏前に出演料を支払うよう求めたことが原因だと書いた。およそ五〇〇人以上の記者やＶＩＰおよび彼らの友人たちを、その半分の座席もないメディア席に収容しなければならなかった。私はその混雑を避けて後方に回った。よく見える場所を確保するために、ビールの空き缶の丘を登り、ゴミの山を迂回し、酔っ払って突っ伏した人間たちを越えて行かねばならなかった。ファンたちがキャンプを張っていたテントのひとつには「廃墟の街」という札が掲げられていた。私の位置からは、出演者たちの姿はアリくらいの大きさだった。九時半頃、司会のリッキ・ファーはグロスマンの関係者たちはメディア席の前方に来るようアナウンスした。数分ごとに、ドラッグで錯乱した者や疲れすぎて苦しむ者のために救急車を呼ぶ声が聞こえていた。ステージは八時から休憩に入っていたが、ザ・バンドは十時になるまで現れなかった。ひどく苛立たしい二時間で、ファーはマイク越しにずっと怒りをあらわにしていた。まさにストーンズの曲「ユー・キャント・オールウェイズ・ゲット・ホワット・ユー・ウォント（無情の世界）」だけが真実のように聞こえた。

ザ・バンドもディランも同じ問題に悩まされた――音響がひどく、観客との距離が遠すぎて人間味を感じなかった。私の場所は、おそらく四〇〇メートルは離れていて、ザ・バンドは演奏を始めるのにかなり時間がかかった。「エイント・ノー・モア・ケイン・オン・ザ・ブラゾス」と「ヘンリーには言うな」では彼らの良さが多少垣間見えた。十時三五分頃、彼らが「アイ・シャル・ビー・リリースト」を演奏しているとき、聴衆の多くはディランを求めて声を上げ始めた。十時五十分頃になって「ザ・ウェイト」を演奏するときには環境にも慣れていたが、そこでステージが終わってしまった。延々と続いたマイクテストのあと、ディランがザ・バンドと共に登場した。スタンディング・オベーション、フラッシュにフラッシュライト、ローマ花火。ディランは白のジャケットとズボン、そしてネクタイなしのパステルカラーのシャツ姿だった。彼は「シー・ビロングズ・トゥ・ミー」から始めたが、そのジャズ調の甘い声は『ナッシュヴィル・スカイライン』が発売された直後であったにもかかわらず聞きなれない響きだった。盛り上がる聴衆に対するディランの一番長いコメントはこうだ。「えーっと、来れて嬉しいよ。ほんとにね」。「アイ・スリュー・イット・オール・アウェイ」をアコースティック・ギターで演奏する彼は、緊張しているようにも固くなっているようにも見えなかった。「マギーズ・ファーム」をザ・バンドの力強いコーラスと共にブルース調で歌った。イギリスの聴衆用に、彼は「ウィル・ユー・ゴー・ラシー・ゴー」（「ワイルド・マウンテン・タイム」）をシンプルな調子で歌った。「悲しきベイブ」と「ラモーナに」は少しおとなしめだったが、聴衆はそれを察知し理解を示した。「タンブリン・マン」を演奏する頃には、舞台は彼のものになった。その後は「聖オーガスティンを夢でみた」「レイ・レディ・レイ」そして「追憶のハイウェイ61」を歌った。聴衆は熱狂するというより聞き入っているようで、盛り上がりを期待しているように見えた。それから「いつもの朝に」、マンフレッド・マンによるカヴァー風の「あわれな移民」、予想通りの盛り上がりを見せた「ライク・ア・ローリング・ストーン」、カントリー調の子守唄「アイル・ビー・ユア・ベイビー・トゥナイト」、そして再び盛り上がる「マイティ・クイン」と「雨の日の女」が続いた。明らかに、一九六六年にイギリスで「雨の日の女」を歌って巻き起こった騒動を覚えていたようだ。十二時の少し前に演奏を終え、アンコールに戻ってきて、もう一度「雨の日の女」を歌った。聴衆はまだまだ始まりにすぎないと感じていた。しかしディランは手短に「ありがとう」と言うと、ステージを後にした。リッキ・ファーは残念そうに言った。「申し訳ない！　ディランの演奏は終わりです！　彼はここへ来てやるべきことをやりました！」

『デイリー・ミラー』のドン・ショートに三時間くらい演奏する「かもしれない」と言ったばかりに、メディアや音楽祭の運営者たちは何かとてつもないことが起こるのではないかと期待させてチケットを売っていた。八月三十日の『メロディ・メイカー』の第一面の見出しには「ディラン、ストーンズ、ジョージ・ハリスン、ブラインド・フェイスがワイト島でスーパーセッション」と書かれ、その下に少し小さな字で、「もしボブが許可すれば」と記されていた。『レコード・ミラー』誌は「史上最大のジャム・セッション」になると予想していた。過剰な宣伝は当然ながら大きな失望を呼んだ。どこを見渡しても、うんざりして落胆した若者たちが島から出るフェリーへと重い足取りで歩いていた。「ディランよ、安らかに眠ってくれ」とイギリスの中部から来ていた若者は言った。AP通信は次のように報じた。「怒れるファンたちが『ディランは帰ったのか？　今どこにいる？』と声を上げる様子は地獄に近かった。犬を連れた警備スタッフたちが……混乱を招かぬように出動し……事故もなく観客はすぐに追い払われていた」。『デイリー・メール』紙は聴衆の大きな合唱を紹介した。「もっとディランを――音楽、音楽、音楽を！」『デイリー・ミラー』はこうだ。「十万人のポップ・ファンは暴動寸前だった」

ディランはかなり落胆した気分でイギリスを去った。『スケッチ』誌は「もう二度とイギリスでは演奏しない」というディランの言葉を紹介したが、『ミラー』によれば「コンサートは素晴らしかった――来年もまた戻ってくる」と語ったという。ザ・バンドのリヴォン・ヘルムは『スケッチ』にこう語っている。「ボブは観客を楽しませるために全力を尽くしたが、それも実らなかった」。九月二日火曜、ディランはジョージ・ハリスンの運転するベンツでヒースロー空港へと向かった。『エクスプレス』はディランの言葉を採り上げている。「ぼくが三時間遅れたからファンが怒っていたという記事にはがっかりした。ぼくは約束通り五時半には着いていたからね。ステージに立つまでにどうしてあれほど時間がかかったのかは分からない。主催者たちに聞いてくれ……ファンたちは素晴らしかったよ」。ビートルズは大いにディランを擁護した。ハリスンは言う。「コンサートは素晴らしかった。ボブは途中で……放棄したりはしなかった。見事な演奏だった」。レノンはこう語った。「少し単調とはいえ、良い演奏だったのに、観客はゴドーが、神が、現れるのを待っていたんだ」

ケネディ空港へ降り立つ頃、ディランはもうイギリスに戻る気はないと言った。「あっちは歌手を重要視しすぎてる」。彼はワイト島での演奏を、この先のアメリカでのツアーのウォーミングアップだと言った。一年半ぶりに大舞台に登場したディランは、自分ではどうしようもできない状況というものを知った。今にして思えば、これ以降一九七四年の前半までライヴに出演しなかったのは、この音楽祭の影響が大きかったのではないかと思う（一九七一年八月にマディソン・スクエア・ガーデンで行われたジョージ・ハリスン主催のバングラデシュへ向けたチャリティ・コンサートには出演している）。復帰すると、大人しく内向的な演奏ではなく、大きな盛り上がりを求める観客の期待に応えた。

ワイト島はディランのキャリアとしての低調期の始まりだった。多くの人びとがまたも彼は終わったと言い始めていた。しかし一九六九年九月二十日に発表された『メロディ・メイカー』による世界的なアンケートの結果、ディランは世界的男性シンガーの第一位に選出され、『ナッシュヴィル・スカイライン』もＬＰ部門のトップに輝いた。一方でファンのなかにはディランを政治犯のように扱う人びともいて、ディランが何をすべきで、どう演奏し、どう金を使い、どう曲を書くかを指図していた。ある「ファン」は、ディランにゴミをどこへ捨てるべきかといったことまで指図してきた。

【原注】

（1）『言語と沈黙』所収（由良君美 他訳 せりか書房、一九六九年 九三頁）

（2）ピート・ハミルによる『血の轍』のライナーノーツより。初盤以降ライナーノーツは削除されていたものの、二〇〇三年のＳＡＣＤ盤リリースに合わせて再掲された。『血の轍』の歌集にも収録されている。

（3）一九八四年のカート・ローダーとの対談で、ディランはこう振り返っている。「バイク事故があったとき（中略）目を覚まして意識が戻ると、自分は他人を食い物にするような相手のために働いていたのだと気づいた。そんなのはうんざりだった。それに、自分には家族がいて、ただ子供たちに会いたかった」『Dylan On Dylan』参照。

（4）Clive Devis *Clive: Inside the Record Business*, p65

（5）同上 p72

（6）一九六八年十～十一月号『シング・アウト！』でのジョン・コーエン、ハッピー・トラウムとのディランのインタヴュー。

（7）同上。

（8）一九六七年の『地下室』の最も包括的な海賊版が二〇〇一年に一二八曲入り四枚組で発売されたが、そのタイトルは『ア・トゥリー・ウィズ・ルーツ』だった。この地下室で録音された音源は、『バイオグラフ』、「ブートレッグ・シリーズ」、『アイム・ノット・ゼア』などにも公式に収録されている。この時期のことはシド・グリフィンの *Million Dollar Bash* に最も詳しい。

（9）Gwendolyn Bays, *The Orphic Vision*, p88.

（10）「見張塔からずっと」の歌詞。

（11）一九六八年十～十一月号『シング・アウト！』でのジョン・コーエン、ハッピー・トラウムとのディランのインタヴュー。

（12）「ジョン・ウェズリー・ハーディング」の歌詞。

（13）「フランキー・リーとジュダス・プリーストのバラッド」の歌詞。

（14）「あわれな移民」の歌詞。

（15）一九九七年、ディランはジミー・ロジャーズのトリビュートアルバムに参加した。

（16）「アイ・スリュー・イット・オール・アウェイ」の歌詞。

（17）「カントリー・パイ」の歌詞。

【訳注】

（Ａ）『トニオ・クレーゲル』（高橋義孝訳 新潮文庫、一九六七年 五一頁）

（Ｂ）『ラディカルな意志のスタイル』所収（川口喬一訳　晶文社、一九七四年 十三頁）

（Ｃ）シェイクスピア『リア王』（福田恆存訳 新潮社、一九六七年 一七一頁）

（Ｄ）同十四頁。

（E）同四四頁。
（F）アメリカ南東部アパラチア方面で盛んだったダンスの一形式であり、リズミカルなダンスに伴う音楽のことも指す。
（G）『ブレイク詩集』所収（寿岳文章訳 岩波文庫、二〇一三年 一五三頁）
（H）『アンティゴネー』（中務哲郎訳 岩波文庫、二〇一四年 三九頁）
（I）『ヘンリー四世』（松岡和子訳 ちくま文庫、二〇一三年 二三三頁）
（J）古来から地中海世界に見られる思想のひとつで、キリスト教からは異端思想と見なされている。
（K）第二次世界大戦中の一九四〇年、ドイツがフランスへ電撃戦を行い、フランスを港町のダンケルクへと追いやった「ダンケルクの戦い」を指している。

『ナッシュヴィル・スカイライン』の印象的なジャケット写真、一九六九年。

12

自由なる逃走

アインシュタインは多くの革命者たちが大胆に新たな道で
一歩を踏み出しながら次の一歩を踏み出せないでいる運命を苦々しく思っていた。
誰かが車でやって来て、この道は不吉すぎるからと迎えに来るかもしれない。

——ヴェルナー・ハイゼンベルク

痛みは確かに人の最高のものを引き出す、だろ？

——ディラン 一九七一年

そしてすべての個人は、自分の幸福を実現し、
人間の共同体に参加するという二つの努力のあいだの
「闘い」を経験しなければならないのである。

——ジークムント・フロイト（A）

『セルフ・ポートレイト』の収録風景 ナッシュヴィル、一九六九年。

NO DIRECTION HOME

「名声の代償だと思う」。ディランはゴミ漁り被害が最高潮にあるころ悲しげに言った。「ゴミに犬のフンをたくさん詰めたよ——ネズミ捕りとか、なんでもね——でも奴はぼくのゴミを漁り続ける！」ジェリー・ルービン、ジョン・レノン、ヨーコ・オノ、デヴィッド・ピールの言葉を借りれば、この男は「ディランに対する嘘と悪意に満ちた中傷を先導」していた。彼らは一九七一年十二月号の『ヴィレッジ・ヴォイス』にこう記している。「メディアはこの男をもてはやし、ディランに関する情報やゴシップを手に入れようとしている……この男はディランの音楽の専門家を自任している……ディランにとって（彼は）ビートルズにおけるチャールズ・マンソンのような存在だ——そしてこの男は、ディランの音楽から受け取ったものを駆使してディランを葬り自らの名声を築こうとしている」

このゴミ収集家はアナーキーなスターになることを夢見る男であり、常軌を逸した汚い手を使う新左翼で、ゴミに固執する熱狂的なファンで、洗練されているとは言い難いゲリラで、自らを売り込み早口でまくしたてる活動家で、名前をアラン・ジュールズ・ウェバマンといった。彼は「ディランに関する世界最高の権威」を自称し、「ディラン学（ディラノロジー）の父」だという。彼は何度もディランを批判し、三年にわたって彼を悩ませ中傷した。しばらくのあいだ、ディランは強欲な「ブタ」で、ドラッグ中毒で、ナパーム弾を作る人間たちや保守政治家に加担する超資本主義者だというウェバマンの批判を信じる者もいた。一九六八年から一九七一年にかけて、一人のアーティストのプライバシーに対する最もひどい侵害のひとつが行われた期間、ウェバマンは集団を率いてヴィレッジのディランの家に押し寄せたり、変な時間に電話をかけたり、ディランとの会話を録音して、そのテープや書き起こし原稿を世界中に広めたりした。私はこのゴミ収集家と電話で二度話したことがある。彼の声はしわがれて興奮していて、言葉遣いも乱暴だった。私は彼へインタヴューしないことに決めたが、彼について語ることすらもどかしい思いがする。彼に紙面を割きすぎると、彼を重要人物だと言っているように見えるからだ(1)。

ウェバマンは『ブロードサイド』でも執筆を始め、その内容はディランの研究者が隠された暗号を解読しようとしているようだった。彼はディランの曲のなかで他の人間たちが見いださない箇所に政治性を見いだし、「ローランドの悲しい目の乙女」にすら体制への批判を見いだしていた。『ブロードサイド』のゴードン・フリーゼンはA・Jとして知られていた彼のことを、ディラン作品の一風変わった無害な研究家だと考えていた。やがて、ウェバマンはディランの曲のなかに自分自身を見いだすようになる。彼はベトナム戦争に反対する若者のような言葉を使い、曲を使って稼ぐ「ブタ」だとディランを批判した。このゴミ収集家は、自身が書いた本にディランの歌詞を引用することを断られたときから変わったのかもしれない。その後ウェバマンはディランの商業的搾取と個人的悪行を責め立てるようになる。一九六九年の『ローリングストーン』のインタヴューで、ディランはウェバマンを痛烈に批判し、別の小説家か何かを見つけて誤読すればいいと呼びかけている。この発言はウェバマンの敵対心を煽るだけだった。彼はディランのレコードを逆再生して、隠された「手がかり」を見いだそうとした。ウェバマンによる批判は激しさを増すばかりで、アンダーグラウンド・プレス・シンジケートを通じて垂れ流されていった。

ウェバマンは「ディラン解放戦線」(のち「ロック解放戦線」)を組織し、防衛長官を自称した。ディランの経済状況を調査し、コロンビアからの印税領収書を探し出し、噂されていたディランの不動産投資を暴いた。ディランが一二〇〇万ドル以上を稼いできたと算出し、ディランを「歌う不動産ブローカー」と呼んだ。ディランの歌詞を採り上げてドラッグ使用の「証拠」だとも主張した。「ボブ・ディランを解放しろ」というバッジも作成した。一九七一年五月二四日のディラン三十回目の誕生日の前日、彼はディランの家の前で大規模な「ブロック・パーティ」を開き、人びとに軍隊への召集のような言葉を投げかけた。「ディラン解放戦線やロックの歌詞全般についてもっと知りたければ、あるいは私を黙らせてディランに好きなようにやらせたければ、手紙を書いてこい。郵便番号一〇〇一三、ニューヨークシティ、カナルストリートステーション、私書箱三四〇だ」

一九七一年までに、ウェバマンはディランが「ジョージ・ジャクソン」のシングルやバングラデシュへのチャリティ・コンサート出演などでいくらか自身を解放したと感じたようで、その後は攻撃が減っていった。ウェバマンはディランが「政治的活動」に取り組むようになったのは自分の活動のおかげだと主張した！　一九七一年の暮れまでに、別のロック解放戦線が公にウェバマンを批判し、彼が行うディランへの攻撃から距離を置いた。ウェバマンは方針を変更し、ディランのゴミにまつわる雑誌記事で九〇〇ドルを稼いだという。私はブリーカー・ストリートにある彼の「ディラン・アーカイブ」には行かないでおこうと決めていて、自分のアーカイブは他のディラン研究者が活用できるようどこかの大学図書館に寄贈しようと思っているとウェバマンに伝えた(2)。「なあ、あんた」とウェバマンは声を荒らげた。「自分で手に入れたものは自分のものじゃないか」

彼はどちら側なのか？（フィッチ・サイド・イズ・ヒー・オン）

ウェバマンほど極端でないにせよ、周囲の者たちは、一九六六年以降、何度もディランの身勝手によって裏切られたと感じてきた。身を隠したことで、彼はコンサート収入やそれに伴うレコードの売上増で生まれる何百万ドルもの金を手放すこととなった。収入を大きく増やせたであろうテレビ番組や映画の話も断った。隠遁によって、ディランは多くのポップスターがキャリアを通して稼ぎ出す以上の金額を手放したのだった。

あのゴミ収集家からの批判で最も厄介だったもののひとつがこれだ。「ディランはレイシストで反革命主義組織であるユダヤ防衛同盟を支援している……反ユダヤだと見なした相手には誰であれ抗戦することを目的とした過激な組織だ」。ウェバマンすら、ディランからは一切の金銭を受け取っていないというユダヤ防衛同盟の声明を認めていた。それでもなお、この言説は広まっていった。多くの政治家たちがディランの好戦的なシオニストへの関心を受け入れ難いものに感じていた。一九六七年の戦争以降、あらゆるバックグラウンドの左翼たちが帝国主義に維持されたイスラエルの軍事政権に疑問を呈していた。パレスチナの権利を踏みにじるイスラエルによって多くのユダヤ人が危険に晒されていた。私はボブが一九七一年五月にイスラエルへ向かう直前に会ったが、彼はプライバシーを確保するのにかなり苦労していた。ユダヤ防衛同盟への関心はほのめかしただけだった。いま読んでいるユダヤ人の作家についてや、ハシド派の結婚式に参加することも語った。もちろん彼はシオニズムを支持するために姿を現したのではなかった。スティーブン・ピッカリングはユダヤ文化とディラン作品の専門家であり、私は一九七五年十二月に彼の意見を聞いた。

「ディランは一九六九年と一九七〇年の夏と、一九七一年五月、そして『ビリー・ザ・キッド／21才の生涯』の撮影直後にイスラエルを訪問した。一九七〇年の訪問のあと……イスラエル・アイヒェンシュタインが……ディランに連絡を取り、セントラルパークで行われる『イスラエル・バースデイ・ビー・イン』への参加を求めたが、ディランは断った。『ぼくが行くと彼らの理念とは何の関係もない人たちをたくさん呼び寄せてしまうから。きっとそうなる、ぼくには分かるんだ』。ディランとアイヒェンシュタインは親しくなっていき、アイヒェンシュタインが……ディランにユダヤ防衛同盟には重要なユダヤ的成分、つまり慈悲心に欠けていると説いた。一九七一年五月、イスラエルの『イェディオット・アハロノット』紙は、短いインタヴュー記事を掲載した。ディランは以前の訪問について、イスラエルに友人たちがいたからだと語っている。一九七一年五月二二日、ディランとサラはエルサレムの旧市街を通り抜け、『マウント・シオン・イェシヴァ』というカバラ密教の有名なトレーニングセンターを訪れた。彼らは歴史ある中庭で一日を過ごした。ラビ・ヨソ・ローゼンツヴァイクが数名のアメリカ人生徒をディランに紹介し、ラビはディランになぜ個人的で直接的かつ明白な宣言をしないのかと尋ねた。『問題ない』とディランは答えた。『自分はユダヤ人だ。それは自分の詩に、人生に、説明できないような形で関わっている。どうしてあまりにも明白なことをわざわざ宣言しなきゃならないんだ?』二日後、UPI通信社のカメラマンが嘆きの壁の前で観光客の写真を二枚撮り、のちにそれがディランだったことに気づいた」

「ディランのユダヤ防衛同盟との短い関わりは誇張されて広まっている。ラビ・メイル・カハネは、WABC－FMでのアビー・ホフマンとポール・クラスナーとの討論番組に出演した際に初めてディランと会った。カハネはディランにユダヤ防衛同盟の『ソビエト・ユダヤ民族基金』への寄付を求めた。そこには見解の相違のようなものがあった。カハネによれば、一九七四年の時点で、ディランは寄付をしていないと語っている」。ピッカリングは続けた。

「一九七二年、ディランはイスラエルへの移住の可能性を模索していた。イスラエルで独自の共同体を築くキブツ『ネヴェ・エイタン』のメンバーであるアリ・ダビドゥによると『キブツは二つのことに戸惑っていた。ディランがキブツのもてなしに甘えるマリファナ常用のグルーピーたちを引き連れて来かねないこと』、そしてディランの五人の子供たちがキブツの年齢層に合わなかったことだ。キブツの担当者は受け入れを先延ばしにしたが、最終的にディランにも他の人間たちと同じように機会を持たせることに決めた。アリは一九七二年九月にディランへ移住の申請用紙を送ったものの『連絡が来ることは二度となかった』。私生活では大きな混乱が巻き起こっていたものの、ディランのイスラエルという理想への帰属心は衰えなかった。私の友人ロベルタ・リチャーズは一九七四年一月十日にトロント・ホテルでディランを訪ねたことがあり、私にこう語った。『彼は私が付けていたダビデの星に気づくと、自分の持っているメズーザーを見せてくれた。それは銀製のもので、イスラエルで手に入れたらしい』。ラビ・シュロモ・カルリバッハは、ディランにユダヤ人としての義務を果たすよう検討することを迫ったという……カルリバッハは、一九七四年のツアー以降ディランに深刻な何かが起こったと考えている……ディランはエルサレムにあるアパートを購入する計画を伝えた。それ以来ディランは何か深刻な緊張状態にあるような兆候を見せている……一九七四年一月三日、ディランは私に、イスラエルへの訪問は自分に深く影響を与えていると認めた。『プラネット・ウェイヴズ』のライナーノーツでは、嘆きの壁に昔からの慣習として祈りや願いを込めて挟まれる紙が言及され、普遍の道理を説こうとしている」

一九七六年九月十一日、『テレビ・ガイド』のインタヴューで、ディランはこう語っている。「あの訪問に大した重要性はなかった……自分はユダヤ人とは何であり何者であるかに関心がある。ユダヤ人がセム族であるという事実に関心があるんだ。バビロニア人、ヒッタイト人、アラブ人、シリア人、エチオピア人と同じようにね。だがユダヤ人は、多くの人がユダヤ人を嫌っているという点で異なっている。言葉にするには難しいような何かが起きているんだ」

ユダヤ人学生組合ニューヨーク支部の会長ジョナサン・ブラウンは、一九七一年九月、『ジューイッシュ・ダイジェスト』に記事を寄せた。「噂の製造機ボブ・ディラン」。ブラウンは書いている。「概して、それらの噂は……明らかに熱心すぎる若きユダヤ人の民族主義者たちによるでっち上げだ」ブラウンはセオドア・ビケルの言葉を引用している。「ディランは私に、イスラエルは世界に残された数少ない場所のひとつで、そこではいくらか意味がある人生を送ることができると語った」。そして、こう結論づけている。「ディランが自らのユダヤの出自を見つめ直すのは極めてあり得ることだ。ディランは、結局のところ、ユダヤ人なのだ、そしてこの……ますます多くのアメリカの若者が強固な民族的自我の再興を経験している時期に、ディランが新しい目で過去を見直すことはあり得る」

プライバシーを強く求めていたものの、エル・アル航空はイスラエルのメディアに五月中旬の日曜にディランがやって来ることを伝えていた。彼は不躾な記者たちを追い払った。イスラエルのCBSレコードは『エルサレム・ポスト』紙に宣伝を打ち、彼の誕生日を祝い、ディランに連絡をよこすよう求めた。『エルサレム・ポスト・マガジン』のキャサリン・ローゼンハイムは、ヘルツェリアビーチでディランを追跡した。ディランが波から顔を出すと、その物怖じしない記者は浜辺で待っていた。「すべてがものすごく簡単だった……きっと彼は休日気分だったのね」。ディランは『ポスト』に対して、自分は「色んな場所に行った――長くここにいるんだ」と語った（滞在は八日間だった）。彼は、何かしらの曲とともに「いつか」出版する予定の書き物の材料を集めているのだと言った。「実は、それがここにお忍びでいる大きな理由だ――四六時中まわりに大勢の人がいる環境じゃ仕事はできないからね……ここでは自分のレコードが公式に売られているとは思ってなかったから、宣伝をするつもりもなかった」。彼はイスラエルについての曲を書くつもりだったのか？　それはないが、ユーゴスラヴィアについての曲はひとつ作ったことがある、と微笑みながら答えた。三十歳の誕生日はどのように過ごしたのか？　「みんなでグレゴリー・ペックの映画を観に行った――彼の大ファンなんだ」。『ポスト』は、以下のように報じた。「名前を変えるのではないかという噂について、彼は『完全なるゴシップで真実ではない』と語った」

数々の噂が流れていたが、私が集めた情報では、事態は次のようなものだった。事故のあと沈黙に耳を澄ましながら、ディランは自分自身という謎やアイデンティティを見定めようと努力していた。ユダヤ人作家の作品を読み、ハシド派の結婚式に参加し、ユダヤ防衛同盟の「強靭さ」に関心を持った――これらはすべて、劇的で激しい変化のシグナルではなく、単に探求だったのだと思う。多くのユダヤ人は、敵対的な世界のなかで自分たちが疎外を避ける唯一の方法は、自らのユダヤ人としてのアイデンティティを主張することだと信じている。ユダヤ人の民族主義者たちにとって、これはシオニズムを受け入れることに等しい。しかし多くのユダヤ人はイスラエルに意識が向いているわけではない。若者の頃、ディランはアメリカ人的な経験を求めていた。やがてユダヤ人の友人たち、アレン・ギンズバーグから音楽出版者のナオミ・ソルツマン、そして彼女の夫までが、ユダヤの文化に身を浸した方が安静が得られると助言をしたのかもしれない。すべては推測にすぎない。ディランはイスラエルをこの目で見ることを求めた。人に囲まれず公式のコメントも出さずに。ギンズバーグはディランのアルバム『欲望』にヘブライの朗唱を聞き取ったと言うが、私はフラメンコとソウルを聞き取った。多くが聞き手に委ねられている。

河のながれを見つめて

ディランの政治性、非政治性、あるいは反政治性を巡る議論は長年続いてきた。彼が声を上げずとも、曲が声を上げていた。皮肉にも、「サブタレニアン・ホームシック・ブルース」の歌詞にある「ウェザーマン」の名を冠した過激な政治集団も結成されていた。反対に、一九七二年六月、マディソン・スクエア・ガーデンで行われた民主党の候補者ジョージ・マクガヴァンの支援コンサートでは、ピーター・ポール&マリーが「船が入ってくるとき」「時代は変る」「風に吹かれて」を歌った。一九六九年以降、ディランには再びプロテスト・ソングを書くことを求めるプレッシャーが高まっていた。一九七一年に「ジョージ・ジャクソン」をリリースしたとき、『ローリングストーン』は、この曲がすぐに「聞く者を二分し、詩人が再び社会と関わるようになったと受け取る者と、多くの人からの干渉を逃れるチープな手段だと感じる人に分かれた」と評した。ロバート・クリストゴーは一九七一年十二月十七日、『ヴィレッジ・ヴォイス』で反論した。「批判は醜いナンセンスだ、当然ながら。なぜならこの曲は……プロテストも反プロテストもどちらも自分のうちに取り込んでいる……ディランは決して社会との関わりを失っていない……ディランは悪しき殺人に真の人間的な思いやりをもって答えたのだ」。「ソルダッド・ブラザー」と呼ばれた三人のひとりジョージ・ジャクソンの殺害を歌ったこの曲のなかで、ディランは次のように腑分けした。「ときどき世界はひとつの大きな刑務所のように思える／囚人となっている者、残りは看守……」(3)。一九六〇年代半ばの「ロック革命」を牽引したCBSレコードは、次のような宣伝文句を採択した。「ディランのニューシングルは政治活動」

ディランは一九七一年十一月にテレビ出演し、WNET－TVの番組「フリータイム」でギンズバーグ、ピーター・オーロフスキー、ジェラルド・マランガ、その他の詩人たちと共演して、彼らの強く政治的な朗読の後ろでギターを弾き、無償で歌った。しかし一九七一年八月一日にバングラデシュ難民救済コンサートで、四万人の前に登場してもなお、政治家たちは満足しなかった。一九七一年秋にカーネギー・ホールで行われたコンサートで、ジョーン・バエズはこの四年間会っていないディランへの曲を書いたと言った。彼女が演奏し始めた「トゥ・ボビー」は、飼い主を失っていた羊たちを再び導くことを懇願するものだった。バエズはピケラインに残る心づもりだったが、ディランは転向し新たな人生に踏み出した六十年代の多くの先導者のひとりだった。一九七三年十月三一日、ジェリー・ルービンは『サンフランシスコ・クロニクル』にこう語っている。「いまは万人にとっての成長期だ、おれも含めてね。おれは……自分と向き合っている……六十年代はあまりに多くのことがあまりに足早に起きたから、いまは回復の途中なんだ」

一九七四年九月十二日、『ヴィレッジ・ヴォイス』で、キャロル・ゲットゾフは「トーラーでハイになる」と表現した。「ブルースーツにブルージーンズ姿のかつての変わり者は、ファンキーな古いカウボーイハットを……ユダヤ帽子に代えた……かつての易経信奉者が熱心にトーラーとタルムードを学んでいる」。一九七二年下旬、カリフォルニアのバークレーから届いた『タイムズ』の記事は、大学のキャンパスが政治的に冬眠していたことを指摘している。バークレーの学生リーダーやベトナム戦争の反対者たちは意見を変えたって責められなかったが、ディランは相変わらず「身売り」したことで責められていた。アイラ・メイヤーは一九七一年十二月二日の『ヴィレッジ・ヴォイス』でディランを擁護している。「なぜ人びとが彼の『コミットメント』について批判し続けるか分からない。音楽はそれ自体で充分『コミットメント』じゃないのか？」イスラエル訪問後の一九七一年、ディランはレオン・ラッセルとタルサ・トップスらとシングル「河のながれを見つめて」に参加した。力強いファンク・ゴスペル調のロックだ。宣伝用の写真でディランはカメラを正面から見据えている。当時、彼はただの観察者になりたがっていた。

自分に何が起きてるか
語れる言葉は多くない……
人はどこを向いても批判してきて
立ち止まって本でも読みたくなる
きのう通りで会ったばかりの人にも批判される
それはもう大変なことだった
でもこの河はながれ続ける
どんな邪魔が入ろうと どちらに風が吹こうと
河がながれ続けるかぎり ぼくはここに座って
河のながれを見つめる（4）

一九七四年五月九日、ディランは社会主義者の大統領サルバドール・アジェンデを追いやった暫定軍事政権から逃げるチリ難民のためのチャリティ・コンサートで、ニューヨークのフェルト・フォーラムにサプライズで現れた。このフレンズ・オブ・チリ・コンサートの主催はフィル・オクスと俳優のデニス・ホッパーだった。ディランはオクス、デイヴ・ヴァン・ロンク、ピート・シーガー、そしてアーロ・ガスリーらと共に演奏した。彼はその後、暫定軍事政権によってサンチアゴの国立スタジアムで処刑される前に指を斧で叩き切られたチリのフォーク・シンガー、ビクトル・ハラの未亡人であるジョーン・ハラと時間を過ごした。喪失に対する世界中からの励ましを受けてはいたが、彼女は大きな苦しみの渦中にいた。のちにロンドンで、彼女はディランに心は落ち着いたかと尋ねられたときのことを振り返っている。『良い絵でも見に行こう』とディランは私に言った。『明日の午後三時に五番街と五四丁目の角で会おう、良い絵を見せに連れて行くよ』。私は彼がそこに現れるとは思わなかった。だけど行ってみると、彼はそこにいて、街灯の柱にもたれかかって待っていた。そして私をニューヨーク近代美術館に連れて行って案内してくれて、自分はあなたたちの味方だと言った」。ディランは大きな苦しみを抱えた女性と人間的なつながりを求めていた――チリ大使館前でのピケは求めていなかった。

次第に、左翼の批評家たちもディランはいまだに善の味方であることに気づき始めた。重要なのは、一九七五年、ディランは囚人となっていたボクサーのルービン・「ハリケーン」・カーターを代弁する最も強力な声であったものの、ディランの名前はカーターのパトロン／支援者のリストには決して載らなかったことだ。なおも、左翼は疑いを抱いていた。一九七四年のツアー中、ツアーの収益をイスラエルに寄付するのではないかという噂が広まっていた。ミミ・ファリーナは『サンフランシスコ・クロニクル』に、チケット購入者は自分たちの金が戦争を行う国家への寄付となってしまうのかどうか知る権利があると主張した。映画『候補者ビル・マッケイ』でアカデミー賞を受賞した脚本家でありユージーン・マッカーシーの元スピーチライターであるジェレミー・ラーナーは、ミミの意見に異議を唱えた。お決まりのごとく、ディランは沈黙したままだった。一方、一九七五年の夏頃には、右翼からの攻撃があった。南アフリカの『トランスヴァール・エデュケーショナル・ニュース』紙は「ボブ・ディラン『赤の代弁者』」という見出しの記事を掲載し、ディランは「共産主義の新たな階級闘争である若者対大人の闘争の最も成功した支持者」であるとして、「富裕層を打倒する貧者についての歌を歌いながら億万長者となっている」と書いた。そして一九七七年九月、『ソビエト・リテラチャー・ガゼット』紙はディランを「もはや金に飢えた資本主義者でしかない」とこき下ろした。彼はどちらの味方だったのだろうか？

ピカソとサルトルは組織化された左翼とバラバラな右翼の争いに巻き込まれた。あるアーティストの影響力が高まるほどに、様々な勢力がその人物を広告塔にしようと近づいてくる。ディランは、政治的な質問は質問者に差し戻していた――自分でやれ、ぼくに聞くな、きみの代わりをしてくれる他の誰かに聞け。彼のメッセージはつねに誤解され誤用された。彼が「政治的コミットメント」に手を染めたり染めなかったりして、支持する理念を選択していた理由は、たんに自分の許可なく自分を代弁する人びとと一緒にいたくなかったからかもしれない。

ディラン博士

どちらの方が大きな驚きだっただろうか？　プリンストン大学がディランに音楽の名誉博士号を授与したことだろうか、それともアカデミズムを嫌い大学をドロップアウトした者がそれを受け取ったことだろうか？　ディランは一九七〇年六月九日のセレモニー前日の晩に、妻と、デヴィッド・クロスビーと、音楽出版者ナオミの夫ベン・ソルツマンと共に到着した。プリンストンの第二二三回卒業式で表彰される九人のなかには、作家のウォルター・リップマンや、故マーティン・ルーサー・キング・ジュニア牧師の夫人で歌手のコレッタ・キングらがいた。初め、一二〇〇人の卒業生のうちの二五人ほどと同じように、ボブは伝統的な黒のローブを着るのを拒否したが、最終的には暗いピンストライプのスーツの上から羽織った。ネクタイや式帽は着用しなかった。卒業生の大半と同じように、平和の象徴として白のアームバンドを身につけた。ディランのエスコートは、『ルック』の編集長であり、プリンストンの理事、コウルズ・コミュニケーションズ帝国の要人であるウィリアム・H・アトウッドが務めた。

プリンストンの学長ロバート・F・ゴヒーンは、羊皮紙にラテン語で書かれた音楽の博士号を授与した。その普段より砕けた表彰状には次のように書かれていた。「この十年で最も創造的なポピュラー・ミュージシャンのひとりとして、彼は過去の民衆の芸を自らの技術の基盤とし、疎外された人びとの経験から人間的な思いやりを引き出している。何百万人に知られていながらも、宣伝活動や組織を避け、家族との連帯や世界からの孤立の方を好んでいる。現在三十歳という危うい年齢に近づいていながらも、彼の音楽は若きアメリカ人の混乱した不安な意識の真の表現たり続けている」。式典の大半を通して落ち着かない様子だったディランは、「危うい年齢」という部分で微笑んだ。アメリカの多くのキャンパスで、学生たちはより確かなものを、より現在的なものを求めてきた。一九七〇年までに、名誉博士号は女性や、労働組合員や、黒人や、若者に与えられることが増えていた。

プリンストンは選考委員会の二人の学生がディランの選出に貢献したという。数か月後、『新しい夜明け』に「せみの鳴く日」が収録された。

ロープを脱いで、学位を拾った
恋人の手を握りしめ車で走り去った
生きて逃げ出せてよかった……(5)

この曲のタイトルは聖書の暴君の苦しみと、ナサニエル・ウエストによるハリウッドを題材にした小説『イナゴの日』の両方を想起させる。ウエストの作品のクライマックスで、裏切られたと感じている下流中産階級の群衆は恐ろしい暴力へと向かう。

名誉博士号を受け取ったディランは、『セルフ・ポートレイト』をリリースし、これは彼の作品のなかでも大きな論争を巻き起こしたアルバムであり続けている。『ローリングストーン』では、十二人の執筆陣が揃って怒りの声を上げた。「何だこの駄作は?」グリール・マーカスはディランに疑問を投げかけ、「自らの才能にふさわしい使命感と野心を持って市場に戻ってこない限り」、一九六五年から六六年の作品が彼のキャリアを代表するものとなってしまうだろうと警告した。チャールズ・ペリーは次のように書いた。「私たちはディランが彼の世代にとってのランボーだったと知っている。彼は自分にとってのアビシニアを見つけたようだ」。『タイム』は言う。「一九六〇年代を冥界のオルフェウスのように突き進んできた男にとって」、いまのディランは「驚くほどに瞑想的だ」。『レコード・ワールド』はこうだ。「革命は終わった。ボブ・ディランはミスター・ジョーンズに向けて『ブルー・ムーン』を歌っている」

『セルフ・ポートレイト』には二四曲が収録され、そのうち十四曲をディランが作っている。三曲は主にヴォーカル抜きの演奏のみで、実に多くの人びとが二枚組は盛り込み過ぎだと感じた。四曲はワイト島音楽祭でのザ・バンドとの演奏から、その他の曲はニューヨークとナッシュヴィルで録音された。入念に手間をかけた『セルフ・ポートレイト』には、五十人のサポート・ミュージシャン、シンガー、ストリングス、ブラス、女性コーラスが参加していた。その結果生まれた雑多な曲たちを「イージー・リスニング」や「中道ポップス（ミドル・オブ・ザ・ロード）」と呼ぶ者もいた。他の者たちは、この二枚組のアルバムを冗談か、皮肉な失敗か、自らの力量を試したものだと受け取った。

このアルバムは驚くほど売れ、一九七〇年六月の終わりまでに三〇〇万ドルを売り上げ、ビルボードのヒットチャートを一週間で二〇〇位から七位まで駆け上がり、『レコード・ワールド』は八月までにナンバーワンにランクづけした。

私は『セルフ・ポートレイト』を聞いて混乱したとディランに伝えた。どうして「ブルー・ムーン」を収録したのか？　どう見ても批判されるのに、なぜ取り下げなかったのか。「あれは表現だったんだ」と彼は言った。もしこのアルバムが、ポップへと流れていったプレスリーやエヴァリー・ブラザーズが出したものであれば、多くの人を動揺させはしなかっただろうというようなことを言った。私の最初の反応はネガティブなものだった、なぜなら『セルフ・ポートレイト』は、彼とは違う別の誰かのもののように聞こえ、ルオーやシャガールが描く道化師のようなジャケットが示唆しているように、歪んだ鏡に映る肖像画に見えたからだ。ディランは、自分が現代のサウンドとともにフォークや、カントリーや、昔のポップソングの断片から成り立っているのだと示したかったのだろうか？　このアルバムは成功しなかった実験だったのだろうか？　私たちみなをからかったのだろうか？　私の反応は次第に落ち着いていったものの、いまだに『セルフ・ポートレイト』は最も好きでないディランのアルバムのひとつだ。これは大人物からシンプルな男へのディランの逃走の新たな一歩であり、アルバムのジャケットの内側の写真で彼は、田舎の小屋の近くに立ち、ニワトリに話しかけている。きっと彼は『ナッシュヴィル・スカイライン』がこれまでで一番多くの聴衆に届いたとするのなら、今度はポップ・ミュージック的なアプローチをして、さらに多くの人びとに届くよう試みるべきだと考えたのかもしれない。いまの私は、『セルフ・ポートレイト』は中産階級のアメリカ人にアピールする実験だったのだと考えている。ディランはのちにこう語った。「違法のレコードにたくさん質の悪いものが出てきていた」。あのアルバムは、「いうなれば、自分自身のブートレッグ版だ」。『セルフ・ポートレイト』はゴミ箱に捨てた方がいいようなものが詰め込まれた二枚組のアルバムではなく、それなりに良質な一枚のLPにできたはずだと思う。「イン・サーチ・オブ・リトル・セイディ」は一風変わった転調だが、曲はすばらしく陽気なカントリーとして機能している。「アルバータ#1」は凡庸だが、悲しげなハーモニカの「アルバータ#2」は優れていた。いくつかの曲、たとえば「忘却の彼方に」や「テイク・ミー・アズ・アイ・アム」などは私の好む気骨あるカントリーソングではなく、「朝の雨」や「レット・イット・ビー・ミー」は無内容だ。少なくともアルバム内の二つのおふざけは、たんに機能していない。ビング・クロスビー風の「ブルー・ムーン」と多重録音を行ったポール・サイモン作詞作曲の「ボクサー」でディランは、サイモンとガーファンクルの両方を真似ているように思える。無価値なもののなかで質は失われている。「オール・ザ・タイアード・ホーシズ」や「ウィグワム」は忘れがたい。「デイズ・オブ・フォーティ・ナイン」は華やかなりし頃のアメリカだ。「ウギ・ブギ」は楽器のみの優れた演奏で、ファッツ・ドミノやジョニー・オーティスのようなグルーヴに満ちている。「リヴィング・ザ・ブルース」「ゴッタ・トラヴェル・オン」そして「イッツ・ハーツ・ミー・トゥー」は「優れている」から「最高」までの瞬間がある。

『セルフ・ポートレイト』を経て、ディランは懐疑的な人びとに対して自分のインスピレーションはいまだ燃え続けているのだと示さねばならなくなった。『新しい夜明け』の十二曲を収録するため一九七〇年秋に早々にスタジオへ戻ったのは素早い返答のようだった。このアルバムや、タイトルソングは、一九六四年一月の『ブロードサイド』の文章を思い出させるものだった。「そしてぼくはある朝目覚め／また愛することを始めよう」。多くの人びとが『新しい夜明け』を『ブロンド・オン・ブロンド』以降のディラン最高のアルバムだと見なした。この新アルバムは飾り気のないもので、『セルフ・ポートレイト』よりも一貫性と形式を備えていた。ディランの初めての祈り（「ファーザー・オブ・ナイト」）、初めてのジャズソング（「イフ・ドッグズ・ラン・フリー」）、初めてのハンク・ウィリアムス＝スタイルのトーキング・カントリー・ソング（「3人の天使」）、そして初めてのワルツ（「ウィンタールード」）が収録されていた。もうひとつディランにとって新しかったのが、ゴスペルスタイルのスロウなピアノのブロック・コード奏法だった。これらが相まって、静やかな宝石の詰まった素晴らしい作品となっている。

グリール・マーカスは、『ニューヨーク・タイムズ』日曜版で、これがディランの「ここ数年来最高のアルバム……バイタリティの為せる業だ」と評した。エド・ワードは『ローリングストーン』で、こう記した。「今年最高のアルバムのひとつ……おそらく彼のベストだ」。『ビルボード』のエド・オクスはこうだ。「ディランが太陽に向かって踊り、歌っていて、聴く人は心から気に入るはずだ。ディランの今年の声が潑剌と、小気味良いブルースのリズムで軽やかに疾走する……ディランが生きている!」『ヴィレッジ・ヴォイス』のルシアン・トラスコット。「『新しい夜明け』は『フォーク・ミュージック』という蒙を啓かれた懐古主義に似ていて、ディランはそれを視覚芸術の高みへと押し上げた」。ディランは再びアメリカの社会情勢を捉え、「なにもないことが多すぎる」からの変遷を予言していた。『ローリングストーン』のラルフ・グリーソンは、こう声を上げている。「私たちのボブ・ディランが戻ってきた……最も心強い出来事だ……この爆撃の年で……これは希望に満ちたアルバムであり、ああ、私たちはどれほどそれを必要としていることか」。一九七一年二月二二日、『タイム』は特集記事「アメリカの冷化」で、戦争によって傷ついた六十年代に極論を唱えていた者たちの多くが再び「沈静化し……落ち着きを見せている……これはむしろ熱が冷めてなお残る不安の現れで……その抑えられた雰囲気は……疲労感や――さらに言えば――アメリカの急進的な運動の深い冬眠を意味している」と記した。

『新しい夜明け』は安らぎの声をもって一九七〇年代の幕を開いた。『セルフ・ポートレイト』は一九六〇年代をノスタルジーの寄せ集めで締めくくったものだった。『新しい夜明け』はエマソン的な「自己信頼」を、個人としての自由のフロンティアを説いた。ディランは問う。「イヌが自由に走るなら、ぼくらにだってできるだろ?」(6)。このうぬぼれのない、ささやかな満足は「サイン・オン・ザ・ウィンドウ」の歌詞に集約されている。

ユタに自分の小屋をつくる
妻と結婚し、ニジマスをつかまえる
ぼくを「パパ」と呼ぶ子供をたくさん持つ
きっとそれがすべてだ(7)

ディランは「新しい夜明け」「時はのどかに流れゆく」そして「ファーザー・オブ・ナイト」を、アーチボルド・マクリーシュ作の舞台「悪魔の金」のために録音した。プロデューサーが「ファーザー・オブ・ナイト」を気に入らず、ディランは製作を取りやめた。「イフ・ノット・フォー・ユー」を書いたとき、彼は「自分の妻のことを考えていた」

『セルフ・ポートレイト』への世間の失望に対するディランの回答は、人生と幸せの肯定だった。あの体制的な教育を受けた者たちの卒業式のせみの鳴き声がつきまとってくるのを感じながらも、彼は厄介な人間たちについて歌わない。『ジョン・ウェズリー・ハーディング』の漂流者が見つけたように、恐れからの逃げ道はあるのだ。

一九六九年の暮れ、ディランはヴィレッジへと、ブリーカー・ストリートを下ったロウアー・マクドゥーガル・ストリートへと逃げ込んだ。しばらくのあいだ、彼はウッドストックでは失われていた匿名性を楽しんでいた。しかし都市の街頭に長くは溶け込んでいられず、密室のなかで静かに暮らすこともできなくなっていった。かつての行きつけの場所へ顔を出し、昔のヴィレッジの仲間に会いに行った。十年でザ・ケトルも、フォーク・シティも、ギャスライトも、ビター・エンドも変わっていた。

ニューヨークによるディランのプライバシー侵害は一九七一年の春に頂点に達した。ディランはイスラエルにいたものの、あのゴミ収集家はディランの家の前で五月二三日の日曜日に「アンチ誕生日パーティ」を開催した。ワシントン・スクエア・パークで、ストリートシンガーのデヴィッド・ピールはカウベルをドラムスティックで鳴らして群衆を集めた。ピールは警笛を鳴らしてこう声を上げた。「我々は今からディランの家に向かう。ヒップ・ベーグルの隣の豪勢な家だ。どうしてヒップ・ベーグルの隣にあるか知ってるか？　ディランはお前たちからプレッツェルを作ったからだ」。家の前で、ウェバマンは、いみじくもゴミ箱の上に立ち、およそ三〇〇人に向かって演説し、メガフォンでディランに出てくるよう叫んだ。返事はなかった。「ほらな、ディランはもう人のことなんか気にしちゃいないんだ。きみや私が野垂れ死んだって気にしないのさ」。野次馬は言う。「ディランは気にするさ。お前が野垂れ死ぬのを望んでる」。ゴミバケツの上のデモステネスは長口上を続けた。「ディランは裏切った、俺たちをだましたんだ。いま、私は彼にひとりの個人としてアプローチしようとしている。再び人生に関心を持ってもらうよう試みなければならない。でも彼が速やかに改善しなければ、私は彼に対して警告を発することになる」。群衆のなかには、ディランの友人たちの姿もあり、アル・アロノウィッツは、こう声を上げた。「無料のホットドッグがあるぞ、あっちだ」。フランクフルト・ソーセージのカート四台が実際に無料でホットドッグを配っていたが、誰が彼らを手配したかは誰も知らなかった。無署名のビラが、その夜ウェバマンの家でパーティをやろうと告げていた。ウェバマンは苛立っていた。「誰かに仕返しされたな」

ゴミ収集家は、皮下注射器のように細長いキャンドルのついた特製誕生日ケーキを披露した。群衆は合唱した。パーティは解散し始めた。二人の警官が誰かをパトカーに追い込み、手錠をかけ、強制連行した。「ブタ！ブタ！」ウェバマンは行進を率い、用心しながら地元の警察署へ向かい、先ほど逮捕された男を保護するために、メガフォンを通して「風に吹かれて」を歌った。

コンサート・フォー・バングラデシュ

もうひとつの災難は、現実世界のものだ。一九七一年前半、バングラデシュで戦争が行われているあいだ、何百万もの飢えた難民が東パキスタンからインドへと流れ込んだ。インドの軍は西パキスタンとの戦闘に動員されており、不遇の難民たちに世界から支援が始まった。インドのシタール名人でラーガの専門家であるラヴィ・シャンカルは、彼の弟子であるジョージ・ハリスンに言葉をかけ、ハリスンが行動に移った。一九七一年八月一日、マディソン・スクエア・ガーデンで二回のコンサートが行われ、一日で二五万ドルが集まった。このコンサートの映画とCDは、さらに多くの金額を集めた。

著名人たちの力は四万人を引きつけた。ビートルズからハリスンとリンゴ・スターが参加した。一線を退いていたギター・ヒーローのエリック・クラプトンも姿を現した。他にもバッドフィンガー、クラウス・フォアマン、ビリー・プレストン、レオン・ラッセル、ジム・ケルトナーらが参加した。ハリスンは電話でディランにも参加を要請した。ロンドンの『タイムズ』にリチャード・ウィリアムズはこう記している。「真の手柄は、もちろん、ディランを説得したことだった、ロック界のグレタ・ガルボを自ら課した隠遁から抜け出させ、コンサートのステージへ復帰させた。ディランの登場は、このコンサートを歴史的なイベントに変え、このコンサートは……一九六〇年代のポップミュージックの総決算となった」

ハリスンはシンプルにこう紹介した。「次もぼくの友人……誰もが知る友人だ」。ディランはデニムジャケットに身を包んで登場した。一九六〇年代のフォーク・クラブに出演するかのように。バングラデシュの映像に続いて演奏された「はげしい雨」は、実に見事だった。レイ・コールマンは、『メロディ・メイカー』で次のように記した。「誰もディランをディランのようには歌えない……彼は再び自らが現代音楽のなかで唯一無二のソロ・アーティストであることを、ためらいがちな鋭い声で示した。ディランは完全に復活し、かつての曲たちと再び恋に落ちたように見えた」。ディランは「ラヴ・マイナス・ゼロ」「女の如く」「悲しみは果てしなく」「風に吹かれて」そして「ミスター・タンブリン・マン」を歌った。「はげしい雨」と「風に吹かれて」はソロで演奏したが、他の曲はリンゴ・スターがタンバリンを、ハリスンとラッセルがエレクトリック・ギターを担当した。「女の如く」ではコーラスも入った。

この三枚組のアルバムを巡り、アップル、キャピトル、そしてコロンビア・レコードのあいだで数か月にわたり小競り合いが続いた。一九七二年一月にようやくリリースされ、世界的なベストセラーとなり、ＵＮＩＣＥＦに四〇〇万ドル近い金額をもたらした。この音楽と映画は、突き詰めるとシャンカルの宣言に対する回答だった。「私たちの音楽を通してあなたに苦しみを感じてほしい……バングラデシュの」。短い期間で、ソール・スイマー監督は四十時間の映像をもとに九十分のドキュメンタリーを製作した。ハリスンはカメラマンたちが大挙する雰囲気を嫌い、余分な照明は使用されなかった。ハリスンとディランは映像の編集に積極的に関わり、この映画は十三の都市で音声六チャンネルの七十ミリフィルムとして、他の場所では四チャンネルの三五ミリフィルムで公開された。一九七二年三月二三日、ニューヨークで公開されると、評判は上々だった。トム・コストナーは、『ヴィレッジ・ヴォイス』でこう記している。「聴衆は女性的だと誰かが書いていた。もしそれが正しいなら、シャンカルはその聴衆を抱きしめ、ハリスンは愛撫し、ディランは力づくで奪った」。ジョージ・ハリスンは言う。

「インド、ヒンドゥー教、ヨガ行者、そして瞑想を通して初めて、キリストが一体何に立脚しているのか学ぶことができた」。一九七〇年の春までに、ハリスンはソロ・パフォーマーとしての活動の準備をしており、フィル・スペクターと共同製作したレコード三枚組アルバム『オール・シングス・マスト・パス』からソロ活動を始めた。『タイム』はこう書いている。「ディランの影響が至るところに感じられる」。ディランは一曲目の「アイド・ハヴ・ユー・エニータイム」の作詞を担当していた。さらに、ハリスンによる十五曲のオリジナルソングに加え、「イフ・ノット・フォー・ユー」も収録された。

ハリスンは、一九六九年十一月二二日に『ニュー・ミュージカル・エクスプレス』に対し、ディランはビートルズが苦しめられたのに似た誤解に晒されていると語った。「人びとは彼が静かに変わっていることに気づかないんだ……あまりに多くの注目やプレッシャーが間違った理由でかけられていた……彼は自分で自分をカルトに仕立てたのではない——メディアがそうしたのだ……いま彼は理解ができないだろう……なぜ人びとが自分にベトナムへ何ができるか聞いてくるのか。彼が求めているのはただ曲を書いて歌うことだ」。一九七四年十二月頃、ジョージがトロントのメイプル・リーフ・ガーデンで演奏したとき、ディランも姿を現した。楽屋では共に演奏したものの、ディランは舞台には立たなかった。ハリスンは一九七六年九月六日に『メロディ・メイカー』のコールマンにこう語っている。「ボブ・ディランは今なお最も一貫したアーティストだ。人びとがひどく嫌うような作品であっても、私は好きだ。彼のすることには常に何かがあるんだ、私の耳にとってね、彼がすることはどれも、彼の一部を体現しているから」（8）

社交家

およそ三年近く沈黙に耳を澄ましたあと、ディランは過去や現在の音楽仲間に耳を傾け始めた。彼は一時的にフォーク・ムーヴメントへと注力していった——一九六八年のガスリーのコンサート、その年の暮れの『シング・アウト！』のインタヴュー、ピート・シーガーとの会合、一九六九年三月十七日のクランシー・ブラザーズのコンサート訪問。ヴィレッジのストリート、クラブ、そしてスタジオも再訪した。宣伝担当のエージェントたちはたちまち群がった。まるで鬼ごっこのようだった——ディランはこちらに、あちらに、至るところに姿を現し、そしてどこにもいなかった。一九七三年九月、ディランはジョン・プラインがビター・エンドで歌う際に密かにハーモニカを吹いた。一九七一年、レオン・ラッセルとの何度かのセッションのあと、ラッセルはディランが自分とイギリスのツアーを回るかもしれないとうそぶいた。ディランはロジャー・マッギンのちょっとしたライヴのためのコロンビアでのセッションや、ベット・ミドラーが優れた「アイ・シャル・ビー・リリースト」を収録したアトランティックでのセッションにも姿を現した。ディランはのちに彼女と「雨のバケツ」も歌っている。一九七三年二月、ラッセルとクリス・クリストファーソンのウィリー・ネルソン・アトランティックでのセッションにも姿を現すと報じられた。一九七〇年十一月にはニューヨークのフィルモア・イーストの楽屋にも二度訪れ、エルトン・ジョンやクロスビー、スティルス、ナッシュ&ヤングと会っていた。一九七一年、彼は何度もビター・エンドを訪れ、トニー・ジョー・ホワイト、プライン、スティーヴ・グッドマンらの演奏を聴いた。一九七二年十月には、クラブ「マックスズ・カンザス・シティ」へ神経質なラウドン・ウェインライト三世の演奏を聞きに行った。一九七二年八月には、トロントのマリポサ・フォーク・フェスティヴァルに姿を現していた。同じ月、グレイトフル・デッドがジャージー・シティのルーズヴェルト・スタジアムで五時間の演奏を行ったとき、ディランは舞台袖から聞いていた。一九七二年十月、スライ・ストーンがディランの次なるアルバムのプロデューサーを務めるのではないかと噂された。一九六九年十月、フィルモア・イーストで演奏するドクター・ジョンのもとを訪れ、カフェ・オ・ゴー・ゴーでは楽屋でジョン・メイオールとの会話を楽しんだ。一九七二年七月二六日、ミック・ジャガーが二九歳の誕生日を迎え、セントレジス・ホテルでパーティが開かれ、出席したディランとザ・ザ・ガボールの写真が残っている。一九七一年五月、ティト・バーンズはボブ・ディランとのイギリスツアーを交渉中だと言った。ディランはブロードウェイのミュージカル脚本を執筆しているとも言われていた。一九七一年十二月、『ニュー・ミュージカル・エクスプレス』は、ディラン、ジョン・レノン、そしてフィル・オクスがボビー・シールやジェリー・ルービンらと真剣な政治談義を行っているという独占記事を掲載した。ツアーがあるのではないか、偉大な再出発があるのではないか、「復活」があるのではないかと再三報じられたが、どの情報も正しくなかった。

ディランは事態にどのように対処すればよいか分からなかった。ただの親交が誇張されて伝えられた。やることなすこと、大げさに広まってしまう、と彼は私に言った。昔や今の友人たちは「ボビー」との親交の復活が伝えられることを喜んでいた。彼はただ親切にしようとしていただけだった。『グレーテスト・ヒット第2集』内の二曲をプロデュースし、ディランの作品の多くを収録していたレオン・ラッセルは、ボブの親切を利用する傾向があった。ハッピー・トラウムやエミルー・ハリスは誇りを持って、ディランをキャリアのステップアップには利用しなかった。一九七五から七六年にかけて、ロンドンでエミルーは大きなコンサートを二度行ったが、『欲望』への参加については触れなかった。彼女は私にこう語った。「あのセッションはただ立ち聞きしてただけだったの。ほんとにね！　共通の友人たちが参加しないかって聞いてきて、それで少しハモっただけだから」

聞きに行ったり参加した他のスタジオセッションもディランの関心をかき立てた。ディランは昔から偽名ゲームを始めていて、自分のことをビッグ・ジョーズ・バディとか、テダム・ポーターハウスとか、ブラインド・ボーイ・グラントなどと呼んでいた。一九六五年頃からもう、エレクトラ・レコードのトム・ラッシュのアルバム『テイク・ア・リトル・ウォーク・ウィズ・ミー』に参加しているピアノ奏者ルーズヴェルト・グークとはディランのことではないかと噂が広まっていた。実際、ディランは彼らのセッションに顔を出していた。彼はアル・クーパーが偽名を使ったのだとほのめかしたが、クーパーの名はエレキ・ギターおよびチェレスタ奏者としてクレジットされていた。一九六二年のセッションで収録され、一九七二年に発売された『ブロードサイド・バラッズVOL．6ブロードサイド・リユニオン』にもグラントの名が登場している。彼が参加したのは「トレイン・ア・トラヴェリン」「ザ・バラッド・オブ・エメット・ティル」「ドナルド・ホワイト」そして「ドレッドフル・デイ」だ。また一九七二年には、一九七〇年暮れに撮影されたチャンネル13のドキュメンタリー『アール・スクラッグス　ヒズ・ファミリー・アンド・フレンズ』で「ナッシュヴィル・スカイライン・ラグ」の新ヴァージョンをセッションし、短いコメントを寄せている。

最も世間に知られていないセッションのひとつが、一九七一年十一月十四日と十五日にアレン・ギンズバーグと行われた(9)。このアルバムの仮タイトルは「ホーリー・ロール・ジェリー・ロール」とされていた。このレコーディングは実を結ばなかった。アレンはニューヨークでディラン、ハッピー・トラウム、デヴィッド・アムラム、そして詩人のアンドレイ・ヴォズネセンスキーとグレゴリー・コーソらとレコーディングを行っていると言っていた。アレンは一万ドルの自腹を切ったという。それ以前から、ギンズバーグはインドのマントラに関心を持っていて、一九六八年には、ウィリアム・ブレイクの「無垢の歌」と「経験の歌」を聖歌にしようと試みていた。ディランからの指導を受ける前、ギンズバーグが弾けるコードは三つだけだった。インドの音楽以外に、ギンズバーグはカリプソとブルースにも関心を持っていた。カントリー・ロック調の一曲はケルアックらビート詩人が手がけている。十分の即興曲「セプテンバー・オン・ジェッソア・ロード」では、東パキスタンの難民がベトナム戦争の犠牲者たちになぞらえられている。『ガーディアン』の批評家ロビン・デンスロウは、この曲を「率直で、鮮やかで、大いなる怒りを抱えている。よく作られていて、かなり強力な歌となり得たはずだが、私が聞いた収録テープは、ただディランのリズミカルなピアノ演奏が冴えるだけのものだった」と評した。アップルは発売に関心を持っていた。ディランはエッグ・オシュミルソンという偽名を使っていた。しかしレノンとアップルのあいだにトラブルが生じ、ワーナー・ブラザースも、そのアルバムを「散らかりすぎている」として却下したという。ギンズバーグは一九七三年六月のディランからの手紙を紹介している。「心配するな、エネルギーはなくなった、曲は友だちのためにとっておいて、別のことをやるんだ」

ディランが一九七一年の春にニューヨークでレオン・ラッセル、クラウディア・リニアらと行ったセッションは様々な報道がされた。『ニュー・ミュージカル・エクスプレス』はディランが「レコーディング開始時に何の曲も準備していなかった……ディランとバンドは三十分ほどジャムセッションをした。それから彼は座り込んで曲を書き始めた。およそ十五分後、彼はさっき弾いていた音楽にピッタリの曲を仕上げた。しかもそのどれもが傑作だった！」と言う。きっとそうなのだろう、しかしそうしたレコーディングの数日のうちに、ディランはさっと曲ができてしまうことにひどく懐疑的になった。彼は私にこう語った。「事故が起きるまで、ぼくは一日二四時間音楽に生きていた……曲を書くのも、二時間、二日、ときには二週間かかることさえあった。今は、二行を……」。彼はそこで止まり、顔をしかめて苦悩を表した。ヴィレッジの家の近くに、ディランは一流の機材を備えた個人スタジオを作っていて、出来たばかりのアイデアをテープに録り、友人たちと演奏していた。

一九七二年十一月、ディランはサー・ダグラス・クインテットのリーダーであるダグ・サームと非常に楽しげなレコーディングを行った。一九七三年後半に発売された『ダグ・サーム&バンド』で、ディランはワルツ調の「ウォールフラワー」と「ブルース・ステイ・アウェイ・フロム・ミー」をギターで弾き、「ミー・アンド・ポール」ではハーモニカを担当した。サームの歌う「サン・アントン」と「ウォールフラワー」ではコーラスも担当している。クレジットはディラン自身の名前だった。その他の参加者にはドクター・ジョン、デヴィッド・ブロムバーグ、デヴィッド・「ファットヘッド」・ニューマンがいた。かつてディランからサー・ダグラス・クインテットへの関心を聞いたあと、私は一九六六年の夏にカリフォルニアのモントレーまでダグ・サームを聞きに行ったことがあった。長細い顔をして黒のステットソン帽をかぶったヒップなカウボーイのサームは、国境地帯のテキサス・メキシコの音楽、メキシコ系アメリカ人のファンク、ルイジアナのダンス音楽ケイジャン、「スワンプ・ミュージック」と呼ばれるウエスタン・スウィングを織り交ぜた独自の音を奏でるテキサス人だ。彼は私に、南部なまりで言った。「ばったりボブと道端で会ったことがある、サンフランシスコでちょっと前（一九六五年）にね、彼が上手くいくことを願っているし、いつかボブ・ディランと一緒にスタジオに入りたいね」。サームにはいくつかのヒット曲があり、代表的なものは「メンドシーノ」（六九年）と「シーズ・アバウト・ア・ムーヴァー」（六五年）だったが、それ以降ジェリー・ウェクスラーが彼をアトランティック・レコーズへ連れて行くまで低迷した。サームはバンドのクリーデンス・クリアウォーター・リヴァイヴァルに大きな影響を与え、彼らは一九七二年十月、サームがディランとレコーディングを行っていた頃に解散した。三週間にわたり、ディランは頻繁に訪れ、ギターを弾いたり、ピアノを弾いたり、オルガンの前に座ったり、ハーモニカを試したりしてサームと歌った(10)。

一九七二年九月、サームとの収録の少し前、ディランとデヴィッド・ブロムバーグはシンガーソングライターのスティーヴ・グッドマンのブッダ・レコードでのセッションに参加した。グッドマンの「シティ・オブ・ニューオーリンズ」をアーロ・ガスリーが歌ってヒットしたばかりだった。グッドマンはブロムバーグにピアノ奏者を探してくれないかと依頼していた。ブロムバーグは、腕は申し分ないが「信用ならないところがある」人物なら一人知っていると答えた。シングル「エレクション・イヤー・ラグ」のレコーディングのため、四十分後にそのピアノ奏者が現れた。ディランの名は、ロバート・ミルクウッド・トーマスとして記され、グッドマンの「エレクション・イヤー・ラグ」とブッダ・レコードでの二枚目のアルバム『サムバディ・エルスズ・トラブルズ』の同名曲に参加した。ディランはブロムバーグと数多く会っていて、ブロムバーグは『セルフ・ポートレイト』のほとんど半分でリード・ギターを担当し、『新しい夜明け』にも参加した。のちにブロムバーグのマネージャーとなるアル・アロノウィッツがブロムバーグをディランに紹介し、ディランはすぐにブロムバーグが演奏するときはクラブに姿を見せるようになった。

一九七一年十月、ディランはハッピー・トラウムがベース、バンジョー、セカンドギター、コーラスなどで参加した三曲を収録し、それらも含む『グレーテスト・ヒット第2集』が十一月十七日にリリースされた。ハッピーはニュー・ワールド・シンガーズにギル・ターナーと参加し、彼の弟のアーティ・トラウムは、マリア・マルダーやマリーナ・タイリーと、ディランが名前を助言したプールノット・ファミリーというトリオを組んでいた。ハッピーはウッドストックに移ってきた最初の二組の兄弟のひとりで、『シング・アウト!』の編集者として同誌を過去の堅苦しい教条主義から抜け出させていた。一九七〇年十二月に行われたビター・エンドでのライヴで、トラウム兄弟は他のウッドストッカーたちの音楽を演奏した。ジョン・ヘラルドの「ムーヴィー・マン」や、リック・ダンコとロビー・ロバートソンの「ゴーイング・ダウン・トゥ・シー・ベッシー」などである。ディランはトラウム兄弟とのレコーディングを試み、オルガンを演奏した。エンジニアは言った。「なあ、もっとオルガンからの音をくれないか?」レコーディングは何度か演奏を試してすぐに終わった。『グレーテスト・ヒット第2集』でハッピーが参加した曲はニューヨークで瞬く間に録音され、ディランが選んだ五テイクから三曲がミックスダウンされた。

一九七三年の夏の半ば、ディランはアラバマ州マッスル・ショールズでバリー・ゴールドバーグと落ち合い、アルバム『バリー・ゴールドバーグ』に参加した。ゴールドバーグはディランが「エレキ化」したことで有名な一九六五年のニューポートでピアノを演奏していた。ゴールドバーグ・ミラー・ブルース・バンドでスティーヴ・ミラーとタッグを組んだあと、彼は一九六八年にマイク・ブルームフィールドが率いるバンド、エレクトリック・フラッグに合流した。その後、ゴールドバーグは曲を書き始め、ヒット曲を生み出せない歳月が始まった。『プレイボーイ』の投票でジャズのオルガン奏者カテゴリーで首位を獲得したものの、疑り深い各レコード会社はデモの制作を求めていた。ジェリー・ゴフィンと協力していくつかの曲を書き上げたあと、ゴールドバーグは再びディランと会うようになり、二日間にわたって数時間のセッションを行った。それから、ゴールドバーグはウッドストックのディランの家に行き、ダグ・サームやザ・バンドとセッションをした。ゴールドバーグはRCAレコードからシングル制作のオファーを受けたが、ディランは保留するよう伝えた。翌日、ディランは彼に電話をかけて言った。「アトランティック・レコードのジェリー・ウェクスラーと電話で話してて、ぼくたちは一緒にできそうだけど、ぼくがきみをプロデュースすることになりそうだ。クールだろ?」マッスル・ショールズで五日間のレコーディングが行われ、ディランは「それはスポットライトではない」でパーカッションを演奏し、「ストーミー・ウェザー・カウボーイ」「シルヴァー・ムーン」「ミンストレル・ショウ」そして「ビッグ・シティ・ウーマン」ではコーラスを担当した。ディランは、ブッカー・Tとプリシラ・ジョーンズの一九七三年発売『クロニクルズ』と、二年後の『ア・ストーリー・オブ・デヴィッド・ブルー』でもハーモニカを演奏した。

一九六七年以降、いわゆる隠遁期間に新旧の友人たちと親交を温めていた。派手なところはなく、可能であれば力を貸し、自分にとって自然なこと――音楽作りに勤しんでいた。やがて彼はクリス・クリストファーソンからの電話を受け取る。メキシコで製作中の映画についてだった。

エイリアスと呼ばれた男

『ビリー・ザ・キッド／21才の生涯』はディランの商業映画デビューにとって理想的な作品に見え、ディランが好きなテーマのひとつを扱っていた――敵に囲まれたアンチヒーローだ。一九七二年後半から一九七三年前半にかけて行われた撮影には、監督であり優れたスタイルを持つサム・ペキンパー、ハリウッドのヒップスター俳優ジェームズ・コバーン、歌手から役者へと転身したクリストファーソン、脚本家としても頭角を現し始めていた若き才能ある小説家ルディ・ワーリッツァーなど、強烈な個性が集まっていた。ディランは静かに誰より存在感を放っていた。メディアも飛び回り、メキシコのエキストラたちにディランのことを尋ね、『ローリングストーン』のチェット・フリッポと『メロディ・メイカー』のマイケル・ワッツはメキシコシティでの撮影とレコーディングを目にすることができた。

『ビリー・ザ・キッド』は銃を手に西部開拓期の生活に身を浸す無法者ウィリアム・ボニー（ビリー・ザ・キッド）の暴力的な物語だった。夕焼け色のこの映画には死の影がこびりついている。ヒットはせず語られることも少ないが、西部劇映画の名作で、ビリーと彼の友人で保安官となったパット・ギャレットの対立に焦点を当てている。ペキンパーは、この二人の破壊し破壊されるという衝動の裏には、それとバランスを取るかのように深い結びつきがあることを示唆している。ディランは現代の道化師とでもいうような、ビリーを追いながら手助けをする若者を演じた。重苦しい映画のなかで、ディランはちょっとしたユーモアを提供している。「名前は？」とギャレットが尋ねると、彼は答える。「いい質問だね」。その後、自分の名はエイリアスだと言い、「エイリアス、下は好きに呼んでよ」と返す。

クリストファーソンはオックスフォード大学時代ローズ奨学生で、ウィリアム・ブレイクについての論文に取り組んでいた。彼はロサンゼルスにいたディランへ電話をかけた。「すごい人たちがたくさんいるんだ――きみも学びながら金がもらえるぞ」。ボブはためらった。「もしそっちに行ったら、彼らに囲まれて、映画に出ることになる」。クリスは反論した。「なあ、もう奴らにレコードを収録させられたじゃないか。来いよ、きっと楽しいから」。三か月後、それを楽しいと思う者はほとんどいなかった。ペキンパーは完璧主義者だった。ディランはのちにフリッポに語っている。家族とメキシコのドゥランゴへ向かう決断を下す前、「『ワイルドバンチ』や『わらの犬』や『砂漠の流れ者』を観て、どれも好きだった。一番好きなのは『昼下りの決斗』だ……いまは、映画を作りたい。これほど映画に近しさを感じるのは初めてだ。これが終わったらたくさん映画を作っていこうと思う」。のちにディランは言った。「ぼくは単なるペキンパーの手足だった……自分の裁量は一切なくて、この余地のなさが居心地悪かった」。そうであっても、彼はペキンパーを敬っていて、映画で「問題」だったのはペキンパーが最終的な芸術的コントロールをできなかったことだと言った。

現場での二日目、ディランは主題歌「ビリー」を歌った。ペキンパーは、その場で役のオファーを出した。ディランは十一月の最終週に家族を呼び寄せて、ドゥランゴに暮らしながら仕事や作曲を行い、周りとはほとんど口を利かなかった。メキシコシティから約六〇〇マイル（約九六五キロ）北にある人口十五万人の都市ドゥランゴは、グレン・フォードやカーク・ダグラスなどの出演作でも長らく使われてきた場所だった。ジョン・ウェインは、ここに製作会社を構えていた。この街は、メキシコで最も殺人率が高く、シエラ・マドレ山脈に囲まれ、ビリー・ザ・キッドの晩年には理想的な場所だった。テキーラを飲んだり、タコスを食べたり、地元のドラッグを試したり、見事な景色を楽しんだりすることはあまり期待できなかった。

撮影初日はなかなか厳しいものだった。ボブには乗馬の経験がほとんどなかったからだ。しかし、その七面鳥狩りのシーンは上手くいった。クリストファーソンは言う。「信じられなかったよ。彼の存在感はまるでチャーリー・チャップリンのようだった……スクリーンで見ると彼に目が釘付けになるだろう。彼にはそういう人を引きつける何かがあるんだ。動く必要すらない。彼は自然体で……ナイフを投げる。それは本当に難しいんだ。十分かそこらで、完璧に演じていた……いつもこっちの知らない面を見せる。ある晩は彼がフラメンコを演奏したんだけど、奥さんのサラもフラメンコを演奏する彼を見るのは初めてだった」。マイケル・ワッツはディランのことが怖ろしかったのを認めた。クリストファーソンは言う。「ほんとに、恐ろしいだろ！　恐ろしいんだよ、しかもその彼と映画を作ってるなんて！」

脚本のルディ・ワーリッツァーはディランがエイリアスを演じるなら役を大きく膨らますことができるのではないかと考えたが、ディランはカメオ出演に留めることを望んだ。クリストファーソンは、ボブは数日間妻とすら話さなかったと言う。広報担当は言う。「彼はすごくシャイで引っ込み思案で、それは生まれつきなんだ。記者たちは彼を付けまわし、そしてもちろん、彼は話そうともしないから、記者たちは結局周囲の人間たちにインタヴューして回ることになる」。ディランの存在は監督すらも上回っていた。ワーリッツァーは言う。「それは仕方ない。サムはディランに負けていることが分かってる」。ペキンパーはドゥランゴで『ゲッタウェイ』の試写会を開いたが、周囲の人びとはメキシコシティで行われるディランのレコーディングへ向かうことに決めた。

納屋のようなスタジオで、ディランが演奏を始めたのは一九七三年一月の土曜夜十一時を少し過ぎた頃だった。試行錯誤を繰り返し、音を足してはカットした。ディランがスタジオを仕切っていたが、映画のプロデューサーであるゴードン・キャロルがうろついていた。ディランは「永遠の絆」やクリスのバンドを参加させ、クリス、リタ・クーリッジ、そしてジェームズ・コバーンがヴォーカルに参加した。午前三時、ボブはなおも好調で、「ホリーズ・ソング」を収録した。ディランは二人のメキシコ人トランペット奏者に声をかけ「ペコス・ブルース」を演奏した。ディランとキャロルのあいだには、目に見えて緊張関係のようなものがあった。ディランが「ハリウッド」という言葉を悪口のように使っていることに気づく者もいた。朝の四時までに、共演者たちと脚本家は姿を消していた。ディランはなおも精力的で、「ビリー」の別ヴァージョンを収録した。プロデューサーはボブのアイデアに乗り気だったようだが、ディランは反論した。「どうかな。良くないような気がする。ぼくは色々考えてみてから……行動するんだ」。朝の七時頃になると、スタジオの技術者たちは疲れきっていたが、ディランの目は冴えていた。

一九七三年の夏に『ビリー・ザ・キッド』が公開されると、批評家たちの意見はくっきりと分かれた。この映画を「緩やかな形式的爆発」と評したロンドンの『タイムズ』紙のデイヴィッド・ロビンソンは、ディランについて「魅力的なちょい役」と語った。この映画はカルト作品となり、アートシアターで度々再上映された(11)。ディランのサントラは、無駄がなくこれもまた新たなスタイルで、高く評価され続けている。いくつかの曲は、エンジニアリングによって響きが増強されている。ディランは自ら、ロジャー・マッギンやブルース・ラングホーンら、一流のメンバーを選出した。『ビリー・ザ・キッド』は差し迫る死の緊張感があるフォークの物語のようで、ディランのフォークの精神に対する理解が上手く表現されている。アルバムは関連した十曲で構成されている。タイトル曲の「ビリー」は、形を変えて「ビリー・ザ・キッド・1」、「ビリー・ザ・キッド・4」、「ビリー・ザ・キッド・7」としても収録されている。ディランの歌声は切なく鋭い。ペキンパーの『ビリー』を汚らわしいガンマンへの過剰なロマンとして批判する者もいるが、ディランは主人公に対して監督と同じ考えを持っているようだ。次の二つの曲は大きな対比をなしている。「七面鳥狩り」は明るく軽快でバイオリンが弾む。その次に来るのが同アルバム内でのヒット曲「天国への扉」だ。「天国への扉」の古風な開拓時代のハーモニーは、次の「ファイナル・テーマ」でも厳かな讃歌の調子で続く。「死に向かう巡礼者」というのが「天国への扉」の主人公であり、ディランの音楽は、映画『ビリー・ザ・キッド』が悲劇であることを忘れていない。

サントラのインパクトにかかわらず、反対派はまたしてもディランのキャリアが終わったと口を揃えた。コロンビア・レコードは一九七三年のクリスマス直前に慌てて発売したアルバムで、またしても墓碑銘を彫ってしまったのである。アルバム『ディラン』は、彼のなかで最低の、最も彼らしくないアルバムと言っても過言ではなく、自分勝手なレコード会社のくだらなさを表している。ディランはコロンビアとの契約を反故にしていたため、彼らは『セルフ・ポートレイト』と『新しい夜明け』の時期にボツとなった曲をかき集めたのだった。コロンビアはおそらく、ディランの名前を使うことで数十万枚を売っただろう。批評家は、このアルバムを「企業の汚いやり口」と形容して、こうした「公式の」海賊版が増えてしまうから会社と距離を開けすぎるのはやめろと暗に警告した。クライヴ・デイヴィスはコロンビアを去っており、ディランではない作曲家たちが手がけた九曲入りのアルバムは、多くが取るに足らない作品で、社内の誰も自分の担当作だと言いたがらなかった。長い目で見れば、ディランよりもコロンビアの名を傷つけたと言えるかもしれない。このひどいアルバムは、ディランのキャリアが衰退の時期にあるという印象を強めるもので、シナトラが映画『地上より永遠に』で華麗に返り咲く前に影を潜めている時期のようだった。しかしボブはすでにライヴへの劇的な復帰のプランを立てていた。ディランはよく、いくつかのツアーは死にそうに辛いものだったと力説していた。『ニュー・ミュージカル・エクスプレス』のロイ・カーに対して一九七二年五月十三日、クリストファーソンは語った。「基本的に、彼らの多くは社交的じゃない。ボブ・ディランやジェームス・テイラーなど、ミュージシャンの多くにとって、腰を上げて観客の前で演奏するのはすごく大変なことなんだ……自分が丸裸になるからね、特に曲を全部自分で作っているときは」。カーは、こうレポートした。「経験から学び、クリストファーソンは、多くの人間が、アーティストはステージ上で血を流すべきだと期待、否、求めていると考えている」。こうした感情を抱きながらも、一九七三年の終わりのディランには、再びステージの上に丸裸で立ち、血を流す準備ができていた。

一九七四年のツアー

一九七四年一月三日。シカゴはヒビングと同じくらい無慈悲な寒さに襲われる。今回、この寒さに対峙するディランはひとりではなかった。そばには信頼する五人のミュージシャン仲間がいて、およそ二万人がシカゴスタジアムで「おかえり」を告げていた。しかし、ステージに上がる瞬間、彼は再びひとりになった。勝ち誇るかのように登場して笑い者にされるディランを期待していた観客もいたことだろう。スタジアムの外では、雪が積もり酔っぱらいたちが入口で身を寄せ合っていた。スタジアムの内側ではディランが初めてシカゴに来たときと同じ「みすぼらしい」服を着ていた。ステージの無機質さを和らげるために、彼はちょっとしたセットを作ることを承認していた。二段ベッド、ソファ、ティファニーのランプ、物干し掛け、そしていくつかのキャンドル。タバコや大麻のケムリのなかを風船が浮かんでいた。観客は緊張し期待していた。それから青いスポットライトが暗闇を切り裂き、ディランとザ・バンドが、五人の補佐とひとりの闘牛士のように、ゆっくりと歩いてきた。ディランは、無表情で、平静を装おうとしていた。『ガーディアン』はこう報じた。「そのライトと共にあがった歓声はシカゴが真っ二つに割れたかのようだった……大きなうねり、声援、足踏み……ディランがロードに戻ってきた」。

「片足をハイウェイに、片足を墓場に」(12)と彼は歌った――一九六三年の「ヒーロー・ブルース」だが、彼はそれを書き直していた。そこから三十曲ほど、キャリアを追って演奏した。七年半近く基本的に観客を避けてきたディランは、両足をハイウェイに置いた。およそ三〇〇人の記者が世界中から集まり、ツアーは新年の目玉のひとつとなった。チケットを注文するために人が郵便局へ押し寄せた。ツアーのプロデューサーであるベイ・エリアのベテランロック興行主ビル・グラハムに、ディランは「控えめにしておいてくれ」と伝えていたにもかかわらず。七四年のツアーはメディアにとっての祭りとなり、復帰を祝う、宗教的な、なかば政治的な新旧ファンの集会となった。

インターミッションのあと、ディランは文字通りひとりでステージに登場し、ソロアコースティックの曲に入った。このハイライトとなるソロパート、そして三九回のステージは、続く六週間のうちに二一の都市で続いた。再び彼と彼のギターは、いかに時代が変わり、いかにしてハッティ・キャロルが死んだかを説いた。その後、「イッツ・オールライト・マ」で、大統領は裸で立たなくてはならないという歌詞に差しかかると、ニクソン大統領とウォーターゲート事件が想起され観客が沸いた。『メロディ・メイカー』のマイケル・ワッツは、ディランは「そのフレーズを特別な悪意を添えて吐き出した……この世のものとは思えないほどの瞬間だった」。彼は大歓声を背に舞台をあとにした。彼が終わったというゴシップはすべて無意味だった。アンコール曲は「ライク・ア・ローリング・ストーン」だった。『タイム』はこう記している。「腕を組み合い、一緒に揺れ、心のいまを、世代の聖歌を合唱した……大人の苦しみを味わう時期になってようやく理解されたその曲を」

ディランは英雄の歓迎を、歓声を、喝采を、拍手を勝ち取った。観客は無数のマッチ、ライター、紙切れに火を灯し、スタジアムを印象派の絵画のように変えた。ディランとザ・バンドは「我が道を行く」で締めくくり、見事な熱量を備えたこの曲は、他の会場ではオープニング曲として演奏された。七四年のツアーは、観客に彼ら自身の十三年間を、彼ら自身の成功と失敗を、帰る家を、あるいは離れる家を振り返らせるものだった。『グッド・タイムズ』のグレン・ブルンマンはこう書いている。「ディランは口を開くたび、六十年代に私たちがどれほどひどくしくじったかを語る……彼が示しているのは、私たちが手に入れていたかもしれないもの、私たちの手から逃れていったもの、そしてきっと、もしかしたら、まだ私たちが成し遂げられるかもしれないことだ」

エレクトラ・アサイラムレコードのデヴィッド・ゲフィンとビル・グラハムは、驚くべき数字をメディアに伝えた。わずか六五万席しかなかったにもかかわらず、五〇〇万もの応募のハガキが舞い込み、合計九三〇〇万ドルの売上となった。ツアーの合計収益はおよそ五〇〇万ドルだった。『メロディ・メイカー』は、「エンターテイメントの歴史上最大のイベント収益」だと表現した。『タイム』はこうだ。「アメリカのロックの歴史上これほどに大衆の注目を集めたツアーはない……伝説が──時代が──生き返る瞬間のようだった」。最初に郵便局に殺到してからツアーの終わりまで、ツアーは人びとの関心を大きく引き寄せた。国内外のメディアがツアーのニュースやレヴューをトップで報じた。テレビでの報道も凄まじかった。ある報道では、三〇〇万ドルの前金の映画化オファーが断られたと伝えられた。多くの書籍のオファーも断られたが、『ローリングストーン』は『ノッキン・オン・ディランズ・ドア』という本を作り、スティーブン・ピッカリングはパンフレットだけでなく『ボブ・ディラン・アプロキシメートリー』という本を書いた。ディランとザ・バンドは六五～六六年の野次の記憶を消すことができないでいた。ディランは言う。「ツアーに出ているときは辺獄(リンボ)にいるようなものだ。どこでもない場所からどこでもない場所へ移動するように。でも少なくとも観客は違う……彼らはとても温かかった」。彼は『ニューヨーク・タイムズ』のジョン・ロックウェルにこう語った。「六五～六六年にやった最後のツアーは、ハリケーンのようだった。今回はどちらかというとはげしい雨のようだ」

ディランはメディアに対して「手に負えない子供(アンファン・テリブル)」であることは抑えようと心に決めていた。彼は『ニューヨーク』誌のリチャード・ゴールドスタインと会ってみたいと言っていた。ゴールドスタインは振り返る。「人生であれほど緊張したことはなかったよ、医者や、女性や、死体を前にする以上だ。きっと私はそこで答えに窮するような質問でもしぼり出さなきゃいけなかったんだろうけど、実際は泣きだしそうだった」。ボストンで、ディランは『ワシントン・ポスト』のトム・ジトに現在と過去の違いについて語った。「昔はシーンがあった。グリニッチ・ヴィレッジに、ガーディス。そこには聴衆も奏者もなかった。すべてが一体だった。ぼくはヒーローじゃなかった。ぼくは当時の若者に何か夢中になるものを与えていたわけじゃなかった。ただそこにいるみんなの感じていることを言葉にしていただけだ。だがいまは、聴衆もずいぶんぼやけてしまっている……若い奴らも、自分がなぜそこにいるかはっきり分かっていない。ただの好奇心なのかもしれない……ドラッグと共に底が抜けた……昔は、自分が何者であるのかを見極めようと試みるのが普通だった。ドラッグはそういうたくさんの芽を摘んだ……いまは多くの人間が物事をそのままに受け入れている」。ジトはディランに政治を語らせることはできなかった。「自分はあんまり民主党／共和党のシステムを信じてないかな。ぼくは君主制が好きだ。王とか女王とかの方が好きだね」

外向きには愛想良く見えるが、ディランはなおもインタヴューを非難するためにインタヴューを使っていた。『タイム』に対して、『ニューズウィーク』の特集記事用にインタヴューを受けたあとで言った。「全部宣伝のためだ。ときどき彼らは別の誰かについて語っているような感じがする。ぼくは成り行きに任せるけど、それが自分の人生のためになるかは疑わしい」。誰もが、もちろん、なぜ今ディランが戻ってきたのかについて思いを巡らせていた。「ただみんなに自分が準備ができたと知らせたかったんだ」と彼は『ローリングストーン』に語った。金が必要だったからだと推察する者もいた一方で、A・J・ウェバマンはツアーがシオニストの策略だと考えていた。現在の音楽シーンが不毛の地になっていると思ったから、というのが一番実際に近いようだった。ディランは『ニューズウィーク』にこう語った。「自分が聞きたいものを聞くことができないから、自分で作るしかないんだ」。ツアーは「最新版」だとしながらも、ディランは過去にも敬意を払っている。「ぼくはただ過去を一緒に引き連れているんだ……自分の根っこにあった頃の――自分にとって意味のある音楽を。自分が聞いて育ったシンガーやミュージシャンたちはノスタルジーを超越している」。彼は自身の両親について語り始めた。「父は汗をかかねばならなかった……この地上で彼はそこから抜け出せなかった。ぼくは乗り越えてきた……物質的な物事の痛みを。自分が億万長者であろうがなかろうが、それで金を稼げようが稼げまいが、ぼくは自分が今やっていることをするだろう」

彼は続ける。「自分は聖餐台に立っているのではない。市場のなかで仕事をしている」。多くの批評家がステージ上での神経質な彼について指摘したが、彼は『ニューズウィーク』に自信を覗かせた。「強い薬を放っている――ペニシリンのような。ディランに振り回されてるかどうかなんて心配する必要はない。もしそれが効いたら、効くということだ。もしそれが嫌いなら、その薬をもう一度試す必要はない……神経質さはほとんどなくなっている。昔はステージに向かう前は常にナーバスだった」。そのツアーでのディランの歌唱スタイルは、メロディを、テンポを、フレージングを改造するものだった。この故意でありながら奇異な変化にある種の者たちはうろたえ、それをコンサートの緊張から来るものだと考えた。復帰したディランに批評家や聴衆が驚いた理由はもうひとつあった。『ヴィレッジ・ヴォイス』のルシアン・K・トラスコットは、水曜日の夜にマディソン・スクエア・ガーデンで行われたコンサートをこうまとめている。「ディランは不安がっていた、それは確かだ。しかし『親指トムのブルースのように』は、私たち観客を怖れているのではないことを示した。彼が怖れていたのは彼自身だった……ボブ・ディランであることが持つ痛みや浮き沈みを含む曲に戻っていくこと、危険と隣り合わせの生き方をする人生……観客はどれほど彼らのヒーローに破滅的であることを望んでいることだろうか、まるで無鉄砲に生きることだけが人間の本質を、その生の非永遠性や死を私たちに示せるとでもいうように」

『ローリングストーン』は、このツアーの収益がイスラエルへの支援に使われるという噂についてディランに迫った。「シオニストとは一体何なのかよく分からない」とディランは受け流し、噂を「単なるゴシップ」だと退けた。彼の音楽のなかの宗教的イメージはどうなっているだろう？「自分にとって宗教とは束の間のものだ。それに縛られることはない。自分のなかに入ってきては去っていく。表面的には、イメージのようなものを自分にもたらしてくれるが、それがどの程度かは分からない」。ディランは「神の意志」が自分を路上（ロード）へと復帰させたとは言わなかった。「ぼくは夜明けを目にして……ただ踏み出したんだ」。『ローリングストーン』には、自分の復帰の要因が部分的に天文学でもあることをほのめかした。土星がそれまで彼の「システム」を邪魔していたという。「数年前に土星の軌道がぼくの星座に入って、ちょうど数か月前に抜けていったんだ」

理由は天文学だったのかもしれないし、不安だったのかもしれないし、彼の子供たちが大人になったからかもしれない。大切なのは演奏者がすること――つまり演奏だ。ツアーが行われるというニュースは、一九七三年十二月上旬の正式発表以前の十一月に漏れたが、計画は夏から始まっていた。デヴィッド・ゲフィンは長らくディランをマネジメントすることを望んでいて、ロビー・ロバートソンに説得を試みていた。ビル・グラハムは何年もツアーを提案していた。もともとディランが考えていたのは十二都市ほどで、最高の会場を周ることだった。グラハムは限定的なツアーでは採算が合わず、奏者たち専用の飛行機が必要だし、技術者もたくさんいると言って彼を説得した。

ワトキンズ・グレンでのライヴに出演したザ・バンドは、首つりの演出をするアリス・クーパーのような「ショック・ロック」以外のものを観たい人もいるだろうと考えるようになった。長期にわたる計画が秘密裏に行われていた。大掛かりなリハーサルもシカゴ公演の三か月前から始まった。四時間のセッション一度で、ディランとザ・バンドはツアーの基本的なレパートリーとなる八十曲を用意したと言われている。グラハムは二一都市のホールを名前を伏せて予約した。「狂乱を避けるため」だった。ケネディ家やロックフェラー家だけでなく、名もなきファンたちが国中の郵便局に申し込み期限前に列をなした。『サンフランシスコ・クロニクル』は、そのツアーの収益が五〇〇万ドルの半分にも満たないと推定した。グラハムと彼のFMプロダクションズはおそらく五〇万ドルほど得た一方、ディランとザ・バンドは、ジョン・ワッサーマンによると「八日間一〇〇時間の仕事で二〇〇万ドル近くを手にするだろう、もちろんリハーサルの時間は含まずに」。出費は大きかった。全面広告、それに四十席の飛行機「スターシップワン」ボーイング707のチャーター代は、ロックスターたちの移動に合わせて、一マイル五ドルだった。

ディランは前のツアーのような不快な思いはするまいと、自分の休憩時間は狂乱とは無縁であろうと心に決めていた。彼はこう振り返った。「前回のツアーではいつも騒いでいた、そうする必要がないときもね。ネス湖の怪獣を探して、四日間眠りもしなかった——そのうえで、八時からのコンサートをやっていた。このツアーではそういうことはないだろう——何はともあれ、ぼくはね」。おそらくそういうことはなかったのだろうが、あちこち旅をしたり、インタヴューされたり、様々なステージ外の活動は長らく道から逸れていた人間にとっては圧倒されるようなスケジュールだっただろう。マディソン・スクエア・ガーデンで三度目のコンサートをするために、デイトンのコンサートをキャンセルした最後の旅は、六週間で合計四十のコンサートを締めくくるものだった。多くの日が一日二公演だった。ディランはフォーク・クラブやフィラデルフィアのスケートリンクにも足を運んでいた。彼はトロントでマーシャル・マクルーハンが、マディソン・スクエア・ガーデンではマイク・ポルコが来ていることに気づいていた。さらに多岐にわたる観客として、ロニー・ホーキンスと、当時ジョージア州の知事だったジミー・カーターもいた。体が大きく、赤ら顔のホーキンスは、彼のバンドだったザ・ホークスをディランが奪い去ったというのに、再会時も驚くほど穏やかだった。ディランと、ザ・バンドの大半と、グラハムがボディガードを連れて顔を出したときも、ホーキンスはいまだにトロントのニコロデオンクラブで活動していた。ホーキンスは自身三九回目の誕生日を「いつもの朝に」と少しの「ホリス・ブラウン」を歌う特別なライヴで祝った。

一九七六年の大統領選で、民主党の候補者ジミー・カーターは繰り返しディランを引用した。最も有名なのが大統領指名受諾演説だ。「生まれるのに忙しくないやつは死ぬのに忙しい」[13]。一九七三年十二月、手書きの文書で、カーターはディランに自宅への招待状を送っていた。一九七四年にアトランタで二度行われたコンサートの一度目の公演のあと、ディランと側近たちは州知事公邸を訪れた。カーターの息子のひとりチップは、一九六八年後半のウッドストックへ行ったことがあり、この招待はどうやら彼の発案だったようだ。ディランがリクエストしていた料理を囲んで、およそ三十人が集まった。田舎風のグリッツ、ハム、そして卵の料理だ。コンサート会場でグラハムがカーターに挨拶したとき、グラハムはボブが「特にあなたのイスラエル訪問に感銘を受けていた」と伝えていた。しかし宴席では、とカーターは言った。「私がイスラエルについて言及すると、ディランは話題を変え、自分と妻は最近メキシコに行って、その国も満喫したと語った」。カーターはディランを「ひどく臆病だった」と言った。一九七六年、『テレビ・ガイド』はカーターがディランを引用したことについて尋ねた。ディランはこう答えている。「そのことについてはどう考えればいいか分からない。周りの人間は大統領選に出馬した男がお前を引用していると言ってきた。それが良いことなのか悪いことなのかは分からないけど……彼は大統領選に出ている男のひとりにすぎない……ぼくはトマス・ジェファーソンや、ベンジャミン・フランクリンや、そういう得難い一握りの人物が復活するところが見たい。もしそうなったら、選挙に行って投票するだろう。彼らはその時何が起きているかを理解していた」

ディランがニューヨークに到着してナッソー・コロシアムで二回、マディソン・スクエア・ガーデンで三回コンサートを行う頃になると、シカゴでの初演をかなり冷淡に受け止めていた『タイム』のジョン・ロックウェルも、観客の雰囲気を「期待に満ち、躍り上がるほど」だったと評するようになった。ディランの歌い方の大きな変化の衝撃は去り、ロックウェルはこう表現している。「すべてが一体となっていた。ハスキーな声、うなるような低い声、はっきりした歌い方、あざけ笑うような言葉尻の変化のさせ方は……極めて説得力があった」。『ニューヨーク・タイムズ』は一月二八日の記事で「時代は変る」の言葉を変奏しながらディランを讃えた。「あらゆる世代がそれぞれのディランを持っている。六十年代という世代は流行を支える歌う詩人に影響を受けていた。何かがおかしくなっていった、そして変化というものはいつも停滞に見舞われる。しかしディランが歌う限り、十年前この地を揺るがした精神は聞こえ続けるだろう」。『ニューヨーカー』のエレン・ウィリスは、こう記した。「一晩の演奏はコントロールの利いた濃密なものだった……自分でも必要としていたことに気づかなかったような精神の浄化（カタルシス）……過去を称えながらその先へと進む……ディランの最初期の曲たちは未だに健在であるだけでなく新たな意味を帯びて響いていた」。一月三十日のマディソン・スクエア・ガーデンでの昼公演がクライマックスだったと言うツアーウォッチャーたちもいた。水曜の夜公演には多くの音楽仲間やディック・キャベット、シャーリー・マクレーン、そしてジャック・ニコルソンが訪れた。マイク・ポルコとグリーソン夫妻はチケットを提供されていた。パーティはホテル・サンモリッツで行われた。二月十一日までに、ディランはベイ・エリアへ戻っていた。ついに、ディランとザ・バンドはリハーサルを始めた場所に戻ってきた。ロサンゼルスのイングルウッド・フォーラムだ。

　最後のコンサートは、ディランがグラハムと彼の助手バリー・インホフをステージに呼んで頭を下げ、「風に吹かれて」で締めくくられた。会場でもパーティが行われ、それからビヴァリー・ウィルシャー・ホテルでディランとわずかな親しい人びとともう一度行われた――デヴィッド・ブルー、ボビー・ニューワース、ロビー・ロバートソン、そしてミネソタの友人ルー・ケンプだ。演奏者や観客にとっての七四年のツアーは終わったが、その衝撃は収まらなかった。ジェフリー・ストークスは一九七四年四月四日の『ヴィレッジ・ヴォイス』にこう記している。「ディランは記憶以上の存在だ。メディアのイベントは終わった……私たちは今なおそのコンサートについて語り、なおも自分たちにとっての意義を理解しようと試み続けている……これは真に……アメリカ的イベントだった。論争こそが、結局のところ、私たちの国家的神話の核心なのだ……私たちはディランという先導者を非難する群衆だった……しかしその不安は消え失せたようで、緊張感だけが残され……彼を目覚ましいパフォーマンスへと導いた」。ディランはニューヨークでの最後の公演でこう約束していた。「また来年会おう」

再び市場へ

コロンビア・レコードはポップ・アーティストたちに散々こう説いていた。レコードを収録して、その宣伝のためにツアーをするべし。ディランはその方程式に抗ってきたが、七四年のツアーが決まるとすぐに、彼とザ・バンドはウェスト・ロサンゼルスのスタジオ「ヴィレッジ・レコーダー」で十一月五日、六日、そして九日に収録を行い、『プラネット・ウェイヴズ』を製作した。それを終えてから、ディランはツアーへと集中していった。ツアーの六週間のあいだに、ディランとザ・バンドは五三曲を演奏したが、わずか三曲だけが『プラネット・ウェイヴズ』の収録曲だった。このアルバムが一九七四年一月に発売される前、二つの別タイトルで噂が広まっていた。それが「ラヴ・ソングス」と、「ラヴ・マイナス・ゼロ」のチェスのイメージから取った「セレモニーズ・オブ・ザ・ホースマン」だ。『プラネット・ウェイヴズ』は一九六八年にシティ・ライツ・ブックセンターが出版したギンズバーグの詩集『プラネット・ニュース』と響き合うものだった。

このアルバムのテーマは愛のあらゆる側面――妻のような相手に対する、子供たちに対する、あらゆる女性の原型に対する愛だ。「悲しみの歌」さえ逆説的に死に対する生への愛を提示するもので、その特徴は「ゴーイング・ゴーイング・ゴーン」にも表れている。『プラネット・ウェイヴズ』は突き刺すような格言的な言葉、形式に捕われない旋律の美しさ、そして自己への関心の回帰を示すものだった。次の二作『血の轍』と『欲望』と合わせて三部作を構成すると考えると、このアルバムは新しいスタイルの時期を告げるものだった。ジャケットはくっきりとした白黒のグラフィックで、かつてのブートレッグアルバムを思わせる。ディランがそこに描いた三つの顔は、どれもが彼でないようで、どれもが彼であるように思える。裏表紙には、手書きの文字が多くは綴りミスのまま描かれ、荒いグラフィックアートのようになっている。彼のライナーノーツは、ビートの詩人と共鳴し、記憶をかき立て、ダルースからパリのヴォージュ広場が想起される。これはほとんど「盗まれた時間の中の生活」の別ヴァージョンのようなもので、タフ・ガイを中心としたその散分詩は、切迫感を持って書きなぐられている。本作はディランの名前が表紙に記載されない初めてのアルバムだったが、イギリスではカヴァーラップに名前が記された。

『プラネット・ウェイヴズ』はディランによる言葉への新たな攻撃のきっかけと見なせる。そこにはためらいと、ときには不器用ささえもあり、「悲しみの歌」にある「このガラス繊維の時代」(14)という歌詞は、彼がスピードを上げようとエンジンをふかしているような音にも聞こえる。このアルバムは自伝的な側面が強く、特に「悲しみの歌」では「孤独という代償を払った/でも少なくとも負債は負ってない」(15)と歌っている。「悲しみの歌」と「ゴーイング・ゴーイング・ゴーン」の並置、そして鷹揚でありながら痛烈で残酷なイメージの「ウェディング・ソング」は、歓びのただなかで耐えねばならない痛みがあり、歓びとは結局は一時的なものであるというディランが繰り返してきたテーマの表れである。それでも、愛はエンジンを動かす——天使のような女性の優しい愛だけでなく、「タフ・ママ」や「ヘイゼル」における母性のような愛でも、あるいは深い責任感であってもだ。『ブロンド・オン・ブロンド』以降、これほど統一感があり、言葉の意味を超えて音楽的に一貫したアルバムは他にない。曲同士が「たがいに語り合い」、お馴染みのモチーフ(夢、海、波、山、丘、端、鉱脈、孤独、高所)が再び現れている。

「こんな夜に」は明るく温かく始まり、スタンダードなラヴソングの常套句が語られる——外は寒いけど、ぼくはきみと中にいるから暖かい。「サイン・オン・ザ・ウィンドウ」で歌われる「小屋」の向こうからは、ディランの描く理想的な生活と充足感が直接伝わってくる。「ゴーイング・ゴーイング・ゴーン」はオークション司会者の発声に似ていて、真のブルースの精神が込められている。ロビーの震えるようなエレキ・ギターは驚異的だ。それは別れを伴う死だろうか、それとも危険を伴う孤独からの帰還だろうか?「タフ・ママ」は現代の都会的なブルースで、弾ける歌唱とハドソンの存在感あるオルガンが特徴的だ。「クロッチ」「ウォッチ」「ノッチ」といった気ままな韻もあるが、「ぼくはもうこれ以上/市場に足を運んだりしない」(16)といった示唆的な歌詞も含まれている。「ヘイゼル」のメロディと曲の魅力は、ヒビングの貧しい地区にいたエコのことを思い出させる。

七四年のツアー中にお気に入りの曲としてシングルにもなった「君の何かが」では、過去を振り返り、ヒビングよりも詩的な響きを感じているようであるダルースでの過去が振り返られている。

『セルフ・ポートレイト』で示唆していたように、ディランはひとつのモチーフから様々な絵を描く画家的な情熱を育んでいた。七四年のツアー中、彼は昔の曲たちを新たなキーやテンポで演奏して聴衆を驚かせた。新たなメロディが加えられるものもあれば、歌詞が一〜二行加えられるものもあった。一九七六年九月にアルバム『激しい雨』をリリースする頃には、そうした再解釈が彼の関心事となっていることが明らかとなった。ひとつのテーマに対して即興や自由な形式のヴァリエーションを持たせることでレパートリーが増やせるという、作曲家やジャズマンの感覚に達していた。二つの異なるテンポとアプローチで収録された「いつまでも若く」は、七四年のツアーとローリング・サンダー・レヴューでの昔の曲の再創造の予兆となるものだった。一つ目のヴァージョンは「ファーザー・オブ・ナイト」のように魂の訴えである一方、二つ目のヴァージョンは遊びに満ちている。一九六〇年代のアンダーグラウンドのフォークヒーローであるジョセフ・スペンスの力強く熱狂的なリズムに通じるところがある。サム・チャーターズがバハマのアンドロスへのフィールド・トリップで収録した歌手だ。

「悲しみの歌」で、ディランはピアノでシンプルな力強い演奏をみせている。これはラヴソングというよりも病的な依存についての言葉少ななエッセイのようだ。彼は左翼について、都市について、聴衆について、ドラッグについて、女性について——かつて彼が必要だと思ったこれらのことについて語っているのだろうか？　この暗い歌詞は全体性に対する孤独や、コミュニティに対する孤立のバランスが取られている。ディランはこの歌と同アルバムのもう一つの重たい歌「ウェディング・ソング」をスタジオで執筆したと言われている。その二曲のあいだには告白のようなものがある。「天使のような君」だ。「さよならと云わないで」には興味深い関連性が、特に「イッツ・オール・オーヴァー・ナウ・ベイビー・ブルー」とのあいだにある。彼の鉄鋼への夢は意味ありげなアルバムのサブタイトルに通じるものがある。「鉄のような歌とセンチメンタルなバラッド（キャスト＝アイアン・ソングズ・アンド・トーチ・バラッズ）」。「ウェディング・ソング」は愛を通した救済の宣言だ。愛が自らの人生をどう救ったかを語りながらも、ナイフや血や殺人を愛の強さゆえの絶望のイメージとして描いた。大きな変化とアルバムを締めくくるこの曲は『血の轍』への予兆を感じさせる。

批評的な反応はさまざまだった。『ニューヨーク・タイムズ』のロレイン・オルターマンは『プラネット・ウェイヴズ』が洗練されていないと批判したが、『ヴィレッジ・ヴォイス』の音楽編集者ロバート・クリストゴーは、ディランの意図的な荒々しさを擁護した。ロンドンの『タイムズ』日曜版のデレク・ジュエルは、一九七四年二月三日にこう記している。「バイタリティがあり、優しさに溢れ、皮肉といくらかの怒りがある……ディランの現在の立ち位置は逆説的だ。彼は拒む、しかし大勢から受け入れられる。そして彼は、進化を遂げてもなお、時代を代表する男なのだろうか？　そこには内面へと向かっていく兆しがある……何にも与せず、プライバシーを求め、過去を振り返る傾向がある。『プラネット・ウェイヴズ』は、そのことを鋭く、苦しく、心摑まれる曲たちによって映し出している」。『ヴィレッジ・ヴォイス』で一九七四年に行われた二四人の批評家による投票で、『プラネット・ウェイヴズ』は十八位にランクづけされ、『偉大なる復活』は六位にランクされた。レヴューの多くは好意的なものだったが、ディランはアサイラムから発売したアメリカと、アイランドから発売したイギリスでの売上に満足していなかった。コロンビアはボツになった曲から少なくとも八つのアルバムを作ろうと目論んでいたにもかかわらず、改めて自分たちが失ったスターに関心を持つようになった。ディランは『偉大なる復活』のロイヤリティの引き上げを交渉したが、これがアサイラムのデヴィッド・ゲフィンとの最後の仕事となった。一九七四年夏の終わり、ディランはコロンビアに復帰し、ゲフィンと作った二つのアルバムものちにCBS／コロンビアから再版された。

七四年のツアーの土産を欲しがる者には、ディランとザ・バンドによる新解釈に満ちた二枚組のアルバム『偉大なる復活』は最適だった。このアルバムの英語タイトル「ビフォア・ザ・フラッド」は、ランボーの詩「イリュミナシオン」に収録された「大洪水のあとに（アフター・ザ・フラッド）」から着想を得たものかもしれないが、ランボーの作品が生まれのトラウマの寓話だとすれば、このアルバムはひとりの演奏者の「再誕」の寓話だ。このタイトルはまた、市場へのディランの古いテープの氾濫に対するコロンビアの恐れを反映するものでもある。これはツアーの中盤から終わりにかけての十公演から作られたもので——三つはマディソン・スクエア・ガーデン、そしてシアトルとオークランドから二度ずつ、そして残り三つはロサンゼルスの公演だった。エネルギー、外向性、観客の熱狂、そして昔の曲に対する新しいアプローチが印象的だ。サプライズの達人がまたも力を発揮していた。どれほどの演奏者や作曲家が、スタイルを模索するために格闘し、それを磨き上げていくことに人生を費やしているだろうか？　彼は自分が即興的であることをまざまざと宣言していた。ディランは内向性を発揮したワイト島での失敗から学んでいた。七四年のツアーでの演奏スタイルは、聴衆に理解を求めるものではなかった。聴衆が覚えているものとは別の形態の曲が追体験されていた。このときのディランはほとんど、芝居や演出を抜きにしたヘヴィ・メタルのロッカーのようだった。

ディランは噛みつくような、殴りかかるような、うなるような新しい曲の解釈でライヴの観客やリスナーたちを驚かせた。「我が道を行く」は『ブロンド・オン・ブロンド』の目立たない曲から一気に飛躍した。「レイ・レディ・レイ」も別の一面を獲得した。「悲しきベイブ」はオーティス・レディング風の軽快なソウルになっている。しばしば、ディランは黒人ソウルの声を、ガラついていないながらも新たな幅と節回しを加えて使用していた。「ミスター・ジョーンズ」は「ジョホンズ」と歌われた。「女の如く」では「ノウス」が「ノホウス」となっている。「くよくよするなよ」では最後の「ライト」という言葉が途切れるように歌われた。いくつかの曲は旧型フォードがランボルギーニとなって発進するかのように一新されている。ゆっくりと引き延ばす歌い方は「ライク・ア・ローリングストーン」で最も効果を上げている。ディランが「フィール」を「フィーヒィール」と歌うときの観客の感動が目に浮かぶ。

『偉大なる復活』はフィル・ラモーンが監修した。ホワイトハウス（ニクソン時代以前）で音楽イベントのコンサルタントを務め『ロック・オブ・エイジズ』でザ・バンドとも仕事をした一流の音楽プロデューサーだ。彼は三五時間におよぶライヴ音源を収録し、二人のチーフエンジニア、ひとりのミキシング助手、収録ブースに三人、ひとりは舞台上、そしてもう一人がバックアップのチームで臨んだ。ラモーンはそれを「自身のキャリアのピーク」と語っている。彼とタッグを組んだのはロブ・フラボーニで、『プラネット・ウェイヴズ』のエンジニアリングを統括した人物だった。

『ヴィレッジ・ヴォイス』では、三つのレヴューで大きく意見が分かれた。その三つ目は、グリール・マーカスによるもので、ディランの変化を「世代のシンボル」から「アメリカ的なアーティスト」への変貌だと解説した。彼はこう記している。「『偉大なる復活』は理想ではなく情熱を表している……ディランの新しい音楽が成功している点は、ディランが（アメリカの生活に見いだす）欠陥を自身の自由への契機にしているように見える点だ」マーカスはさらに続ける。「アーティストというものは自身の思考を、そして自身を超えて作品を作るものだが、そうした制約が打ち捨てられている。こうした自由――アーティストが自身の制約から自由になったとき、聞き手も自由を感じる……その音楽にはホイットマンのようなところがある……かつて、ディランは大衆的なものを冷徹な目で眺め、距離を置いていた。いまは、ちょうど真ん中にいる、私たちと同じように。それは、もちろん、より大きな、よりミステリアスなアメリカへと参加する責務である」

新たなディランたち

一九六三年当時、多くの音楽業界人が「新たなボブ・ディラン」について語っていた。私がなにげなく活字で使用したこのフレーズを宣伝の人間たちが計画的なコンセプトとして使用し始めたのだった。詩人のような趣のあるアコースティック・ミュージシャンを大雑把に括るこの略称のなかには、一時期、エリック・アンダースン、ジャニス・イアン、フィル・オクス、ドノヴァン、サイモン&ガーファンクル、マーク・ノップラー、ラウドン・ウェインライト三世、ジョン・プライン、ジェームス・テイラー、カーリー・サイモン、ドン・マクリーン、ブルース・スプリングスティーン、そしてパティ・スミスなどが含まれていた。モディリアニの絵に影響を受け、足にはバレエシューズを、頭にはランボーやアルトーやジム・モリソンやディランの詩的風景を備えた廃墟の天使のような格好の破天荒な放浪者パティ・スミスは、魅力的なロックパフォーマンスを始める前に詩作に取り組んでおり、それを「紙の上の夢」と呼んでいた。一九七六年、彼女は私に言った。「十六歳のころ、ランボーの写真が表紙になった『イリュミナシオン』を見かけた。彼は私の父のようでもありディランのようでもあった。工場で働いていたときの現場監督はそれをバイリンガルの本だと思って私が共産主義者なんじゃないかと疑っていた。いつも『イリュミナシオン』を持ち歩いていたから。ときどきフランス語版も読んだ。意味は理解できなくても、その音楽は理解できた。それから、『地獄の季節』。それは『J・アルフレッド・プルフロックのラヴ・ソング』とか『追憶のハイウェイ61』と同じだった。それを理解できるほど大人でも女でもなかったけれど、そこに込められた音楽は素晴らしかった！　ロックンロールの最も美しいところは、自分が宇宙に対するメガフォンになれるオープンアートであるところ。ロックを通じてコミュニケーションを取れない場所はない」

パティはトニー・グローヴァーおよび『クリーム』誌によって見いだされた。彼女を抱きしめたディランが表紙の『ヴィレッジ・ヴォイス』一九七五年七月七日号は、こう見出しがついている。「タランチュラがムスタングと出会う　ボブ・ディランがパティを祝福する」。パティは振り返る。「それはすごく強烈な体験だった、まるで、高校で男の子に恋をして、その男の子が一年後にようやく話しかけてくれたのに何も返せないときみたいに。すごく青っぽくて、すごく美しかった。ディランもランボーのことを好んでいる。彼は檻のなかにいること、たとえばアルトーについてや、自分という体の檻のなかにいることについて語った。彼は偉大な歌い手で、二十年以上声帯を鍛えてきた。私は自分の潜在意識に潜り込み、可能性という海へ飛び込んでいけるよう努めてきた」。パティは、彼女とディランが共にランボーの「あらゆる感覚の錯乱」に向かって取り組んでいるのだということ、知恵というのは痛みや、旅や、探求から来るものだということを悟った。彼女は何かが彼から逃れていったのではないかと結論づけている。「彼は誰も到達していない水準を持っている。彼はただ自らの身に風穴を開けてくれる誰かを求めている。私は彼と彼の歌に身を捧げてきた。私にとってはそれで十分だけど、彼はそれら以上の『真なるもの』が生み出せると思う。彼は偉大な即興演奏者なの。彼に必要なのはひもを緩めておくことだけ。待っていたら次々と色んなものが湧き出てくる。本当にすごい人ね！　彼の顔から、目から、本当に電気がほとばしってる！」

無数の現代詩人がディランの詩と音楽の電気的融合に影響を受けてきた。ファーリンゲティは衝撃を受け、レックスロスは感銘を受けた。レナード・コーエンはそこから歌と作曲を学び、マイケル・マクルーアはディランが授けたハーモニカを愛でた。アレン・ギンズバーグは口承詩の音楽的側面を一層追求するようになり、一九七六年には『ファースト・ブルース――ラグ、バラッド&ハーモニウム・ソングス1971-74』を発売し、「小さな吟遊詩人の導師ボブ・ディランへ」(17)捧げた。ギンズバーグによるイントロダクションでは、一九六三年までピアノやバイオリンのレッスンを受けて失敗した音楽経験が語られ、インドや日本の読経を聞いたという。彼は「ブレイクの『灰色の修道士』の断片が頭で鳴り響いていた……私は実験して、『灰色の修道士』をFコードでウーヘルのテープレコーダーに即興で録音してみた、それは一九六五年にサンフランシスコでボブ・ディランからクリスマスプレゼントとしてもらったもので、彼が楽器を演奏してみればと私をそそのかしたのだった」と語った。ディランは一九七一年にニューヨーク大学で開かれたギンズバーグの朗読会に参加し、即興で言葉を繰り出すアレンの能力に感銘を受け、一九七一年十一月十七日と二十日にレコーディング・セッションを手配した。ギンズバーグは「自分の最初のブルースはリチャード・ラビット・ブラウンの『ジェイムス・アレイ・ブルース』をモデルにした」と言い、それは初期のディランのモデルのひとつでもあった。ギンズバーグは歌詞について次のように語っている。

一九四五年から四九年にかけてケルアックとブルックリン橋の下で小唄やトッカータやフーガを歌い、彼やニール・キャサディと車のラジオからルイス・ジョーダンやファッツ・ドミノのR&Bや、スリム・ガイヤールのうめきや、リトル・リチャードの叫びを聞いていたわけで、知らぬ間に自分の心にはアメリカのブルースがあった――自分の歌は詩的に重要なものでないと考えていたが、クリシュナと出会い、そしてエズラ・パウンドの言葉を思い出した、彼は詩も音楽も歌も詠唱も(そしてダンスも)活版印刷が発明される前はみな一体のものだったのであり、アメリカの黒人ブルースやラグタイムの曲は、パーシーの『イギリス古詩拾遺』や、スコットランドのバラッドや、エリザベス朝の歌集や、作者不明のフォークと同じくらいの詩的財産であることを学問世界は忘れていると言った……詩的な不器用さについては何とかしなければならないが――その無様な詩は許し難いと同時に、歌を学び言葉をひねり出す際には避けられないプロセスだ。理想はトマス・キャンピオンやトマス・ナッシュのような流れるようなイメージ。あるいはディランの「鮮やかなイメージの連なり」だ。

『血の轍』

「新しいディラン」をめぐる言説は、一九七五年一月の『血の轍』の出現によって掻き消えた。一年間で三枚目となるアルバムだった。このアルバムで新生ディランは新たな高みへと登り詰めた。評価は極めて高く、この七年か九年で、あるいは彼の作品史上最も優れているとされた。この作品はディランが思い通りに作れたアルバムだった。一九七四年九月にニューヨークで行われたレコーディングのうち、何曲かを十二月にミネアポリスで収録したものと差し替えた(18)。ピート・ハミルによる哀愁を帯びたライナーノーツは、のちにグラミー賞のライナーノーツ部門を受賞することになるのだが、発売後に抽象画へと差し替えられた。

『血の轍』は『プラネット・ウェイヴズ』の「悲しみの歌」や「ウェディング・ソング」で示唆されていたように、このアーティストが苦しみのなかにいたことを裏付けるものだった。歌の主語が「わたし」であろうが、「彼」「彼女」あるいは「きみ」であろうが、このアルバムは作者の傷ついた繊細さを表す心の自伝だった。最も聞きやすく、音楽的なきらめきと多様性があるアルバムのひとつであり、ディランの極めて直接的で、豊かで、感情的で、しなやかな歌声が含まれている。一九六〇年代中盤のアルバム群と同じように、『血の轍』にはウォレス・フォーリーが言ったランボーの「繰り返す放棄」(19)が表れている。これは記憶や関係の非永続性と断片化についてのアルバムである。グリール・マーカスは言う。「女性や自分自身との戦いの物語であると同時に、最悪な状況に美を見いだしてそこから抜け出すために、愛と死の記憶や幻想や恐怖を芸術的衝動に転化させようとする強烈な試みだ……自分には決して解決することができない問題に取り憑かれた神話的な恋する男の叙事詩である」

収録された十曲は彼の優れた技術と統制力を示している。その表面からは奥に秘められた複数の層が垣間見える。抽象的なイメージが口語の会話に込められている。血、痛み、嵐、雨といった基本的な要素が様々に変奏される。そこには戦いのイメージもある。血と有刺鉄線。人生は、そして記憶とは、戦場なのである。「雨」がまたも降ってきて、波が、潮が、あられが現れる――はげしい雨。ジョナサン・コットが『ローリングストーン』(一九七五年三月十三日号)に寄稿したエッセイ「再び雨のなかへ(バック・インサイド・ザ・レイン)」は、ディランの雨を記憶となぞらえている。だが、それでは単純すぎる。私は雨を血のように流体のイメージで捉えている――自然界の血だ。砂漠に生命を、洪水や涙や痛みや孤独や感覚という生命をもたらすものだ。涙と、洞察と、ウィットに満ちた『血の轍』は、自己満足や充足感の終わりを告げている。「一か所に落ち着くこと」は個人的な幸せをもたらすかもしれないが、たとえ己の人生に不和が起きようとも、愛の喪失の苦しみや探求こそが偉大なる芸術への道であると、ディランはようやく認めたのだった。曲の詳細は以下。

〈ブルーにこんがらがって/Tangled Up In Blue〉

アルバムのジャケットでは点描のように描かれたディランが血のような色を背景に物思いにふけっているようだが、支配的な色は青(ブルー)である。ブルースというのは明るくもなり得るもので、アルバムは躍動感を持って始まる。またしても気まぐれな探索、神話の探求であるが、きっと彼はいつも多くの人のなかに同じものを見いだし、最終的にはいつも自分自身という鏡に向き合って熟考する。「斧が降ってくる日」(20)とか、あるいはもっと普通のフレーズで「続けることを続けよう」(21)など、ディランは言葉を繰り返したり、更新したりして戯れる。歌詞にはダンテと思しき言及もある。ニューヨークのテープやレコードの冊子では歌詞で言及される詩人は十三世紀の人物となっているが、レコード盤では十五世紀と歌われていた(ダンテの作品は十三世紀から十四世紀に広まった)。ウォレス・フォーリーは、ディランがここで、ダンテの友人である詩人グイド・カヴァルカンティのことを指していると考えているようだ。埃っぽいブーツを履いてではなく、乾いた心で来た道を振り返る新たなタイプのロード・ソングだ。ディランは上手く歌えているのか? 彼は『リアル・ライヴ』に収録されたヴァージョンの方を気に入っている。

〈運命のひとひねり/Simple Twist Of Fate〉

夢や想像のなかで、ひっそりささやくように語られる痛ましい記憶は、孤独についてである。「彼が目を覚ますと、部屋はがらんとしていた」[22]は、「イッツ・オール・オーバー・ナウ、ベイビー・ブルー」や「床の毛布を全部持って」[23]ドアを出て行った恋人を思い出させる。歌い手は三番めの詩節を過ぎて、知ったり感じたりしすぎることは「罪」だと語るまでは、辛い記憶のなか夢見るように歌い続ける。

〈きみは大きな存在／You're A Big Girl Now〉

「女の如く」の続編。タイトルのフレーズ（「きみはもう大人の女性だ（ユー・アー・ア・ビッグ・ガール・ナウ）」）は皮肉なことに、子供以外に対して発すると、偉そうに聞こえてしまう。彼がこれほど感情的に歌うのは珍しい。彼が力を込めて「オー」と歌うところはムンクの「叫び」を思い出す。歌詞の語り手は「雨のなかに戻り」[24]、涙を流して歌い、「心にコルク栓をして」[25]気がおかしくなりそうになっている。皮肉なのは語り手が苦しんでいるのに対して女性がのびのびとしている点だ。『バイオグラフ』のライナーノーツで、これは彼の妻のことだったと語っている。「ぼくはぼくと同じような感じ方をしない人たちだけにとって謎めいているんだ」

〈愚かな風／Idiot Wind〉

このアルバムの「名曲」として広く認知されていて、「ローリング・ストーン」に連なる面もあるが、ギンズバーグの「吠える」に通じる面が多い。この曲は、人の語る言葉がそのまま本当の気持ちとして受け取られてしまうような錯乱した社会における、語り手の個人的不調、悲嘆、そして疑念の吐露である「真実攻撃」のひとつとも考えられる。そして同時に精神の浄化でもあり、怒りを爆発させると同時に、噂話や裏切りが思慮や信じる心に取って代わる環境を描いている。何より恐ろしいのは車輪が止まってしまうことだ、空気は悪臭を放ち、体や頭や魂を麻痺させる。男が、あるいはカップルが、迷惑行為を受けて倒れる一方、ニクソンとその家族はウォーターゲート事件を糾弾されて包囲される。

ディランは自分のようにのんきにならないために「原初の叫び」に耳を澄ませと私たちに主張する。この曲はニューヨークでの収録ヴァージョンから大きく変わっており、ニューヨーク版は別のメロディで、彼自身とのつながりがより直接的だったが、もっと穏やかで優しい歌い方だった。収録ヴァージョンの執拗な叫びはエドワード・オールビーの『ヴァージニア・ウルフなんかこわくない』のような効果がある――耐えられないほどの真実で、骨身に沁みすぎて受け入れられない。それでも、そうした真実は人が前に進む際に直面するものだ。彼はこのヴァージョンを、他の悲観的な曲のいくつかと同じように終えている。つまり、車輪は再び動き出し、苦しみの風は吹き飛び、無力感が自らの糧となっていく。

〈おれはさびしくなるよ／You're Gonna Make Me Lonesome When You Go〉

繊細なメロディが軽快さの奥にある悲しみを伝える。恋人に去られそうな男が行かないでくれと乞うが、運命論的な恐怖から、彼女は去ってしまうと思っている。「状況は悲しく終わり／関係はもうずっと悪い／ぼくのはヴェルレーヌやランボーみたいだった」(26)。ディランが直接的にランボーへ言及したのはこれが初めてだ。ヴェルレーヌは名声を得た年上の詩人で、パリに来たランボーを賞賛した。ウォレス・フォーリーによれば「ヴェルレーヌとランボーのロンドンやブリュッセルでの逸話は、私たちの世代にとっては文学的に有名な話で、それは現代の芸術家の神話に関するものだ。その種の物語は五十年後にダブリンでジェイムズ・ジョイスによって作品内のレオポルド・ブルームとスティーヴン・ディーダラスとして繰り返される。この二人の男は、片方がもう片方より年上だが、実際は一人の人物で、それぞれが愛を探求し、もう片方は知識も探求している」(27)。冒頭の詩節にある「暗闇で銃を撃つ」が物語に厚みを与えている。ヴェルレーヌはランボーにパリの懐疑的な作家たちを紹介し、この十七歳の新参者を自分の妻に任せる。一八七三年七月十日、あらゆる感情的な葛藤のあと、ヴェルレーヌはランボーを銃撃した。一発は当たらなかったが、もう一発はランボーの左手首に当たった。ランボーは訴えなかったが、ヴェルレーヌは殺人未遂で十八か月を牢獄で過ごした。フォーリーは言う。「悪は知識への道だ。悪という極端な経験はたいていの人間に、それを乗り越えるために自分が何をして、何に苦しんでいるかを理解しようという最も深い欲望を呼び起こす。ランボーやヴェルレーヌのように意図的かつ自覚的に悪を実践する者は、互いに恋人というより悪魔の信奉者となっていく」

〈朝に会おう／Meet Me In The Morning〉

ディランのなかでも屈指のブルース。その密度、鋭い歌声、個人的な思い入れが心を奪う。古典的なブルースとして、「朝に会おう」は伝統的な語彙やイメージをふんだんに備えると同時に、現代的な要素も垣間見える。

〈リリー、ローズマリーとハートのジャック／Lily, Rosemary & The Jack Of Hearts〉

ディランの最も長い寓話のひとつで、トランプゲームのような比喩が散りばめられている。活き活きとした行動と、不可思議な死、つねに二面性がある。「フランキー・リーとジュダス・プリーストのバラッド」に通じるものがあり、ウェスタンの伝統に則った語るようなバラッドだ。ディランは気まぐれや神秘化に満ちた十五の寸劇を仕立て上げている（アルバムに封入された冊子に記載された十二番目の詩節は歌われていない）。ディランがジャックを演じるという算段のもと、この曲をハリウッドで映画化しないかという話もあった。

〈彼女にあったら、よろしくと／If You See Her, Say Hello〉

この音楽のハイライトは魅力的な甘い歌声と温かく庶民的なメキシカンスタイルのアコースティック・ギターにある。語り手は、女性との辛い別れのなかでも冷静でいようとする男だが、感情が漏れ出すのを抑えることができない。「ぼくが繊細すぎるのか／そうでなければ柔らかくなってきているのだ」(28)。感情的苦しみに直面しても気楽でいようとする試みは、歌詞や歌い方にさざめくようなリズムを与えている。「チル」を「チーイーール」と、「ステイ」を「ステーヘーイ」と歌う様は七四年のツアーのディランを思わせる。マイケル・グレイはこの曲を「北国の少女」を書き直したものだと考えている。

〈嵐からの隠れ場所／Shelter From The Storm〉

ここでもディランは気分の浮き沈みを表す際に自然のモチーフを活用している。撫でるようなメロディは、愛を通じての救済というイェイツ的な探求である。語り手は隠れ場所を見つけるが、屋根から雨が漏れている。「鋼鉄の目の死の世界で／勝ちを得ようと戦う男たち」(29)や、「片目の葬儀屋／彼はムダなラッパを吹く」(30)など、この曲は豊かな歌詞に満ちている。

〈雨のバケツ／Buckets Of Rain〉

喪失と発見、永遠なるものはないと知る無益な探求というアルバムのテーマを締めくくる一曲。私にはミシシッピ・ジョン・ハートのブルースが聞こえてくるようで、あるときは嘆き、次の瞬間には遊び心があり、泣かないために笑っている。このアルバムは過去からの反響であり、詩人が繰り出すイメージであり、一人の女性への、多くの女性への、旧友たちへの、痛ましい衝突を避けるために離れていったすべての者たちへのはげしい愛である。『プラネット・ウェイヴズ』の波が津波へと変わっている。ランボーの「イリュミナシオン」の特に「歴史の夕暮れ」と響き合うものがある。愚かな風が廃墟の街にはげしい雨を降らせる。

『血の轍』の収録はニューヨークのコロンビア・スタジオAで一九七四年九月十日から始まった。ディランは一九六〇年代に活躍してきた演奏家たちを集めた——エリック・ワイズバーグと彼のバンド「デリバランス」、ペダル・スティール・ギタリストのバディ・ケイジ、トニー・ブラウン、そしてポール・グリフィン。ミック・ジャガーも立ち寄り、ドラムをやってコーラスに参加しようかという話も出た。ローリング・ストーンズのヴォーカルであるミック・ジャガーは踊ってシャンパンを飲んでいた。リリースの直前、ディランはミネアポリスへ向かい、十二月二七日の金曜と三十日の月曜に弟のデイヴィッドが集めた演奏家たち——ベースのビル・ピーターソン、ギターのケン・オデガード、ドラムのビル・バーグ、キーボードのグレッグ・インホッファー、そして十二弦ギター奏者のクリス・ウェバーとアルバム用に新たなセッションを行った。ここで収録したものをオリジナルは三曲だけ残してすべて差し替えた。最終版は四曲がニューヨークでのセッションで、六曲がミネアポリスでのセッションであるように思う。改訂されたジャケットには演奏家のクレジットがなく、ディスコグラフィーを作るには混乱が伴う。

しかし、アルバムに対する反応については混乱することがなかった。あるイギリスのディラン・フリークは、これらの曲にディランの私生活——七四年のツアーのあとの荒れた家庭生活——の影響を嬉々として見て取った。「ほら、いまディランとサラは問題を抱えてるから、彼はきっと良い曲を書き始めるんじゃないかな」。ディランは爆弾を抱えながら書いているようなものだった——ひとりの女性に対して何年もラヴ・ソングは書けず、トラブルの時期をゴシップの対象にならずに書くことだってできない。そうしたゴシップは『血の轍』のレヴューのほぼすべてに見られた。ほとんど無口だった一九七五年春のラジオ・インタヴューで、マリー・トラヴァースはアルバムを楽しんで聞いたと告げた。するとボブは突然反論し、自分にとってかなりの痛みを伴うものであるのは明らかなのに、それを人が「楽しむ」なんて驚きだと語った。『ローリングストーン』で、ジョン・ランドーはレコーディングに対してもっと自覚的になるべきだと訴えた。のちにランドーはディランの奔放さにいくらか否定的な発言をした。

彼はロック界の誰よりも見事に自身の限界を乗り越えてきた……ディランはすべての役を同じような力でこなせるわけではない。彼は幸せな家庭の男としては説得力がなかった。人びとは……彼が怒りや、痛み、恐れ、孤独、寂しさ、そして力は生々しく伝えることができるのに幸せな男としての経験は伝えることができなかったという事実に反応した。ジェームズ・ディーンやマーロン・ブランドのように、彼は市民よりも反抗者を、インサイダーよりもアウトサイダーを、保安官よりも無法者を演じる方が上手かった……平穏を乱す者としての役割に戻ってきたディランは、過去のある時期のように息を吹き返したわけではないが、感情をより自由に表現し、彼や私たちのなかにまだ炎が燃え続けていることを否定しない。

『バイオグラフ』でディランは言い返している。「ぼくがどれだけの役を演じられると思う？　愚かなやつらが、想像的でない心で勝手に限界を設けてくる」

『ヴィレッジ・ヴォイス』のロバート・クリストゴーは、一九七五年一月二七日、このアルバムに「A」の採点を与えた。「ディランの新たなスタイルは、これまでのすべてのスタイルからひねり出されたものだが、すぐに分かるうえ最も深い驚きはその音楽だ……全体として、本作はこの指導者による最も成熟した確固たるアルバムである」。同誌に一九七五年二月三日に掲載されたポール・コーワンによる影響力の大きいレヴューは、アーティストとしての彼には優しく、人間としての彼には優しいものでなかった。

メッセージは希望のないものだ。三四歳にして結婚生活は破綻を迎え、孤立し、再び寂しき漂流者となっている……自分という檻に囚われたディランは、自らの堀にいる盲目の預言者テイレシアースだ……アメリカは彼の荒れ地で……すべての優れたディランのアルバムと同じように、彼の伝説的な残忍さの裏には痛みがある……ときどき、おそらくは結婚生活が破綻し始めるにつれて、彼の身勝手さは自己嫌悪へと結晶しているようだ……ディランはまさに特別な種類の痛みに耐えている。彼は温かさや、持続的な関係を築くことができないようだが、ありあまる愛ゆえに、自身の私生活を芸術の犠牲にするという冷たい決断ができない。ジョイスやメイラーさえできたというのに。『血の轍』が優れたアルバムなのは、彼がその辛さと向き合って曲を書いているからだ……このアルバムは自身の自由によって痛めつけられる男の苦しみの叫びだ。しかし同時に宗教的なイメージや、傷つき疲れ果てたディランが、女性の温かい家庭ではなく、神の平穏に「隠れ場所」を求めようとする痕跡に満ちている……彼が求めている信仰は、自身の渦巻く感情からの唯一の逃げ場であり、唯一狂気や自殺の代わりとなるものだ。

コーワンの心理分析的批判はディランの演じる役柄を誤解している。コーワンは、マクベス夫人が手を洗ったからといってシェイクスピアが罪悪感を抱き、ハムレットが悩んでいるからといってシェイクスピアが優柔不断だなどと言うのだろうか？　たとえ『血の轍』が文字通り告白的だったとしても、コーワンにはアルバムにある後悔が、疑念が、悔恨が見えないのだろう。ディランは残忍で、自己中心的で孤独だった。バイク事故のあと、彼は自分のあり方を変えようと試みた。一九六九年にヴィレッジへ戻ったあと、昔の交友を温め直そうとも試みた。一九七五年の夏以降、シンガーたちの共同体を作り上げようと尽力してきた。人から好かれたいとも思っていたが、同時に葛藤するアーティストとしての様々な自我に誠実であろうとも努め、バランスを取ろうとしてきた。ローリング・サンダー・レヴュー・ツアーの数年前、ディランは一九六〇年代前半の音楽コミュニティをどうやったら復興できるか真剣に考えていた。『血の轍』という見事なアルバムで自身や多くの人間の感情を浄化させたあとで、その機会が訪れた。

古き知人たち

一九七五年の初め、ビル・グラハムは集結地点を見つけた。社交性を持ち、自らの組織を持ち、スターたちからの温かな反応を受け、彼はすぐに事態を動かし始めた。サンフランシスコの困窮する学校システムは三〇〇万ドルの予算不足に直面しており、それはあらゆる課外活動が停止されてしまうことを意味していた。グラハムは学生の文化活動や運動を支援する組織ＳＮＡＣＫを結成し、こう語った。「私たちは若い頃からサンフランシスコに暮らしている。これは何とか感謝を伝えるためのひとつの方法だ」。二月四日、発案からわずか二週間後に、グラハムはスターシップ、ドゥービー・ブラザーズ、グレイトフル・デッド、サンタナ、ジョーン・バエズ、グラハム・セントラル・ステーション、そしてタワー・オブ・パワーらの協力を取りつけたと発表した。噂も広まった。ディランとブランド（ともに五人の子供がいる）、ニール・ヤング、そしてザ・バンド。一九七五年三月二三日、およそ六万人の、大半がティーンエイジャーの観衆が、ゴールデンゲートパークのケザー・スタジアムに集まった。フットボールや野球のスターたち、有名どころではジーン・ワシントンやウィリー・メイズが、このロックの集いに姿を現した。ラジオ局Ｋ－１０１は、「フェアモントからのサプライズゲスト」が間もなくやって来ると告げた。

マーロン・ブランドがステージに姿を現すと、多くの人びとは彼こそがサプライズゲストだと思った。「ゴッドファーザー」ブランドは、情熱的な言葉を放った。「私の世代ではない……きみたちの世代こそが割を食ってしまうのだ、私やそれ以前の世代がきみたちに押し付けるもののせいで……たくさんの人が……傷ついている。貧しい人びとも、インディアンも、白人も、黒人も、メキシコ系アメリカ人も、搾取されるすべての人びと……私は五〇〇〇ドルを贈ろう……私たちは与えて与え続けなければならない……感情を与え合うんだ」。バエズがブランドに続いた。フェアモント・ホテルからやって来たあの男は、舞台裏で演奏の準備をしていた。グラハムが夢のセッションを告げた。「ベースは、リック・ダンコ。キーボードは、ガース・ハドソン。ドラムは、リヴォン・ヘルム。ギターは、ティム・ドラモンド。ペダルスチールは、ベン・キース。ハーモニカとギターは、ボブ・ディラン!」グラハムがニール・ヤングも紹介すると歓声はさらに大きくなった。観客のほぼ全員がこのディラン・ヤング・ザ・バンド・ドゥービーの演奏を見ようと背伸びしていた。舞台袖で、バエズは満足そうに微笑んでいた。ディランは大半でギターとハーモニカを演奏していたが、ヤングの「ルッキン・フォー・ア・ラヴ」では伴奏のためピアノを弾いた。ヤングが数曲歌ったあと、今度はディランがメインで「アイ・ウォント・ユウ」と「ノッキング・アット・ザ・ドラゴンズ・ドア」を歌った。舞台袖では、ブランドとバエズが抱擁していた。その他にも「アー・ユー・レディ・フォー・ザ・カントリー」「ダーカー・サイド・オブ・ミー」「ラビング・ユー」「ザ・ウェイト」そして「ヘルプレス」を歌った。最後のアンコール曲は「永遠の絆」だった。このコンサートで二十万ドルが集まった。観客たちが家路についた午後六時頃、ディラン、ブランド、そしてグラハムは『ゴッドファーザー』の監督であるフランシス・フォード・コッポラ宅での夕食に向かった。

『メロディ・メイカー』のトッド・トルシズは言う。「率直に……サンフランシスコで見た最も重要な音楽イベントだった」。彼はディランとヤングの四五分のステージを「歴史的」と要約した。『アフター・ダーク』誌は、こう表現した。「カウンターカルチャーの叙情が見事に花咲き、ロックがインチキでも成金でも問題含みでも豪華なショーでもなかった時代を思い出させる……素晴らしい、本当に素晴らしいライヴで、あらゆる点で唯一無二だった。このコンサートの『政治的』側面は、まさに無垢な心の表れだ」。ディランは頑なに政治的なバエズやブランドともステージを共にしたが、終始楽しんでいた。再び政治的活動に身を寄せていく可能性も垣間見えた。七十年代前半、ディランはずっと無関心できたにもかかわらず、コミュニティを求める自分と葛藤していた。彼の反抗心と社会への情熱は冷却されて冷笑へと達していた。「夢は去った、偉大なるアメリカという夢は去った……刑務所には外に出られないでいる囚人たちがたくさんいる」と彼は私に語った。おそらく彼は自身の孤独という監獄のことも指していたのだろう。

彼はまだ自身の七十年代における変化を思い描く準備ができないでいた。「ジョージ・ジャクソン」、バングラデシュ難民救済コンサート、そして一九七四年のチリへ向けたチャリティ・コンサートへの出演はそれぞれ単発的なものだった。彼は社会への思いやりを失っていたわけではなかったと思う。彼はたんに自由に走りたかったのだろう、自身の実存的な道を、日々歩みたかったのだろう。一九七五年の春までに、彼としては最大の「過去を振り返る」アルバム『地下室』の正式リリースを検討し始めていた。その春、彼はマリー・トラヴァースのラジオで、たどたどしくはありながらも、過去を語った。七四年のツアーは、ある時期の政治的ムードについて語った曲を含み、自身の過去の音楽と向き合うきっかけとなった。七十年代が必要としているのは、六十年代にあった独自の熱狂を新たに起こすことだと彼は考えた。ディランは六十年代を「空飛ぶ円盤が着陸したかのようだった……誰もがそれについて聞いたことがあるのに、実際に目にした人はほんのわずかだ」と表現している。

七四年のツアーのあと、さらなる公演のオファーが殺到した。一九七四年五月、ディランとザ・バンドは一日の公演に百万ドルのギャラを提示された。コンサート主催者たちが七四年のツアーから利益を得ようと寄ってくるなか、ディランは取り合わず色んな場所を訪ねた。サンフランシスコに現れて、ポール・マッカートニーやドゥービーズと会い、地元のバンド「ビタースウィート」のドラマーのチャック・エドワーズの結婚式に顔を出した。一九七四年の九月には、ハイウェイ61を再訪し、あの「北国」をルー・ケンプと旅し、長男に自分が育った場所を見せた。ボブがミネアポリス郊外にアパートやその他の不動産を購入しているのではないかという噂が絶えなかった。彼は旧友であり大きな影響を受けたバンド「クロスビー、スティルス、ナッシュ&ヤング」のコンサートにも訪れた。スティルスは「これはボブへの曲だ」と言って一曲捧げた。コンサート後のパーティで、ディランは『血の轍』から何曲かを歌った。七四年のツアーは、クロスビーの言葉を借りれば、ディランのバンドが作っていた質の高い音楽の「氷を氷解させるもの」だった。ディランは一九七二年六月にフィルモア・イーストで行われたクロスビー、スティルス、ナッシュ&ヤングの公演にも訪れていた。

その夏、ディランは昔のブルース仲間エリック・フォン・シュミットの音楽を讃えた。シュミットのアルバム『ポッピー』に、ディランの讃辞が、黄色のステッカーに印刷されて載せられた。

彼のレコードは……エリック・フォン・シュミットという喜びへの、悲しみへの、苦しみへの、熱狂への、恐怖への、怒りへの、幸福への、啓蒙への、抱擁への、豪快さへの招待状だ……彼が歌うと鳥が電線から飛び立ち、タイヤのゴムが外れる。彼は若者と大人を切り離し、ノイズと音を切り離し、鞍（くら）と轡（くつわ）を切り離し、群れと牛一頭を切り離すことができる。彼は月から音を届けることができる。空から、海の轟音から届けることはできるのか。もちろん彼はできる。

『血の轍』がリリースされる頃、ディランは付き合いを止めていた人びと、たとえばドノヴァンの友人で勝ち気な女優ダナ・ギレスピーらとも会っていた。彼は昔ダナが水上スキーに乗ってフォークを歌うことをなじったが、今回はニューヨークの「レノ・スウィーニー」でベット・ミドラーやデヴィッド・ボウイとテーブル席に座って彼女が歌うのを聞いた。一九七五年七月に『地下室』を正式にリリースする準備が整った頃、コロンビア・レコードは、放蕩息子の帰還を宣伝していた。一九七五年五月には、『グレーテスト・ヒット』の二枚がどちらもチャートの下位に再びランクインし、勢いよく順位を上げていった。発売から九年を経て、『ブロンド・オン・ブロンド』も再びアルバムチャートに食い込んだ。

ディランは一九七五年の夏を、ヴィレッジのストリートを歩いて、一九六一年から六四年のように馴染みの場所を回ってくつろごうと考えていた。彼があまりに色々な場所へ顔を出したため、『ヴィレッジ・ヴォイス』は一九七五年七月十四日に「ディランとのセッション　マクドゥーガル・ストリートは再び盛り上がるのか？」と一面で報じた。ジェリー・ライヒトリングは「近頃では窓から唾を吐けばボブ・ディランに当たる」と言った。七月四日の独立記念日の週、ブリーカー・ストリートの「アザー・エンド」では「第一回ヴィレッジ・フォーク・フェスティヴァル」が開催された。多くの常連たちは街の外にいて、観客は少なかった。その週のあいだずっと、ディランは黒のレザー・ジャケット、ベージュのコーデュロイ・パンツ、青いストライプのTシャツという薄汚い格好でヴィレッジを歩き回っていた。月曜の夜は、ボトム・ラインでマディ・ウォーターズと演奏した。火曜は、アザー・エンドに出演するジャック・エリオットのステージに立った。ポール・コルビーは、一年の空白期間のあと、六月に元ビター・エンドを再オープンさせていた。土曜の夜、ディランはパティ・スミス、トム・ヴァーレイン、そしてボビー・ニューワースと共演した。ジェイク&ザ・ファミリー・ジュエルズがメインの出演者だった。ディランは楽屋でニューワースとギターを弾き、ニューワースは「サプライズのサポート・ギタリスト」を紹介し、渋々歩くディランをステージへ引っぱってきた。一流の奏者たちが演奏する「永遠の絆」でディランはピアノを弾いた。パティ・スミスが「アメージング・グレイス」「バンクス・オブ・オハイオ」そしてレッドベリーの名曲「グッドナイト・アイリーン」を歌うときも引き続きキーボードを担当した。まるで一九六一年のフーテナニーのようだった。音楽の幅は広がっていて、ロックがフォークの豊かさを取り入れ、フォークがロックの豊かさを取り入れていた。

ボブは毎晩のようにギター・ケースや、紙の束や、ノートを持って姿を現した。フィル・オクスとデイヴ・ヴァン・ロンクは啞然としていた。昔の諍いは忘れ去られていなかったかもしれないが、ボブは前を向いていた。次の日の晩、ディランは「プリティ・ボーイ・フロイド」と「ハウ・ロング・ブルース」を歌うエリオットの後ろで演奏し、ニューワースとは、その日の午後にディランが作ったばかりの曲を一緒に歌った(31)。時代を超えた曲「わが祖国(ディス・ランド・イズ・ユア・ランド)」で締めくくったあと、一行は「この酒はあなたの酒(ディス・ドリンク・イズ・ユア・ドリンク)」と謳う隣の「ダグアウト」へ移った。パティ・スミスは、『欲望』の新曲を歌う彼は「爆発」しているように見えたという。ニューワースは、「音楽的のぞき趣味のようなもので、ただ耳を傾けて人を観察している」と言った。数人の女性ファンがディランに抱きついたが、彼は振り払った。ディランの言う「シーンの形成」というのは、たんなる一時的な盛り上がりではなく、その活気を持続させ、ひとつのハウスバンドを組織することなのだとニューワースは感じ取った。サンディ・ブル、エリック・カズ、ラウドン・ウェインライト三世、ミック・ロンソン、T・ボーン・バーネットらミュージシャンたちも店に集まってきた。ニューワースの公演初日の夜、ディランも登場して新曲の「イシス」や「ジョーイー」を演奏した。コロンビア・レコードのある社員は微笑みながら、ディランはトレントン州立刑務所に収容されているボクサーのハリケーン・カーターを訪ねに行き、彼のための曲を書いたと数人に語ってぃた。この名も知らぬコロンビアの社員は、ディランがブロードウェイの舞台やテレビ番組の製作を検討しているとも言った。

こうしたすべての体験から、ディランは小さなクラブを回るツアーを考えるようになった。ひょっとしたらジャック・エリオットや、パティ・スミスや、ニューワースがアドヴァイスしたのかもしれない。十一月十日の『ピープル』の特集記事で、ディランはジム・ジェロームに語った。

ボブ・ディランの神話を意識的に作ろうとしていたわけじゃない。それは与えられたんだ——神から。インスピレーションこそぼくたちが求めるものだ。ぼくたちがすべきなのはそれを受け取れるようにすること……ぼくはひとつの世代に閉じ込められていた。今もそうだ。この宇宙のなかの特定の時間の特定の場所の特定のエリアに……ぼくは活動家じゃない。政治に傾いてもいない。ぼくは人のために、苦しんでいる人のためにいる……曲を書いて、相手を熱狂させる。ぼくの頭は最高の曲だと思っても忘れてしまうほど物事で一杯で、それにテープレコーダーも持ち歩いていない……ぼくたちは声を聞き取れるようにしなきゃいけない。自分がどう生きるべきかたくさん人に指図されてきたけど……いまは自分にとって正しいと思うことだけをしている……自分自身のために。

一九七五年九月十日。放送局ＷＴＴＷがシカゴに持つナショナル・エデュケーショナル・テレヴィジョン・スタジオで、十二月十三日放送予定の「ザ・ワールド・オブ・ジョン・ハモンド」が収録された（ハモンドは一九七二年に、ディランとは個人的には変わらず良い付き合いをしていて、最近も一緒に野球の試合を観に行ったと言っていた)。番組が放送される少し前に行われたニューヨーク市立大学ハンター校での講義で、ハモンドは言った。「ディランは私の人生を変えたと思うね」。「サウンドステージ」の第二部として放送される一時間番組の収録は夜の九時から開始されたが、ディランは夜中の二時になってようやくカメラの前に立ち、観客も一五〇名ほどに減っていた。四度の心臓発作にもかかわらず、ハモンドは健康そうに見え、多くの友人やアーティストに讃えられるのを喜んでいた。そこにはゴダード・リーバーソン、ベニー・グッドマン、ジェリー・ウェクスラー、元カウント・ベイシーのシンガーであるヘレン・ヒュームズ、ゴスペル・クイーンのマリオン・ウィリアムズ、ソニー・テリー、ハモンドの息子、ジャズ界のスターであるテディ・ウィルソン、ベニー・カーター、ジョー・ジョーンズ、そしてレッド・ノーヴォらの姿もあった。

ディランは眠い目をこすりながらステージに立ち、後ろではドラムをハワード・ワイエス、ベースとコーラスをロブ・ストーナー、ヴァイオリンをスカーレット・リヴェラが担当した。ディランたちは「ハリケーン」を歌って疲れた観客を揺さぶった。「オー、シスター」と「運命のひとひねり」の収録を終えると、ディランは「ハリケーン」の収録をし直し、さらに激しさのある演奏を見せた。彼の険しい顔は曲に込められた怒りを強調していた。「オー、シスター」を歌う前に、ディランはカメラに向かって言った。「この曲はきっと今夜画面の向こうで見ているある人に捧げます。彼女は自分のことだって分かるはず」。ある記者に対して、アル・ルディスは言った。「この短い出番のあいだ、心の傷から血が噴き出しているように見えた」

ディランは収録が終わると早々に引き上げた。観客たちはロングドレスを着て、暗いジプシーの目をして髪をなびかせるヴァイオリニストに夢中になっていた。彼女のことを、ディランが二番街を歩いているときにヴァイオリンケースを持っているのを見つけた本物のジプシーだと信じる者もいた。シカゴの観客のなかには彼女を一九六〇年代後半に地元のロック界隈で有名だったドナ・シェーと勘違いする者もいた。ニューヨークで、ディランはのちにこう語った。「ジョン・ハモンドがぼくにしてくれたことを思うと、遅くまでいたって構わなかった」

【原注】

（1）一九八二年のウェバマンとのやり取りはマイケル・グレイとジョン・ボールディによる *All Across The Telegraph: A Bob Dylan Handbook* に詳しい。

（2）二十年におよぶ執筆のために、ロバート・シェルトンは経済的な事情から自身のコレクションの一部を売ることとなった。いくつかはシアトルのExperience Music Projectで見ることができる。死に際して、その他すべてのコレクションはリヴァプール大学のInstitute of Popular Musicに寄贈された。

（3）「ジョージ・ジャクソン」の歌詞。

（4）「河のながれを見つめて」の歌詞。

（5）「せみの鳴く日」の歌詞。

（6）「イフ・ドッグズ・ラン・フリー」の歌詞。

（7）「サイン・オン・ザ・ウィンドウ」の歌詞。

（8）ディランはトラヴェリング・ウィルベリーズのアルバム二枚のためにジョージ・ハリスン（一九四三〜二〇〇一年）と共に作業を行った。

（9）ディランとギンズバーグのセッションは、一九九四年『Holy Soul Jelly Roll』の四枚組アルバムでようやく結実した。

（10）ダグ・サーム（一九四一年〜一九九九年）はサー・ダグラス・クインテットでオーギー・マイヤーズと共演していた。マイヤーズは『タイム・アウト・オブ・マインド』と『ラヴ・アンド・セフト』にも参加した。

（11）『ビリー・ザ・キッド』の新版は映画の元々の編集を担当したロジャー・スポティスウッドによって復刻され一九八八年に発売されたが、ディランの「エイリアス」は登場しなくなっていた。

（12）「ヒーロー・ブルース」の歌詞。

（13）「イッツ・オールライト・マ」の歌詞。

（14）「悲しみの歌」の歌詞。

（15）同上。

（16）「タフ・ママ」の歌詞。

（17）アレン・ギンズバーグ *First Blues, Rags and Harmonium Songs*（ニューヨーク、一九七五年）。*Collected Poems 1947-1980*（ニューヨーク、一九八五年）も参照。

（18）『血の轍』のニューヨークセッションでの曲は、『バイオグラフ』やブートレッグシリーズで公式にリリースされている。このときのセッションはアンディ・ギルとケヴィン・オデガードによる *A Simple twist of Fate: Bob Dylan and The Making of Blood On the Tracks* で詳しく語られている。

（19）Wallace Fowlie, *Rimbaud* (Chicago,1965) p127

（20）「ブルーにこんがらがって」の歌詞。
（21）同上。
（22）「運命のひとひねり」の歌詞。
（23）「ベイビー・ブルー」の歌詞。
（24）「きみは大きな存在」の歌詞。
（25）同上。
（26）「おれはさびしくなるよ」の歌詞。
（27）Wallace Fowlie, *Rimbaud* (Chicago,1965)
（28）「彼女にあったら、よろしくと」の歌詞。
（29）「嵐からの隠れ場所」の歌詞。
（30）同上。
（31）その新曲は「アバンダンド・ラヴ」で、これが唯一の演奏とされているが、テープに録音されており、のちに『バイオグラフ』に収録された。

【訳注】
（A）フロイト『幻想の未来／文化への不満』（光文社古典新訳文庫、中山元訳）

『ビリー・ザ・キッド』で「エイリアス」役を演じるディラン。

13

雷、ハリケーン、
そしてはげしい雨

作品は答えの連なりではなく、
問いの連なりだ……
啓発するような答えではなく、
問いだ。

——ウジェーヌ・イヨネスコ

良い役者と大スターの違いは、
良い役者がすべてをさらけ出すのに対して、
大スターはミステリアスであることだ。

——デヴィッド・リーン　一九六五年

ぼくは何も定義しない。
美も、愛国心も。
ぼくはありのままを受け入れる、
これまでのルールで
決められたあるべき姿は関係なく。

——ディラン　一九六五年

定義なんて無駄だ……
この世に確かなものなんて
何もない。

——ディラン　一九七六年

ローリング・サンダー・レヴューで顔を白く塗ったジョーン・バエズとディラン。
アメリカン・インディアンのあいだでは「ローリング・サンダー」という言葉は
「真実を告げる」の意味であると知ったディランはうれしそうだった。

NO DIRECTION HOME

暑い夜が続く一九七五年の夏のさなかに、「別の種類の」ツアー構想に火が灯った。ディランはこのように語っている。「みんながすごく親密だった。十年前に灯っていた火だ、そして今もう一度燃え上がらせている」。ニューワースは言った。「毎晩が新しいリビングルームになるだろう。これは初めての実存的なツアーだ。これはその場限りの映画だ。これはロックンロールの天国で、歴史的なものだ。これはランブリン・ジャックが長らく夢見ていたものだ——彼こそはぼくたちを導いてくれた人で、彼の夢がいま実現する」

ディランは『欲望』のレコーディングに向けた準備をし、ヴィレッジの仲間たちと交友を続けていた。ある晩、ライヴハウス「アザー・エンド」で、彼はジャック・エリオットに一緒にツアーをして「人びとのために演奏」しないかと尋ねた。七年ぶりに再会した友人へのジャックの答えはこうだった。「ぜひやろう！」それには根回しが必要だった。まず、ディランは家族に会いに西へ向かい、それからミネソタに寄ったあとでデビューアルバムのプロデューサーを務めたジョン・ハモンドを称えるテレビ番組の収録に参加した。その後ニューヨークへ、北東部でガヤガヤと各地を周るツアーをしながら、その様子を映画に撮るというアイデアを持ち帰った。そのツアーは告知するものではなく、ただ自然に「発生する」ものになる。ダルース出身の、アラスカの「サーモン・キング」ルー・ケンプがツアー・マネージャーに指名され、バリー・インホフとシェリー・フィンケルがサポートすることとなった。舞台演出に力を貸すのはジャック・レヴィ。ロブ・ストーナーがバックのミュージシャンを手配し、ハワード・ワイエス、ルーサー・リックス、ミック・ロンソン、スカーレット・リヴェラ、T・ボーン・バーネット、そして十九歳のマンドリン／ドブロの天才デヴィッド・マンスフィールドが集まった。歌うのはディラン、ニューワース、ロニー・ブレイクリー、ロジャー・マッギン、エリオット、そしてジョーン・バエズ。ディランはバエズの様子を尋ねるべく十一月はどうしているかと電話をかけた。彼女は自身のツアーが計画されていたが、こちらの方が良い挑戦になると感じた。彼女は、そのオファーが「抗いがたかった」と言い、参加を決めた。「ダイヤモンドと錆(ダイヤモンド・アンド・ラスト)」。のちに彼女はツアーを回った一行を「ものすごく幸せな家族」と表現した。

十月のある朝、二十人ほどのミュージシャンが「アザー・エンド」で練習を行った。参加者はさらに増えていた。アレン・ギンズバーグがコーラスに、友人の詩人ピーター・オーロフスキーが「荷物係」に、デヴィッド・ブルーとデニス・メルセデスが演奏、警備、先乗りの準備員、そして照明技師を担当した。およそ七十人でスタートした一行は、トロントに着くころまでに一〇〇人以上に膨れ上がっていた。十月二二日、アザー・エンドで、デヴィッド・ブルーは自身のライヴを終えた。ディランは『ナッシュヴィル・スカイライン』にも参加した美しいカントリーシンガーのロニー・ブレイクリーと二人で歌った。ギンズバーグはマッギンのギター演奏で歌った。「アレン、きみが王様だ」とディランは言った。

翌日の夜、六一歳を迎えたマイク・ポルコにささやかなサプライズが行われた。驚くマイクをよそに、四人の撮影隊がカメラを持ってガーディス・フォーク・シティに現れて、「教育番組」だとか何とか言っていた。ディラン、ハワード・アルク、そしてメル・ハワードの指揮のもと、ここから何百時間にもおよぶ撮影が始まった。そこにいたのはフィル・オクス、パティ・スミス、バエズ、コマンダー・コーディのメンバーたち、ベット・ミドラー、そしてバジー・リンハートだった。夜中の一時を少し過ぎた頃、ディランの赤いキャデラック・エルドラドで、ボブとケンプとニューワースがやって来た。「スターのなかのスター」として、ディランがステージに上がった。彼はバエズもステージに呼んで、二人で「ハッピー・バースデー」と「いつもの朝に」を歌った。マイクは満面の笑みを浮かべていた。長らく待ち続けていた光景だった。これは「ローリング・サンダー・レヴュー」ツアーのリハーサルとなり、二人組やそれ以上で、演奏者たちが代わる代わるフォーク・シティの小さなステージに上がった。数時間後、ハスキーな声のフィル・オクスが自身の曲と、いくつかのトラディショナル・ソング、そして「レイ・ダウン・ユア・ウィアリー・チューン」を歌った。ディランのテーブルの全員が見惚れていた。ディランは演奏を終えたフィルを讃えた（一九七六年四月九日にオクスが三五歳で首を吊って自殺したとき、このツアーから外されたことが、彼を行き詰まらせていた一連の出来事の最後の一押しになったと言う者たちがいた。オクスがツアーに参加できなかったのは、アルコール依存がひどく、行動の予測がつかなかったからだ。彼の友人であり熱心な賞賛者だったエド・サンダースは、オクスの「最終的な燃え尽き」は、「暴飲と絶望と気の狂うような気分の浮き沈み」によって引き起こされたものだと語った）。

その週にディランはコロンビアのスタジオを訪れ、「ハリケーン」の再収録も行った。彼はコロンビア・レコードの重役二人に急いでリリースして欲しいと伝えた。レコーディングのあと、プロデューサーのドン・デヴィートはディランについて「彼は本当に予測不可能だ」と語った。その週はずっと、一行全員がマンハッタンのミッドタウンにあるグラマシー・パーク・ホテルに集められていた。その週末には近くのスタジオで念入りなリハーサルが行われた。二人の先発隊が、マサチューセッツ州のプリマス・メモリアル・オーディトリアムを予約していたが、この街の有力者たちはバエズにステージで政治的発言をしないよう求めたと言われている。十月二七日、一行は三台のバスと数台の車で出発し、シンガーたちの多くは「ファイドー」とニックネームをつけた長距離バス・グレイハウンドで移動した。数時間後、彼らはマサチューセッツ州ノース・ファルマスのビーチサイドにあるシークレスト・ホテルに到着し、そこで二日間リハーサルを続けた。その晩、ディランはホテルのダイニング・ルームで歌い、ギンズバーグは『カディッシュ』を朗唱した。アメリカへの最初の移住者たちがプリマスで初めて踏んだ岩をプリマス・ロックと呼ぶことにちなんで、建国二〇〇周年が迫る時期の一行の訪問は「この新しい音楽がプリマス・ロックだ」という言葉遊びを思わずにはいられなかった。ハロウィンの時期でもあり、仮装や出し物もあった。カメラが回っていたがために、その出し物は映画になった。言葉がギターリフのように流れた。エリオットはかつて移住者たちがやって来た「メイフラワー号」のレプリカ船で働いていたことがあった。今回の旅で、ジャックは後方のマストに登って「アホイ！」と船員の掛け声を叫んだ。彼は下にいるディランとギンズバーグに手を振った。ギンズバーグは改まって主張した。「もう一度アメリカを開墾するための旅に出たんだな」

どうして「ローリング・サンダー」という名前なのか？　ディランは言う。ただ空を見上げていたら、「ドーンという音が聞こえた。そしてドーン、ドーン、ドーン、西から東へと轟いていた。これを名前にしようと思ったんだ」。彼は誰かからアメリカン・インディアンのあいだでは「ローリング・サンダー」という言葉は「真実を告げる」という意味だと聞いて喜んでいた。道中では、「ローリング・サンダー」という名のチェロキー族の呪術医メディスンマンも参加した。ロードアイランド州プロビデンスで、彼はステージに上がり、優しい音楽を奏でた。十一月五日、ニューポートのビーチで、ローリング・サンダー・ツアーの長は焚き火を囲んで祈りを始めた。彼は全員に祈りを促した。ギンズバーグは言った。「私たちを結びつけてくれた人びとに感謝します、ここにいない人びとのことも忘れません」。エリオットはこうだ。「どうか、私たちがここで生む精神が旅で出会うすべての人びとに広がっていきますように」。ディランはこうつぶやいたと言われている。「ぼくたちの心はひとつであることが間もなく証明されますように」

ケンプの先発隊は驚くべき早さで会場をブッキングしていき、あまりの早さにミュージシャンたちが次の行き先を知らないことも多かった。チラシだけが行き先を知っていた。その秋のローリング・サンダー・レヴューの旅程は次の通り。十月三十、三一日プリマス・メモリアル・オーディトリアム、十一月一日ノースダートマスのサウスイースタン・マサチューセッツ大学、十一月二日マサチューセッツ州ローウェル工科大学、十一月四日プロビデンス・シビック・センターで二公演、十一月六日スプリングフィールド・シビック・センターで二公演、八日バーリントン市のバーモント大学、九日ダーラムのニューハンプシャー大学、十一日コネチカット州ウォーターベリーのパレス・シアター、十三日コネチカット州ニューヘイブンのベテランズ・メモリアル・コロシアムで二公演、十五日ニューヨーク州ナイアガラフォールズのコンベンション・センターで二公演、十七日ニューヨーク州ロチェスターのウォー・メモリアル・コロシアムで二公演、十九日マサチューセッツ州ウースターのシビック・オーディトリアム、二十日マサチューセッツ州ケンブリッジのハーバード・スクエア・シアター。十一月二一日にはボストン・ミュージック・ホールで午後と晩の公演が行われた。その後は晩公演で二二日にブランダイス大学、二四日ハートフォード・シビック・センター・アリーナ、十二月一日と二日カナダ・オンタリオ州トロントのメイプルリーフ・ガーデンズ、四日モントリオール・フォーラム、七日ニュージャージー州クリントンの州刑務所、八日ニューヨークのマディソン・スクエア・ガーデンでの公演「ナイト・オブ・ハリケーン1」。ディランはステージ上でもステージ外でもめったにないほど和やかだった。ときどきは「キーフ・ランドリー」の名でおさえていた自身の部屋に姿を隠すこともあった。バエズやニューワースやギンズバーグらの口達者な面々がいたおかげで、ディランはインタヴューの負担が軽減されていた。ジム・ジェロームはディランの言葉を『クリーム』に記している。

むかし自分の生活はすごくシンプルだった。いつもの仲間と時間を過ごして曲を書く。いつも書く場所を確保していた……長らくボブ・ディラン神話という重荷を払拭しようと試みてきた、なぜならそれは重荷だからね。誰でもいいからスターとされている人に聞いてみるといい。スターにも利点や報いはあるけど、彼らは「なんだよ、ちくしょう、自分は自分でしかないのに」と思っているはずだ。ぼくもそう。みんな同じ人間なんだ。誰かより上の次元にいる人間なんていない。誰にとっても、手に入れたいものは自分のうちにしかないんだ。

バエズはディランがここ十年で一番親しみやすくなっていると感じていた。ミュージシャンのミック・ロンソンは言う。「彼は超人だよ、どこか別の世界から来た」。スティーヴ・ソールズは言う。「ディランは超能力者だ。ぼくが思い描いていたことを言葉にする」。ツアーメンバーのひとりはこう言った。「ステージ上の彼は――五つくらいの層があるかのようだ。そのどれもが別々の意味を発している……彼は信じられないほど繊細だ。彼とミュージシャンたちには身体的に親密なコミュニケーションがあった――彼には初めてのことだ」

大げさな言葉を使うアレン・ギンズバーグは、『ニュー・エイジ・ジャーナル』のピーター・チョウカへ哀愁たっぷりに言葉を重ねた。

ディランと会うのは四年ぶりだった。夜中の四時に電話をかけてきて言ったんだ。「何を書いてる？　電話越しに歌ってよ……よし、一緒にロードに出かけよう」……ローリング・サンダーは七十年代を形作る文化コミュニティを象徴する仕事になるだろう……希望に満ちていると同時に預言的な……自治主義の最初の一歩……ディランは母親も連れてきた……「ミステリアス」なディランにチキン・スープを与えていたイディッシュ語を話す母親は、ステージに上がりさえした（トロントで）……サラと子供たちもやって来た。サラはジョーン・バエズに会って、二人は映画にも出演して、バエズは彼女の母親と子供たち（原文ママ……彼女には一人息子のガブリエル・ハリスしかいない）を連れてきて、ジャック・エリオットは娘を連れてきた。いろんな家族が集まっていた……いまディランは彼の王国を築こうとしているんだ、新たな威厳を身につけてね。ひとり彼だけが特権的な才能で明確かつ清らかなイメージを持ち、それを壊したり組み立て直したりしている。このツアーはそのまま若い世代への教訓になる。それはまた、彼がアメリカをも再創造する力を持ち合わせているということでもある。経験してきた大変な物事――自分との問答――を経て、彼は自らを黄金へと変えていった。彼は今までになく普通の人間になっている。そして建国二〇〇周年を控えた今、勤勉な市民になろうとしている……歴史の核心に触れていると感じる極めて稀な瞬間だ。

七月四日の独立記念の週から次の春の「ローリング・サンダー・レヴュー」第二期ツアーにかけて、ディランに大きな変化が見られた。ステージ上で様々に動き回り、まるで七十年代のロッカーからフットボールの監督までを演じるかのように、彼の「チーム」を前進へと駆り立てた。動き続ける男は歌の解釈や、歌詞や、ステージ上の身振りや、外見を変えていくことをいとわなかった。顔を白く塗ったりもしていた。様々な色のスカーフを巻き、種類の違う帽子をかぶった。彼はそれを「仮面をつけた即興劇（コンメディア・デッラルテ）」だと呼んでいた。プリマスでの最初の公演で、バック・バンドのメンバーたちも、この十六世紀のイタリア演劇のように、仮面をつけた登場人物として自由に即興を行った。歴史に関心の少ない観客は、このディランの新しい顔をデヴィッド・ボウイやピーター・ガブリエル風の演劇的ロックだと受け取った（ディランは、このメイクは後ろの列の人も自分の顔が見えるよういった。
にするためだったと語った)。長年の探求者として、ディランは演奏ごとに曲をこの上なく「自由」に変更していった。

これに反発して批判も起こった。ツアーが大きな舞台に移っていったとき、ディランはまたも「裏切った」と攻撃された。小規模な舞台での公演というアイデアは、出演者が多くなり撮影の費用がかさんでいくにつれて失われていった。ある計算によると、最初の十三回の公演は八万三〇〇〇人以上を集め、チケットの売上は六四万ドルにのぼったという。いつも金に関心を持っている『ヴァラエティ』は、こう尋ねた。「ディランは金に関心があるのか?」。ディランは即座に返答した。「七十人もいるんだ……支払いをするべき相手がね。可能な場所ならどこでも演奏するけど、同時に多くの経費をまかなわなければならない。ぼくたちは……リビングで演奏するわけにはいかないんだ。ナイトクラブのショーじゃないからね」。バエズはディランより辛辣だった。「もう、いいからほっといて!」

成り行き任せがこのツアーの特徴で、日程の変更や、即興、そして数々のゲスト出演があった。かつてシオニズムに加担したとしてディランに極めて批判的だったミミ・バエズも出演した。ジョニ・ミッチェルもニューヘイブンでの二つの公演やその後の公演に登場した。アーロ・ガスリーはスプリングフィールドに姿を現した。デヴィッド・ブルー、ゴードン・ライトフット、そしてロビー・ロバートソンら旧友たちも顔を出した。ロバータ・フラックは刑務所内での公演とニューヨーク公演に参加した。ジョーンは、今回のツアーのような活気は経験したことがないと語った。大変な公演の数々のあとでさえ、出演者たちは移動のバスのなかで歌い続けるのだった。ジョーンは言う。「みんな倒れるまで歌って歌って笑っていた。私たちにとっては、十五人に向けて歌うのも一万五〇〇〇人に向けて歌うのも違いはないの」。ステージ上には愛とキスだけでなく、ハリケーン・カーターや、ケルアックや、サム・ペキンパーや、ガートルード・スタインに捧げられた曲があった。一九七六年一月十五日、ジョーンは『ローリングストーン』のナット・ヘントフに語った。

気分は良いわ、全員がステージ上で場所を与えられている……ボブは多くの人に大きな影響を与えている……今でも私は彼の曲に深く影響を受けている……彼の存在感によってね。こういう存在感は目にしたことがない、モハメド・アリや、マーロン・ブランドやスティーヴィー・ワンダーくらいね。ボブが部屋に入ってくるとみんなの目が彼に向くの。彼が隠れているときも周りの目に追われている……むかし私は彼につらく当たりすぎた……今はもうボブに私の信条を支持してもらおうとは思ってない。彼は活動家ではないということが分かったからだけど、だからといって彼が人びとのことを気にしてないということじゃない。

バエズとディランがステージ上で見つめ合ってデュエットをする姿から、愛情の復活を目撃していると思う者たちもいた。ディランは彼女に「ダイヤモンド・アンド・ラスト」を歌うようにいたずらっぽく頼みさえしたが、彼女はこの曲が彼についてのものだとは認めようとしなかった。彼女の「オー・ブラザー」は、ジョーンがディランの省略的な言葉遣いを学んだことを感じさせる。ジョーンは『ピープル』に語った。「ディランは私の人生の大きな要素だったし、これからもずっとそう。でもその時々において関係性は違う。ボブについてはこの辺にしとく」。秋のツアーで最も感動的なシーンのいくつかは、撮影隊のみが目撃していた。マサチューセッツ州のローウェル。ジャック・ケルアックの墓のそばで、ディランとギンズバーグが即興で演奏した。アレンはケルアックの「メキシコシティー・ブルース」を詠んだ。ディランはミネアポリスにいる頃に初めてその詩を読んだと語った。墓地で、ディランはアレンがブルースを即興で作るのに合わせてハーモニウムやギターを弾いた。ギンズバーグは言う。

ケルアックを表したかのような巨大なキリスト像がある。ディランはその像に近づいて……おかしな独り言を始めたんだ、その磔にされた男に向かって。「そっちはどんな気分だい？」……誰もがディランのこともキリストのような人物として見ているが、彼は磔になることを望んでいない。彼はある意味で賢すぎる……ディランはほとんど、ラビの叡智に背いて、救世主になるんだと語る心良きユダヤ教徒のまねをして、自分をそこに縛りつけていただけだ。ディランは……言った。「あの状況にいる相手に何ができる？」。彼は聖書のなかの「子供たち」のことを言ったんだと思う。それで私はディランの優れた「いつまでも若く」の一節を返した。キリストの言葉「己の欲する所を人に施せ」のアメリカ的な言い換えであるような一節をね。

それでこの見事でありながら奇妙な状況のなかでディランは……等身大のキリスト像に語りかけながら、キリストと一緒に写真に収まるのを許可した。それはまるでディランが自身の神話的なイメージとユーモラスに戯れ、おびえたり敵意を見せたりすることなく、現実的に向き合おうとしているかのようだった。そしてそれはこのツアーの特徴でもあるように思えた。つまり、ディランは自分に課せられた、あるいは自身で作り出した、もしくは自身と国が一緒になって生み出した神話をしっかりと背負って、それを活動につなげようとしているようだった。チョギャム・トゥルンパだったら、そういう行為を「錬金術で金に変える」と言うだろうね。

錬金術で金に変える。錬金術師ディランに対するこの比喩は、十年にわたって私に取り憑いていた。錬金術は秘密で冒瀆的な科学だった。ユングは、錬金術を前科学的な迷信から、敬意を払うに足るものへと変える言説を生み出していた。錬金術師たちは単に卑金属を金に変えようと試みていただけではなく、完璧なる物質や「神の法を極めし人間」を目指していたのである。アンソニー・ストーはユングについてこう記している。

ユングは錬金術を、内的なプロセスとして、つまり錬金術師本人の心の成長として捉え、化学物質の変化や新たな配合を内面の変化として捉えていた……ユングは（錬金術を）精神分析を行う巨大な「ロールシャッハ・テスト」と見なしていた……被験者の心理的内面が投影されるというわけだ。錬金術師たちは、ユングや彼の患者たちと同じように、精神の発展に、精神の統合と個性化に勤しんでいたのだ。（1）

錬金術は詩的なプロセスについての比喩でもある。バルザックは『人間喜劇』のなかで、こう記している。

初めは金を作ることが目的だったかもしれないが……彼らはより良いものを求め、究極の分子を見つけようとし、起こり始めた変化を見定めようとしていた。

ウォレス・フォーリーは、詩人マラルメを取り上げて次のように記している。

この詩人が行っているのは……魔法的な創造に限りなく近い。暗闇のなかに黙して沈められていたものを暗示的な言葉を用いてすくいあげる……次に起こるのは真の魔法だ。文字の魔法により……言葉が光を放ち始め……その光の幻想は人間が現実世界で目にするものと変わらないものにまで達していく……詩人という職業は、かつての錬金術師に等しく、本質を見極めたり投与する……魔法使いか錬金術師だけが、それを行う公式や調合法を知ることができた。(2)

錬金術という言葉は、聖書に登場するノアの息子セムに起源をたどることができる。中世の錬金術師はノアの方舟を最初の実験室だと考えていた。『地獄の季節』における「言葉の錬金術」の文章で、ランボーは言葉と錬金術の絆を永遠のものにしている。

俺は夢見ていた、十字軍を、報告書もない探検旅行、歴史のない共和国、もみ消された宗教戦争、風俗の革命、民族と大陸の移動を。俺はすべての魔法の力を信じていた……俺は沈黙や夜々を書き、俺は言い表せないものを書き留めていた。俺は眩暈を定着させたのだった……俺の言葉（ヴェルブ）の錬金術のなかには詩の古臭さが大きな部分を占めていた。俺は単純な幻覚に慣れてしまった。俺にはとてもはっきりと見えていた、工場のかわりにモスクが、天使たちがつくった太鼓の学校や、天路を行く四輪馬車や、湖の底のサロンが。

怪物たちや神秘が。あるヴォードヴィルのタイトルが俺の前に激しい恐怖を打ち立てていた。
それから俺は語の幻覚を使って俺の魔術的な詭弁(ソフィスム)を説明したのだ！
俺はとうとう自分の精神の混乱を聖なるものと思うようになった。(3)

ファルマス郊外のローリング・サンダーという実験室で、二人の詩人はまたしても即興公演を行った。アレン・ギンズバーグは皇帝を演じ、ディランは錬金術師を演じた。ギンズバーグは言う。「私が舞台に出て言うんだ。『私は皇帝だ、朝目を覚ますと帝国を継いでいたわけだが、その帝国は破産しかけている。道向かいの薬屋からお前が錬金術師だと聞いた。わが帝国の因果的問題を解決する力を貸して欲しい……インドシナからの涙をたくさん詰めて船で送り出したが、目立った効果はなかったようだ。助けてはくれぬか？　この状況を解決する魔法のような錬金術はないだろうか？』。ディランは自分が錬金術師だということを否定し続ける。『助けることはできません、私に何ができると言うんです？』」

アレンはディランがこの世の秘密を知る錬金術師だと主張し続ける。ディランのもとにウエイターがクラッカー、ケチャップ、塩、コショウ、牛乳、コーヒー、ヨーグルト、アップルパイを持ってくるが、彼はそれらをすべてアルミの大鍋に放り込む。アレンは名刺代わりに一枚の落ち葉を捨てずにとっていた。「ちょうどディランがケルアックの墓場でポケットに落ち葉を入れたように——その葉っぱはこの映画の様々なシーンに登場し、ケルアックの作品でのように、移ろいを、はかなさを、後悔を、変化への自覚を、死を象徴している。それで私は自分の名刺代わりの落ち葉を鍋に放り込み、ディランは段ボールの切れ端を投げ込み、それから泥のついたその落ち葉を取り出して、私が彼の錬金術の材料をメモしていたノートに貼り付ける。そして私は言う。『そうか、きみの錬金術の秘訣が分かったぞ、どこにでもある普通のものを使うんだな』。『そうさ』とディランは言う。『どこにでもある普通の心をね』」。ギンズバーグは一九七六年の四月に行われた『ニュー・エイジ・ジャーナル』のピーター・チョウカとの長いインタヴューで、ディランという存在の特徴を三つ挙げている。変化と、苦しみと、無我だ。

彼のことは分からない、なぜならどこにも「彼」なんていないと思うからだ。彼には自我がないんじゃないかと思うね！　そう、彼はつねに変化するんだ。彼はいつもすごく美しい、ブッダのようなことを言う……このツアーに喜びを感じているかと尋ねたら彼は言った。「喜び、喜び。喜びって何？　触れたことないな」……彼は説明してくれたよ、ある時期すごく苦しくて多くの喜びを求めたけど、喜びと苦しみは繊細な関係にあると気づいたってね。

一九七五年十一月一日のある会話が、アレンの『ファースト・ブルース』にも収録される一曲を生み出すきっかけになったという。「レイ・ダウン・ヤ・マウンテン・レイ・ダウン・ゴッド」のなかで、ギンズバーグはディランを錬金術師と呼んでいる。ギンズバーグはディランによる「神との魂の会話」について語り、ディランの言葉を引用した。「象を作りらくだを針の穴に通そうとするやつらは、忙しすぎてぼくの質問に答えられないから、ぼくは山を降りた」

そうやって降りてくると、ローリング・サンダー・レヴューの一行は勢いを増した。『ヴィレッジ・ヴォイス』のジェリー・レイクトリングは、ツアーのオープニングとなるプリマスでの公演についてこう語った。「これまでに観たなかで最高のショーのひとつ……このツアーはディランの最高傑作だ」。ファン、メディア、そして出演者たちは、そのツアーを「ミンストレル・ショー」や「メディスン・ショー」あるいは「マジカル・ミステリー・ツアー」「音楽版クラップス」と呼んだ(A)。ジョー・コッカーの「マッド・ドッグス&イングリッシュメン」ツアーのことを思い出す者もいれば、移動式のエレキ版フーテナニーだと考える者もいた。ケン・キージーの「アシッド・テスト」の影響を見て取る者もいた。ギンズバーグはナット・ヘントフに「ディランは自身にまつわるすべての謎を解き明かそうとしている」と語ったが、ヘントフは逆のことを感じていた。「彼が熱心になっているとすれば、それは生き延びることである……そして彼が生き延びるための方法には必然的に、自身にまつわる謎を上手く隠し続けることが含まれる」。『ローリングストーン』のジョン・ランドーは、一九七六年一月十五日に、こう記した。

神話の創造という観点で言えば、このツアーは驚くほど効果的なものだ。ひとりの男が限定的なツアーを行い……旅程を知られることを拒み、アルバムもリリースせず、インタヴューも受けず、どんなメディアにも自身の守りを突破させないようあからさまに敵対的で──結果として溢れんばかりの喝采と注目を手にする。芸術を創造し、自身への注目を集めるにあたって「謎」が持つ重要性を今なお理解しているロックスターだ。

ディランは、フォーク純粋主義者たちがかつて彼にブーイングを浴びせた各地の会場に一行を引き連れていった。『ウースター・ガゼット』紙は、こう報じた。「彼が失敗することはあり得なかった。ステージに立ち、二時間ほどギターを鳴らして子守唄を歌えば、観客はその一瞬一瞬を愛するのだから」。最前列にはロバート・ケネディの息子ジョセフ・P・ケネディ三世が座っており、ディランはこう言った。「この曲は『ハリケーン』という曲だ。もし政治的なコネを持っている人がいたら、この男を釈放する手助けができるかもしれない」。スプリングフィールドでは、この曲を次のように語って演奏した。「マサチューセッツはニクソンに投票しなかった唯一の州だって聞いてるけど、本当かい？」聴衆がそうだと声をあげると、ボブは答えた。「じゃあ、ぼくたちと同じだ」。『タイムズ』のジョン・ロックウェルはプリマスで終演後スタンディング・オベーションが十分間も続いたことに驚いていた。ロックウェルは、このツアーがディランの与えた音楽的影響の総決算であると同時に「政治とバラッドが……より高次かつより個人的なものとして融合している……ローリング・サンダーは……この国の真の精神に対するディランからの建国二〇〇周年のお祝いだ」

ローリング・サンダーは少なくとも三時間半は続くショーを次々と行う厳しいスケジュールで進んだ。トロントでの最初の公演はそれよりも一時間長かった。モントリオール・フォーラムでは、二万の観客が集まった。『モントリオール・スター』紙は「それでも、ディランは親密さを失わず、彼はツアーを構想したときからそうした感覚を何より大切にしているように思えた」。荷物係や技術スタッフのなかには不満を洩らす者たちもいて、バエズは一行のなかに公平な秩序をもたらそうと試みていた。メディアや警備をめぐる問題もあった。撮影エージェンシー「カメラ5」のケン・リーガンとディランの映画撮影クルーだけが「独占的に」写真の撮影権を持っていた。チケット購入者たちは、『ナイアガラ・ガゼット』紙が「ごろつきたち」と呼んだ警備スタッフによる所持品検査にかなりの不快感を示していた。ナイアガラ・コンヴェンション・センターで騒動が起きたあと、地元警察の副局長もローリング・サンダーの十二人の警備スタッフは「必要以上に暴力的」だったことを認めたが、法律の範囲内ではあった。ポール・コルビーは『モダンHi－Fi＆ミュージック』のトビー・ゴールドスタインにこう語っている。「昨日の夜ディランは（アザー・エンドの）楽屋で楽器を弾いていて、ステージで演奏したいと言った。でも……彼はテープレコーダーのことを心配していたし……実際、テープレコーダーが二つ、同じ男によって持ち込まれていた。ぼくはその男の顔にグラスワインをかけて追い出した……それが彼が演奏を控えている理由のひとつだ……彼は大衆に警戒心を抱いている」

十一月十六日、バッファロー北部のトスカローラ・インディアン居留地で、族長のアーノルド・ヒューイットは電話を受け取った――ローリング・サンダーの一行が訪問してもいいだろうか？　スピーカーやアンプも持たず、ジョニ・ミッチェルやエリック・アンダースンらミュージシャンたちは、インディアンたちのコミュニティハウスに訪れた。ミュージシャンたちとインディアンとの音楽のやり取りが劇的な瞬間へとつながっていった。トスカローラのインディアンたちは伝統的な曲やダンスや太鼓を披露した。ディランが歌うあいだ、幼いインディアンの子供たち数人がコミュニティハウスの周りで鬼ごっこをして遊んでいた。一行とインディアンたちはそれからコーン・スープ、コーン・ブレッド、それに鹿の肉で宴会を行った。そのすべては、歌われた五曲や数々の即興シーンも含めて映像に記録されていた。ギンズバーグはこのツアーを六十年代に達成されたものの再確認だと見なしていた。さらに映画とツアーの中心的テーマを「地母神、永遠なる女性、地上の女性への敬意」だと考えていた。ディランは彼に、この映画に「脈略」というものがあるとすれば、それはただ「真実と美」だけだと語った。「わが祖国」を歌いながら、プリマス・ロックから歩み始めたローリング・サンダー・レヴューの一行は、もう一つの大きな山、マディソン・スクエア・ガーデンへと向かっていった。

ハリケーンが起こる

ルービン・カーターのニックネーム「ハリケーン」は、ディランの語彙へ見事に混ぜ込まれている。一九六三年、彼はこう書いた。

ああ　やがてその時が来る
風が止む時が
そよ風さえ吹くことを止める
風が静止するかのように
ハリケーンが起こる前
そのとき船が入ってくる(4)

一九七五年十二月七日の日曜日に、刑務所でディランとローリング・サンダーの一行の曲を聞いた二〇〇人の男女の受刑者たちは、何らかの船がやって来るのを待っていた。クリントンにあるニュージャージー州立刑務所の囚人たちは、ギンズバーグが詩を朗読し、ジョニ・ミッチェル、ロバータ・フラック、そしてディランが歌うのを聞いた。

その受刑者/聴衆たちのなかには、一九六六年にニュージャージー州パターソンで三人を殺害した罪で終身刑を言い渡され九年間服役中の元ミドル級ボクサーがいた。一九六六年六月十七日の早朝、二人の黒人男性が白人労働者階級のバーを銃で襲撃し、バーテンダーと客三人のうち二人を殺害した。目撃者が逃走車両について証言し、似たような車に乗るカーターとジョン・アーティスが発見された。四か月後、二度小さな盗みを働いていたアルフレッド・ベローとアーサー・ブラッドリーは、カーターとアーティスがバーから逃げ去るのを見たと証言し、カーターとアーティスは殺人罪で起訴された。一九七四年、ニュージャージーの捜査官と『ニューヨーク・タイムズ』の記者は、ベローとブラッドリーが係争中だった彼らの犯罪に便宜を図ると警察から持ちかけられたため二人の黒人を見たと嘘の証言をしたという話を聞いた。ルービン・ハリケーン・カーターは長らく自分と友人のアーティスは無実だと主張し続けており、多くの人びとが彼の言葉を信じるようになっていた。一九七五年夏、カーターは自伝『シックスティーンス・ラウンズ』をディランに送った。ボブはこう語っている。「自分とハリケーンの魂は同じところから生まれてきているのだと思った。彼は聡明な男で、ぼくが会ったなかで最も誠実な男のひとりだ。彼はあらゆる意味で完璧な人間だ。ぼくは彼を兄弟のように愛している。こんなの不公平だ。彼は釈放されなきゃならない。今日にでも」

ディランが「ハリケーン」の曲を書き、ジャック・レヴィと協力して歌詞を書いたあと、ハリケーン・カーターはこう宣言した。「言葉は人間にとって最も強力なドラッグだ。ボブ・ディランは私に会いに刑務所へやって来た、そして私が会ったその男は死や死ぬことではなく、命や生きることを代弁する男だった」。カーターのなかに、ディランは犠牲者やアウトサイダー、特に白人の「正義」で裁かれる黒人への連帯を見いだしていた。ディランは言う。「ぼくは一瞬たりとも彼を疑ったことはない。彼は殺人者じゃない、そういうタイプの人間じゃないんだ」。「ハリケーン」はディランによるアメリカ司法システムに対する告発だった。

どうしてこれほどの男の人生が
愚かな人間の手のひらに乗せられてしまう？
明らかに無実の罪を着せられた彼を見ると
生きるのが恥ずかしくなって仕方ない
まやかしの正義がはびこる国で
コートを着てネクタイを締めた罪人たちが
自由にマティーニを飲み朝日を眺めているというのに

ルービンは十フィートの独房にブッダのように座っている

無実の男が地獄に暮らしている（5）

主に広告代理店の重役であるジョージ・ルイスの熱意によって、ハリケーン・トラスト・ファンドが設立され、ほどなく多くの有名人の支持を得るようになった。ディランの名が基金の正式な支持者リストに掲載されることはなかったが、彼の曲と二度のチャリティ・コンサートへの出演はカーターとアーティスの訴えに大きな注目を集める原動力となった。ルイスはローリング・サンダーのツアーがニューヘイブンで公演を行っているときにディランへ支援の相談をしていた。彼らはマディソン・スクエア・ガーデンでのチャリティ・コンサートを計画し、黒人スターを多く揃えてディランと共演することになった。しかし出演者集めが難航すると、ディランはルイスに言った。「しょうがない。レヴューのツアー全員で行く！」

刑務所での公演の翌晩、「ナイト・オブ・ハリケーン1」がマディソン・スクエア・ガーデンで開かれ、満員の聴衆のなかにはステージ上と同じくらい多くの著名人が集まった。初めの一時間はニューワース、ブレイクリー、ジョニ、そしてローリング・サンダー・レヴュー・バンドが演奏した。その後、およそ二十分、ハリケーン・カーターの訴訟について詳しく語られた。ヘビー級世界チャンピオンのモハメド・アリは大部分を白人が占める聴衆に語りかけた。「きみたちはそのコネクションと肌の色で守られてるんだ」。ハリケーンは、このコンサートを電話越しに聞きながら、こう語った。「心から感謝する。みんな心から愛してるよ」。アリは得意のフェイントとパンチを繰り出すように自信たっぷりに言った。「お前たちは俺を見に来たんだろ、ボブ・ディランはそこまでビッグじゃないからな」。『タイムズ』のジョン・ロックウェルは、こう報じた。「宣伝をしたいカーター陣営の思惑と、ディラン陣営に特徴的な、ディラン本人に端を発する秘密主義が異様な衝突を招いていた……報道陣は片方の陣営からやれと言われたことをもう片方の陣営からやるなと言われたりしていた」。それから四時間近くの演奏が、ロバータ・フラック、リッチー・ヘヴンス、ジョニ、ジョーン、ローリング・サンダー・レヴュー・バンド、そしてディランによって行われた。普段はディランに冷淡な『ニューヨーク』のニック・コーンさえも、感銘を受けていた。「ディラン……顔を白く塗った……さすらいの道化師……この十年のなかで、これほどの強度を持って演奏する彼は初めて見た……詩的で気取ったところはなく……声を張り上げ、大声を出し、燃えたぎっていた」。間奏のあいだも、「彼はステージじゅうを動き回り、足を踏み鳴らし、揺れ動き、まるで一瞬でも沈黙や静寂があると吹き飛んでしまうとでもいうかのようだった」。短縮ヴァージョンの「ハリケーン」はすでに発売されて成功を収めていた。『サンフランシスコ・クロニクル』はこう記した。「今年最も説得力のある芸術的ステートメントのひとつ」。『ロサンゼルス・タイムズ』はディランについてこう評した。「激しさと目的意識に再び火がつき……リーダーシップを取り戻した」

まるでその曲の伴奏のように、法的議論もピッチを上げた。十一月六日、ニュージャージー州最高裁判所は起訴内容を再検討すると発表した。一か月後、カーターとアーティスは減刑の要求を取り下げる代わりに、法廷で「完全に汚名をすすぐ」道を模索し、新しい審理への恩赦を求めた。一九七六年一月十二日、ニュージャージー州の最高裁は再審を行い、全員一致で有罪判決を棄却し、裁判は検察側が二人の目撃者の証言の信憑性を重んじるあまり、証拠を明らかにすることを怠っていたため、「実質的に偏見が入っていた」とした。カーターとアーティスは保釈され、改めて裁判が行われることとなった。

その一方で、「ナイト・オブ・ハリケーン2」の計画も進行していた。最初の計画では十二月にニューオーリンズのスーパードームで行われる予定だったが、一九七六年一月二五日テキサス州ヒューストンのアストロドームに移された。この公演は史上最大のチャリティ・ロックコンサートになると言われ、ディランの一行に加えてスティーヴィー・ワンダー、スティーヴン・スティルス、リンゴ・スター、ドクター・ジョン、サンタナ、ショーン・フィリップス、アイザック・ヘイズらが出演することになっていた。要領を得ない宣伝のせいもあってか、このスーパーコンサートは興行的にまさかの失敗に終わり、集客は想定のおよそ半分の三万人だった。

そしてがっかりするような結末が訪れた。一九七六年のクリスマス前、新しく始まった裁判の陪審員たちが三一日間で七六人の目撃者たちの証言を聞いたあと、カーターとアーティスは再び有罪判決を下された。ベローは証言の撤回を取り下げており、ここ数か月の高い期待も薄れ始めていた。以前は弁護していた証人二名も、彼らは襲撃の時刻にカーターとは一緒にいなかったと語った。一九七七年一月三日、『タイム』はこう記している。「裁判官はカーターとアーティスが三人の白人を殺害したものと判決を下した。事件の六時間前に殺害された酒場の黒人オーナーの義理の息子はカーターの友人で、復讐を行ったものとされている」。弁護側の新たな弁護士は、こうした判決は「私たちの根底にある人種に対する恐怖から来るもので、私たちすべての最も汚らわしい部分だ」と答えた。カーターとアーティスは一九七六年十二月二一日に再び収監された。一九七七年二月九日、カーターとアーティスは三生涯分の終身刑を言い渡された。

ハリケーン・ファンドはスローガンを「すべての人に自由を、永遠に」へと拡大させ、主導者も変わっていた。ディランの歌は相変わらず広く演奏され続け、チャートのトップ40圏内に上り詰めていた。事件の目撃者として曲に名前を採り上げられたパティ・ヴァレンタインは、ディラン、レヴィ、コロンビア・レコード、そしてワーナー・ブラザース・パブリッシングを相手取って裁判を起こし、プライバシーの侵害と「望まない注目」のもとに晒されたことを訴えた。ヴァレンタインは、ディランらがその曲で得た額の「公正かつ公平な分配」を求めた。よくあるように、ほんの些細なきっかけが泥沼の法廷闘争を招いていた。「ハリケーン」の音色と論争は長く続いた。たとえカーターとアーティスが裁判で自由を勝ち取っていたとしても「潔白を証明するまでは終わらない／そして失われた時間を彼に差し戻すまでは」(6)

一九八五年十一月、ハリケーン・カーターはニュージャージーのラーウェイ州立刑務所から釈放された。連邦判事のリー・サロキンは検察による「重大な憲法違反」だったとした。彼は一九七六年の有罪判決は「理性よりも人種差別主義への、真相の究明よりも隠匿への訴え」に基づくものだったと結論づけた。しかしカーターの十九年におよんだ試練はこれで終わりではないかもしれない。三度目の審理を検察側が起こすことだってあり得る。

白い女神、欲望

ハリケーンの他にディランの語彙に登録された言葉が「欲望(ディザイア)」で、一九六四年という早い時期から使用されている。「11のあらましな墓碑銘」の十一番目で、嵐のあと、「絶えず意味の変わる」空のしたで、ディランは欲望を歓迎する。

欲望のあとで
かえっていく
かえるのだ ぼくと地下に
かえるのだ 共に
決しておそれず
最後は信じて
ぼくをうまく導いてくれるだろう……
決して間違うことなく……（7）

一九七六年一月にリリースされた『欲望』と題するアルバムは、エレキ音楽による宣言であり、伝統的な「テーマ」と今日的な「意味」の結婚だった。初めは出来が良くなく、未熟なものにすら思えたが、そのシンプルな表向きの奥には生命力と深みがあり、『プラネット・ウェイヴズ』から始まった三部作の総決算となっている。ある意味で、このアルバムは真のセルフ・ポートレイトだ。私はディランを惹きつけた神話や夢という未知の荒野を、理解の手がかりやきっかけを求めて旅し始めた。

欲望（ディザイア）はニューオーリンズの路面電車の名前であり、マレーネ・ディートリッヒが出演した西部劇『真珠の頚飾』の英題でもあった。しかし詩人の多くも「欲望」に引きつけられてきた。ウィリアム・ブレイクにとって、それはスターへ向かう人間のはしごだった。「ザ・クエッション・アンサード」という詩において、ブレイクは人間の衝動を駆り立てるのに重要なものとして欲望に感謝を記している。T・S・エリオット『四つの四重奏』にも、ディランを惹きつけた主題――時間、正義、役割、再生、救済、そして欲望――が満ちている。エリオットは「実際的な欲望に向き合う内面の自由」について書き、「時間によってしか、時間を乗り越えることはできない」と結論づけた。ブレイクは言葉に装飾を施した。エリオットは注釈を活用した。ディランの方法はもう少し抜け目がない。彼の短いライナーノーツやアルバムジャケットおよび歌集のビジュアルイメージは、タロットカードのような象徴性を持っている。もうひとつの手がかりがロバート・グレーヴスの『白い女神』だ。グレーヴスは、いかにユダヤ／キリスト教的な家父長制が、かつてあった女神たちへの崇拝を消し去ってきたかを示した。グレーヴスはまた、詩には欲望が不可欠であるとも主張していた。「詩は愛に根ざすもので、愛は欲望に根ざしている、そして欲望は生き続けることへの希望に根ざしている」。グレーヴスは詩人に「いかなる犠牲を払っても社会的・精神的独立を手にせよ」とアドヴァイスを送る、なぜなら詩人は「理性的にだけでなく神話的に考えるすべを学ぶ」必要があるからだ。

ディランは映画館に通う少年時代から「神話的に考え」ていた。しかしながら『欲望』は、神話的思考を拡張させる大きな一歩であり、これまで彼が身を浸してきたテーマ、たとえば個人的・社会的啓示、アイデンティティ、ヒーローによる愛や知識や救済や解放の探求、などの総決算へと向かっていくものだ。このアルバムで彼はあらゆる神話——正義とアウトサイダー（「ハリケーン」と「ジョーイー」）、愛に苦しみ再生を提供してくれる女性（「イシス」と「オー、シスター」）、映画としての人生（「ドゥランゴのロマンス」と「ブラック・ダイアモンド湾」）——を扱っている。ディランは預言者のようにタロットカードをシャッフルし、新旧の関心事を混ぜ合わせ、エジプトの謎めいた島ファロスを、いつでも見られるテレビ番組のように現代的なものにした。

このアルバムの鍵となる歌詞が二つ、「オー、シスター」のなかにある。「わたしたちは死んで生き返った／それから不思議な力で救済された」(8)と、「時間は海だが岸で途絶える／きみはもうぼくを見ることはないかもしれない／明日には」(9)。死と再生、そして失われた、盗まれた、あるいは奪われた時間。それは魂の完全性や救済を求める錬金術師によるファウスト的な問いだ。「イシスのヴェールを剝いで」みよう。アルバムのジャケットにある「女帝」のタロットカードと、封入された冊子に記された「魔術師」と「審判」の二枚は、いわゆる一九一〇年のウェイト版タロットカードで、パメラ・コールマン・スミスが描き、アーサー・エドワード・ウェイトがデザインし直した伝統的なカードだ。ウェイトは「女帝」のカードを「この実りの母は……欲望とそこから派生するものを見事に象徴している」と書いた。現代のユング学者アルフレッド・ダグラスは『タロット』（一九七三年）を記し、この地上の母たる女帝は「デメテルとイシュタル（ギリシャ神話とシュメール神話の最も有名な女神たち）の子孫であり、死と再生のドラマが繰り広げられる神秘的カルトの守護聖人」を象徴しているという。各タロットカードはポジティブな意味もネガティブな意味も持っている。正位置ならば、女帝は繁栄の象徴となる。逆位置ならば、家庭内の混乱や、情緒不安定や、貧困を意味する。神話には死を乗り越えようとするものが多い。「イシス」からはエジプトのオシリスとイシスの伝説が想起されるが、この神話はアルバム中に通底している。

イシスは、女帝の象徴で、豊穣の女神であり、航海の守護女神でもあり、悲しみの涙でナイル川を作ったとされている。彼女はまた命を救う者でもあり、殺されてバラバラにされた夫であり兄でもあるオシリスを不思議な力で復活させた。牛の角のようなものを頭に掲げているのが特徴的な月の女神イシスは、オシリスと結婚していた。オシリスはイシスをエジプトの女王に任命し、その統治を任せて自らはアジアへ向かい、暴力を使わず、自身の器量と歌と音楽作りで相手を武装解除して征服を試みた。エジプト神話のなかで、オシリスは様々な名前で変奏されている。そのひとつがプロテウスで、預言者の力を持つファロス島の王であり、海の老人と呼ばれ、自身の姿を変えることができる。グレーヴスいわく、プロテウスは、三世紀の終わり近くにエジプトへやって来たアブラハム一族の女神サラと結婚した（ディランは非暴力の征服たるローリング・サンダーのツアー中に、自分の妻の「サラ」を念頭に置いていたわけじゃないと笑って語った）。ファロス島では数字の「5」に不思議な力があるとされていて、祭りや建物だけでなく暦にもその影響が見て取れた。ディランも「イシス」の冒頭の歌詞を「5」の月から始めている。「ぼくは5月の5番目の日にイシスと結婚した」(10)。そして氷に覆われたピラミッドの奇妙な冒険を語っていく。しかし結末では、その詩人は「神秘的な子供」に戻り、イシスは他人のままとなる。

『白い女神』のなかで、グレーヴスはイシスとオシリスの物語があらゆる文化に深く根づいていると指摘している。「この聖なる王は月の女神の崇高なる犠牲者となる。つまり女神に魅入られたあらゆる詩人は、ある意味で、この王のように、自身が愛する女神のために死ぬことになる」。オシリスの妹であり妻であるイシスは、「神の一体性」とは対照的なものを象徴している。こうした造形はフィンランドの叙事詩『カレワラ』や、スコットランドの「ザ・ボビー・ヒンド」や「シース・アンド・ナイフ」のようなバラッドにも見られる。ディランは長らく自身にとっての理想的な「双子」を求めてきたが、それはこの妹／妻イシスのイメージが強い。バエズは彼女の曲「オー・ブラザー！」で自分は姉になったかと尋ねたが、イシスの大きなイメージに戸惑ったことだろう。

「ベイビー・ブルー」のなかで、ディランはすでにユング的な「共時性（シンクロニシティ）」の考え方を示していた。「偶然にも集めてきたものを持ってゆけ」(11)。しかしアルバム内の冊子にディランと似た一九一〇年のタロットカードの「魔術師」を配置したのは偶然とは言えないだろう。魔術師のカードは吟遊詩人（ミンストレル）とも、奇術師とも、大道芸人とも呼ばれている。旅一座の芸人や、未来を占い、効かない薬を出し、異端の説を唱える呪術医（メディスンマン）と呼ばれたこともあった。タロット専門家のダグラスによる魔術師の解説は、驚くほどにディランの二重性と一致する。「半分はペテン師で半分は賢い男……魔術師は強靭で自信に満ち、そして孤独だ」。魔術師はプロメテウスや、ティル・オイレンシュピーゲルや、ヘルメスや、インド・フォークのヒーローであるコヨーテに通じる人物だ。ダグラスは、魔術師／プロメテウス的人物像は「人間が自意識を持ったとき、つまり無意識から自意識を『盗み取った』ときを表すものだと考えていた。そうして魔術師は神の恵みを手にし、「世界を手にするが、自身の魂を見失ってしまう……魔術師は危険と誘惑に向き合うことになる……失った自分を探す長い旅路のなかで。彼が持つ魔法の棒は燃えるような意志を表している」。魔術師の頭のうえには、数字の「8」を横に倒したようなものが浮かんでいるが、それは「真の自我、自身の内にある聖性からインスピレーションを得るための」ものである。正位置では、魔術師のカードは強い意志、可能性、挑戦、独創性、適応性、多才、外交性、そして自信などを意味する。逆位置では、ダグラスいわく、魔術師は詐欺師となり、自身の賢い策略に劣った人間がかかるのを見て楽しむペテン師となる。そして叡智ではなく、権力を求めるようになり、「支配を目指して悪魔的な力を行使する」。

「審判」のカードは、再生、復活、救済の象徴であり、永遠の生命を示すカードだとされている。ダグラスは言う。「閉じ込められていた墓から魂が解き放たれていて、その墓から立ち上がる神の子は復活した自己を表わしている」。錬金術師たちにとって、それは「賢者の石」である。ブレイク的な審判のカードで言えば、その神の子は「内なる神」であり、英雄的探求のゴールである。その探求は到達に近づいており、魂は「統合に到達しそうで、再誕が始まっている」

アルバムのジャケットに記された短い詩で、ディランはさらなる手がかりを残している。彼は「踊る弾丸のように動くランボーのかかとの上にいる」(12)。こっそりと、彼はこう書いている。「トルストイは正しかった」(13)。トルストイはあらゆる面で正しかったが、ここでディランは一八九九年に書かれたトルストイの偉大な小説『復活』のことを指しているのではないかと思う。その小説でトルストイは愛を通じた救済を描いている。主人公のネフリュードフ公爵は、トルストイの分身とも言え、「最も身分の低い者たちの力添えとなることで身を立てようという欲望」に突き動かされている。彼は不当な罪を着せられてシベリアへ流刑となった娼婦のあとを追い、自己の救済を目指す。トルストイの伝記作家アンリ・トロワイヤによれば、「この二人の物語にリズムと温かみを与えているのは感傷ではなく、社会の不正義への糾弾と、人類の病を癒す治療薬の探求だ」

救済に向けたディランの探求は『ブロンド・オン・ブロンド』や『ジョン・ウェズリー・ハーディング』に起源をたどることができる。普通の用法では、救済は再生や解放や救出を意味するが、キリスト教の文脈ではキリストの贖罪を通じた救いとなる。一九三六年に記した「錬金術における救済の概念」で、ユングはこう告げている。「復活のあと、人は以前よりも強く若くなる」――これはディランの有名な歌詞「いまのぼくはあのときよりもずっと若い」に通じるものがある(14)。ユングは錬金術師の探求を、ヘブライの預言における救世主や、一度死にながらも不思議な力で救われるか生まれ変わったオシリス、オルフェウス、ディオニュソス、ヘラクレスなどの神話像と結びつけていた。ユングはゲーテのファウストに錬金術的芸術の墓碑銘を見いだしていた。愛や、社会的不正義との戦いを通した救済が来る日までヒビングの「悪魔の鎖」につながれたディランを見て、ユングは何と言うだろうか？

神秘的な人物像を登場させる錬金術的な手法を通したディランの長きにわたる救済の探求は、『欲望』において頂点に達している。『欲望』へのギンズバーグによるライナーノーツのタイトルは「救済の歌」だ。ギンズバーグはそのなかで、彼や五十年代のビート詩人たちが、解放を夢見、詩と音楽の結婚を夢見ていたことを振り返っている。彼は『欲望』が「預言的感情の新たなる大きな波」であり、「コーヒーもう一杯」にはヘブライ語の詠唱が聞こえるという。私にはテックス・メックスやランチェロ・ミュージック、ごちゃまぜのフラメンコ、あるいはオーティス・レディングらが探究し、ヴァン・モリソンが発展させていったソウルが聞こえる。

『ニュー・リパブリック』のW・T・ラモンは、『欲望』についてこう記した。「バラバラな国へのメッセージだ……偉大な力を持つ男からの。直接的ではないにしても、やはり、今年様々に声を上げる者たちの大半よりも遥かに説得力がある」。ジョン・ロックウェルは『タイム』にこう記した。「ディランが作ったなかでも有数の音楽だ」。『ローリングストーン』のデイヴ・マーシュは、ディランの女性に対する姿勢への大きな変化を見た。ジャック・マクドノーは、ディランの「最高の詩というのは……現代的な逃走と混乱が、見えにくく、捕らえどころのない美のロマンチックな探求と掛け合わされたときに現れる」と書いた。

　メロディについては、演説調のたたみかける「ハリケーン」から、遊び心に満ちた「モザンビーク」、痛切な「サラ」、異世界的な「コーヒーもう一杯」にいたるまで非常に幅広い。アルバムのオープニング曲であり最も良く知られた曲である「ハリケーン」は、このアルバムのトーンと特徴を決めるもので、自由の鐘を鳴らし、アルバム内の主要なテーマを垣間見せるものとなっている。「イシス」「オー、シスター」「サラ」でのイシス／オシリス的な関係性は、『欲望』が、間違った「正義」との、間違った「愛」との、間違った「レッテル」との苦闘であることを暗に語っている。ギンズバーグはこれらの曲を「カメオ小説」と呼んでいる。ディランの劇的・映画的ヴィジョンが強烈に発揮されたものだ。スペイン語によるコーラスのついた「ドゥランゴのロマンス」では、「イシス」とは対極的に居場所を手にしているような感覚がある。「ドゥランゴ」と「コーヒーもう一杯」は平穏の歌であり、ブランド／イーストウッド／ディラン的な逃走の脚本である。

「ジョーイー」は大きな批判を浴びたが、そうした批判は社会ののけ者や、アウトサイダーや、ならず者へのディランの長きにわたる関心を見落としたものだった。殺し屋ジョーイー・ギャロについて映画俳優ジェームズ・

キャグニーのように威勢よく歌うこの曲は、世界が舞台であるだけなくスクリーンでもあることを思い出させる。ギャロはまさにディランが歩いていたリトル・イタリーのストリートを闊歩していたのだった。西海岸で、ディランはロバート・デ・ニーロと親しくなっていた。彼もまたニューヨークの貧しいストリートの出身だった。ギャロは階段に座ってニーチェを読んだというが、ディランはギャロが「いつも外側にいた／あらゆるものの外側にいた！」(15)ことの方に感銘を受けていたようだ。刑務所のなかで、彼はほとんど黒人のようだった。

彼らはきっと分かっていたんだ
手かせをかけられた状態で
社会にいるのがどんなことか(16)

神話的思考に満ちた『欲望』のなかでも、ディランの気まぐれなところは消え失せていない。「イシス」では、ある者が死んだとき、語り手はその死因が感染性のものでないことを願う。際限ない苦労と探求のあとで、語り手はイシスのもとへと戻ってくる。風刺的な会話のなかにもヘミングウェイ的な言葉の省略が見られる。そしてさらに気まぐれな面が表れているのが「ブラック・ダイアモンド湾」の展開で、そこではまたしても人生がカードゲームの様相を呈している。荒唐無稽な物語やポーカーゲームの比喩はいつもディランのお気に入りだ（シャルル・ボードレールは詩「スプリーン」のなかで、ハートのジャックとスペードのクイーンに対話をさせている）。おかしなことがたくさん起こる「ブラック・ダイアモンド湾」だが、最後の詩節に入ると突然視点が変わる。そこまで詳細に描かれてきた光景は、語り手がＬＡでだるそうに眺めるテレビニュースの一場面へと変わる。私たちはみなテレビによって覗き見趣味に変えられた愚か者なのか、それともテレビによって壊滅的なまでにダメージを受け、現実の危機とフィクション上の危機が見分けられなくなっているのだろうか？　すべてのチャンネルに二面性がある。

最後の曲「サラ」で、ディランは臆面もなく妻への思いを語っている「ように見える」。許しや理解を乞いながらも、お馴染みの隠蔽や二面性との戯れに満ちている。茶番や、仮面をかぶった芝居や、かくれんぼが終わったあと、彼はこの「さそり座のスフィンクス」(17)、この「神秘的な妻」には、神秘的なだけでなく本物のアイデンティティがあると語っているように思える。彼女は欲望を具現化した存在だ。メロディと歌い方には痛切な響きがある。この曲はアルバムのなかで最も賛否両論を呼んだ曲となった。裸で立つ「新たなディラン」を聞き取った者もいれば、「個人的すぎる物語」(18)だとして困惑する者もいた。パロディに走った陳腐なものだと感じる者もいれば、「悲しい目の乙女」に名前がついたと感動する者もいた。八五年発売の『バイオグラフ』で、ディランは「告白的な歌は書かない」と宣言している。しかし「サラ」や、『欲望』から除外した「アバンダンド・ラヴ」といった「告白の歌」を前にしても、同じことを言えるだろうか。

『欲望』は女性の神々や女性の仲間たちに満ちている。スカーレット・リヴェラのヴァイオリンは真に革新的な音であり、哀愁と異国情緒が混ぜ合わされている。エミルー・ハリスのコーラスによるハーモニーも重要な新要素だ(彼女は初期ヴァージョンの「ハリケーン」に参加しているが、リリース版ではロニー・ブレイクリーがコーラスを担当している)。ディランと共に歌う彼女たちの声は、曲に味わいを与える新たな試みだ。ハリスはイントネーションや精度に対して完璧主義な面があるが、即興的でせわしないディランに合わせていた。いくつかの曲はあっという間に録音されてリリースされた。その他六人によるバックの演奏も素晴らしく、彼らの多くはローリング・サンダー・レヴューに参加した面々だった。統一感のある音が全体を覆っている。

『欲望』は「サラ」と「コーヒーもう一杯」以外すべての歌詞をジャック・レヴィと共同で執筆した点でも特別だった。心理学の博士号を持つレヴィは、ユング的な思考に良く親しんでいた。彼はまた演劇の仕事を何でもこなし、舞台「オー! カルカッタ!」では舞台監督を務め、長らく歌詞も書いていた。彼とディランは、一九六八年にレヴィとカントリー/ウェスタン・ミュージカル製作に取り組んでいたロジャー・マッギンを通して出会った。二人は三週間で二四曲を作り出し、そのうち十六曲はマッギンのいるバーズのアルバムに収録された。最も有名な曲は「チェスナット・メア」だ。ディランは七四年のツアーのあとにブリーカー・ストリートでランブリン・ジャックと会った。一年後、またブリーカー・ストリートで出会ったとき、ボブは「何か一緒にやろう」

と提案した。ディランは「イシス」の歌詞の一節を書きあげていた。笑って語り合いながら、彼らはその晩、「イシス」の歌詞作りに取り組んだ。七月にさらに何度か打ち合わせを重ね、作業は順調に進み、彼らは八月に三週間ロングアイランドの隠遁地で過ごし、さらなる歌詞を共に作り、十四曲を完成させたと言われている。レヴィはジョーイー・ギャロをテーマに採り上げることを提案したが、それはレヴィがギャロの人生の晩年である一九六九年に彼のことをよく知っていたからだった。レヴィは、ディランがコルシカでジプシーの生活を送ることを夢見て「コーヒーもう一杯」を作ったと語っている。そして「サラ」はずっと彼の頭のなかにあった。ディランはローリング・サンダー・レヴューの構想もレヴィに語っていた。マッギンはレヴィの仕事ぶりとスタイルがディランの力を引き出したと語っている。

『欲望』のチームができ上がる前、ディランはエリック・クラプトン、ココモ、そしてデイヴ・メイスン・バンドらと相性のいい組み合わせを探して実験的に作業を行った。それからロウアー・イースト・サイドのバーで演奏をするロブ・ストーナーや、ミック・ロンソンもしばしば参加したザ・レベルズらとも取り組んだ。そうやってディランはローリング・サンダー・バンドと『欲望』の収録に参加する演奏家たちを見つけ出した。各曲の探求と苦闘はミュージシャン探しにもその名残が見られ、アルバムのクレジットにはこっそりと「このアルバムはドン・デヴィートによってプロデュースされているはずだ」と記されている。

イギリスの批評家であり学者のサイモン・フリスは、ディランの役割についてこう語っている。「人びとがディランについて夢見るとき——実に多くの人が——彼のことを恋人ではなく友人として見ている。彼の力のひとつが、過度な感傷や自意識を抜きに自身の関心を万人の関心へと変えることだとするならば、もうひとつの力は、彼の公的な世界を、すべての曲を、聞くものそれぞれが自身の関心に引きつけて自分だけのものにさせてくれることだ……ディランは再び善き男になっているように聞こえる。語り合いたい相手だ——世界について、そして私たち自身について」

遠くの雷鳴

主に『レナルド&クララ』の製作費を集めるため、一九七六年に第二期ローリング・サンダー・レヴューが追加された。前回のツアーに比べ、今回が遠くの雷鳴のように静かなものだったのは、新鮮さや主要メディアからの注目がなくなっていたからだ。ヒューストンのアストロドームでの「ナイト・オブ・ハリケーン2」(一九七六年一月二五日)のあと、少しの中断期間があった。ツアーは四月十八日にフロリダ州のレイクランド・シビック・センターから再開され、最初の八公演は大学のイースター休暇中に行われた。その頃になると、バックで演奏するミュージシャンたちは自らのことを「グアム」と呼ぶようになっていた。公演が始まると彼らが十二曲演奏し、たいていは次にディランがアコースティックで二曲やり、それからグアムとのバンドセットに入った。マッギンとバエズがソロで曲を披露し、それからボブとバエズが二人で歌い、ディランやグアムの曲を十曲ほどやって締めくくる。フロリダ州クリアウォーターのベルビュー・ビルトモアホテルでは、NBC-TVの番組「ミッドナイト・スペシャル」を数多く手がけたプロデューサーのバート・シュガーマンがコンサートを撮影した。数週間後、ディランはその撮影テープの放映を却下した。代わりに、ディランは「トップ・ヴァリュー・テレヴィジョン」というドキュメンタリー製作者集団の撮影を許可した。九月十日にNBC-TVで「はげしい雨」と題して放映した。その日はツアーのライヴアルバムの発売日でもあり、放送にはテキサス州フォートワース、タラント郡コンベンション・センター・コロラド州フォート・コリンズのヒューズ・スタジアムで行われた公演を撮影し、彼らは五月二三日のコロラド州フォート・コリンズのヒューズ・スタジアムで行われた公演を撮影し、

その番組は、はげしい雨というよりも、雨の降らない曇り空のようだった。ボブはとても緊張しているように見え、ジョーンがのちに言ったように彼の「ヘビのような目」がキョロキョロとしきりに動いていた。番組は「スペシャル」とは言い難かったようで、メインストリームのテレビ批評家たちは「痛々しいほど芸術性に欠ける」とか、「まとまりがない……大惨事」などと評した。アンダーグラウンドな『ボストン・フェニックス』紙は、「おそらくこれまでに作られたコンサート映像のなかで最も素晴らしく感動的」と記した。フロリダ州からコロラド州フォート・コリンズへ向かうあいだに、一行はアラバマ州モービル、ミシシッピ州ハティスバーグ、

テキサス州の三都市、そしてオクラホマ州オクラホマシティで公演を行った。カンザス州ウィチタでの公演のあと、五月二五日のユタ州ソルトレイクシティでの公演をもって、第二期ローリング・サンダー・レヴューは終了した。

最も継続的にアメリカのメディアへ姿を現す期間へと入っていく肩ならしとして、ディランはアメリカで最も発行部数の多い雑誌『テレビ・ガイド』九月十一日号の特集記事に登場した。ツアーの謝辞にハーマン・メルヴィルやランボーの名を入れていたため、ディランは彼らやコンラッド、ジョイス、そしてギンズバーグからは学んだことがあると説明した。神についてのイメージを聞かれ、ディランはこう答えた。「ヒナギクのなかに神が見える……凪にも雨にも。いたるところで創造が行われているのが見える。歌の究極の形態は祈りだ」（このヒナギクの発言は、のちの『ショット・オブ・ラヴ』の最終曲の先駆けとなっていて、その曲が基としているブレイクの詩「無垢の予兆」にはこうある。「一粒の砂のなかに世界を見る／野生の花のなかに天国を見る」）。ディランはビートルズとストーンズを讃えた。「それにジョーン・バエズもぼくにとっては最近のシンガー一〇〇人以上の意味を持ってる」

ロサンゼルスに戻り、ディランは『レナルド&クララ』の編集を始めた。新曲「サイン・ラングウィッヂ」を書き上げ、エリック・クラプトンが歌って彼のアルバム『ノー・リーズン・トゥ・クライ』に収録された。フィル・スペクターはついにディランをスタジオへ呼び、レナード・コーエンとスペクターが歌う「ドント・ゴー・ホーム・ウィズ・ユア・ハードオン」のコーラスに参加させた(19)。

一九七六年の感謝祭の日、ザ・バンドはこの日をツアー生活への長い別れを告げる日と決め、カリフォルニア州サンフランシスコのウインターランド・パレスで公演を行った。新進気鋭のマーティン・スコセッシ監督がこのライヴの映像を撮ることに決まり、ライヴアルバムも発売されることになった。かつてザ・バンドの数人はボブに付いてビッグ・ピンクからマリブへと引っ越し、ロビーはそこに「シャングリラ」と呼ばれる家を構えていた。十六年におよぶ困難な旅の締めくくりとして、彼らは最高の演奏を計画していたようだ。三〇〇ページにもおよぶ撮影台本を手に、スコセッシ監督は四五人のスタッフを引き連れて七台のカメラで三七曲が予定されたライヴに臨んだ。

ゲスト出演者には、ドクター・ジョン、ジョニ・ミッチェル、ニール・ダイアモンド、ヴァン・モリソン、そしてディランらがいた。見た目を華やかにするために、ビル・グラハムはサンフランシスコ・オペラの「椿姫」のセットを借りてきていた。五〇〇〇人の聴衆は素晴らしいコンサートだけでなく、二〇〇ポンド（約九十キロ）のターキーと三〇〇ポンド（約一三六キロ）のサーモンを味わった。バークレー・プロメナード・オーケストラがワルツを演奏し、ニューロマンティック音楽を十年先取りするかのようだった。一九六〇年にザ・バンドの前身ザ・クラッカーズを結成したロニー・ホーキンスも会場に来ていて、ボビー・チャールズ、ポール・バターフィールド、マディ・ウォーターズ、そしてエリック・クラプトンの姿もあった。

エメット・グローガンが、この「ラスト・ワルツ」のMCを務めた。彼はインターミッションのあいだに、スウィート・ウィリアム、レノア・カンデル、マイケル・マクルーア、ダイアン・ディ・プリマ、そしてラリー・ファーリンゲティら西海岸の詩人たちを登場させた。ロビー・ロバートソンは最後の自作曲「ザ・ラスト・ワルツ」を朝方に完成させたばかりだった。そして彼は「もうひとり友人を」呼び込んだ。ディランは「連れてってよ」を演奏した。グローガンは、かさの高い白のシルクハットをかぶったディランが「勢いよく歌詞を歌った」と言い、「ヘイゼル」「アイ・ドント・ビリーヴ・ユウ」「いつまでも若く」と続いて、再び「連れてってよ」を歌った。彼はそのままステージの中央に残り、グランドフィナーレとして、リンゴ・スターやロニー・ウッドらと「アイ・シャル・ビー・リリースト」を演奏した。ウッドストックの映画にも参加していたスコセッシは、ロックには珍しく品格を保った映画を撮ることに成功していた。テリー・カーティス・フォックスは『ヴィレッジ・ヴォイス』で次のように記した。「表向きは……ザ・バンドの映像でありながら、スコセッシはこれがどれほどディランのイベントになったかを編集でためらうことなく描いている……彼の存在の前では他のすべてがかすむ。スコセッシは……その効果を隠したり最小限にしようと試みたりはしない。これは史上最高のロックコンサート映画であるだけでなく、スコセッシ作品のなかでも極めて個人的なものである」

『レナルド&クララ』

また別の映画監督は一九七七年の大半を費やして、音楽的生活についてのさらに個人的な映画作りに取り組んでいた。ディランは『レナルド&クララ』用の二四万フィート分のフィルム（約一〇〇時間分）の編集に尽力していた。完成した映画は、およそ四時間にわたるもので、商業的には自殺行為だった。複雑で、意味の分からないところもしばしばあり、音楽は優れていたがドラマとしては失敗だった。『セルフ・ポートレイト』以来初めて、批評家たちはいつも自分たちを糾弾してくる相手に嬉々として糾弾し返すことができただろう。

ディランは何より古くから付き合いのある雑誌『ヴィレッジ・ヴォイス』の反応に傷ついていた。「やつらが銃殺隊のように送ってきた批判を読んだか？」一九七八年の夏に彼は私にそう言った。『ヴィレッジ・ヴォイス』は一九七八年一月三十日に七つのレヴューを掲載していたのだった。カレン・ダービンは、その映画を「ディランの脱大人計画のとどめの一撃」と呼び、ディランがイエスに扮したことに怒りを表した。さらにディラン、バエズ、そしてサラによる混沌としたシーンに言及して、「ディランは自分を愛するようには他人を愛せないのだろう」と評した。リチャード・ゴールドスタインは、多くの人びとと同じように、「下手な即興の『劇』が行われる幕間」よりも、コンサート・シーンの方が好きだと述べた。しかしゴールドスタインは、この映画が究極的にはバランスが取れているとも記している。「アルトマンのような混沌とした瞬間にも、いわゆるロックコンサート映画を見るときのような感動がある」。ジェームズ・ウォルコットは、この映画が多くの期待を裏切るものだったとして、「アルマダの海戦でのスペインの惨敗を見るかのようで」、「アーティストによるグルーピーたちへの」悪意ある復讐だと見なした。手厳しい評論家ポーリン・ケイルは一九七八年二月十三日の『ニューヨーカー』で「あらゆる仮面や仮装にもかかわらず」、ディランは「相変わらず無愛想で謎めいたところがある……映画史におけるどんな役者よりもアップの画が多い。彼には他を圧倒する存在感があるが、それでも彼は決して私たちと直接つながろうとしない……私たちが見せられるのは……捉えどころのない彼の謎であり――彼との遠さだ」。彼女の見出しは「苦難のライヴ」と題されていた。ヨーロッパでの反応は比較的好ましいものだった。

ディランは一九七七年から七八年にかけての秋と冬に数々のインタヴューを受けて面倒事に足を突っ込んでいた。「あの映画について喋りすぎた」とのちに彼は私に言ったが、それは宣伝費を最小限に抑えるために必要なことだったと語った。『レナルド&クララ』はほとんど一人での製作と言えるものだった。ディランは監督だけでなく、脚本を書き、出演もしていた。ロンバード・フィルムズが映画を完成させ、ディランが弟と設立しミネアポリスに拠点を置くサーキット・フィルムズが配給した。映画が欠点を含むものだったこと、そしてディランが長らく独善的に人間の欠点を糾弾してきたことによって、この映画は多くの人間が彼に仕返しをする良い機会となった。

長いインタヴューのなかで、ジョナサン・コットはディランとルイス・ブニュエルを比較し、ディランは古代の格言のような詩的で深遠な言葉を放った。「芸術とは絶え間なく移ろう幻想のことだ。芸術の至上の目的は刺激を与えることなんだ」。彼は『レナルド&クララ』を「アイデンティティ」についての映画であると語った、「仮面の方が顔よりも重要で……外面的な自己から無防備に切り離された内面的な自己についての映画だ」。作品の一貫性についてはこう弁護した。「無意識に忠実な作品なんだ」。彼は批判を先取りした。「この映画が公開されたらハリウッドを追い出されるかもしれないね。インドでは、十二時間の映画なんかもやってる。アメリカ人は……壁紙のように労力のいらないものを芸術に期待している……ぼくは自分が夢見る自分を信じてる。ぼくはぼくの夢に生きてるんだ。実際の世界に生きてるんじゃない」。こうした内容で『プレイボーイ』や『ニューヨーク・タイムズ』ともインタヴューを行った。トロントの『マクリーンズ』誌に対して、彼はこう言った。「この映画を説明しようにも、説明することができない……でも同じようにぼくは『廃墟の街』も説明できない……サラとジョーン・バエズは一人の同じ女性だ……キュビズムの絵画みたいに……この映画が何なのか理解できる人はこの世に二人か三人しかいないかもしれない」

素晴らしいコンサート映像を含めた二時間の短縮版も製作された。フルヴァージョンには、四七曲が使用され、そのうち二二曲がディランのもので、ベートーヴェンとショパンの曲もひとつずつあった。「イシス」「コーヒーもう一杯」「天国への扉」などの曲は非常に優れている。バエズ、ロニー・ブレイクリー、ロジャー・マッギン、ジャック・エリオットらの音楽も輝いている。ピンボール・マシーンをやりながら昔のヴィレッジを振り返るデヴィッド・ブルーも魅力的だった。ハリケーン・カーターについての街頭インタヴューも臨場感があった。しかし多くの芝居のシーン、特にディラン、サラ、そしてジョーンが並ぶシーンは、たちまち観客を失うものだった。私が見た唯一肯定的なレヴューは、ロンドンでの公開の後の一九七八年九月にナイジェル・アンドリュースが『フィナンシャル・タイムズ』に書いたものだった。「謎が真に魅惑的な力を発揮している……おずおずと進み出て『レナルド&クララ』は今年最も重要な映画かもしれないと言おう」。彼いわく、この映画は「キリスト教の教義への信心が失われた時代に新たなモラルを、新たな宗教を、新たな道しるべを与えようとする試みだった」

ぼやき

ローリング・サンダー・レヴューや『レナルド&クララ』について語っていたのはメディアだけではない。劇作家のサム・シェパードはその体験を本にし、ジョーン・バエズは歌にし、サラ・ディランは法廷で語った。

映画の脚本を記すために『レナルド』のクルーとして参加したとき、シェパードはすでに劇作家としての地位を確立していた。ツアー中は特に大きなことは起こらなかったが、彼の『ローリング・サンダー航海日誌』のなかでは、ポジティブなことも、ネガティブなこともたくさん記録していた。彼は自分が「渦に飛び込む協力者」のように感じたという。「何もかもが青い」ディランと会い、フランス映画についてシュールレアリスト的な会話を交わす。ディランがピアノで「運命のひとひねり」を演奏するのを聞いて、シェパードは感動した。「本物だ。真の放火犯だ。五分と経たずに火がつく……これこそディランの真の魔法だ。天才的な詩のことはしばらく忘れて、彼のまとうエネルギーのうねりを見ていよう……勇気や希望をまとって生命を引っぱり出してくるみたいだ……彼が国を沸かせるのも不思議じゃない」

シェパードは現場で映画として撮影しているものが、デタラメなエネルギーの「切れ端のようになっている」と感じ始めた。「アイデアはあちこちから飛び交うのに演じられることはない」。彼は「その集団の音楽を通した精神的エネルギー」に圧倒され、その映画を盲目的にへつらうロック・シーンへの解毒剤だと考えるようになる。

ディランは「実在するメディスンマン」で、彼の「英雄性は単なる流行的な現象を超えている……本当の彼が謎めいているために、『彼は何者なのか』という問いが『彼とは一体何なのか』へと変わったのだ」。多くの人と同じように、サム・シェパードもディランと接していると答えより問いが多く湧いてくることを知った。「彼がステージで、レコードで、映像で、触れるものすべてで生み出す奇妙で魅力的な磁力は一体何なのだろう？　彼はどんな世界を思い描いていて、私たちをそこへ連れて行くのだろう？　それは目の前にあるのに、誰も触れることはできない」

『スリーペニー・レヴュー』に寄せた示唆的な小文「乗り換え列車」のなかで、アイリーン・オッペンハイムは、実存の意味を知らずに人は生きられるのかという問いに関して、カミュの『シーシュポスの神話』をガイドとしながら、ディランとシェパードの興味深い過去をたどっている。カミュはこの世界における厳然たる事実は、世界が不条理な不確実性を持っているということだけだとして、そのジレンマは次の二つのうちどちらかによってのみ克服されると言った。ひとつは自殺および比喩的にそれに相当するもの、すなわち「意識の死、あるいは信心の跳躍」であり、もうひとつは「眩暈のするような高みに留まること」、信心と絶望のバランスを注意深くとることである。

この小文では、ディランとシェパードが作品に自身を食わせることによって自己を失くしていくプロセスにおいて共通していると結論づけていた。ローリング・サンダー・ツアーの直後、シェパードはひとりのアーティストの死と来るべき再生をテーマにした『Bフラットの自殺』を書いた。その作品の中心的人物は内なる声によって心を狂わせるミュージシャンだ。オッペンハイムは、両者が高みから撤退したと考えている。「ディランは、長きにわたる浮気のあとで、結婚の問題で追い込まれ、信心の跳躍をしている」。そしてシェパードは「自身の創造性という悪魔に容赦なく苦しめられ、自殺願望に傾いている」。一九八四年頃においては、シェパードは作家および俳優として生まれ変わり、ハリウッドで成功している(20)。

ジョーン・バエズは『レナルド&クララ』のいくつかのシーンで恥をかいたと私に語ったが、それでも基本的にはディランへの温かい気持ちは変わらなかった。ジョーンはヨーロッパにいる自分のもとに夜中の三時に電話をしてきて、あなたの思う通りにやればいいという承認を求めるディランを真似た。一九七六年後半に発売された彼女のアルバム『ガルフ・ウィンズ』のうち、「タイム・イズ・パッシング・アス・バイ」「スウィーター・フォー・ミー」「オー・ブラザー！」の三曲でディランへの感情を率直に表現している。

サラはディランとの結婚生活の破綻を口にしていて、一九七七年から離婚へと動いていった。映画でボブの「黒髪の女性」を演じたサラが、そのあとで苦々しい離婚協議へと進んでいくのはなんと皮肉なことだろうか。サラはディランの人生の、ステージを降りた夫また父としての生活の、『ジョン・ウェズリー・ハーディング』から『ストリート・リーガル』にいたるまでの大きな部分を占めていた。一九八五年の『バイオグラフ』で初めて公にリリースされた「アバンダンド・ラヴ」は、当時のディランの気持ちの最も深い部分を語っているように聞こえてならない。一九七八年頃には、『レナルド&クララ』をメディアに宣伝する際に、彼は結婚生活についても明かしていた。

結婚は失敗だった。夫と妻は失敗だったが、父と母は失敗じゃなかった。ぼくは良い夫ではなかったが……良い夫がどういうものか分からない。上手くやっているところもあったし……上手くやれないところもあった。でも真の家族関係というのが何となく見えているように感じる。もういちど試してみるよ。同じ女性のいる家に帰るのは好きだからね……もし一つの仕事がダメになって、もっと好きな次の仕事に就いたら、そのときは過去に起きたことも失敗だったとは考えない。人生に本当の意味での失敗なんてないんだ。打ちのめされるときもあるかもしれないけど、進み続ける勇気と能力と自信を持てば、そのときは……失敗だなんて思わないだろうし、ある意味での恩恵だと受け止められるだろう。

彼は自分の家族が誰も離婚したことはなく、関係は「永遠に続くものだと考えていた」と語った。

多くの人は……何らかの連絡を取り続けるもので、それは子供たちにとって良いことだ。でもぼくの場合、最初にすっかり結婚して、そのあとですっかり離婚した。ぼくは結婚というものを真面目に捉えている。性に開放的なオープン・マリッジは信用していない。性的な自由はまた別の自由を求めることになる。離婚には制裁があるべきだと思う。どうして人はこんなに簡単に結婚したり離婚したりするのが許されているのだろう?……人は人間の身体や、知っている相手や、相手の服装や、相手のステータスと恋に落ちる。本当の相手自身以外のすべてのものと恋に落ちる、二人で幸せに暮らすなら愛するべきは相手自身なのに……

「理想の女性」を見つけるという幻想はなくなった――そういう意味で言えば、理想の何かを求めることは止めた。女性というものは感情的だ。ロマンチックな物事に引き込まれやすい。でもそれは序章に過ぎないと思う。女性はロマンスや情熱でこちらを骨抜きにしてくる。男はそういう情熱の犠牲者に他ならない。料理や縫い物ができる女性がやって来ると、ぼくは情熱よりもそっちに惹かれる。ぼくが見つけたいのは友だ。友でなければひとりの女性と常に一緒にはいられない。友でなければ、個人的なレベルで関わりたくないんだ。

どれほど結婚が感情的に犠牲の大きなものだったかは各アルバムから伝わってくる。どれほど経済的に犠牲の大きなものだったかは分からないが、離婚の費用が高額だったことは間違いない。

一九七七年三月一日、サラによる離婚の申し立てはサンタモニカの高等裁判所で審議された。サラは十五歳のマリアおよびディランとのあいだにできた四人の子供である十一歳のジェシー、九歳のアンナ、八歳のサミュエル、六歳のジェイコブの永久親権を求めた。さらに彼女は養育費、生活費、そして裁判所の監督のもとでの夫婦共有財産の分割を求めた。財産のなかには四つの州にある不動産に加え、音楽出版会社や印税や著作権によるディランの収入も含まれていた。ディランの弁護士たちはいくらかの法律文書を一般に公開しないという条件を勝ち取った。しかしイギリスのメディアはこの離婚訴訟を第一面で報じた。

サラは子供たちに対する当座の親権とマリブの家の独占使用を認められた。慰謝料の金額が記された文書は裁判所によって保管され公表されていない。しかしディランがかなりの金額を支払ったことは明らかだ――識者たちの見解では、一〇〇〇万ドルほどだという。

やがてマリブの家の使用権はディランに戻されたものの、問題なのは家よりも帰る場所だった。マリブは有名人にとってプライバシーが確保できるビーチ沿いの居留地として名高かったが、その魅力が知られていくにつれて、ウッドストックのように、どんどんプライバシーのない場所へと変わっていった。そこはF・スコット・フィッツジェラルドがコテージに滞在し「Honi soft qui mal y pense（悪意を抱く者に災いあれ）」をもじって「Honi soft qui Maribu（マリブを抱く者に災いあれ）」と記したような場所だった。ロックの上流階級が映画という神殿を引き継ぐように、かつてグレタ・ガルボが孤独を手に入れようとした屋敷をジョニー・リヴァースが引き取った。近くのベル・エアには、ビーチ・ボーイズのリーダーであるブライアン・ウィルソンが、かつて『ターザン』シリーズによってエドガー・ライス・バローズが手に入れた牧場に暮らしていた。その他マリブに居を構えたロックスターにはニール・ダイアモンド、リンダ・ロンシュタット、そしてロビー・ロバートソンなどがいた。

離婚する前、ディラン一家は比較的質素な三エーカーの家を、ポイント・デュームの岬に『ロサンゼルス・タイムズ』のコラムニストから購入していた。一九七五年、建築家のデヴィッド・トービンが改築を引き受け、ディランは最終的に二〇〇万ドルを支払った。トービンは「ディランが馬に乗ってリビングを通り抜けられるようにしたいと言ったときは笑いをこらえざるを得なかった」と語った。近隣の人びとはそこをディランのタージマハルと呼んでいた。家の頂上部に巨大なタマネギ型の銅のドームが鎮座していたからだが、それは一万六〇〇〇ドルもかかっていた。デザインに関して度々意見の不一致があり、何度も計画の変更がなされた。ボブとサラは一九七六年の後半に引っ越してきた。その改築に関わったあるデザイナーは、「基本的には東海岸の木造こけら板様式（スティック・アンド・シングル・スタイル）に電気を配線したもので、アメリカン・ヴィクトリア風で地中海風だった。内装は純粋なニュー・メキシコ風だった」と言った。近隣の住民は変わった形の屋外プールに関心を持ち、それを「湖」と呼んだ。岩や低木と共に広がっていて、太陽を浴びて温まっていた。もしボブがすべてを静かにしておきたかったのなら、プールサイドで『シカゴ・デイリー・ニュース』の記者によるインタヴューなど受けるべきではなかっただろう。

敷地用にさらに土地を買い足し、二十軒の家が入るほどの広さになっていた。建築チームは作業を進めるあいだテント小屋で暮らした。現場の窯で焼いた床用のタイルを筆頭に、多くが特注品だった。デザイナーは、この先五十年から一〇〇年、この家は「マリブ随一で、歴史的建造物になってもおかしくない」と言った。豪勢なマリブの集落には、この家より大きく高額な家もあった。ディランは「一〇〇年後、この家でぼくのことが判断されることはないだろうね」と語った。『タイム』は冷ややかに記している。「きっと彼が正しいだろう。ある地質学者は、その家がすでに少しずつ海へと滑り始めていると考えている」

一九七七年の終わりまでに、彼の家庭生活はボロボロになり、子供をめぐるサラとの様々な諍いはなおも解決を見ず、ディランは最悪な状態にいるように見えた。力を込めた映画は間もなく多くの批評家からこき下ろされることになるが、彼はファンがそれでもサポートし続けてくれるのではないかと希望を持っていた。彼は次なるワールドツアーと次なるレコーディングを引き受ける。それはまたひとつのフェイズの、またひとつの生活の、またひとつのキャリアの終わりの始まりだった。アメリカの観客たちが『レナルド&クララ』を批判するなか、そして残りの世界はいまだにディランへ熱を上げるなか、またしても、この男にとって、帰る家がなくなったかのようだった。

【原注】

(1) Anthony Storr, *C G Jung* (London, Fontana) p93
(2) Gwendolyn Bays, *The Orphic Vision*, p98
(3) ランボー『ランボー全詩集』所収（鈴木創士訳、河出書房 二〇一〇年 四八～五二頁）
(4)「船が入ってくるとき」の歌詞。
(5)「ハリケーン」の歌詞。
(6) 同上。
(7)「11のあらましな墓碑銘」。
(8)「オー、シスター」の歌詞。
(9) 同上。
(10)「イシス」の歌詞。
(11)「イッツ・オール・オーヴァー・ナウ、ベイビー・ブルー」の歌詞。
(12)『欲望』のライナーノーツ。
(13) 同上。
(14)「マイ・バック・ペイジズ」の歌詞。
(15)「ジョーイー」の歌詞。
(16) 同上。
(17)「サラ」の歌詞。
(18)「自由の鐘」の歌詞。
(19)「ドント・ゴー・ホーム・ウィズ・ユア・ハードオン」はレナード・コーエンのアルバム『デス・オブ・ア・レディーズ・マン』（一九七七年）に収録されている。
(20)『航海日誌』のほかに、シェパードはディランの『ノックト・アウト・ローデッド』に収録された十一分の曲「ブラウンズヴィル・ガール」をディランと共に作曲した。マイケル・グレイは彼の *Encyclopedia* で、この曲に五頁も割いている。

【訳注】

(A)「クラップス」はカジノのゲームのひとつで、二つのサイコロを振って、その出目に対して様々な賭けをして楽しむ。

Postlude

闇を突き抜けて

ポートレートというものを
決して終えることはできない、
ただ断念されるだけだ。

――セザンヌ、フローベール、ジャコメッティら

NO DIRECTION HOME

ローリング・サンダー・レヴュー・ツアーは一九七五年の秋にマサチューセッツ州ローウェルに到達し、
ジャック・ケルアックの墓の前で即興のブルースを歌いオマージュを捧げた。

一九七八年、ディランは世界中で頂点を極めながらも、アメリカの聴衆と新たな泥沼の関係に陥り始めていた。一年のうちに、十か国一一五の会場で演奏をしたが、拒否反応で迎えられたのは自身の母国だけだった。いつものように、いたるところで不満の声も聞こえた。彼の格好と新しいバンドは「ラスヴェガスへの道」だと。新アルバム『ストリート・リーガル』に対して、意見は大きく割れていた。そして誰かが言った「生活費を稼ぐツアー」のフレーズが大きく広まった。それはディランが演奏するうちに国内で次第に収まっていったが、その年はなおも強い意志、気力、そしてアーティストとしての成長が表れているように見えた。

一九七七年の暮れまでに、ディランは自身のビジネスマネージャーとしてマネジメント・スリー社のジェリー・ワイントローブと契約した。ワイントローブはジョン・デンヴァー、フランク・シナトラ、ニール・ダイヤモンド、そしてトム・パクストンらと仕事をして彼らに良い影響を及ぼしていた。ワイントローブはクライアントのコンサートに干渉しないというよりも、むしろ出席しないことで知られていた。「ジェリーにマネージメントしてもらうことになったとき、ぼくはこの世にほとんどひとりも友人がいなかった。ぼくたちはあの映画に取り組んでいた……自分の家からも追い出された。たくさんの重圧があって、忙しく動いている方がいいと思ったんだ」とディランは語った。

ワイントローブは、音響スタッフ、警備、そして運営者たちから成る四十人の特別班を結成した。ミッションは、日本、オーストラリア、ニュージーランド、西欧五か国、そして、秋のアメリカとカナダでのコンサートだった。ディランは新しい八人のバックバンドとゴスペルスタイルの女性ヴォーカルトリオを雇っていて、サウンドがガラリと新しくなっていた。七十曲を試しに演奏したが、それらの多くは驚くほど新しいアレンジになっていた。この新たなアレンジは誰がやったのかと聞くと、ボブは誇らしげに言った。「このバンドはぼくのギターに合わないことはやらないんだ。ぼくはこのバンドを一月（一九七八年）から探し始めた。難しかったし、大変だった。たくさんの心血がこのバンドに注がれている。彼らはぼくの歌を理解してる。彼らがぼく自身を理解しているかどうかは問題じゃない」

何より新しかったのは、先鋭的で機知に富んだ『ブロンド・オン・ブロンド』的な味わいがスティーヴ・ダグラスのサクソフォンとフルートによって加えられたことだった。デヴィッド・マンスフィールドの熱狂的なマンドリンやフィドルもきらびやかな装飾音だった。ディランは他にコーラスを探していた。彼は私にこう語った。「バンドには歌わせないでおこうと心に決めていた。力が拡散してしまうし、歌ってもぼくが求める力強い音に達することはない」。代わりに、ヘレナ・スプリングス、ジョー・アン・ハリス、そしてキャロリン・デニスのヴォーカルトリオが、ゴスペル／ソウルのバックコーラスを担当した(1)。これを商業主義だと見る者もいたが、そう語る者たちはたんに黒人音楽の伝統に精通していなかったからだ。

巡業は一九七八年二月二十日から始まり、日本で十一公演を行った。東京と大阪で、十万人以上が集まった。会場での反応は例のごとく礼儀正しく自制的なものだったが、メディアは大きくもてはやした。東京での二公演の最中に、日本市場だけに向けてアルバム『武道館』を収録した。音には少し活力がなく、このツアーが生み出していくことになる音が再現されてはいなかったが、きれいにパッケージングされ、このアルバムはたちまちコレクターズアイテムとなった。ヨーロッパやアメリカに住む多くの人びとが最大三五ドルもの輸入価格で『武道館』を購入したことから、西洋でもリマスターされることが決まったが、音質の低下は否めなかった。

続くオーストラリアとニュージーランドでの十二回の公演でも好評を博し、一九六〇年代の熱がステージのどちらの側からも感じられた。ディランは四月に一週間サンタモニカのスタジオへ行き『ストリート・リーガル』の収録を行った。ワールドツアーの熱が込められたこのアルバムは、世界中で好調な売れ行きをみせたが、アメリカの批評家たちはディランに「プロデューサーを雇え」と忠告した。

『ストリート・リーガル』はディランの最もあからさまに自伝的なアルバムのひとつで、喪失や、模索や、離別や、放浪を語っている。のちのキリスト教への改宗を明らかに予感させるものでもあるが、誰が当時そのことを察知できただろうか？　そのアルバムには、迫害され、さまよい、孤独に、精神という異国を旅する語り手たちにあふれていた。一曲目の「チェンジング・オブ・ザ・ガード」のタロットカードのイメージは賢明なる解説者たちを悩ませているが、サラとの歳月かザ・バンドとの歳月、あるいはその両者との歳月のことだと思わずにはいられない。この曲はいまだに私にとって謎である。

　しかしこのアルバムは全体的にコードよりもコミュニケーションを大切にしている。ここでは次の二つの秀作と、のちに紹介するひとつの傑作に注目してもらいたい。どちらも十分には理解を得ていない。「ニュー・ポニー」は攻撃的なギターリフの裏で、車に乗って家路を目指す女性の「あとどれくらい？（ハウ・マッチ・ロンガー）」というコーラスが繰り返されており、フレーズは聖書を思わせるが、この曲では男女の性的区別が強調されているようだ。「セニョール」はアメリカの外交政策が混乱した不当なものであることを嘆く力強い政治的メッセージである。聖書的な言葉がアメリカ的フォークの言葉をサンドイッチのように挟み、ひっくり返されたテーブルや、イエスと両替人などが言及されている。「イズ・ユア・ラヴ・イン・ヴェイン」にはブルース界の巨人ロバート・ジョンソンの影響が多く聞き取れるが、後半には足をつたって流れるジュースについてのフレーズなどもある。力強く荒々しい曲が並ぶなかにも「ベイビー・ストップ・クライング」「トゥルー・ラヴ・テンズ・トゥ・フォゲット」「ウイ・ベター・トーク・ディス・オーバー」といった優しい曲もある。「ノー・タイム・トゥ・シンク」にはスティーヴィー・ワンダーに通じるものがある。

　しかし本作の傑作は苦しみと預言の最終曲で、「ライク・ア・ローリング・ストーン」にも劣らない「ホエア・アー・ユウ・トゥナイト」だ。この曲にはキリスト教への傾倒が感じられ、この語り手が地獄のような苦しみのあとに大きな変革を遂げる予兆がある。彼が悩める夜へと「ヨハネの黙示録」のヨハネと忍び込んで行くのは精神の浄化であり救済だ。このアルバムには技術的な難点もあるが、ディランは明らかに熱いうちに心に浮かぶまま収録したがったようで、再びツアーに出るまでのわずか一週間でレコーディングを済ませた。

　ディランが六月十五日から二十日にかけてアールズ・コートで六回のコンサートを行うためにイギリスを再び

訪れると、大きな熱狂が巻き起こった。十万枚のチケットがあっという間に売り切れ、大げさではなく街中がディランの話題で持ち切りだった。チケットの販売方法は煩わしいもので、ロンドンや地方数都市のファンたちは一日中販売の列に並ばねばならなかった。そうした列を報道するテレビや新聞によって期待はさらに高まった。初日の晩のコンサートはディラン屈指の演奏として私の記憶に残っていて、普段は辛口の『デイリー・メール』のレイ・コノリーも「これまでに目にしたなかで最良のコンサート」だと評した。

CBSの広報担当でありロンドンで活躍するアメリカ人女性エリー・スミスと共に、ディランはメディアにときおり丁重に接し、たいていは感謝の言葉を投げかけたが、それもメディアが約束を破って非公式の発言をメモし始めるまでのことだった。私は二日目の夜に特別招待され、バックステージでマイケル・グレイやガブリエル・グッドチャイルドと一緒にしゃべりながら、ジャック・ニコルソンへ話しかけようと試みた。彼は当時スタンリー・キューブリック監督の『シャイニング』の撮影でロンドンに来ていたのだった。ディランは楽屋から少し顔をのぞかせ、それから引っ込んだ。のちに彼は私にこう説明した。「きみがいるのが分かったけど、みんながいるなかに出て行くのは感傷的になりすぎると思ってね」

私たち三人がボブのもとへ話に行くと、彼はヘレナ・スプリングスと並んで立っていて、彼女にガーディス・フォーク・シティや会場近くの「トルバドール」での昔の日々を語り始めた。明らかにその晩のコンサート成功の余韻を感じながら、ボブはガーディスに自分が出演したときの主役だったグリーンブライアー・ボーイズはどうしているかと聞いてきた。ガブリエルは女優のビアンカ・ジャガーと雑談していて、マイケルは自分のアイドルであるディランに何とか声をかけようとしていた。ディランはその晩は忙しいと言い、別の日に私と過ごす時間を取ってくれると約束したため、私はスケジュールを調整するべくエリーを探した。その場を去る前に、ディランにバンドの演奏は素晴らしかったと伝え、メンバーをどこで集めたのかと尋ねた。「今やぼくのもとに集まってくれるのは彼らだけだよ」と彼はいたずらっぽく言った。

翌日の晩、ディランは昨日よりリラックスしていて、ガブリエルと私とウッドストックの旧友ハッピー・トラウムに対し、かつてイギリスはビッグ・ビル・ブルーンジーらアメリカの黒人ブルースマンたちに「彼らがアメリカで清掃員として働いていたようなときから」惜しみなく賞賛を送っていたと語った。離婚後の落ち込みや『レナルド&クララ』に対するアメリカでの批判を受けたあとにイギリスで旧友たちと会うのは、ディランにとって大きな喜びであり安らぎだったようだ。その日はパリの『レクスプレス』紙の特集記事用に記者と話をしなければならないとのことで、ディランは次の日の夜に食事とインタヴューをしようと提案してきた。

コンサートの主催者ハーヴェイ・ゴールドスミスが出演者と地元スタッフたちのために最終公演後の食事会を用意した、ナイツブリッジの小さなレストラン「サン・ロレンツォ」で会うことになった。ガブリエルと私は早く到着し、私は部屋を見渡した。「きっと彼は入口のドアが見える隅の席に座りたがると思う」と私は言った。数分後、入ってきたボブはこちらに視線を送るまでもなく私たちの座る隅のテーブル席についた。彼と一緒にゴスペル・トリオのシンガーたちとイタリア生まれのシンガーソングライターのシューシャもいた。

ディランはハッキリと言った。「ぼくはダンスチームに仕えるパフォーマーじゃない。作曲はすごく孤独な経験だけど、その孤独には良さがある。ぼくはパフォーマーでもあるけど、それは外向きのことだ。その二つは正反対のもので、だからこそときどきおかしくなってしまいそうになる、演奏をするときのようなエネルギーで曲を書くことはできないからね。曲を書くときのような落ち着いたエネルギーで演奏することもできない。どちらのための時間も必要なんだ」。今は詩人と呼ばれることにも慣れてきたのだろうか？「ずいぶんね。自分は第一に詩人であって第二にミュージシャンだと思ってる」（一九七八年秋に行ったツアーについての初めてのインタヴューで、彼はアメリカの記者に「ぼくは第一にミュージシャンで第二に詩人だ」と語っていた）。ボブは続けた。「ぼくは詩人のように生きていて、詩人のように死ぬだろうね。いつも自分のやっていることは気に入っている。本当に楽しませるべきなのは人生どんなときでも自分自身なんだ」

今回のツアーはリラックスして臨めたかと尋ねた。彼は毎日ノース・ロンドンのプールへ泳ぎに行っていたと答え、そこでは周りに気づかれなかったと言った。プレスリー死去のニュースはどう感じたのだろうか？彼はウイスキーのクルボアジェを飲み干した。「打ちひしがれたよ。こんなことはめったにない。自分の人生について考えた。自分の子供時代について考えた。エルヴィスが死んだあと一週間は誰とも話さなかった。エルヴィスとハンク・ウィリアムスがいなかったら、今のぼくはないだろう」

最終公演で、ボブは聴衆に「リヴァプールに引っ越そうかと思ってる」と告げた。アメリカから離れて暮らすことを考えているのだろうか？　彼は『血の轍』の時期に、サラと共に、あるいは彼女抜きで過ごしたコルシカやフランスでの忘れられない素晴らしい時間に言及した。真剣に国外での生活を考えているのだろうか？「ああ、そうだね。でも創作について言えば、ぼくはアメリカ以外には住めない、その国の言葉の奥にあるトーンというものを理解している場所だからね。別の場所にもぜひ住みたいけど、少しのあいだだけだ。メキシコに三か月暮らしたこともある。四枚目のアルバムはギリシャで書いたけど、あれはアメリカ的なアルバムだった」。彼は「二年前の誕生日」に過ごしたフランスのカマルグにある都市サント＝マリー＝ド＝ラ＝メールでのフラメンコが流れるジプシーの祭りやコルシカの荒々しさを楽しそうに語った。そしていつも彼は途方もない美を母国へ持ち帰るのだった。

「アメリカでは心が休まる」とボブは続けた。「なぜなら、まだそこは未発達で、アメリカをもとにして創作することが可能だからだ。ぼくの感情はすべてアメリカから生まれている。離れれば、静けさが得られる。アメリカはとても暴力的な場所だから、そこを離れると、創作をする静けさが得られる。アメリカでは、誰もが銃を持っている。ぼくはほんの少ししか持ってない！」射撃訓練にでも行きそうな勢いだったため、私は別の標的を、つまり「生活費を稼ぐツアー」についての話題を持ち出した。ディランはこう答えた。「その飢えたアーティストをめぐる神話は、たんなる作り話だ！」

「ぼくは自分の作るものから金を得てる！　何の労もなく何かを手にしたりはしていない。ニューヨーク・ヤンキースのレジー・ジャクソンは一年に三〇〇万ドルをもらってるんだ、三振するためにね！　ぼくの稼ぐ一ドル一ドルは、床に流れる汗の結晶だ。ぼくのバンドやシンガーたちは給料が少ないと感じている。ぼくは一日八時間を費して、二時間はステージの上にいる」。彼は「成功してきた」少数のロック界のベテランたちに言及し、こう言った。「どれくらい耐えられるかが問題だ。どれくらい我慢できるかがね」

ゴールドスミスによると、ディランはもともとヨーロッパツアーでは野外での大きな公演を三度か四度だけするつもりだったようだが、ハーヴェイが説得しアールズ・コートで六日間の公演をやることとなった。前売りチケットが飛ぶように売れたため、ゴールドスミスはロンドンから九十分南に行ったブラックブッシュの飛行場を、十万人の観客が訪れる会場に変えた。公演が始まった七月十五日土曜、チケットを購入していない多くの人びともディラン、エリック・クラプトン、そしてジョーン・アーマトレイディングらを聞きに出かけた。警察の発表では二十万人とのことだったが、推定来場者数はその数よりも二十パーセント多かった。イギリスの歴史上最大の観客動員数だと言われ、そのニュースはアメリカの番組さえ報道した。興奮まじりに、ボブはシルクハットをかぶった。三時間のステージでもそれをかぶり続け、高揚感を持って三三曲を歌った。このツアーを通して、彼は過去のヒット作の数多くに手を加え、驚くような新アレンジで披露した。観客の多くは、たとえば「ブルーにこんがらがって」のように長くお馴染みになっていた曲へディランが新たな力強さや形を与えると、そこに新たな光を見いだした。ラッセル・デイヴィスが『サンデー・タイムズ』に記したように、「果敢に過去の曲を再利用してきたデューク・エリントンがこの世を去って以来、最も創造的な作り直し」だった。すぐにブラックブッシュでの公演は、かつてのウッドストックのように、イギリスのフォーク・ファンのあいだで語り草になった。そこにあったのはコンサート以上のもので、コミュニティが出現していた。

七月十五日までに、ディランは十五の公演で八十万人以上を前に歌っていた。ヨーロッパ大陸ではその後オランダ、西ドイツ、フランス、スウェーデンで公演を行った。しかしながら、私は彼に何か緊張感のような、外からは分からない混乱のようなものがあると感じていた。私はかれこれ一年近く彼が言い続けていたことをもう少し詳しく説明してくれと急かした。「どんな人間も自分自身と戦うのと同じようには誰かと戦うことはできない。自分自身より強力な敵などどこにいる？」

ボブは言った。「確かに、自分の最大の敵は自分だ、最大の友であるのと同じようにね。その内なる敵に対処することができれば、どんな敵もつけ入る隙はない」。彼の内なる敵とは何だったのだろうか？「疑念だね」。彼は答えた。まるであらゆる思い悩みはこの一言で答えられるというように。彼は人差し指で心臓を指した。言葉を選ぶように、彼は続けた。「すべてはあの最後の曲の二つの詩節にある」。彼は「ホエア・アー・ユウ・トゥナイト」での命をかけた自我の戦いへと私を誘(いざな)った。

彼は典型的な二面性を持っていて、二人のディランは数々の対になる側面を持っている。双子座の長所vs短所、親切vs残酷、楽観vs悲観、生vs死、疑念vs友好。一九八〇年代の心理学者たちは、創造的な人びとは気分の大きな浮き沈みを動力にして前進していくものだと語っている。もしボブ・ディランの矛盾に満ちた特徴を一言で表すとするなら「二面性(アンビバレンス)」ということになるだろう。生まれるのに忙しくないのなら、死ぬのに忙しい。「植物繁栄の神話」では、王の死は土壌を肥やして未来の作物のためになると言われるが、「双子の神話」では、一歩進んで、それがひとりのアーティストの内側で行われる。

ボブは食べ物をかじりながら近くにボトルのあったウイスキーを飲み続けていた。彼は私の記憶にないくらい世間話に花を咲かせていたが、インタヴューも受けたがっていた。「これはきみの本のためだけど、好きなように使ってくれ」と彼は言った。私はあの有名な問いかけで彼をからかった。「どんな気持ちだい?(ハウ・ダズ・イット・フィール)」。ディランはスタンディング・オベーションや絶賛のレヴューは彼の作品に対するものだと主張した。「ぼく自身に対するものじゃない。曲に対するものだ。ぼくは郵便配達員にすぎない。ぼくは曲を届けるんだ。この世界でぼくが届けられるのは曲だけだ。あらゆる都市伝説や、あらゆる神話は――ぼくの曲をめぐるものだ。ぼくは歩き始めるより前に曲を作り始めた。ジョージ・ハリスンが昨日、ぼくは九十歳になっても『イッツ・オールライト・マ』を歌っているだろうと言っていた。他の誰もぼくの曲に命を与えることはできない。命を与えられるかどうかはぼく次第だ。でも曲たちには曲自身の生命というものもある。ジミ・ヘンドリックスがぼくの曲を歌ってきた。スティーヴィー・ワンダー、ヴァン・モリソン、そしてエルヴィス・プレスリーがぼくの曲を歌ってきた……」

『バイオグラフ』のライナーノーツで、ディランは「これほど長く活動していることに驚いていて、これほど続くとは思っていなかった」と語り、自分は「賢い者と賢くない者の双方から学び、誰のことも気にせず、自分のやりたいものをやろうと試みてきた……どれほど自分のことを大人物だと思っていたって歴史に踏みつぶされていく。説教師みたいだろ?　ソングライターやシンガーを目指す人に対しては、目先のことなんか気にせずに、忘れてしまって、ジョン・キーツやメルヴィルを読み、ロバート・ジョンソンやウディ・ガスリーを聞く方がずっと良いと言いたい」

ボブ・ディランが生み出すリズムや律動やイメージに値段をつけることなどできない。それらは私たちの日々の話し言葉から精製され、再び還元されていった。私たちはここで何かが起きているのにそれが何なのか分からないペリシテ人の原型としてミスター・ジョーンズを知っている。たとえ廃墟の街に閉じ込められていようとも、続けることを続けよう。道には血の轍ができ、何も明かされないかもしれないが、それでも彼はどこかに抜け出す道があるはずだと語りかけてくる。彼や私たちの多くにとって帰る家はないかもしれないが、それでも片足をハイウェイに、片足を墓場に置いて、私たちを覆う空のカゴから抜け出そうと試みる。絶望と希望が船長の塔で、相容れない双子のように戦う。すべてが終わってしまっても、死者を後ろに残して再び始めよう。今の私たちは、あのときよりもずっと若い。死と再誕。絶えず七人の人びとが死んでいるが、どこか遠くで新たな七人が生まれている。私たちはどこまでがディランの言葉で、どこからが自分の言葉か忘れてしまう。

たとえ彼が「教えることが仕事」ではないと否定するとしても、彼が作り上げた文化の、彼が手にしてきた教えの道のりを追いかけることで学べる世界がある。アメリカの中部からやって来たボブが地下鉄に降り立った瞬間から、誰もが答えを探していたが、彼だけが最も深く核心的な問いを投げかけた。問いそのものが答えになり得ると知っていたのだ。私たちは彼にヴィジョン、知恵、斬新なアイデアを求めたが、それは彼にこれまで挑戦したことがないことをして欲しいという願いだった。自分の答えを見つけるんだ、そうすればその答えを大切にできる、と彼は私たちに、男性たちに、女性たちに、繰り返し語った。周りが望んでも、彼は導師の役割を演じたがらなかった。彼は十字架を背負うにはあまりに痩せっぽちで、マネージャーに背負わすにはあまりに用心深かった。

「ディランには多くの側面がある、彼は球体なんだ」、ウッドストックに暮らす友人のバーナード・パチュレルは言った。そして彼のなかには多くの違った人間がいるのだから、これはひとりの男の伝記ではなく、複数の人間の伝記だった。「ぼくのいる場所はいつも孤独だ」、一九六六年に彼は語ったが、十年後には、唯一孤独を感じられる場所はステージの上だけだと言った。ディランはロバート・グレーヴスと出会ったか彼の作品を読んだかする遥か前から、詩人は理性的であると同時に神話的に考えなくてはならないという昔の詩人の訓戒に従っていた。彼は平穏を乱す者だ――私たちの、そして彼自身の平穏を。

過去というものは前奏曲(プレリュード)にも後奏曲(ポストリュード)にもなり得る。彼はすでに五回分の人生を一度の人生に注いできた。彼はランボーの道をたどるかもしれない、世界についてよりも、反抗の言葉を語るかもしれない。彼はイェイツの道をたどるかもしれない、さらなる探求にさらなる発見を重ね、過去に向かって偉大な創造性を発揮するかもしれない。ディランを知り、彼の大いなる謎の存在を知った私たちに分かるのは、彼ならきっと自分なりの道を進むだろうということだ。

いつもそうしてきたように。

【原注】

(1)ハワード・スーンズは、ディランがキャロリン・デニスと一九八六年六月に結婚していたことを明かした。彼らは一九九二年の十月に離婚した。

過去というものは前奏曲にも後奏曲にもなり得る。

謝辞

ボブ・ディランの曲と詩の著作権保持者、ラムズ・ホーン・ミュージック、ビッグ・スカイ・ミュージック、ドワーフ・ミュージック、そしてスペシャル・ライダー・ミュージックに感謝する。『タランチュラ』からの引用を許可してくれたマクミラン出版社にも感謝の意を表したい。ウディ・ガスリーの著作や歌詞の引用については、ウディ・ガスリー・チルドレンズ・トラスト・ファンドに礼を述べる。本書はつねに本のテーマとなる人物の人生と音楽について語られた多くの声を掲載する方針であったため、その声を集めるにあたり多くの人びとの協力を得た。私を最も直接的に支えてくれたリズ・トムソン、ガブリエル・グッドチャイルド、そしてロジャー・フォードの三人には特に感謝したい。一九七九年と一九八〇年に行われた「ディラン再訪」コンベンションは、私に数々の扉を開くものとなり、なかでも主催者のリチャード・グドールには感謝している。コレクターやレコード目録作成者であるスティーヴン・ゴールドバーグ、スティーブン・ピッカリング、そしてジャック・フォン・ソンには大いに助けられた。教室や研究を通じて様々な分野の「ディラン学」を推し進める主にアメリカ在住の研究者たちの多くとも、頻繁に連絡を取った。とりわけ大きな力を貸してくれたのはユージン・ステルツィグ、ルイス・カンター、W・T・ラモン・ジュニア、ビル・キング、ジャック・マクドノー、ベル・レヴィンソン、スザンヌ・マクレー、キャロリン・ジェイン・ブリス、ベッツィー・ボウデンだ。リサーチのために何千マイルも飛び回ったため、伝記の対象となった人物の母親と弟、そして亡き父親にも感謝を捧げる。トニー・グローヴァーはミネアポリス／セントポールでの混沌とした刺激的な日々に根気づよく付き合ってくれた。ニューヨークでは、スージー・ロトロと姉のカーラが歴史的／感情的に過去を細部まで振り返ってくれた。シスとゴードン・フリーゼンは、いつものように、慌ただしい『ブロードサイド』の日々を寛大に語ってくれた。ディランに関する最初の本格的な本の著者であるマイケル・グレイにも特別な感謝を。彼からは長年にわたる強力なサポート、ザ・バンドの最初のオーストラリアツアー、そして海賊版レコードの厄介な問題についての知識を得た。音楽の技術的な話については、シンガーでありギタリストであるキャロル・クリストとバリー・トムリソンから助言をもらった。あまりに多くの編集者たちが本書に一時的にかかわってきた――合計十一の出版社の編集者たちと、私の個人編集者ガブリエル・グッドチャイルドとリズ・トムソンだ。元ダブルデイ社のダイアン・マシューズとマギー・プリングル、そして重要な時期に励まし続けてくれた元ニュー・イングリッシュ・ライブラリー社のサイモン・スコットには特別な感謝を表したい。何度も締め切りを急いでタイプを打ってくれたイヴォンヌ・ホドソンにも、几帳面な仕事ぶりに大きな感謝を捧げる。タイピングとテープ起こしをしてくれたワドハーストのアリス・ロビンソンと、ハムステッドのエミリー・デ・スーザにも感謝する。「シドナムでの篭城生活」を我慢できるものにしてくれた多くの友人たち、特にメグとデイヴィッド・エリオット、マイケル・デイヴィース、パトリック・ハンフリーズ、ウェンディ・ロビン、キャシー・ロイド、ジム、ナイル、ヘザー、リッキー、そしてアーサーには礼を言いたい。ギリアン・ヤングス、クレア・シンプソン、アリソン・ホルト、ジャッキー・シェプコット、ゲービー・ランドー、ロス・マクファーソンにも心から感謝する。

編者からの謝辞

キャロル・ブレイク、グリニッチ・ヴィレッジの生活と音楽の歩く百科事典ミッチ・ブランク、リバプール大学インスティテュート・オブ・ポピュラー・ミュージックにロバート・シェルトン・アーカイブを設立した現リバプール・ホープ大学のマイク・ブロッケン博士、シアトルのエクスペリエンス・ミュージック・プロジェクトのジェイセン・エモンズ、示唆に富んだアドバイスをくれたデイヴィッド・ガットマン、シェルトンのジャーナリズムを研究し助言をくれたデイヴ・ラング、ヘイゼル・オーメ、スー・パー、ＩＰＭのロブ・ストラッチャン、ディランについての情報をくれたイアン・ウッドワードに感謝する。そしてジュディ・コリンズとジャニス・イアンは、ロバート・シェルトンについて温かく振り返ってくれた。ビル・ブルック、エレノア・ブルック、コリンとアニタ・デイヴィス、ジェレミー・メイソン、ワシントン・スクエア・ホテルのダン、リタ、ジュディ・ポール、マーク・ギャレット、そしてこのプロジェクトを支え、励ましてくれた多くの友人や家族に謝意を表する。コリンとパム・ウェッブおよびパラッツォ社のチーム、豊富な知識で写真を調査してくれたデイヴ・ブローラン、優れたデザインを提供してくれたウェアフォー・アートのデイヴィッド・コスタ、入念な原稿整理をしてくれたシャーロット・デ・グレイ、そして忍耐と専門知識をもって取り組んでくれたビッグ・ブル・ブックスのソニャ・ニューランドに深謝する。何より、編集者一般の友人であり良き師であるロバート・シェルトンに、音楽ジャーナリズムや伝記の水準を大きく引き上げてくれたことを感謝する。彼の二人の姉、故レオナ・シャピロと強い心を持つルース・カディッシュから寄せられた友情と信頼にも礼を述べる。ルースと彼女の息子デイヴィッド・カディッシュは本プロジェクトへの賛意を示し、出版過程にかかわりながらも決して内容に干渉しようとはしなかった。彼らの信頼を裏切らないものになったこと、そしてこの改訂版がロバートの人生と仕事を正当に取り扱ったものになっていることを願う。

巻末資料

contents

索引

- →印は参照項目を示す。
- 太字で記したページ数はディランとのエピソードを示す。

人名／グループ名

【ア行】

【カ行】

【サ行】

【タ行】

【ナ行】

【ハ行】

【マ行】

【ヤ行】

【ラ行】

【ワ行】

ディランの曲

ディランのアルバム

その他（映画、書籍、固有名詞ほか）

年譜【1979―2016】

1979年

「再誕」の時期に入る。1978年のワールドツアーとは対照的に、ステージに立ったのは24回のみ、会場はすべて北米で、宗教を題材にした曲を主に演奏した。

8月、『スロー・トレイン・カミング』発売

1980年

2月、1979年発表の「ガッタ・サーヴ・サムバディ」でグラミー賞男性ベスト・ロック・ヴォーカル賞を受賞。

6月、『セイヴド』発売

1年を通じて「再誕」ツアーを68公演行う。11月まで、初期の楽曲も演奏する。

1981年

2月、ギタリストのマイケル・ブルームフィールド死去。

8月、『ショット・オブ・ラヴ』発売

ヨーロッパツアーと全米ツアーに明け暮れる。題材としては、宗教的なものと世俗的なものが混じりあっていた。

11月、ジョン・ボールディが編集したイギリスのディランのファンジン『ザ・テレグラフ』創刊。

1982年

1月、『ドント・ルック・バック』と『イート・ザ・ドキュメント』のカメラマン、ハワード・アルク死去。3月、ニューヨークでソングライターの殿堂を授与される。

6月、パサデナでのピース・サンデー・コンサートでジョーン・バエズと共演。

1983年

11月、『インフィデル』発売。ディラン初のプロモーションビデオ「スウィートハート」撮影。

1984年

サンタナとともに夏のヨーロッパツアーを敢行。

12月、『リアル・ライヴ』発売。

1985年

6月、『エンパイア・バーレスク』発売。

7月、キース・リチャーズ、ロン・ウッドとともに「ライヴ・エイド」に出演。

9月、トム・ペティ・アンド・ザ・ハートブレイカーズらとともに「ファーム・エイド」に初出演。

10月、『バイオグラフ』発売。

11月、『ボブ・ディラン全詩302篇―LYRICS 1962 - 1985』出版。コロンビアがディランのレコード3,500万枚のセールスを記念してニューヨークでパーティを開催。ゲストとしてデヴィッド・ボウイ、ピート・タウンゼント、ビリー・ジョエル、ニール・ヤングらが出席した。

1986年

1月、スティーヴィー・ワンダー、ピーター、ポール＆マリーらとともにマーティン・ルーサー・キングTVベネフィットに出演。

アルバート・グロスマンがロンドンへのフライト中に心臓発作で死去。

2月、トム・ペティ・アンド・ザ・ハートブレイカーズとともに極東およびアメリカツアー。

3月、ザ・バンドのリチャード・マニュエル死去。

ＡＳＣＡＰ（米国作曲家作詞家出版者協会）よりファウンダーズ・アワードを受賞。

6月、バック・ヴォーカルをつとめていたキャロリン・デニスと結婚。離婚したのは1992年。

8月、『ノックト・アウト・ローデッド』発売。

映画『ハーツ・オブ・ファイアー』撮影のためにイギリスを訪れる。

1987年

2月、ジョージ・ハリスンとジョン・フォガティとともに、ハリウッドで行われたタジ・マハールのコンサートに参加。

3月、ニューヨークのジョージ・ガーシュウィン没後50周年コンサートで「スーン」を演奏。

6月、グレイトフル・デッドとともに6日間の北米ツアー。

9月、トム・ペティ・アンド・ザ・ハートブレイカーズとともにヨーロッパツアーを敢行。ツアーはディラン初のイスラエル公演からはじまった。

1988年

1月、「ロックンロール・ホール・オブ・フェイム」殿堂入り。「エルヴィスが身体を解放したように、ディランは心を解放した」（ブルース・スプリングスティーン）。

2月、「ハリケーン」カーターが釈放される。

5月、トラヴェリング・ウィルベリーズ（ジェフ・リン、トム・ペティ、ロイ・オービソン、ジョージ・ハリスン、ディラン）、レコーディング開始。

『ダウン・イン・ザ・グルーヴ』発売。

6月、カリフォルニア州コンコードでギタリストのＧ・Ｅ・スミスとともに行ったコンサートは、のちに「ネバー・エンディング・ツアー」と呼

ばれるツアーの最初となる。

12月、ロイ・オービソン（「レフティ・ウィルベリー」）死去。

1989年

1月、『ディラン＆ザ・デッド』発売。

9月、『オー・マーシー』発売。

10月、イワン・マッコール死去。

1990年

1月、ニューヘイブンの「トーズ・プレイス」での公演はすべてのディランのコンサートのなかでも最良といわれている。演奏は4時間にわたり、「ダンシング・イン・ザ・ダーク」「ヘルプ・ミー・メイク・イット・スルー・ザ・ナイト」「ウォーク・ア・マイル・イン・マイ・シューズ」といった曲のカヴァーも披露した。

サンパウロ公演で南米でのコンサートデビューをかざる。

パリ・フランス文化省のセレモニーで芸術文化勲章を受賞。

3月、トム・ペティ・アンド・ザ・ハートブレイカーズのコンサートでディランとブルース・スプリングスティーンが初共演する。

9月、『アンダー・ザ・レッド・スカイ』発売。

10月、陸軍士官学校で公演し、「戦争の親玉」を演奏。

1991年

2月、グラミー賞にて「ライフタイム・アチーヴメント・アワード」を受賞。プレゼンターはジャック・ニコルソン。受賞スピーチはTV中継された。劇的な沈黙の後、こう締めくくった。「父が……わたしに言いました……『なあ、この世界で汚れることは可能だよ、そうしたらお前の母と父はお前を見捨てるだろう。そんなことになったら、神はいつも、自分の道を改めるお前の力を信じてくださるだろう』。どうもありがとう」
3月、『ブートレッグ・シリーズ第1～3集』発売
5月、ボブ・ゲルドフやミック・ジャガーといった人を含む有名人たちがディランの50歳の誕生日になにを贈るかを問われる。ロバート・シェルトンはこう答えた。「中西部から旅してきてグリニッチ・ヴィレッジで地下鉄から降り立ったときの、30年前の彼をとらえた映像素材。それを見たらまた微笑んでくれるんじゃないだろうか」
10月、セビリアで開催された「ギター・グレイツ・フェスティヴァル」に出演。共演者にリチャード・トンプソンなど。

1992年

3月、マイク・ポルコ死去。

10月、コロンビア社がマディソン・スクエア・ガーデンで活動30周年を祝うトリビュート・コンサートを開く。ジョージ・ハリスン、ルー・リード、エリック・クラプトン、ニール・ヤングらが参加。

11月、『グッド・アズ・アイ・ビーン・トゥ・ユー』発売。

1993年

1月、クリントン大統領就任記念コンサートにて、リンカーン記念堂の階段で「自由の鐘」を演奏する。

7月、キャリアではじめて、コンサートをキャンセルする。リヨンで、腰痛のため。

ロンドンのカムデン・ロックを歩き回る様子が撮影される。ここでの映像は「ブラッド・イン・マイ・アイズ」のビデオに使用される。

1994年

1月、リッチー・ヘヴンスが歌う「時代は変る」がクーパース＆ライヴランドのTVコマーシャルに使われる。

8月、元祖である1969年のウッドストック・フェスティヴァルには出演しなかったが、ウッドストック’94に出演。

10月、ニューヨークのローズランド・ボールルームの最後の定期公演でブルース・スプリングスティーン、ニール・ヤングとともにステージに上がる。

11月、MTVで『アンプラグド』収録。

1995年

1月、ディラン初の画集、Drawn Blank発売。

3月、ロンドンのブリクストン・アカデミーでの最後の定期公演に、エルヴィス・コステロ、クリッシー・ハインド、キャロル・キングが共演する。

CD－ROM『ハイウェイ61インタラクティヴ』発売。

4月、『MTVアンプラグド』発売。

6月、ローリング・ストーンズのフランス公演の初演に、アンコールの「ライク・ア・ローリング・ストーン」でバンドに加わる。

8月、ジェリー・ガルシア死去。「彼の演奏はムーディーで、素晴らしく、洗練され、催眠的で繊細だった。この損失を言い表すことはできない」

9月、クリーヴランドの「ロックンロール・ホール・オブ・フェイム」のオープニング・コンサートに出演。

11月、フランク・シナトラ生誕80周年コンサートにサプライズで出演。「哀しい別れ」を演奏。

12月、新記録である118公演をこなしたあと、パ

ティ・スミスとのツアーで1年を締めくくる。
ロバート・シェルトンが移住先であるイギリスのブライトンで死去。

1996年

5月、ジェイコブ・ディランのバンド、ザ・ウォールフラワーズの『ブリンギング・ダウン・ザ・ホース』が発売され、600万枚を売り上げる。

6月、ザ・フーとエリック・クラプトンらとともにハイド・パークのプリンス・トラスト・コンサートに出演。

10月、『テレグラフ』誌の創刊者ジョン・ボールディ死去。

少年合唱団が歌った「時代は変る」がモントリオール銀行のTVコマーシャルに使われる。

12月、16人の子供が犠牲になったスコットランドのダンブレーンでの銃乱射事件を受け、「ノッキング・オン・ヘブンズ・ドア」に新たな歌詞を加えたチャリティ・ヴァージョンを発表する。イギリスでナンバーワンヒットになる。

1997年

5月、ヒストプラズマ症で入院。心臓が危険な状態となる可能性があり、ディランは自身の死と向き合う。「もう少しでエルヴィスに会えると本気で思った」。夏にはツアーに戻る。

7月、ディランのレコード・レーベルであるエジプシャン・レコーズからThe Song of Jimmie Rodgers, A Tributeが発売される。ディランは「マイ・ブルー・アイド・ジェーン」で参加。

8月、bobdylan.com開始。

9月、ボローニャにて、法王ヨハネ・パウロ二世の前で演奏。「ヴァチカンにノーとは言えない」
『タイム・アウト・オブ・マインド』発売。過去20年ではじめて、アルバムトップテン入りをはたす。グラミーの最優秀アルバム賞、最優秀コンテンポラリー・フォーク・アルバム賞、そして「コールド・アイアンズ・バウンド」で最優秀男性ヴォーカル賞を受賞。

10月、ドロシー&リリアン・ギッシュ賞を受賞。「世界の美と、人類の楽しみと人生への理解への多大な貢献」をしたため。

1998年

5月、ジョニ・ミッチェル、ヴァン・モリソンとともにアメリカ6公演。

10月、『ボブ・ディラン／ロイヤル・アルバート・ホール』発売。

1999年

6月、ディランとポール・サイモンが32日間のアメリカツアーを開始。
はじめて、ディランのアルバムの公式リミックスが発表される。『ストリート・リーガル』のプロデューサー、ドン・デヴィートがディランを説得して「かつて、サンタモニカの改修した銃工場で起こったことをきちんと反映したもの」をリリースさせた。

9月、「ハリケーン」・カーターについての映画、ノーマン・ジュイソン監督の『ザ・ハリケーン』が公開される。主演はデンゼル・ワシントンで、1976年のディランの曲がエンドクレジットで流れる。

10月、北米のシチュエーション・コメディ番組「ダーマ&グレッグ」にサプライズ出演。

2000年

1月、ディランの母ビーティーが84歳で死去。

3月、映画『ワンダー・ボーイズ』に提供された「シングス・ハヴ・チェンジド」がアカデミー歌曲賞を獲得。

5月、スウェーデン王カール16世グスタフがストックホルムにてディランにポーラー音楽賞を授与。その受賞理由の一部は以下の通り。「シンガーソングライターとしてのボブ・ディランが20世紀のポピュラー音楽の発展に与えた影響に疑いの余地はない」

2001年

1月、ヴィクター・メイミューズ死去。

7月、ミミ・ファリーナ死去。

9月、『ラヴ・アンド・セフト』発売。

11月、ジョージ・ハリスン（「スパイク・ウィルベリー」）死去。

2002年

2月、『ラヴ・アンド・セフト』がグラミーで最優秀コンテンポラリー・フォーク・アルバム賞獲得。

デイヴ・ヴァン・ロンク死去。

8月、1965年以来はじめてニューポート・フォーク・フェスティヴァルに出演。付け髭とブロンドのかつらをかぶってふざける。

11月、ブートレッグ・シリーズ第5集『ボブ・ディラン・ライヴ1975：ローリング・サンダー・レヴュー』発売。

2003年

1月、映画『ボブ・ディランの頭のなか』公開。ディランが脚本を手がけ、ミッキー・ローク、ペネロペ・クルス、ジェフ・ブリッジスらが出演した。

9月、ディランの15枚の名盤が「完璧にリマスターされた、究極のオーディオ体験のためのスーパーオーディオＣＤで」リリースされる。

ジョニー・キャッシュ死去。「ジョニー・キャッシュは昔も今も北極星だ。彼をたよりに船をあやつれるようなーーいつまでも最も偉大な存在だ」

2004年

1月、ヴェニスでヴィクトリアズシークレットのランジェリーのCMに出演し、「ラヴ・シック」が使われる。

3月、ブートレッグ・シリーズ第6集『ボブ・ディラン・ライヴ1964:アット・フィルハーモニック・ホール』発売。

6月、スコットランドのセントアンドリュース大学で名誉博士号を授与される。

10月、『ボブ・ディラン自伝』出版。ニューヨーク・タイムズのベストセラーに。『ボブ・ディラン全詩集 1962-2001』出版。

12月、ドキュメンタリー番組60minutesに出演。TVインタヴューに応じたのは19年ぶりとなる。同じ夜、「シンプソンズ」にも登場。

2005年

8月、ブートレッグ・シリーズ第7集『ボブ・ディラン:ノー・ディレクション・ホーム:サウンドトラック』発売。

アル・アロノウィッツ死去。ニューヨークのジャーナリストで、1964年にビートルズにディランを紹介した。「世界を救える人物がいるとすれば?」1965年の記者会見でそう問われ、ディランは「アル・アロノウィッツ」と答えた。

9月、マーティン・スコセッシ監督のドキュメンタリー『ノー・ディレクション・ホーム』公開。

11月、すでに「ディラン」という署名が入っている、ティーンエイジャーのロバート・ジママンが書いた詩「無題の詩」がニューヨークのオークションで7万8千ドルで落札される。

2006年

『ドント・ルック・バック』のエクスパンデッド・ヴァージョンがDVDで発売。

5月、DJとしての新たなキャリアが、XMサテライトFMでの「テーマ・タイム・ラジオ・アワー・ウィズ・ボブ・ディラン」の初放送を期にはじまる。

9月、『モダン・タイムズ』発売。1976年の『欲望』以来初のU.S. 1位を獲る。

iTunesにて、ディランのこれまでのアルバムすべて(全773曲)と42の未発表・レアトラックを収録したデジタルボックスセット『ザ・コレクション』発売。

2007年

2月、『モダン・タイムズ』がグラミーで最優秀コンテンポラリー・フォーク/アメリカーナ・アルバム賞を、「サムデイ・ベイビー」がソロ・ロック・ヴォーカル・パフォーマンス賞を受賞。この時点でディランがグラミーで受賞した数は10にのぼる。

6月、アストゥリアス皇太子賞芸術部門を受賞。

7月、DVD『ニューポート・フォーク・フェスティヴァル 1963-1965』発売。

9月、ケイト・ブランシェット、ヒース・レジャー、クリスチャン・ベールらが出演したトッド・ヘインズ監督作『アイム・ノット・ゼア』公開。

マーク・ロンソンがディランの曲(「我が道を行く」)をはじめてダンストラックにリミックスする。

11月、ドイツのケムニッツにあるギャラリーでディランの絵画作品の個展がはじめて開かれる。

2008年

4月、ピュリッツァー賞特別賞を受賞。授与理由は「並はずれて詩的な力で歌詞をつくりあげ、ポピュラー音楽とアメリカ文化への多大な影響を与えた」こと。

10月、ブートレッグ・シリーズ第8集『テル・テイル・サインズ』発売。

11月、ニール・ヤングが幼少期を過ごしたウィニペグを訪れる。

選挙の夜のコンサートで「風に吹かれて」を紹介しながら、ディランはこうコメントした。「わたしは1941年に生まれた。彼らがパール・ハーバーを爆撃した年だ。それ以来わたしたちはずっと暗闇の世界に生きている。でもいまなにかが変わりはじめているようだ」

「間違いなく、あらゆるなかでも最も多くの人にインスピレーションを与えたソングライター」として、「わたしのインスピレーション」を語るHMVのシリーズの百人目に選ばれる。ディランはロバート・バーンズの「A Red, Red Rose」を挙げた。

2009年

2月、ペプシのCMにラッパーのウィル・アイ・アムとともに登場。はじめはスーパーボウルのTV放映の合間に流され、記録によれば9800万人が見た。ディランが「いつまでも若く」の最初の詩節を歌うと、ウィル・アイ・アムが三番と最後の詩節をヒップホップ・ヴァージョンで披露するというものだった。

「風に吹かれて」がイギリスのTVでコーペラティヴ社のコマーシャルに使用される。

4月、自分のラジオ番組100回目を放送する。テーマは「さようなら」で、最後に流したのはウディ・ガスリーの「ソー・ロング、イッツ・ビーン・グッド・トゥ・ノウ」だった。

『トゥゲザー・スルー・ライフ』がアメリカ1位になる。ディラン67歳の年であり、このチャートではじめて1位をとったミュージシャンとしては最年長となる。アルバムはUKでも1位になり、最後にトップをとった『新しい夜明け』以来、39年振りのことだった。ディランは現時点で、UKでトップになった最年長のソロアーティストである——それまでの記録保持者だったニール・ダイヤモンドを引きずり降ろして。

5月、16ポンドでナショナル・トラストのツアーに参加し、ジョン・レノンのリヴァプールの家を訪ねる。

7月、ウィリー・ネルソン、ジョン・メレンキャンプとアメリカツアー。

「怪しげなふるまいをする年寄りのみすぼらしい男」がニュージャージーで警察に捕まるが、その男がディランだったとわかる。誤解はとけて、ブルース・スプリングスティーンの子供時代の家を探しているだけだったとわかってもらったが、22歳の警官カースティ・ブーブレは「エキセントリックな年寄り」を尋問のために捕まえたのだった。

10月、『クリスマス・イン・ザ・ハート』発売。印税は北米の慈善団体「フィーディング・アメリカ」と、イギリスの「クライシス」に寄付される。

2010年

2月、公民権運動の苦闘における音楽の功績を記念するコンサートで、「時代は変る」をホワイトハウスで披露する。『ローリング・ストーン』誌によると、オバマ大統領はディランのたたずまいをこう語った。「ディランを好きなのはこういうところだ——彼は彼がそうあってほしいと誰かが思うまさにそんなふうに見える。彼はリハーサルには来なかった……写真をわたしと一緒には撮られたがらなかった……ただ入ってきて『時代は変る』をやった。美しい演奏だった……曲を終え、ステージを降りると——わたしは最前列にいた——彼はこちらに近づいてきて、わたしの手を握り、首を傾げて、ちょっと笑ってみせ、立ち去った。それきりだった……そしてわたしは思った、ボブ・ディランにはこうあってほしかったんじゃないか？　彼には満面の笑みは浮かべてほしくなかった。この計画全体にすこしは懐疑的であってほしかった。だからあれは本物の振る舞いだったんだ」

8月、自身のラジオ番組で、自分の声をカーナビの音声として使うことについて「いくつかの車会社と話し合い中」だと発言するが、こう付け加える。「でもやるべきじゃないだろう、わたしがどこに行こうと、行きつくところは結局いつもロンリー・アヴェニューだからだ」

9月、dylancover.comがディランの曲のカヴァー3万1000曲をリストアップする。

10月、『ザ・ブートレッグ・シリーズ第9集：ザ・ウィットマーク・デモ』発売。

2011年

4月、北京工人体育館にて初の中国公演。セットリストは政府の承認を受けた。

5月、マインツ大学、ウィーン大学、ブリストル大学で、ディランの70歳の誕生日（24日）を記念したシンポジウム。

10月、ディランのレーベル、エジプシャン・レコーズがハンク・ウィリアムスの未発表曲をあつめたThe Lost Notebooks of Hank Williamsをリリース。ディランが監修を助け、1953年のウィリアムスの死によって未完になっていた曲は完成され、レコーディングはジェイコブ・ディラン、リヴォン・ヘルム、ノラ・ジョーンズ、ディラン本人らによってなされた。

2012年

5月、ホワイトハウスのセレモニーで、大統領自由勲章——アメリカの市民の最高の栄誉である——をオバマから受ける。オバマは言った、「アメリカの音楽史上でこれほど大きな巨人はいない」

10月、マーク・ノップラーとともに33公演を行うツアーを開始。

2013年

5月、アメリカ文学芸術アカデミーに入会。ミュージシャンがこれほど讃えられたのははじめてのことである。

6月、フランスの最高勲章、レジオンドヌール勲章のディランへの授与が認められる。ディランは1990年に、これより下位の芸術文化勲章を与えられている。

8月、ディランによる12のパステル画がロンドンのナショナル・ポートレイト・ギャラリーで展示される。

11月、ディランによる彫刻Mood Swings: Seven Iron Gatesがロンドンのハルシオン・ギャラリーで展示される。

12月、オークションハウス「クリスティーズ」によって、1965年のニューポートでのエレクトリック・セットでディランが使ったと名高いフェンダー・ストラトキャスターが96万5千ドルで売却される。当人はコンサートのあとそれを自家用機に乗せたまま再び使うことはなかった。

2014年

2月、スーパーボウルのあいまに映されるクライスラー200のCMに登場する。これは企業の利害に迎合したと非難された。

6月、「サザビーズ」によって、「ライク・ア・ローリング・ストーン」の下書き原稿が200万ドルで売却される。

10月、サイモン&シュスター社が大型の、960頁にわたるThe Lyrics 1961-2012を出版。サイン入りの限定50部は5万ドルで売られた。

11月、大勢の人数を前提とした出来事をひとりで体験するとどうなるかという企画のシリーズ番組「Experiment Ensam」の一環で、スウェーデンのテレビスターフレドリック・ウィキングソンだけにむけパフォーマンスをする。このイベントはフィラデルフィアのアカデミー・オブ・ミュージックで行われ、ディランは「ブルーベリー・ヒル」や「ハートビート」を披露した。

2015年

5月、「デイヴィッド・レターマン・ショー」四度目の出演で、「ザ・ナイト・ウィ・コール・イット・ア・デイ」を披露。

10月、人工知能システム「ワトソン」のためのIBMのCMに出演。コンピューターは彼に言う、「わたしの分析によれば、あなたの主要なテーマは、時は過ぎ去るということと、愛は移ろう、ということですね」。ディランは答える、「そんな気がする」

2016年

3月、キャリアを通じた6000の品々を含むボブ・ディランのアーカイヴがジョージ・カイザー・ファミリー財団とタルサ大学のもとに売却される。それらはタルサ大学のHelmerich Center for American Researchに保管され、研究者がアクセスできるほか、一般にも公開される予定である。

6月、モハメド・アリ死去。ディランのコメント:「世界にいるあらゆる人間に歓びを与えるのが偉大であるなら、彼こそ最も偉大な人物だった。あらゆる意味で彼は勇敢であり、優しく、素晴らしい人だった」。アリは1976年1月にマディソン・スクエア・ガーデンで行われたローリング・サンダー・レヴュー中のベネフィット・コンサート「ナイト・オブ・ハリケーン」にもあらわれていた。

10月、「偉大なアメリカの歌の伝統に新たな詩的表現を生み出した」のが認められ、ノーベル文学賞受賞。避けがたく長引いた沈黙ののち、彼はスウェーデン・アカデミーの事務次官サラ・ダニアスに電話をかけた。「この名誉をうれしく思っています。ノーベル賞のニュースに言葉を失っていました」

ローリング・ストーンズ、ポール・マッカートニー、ザ・フー、ロジャー・ウォーターズそしてニール・ヤングとともに、カリフォルニア州インディオのエンパイア・ポロ・クラブで開催されたフェス「デザート・トリップ」で演奏。

11月、ノーベル賞受賞者にむけてのオバマによるホワイトハウスへの招待を断る。

12月「先約」があったために、ストックホルムのノーベル賞授賞式を欠席。賞は彼の代理人が受け取った。

主な録音作品

今や半世紀となったディランのレコーディングのキャリアを考えると、この一覧表は厳選する必要があり、彼の名前が載った全ての既存のレコーディング作品の詳細を掲載することはできない。そのため、ここではオリジナルスタジオアルバムを中心として年代順に記載した。特に重要な「ベスト盤」については（有名な曲のリストと共に）一覧表に含めたが、シングル、EPやブートレッグは入れていない。彼がゲストとして参加した多くの作品のなかから厳選したアルバムは後半に掲載している。果てしなく続く（と願いたい）ブートレッグ・シリーズも掲載したが、他には収録されていない彼個人の曲のみを載せている。括弧で記載されている年はオリジナル盤がリリースされた年で、●はライヴアルバムである。

このディスコグラフィーは以下のサイトを参照し編纂した。bobdylan.com——こちらのサイトはオフィシャルな作品が広範囲にわたる曲の歌詞とともに掲載されている。また、expectingrain.comも非常に重要なサイトで、さらにsearchingforagem.comは今では入手不可能なディランのあらゆるオフィシャルな作品だけを扱った驚くべきサイトである。

『ボブ・ディラン』（1962年）
彼女はよくないよ
ニューヨークを語る
死にかけて
いつも悲しむ男
死をみつめて
プリティ・ペギー・オウ
ハイウェイ51
ゴフペル・プラウ
連れてってよ
朝日のあたる家
貨物列車のブルース
ウディに捧げる歌
僕の墓をきれいにして

『フリーホイーリン・ボブ・ディラン』（1963年）
風に吹かれて
北国の少女
戦争の親玉
ダウン・ザ・ハイウェイ
ボブ・ディランのブルース
はげしい雨が降る
くよくよするなよ
ボブ・ディランの夢
オックスフォード・タウン
第3次世界大戦を語るブルース
コリーナ・コリーナ
ワン・モア・チャンス
アイ・シャル・ビー・フリー

『時代は変る』（1964年）
時代は変る
ホリス・ブラウンのバラッド
神が味方
いつもの朝に
ノース・カントリー・ブルース
しがない歩兵
スペイン革のブーツ
船が入ってくるとき
ハッティ・キャロルの寂しい死
哀しい別れ

『アナザー・サイド・オブ・ボブ・ディラン』（1964年）
オール・アイ・リアリー・ウォント
黒いカラスのブルース
スパニッシュ・ハーレム・インシデント
自由の鐘
アイ・シャル・ビー・フリー No.10
ラモーナに
悪夢のドライブ
マイ・バック・ペイジズ
アイ・ドント・ビリーヴ・ユウ
Dのバラッド
悲しきベイブ

『ブリンギング・イット・オール・バック・ホーム』（1965年）
サブタレニアン・ホームシック・ブルース
シー・ビロングズ・トゥ・ミー
マギーズ・ファーム
ラヴ・マイナス・ゼロ／ノー・リミット
アウトロー・ブルース
オン・ザ・ロード・アゲイン
ボブ・ディランの115番目の夢
ミスター・タンブリン・マン
エデンの門
イッツ・オールライト・マ
イッツ・オール・オーバー・ナウ、ベイビー・ブルー

『追憶のハイウェイ61』（1965年）
ライク・ア・ローリング・ストーン
トゥームストーン・ブルース
悲しみは果てしなく
ビュイック6型の想い出
やせっぽちのバラッド
クイーン・ジェーン
追憶のハイウェイ61
親指トムのブルースのように
廃墟の街

『ブロンド・オン・ブロンド』（1966年）
雨の日の女
プレッジング・マイ・タイム
ジョアンナのヴィジョン
スーナー・オア・レイター
アイ・ウォント・ユー
メンフィス・ブルース・アゲイン
ヒョウ皮のふちなし帽
女の如く
我が道を行く
時にはアキレスのように
アブソリュートリー・スイート・マリー
フォース・タイム・アラウンド
5人の信者達
ローランドの悲しい目の乙女

『グレーテスト・ヒット第1集』（1967年）
寂しき4番街（1965年のシングル）

『ジョン・ウェズリー・ハーディング』（1967年）
ジョン・ウェズリー・ハーディング
ある朝でかけると
聖オーガスティンを夢でみた
見張塔からずっと
フランキー・リーとジュダス・プリーストのバラッド
漂流者の逃亡
拝啓地主様
おれはさびしいホーボー
あわれな移民
悪意の使者
入江にそって
アイル・ビー・ユア・ベイビー・トゥナイト

『ナッシュヴィル・スカイライン』（1969年）
北国の少女（ジョニー・キャッシュとのデュエット）
ナッシュヴィル・スカイライン・ラグ
トゥ・ビー・アローン・ウィズ・ユー
アイ・スリュー・イット・オール・アウェイ
ペギー・デイ
レイ・レディ・レイ
ワン・モア・ナイト
嘘だと言っておくれ
カントリー・パイ
今宵はきみと

『セルフ・ポートレイト』
オール・ザ・タイアード・ホーシズ
アルバータ#1
忘却の彼方に
デイズ・オブ・フォーティ・ナイン
朝の雨
イン・サーチ・オブ・リトル・セイディ
レット・イット・ビー・ミー
リトル・セイディ
ウギ・ブギ
ベル・アイル（美しい島）
リヴィング・ザ・ブルース
ライク・ア・ローリング・ストーン（1969年のライヴ）
コパー・ケトル
ゴッタ・トラヴェル・オン
ブルー・ムーン
ボクサー
マイティ・クィン（1969年のライヴ）
テイク・ミー・アズ・アイ・アム
マリーへのメッセージ
イッツ・ハーツ・ミー・トゥー
ミンストレル・ボーイ（1969年のライヴ）

シー・ビロングズ・トゥ・ミー（1969年のライヴ）
ウィグワム
アルバータ#2

『新しい夜明け』（1970年）
イフ・ナット・フォー・ユー
せみの鳴く日
時はのどかに流れゆく
ジプシーに会いに行った
ウィンタールード
イフ・ドッグズ・ラン・フリー
新しい夜明け
サイン・オン・ザ・ウィンドウ
ワン・モア・ウィークエンド
ザ・マン・イン・ミー
3人の天使
ファーザー・オブ・ナイト

『グレーテスト・ヒット第2集』（1971年）
河のながれを見つめて（1971年のシングル）
明日は遠く（1963年のライヴ）
マスターピース（1971年に録音）
アイ・シャル・ビー・リリースト（1971年に録音）
どこにも行けない（1971年に録音）
ダウン・イン・ザ・フラッド（1971年に録音）

『パット・ギャレット＆ビリー・ザ・キッド』（サウンドトラック、1973年）
メイン・タイトル・テーマ（ビリー）
酒場のテーマ
ビリー・ザ・キッド・1
小屋のテーマ
河のテーマ
七面鳥狩り
天国への扉
ファイナル・テーマ
ビリー・ザ・キッド・4
ビー・ザ・キッド・7

『ディラン』（1973年）
西部のユリ
好きにならずにいられない
サラ・ジェーン
バラッド・オブ・アイラ・ヘイズ
ミスター・ボーシャングルズ
メリー・アン
ビッグ・イエロー・タクシー
フール・サッチ・アズ・アイ
スペイン語は愛の言葉

『プラネット・ウェイヴズ』（1974年）
こんな夜に
ゴーイング・ゴーイング・ゴーン
タフ・ママ
ヘイゼル
君の何かが
いつまでも若く（スロー）
いつまでも若く
悲しみの歌
天使のような君
さよならと云わないで
ウェディング・ソング

『偉大なる復活』●（ボブ・ディラン／ザ・バンド、1974年）
我が道を行く
レイ・レディ・レイ
雨の日の女
天国への扉
悲しきベイブ
やせっぽちのバラッド
くよくよするなよ
女の如く
イッツ・オールライト・マ
見張塔からずっと
追憶のハイウェイ61
ライク・ア・ローリング・ストーン
風に吹かれて
（その他はザ・バンドによる楽曲）

『血の轍（ブラッド・オン・ザ・トラックス）』（1975年）
ブルーにこんがらがって
運命のひとひねり
きみは大きな存在
愚かな風
おれはさびしくなるよ
朝に会おう
リリー、ローズマリーとハートのジャック
彼女にあったら、よろしくと
嵐からの隠れ場所
雨のバケツ

『地下室（ベースメント・テープス』（1975年——録音は1967年）
オッズ・アンド・エンズ

100万ドルさわぎ
アカプルコへ行こう
ロー・アンド・ビホールド
リンゴの木
おねがいヘンリー夫人
怒りの涙
おもいぞパンのビン
堤防決壊（ダウン・イン・ザ・フラッド）
タイニー・モントゴメリー
どこにも行けない
なにもはなされなかった
ドアをあけて
長距離電話交換手
火の車
（その他はザ・バンドによる楽曲）

『欲望』（1976年）
ハリケーン
イシス
モザンビーク
コーヒーもう一杯
オー、シスター
ジョーイー
ドゥランゴのロマンス
ブラック・ダイアモンド湾
サラ

『激しい雨』●（1976年）
マギーズ・ファーム
いつもの朝に
メンフィス・ブルース・アゲイン
オー、シスター
レイ・レディ・レイ
嵐からの隠れ場所
きみは大きな存在
アイ・スリュウ・イット・オール・アウェイ
愚かな風

『MASTERPIECE』（1978年、オーストラリア輸入盤）
ゴチャマゼの混乱（1962年に録音）
親指トムのブルースのように（1966年にライヴヴァージョンがB面に収録されている）
スペイン語は愛の言葉（1971年にB面に収録されている）
ジョージ・ジャクソン（1971年のシングル）
リタ・メイ（1976年にB面に収録されている）

『ストリート・リーガル』（1978年）
チェンジング・オブ・ザ・ガード
ニュー・ポニー
ノー・タイム・トゥ・シンク
ベイビー・ストップ・クライング
イズ・ユア・ラヴ・イン・ヴェイン
セニョール（ヤンキー・パワーの話）
トゥルー・ラヴ・テンズ・トゥ・フォゲット
ウィ・ベター・トーク・ディス・オーバー
ホェア・アー・ユー・トゥナイト（暗い熱気を旅して）

『武道館』●（1979年）
ミスター・タンブリン・マン
嵐からの隠れ場所
ラヴ・マイナス・ゼロ
やせっぽちのバラッド
くよくよするなよ
マギーズ・ファーム
コーヒーもう一杯
ライク・ア・ローリング・ストーン
アイ・シャル・ビー・リリースト
イズ・ユア・ラヴ・イン・ヴェイン
ゴーイング、ゴーイング、ゴーン
風に吹かれて
女の如く
オー、シスター
運命のひとひねり
見張塔からずっと
アイ・ウォント・ユー
オール・アイ・リアリー・ウォント
天国への扉
イッツ・オールライト・マ
いつまでも若く
時代は変る

『スロー・トレイン・カミング』（1979年）
ガッタ・サーヴ・サムバディ
プレシャス・エンジェル
アイ・ビリーヴ・イン・ユー
スロー・トレイン
ゴナ・チェンジ・マイ・ウェイ・オブ・シンキング
ドゥ・ライト・トゥ・ミー・ベイビー
ホェン・ユー・ゴナ・ウェイク・アップ
マン・ゲイヴ・ネームズ・トゥ・オール・ジ・アニマルズ
ホェン・ヒー・リターンズ

『セイヴド』（1980年）
ア・サティスファイド・マインド
セイヴド
コヴィナント・ウーマン
ホワット・キャン・アイ・ドゥ・フォー・ユー
ソリッド・ロック
プレッシング・オン
イン・ザ・ガーデン
セイヴィング・グレイス
アー・ユー・レディ

『ショット・オブ・ラヴ』（1981年）
ショット・オブ・ラヴ
ハート・オブ・マイン
プロパティ・オブ・ジーザス
レニー・ブルース
ウォータード・ダウン・ラヴ
ザ・グルームズ・スティル・ウェイティング・アット・ジ・オルター
デッド・マン、デッド・マン
イン・ザ・サマータイム
トラブル
エヴリィ・グレイン・オブ・サンド

『インフィデル』（1983年）
ジョーカーマン
スウィートハート
ネイバーフッドの暴れ者
ライセンス・トゥ・キル
マン・オブ・ピース
ユニオン・サンダウン
アイ・アンド・アイ
ドント・フォール・アパート・オン・ミー・トゥナイト

『リアル・ライヴ』●（1984年）
追憶のハイウェイ61
マギーズ・ファーム
アイ・アンド・アイ
ライセンス・トゥ・キル
悲しきベイブ
ブルーにこんがらがって
戦争の親玉
やせっぽちのバラッド
北国の少女
トゥームストーン・ブルース

『エンパイア・バーレスク』（1985年）
タイト・コネクション
シーイング・リアル・ユー・アット・ラスト
アイル・リメンバー・ユー
クリーン・カット・キッド
ネヴァー・ゴナ・ビー・ザ・セイム・アゲイン
トラスト・ユアセルフ
エモーショナリィ・ユアーズ
フォーリング・フロム・ザ・スカイ
サムシングス・バーニング・ベイビー
ダーク・アイズ

『バイオグラフ』（1985年）
アイル・キープ・イット・ウィズ・マイン（1965年に録音）
パーシーズ・ソング（1963年に録音）
ゴチャマゼの混乱（1962年のシングル）
レイ・ダウン・ユア・ウィアリー・チューン（1963年に録音）
アイ・ドント・ビリーヴ・ユウ（1966年のライヴ）
ジョアンナのヴィジョン（1966年のライヴ）
マイティ・クイン（1967年に録音）
きみは大きな存在（1974年に録音）
アバンダンド・ラヴ（1975年に録音）
イッツ・オール・オーバー・ナウ、ベイビー・ブルー（1966年のライヴ）
窓からはい出せ（1965年のシングル）
イシス（1975年のライヴ）
ジェット・パイロット（1965年に録音）
カリビアン・ウィンド（1981年に録音）
アップ・トゥ・ミー（1974年に録音）
ベイビー、アイム・イン・ザ・ムード・フォー・ユー（1962年に録音）
アイ・ウォナ・ビー・ユア・ラヴァー（1965年に録音）
ハート・オブ・マイン（1981年のライヴ）
ドゥランゴのロマンス（1975年のライヴ）
いつまでも若く（1973年に録音）

『ノックト・アウト・ローデッド』（1986年）
ランブル
ゼイ・キルド・ヒム
ドリフティン・トゥー・ファー
プレシャス・メモリーズ
メイビー・サムデイ
ブラウンズヴィル・ガール
マイ・マインド・メイド・アップ
アンダー・ユア・スペル

『ダウン・イン・ザ・グルーヴ』(1988年)
レッツ・スティック・トゥゲザー
ホウェン・ディド・ユー・リーヴ・ヘヴン
サリー・スー・ブラウン
デス・イズ・ノット・ジ・エンド
ハッド・ア・ドリーム・アバウト・ユー
アグリエスト・ガール
シルヴィオ
ナインティ・マイルズ・アン・アワー
シェナンドーア
ランク・ストレンジャー・トゥ・ミー

『ディラン&ザ・デッド/ライヴ』● (1989年)
スロー・トレイン
アイ・ウォント・ユウ
ガッタ・サーヴ・サムバディ
クィーン・ジェーン
ジョーイ
見張塔からずっと
天国への扉

『オー・マーシー』(1989年)
ポリティカル・ワールド
涙零れて
エヴリシング・イズ・ブロークン
鐘を鳴らせ
黒いコートの男
モスト・オブ・ザ・タイム
ホワット・グッド・アム・アイ?
自惚れの病
お前の欲しいもの
シューティング・スター

『アンダー・ザ・レッド・スカイ』(1990年)
ウィグル・ウィグル
アンダー・ザ・レッド・スカイ
アンビリーヴァブル
ボーン・イン・タイム
T.V.・トーキン・ソング
テン・サウザンド・メン
ツー・バイ・ツー
ゴッド・ノウズ
ハンディ・ダンディ
キャッツ・イン・ザ・ウェル

『ブートレッグ・シリーズ第1〜3集』(1991年)
辛いニューヨーク(1961年に録音)
友だちだった彼(1961年に録音)
路上の男(1961年に録音)
競売はたくさんだ(1962年のライヴ)
ハウス・カーペンター(1961年に録音)
ベア・マウンテン・ピクニック大虐殺ブルース(1962年に録音)
レット・ミー・ダイ・イン・マイ・フットステップス(1962年に録音)
ランブリング、ギャンブリング・ウィリー(1962年に録音)
ハヴァ・ナギラ・ブルース(1962年に録音)
なさけないことはやめてくれ(1962年に録音)
ウォリィド・ブルース(1962年に録音)
キングスポート・タウン(1962年に録音)
その道をくだって(1963年に録音)
ウォールズ・オブ・レッド・ウィング(1963年に録音)
パス・オブ・ヴィクトリィー(1963年に録音)
ジョン・バーチ・パラノイド・ブルース(1963年のライヴ)
デイビー・ムーアを殺したのは誰?(1963年のライヴ)
オンリー・ア・ホーボー(1963年に録音)
ムーンシャイナー(1963年に録音)
船が入ってくるとき(1963年に録音)
時代は変る(1963年に録音)
ウディ・ガスリーへの最後の想い(1963年のライヴ)
七つののろい(1963年に録音)
エターナル・サークル(1963年に録音)
スージーの歌(1963年に録音)
ママ、ユー・ビーン・オン・マイ・マインド(1964年に録音)
さらば、アンジェリーナ(1965年に録音)
サブタレニアン・ホームシック・ブルース(1965年に録音)
出ていくのなら(1965年に録音)
有刺鉄線の上で(1965年に録音)
ライク・ア・ローリング・ストーン(1965年に録音)
悲しみは果てしなく(1965年に録音)
アイル・キープ・イット・ウィズ・マイン(1966年に録音)
シーズ・ユア・ラヴァー・ナウ(1966年に録音)
アイ・シャル・ビー・リリースト(1967年に録音)
サンタフェ(1967年に録音)
イフ・ナット・フォー・ユー(1970年に録音)
ウォールフラワー(1971年に録音)

あなたのほかは（1973年に録音）
ブルーにこんがらがって（1974年に録音）
コール・レター・ブルース（1974年に録音）
愚かな風（1974年に録音）

彼女に会ったら、よろしくと（1974年に録音）
金の櫂（1975年に録音）
キャットフィッシュ（1975年に録音）
セヴン・デイズ（1976年に録音）
イェ・シャル・ビー・チェンジド（1979年に録音）
エヴリー・グレイン・オブ・サンド（1980年に録音）
ユー・チェンジド・マイ・ライフ（1981年に録音）
女がいるのさ（1981年に録音）
アンジェリーナ（1981年に録音）
私をとりこにした人（1983年に録音）
テル・ミー（1983年に録音）
ロード・プロテクト・マイ・チャイルド（1983年に録音）
フット・オブ・プライド（1983年に録音）
ブラインド・ウィリー・マクテル（1983年に録音）
フォーリング・フロム・ザ・スカイ（1985年に録音）
夢のつづき（1989年に録音）

『グッド・アズ・アイ・ビーン・トゥ・ユー』（1992年）
フランキーとアルバート
ジム・ジョーンズ
ブラックジャック・デイヴィ
キャナディ・アイ・オウ
オン・トップ・オブ・ザ・ワールド（幸せいっぱい）
リトル・マギー
辛い時代
ステッピアップ・アンド・ゴウ
あしたの晩
アーサー・マクブライド
別れるっていうんだね
ダイアモンド・ジョウ
蛙の求婚

『30～トリビュート・コンサート』●（1993年）
イッツ・オールライト・マ
マイ・バック・ペイジズ
天国への扉
北国の少女
（その他の収録曲は他のアーティストたちによって歌われている）

『奇妙な世界に』（1993年）
奇妙な世界に
ラヴ・ヘンリー
ラグド＆ダーティ
ブラッド・イン・マイ・アイズ
壊れた機関車
デリア
スタッカ・リー
二人の兵士
ジャッカ・ロウ
孤独な巡礼

『ＭＴＶアンプラグド』（1995年）
トゥームストーン・ブルース
シューティング・スター
見張塔からずっと
時代は変る
ジョン・ブラウン
雨の日の女
廃墟の街
ディグニティ
天国への扉
ライク・ア・ローリング・ストーン
神が味方

『タイム・アウト・オブ・マインド』（1997年）
ラヴ・シック
ダート・ロード・ブルース
スタンディング・イン・ザ・ドアウェイ
ミリオン・マイルズ
トライン・トゥ・ゲット・トゥ・ヘヴン
ティル・アイ・フェル・イン・ラヴ・ウィズ・ユー
ノット・ダーク・イェット
コールド・アイアンズ・バウンド
メイク・フィール・マイ・ラヴ
キャント・ウェイト
ハイランズ

『ボブ・ディラン／ロイヤル・アルバート・ホール』●（1998年）
シー・ビロングス・トゥ・ミー
フォース・タイム・アラウンド
ジョアンナのヴィジョン
イッツ・オール・オーバー・ナウ
廃墟の街
女の如く

ミスター・タンブリン・マン
テル・ミー・ママ
アイ・ドント・ビリーヴ・ユー
連れてってよ
親指トムのブルースのように
ヒョウ皮のふちなし帽
いつもの朝に
やせっぽちのバラッド
ライク・ア・ローリング・ストーン

『エッセンシャル・ボブ・ディラン』(2001年)
ディグニティ
シングス・ハヴ・チェンジド

『ボブ・ディラン・ライヴ！ 1961-2000 ～39イヤーズ・オブ・グレート・コンサート・パフォーマンス』●(2001年)
サムバディ・タッチド・ミー(2000年)
ウェイド・イン・ザ・ウォーター(1961年)
ラモーナに(1965年)
グランド・クーリー・ダム(1968年)
デッド・マン、デッド・マン(1981年)
コールド・アイアンズ・バウンド(1997年)
ボーン・イン・タイム(1998年)
カントリー・パイ(2000年)
シングス・ハヴ・チェンジド(2000年)

『ラヴ・アンド・セフト』(2001年)
トゥイードル・ディー＆トゥイードル・ダム
ミシシッピ
サマー・デイズ
バイ・アンド・バイ
ロンサム・デイ・ブルース
フローター(トゥ・マッチ・トゥ・アスク)
ハイ・ウォーター(フォー・チャーリー・パットン)
ムーン・ライト
オネスト・ウイズ・ミー
ポー・ボーイ
クライ・ア・ホワイル
シュガー・ベイビー

『ボブ・ディラン・ライヴ１９７５：ローリング・サンダー・レヴュー』●(2002年)
今宵はきみと
悲しきベイブ
はげしい雨が降る
ハッティ・キャロルの寂しい死
ドゥランゴのロマンス
イシス
ミスター・タンブリン・マン
運命のひとひねり
風に吹かれて
ママ、ユー・ビーン・オン・マイ・マインド
アイ・シャル・ビー・リリースト
イッツ・オール・オーヴァー・ナウ、ベイビー・ブルー
ラヴ・マイナス・ゼロ/ノー・リミット
ブルーにこんがらがって
ザ・ウォーター・イズ・ワイド
悲しみは果てしなく
オー、シスター
ハリケーン
コーヒーもう一杯
サラ
女の如く
天国への扉

『ディランの頭のなか』(サウンドトラック、2003年)
ダウン・イン・ザ・フラッド(堤防決壊)(新ヴァージョン)
ダイアモンド・ジョー(新ヴァージョン)
ディキシー(新ヴァージョン)
コールド・アイアンズ・バウンド(新ヴァージョン)
(その他の収録曲は他のアーティストたちによって歌われている)

『ボブ・ディラン・ライヴ1964：アット・フィルハーモニック・ホール』●(2004年)
時代は変わる
スパニッシュ・ハーレム・インシデント
ジョン・バーチ・パラノイド・ブルース
ラモーナに
デイビー・ムーアを殺したのは誰？
エデンの門
出いくのなら
イッツ・オールライト・マ
アイ・ドント・ビリーヴ・ユウ
ミスター・タンブリン・マン
はげしい雨が降る
第3次世界対戦を語るブルース
くよくよするなよ
ハッティ・キャロルの寂しい死
ママ、ユー・ビーン・オン・マイ・マインド

銀の剣
神が味方
悲しきベイブ
オール・アイ・リアリー・ウォント（ジョーン・バエズとの共演）

『ボブ・ディラン：ノー・ディレクション・ホーム：サウンドトラック』（2005年）
ホエン・アイ・ガット・トラブルズ（1959年に録音）
ランブラー、ギャンブラー（1960年に録音）
我が祖国（1961年のライヴ）
ディンクス・ソング（1961年に録音）
アイ・ワズ・ヤング・ホエン・アイ・レフト・ホーム（1961年に録音）
サリー・ギャル（1962年に録音）
くよくよするなよ（1963年に録音）
いつも悲しむ男（1963年に録音）
風に吹かれて（1963年のライヴ）
戦争の親玉（1963年のライヴ）
はげしい雨が降る（1963年のライヴ）
船が入ってくるとき（1963年のライヴ）
ミスター・タンブリン・マン（1964年に録音）
自由の鐘（1964年のライヴ）
イッツ・オール・オーヴァー・ナウ、ベイビー・ブルー（1965年に録音）
シー・ビロングズ・トゥ・ミー（1965年に録音）
マギーズ・ファーム（1965年に録音）
悲しみは果てしなく（1965年に録音）
トゥームストーン・ブルース（1965年に録音）
親指トムのブルースのように（1965年に録音）
廃墟の街（1965年に録音）
追憶のハイウェイ６１（1965年に録音）
ヒョウ皮のふちなし帽（1966年に録音）
メンフィス・ブルース・アゲイン（1966年に録音）
ジョアンナのヴィジョン（1965年に録音）
やせぽっちのバラッド（1966年のライヴ）
ライク・ア・ローリング・ストーン（1966年のライヴ）

『Live at The Gaslight 1962』●（2005年）
はげしい雨が降る
岩と砂利
くよくよするなよ
カッコウ
ムーンシャイナー
ハンサム・モーリー
コカイン
ジョン・ブラウン
バーバラ・アレン
ウエスト・テキサス

『モダン・タイムズ』（2005年）
サンダー・オン・ザ・マウンテン
スピリット・オン・ザ・ウォーター
ローリン・アンド・タンブリン
ホェン・ザ・ディール・ゴーズダウン
サムデイ・ベイビー
ワーキングマンズ・ブルース #2
ビヨンド・ザ・ホライズン
ネティ・ムーア
ザ・レヴィーズ・ゴナ・ブレイク
エイント・トーキン

『アイム・ノット・ゼア』（サウンドトラック、2007年）
アイム・ノット・ゼア（1967年）
（その他の収録曲は他のアーティストたちによって歌われている）

『テル・テイル・サインズ』（2008年）
ミシシッピ（1997年に録音）
モスト・オブ・ザ・タイム（1989年に録音）
ディグニティ（1989年、ピアノ・デモ）
サムデイ・ベイビー（2006年に録音）
レッド・リヴァー・ショア（1997年に録音）
テル・オール・ビル（2005年に録音）
ボーン・イン・タイム（1989年に録音）
キャント・ウェイト（1997年に録音）
エヴリシング・イズ・ブロークン（1989年に録音）
ドリーミン・オブ・ユー（1997年に録音）
ハックス・チューン（2006年に録音）
マーチン・トゥ・ザ・シティ（1997年に録音）
ハイ・ウォーター（フォー・チャーリー・パットン）（2003年のライヴ）
ミシシッピ（1997年に録音）
32－20ブルース（1993年に録音）
シリーズ・オブ・ドリームズ（夢のつづき）（1989年に録音）
ゴッド・ノウズ（1989年に録音）
キャント・エスケイプ・フロム・ユー（2005年に録音）
ディグニティ（1989年に録音）
鐘を鳴らせ（1993年のライヴ）
コカイン・ブルース（1997年のライヴ）
エイント・トーキン（2006年に録音）

ザ・ガール・オン・ザ・グリーンブライアー・ショア（1992年のライヴ）
ロンサム・デイ・ブルース（2002年のライヴ）
ミス・ザ・ミシシッピ（1992年に録音）
ザ・ロンサム・リヴァー（1997年に録音）
クロス・ザ・グリーン・マウンテン（2002年に録音）
ダンカン&ブレイディ（1992年に録音）
コールド・アイアンズ・バウンド（2004年のライヴ）
ミシシッピ（1997年に録音）
モスト・オブ・ザ・タイム（1989年に録音）
鐘を鳴らせ（1989年に録音）
シングス・ハヴ・チェンジド（2000年のライヴ）
レッド・リヴァー・ショア（1997年に録音）
ボーン・イン・タイム（1989年に録音）
トライン・トゥ・ゲット・トゥ・ヘヴン（2000年のライヴ）
マーチン・トゥ・ザ・シティ（1997年に録音）
キャント・ウェイト（1997年に録音）
メアリー・アンド・ザ・ソルジャー（1993年に録音）

『トゥゲザー・スルー・ライフ』（2009年）
ビヨンド・ヒア・ライズ・ナッシン
ライフ・イズ・ハード
マイ・ワイフズ・ホーム・タウン
イフ・ユー・エヴァー・ゴー・トゥ・ヒューストン
フォゲットフル・ハート
ジョリーン
ディス・ドリーム・オブ・ユー
シェイク・シェイク・ママ
アイ・フィール・ア・チェンジ・カミン・オン
イッツ・オール・グッド

『クリスマス・イン・ザ・ハート』（2009年）
サンタクロースがやってくる
ドゥ・ユー・ヒア・ホワット・アイ・ヒア？
ウィンター・ワンダーランド
天には栄え
クリスマスを我が家で
リトル・ドラマー・ボーイ
クリスマス・ブルース
神の御子は今宵しも
あなたに楽しいクリスマスを
マスト・ビー・サンタ
シルバー・ベルズ
牧人 羊を
クリスマス・アイランド
ザ・クリスマス・ソング
ああベツレヘムよ

『ザ・ブートレッグ・シリーズ第9集:ザ・ウィットマーク・デモ』（2010年）
路上の男
辛いニューヨーク
プアー・ボーイ・ブルース
バラッド・フォー・ア・フレンド
ランブリング・ギャンブリング・ウィリー
ベア・マウンテン・ピクニック大虐殺ブルース
スタンディング・オン・ザ・ハイウェイ
路上の男
風に吹かれて
ロング・アゴー、ファー・アウェイ
はげしい雨が降る
明日は遠く
ザ・デス・オブ・エメット・ティル
レット・ミー・ダイ・イン・マイ・フットステップス
ホリス・ブラウンのバラッド
なさけないことはやめてくれ
ベイビー、アイム・イン・ザ・ムード・フォー・ユー
バウンド・トゥ・ルーズ・バウンド・トゥ・ウィン
オール・オーヴァー・ユー
アイド・ヘイト・トゥ・ビー・ユー・オン・ザット・デッドフル・デイ
ロング・タイム・ゴーン
ジョン・バーチ・パラノイド・ブルース
戦争の親玉
オックスフォード・タウン
フェアウェル
くよくよするなよ
その道をくだって
アイ・シャル・ビー・フリー
ボブ・ディランのブルース
ボブ・ディランの夢
スペイン革のブーツ
北国の少女
七つののろい
ヒーロー・ブルース
ワッチャ・ゴナ・ドゥ？
ジプシー・ルー
エイント・ゴナ・グリーヴ

ジョン・ブラウン
オンリー・ア・ホーボー
船が入ってくるとき
時代は変る
パス・オブ・ヴィクトリー
ゲス・アイム・ドゥーイング・ファイン
連れてってよ
ママ、ユー・ビーン・オン・マイ・マインド
ミスター・タンブリン・マン
アイル・キープ・イット・ウィズ・マイン

ディランは1962年以降、ゲストとして数多くのアルバムに参加している。以下は、なかでも特に多くの曲が収録されているアルバムである。

『バングラデシュ・コンサート』● (1971年)
はげしい雨が降る
悲しみは果てしなく
風に吹かれて
ミスター・タンブリン・マン
女の如く
(2005年に再販されたCDには『ラヴ・マイナス・ゼロ/ノーリミット』がボーナストラックとして収録されている)

『ラスト・ワルツ』● (1978年)
連れてってよ
アイ・ドント・ビリーヴ・ユウ
いつまでも若く
連れてってよ
アイ・シャル・ビー・リリースト
(2002年に再販されたCDには『ヘイゼル』がボーナストラックとして収録されている)

『トラヴェリング・ウィルベリーズ Vol.1』(1988年)
ハンドル・ウィズ・ケア
ダーティ・ワールド
ラトルド
ラスト・ナイト
もう一人じゃない
コングラチュレイションズ
ヘディング・フォー・ザ・ライト
マルガリータ
トゥイーターとモンキー・マン
エンド・オブ・ザ・ライン
(2007年に再販されたCDには『マキシーン』がボーナストラックとして収録されている)

『トラヴェリング・ウィルベリーズ Vol.3』(1990年)
シーズ・マイ・ベイビー
インサイド・アウト
イフ・ユー・ビロングド・トゥー・ミー
デヴィルズ・ビーン・ビジー
セヴン・デッドリー・シンズ
プア・ハウス
ホエア・ワー・ユー・ラスト・ナイト?
ニュー・ブルー・ムーン
ユー・トゥック・マイ・プレイス・アウェイ
ウィルベリー・ツイスト
(2007年に再販されたCDには『ノーバディズ・チャイルド』と『ランナウェイ』がボーナストラックとして収録されている)

『ロック・オブ・エイジズ』● (2001年)
ダウン・イン・ザ・フラッド(堤防決壊)
マスターピース
ヘンリーには言うな
ライク・ア・ローリング・ストーン
(1972年のザ・バンドのライヴステージを収録したアルバム。再販されたCDには以前は収録されなかったディランの曲がボーナストラックとして入っている)

『BOB DYLAN IN CONCERT: BRANDEIS UNIVERSITY 1963』● (2011年)
ワン・モア・チャンス
ジョン・バーチ・パラノイド・ブルース
ホリス・ブラウンのバラッド
戦争の親玉
第3次世界大戦を語るブルース
ボブ・ディランの夢
ベア・マウンテン・ピクニック大虐殺ブルース

『テンペスト』(2012年)
デューケイン・ホイッスル
スーン・アフター・ミッドナイト
ナロウ・ウェイ
ロング・アンド・ウェイステッド・イヤーズ
ペイ・イン・ブラッド
スカーレット・タウン
アーリー・ローマン・キングズ
ティン・エンジェル
テンペスト
ロール・オン・ジョン

『アナザー・セルフ・ポートレイト（ブートレッグ・シリーズ第10集）[デラックス・エディション]』（2013年）
ジプシーに会いに行った（Demo）
リトル・セイディ (Without Overdubs)
プリティ・サロー (Unreleased)
アルバータ#3 (Alternate Version)
スペイン語は愛の言葉 (Unreleased)
アニーズ・ゴーイング・トゥ・シング・ハー・ソング (Unreleased)
時はのどかに流れゆく#1 (Alternate Version)
オンリー・ア・ホーボー (Unreleased)
ミンストレル・ボーイ (Unreleased)
アイ・スリュー・イット・オール・アウェイ (Alternate Version)
レイルロード・ビル (Unreleased)
サースティー・ブーツ (Unreleased)
ディス・イヴニング・ソー・スーン (Unreleased)
ディーズ・ハンズ (Unreleased)
イン・サーチ・オブ・リトル・セイディ (Without Overdubs)
ハウス・カーペンター (Unreleased)
オール・ザ・タイアード・ホーシズ (Without Overdubs)
イフ・ノット・フォー・ユー (Alternate Version)
ウォールフラワー (Alternate Version)
ウィグワム (Without Overdubs)
デイズ・オブ・フォーティ・ナイン (Without Overdubs)
ワーキング・オン・ア・グルー (Unreleased)
カントリー・パイ (Alternate Version)
アイル・ビー・ユア・ベイビー・トゥナイト (Live with The Band,Isle Of Wight,1969)
追憶のハイウェイ61 (Live with The Band,Isle Of Wight,1969)
コパー・ケトル (Without Overdubs)
ブリング・ミー・ア・リトル・ウォーター (Unreleased)
サイン・オン・ザ・ウィンドウ (With Orchestral Overdubs)
タトル・オデイ (Unreleased)
イフ・ドッグズ・ラン・フリー (Alternate Version)
新しい夜明け (With Horn Section Overdubs)
ジプシーに会いに行った (Alternate Version)
ベル・アイル(美しい島) (Without Overdubs)
時はのどかに流れゆく#2 (Alternate Version)
マスターピース (Demo)

ディスク3[デラックス・エディション]
1969年８月31日、ワイト島フェスティバルLIVE完全版　(2013年、リミックス＆リマスター版)
シー・ビロングズ・トゥ・ミー
アイ・スリュー・イット・オール・アウェイ
マギーズ・ファーム
ワイルド・マウンテン・タイム
悲しきベイブ
ラモーナに
ミスター・タンブリン・マン
聖オーガスティンを夢で見た
レイ・レディ・レイ
追憶のハイウェイ61
いつもの朝に
あわれな移民
ライク・ア・ローリング・ストーン
アイル・ビー・ユア・ベイビー・トゥナイト
マイティ・クイン
ミンストレル・ボーイ
雨の日の女

ディスク４[デラックス・エディション]
1969年にリリースされた『セルフ·ポートレイト』CD（2013年、リマスター版）

『ザ・ベースメント・テープス・コンプリート：ブートレッグ·シリーズ第11集』（2014年）
エッジ・オブ・ジ・オーシャン
マイ・バケッツ・ガット・ア・ホール・イン・イット
ロール・オン・トレイン
ミスター・ブルー
ベルシャザール
忘れじの人
ユー・ウィン・アゲイン
スティル・イン・タウン
ワルツィング・ウィズ・シン
ビッグ・リヴァー (Take 1) (Take 2)
フォルサム・プリズン・ブルース
リムニーのベル
スペイン語は愛の言葉
アンダー・コントロール
オール・ロージン・ボー
アイム・ギルティ・オブ・ラヴィング・ユー
クール・ウォーター

ジ・オールド・トライアングル
ポ・ラザルス
アイム・ア・フール・フォー・ユー (Take 1) (Take 2)
ジョニー・トッド
トゥペロ
キッキン・マイ・ドッグ・アラウンド
シー・ユー・レイター・アレン・ギンズバーグ(Take 1) (Take 2)
タイニー・モンゴメリー
ビッグ・ドッグ
アイム・ユア・ティーンエイジ・プレイヤー
フォー・ストロング・ウィンズ
ザ・フレンチ・ガール(Take 1) (Take 2)
ジョシュア・ゴーン・バルバドス
アイム・イン・ザ・ムード
ベイビー・エイント・ザット・ファイン
ロック・ソルト・アンド・ネイルズ
フール・サッチ・アズ・アイ
ソング・フォー・カナダ
ピープル・ゲット・レディ
アイ・ドント・ハート・エニィモア
ビー・ケアフル・オブ・ストーンズ・ザット・ユー・スロウ
ワン・マンズ・ロス
ロック・ユア・ドア
ベイビー、ウォント・ユー・ビー・マイ・ベイビー
トライ・ミー・リトル・ガール
アイ・キャント・メイク・イット・アローン
ドント・ユー・トライ・ミー・ナウ
ヤング・バット・デイリー・グローイング
ボニー・シップ・ザ・ダイアモンド
ザ・ヒルズ・オブ・メキシコ
ダウン・オン・ミー
ワン・フォー・ザ・ロード
アイム・オールライト
100万ドルさわぎ(Take 1) (Take 2)
おもいぞパンのビン(Take 1) (Take 2)
アイム・ノット・ゼア
おねがいヘンリー夫人
堤防決壊（ダウン・イン・ザ・フラッド）(Take 1) (Take 2)
ロー・アンド・ビホールド(Take 1) (Take 2)
どこにも行けない(Take 1) (Take 2)
アイ・シャル・ビー・リリースト(Take 1) (Take 2)
火の車
なにもないことが多すぎる(Take 1) (Take 2)
怒りの涙(Take 1) (Take 2) (Take 3)
マイティ・クイン(Take 1) (Take 2)
ドアをあけて(Take 1) (Take 2) (Take 3)
なにもはなされなかった(Take 1) (Take 2) (Take 3)
オール・アメリカン・ボーイ
サイン・オン・ザ・クロス
オッズ・アンド・エンズ(Take 1) (Take 2)
ゲット・ユア・ロックス・オフ
物干しづな
リンゴの木(Take 1) (Take 2)
ヘンリーには言うな
バーボン・ストリート
風に吹かれて
いつもの朝に
ア・サティスファイド・マインド
悲しきベイブ
エイント・ノウ・モア・ケイン(Take 1) (Take 2)
マイ・ウーマン・シーズ・ア・リーヴィン
サンタフェ
メアリー・ルー、アイ・ラヴ・ユー・トゥー
ドレス・イット・アップ、ベター・ハヴ・イット・オール
ミンストレル・ボーイ
サイレント・ウィークエンド
ホワッツ・イット・ゴナ・ビー・ホエン・イット・カムズ・アップ
900マイルズ・フロム・マイ・ホーム
ワイルドウッド・フラワー
ワン・カインド・フェイヴァー
シール・ビー・カミング・ラウンド・ザ・マウンテン
イッツ・ザ・フライト・オブ・ザ・バンブルビー
ワイルド・ウルフ
アカプルコへ行こう
ゴナ・ゲット・ユー・ナウ
イフ・アイ・ワー・ア・カーペンター
コンフィデンシャル
オール・ユー・ハヴ・トゥ・ドゥ・イズ・ドリーム(Take 1) (Take 2)
2ドル99セント
ジェリー・ビーン
エニィ・タイム
ダウン・バイ・ザ・ステーション
ハレルヤ、アイヴ・ジャスト・ビーン・ムーヴド
ザッツ・ザ・ブレイクス
プリティ・メアリー

ウィル・ザ・サークル・ビー・アンブロークン
キング・オブ・フランス
シーズ・オン・マイ・マインド・アゲイン
ゴーイング・ダウン・ザ・ロード・フィーリング・バッド
オン・ア・レイニー・アフタヌーン
アイ・キャント・カム・イン・ウィズ・ア・ブロークン・ハート
ネクスト・タイム・オン・ザ・ハイウェイ
ノーザン・クレイム
ラヴ・イズ・オンリー・マイン
シルエット
ブリング・イット・オン・ホーム
カム・オール・イェ・フェア・アンド・テンダー・レディース
ザ・スパニッシュ・ソング(Take 1) (Take 2)
900マイルズ・フロム・マイ・ホーム

『ザ・ベースメント・テープス・コンプリート：ブートレッグ・シリーズ第11集（スタンダード・エディション）』（2014年）
ドアをあけて(Restored version)
オッズ・アンド・エンズ(Alternate version)
100万ドルさわぎ(Alternate version)
いつもの朝に(Unreleased)
アイ・ドント・ハート・エニィモア(Unreleased)
エイント・ノウ・モア・ケイン(Alternate version)
堤防決壊（ダウン・イン・ザ・フラッド）(Restored version)
怒りの涙（Without overdubs）
ドレス・イット・アップ、ベター・ハヴ・イット・オール(Unreleased)
アイム・ノット・ゼア
ジョニー・トッド(Unreleased)
なにもないことが多すぎる(Alternate version)
マイティ・クイン(Quinn The Eskimo) (Restored version)
ゲット・ユア・ロックス・オフ(Unreleased)
サンタフェ
サイレント・ウィークエンド(Unreleased)
物干しづな(Restored version)
おねがいヘンリー夫人(Restored version)
アイ・シャル・ビー・リリースト(Restored version)
どこにも行けない(Alternate version)
ロー・アンド・ビホールド(Alternate version)
ミンストレル・ボーイ
タイニー・モンゴメリー(Without overdubs)
オール・ユー・ハヴ・トゥ・ドゥ・イズ・ドリーム(Unreleased)
アカプルコへ行こう(Without overdubs)
900マイルズ・フロム・マイ・ホーム(Unreleased)
ワン・フォー・ザ・ロード(Unreleased)
アイム・オールライト(Unreleased)
風に吹かれて(Unreleased)
リンゴの木(Restored version)
なにもはなされなかった(Restored version)
フォルサム・プリズン・ブルース(Unreleased)
火の車(Without overdubs)
おもいぞパンのビン(Restored version)
ヘンリーには言うな
ベイビー、ウォント・ユー・ビー・マイ・ベイビー(Unreleased)
サイン・オン・ザ・クロス(Unreleased)
どこにも行けない(Without overdubs)

『シャドウズ・イン・ザ・ナイト』（2015年）
アイム・ア・フール・トゥ・ウォント・ユー
ザ・ナイト・ウィ・コールド・イット・ア・デイ
ステイ・ウィズ・ミー
枯葉
ホワイ・トライ・トゥ・チェンジ・メー・ナウ
魅惑の宵
フル・ムーン・アンド・エンプティ・アームズ
君よいずこ？
ホワット・ル・アイ・ドゥ
ザット・ラッキー・オールド・サン

『ザ・ベスト・オブ・カッティング・エッジ 1965-1966(ブートレッグ・シリーズ第12集)』デラックス・エディション（2015年）
このアルバムには20トラックに及ぶ『ライク・ア・ローリング・ストーン』を含む多くの曲のテイクやリテイク、完全版などが収録されている。

ラヴ・マイナス・ゼロ/ノー・リミット
アイル・キープ・イット・ウィズ・マイン
イッツ・オール・オーバー・ナウ、ベイビー・ブルー
ボブ・ディランの115番目の夢
シー・ビロングズ・トゥ・ミー
サブタレニアン・ホームシック・ブルース
アウトロー・ブルース
オン・ザ・ロード・アゲイン

さらば、アンジェリーナ
出ていくのなら
ユー・ドント・ハフ・トゥ・ドゥ・ザット
カリフォルニア
イッツ・オールライト・マ
ミスター・タンブリン・マン
悲しみは果てしなく
有刺鉄線の上で
トゥームストーン・ブルース
寂しき4番街
廃墟の街
ビュイック6型の想い出
ライク・ア・ローリング・ストーン
窓からはい出せ
追憶のハイウェイ61
親指トムのブルースのように
クイーン・ジェーン
やせっぽちのバラッド
メディシン・サンデー
ジェット・パイロット
アイ・ウォナ・ビー・ユア・ラヴァー
インストゥルメンタル
窓からはい出せ
ジョアンナのヴィジョン
シーズ・ユア・ラヴァー・ナウ
スーナー・オア・レイター
ルナティック・プリンセス
フォース・タイム・アラウンド
ヒョウ皮のふちなし帽
雨の日の女
メンフィス・ブルース・アゲイン
アブソリュートリー・スイート・マリー
女の如く
プレッジング・マイ・タイム
我が道を行く
時にはアキレスのように
アイ・ウォント・ユー
ローランドの悲しい目の乙女

『ザ・ベスト・オブ・カッティング・エッジ 1965-1966(ブートレッグ・シリーズ第12集)』(2015年)

こちらは『ザ・ベスト・オブ・カッティング・エッジ1965-1966(ブートレッグ・シリーズ第12集)』デラックス・エディション(2015年)のハイライト楽曲をまとめたもの。

『フォールン・エンジェルズ』(2016年)

ヤング・アット・ハート
メイビー・ユール・ビー・ゼア
ポルカ・ドッツ・アンド・ムーンビームス
オール・ザ・ウェイ
スカイラーク
ネヴァザレス
オール・オア・ナッシング・アット・オール
オン・ア・リトル・ストリート・イン・シンガポール
イット・ハド・トゥ・ビー・ユー
メランコリー・ムード
ザット・オールド・ブラック・マジック
カム・レイン・オア・カム・シャイン

『The 1966 Live Recordings 2016』●(2016年)

Sydney, April 13, 1966 [Soundboard recorded by TCN 9 TV Australia]
Sydney, April 13, 1966 [Soundboard recorded by TCN 9 TV Australia]
Melbourne, April 20, 1966 [Soundboard / unknown broadcast]
Copenhagen, May 1, 1966 [Soundboard]
Dublin, May 5, 1966 [Soundboard]
Dublin, May 5, 1966 [Soundboard]
Belfast, May 6, 1966 [Soundboard]
Belfast, May 6, 1966 [Soundboard]
Bristol, May 10, 1966 [Soundboard / audience]
Bristol, May 10, 1966 [Soundboard]
Cardiff, May 11, 1966 [Soundboard]
Birmingham, May 12, 1966 [Soundboard]
Birmingham, May 12, 1966 [Soundboard]
Liverpool, May 14, 1966 [Soundboard]
Leicester, May 15, 1966 [Soundboard]
Leicester, May 15, 1966 [Soundboard]
Sheffield, May 16, 1966 [CBS Records recording]
Sheffield, May 16, 1966 [Soundboard]
Manchester, May 17, 1966 [CBS Records recording]
Manchester, May 17, 1966 [CBS Records recording except Soundcheck / Soundboard]
Glasgow, May 19, 1966 [Soundboard]
Edinburgh, May 20, 1966 [Soundboard]
Edinburgh, May 20, 1966 [Soundboard]
Newcastle, May 21, 1966 [Soundboard]
Newcastle, May 21, 1966 [Soundboard]
Paris, May 24, 1966 [Soundboard]
Paris, May 24, 1966 [Soundboard]
London, May 26, 1966 [CBS Records recording]

London, May 26, 1966 [CBS Records recording]
London, May 27, 1966 [CBS Records recording]
London, May 27, 1966 [CBS Records recordings]
White Plains, NY, February 5, 1966 [Audience tape]
Pittsburgh, PA, February 6, 1966 [Audience tape]
Hempstead, NY, February 26, 1966 [Audience tape]
Melbourne, April 19, 1966 [Audience tape]
Stockholm, April 29, 1966 [Audience tape]

『リアル・ロイヤル・アルバート・ホール』●（2016年）

主な参考文献

※ボブ・ディランの著作に関しては原題と邦題を並記。それ以外の本については邦題のみ、邦訳のないものは原題を表記しています。

ボブ・ディランによる著作

Bob Dylan Songbook, New York, 1965.

Tarantula, New York, 1971
(『タランチュラ』片岡義男訳、角川書店、1973年)

Writings and Drawings by Bob Dylan, New York, 1973.
(『ボブ・ディラン全詩集』片桐ユズル・中山容訳、晶文社、1974年)

The Songs of Bob Dylan from 1966 Through 1975, New York, 1976.

Lyrics, 1962–2001, New York, 2004
(『ボブ・ディラン全詩集1962-2001』中川五郎訳、ソフトバンククリエイティブ、2005年)

Chronicles: Volume One, London 2004.
(『ボブ・ディラン自伝』菅野ヘッケル訳、ソフトバンククリエイティブ、2005年)

The Drawn Blank Series, London, 2008.

Hollywood Foto-Rhetoric: The Lost Manuscript (with photographs by Feinstein, Barry), London, 2008.
(『追憶のハリウッド' 60s もうひとつのディラン詩集』中川五郎訳、青土社、2010年。写真:バリー・フェインスタイン)

Forever Young (illustrated by Paul Rogers), London 2008.
(『はじまりの日』アーサー・ビナード訳、岩崎書店、2010年。絵:ポール・ロジャース)

Man Gave Names to All the Animals (illustrated by Jim Arnosky), New York, 2010

Blowin' in the Wind (illustrated by Jon J Muth), New York, 2012

If Dogs Run Free (illustrated by Scott Campbell), New York, 2013

If Not for You (illustrated by David Walker), New York, 2016

The Beaten Path, London, 2016

The Drawn Blank Series: Drawings and Paintings, London, 2013

The Lyrics, New York, 2014

伝記的関連作品

Amendt, Gunter: Reunion Sundown: Bob Dylan in Europa, Munich, 1985.

Cott, Jonathan (editor): Dylan on Dylan: The Essential Interviews, London, 2006.

クライブ・デイビス、ジェームズ・ウィルワース著(1975年)『アメリカ、レコード界の内幕:元CBS社長クライブ・デイビスの告発』我妻広己訳、スイングジャーナル社、1983年

Griffin, Sid: Million Dollar Bash: Bob Dylan, The Band and The Basement Tapes, London, 2007.

—— Shelter from the Storm: Bob Dylan's Rolling Thunder Years, London, 2010.

Gross, Michael and Alexander, Robert: Bob Dylan: An Illustrated History, London, 1978.

Hajdu, David: Positively 4th Street: The Lives and Times of Joan Baez, Bob Dylan, Mimi Fariña and Richard Fariña, London 2001.

Hammond, John, with Townsend, Irving: John Hammond on Record, New York, 1977.

クリントン・ヘイリン著(1988年)『ボブ・ディラン大百科』菅野ヘッケル訳、CBSソニー出版、1990年

Kooper, Al: Backstage Passes: Rock 'n' Roll Life in the Sixties, New York, 1977.

Lee, C P: Like the Night (Revisited): Bob Dylan and the Road to the Manchester Free Trade Hall, London 2004.

D・A・ペネベイカー監督『ドント・ルック・バック』、1968年公開。

サイ・リバコブ、バーバラ・リバコブ著(1966年)『ボブ・ディラン』(池央耿訳、角川文庫、1974年

Robinson, Earl (editor): Young Folk Songbook, New York, 1963.

Rolling Stone (editors): Knockin' on Dylan's

Door: On the Road in ' 74, New York, 1974.
スージー・ロトロ著(2008年)『グリニッチヴィレッジの青春』菅野ヘッケル訳、河出書房新社、2010年
アンソニー・スカデュト著(1973年)『ボブ・ディラン』小林宏明訳、二見書房、1973年
Schmidt, Eric von, and Rooney, Jim: Baby Let Me Follow You Down: The Illustrated Story of the Cambridge Folk Years, New York, 1979.
サム・シェパード著(1977年)『ディランが街にやってきた ローリング・サンダー航海日誌』諏訪優・菅野彰子訳、サンリオ出版、1978年
Sloman, Larry: On the Road with Bob Dylan: Rolling with the Thunder, New York, 2002.
ハワード・スーンズ著(2001年)『ダウン・ザ・ハイウェイ ボブ・ディランの生涯』菅野ヘッケル訳、河出書房新社、2002年
Thompson, Toby: Positively Main Street: An Unorthodox View of Bob Dylan, New York, 1971.
サム・ペキンパー監督、ルディ・ワーリッツァー脚本『ビリー・ザ・キッド/21才の生涯』、1973年公開
Epstein, Daniel Mark: The Ballad of Bob Dylan: A Portrait, London, 2011
Maymudes, Victor, with Maymudes, Jacob: Another Side of Bob Dylan – A Personal History on the Road and off the Tracks, New York 2014

音楽目録的作品

Trager, Oliver: Keys to the Rain: The Definitive Bob Dylan Encyclopedia, New York, 2004.

評論・回想録

Anderson, Dennis: The Hollow Horn: Bob Dylan' s Reception in the United States and Germany, Munich, 1981.
Barker, Derek: Bob Dylan: The Songs He Didn' t Write Under the Influence, New Malden, Surrey, 2008.
ジョン・ボールディ:Bob Dylan and Desire, Manchester, England, 1984.
—— (編1990年)『ボブ・ディラン/指名手配』菅野ヘッケル訳、シンコー・ミュージック、1993年
—— and Gray, Michael: All Across the Telegraph: A Bob Dylan Handbook, London, 1987.
Bowden, Betsy: Performed Literature: Words and Music by Bob Dylan, Bloomington, Indiana, 1982.
Corcoran, Neil: 'Do You, Mr Jones?' Bob Dylan with the Poets and Professors, London, 2002.
Day, Aidan: Jokerman: Reading the Lyrics of Bob Dylan, Oxford, 1988.
Denisoff, Serge: Great Day Coming: Folk Music and the American Left, Urbana, Illinois, 1972.
—— Sing a Song of Social Significance, Bowling Green, Kentucky, 1972.
—— and Peterson, Richard (editors): The Sounds of Social Change: Studies in Popular Culture, Chicago, 1972.
Dettmar, Kevin, J H (editor): The Cambridge Companion to Bob Dylan, Cambridge, England, 2009.
Dickstein, Morris: Gates of Eden: American Culture in the Sixties, New York, 1977.
Diddle, Gavin: Images and Assorted Facts: A Peek Behind the Picture Frame, Manchester, England, 1983.
Ducray, F, Manoeuvre, P, Muller, H, and Vassal, J: Dylan, Paris, 1978.
Fong-Torres, Ben (editor): What' s That Sound? Readings in Contemporary Music, New York, 1976.
Frith, Simon: The Sociology of Rock, London, 1978.
Gans, Terry Alexander: What' s Real and What Is Not: Bob Dylan Through 1964—The Myth of Protest, Munich, 1983.
アンディ・ギル著(1994年)『歌が時代を変えた10年/ボブ・ディランの60年代』五十嵐正訳、シンコー・ミュージック、2001年
—— and Odegard, Kevin: A Simple Twist of Fate: Bob Dylan and the Making of Blood on the Tracks, Cambridge, Massachusetts, 2004.
Goldstein, Richard: The Poetry of Rock, New York, 1968.
—— Goldstein' s Greatest Hits: A Book Mostly About Rock ' n' Roll, Englewood Cliffs, New Jersey, 1970.
Gray, Michael: Song and Dance Man III: The Art of Bob Dylan, London, 2000.
—— The Bob Dylan Encyclopedia, London, 2008.
Hedin, Benjamin (editor): Studio A: The Bob

Dylan Reader, New York, 2004.
Herdman, John: Voice Without Restraint: Bob Dylan' s Lyrics and Their Background, Edinburgh, Scotland, 1982.
Hetmann, Frederik: Bob Dylan: Bericht Uber Einen Songpoeten, Hamburg, 1976.
Heylin, Clinton: Revolution in the Air—The Songs of Bob Dylan Vol 1: 1957-73, London, 2009.
—— Still on the Road - The Songs of Bob Dylan Vol 2: 1974-2008, London 2010.
Humphries, Patrick and Bauldie, John (editors): Absolutely Dylan, New York, 1991.
—— The Complete Guide to the Music Of Bob Dylan, London, 1995.
Karpel, Craig: The Tarantula in Me: A Review of a Title, San Francisco, 1973.
McGregor, Craig (editor): Bob Dylan: A Retrospective, Sydney, 1980.
グリール・マーカス著(1975年)『ミステリー・トレイン—ロック音楽にみるアメリカ像』三井徹訳、第三文明社、1989年
—— Stranded: Rock and Roll for a Desert Island, New York, 1979.
—— Invisible Republic: Bob Dylan' s Basement Tapes, New York, 1997.
—— (原著2005年)『ライク・ア・ローリング・ストーン』菅野ヘッケル訳、白夜書房、2006年
Marqusee, Mike: Chimes of Freedom: The Politics of Bob Dylan' s Art, New York, 2003.
Marshall, Lee: Bob Dylan: The Never-Ending Star, Cambridge, England, 2007.
Mellers, Wilfrid: A Darker Shade of Pale: A Backdrop to Bob Dylan, London, 1984.
Miller, Jim (editor): The Rolling Stone Illustrated History of Rock and Roll, New York, 1977.
Pichaske, David R (editor): Beowulf to Beatles: Approaches to Poetry, New York, 1972.
—— A Generation in Motion: Popular Music and Culture in the Sixties, New York, 1979.
—— Song of the North Country: A Midwest Framework to the Songs of Bob Dylan, New York, 2010
Pickering, Stephen: Bob Dylan Approximately: A Portrait of the Jewish Poet in Search of God, New York, 1975.
—— Bob Dylan Tour 1974, Aptos, California, 1973.
Remond, Alain: Les Chémins de Bob Dylan, Paris, 1971.
Ricks, Christopher: Dylan' s Visions of Sin, London 2003.
Riley, Tim: Hard Rain: A Dylan Commentary, New York 1993.
Rodnitzky, Jerome L: Minstrels of the Dawn: The Folk-Protest Singer as a Cultural Hero, Chicago, 1976.
Schmidt, Mathias R: Bob Dylan' s Message Songs der Sachziger Jahre, Frankfurt, 1982.
Scoboe, Stephen: Alias Bob Dylan Revisited, Calgary, 2003.
Sheehy, Colleen J, and Swiss, Thomas: Highway 61 Revisited: Bob Dylan' s Road from Minnesota to the World, Minneapolis, 2009.
Thomson, Elizabeth M (editor): Conclusions on the Wall: New Essays on Bob Dylan, Manchester, England, 1980.
Thomson, Elizabeth, and Gutman, David (editors): The Dylan Companion, Cambridge, Massachusetts, 2001.
Vassal, Jacques: Electric Children: Roots and Branches of Modern Folk-Rock, New York, 1976.
Wilentz, Sean: Bob Dylan in America, New York, 2010.
Williams, Don: Bob Dylan: The Man, the Music, the Message, New Jersey, 1985.
ポール・ウィリアムズ著(1979年)『ひと粒の砂にさえも』三浦久訳、プレイガイドジャーナル社、1981年
—— (原著1990年)『ボブ・ディラン 瞬間の轍1 1960-1973』菅野彰子訳、菅野ヘッケル監修、音楽之友社、1992年
—— (原著1992年)『ボブ・ディラン 瞬間の轍2 1974-1986』菅野彰子訳、菅野ヘッケル監修、音楽之友社、1993年
—— Bob Dylan: Performing Artist 1986-1990 and Beyond, London, 2005.
Kinney, David: The Dylanologists: Adventures in the Land of Bob, New York, 2014
Wald, Elijah: Dylan Goes Electric: Newport, Seeger, Dylan and the Night that Split the Sixties, New York, 2015

本文に引用された未出版の小論および学位論文

Bliss, Carolyn Jane: Younger Now. Bob Dylan' s Changing World and Vision, unpublished

dissertation, 1976.
Cantor, Louis: Bob Dylan and the Protest Movement of the 1960's: The Electronic Medium is the Apocalyptic Message, unpublished essay.
King, Bill: Bob Dylan: The Artist in the Marketplace, unpublished dissertation.
Levinson, Belle D: The Deranged Seer: The Poetry of Arthur Rimbaud and Bob Dylan, unpublished essay.
Lhamon, W T Jr: Poplore and Bob Dylan and Dada Punk, unpublished essays.
McDonough, Jack: It Takes a Train to Cry, unpublished dissertation.
Pichaske, David: Perspectives on the Self—The Art of Dylan's Middle Period unpublished essay, 1972.
Poague, Leland A: Performance Variables: Some Versions of "It Ain't Me, Babe," unpublished dissertation.
Stelzig, Eugene: Bob Dylan's Career as a Blakean Visionary and Romantic, unpublished dissertation.

絵・写真関連

Bob Dylan (programme book for 1978 European tour), Oxford, 1978.
Cott, Jonathon: Dylan, New York, 1984.
Feinstein, Barry, Kramer, Daniel, and Marshall, Jim: Early Dylan, New York, 1999.
Gilbert, Douglas R, with Dave Marsh: Forever Young: Photographs of Bob Dylan, Cambridge, Massachusetts, 2005.
Kramer, Daniel: Bob Dylan, Secaucus, New Jersey, 1967.
Landy, Elliot: Woodstock Vision, Hamburg, 1984.
Rinzler, Alan: Bob Dylan: The Illustrated Record, New York, 1978.
ロバート・サンテリ（2005年）『ボブ・ディラン スクラップブック 1956-1966』菅野ヘッケル、ソフトバンククリエイティブ、2005年
Shelton, Robert (photographs by David Gahr): The Face of Folk Music, New York, 1968.
Williams, Richard: Dylan: A Man Called Alias, London, 1992.
Cohen, John: Here and Gone: Bob Dylan, Woody Guthrie & the 1960s, Göttingen, 2014
Kramer, Daniel: Bob Dylan: A Year and a Day, London, 2016
Russell, Ted, with Murray, Chris: Bob Dylan NYC 1961-1964, New York, 2014

基本的背景

Allsop, Kenneth: Hard Travellin': The Hobo and His History, New York, 1967.
ジョーン・バエズ著（1968年）『夜明け』小林宏明訳、立風書房、1973年
—— (原著1987年)『ジョーン・バエズ自伝』矢沢寛訳、晶文社、1992年
Bays, Gwendolyn: The Orphic Vision: Seer Poets from Novalis to Rimbaud, Lincoln, Nebraska, 1964.
スティーヴ・ブラッドショー著（1978年）『カフェの文化史』海野弘訳、三省堂、1984年
Campbell, Joseph: Myths to Live By, London, 1972.
Cohen, Ronald D: Rainbow Quest: The Folk Music Revival & American Society 1940-1970, Boston, Massachusetts, 2002
Collins, Judy: Trust Your Heart, Boston, 1987.
DeTurk, David A, and Poulin Jr, A: The American Folk Scene: Dimensions of the Folksong Revival, New York, 1967.
D・K・ダナウェイ著（1981年）『歌わずにはいられない—ピート・シーガー物語』矢沢寛訳、社会思想社、1984年.
—— with Beer, Molly: Singing Out: An Oral History of America's Folk Revivals, New York, 2010.
Dunson, Josh: Freedom in the Air: Song Movements of the '60s. New York, 1965.
Gillett, Charlie: The Sound of the City, London, 1970.
Graves, Robert: The White Goddess: A Historical Grammar of Poetic Myth, London, 1961.
ウディ・ガスリー著（1968年）『ギターをとって弦をはれ』中村稔、吉田廸子訳、晶文社、1975年
Ian Janis: Society's Child, New York, 2008.
Laing, Dave, Dallas, Karl, Denselow, Robin, and Shelton, Robert: The Electric Muse, The Story of Folk into Rock, London, 1975.
Martz, Louis L: The Poetry of Meditation: A Study in English Religious Literature of the Seventeenth Century, New Haven, Connecticut,

1954.
Miles, Barry: Ginsberg: A Biography, London, 1989
モーリス・ナドー著（1965年）『シュールレアリスムの歴史』稲田三吉訳、思潮社、1966年
Newfield, Jack: A Prophetic Minority: The American New Left, London, 1967.
ポール・オリヴァー著（1972年）『ブルースの歴史』米口胡訳、晶文社、1978年
Plowman, Max: An Introduction to the Study of Blake, London, 1967.
シオドア・ローザック著（1970年）『対抗文化の思想―若者は何を創りだすか』稲見芳勝訳、ダイヤモンド社、1972年
Seeger, Pete (compiler and editor): Woody Guthrie Folk Songs, New York, 1963.
Shelton, Robert (editor): Born to Win: Woody Guthrie, New York, 1965.
Weissman, Dick: Which Side Are You On? An Inside History of the Folk Music Revival in America, New York, 2006.
—— Talkin' 'Bout a Revolution: Music and Social Change in America, New York, 2010.
コリン・ウィルソン著（1956年）『アウトサイダー』中村保男訳、紀伊國屋書店、1957年
Arem, Jocelyn (editor): Caffè Lena: Inside America' s Legendary Coffeehouse, Brooklyn, 2013
Foulk, Ray: Stealing Dylan from Woodstock: When the World Came to the Isle of Wight, Surbiton 2015
Goldstein, Richard: Another Little Piece of My Heart: My Life of Rock and Revolution in the '60s, London, 2015
Grant Jackson, Andrew: 1965: The Most Revolutionary Year in Music, New York 2015
Houghton, Mick: I' ve Always Kept a Unicorn: The Biography of Sandy Denny, London 2015
McNally, Dennis: On Highway 61: Music, Race and the Evolution of Cultural Freedom, Berkeley, 2014
Petrus, Stephen, and Cohen, Ronald D: Folk City: New York and the American Folk Revival, New York, 2015
ジョン・サヴェージ（CD）『1966～ザ・イヤー・ザ・ディケード・エクスプローデッド』オムニバス、2015年
Skinner Sawyers, June: Bob Dylan New York, Berkeley, 2011
Sounes, Howard: Notes from the Velvet Underground: The Life of Lou Reed, London 2015
Tippins, Sherill: Inside the Dream Palace: The Life and Times of the Legendary Chelsea Hotel, London, 2014
Warner, Simon, Text and Drugs and Rock 'n' Roll, London, 2013

ウェブサイト

インターネットはボブ・ディランの人生と作品に関心を持つ人びとにとっての貴重な情報源となっている。Googleで検索できる1,500万の参照先のなかでも、特に重要なサイトは以下。

bobdylan.com – the official Dylan website
bjorner.com/bob.htm
expectingrain.com dylancover.com
bobdylanisis.com
positively-bobdylan.com

PICTURE CREDITS

Every effort has been made to trace the copyright holders. The picture editor apologizes for any unintentional omissions and should any such case arise would be pleased to add an appropriate acknowledgment in any further edition of the book.

©Barry Feinstein: 1, 4/5,387,547,606,609,654,822, front cover. ©Harry Goodwin:9, 893. New York Times:13. John Cohen/Getty Images: 19,139. ©Ed Grazda: 25. Michael Ochs Archive/Getty Images: 28,61,254,384,479,483,715,778. Douglas R Gilbert/Redferns/Getty Images: 31,438,439,480,601.604/605. Don Hunstein/Sony BMG Music Entertainment: 64.187,250/251,256,257,309,836. JohnVachon/Getty Images: 67. ©Ted Russell/Polaris/Eyevine: 182. Blank Archives/Getty Images: 183. Marshall Photography LLC: 188. ©John Byrne Cooke: 312. ©Estate of David Gahr: 315,541. Sony BMG Music Entertainment/Getty Images: 436,544. Elliott Landy/Redferns/Getty Images: 657,712. Ken Regan/Camera5 Inc: 781,825. Bill Ray/Time Life/Getty Images:840. Colin Webb: back cover.

Dave Brolan,Picture Editor

【著者】

ロバート・シェルトン　*Robert Shelton*（1926－95年）

1951年に「ニューヨーク・タイムズ」に原稿整理係として入社し、その後50年代半ばから1963年にかけて、スタッフ・ライターとなる。1950年代の終わりには、美術欄でジャズやフォークの批評を書いていた。ブレイクすることを求めてグリニッチ・ヴィレッジのナイトクラブやコーヒーハウスにいた若き才能あふれる人々は、シェルトンがめぐらす批評のアンテナのおかげで、はじめて自分たちの作品がアメリカ全土の注目を集めることとなった。ジュディ・コリンズはシェルトンには「知性と感性と、音楽界や社会的意識の中にある、たぐいまれですばらしいものを見抜く能力」があったと書いている。ポピュラーミュージックの歴史の中で独自の地位にいながらも、シェルトンの人物像はディランの仲間内以外にはほとんど知られていない。しかし、彼はディランの物語における歌わぬヒーローであり、誰よりもずっと前からディランの才能を見抜き、彼を支持してきたのだった。

*

【編者】

エリザベス・トムソン　*Elizabeth Thomson*

「タイムズ」（ロンドン）、「インディペンデント」、「リスナー」、「ニュー・ステーツマン・アンド・ソサイエティ」、「モジョ」で、記事の執筆やインタビューを行っている。『ニューグローヴ世界音楽大辞典』の寄稿者でもあるトムソンは、『コンクルージョンズ・オン・ザ・ウォール：ニュー・エッセイズ・オン・ボブ・ディラン』の編集者であり、ジョン・レノン、ボブ・ディラン、デヴィッド・ボウイの研究書をデヴィッド・ガットマンと共同で編集した。彼女はリヴァプール大学のインスティテュート・オブ・ポピュラー・ミュージックとキングストン大学で講義を行っている。また、オープン・ユニバーシティ・シックスティーズ・リサーチ・グループの客員研究員でもある。イギリスや海外のラジオやテレビ番組に幅広く出演し、フェスティバルでのインタビューも行っており、ロバート・シェルトンの家族とも非常に親しい関係を続けている。

パトリック・ハンフリーズ　*Patrick Humphries*

多くの著作を持つ伝記作家で、ボブ・ディランの伝記を２冊、ブルース・スプリングスティーン、リチャード・トムソン、ポール・サイモン、ニック・ドレイク、そして近年はトム・ウェイツの生涯についての伝記本を書いている。彼の物書きとしての人生は、「ニュー・ミュージカル・エクスプレス」から始まった。以来、「メロディ・メイカー」、「タイムズ」（ロンドン）、「イブニング・スタンダード」、「ボックス」、「ガーディアン」、「モジョ」などで記事を書いている。ボブ・ディラン、ポール・マッカートニー、ジョニー・キャッシュ、ウディ・ガスリー、エルヴィス・プレスリーのアルバムジャケットの解説文も幾度も寄稿している。過去20年にわたって、数多くのＢＢＣのドキュメンタリー番組やラジオ番組に脚本を書いたり、出演したりしており、その中には10のエピソードから構成される「ボブ・ディラン・ストーリー」やディランのドキュメンタリー「ボブズ・ビッグ・フリーズ」がある。

【訳者】

樋口武志　*Takeshi Higuchi*

1985年福岡生まれ。訳書に『マネジャーの最も大切な仕事』（英治出版）、共訳書に『サリンジャー』（角川書店）、字幕翻訳に『ミュータント・ニンジャ・タートルズ：影<シャドウズ>』など。

田元明日菜　*Asuna Tamoto*

1989年生まれ。早稲田大学文化構想学部卒業、同大学院文学研究科現代文芸論系修了。卒業後はフリーランスとして、英語講師、翻訳、ライター、編集、字幕制作業務などに携わる。

川野太郎　*Taro Kawano*

1990年熊本生まれ。訳書にスティーブン・P・キールナン『長い眠り』（西村書店）。

ノー・ディレクション・ホーム

ボブ・ディランの日々と音楽

2018年6月7日　第1刷発行

著　者　ロバート・シェルトン

編　者　エリザベス・トムソン　パトリック・ハンフリーズ

訳　者　樋口武志　田元明日菜　川野太郎

発行者　長谷川 均

編　集　野村浩介

発行所　株式会社ポプラ社

〒160-8565　東京都新宿区大京町22-1
電話　03-3357-2212（営業）　03-3357-2305（編集）
振替　00140-3-149271
一般書事業局ホームページ　www.webasta.jp

印刷・製本　中央精版印刷株式会社

N.D.C. 767　895 p　23cm　ISBN978-4-591-15839-5